LA RUEDA DEL TIEMPO

LA RUEDA DEL TIEMPO

5

CIELO EN LLAMAS

ROBERT JORDAN

minotauro

Título original: *The Fires of Heaven*

© Robert Jordan, 1993

Traducción: © Mila López

© Editorial Planeta, S. A., 2020
Avda. Diagonal 662-664, 08034 Barcelona
www.edicionesminotauro.com
www.planetadelibros.com

Mapa: Ellisa Mitchell
Ilustraciones de interior: Matthew C. Nielsen y Ellisa Mitchell.

ISBN: 978-84-450-0704-4
Depósito legal: B. 2.349-2020
Preimpresión: gama, s.l.
Impreso en España

Para Harriet
La luz de sus ojos es mi Luz

«Con su llegada vuelven a cobrar vida los pavorosos fuegos. Las colinas arden, y la tierra se seca. El decurso de los hombres se agota, y las horas decrecen. El muro está resquebrajado y el velo de la separación, descorrido. Allende el horizonte retumban las tormentas, y los fuegos celestiales purifican el mundo. No existe salvación sin destrucción ni esperanza a este lado de la muerte.»

Fragmento de *Las Profecías del Dragón*
Traducción atribuida a N'Delia Basolaine
Camarera mayor y escudera de Raidhen
de Hol Cuchone alrededor del 400 DD.

La Llaga

Shayol Ghul

Tierras Malditas

Montañas Funestas

Maradon

Chachin

Shol Arbela

desfiladero de Tarwin

Fal Dara

LDAEA

llano de las lanzas

KANDOR

ARAFEL

SHIENAR

Fal Moran

Puerto de Niamh

Colinas Negras

Rio Ivo

Tar Valon

Daga del Verdugo de la Humanidad

Yermo de Aiel

Rio HAEVIN

Rio LUAN

Monte del Dragón

Rio GAELIN

Paso de Tangai

Rhuidean

Pastos de Caralain

Cairhien

COLUMNA VERTEBRAL del Mundo

Bosque de Braem

Rio ALGUENYA

CAIRHIEN

ANDOR

Cuatro Reyes

Caemlyn

Aringill

Puente Blanco

Rio STORN

Kintara

Rio ERININ

Rio JRALELL

Lugard

MU'RANDY

Colinas de

Far Madding

Haddon Mirk

Stedding Shangtai

o de Garen

Rio MANETHERENDRELLE

Rio GREY

Llanos de Maredo

TEAR

idar

ALTARA

ILLIAN

Tear

Godan

Tierras Anegadas

Dedos del Dragón

Illian

y a las islas de los Marinos

Mar de las Tormentas

Cindaking

Mayene

PRÓLOGO

CAEN LAS PRIMERAS CHISPAS

Elaida do Avriny a'Roihan toqueteó con gesto ausente el largo chal de siete colores que le ceñía los hombros, la estola de la Sede Amyrlin, y tomó asiento ante el amplio escritorio. Muchos la habrían considerado hermosa a primera vista, pero al observarla con mayor detenimiento resultaba evidente que la severidad de su intemporal semblante de Aes Sedai no era una expresión pasajera. Además, en sus oscuros ojos había ese día un brillo colérico.

Apenas prestó atención a las mujeres que estaban delante de ella, sentadas en taburetes. Sus vestidos eran de todos los colores, desde el blanco hasta el rojo oscuro, confeccionados en seda o en lana, dependiendo de lo que dictara el gusto de cada cual; sin embargo, todas ellas salvo una lucían el chal oficial, con la Llama Blanca de Tar Valon bordada en el centro de la espalda y con flecos de los colores correspondientes a sus respectivos Ajahs, como si ésta fuera una reunión de la Antecámara de la Torre. Discutían sobre informes y rumores de los acontecimientos acaecidos en el mundo, procurando separar el grano de la paja, intentando decidir el curso de acción de la Torre, pero rara vez miraban a la mujer sentada detrás del escritorio, la mujer a la que habían jurado obedecer. Elaida no tenía puesta en ellas toda su atención; ignoraban lo que era realmente importante. O, más bien, lo sabían pero temían referirse a ello.

—Aparentemente algo está ocurriendo en Shienar. —La que hablaba, la única hermana Marrón presente, era una mujer esbelta que a menudo parecía estar perdida en un sueño. También había sólo una representante Verde y otra Amarilla, y a ninguno de los tres Ajahs les complacía tal cosa. No había Azules. Los grandes y azules ojos de Danelle parecieron mirar pensativamente hacia adentro; en su mejilla había una mancha de tinta en la que seguramente no había reparado, y su vestido de lana, de un oscuro color gris, aparecía arrugado—. Hay rumores de escaramuzas, no con trollocs ni con Aiel, si bien los ataques en el puerto de Niamh parecen haber aumentado. Entre shienarianos. Algo inusitado en las Tierras Fronterizas, que no suelen guerrear entre sí.

—Si lo que se proponen es tener una guerra civil, han escogido el momento más indicado —intervino con tono frío Alviarin. Alta y esbelta, vestida completamente de blanco, era la única que no llevaba chal. La estola de Guardiana que le rodeaba los hombros era asimismo blanca para indicar que había ascendido a ese cargo procedente del Ajah Blanco, no del Rojo, el anterior de Elaida; esto rompía la tradición de que la Guardiana de las Crónicas perteneciera al mismo Ajah que la Sede Amyrlin. El talante de las Blancas era siempre frío—. Es como si los trollocs hubieran desaparecido. En toda La Llaga reina una tranquilidad tal que podrían guardarla dos granjeros y una novicia.

—Tal vez sería mejor que no hubiera tanta tranquilidad —dijo Teslyn con su fuerte acento illiano mientras movía entre los huesudos dedos los papeles que tenía en el regazo, bien que no los miró. Era una de las cuatro Rojas presentes en la reunión, un número superior a cualquier otro Ajah, y no le andaba a la zaga a Elaida en cuanto a severidad: tampoco estaba considerada una mujer guapa—. Esta mañana recibí un mensaje de que el mariscal de Saldaea ha puesto en marcha un ejército, pero no hacia La Llaga, sino en la dirección contraria, al sudeste. Nunca habría hecho algo así si la situación en La Llaga no pareciera estar adormecida.

—Se está filtrando la noticia de la huida de Mazrim Taim. —Alviarin hizo esta observación como si estuviera hablando del precio de las alfombras en lugar de un desastre en potencia. Se había realizado un gran esfuerzo para capturarlo y también para ocultar su fuga. A la Torre no le convenía que el mundo supiera que eran incapaces de retener a un falso Dragón después de haberlo apresado—. Y, al parecer, esa reina Tenobia o Davram Bashere o ambos piensan que no estamos capacitadas para encargarnos de él otra vez.

14

Se había hecho un profundo silencio ante la mención de Taim. Era un hombre capaz de encauzar —iba de camino a la Torre para ser amansado, cortando definitivamente su contacto con el Poder Único, cuando había conseguido escapar—, pero no era esto lo que había hecho enmudecer las lenguas. La existencia de un hombre con capacidad para encauzar el Poder Único antes solía ser el mayor anatema; dar caza a tales varones era la razón principal de la existencia de las hermanas Rojas, quienes recibían la ayuda necesaria de los demás Ajahs. Pero ahora la mayoría de las mujeres reunidas en la sala rebulló en las banquetas, eludiendo los ojos de las otras, porque hablar de Taim las acercaba demasiado a otro asunto del que no querían hablar en voz alta. Hasta Elaida sintió la bilis revolviéndose en su estómago.

Por lo visto, Alviarin no experimentaba esa renuencia. Las comisuras de sus labios se agitaron momentáneamente en lo que podría ser tanto una sonrisa como una mueca.

—Redoblaré nuestros esfuerzos por prender de nuevo a Taim. Y sugiero que una hermana se desplace hasta allí para aconsejar a Tenobia, alguna habituada a dominar la tozuda resistencia que esa joven presentará.

Varias aprovecharon la ocasión para romper el incómodo silencio.

—Sí, necesita a una Aes Sedai que la aconseje —abundó Joline mientras se ajustaba el chal de flecos verdes en torno a los esbeltos hombros y sonreía, aunque parecía un gesto algo forzado—. Una capaz de entendérselas con Bashere. Tiene una excesiva influencia sobre Tenobia. Ha de conseguirse que su ejército dé media vuelta y regrese a La Llaga, donde puede ser útil si ésta despierta. —Bajo el chal, el escote mostraba generosamente su busto, y el vestido de seda verde se ajustaba en exceso a su cuerpo. Además, sonreía demasiado para el gusto de Elaida. Especialmente a los hombres. Las Verdes lo hacían siempre.

—Lo que menos nos interesa ahora es tener otro ejército en marcha —se apresuró a intervenir Shemerin, la hermana Amarilla. Era una mujer algo regordeta que, de algún modo, nunca había logrado realmente alcanzar la calma apariencia de las Aes Sedai; a menudo había alrededor de sus ojos una tensión de ansiedad que últimamente aparecía con mayor frecuencia.

—Y también debería ir alguien a Shienar —añadió Javindhra, otra Roja. A despecho de sus aterciopeladas mejillas, sus angulosos rasgos le otorgaban una singular dureza. Su voz era severa—. No me gusta este tipo de problemas en las Tierras Fronterizas. Lo peor que podría ocurrirnos ahora es que Shienar se debilite hasta el punto de que cualquier ejército trolloc pueda abrirse paso por allí.

—Sí, tal vez —asintió Alviarin, pensativa—. Pero contamos con agentes en Shienar del Ajah Rojo, estoy segura, y quizá de otros Ajahs... —Las cuatro hermanas Rojas asintieron levemente con la cabeza, de mala gana; nadie más lo hizo—, que pueden advertirnos si estos pequeños choques se convierten en algo más preocupante.

Era un secreto a voces que todos los Ajahs excepto el Blanco —dedicado como estaba a la lógica y a la filosofía— contaban con observadoras repartidas por las naciones en mayor o menor escala, aunque se rumoreaba que la red de las Amarillas era casi insignificante, ya que no había nada que pudieran aprender sobre enfermedad o la Curación de quienes eran incapaces de encauzar. Algunas hermanas tenían sus espías particulares, quizá con más secreto incluso que los de los propios Ajahs. Las Azules contaban con la red más extensa, tanto del Ajah como personales.

—En cuanto a Tenobia y Davram Bashere —continuó Alviarin—, ¿estamos de acuerdo en que han de ocuparse de ellos algunas hermanas? —Apenas si esperó a que las cabezas de las mujeres asintieran—. Bien, queda aprobado. Memara lo hará a la perfección, ya que no consentirá tonterías a Tenobia, pero nunca hará obvio su dominio. Pasemos a otro asunto. ¿Alguien ha recibido noticias recientes respecto a Arad Doman o Tarabon? Si no hacemos algo allí enseguida, podríamos encontrarnos con que Pedron Niall y los Capas Blancas tienen bajo su dominio la zona, desde Bandar Eban hasta la Costa de las Sombras. Evanellein, ¿sabes algo?

Arad Doman y Tarabon se desangraban en sendas guerras civiles y grandes calamidades. El caos reinaba en ambas naciones. A Elaida la sorprendió que sacaran este tema a colación.

—Sólo rumores —contestó la hermana Gris. Su vestido de seda, a juego con los flecos del chal, era de buen corte y con un generoso escote. A menudo Elaida pensaba que esta mujer debería haber sido una Verde por lo mucho que se preocupaba de su apariencia y atuendos—. Casi todo el mundo en esas pobres tierras es refugiado, incluidos los que podrían enviarnos noticias. Por lo visto la Panarch Amathera ha desaparecido, y parece ser que hay una Aes Sedai involucrada en ello...

La mano de Elaida se crispó sobre la estola. Su expresión no se alteró en lo más mínimo, pero sus ojos ardían. El asunto de Saldaea estaba acordado, pero al menos Memara era una Roja; eso era una sorpresa. Sin embargo, lo habían acordado, simplemente, y sin pedirle siquiera opinión. La inquietante posibilidad de que una Aes Sedai estuviera involucrada en la desaparición de la Panarch —si es que no se trataba de otro de los muchos bulos que brotaban en la costa occidental— no se le iba de la cabeza a Elaida. Había Aes Sedai dispersas desde el Océano Aricio hasta la Columna Vertebral del Mundo, y al menos las Azules podían hacer cualquier cosa. No habían transcurrido ni dos meses desde que todas estas mujeres se habían arrodillado para jurarle lealtad como la personificación de la Torre Blanca, y ahora se tomaba una decisión sin mirar siquiera en su dirección.

El estudio de la Amyrlin se encontraba en uno de los pisos altos, pero sin embargo era el corazón de la marfileña torre en sí, y ésta era a su vez el centro de la isla fluvial donde se asentaba la gran ciudad de Tar Valon, abrazada por el río Erinin. Y Tar Valon era, o debería ser, el corazón del mundo. La estancia denotaba el poder ejercido por la extensa sucesión de mujeres que la habían ocupado: el suelo de piedra roja traída de las Montañas de la Niebla; la chimenea, de mármol dorado de Kandor; las paredes cubiertas por paneles de pálida madera extrañamente veteada, en la que se había realizado un maravilloso trabajo de talla, con aves y bestias desconocidas, hacía más de un milenio. Piedra reluciente como madreperla enmarcaba los altos ventanales en arco que se abrían a una balconada asomada a los jardines privados de la Amyrlin; no existía otra piedra igual a ésta, que había sido rescatada de una ciudad sin nombre, hundida en el Mar de las Tormentas durante el Desmembramiento del Mundo. Una estancia de poder, un reflejo de las Amyrlin que habían hecho danzar tronos a su son durante casi tres mil años. Y estas mujeres sentadas ante ella ni siquiera le habían pedido su opinión.

Tal menosprecio ocurría demasiado a menudo. Lo peor —quizá lo más amargo de todo— era que usurpaban su poder sin darse cuenta siquiera. Sabían que había sido su ayuda la que le había puesto la estola sobre los hombros, y ella era muy consciente de lo que había estado ocurriendo, pero el atrevimiento de estas mujeres estaba llegando demasiado lejos. Muy pronto sería el momento de hacer algo al respecto, aunque todavía no.

También ella había puesto su sello en el estudio: un escritorio primorosamente tallado con triples anillos unidos, y un imponente sillón con una incrustación de marfil en el respaldo que representaba la Llama de Tar Valon por encima de su oscuro cabello, semejando una gran lágrima nívea. Sobre el escritorio había tres cajas lacadas de Altara, colocadas a una distancia equidistante entre sí; una de ellas contenía la más exquisita colección de miniaturas talladas. Junto a una pared, en un jarrón blanco sobre un sencillo pedestal, unas rosas rojas impregnaban con su fragancia el cuarto. Desde su ascensión no había llovido, pero gracias al Poder siempre había a mano hermosas flores, por las que Elaida sentía debilidad. Eran tan fáciles de moldear y dirigir para que crearan belleza...

Dos cuadros colgaban en un lugar donde podía contemplarlos con sólo levantar la cabeza, sin moverse de su asiento. Las demás evitaban mirarlos; entre todas las Aes Sedai que acudían al estudio de Elaida, sólo Alviarin se permitía echarles alguna ojeada fugaz.

—¿Se tiene alguna noticia de Elayne? —preguntó con cortedad Andaya, una mujer delgada, con aspecto de pájaro y expresión tímida a despecho de sus rasgos de Aes Sedai. Dadas sus características, la segunda Gris no tenía apariencia de ser buena mediadora, pero, de hecho, era una de las mejores. En su voz todavía quedaban vestigios de acento tarabonés—. ¿O de Galad? Si Morgase descubre que hemos perdido a su hijastro podría empezar a hacer preguntas sobre el paradero de su hija, ¿no? Y, si se entera de que hemos perdido a la heredera del trono, probablemente nuestras relaciones con Andor se volverán tan tirantes como con Amadicia.

Unas cuantas mujeres sacudieron la cabeza; no había noticias de ninguno de ellos.

—Tenemos a una hermana Roja en palacio —comentó Javindhra—. Ha sido ascendida recientemente, de modo que puede pasar por una mujer que no es Aes Sedai. —Se refería a que la mujer aún no había adquirido la apariencia intemporal que otorgaba el uso prolongado del Poder. Cualquiera que hubiera intentado calcular la edad de las mujeres que se encontraban en el estudio se habría equivocado hasta en veinte años, y en algunos casos incluso el doble—. Está bien entrenada, sin embargo, y es bastante fuerte y muy observadora. Morgase está absorta en presentar su candidatura al trono de Cairhien. —Varias mujeres rebulleron en sus asientos, como dándose cuenta de que su compañera pisaba un terreno peligroso, y Javindhra añadió apresuradamente—: Y su nuevo amante, lord Gaebril, parece tenerla ocupada el resto del tiempo. —Su boca, ya fina de por sí, se estrechó aun más—. Ese hombre le tiene sorbido el seso.

—Pero la mantiene concentrada en Cairhien —intervino Alviarin—. La situación allí es casi tan mala como en Tarabon y Arad Doman, con todas las casas contendiendo por el Trono del Sol y la hambruna enseñoreándose de todo el reino. Morgase restablecería el orden, pero le costaría mucho tiempo asegurarse en el poder. Hasta que haya conseguido tal cosa, le restará poca energía para ocuparse de otros asuntos, incluida la heredera del trono. He encargado a una escribiente la tarea de enviar cartas de vez en cuando; es una mujer que imita bien la caligrafía de Elayne. Eso mantendrá tranquila a Morgase hasta que estemos en condiciones de volver a ejercer sobre ella un control adecuado.

—Al menos seguimos teniendo a su hijo bajo nuestro mando. —Joline sonrió.

—Difícilmente puede decirse tal cosa de Gawyn —adujo secamente Teslyn—. Esos Cachorros suyos sostienen escaramuzas con los Capas Blancas a ambos lados del río. Actúa tanto por decisión propia como por nuestra dirección.

—Lo meteremos en cintura —dijo Alviarin. La constante actitud impávida de la Blanca estaba empezando a resultarle odiosa a Elaida.

—Y, hablando de los Capas Blancas —intervino Danelle—, parece ser que Pedron Niall está dirigiendo negociaciones secretas con intención de convencer a Altara y Murandy para que cedan territorio a Illian y así evitar que el Consejo de los Nueve invada uno o ambos países.

Habiéndose retirado del peligroso precipicio, las mujeres siguieron charlando del mismo asunto, calculando si las negociaciones del capitán general conducirían a proporcionar una influencia excesiva a los Hijos de la Luz. Quizá sería conveniente hacerlas fracasar para que la Torre cobrara protagonismo y ocupara el lugar de Pedron Niall.

La boca de Elaida se crispó. A lo largo de su historia, la Torre había sido cautelosa a la fuerza a menudo —demasiados la temían y demasiados desconfiaban de ella—, pero jamás había temido a nada ni a nadie. Ahora sí.

Alzó la vista hacia los cuadros. Uno de ellos era un tríptico de madera en el que se representaba a Bonwhin, la última Roja ascendida a Sede Amyrlin, hacía un milenio, y la razón por la que ninguna otra Roja había vuelto a llevar la estola... hasta Elaida. En el primer panel aparecía Bonwhin, erguida y orgullosa, dirigiendo a las Aes Sedai en sus manipulaciones sobre Artur Hawkwing; en el segundo, Bonwhin, desafiante, en las blancas murallas de Tar Valon, asediada por las fuerzas de Hawkwing; y, en el tercero, Bonwhin, de rodillas y humillada ante la Antecámara de la Torre mientras era despojada de estola y bastón por haber estado a punto de destruir la Torre.

Muchas se preguntaban por qué Elaida había hecho que sacaran el tríptico de los almacenes, donde había permanecido cubierto por el polvo; aunque ninguna lo había comentado abiertamente, los rumores habían llegado hasta ella. No comprendían que ese continuo recordatorio del precio del fracaso era necesario.

El segundo cuadro, pintado sobre lienzo, era moderno, una copia de un boceto del lejano oeste realizado por un artista callejero. Éste causaba aun más inquietud a las Aes Sedai que lo veían. Dos hombres combatían entre nubes, aparentemente en el cielo, blandiendo rayos como armas. El rostro de uno de ellos era de fuego. El otro era alto y joven, con el cabello rojizo. Este último era quien despertaba el miedo, quien hacía que Elaida apretara los dientes. La mujer ignoraba si se debía a la cólera o simplemente para que no le castañetearan. Pero el miedo se podía, y se debía, controlar. El control lo era todo.

—Entonces, hemos terminado —dijo Alviarin mientras se levantaba suavemente del taburete. Las otras la imitaron y empezaron a arreglarse las faldas y a ajustar los chales, disponiéndose a salir—. Dentro de tres días, espero que...

—¿Os he dado permiso para marcharos, hijas? —Éstas fueron las primeras palabras que Elaida pronunciaba desde que al principio de la reunión les había dicho que se sentaran. La miraron con sorpresa. ¡Sorpresa! Algunas se dirigieron de vuelta a los taburetes, pero sin prisa. Y sin una sola palabra de disculpa. Había dejado que esta situación se alargara demasiado tiempo—. Puesto que estáis de pie, os quedaréis así hasta que haya terminado. —Hubo un instante de desconcierto entre las que estaban a punto de tomar asiento, y Elaida continuó mientras volvían a ponerse erguidas, indecisas—: No he oído mencionar nada respecto a la búsqueda de esa mujer y sus compañeras.

No era preciso decir el nombre de «esa mujer», la predecesora de Elaida. Todas sabían a quién se refería, y a ella le costaba más cada día pensar incluso el nombre de la anterior Sede Amyrlin. Todos sus problemas actuales —¡todos!— podían achacarse a «esa mujer».

—Es difícil —contestó Alviarin con sosiego—, puesto que hemos respaldado los rumores de que fue ejecutada. —La Blanca tenía hielo en las venas. Elaida la miró a los ojos fijamente hasta que la Aes Sedai añadió un tardío «madre», aunque fue plácido, incluso despreocupado.

Elaida volvió los ojos hacia las demás.

—Joline, te hiciste cargo de esa búsqueda y de la investigación de su huida. —Su voz sonaba acerada—. En ambos casos lo único que he oído hablar es de dificultades. Quizás una penitencia diaria te ayudaría a actuar con más diligencia, hija. Pon por escrito la que consideras apropiada y preséntamela. Si la considero... menor de lo conveniente, la triplicaré.

Para satisfacción de Elaida, la constante sonrisa de Joline se desvaneció. Abrió la boca y luego volvió a cerrarla bajo la penetrante mirada de la Amyrlin. Finalmente, hizo una profunda reverencia.

—Como ordenéis, madre. —Su voz sonaba tensa y su actitud humilde era forzada, pero serviría. De momento.

—¿Y qué hay del intento de hacer regresar a quienes huyeron? —El tono de Elaida no había perdido dureza. Más bien, todo lo contrario. La vuelta de las Aes Sedai que habían escapado cuando «esa mujer» fue depuesta significaba el regreso de las Azules a la Torre. No estaba segura de que pudiera confiar jamás en ninguna Azul. Claro que, en realidad, no estaba segura de que pudiera confiar en nadie que hubiera huido en lugar de aclamar su ascensión. Empero, la Torre debía volver a formar una unidad. Esta tarea le había sido encomendada a Javindhra.

—También en esto hay dificultades —contestó ésta. Sus rasgos seguían siendo tan severos como siempre, pero se humedeció los labios rápidamente al advertir la expresión tormentosa que pasó fugaz por el semblante de Elaida—. Madre.

La Amyrlin sacudió la cabeza.

—No quiero oír nada sobre dificultades, hija. Mañana me presentarás una lista de todo lo que has hecho al respecto, incluidas las medidas tomadas para asegurarte de que el mundo no sepa que hay disensiones en la Torre. —Esto era de importancia capital; había una nueva Amyrlin, pero era imperioso que el mundo viera a la Torre tan unida y fuerte como siempre—. Si no tienes tiempo suficiente para el trabajo que te he dado, quizá convendría que renunciaras a tu puesto como Asentada de las Rojas en la Antecámara. He de considerar tal opción.

—No será preciso, madre —se apresuró a decir la severa mujer—. Mañana tendréis el informe que queréis. Estoy segura de que muchas empezarán a regresar muy pronto.

Elaida no estaba tan convencida de ello por mucho que deseara que fuera así —la Torre tenía que ser fuerte, ¡sin remedio!—, pero su postura había quedado muy clara. La inquietud se reflejaba en todos los ojos ahora, excepto en los de Alviarin. Si Elaida no mostraba reparo alguno en echarse sobre una hermana de su anterior Ajah y mostraba aun más dureza con una Verde que la había apoyado desde el primer día, quizás habían cometido un error al tratarla como una efigie ceremonial. Puede que ellas la hubieran colocado en la Sede Amyrlin, pero ahora Elaida era la Amyrlin. Unos cuantos ejemplos más en los próximos días dejarían este punto muy claro. Si era preciso, obligaría a hacer penitencia a todas las presentes hasta que pidieran clemencia.

—Hay soldados tearianos en Cairhien, y también andoreños —prosiguió, haciendo caso omiso de las miradas huidizas—. Los tearianos fueron enviados por el hombre que tomó la Ciudadela de Tear. —Shemerin entrelazó con fuerza sus regordetas manos, y Teslyn dio un respingo. Únicamente Alviarin permaneció impasible como un estanque congelado. Elaida levantó bruscamente la mano y señaló el cuadro de los dos hombres combatiendo—. Miradlo. ¡Miradlo, u os pondré a todas a fregar suelos de rodillas! Si no tenéis arrestos suficientes para mirar esa pintura, ¿cómo pensáis afrontar lo que está por venir? ¡Las personas cobardes no tienen ninguna utilidad para la Torre!

Alzaron los ojos lentamente y rebulleron como si fueran chiquillas nerviosas en lugar de Aes Sedai. Sólo Alviarin lo miró sin más y fue la única que no pareció afectada. Shemerin se estrujó las manos y las lágrimas le inundaron los ojos. Habría que hacer algo con ella.

—Rand al'Thor. Un hombre que puede encauzar. —Las palabras salieron de la boca de Elaida como un latigazo. El estómago se le hizo un nudo hasta el punto de que la Amyrlin temió que iba a vomitar. De algún modo se las ingenió para mantener el rostro impasible y continuó hablando, obligándose a pronunciar las palabras como si fueran piedras arrojadas por una honda—. Un hombre destinado a volverse loco y desatar el terror con el Poder antes de que muera. Pero no es sólo eso. Arad Doman y Tarabon y cuanto hay entremedias están sumidos en la ruina y la rebelión por culpa suya. ¡Si la guerra y la hambruna desatadas en Cairhien no se le pueden achacar con total certeza, sí que ha precipitado sin duda un conflicto mayor allí, entre Tear y Andor, justo cuando la Torre necesita la paz! En Ghealdan, un shienariano demente predica sobre él a multitudes tan grandes que el ejército de Alliandre es incapaz de contenerlas. Es el mayor peligro que la Torre ha afrontado jamás, la mayor amenaza que ha arrostrado el mundo, ¿y sois incapaces de hablar de él? ¿No podéis mirar su imagen?

Le respondió el silencio. Todas excepto Alviarin parecían haberse quedado sin lengua. La mayoría contemplaba fijamente al joven del cuadro, como pájaros hipnotizados por una serpiente.

—Rand al'Thor. —El nombre sabía a acíbar en los labios de Elaida. Una vez había tenido a ese joven, en apariencia tan inocente, al alcance de la mano y no supo ver lo que era. Su predecesora sí estaba enterada, sólo la Luz sabía desde cuándo, y lo había dejado en libertad. «Esa mujer» le había confesado mucho, antes de escaparse; al ser sometida a un duro interrogatorio, había contado cosas a las que Elaida no quería dar crédito —si los Renegados se encontraban en libertad entonces todo podría estar perdido—, pero de algún modo se las había ingeniado para no responder a otras. Y luego había huido antes de que tuviera oportunidad de someterla de nuevo a interrogatorio. «Esa mujer» y Moraine. «Esa mujer» y la Azul lo habían sabido todo desde el principio. Elaida se proponía llevarlas a ambas a la Torre; le confesarían hasta el más pequeño detalle de lo que sabían. Suplicarían de rodillas la muerte antes de que hubiera acabado con ellas.

Se obligó a continuar a pesar de que las palabras se le helaban en la boca:

—Rand al'Thor es el Dragón Renacido, hijas. —A Shemerin se le doblaron las rodillas y cayó sentada en el suelo. También otras parecían sostenerse en pie a duras penas. Elaida las miró con desprecio—. No hay duda de ello. Es el anunciado en las Profecías. El Oscuro se está liberando de su prisión, se aproxima la Última Batalla, y el Dragón Renacido debe estar allí para enfrentarse a él o el mundo está condenado al fuego y la destrucción mientras gire la Rueda del Tiempo. Y está en libertad, hijas. Ignoramos dónde se encuentra. Sabemos una docena de sitios donde no está, como por ejemplo Tear. Y tampoco está aquí, en la Torre, convenientemente protegido, como debería estar. Está desatando el caos en el mundo y debemos detenerlo si queremos que haya alguna esperanza de sobrevivir al Tarmon Gai'don. Debemos tenerlo en nuestro poder para estar seguras de que participa en la Última Batalla. ¿O es que alguna de vosotras cree que se dirigirá voluntariamente a su muerte profetizada para salvar al mundo? ¿Un hombre que ya debe de estar medio loco? ¡Debemos tenerlo bajo control!

—Madre —empezó Alviarin con una irritante falta de emoción en la voz, pero Elaida la hizo enmudecer con una mirada.

—Poner nuestras manos sobre Rand al'Thor es muchísimo más importante que las escaramuzas en Shienar o que la supuesta calma en La Llaga. Más importante que encontrar a Elayne o a Galad. Más importante incluso que Mazrim Taim. Lo encontraréis. ¡No valen excusas! Cuando os vea la próxima vez, todas estaréis preparadas para informarme con detalle qué habéis hecho para conseguirlo. Ahora podéis marcharos, hijas.

Se produjo una serie de vacilantes reverencias y quedos murmullos repetidos de «como ordenéis, madre», y faltó poco para que salieran corriendo; Joline ayudó a Shemerin a incorporarse en medio de tambaleos. La hermana Amarilla serviría estupendamente para dar el siguiente castigo ejemplar: era necesario si quería asegurarse de que ninguna de ellas se echara atrás; además, era demasiado débil para formar parte de ese consejo. Naturalmente, ese consejo no tendría una vida larga, en cualquier caso. La Antecámara oiría sus palabras y saltaría para cumplir sus órdenes.

Todas salvo Alviarin se marcharon.

Durante unos largos instantes después de que la puerta se hubo cerrado tras ellas, las dos mujeres se sostuvieron la mirada en silencio. Alviarin había sido la primera que había oído los cargos contra la predecesora de Elaida y que se había mostrado de acuerdo con ellos. Y la Blanca sabía muy bien por qué llevaba la estola de Guardiana en lugar de llevarla una Roja. El Ajah Rojo había apoyado a Elaida de manera unánime, pero no había ocurrido igual con el Blanco, y sin el respaldo decisivo de este Ajah muchas otras Aes Sedai no se habrían sumado a su causa, en cuyo caso Elaida podría encontrarse ahora en una celda en lugar de ser la Sede Amyrlin. Eso, sin contar con la posibilidad de que los restos de su cabeza estuvieran decorando una pica para disfrute de los cuervos. No le sería tan fácil intimidar a Alviarin como a las demás. Si es que se la podía intimidar en lo más mínimo. La firme mirada de la Blanca le despertaba la incómoda sensación de estar tratando con una igual.

Una queda llamada en la puerta pareció retumbar en el silencio.

—¡Adelante! —ordenó secamente Elaida.

Una de las Aceptadas, una chica pálida y esbelta, entró en el estudio, vacilante, y de inmediato hizo una reverencia tan pronunciada que la blanca falda con las siete bandas de colores rematando el repulgo formó un amplio círculo a su alrededor en el suelo. A juzgar por lo desorbitados que estaban sus azules ojos y el hecho de que los mantenía agachados, había percibido el estado de ánimo de las mujeres que acababan de salir. Lo que dejaba estremecida a una Aes Sedai sólo podía significar un gran peligro para una simple Aceptada.

—M... madre, maese F... Fain está aquí —balbució—. Dice que lo i... ibais a recibir a e... esta hora. —La chica se tambaleó a pesar de estar agachada, a punto de desplomarse de puro terror.

—Hazlo entrar, muchacha, en lugar de tenerlo esperando —gruñó Elaida, aunque le habría arrancado la piel a tiras a la chica si ésta no hubiera hecho esperar al hombre fuera. La rabia reprimida contra Alviarin (nunca admitiría que no se atrevía a demostrarla) la descargó en la joven—. Y si eres incapaz de aprender a hablar correctamente, quizá las cocinas sean un lugar mejor para ti que la antesala de la Amyrlin. ¿Y bien? ¿Vas a hacer lo que te he mandado? ¡Muévete, muchacha! ¡Y dile a la Maestra de las Novicias que necesitas aprender a obedecer con más presteza!

La chica contestó con voz chillona algo que tal vez fuera la respuesta correcta y salió precipitadamente.

Mediante un gran esfuerzo, Elaida se dominó. No le preocupaba si Silviana, la nueva Maestra de las Novicias, golpeaba a la chica hasta dejarla inconsciente o si la dejaba marchar con un simple rapapolvo. Para ella las novicias o las Aceptadas era como si no existieran a no ser que la molestaran, y tampoco le importaban. Era a Alviarin a quien quería humillada y de rodillas ante ella.

Pero ante todo debía atender a Fain. Se dio unos golpecitos con el dedo en los labios. Era un hombrecillo huesudo con una enorme nariz, que había aparecido en la Torre unos pocos días atrás vestido con ropas sucias que habían conocido mejores tiempos y que le estaban demasiado grandes; mostrándose a ratos arrogante y a ratos acobardado, había pedido audiencia con la Amyrlin. Excepto los que servían en la Torre, los hombres acudían allí por compulsión o una extrema necesidad, y ninguno pedía hablar con la Amyrlin. Un necio o, probablemente, un pobre imbécil; afirmaba ser oriundo de Lugard, en Murandy, pero hablaba con varios acentos diferentes y a veces pasaba de uno a otro en mitad de una frase. Empero, parecía que podía llegar a resultar útil.

Alviarin seguía mirándola con aquella fría suficiencia; en sus ojos sólo había un leve atisbo de las preguntas que debía de estar haciéndose sobre Fain. El semblante de Elaida se endureció. Estuvo a punto de tocar el *Saidar,* la mitad femenina de la Fuente Verdadera, para enseñarle cuál era su lugar mediante el Poder. Pero no era ése el modo adecuado. Alviarin podría incluso presentar resistencia, y ponerse a pelear como una vulgar campesina en un establo no era el método apropiado para que la Amyrlin dejara bien clara su autoridad. Aun así, Alviarin aprendería a someterse igual que lo harían las demás. El primer paso sería dejar a la Blanca en la ignorancia respecto a maese Fain o comoquiera que se llamara realmente.

Padan Fain olvidó por completo a la joven Aceptada en cuanto entró en el estudio de la Amyrlin; era un bocado apetitoso, y le gustaban temblorosas, como un pajarillo en la mano, pero en ese momento había asuntos más importantes en los que concentrarse. Secándose las manos en los pantalones, inclinó la cabeza adecuadamente, con la debida humildad, pero al principio las dos mujeres que estaban en el cuarto no parecieron reparar en su presencia ya que sostenían un duelo de miradas. Tuvo que hacer un gran esfuerzo para no alargar la mano y acariciar la tensión que vibraba entre ambas. La tensión y la división se entretejían por doquier en la Torre Blanca. Mejor para él. Cuando era necesario, podía sacarse provecho de ambas debilidades.

Se había sorprendido al encontrar a Elaida en la Sede Amyrlin; empero, tal circunstancia convenía mejor a sus propósitos. Por lo que había oído contar, no era tan inflexible en algunos aspectos como la mujer que la había precedido en el cargo. Más dura, sí, y más cruel, aunque también más quebradiza. Probablemente sería más difícil de doblegar, pero más fácil de romper, llegado el caso, si las circunstancias lo hacían necesario. Con todo, para él tanto daba una Aes Sedai, incluso una Amyrlin, como otra. Necias. Unas necias peligrosas, cierto, pero a veces unas crédulas útiles.

Finalmente repararon en su presencia; la Amyrlin frunció ligeramente el ceño al ser cogida por sorpresa, mientras que la Guardiana de las Crónicas no alteró el gesto.

—Puedes irte ahora, hija —dijo firmemente Elaida, poniendo un leve énfasis en la palabra «ahora». Oh, sí, existían tensiones, grietas en el poder. Unas grietas en las que podían plantarse semillas. Fain contuvo a tiempo una risita burlona.

Alviarin vaciló antes de hacer una mínima reverencia. Mientras abandonaba la estancia, su mirada pasó sobre el hombre, inexpresiva pero desconcertante. De manera inconsciente, Fain se encogió sobre sí mismo en una actitud defensiva; su labio superior se atirantó en un fugaz gruñido cuando la mujer le dio la espalda. Por algún motivo, Fain tuvo durante un breve instante la sensación de que la Aes Sedai sabía demasiado sobre él, aunque no habría sabido decir por qué, ya que su frío semblante y sus gélidos ojos parecían impasibles. Lo asaltó la necesidad de hacerlos cambiar, que reflejaran miedo, dolor, súplica. La idea casi lo hizo reír. No tenía sentido, por supuesto. Era imposible que la mujer supiera nada. Debía ser paciente, y acabaría con ella y con sus impasibles ojos.

La Torre guardaba cosas que merecían un poco de paciencia. Allí se encontraba el Cuerno de Valere, el legendario instrumento creado para invocar a los héroes muertos a combatir en la Última Batalla. La mayoría de las Aes Sedai ignoraban esto, pero Fain sabía cómo fisgonear para enterarse de cosas. También estaba la daga. Percibía su irresistible atracción, tirando de él. Habría podido señalar la dirección exacta de su ubicación. Era suya, una parte de sí mismo que las Aes Sedai le habían robado. Recobrar la daga le compensaría lo mucho que había perdido; no sabía cómo, pero estaba seguro de que sería así. Por la pérdida de Aridhol. Demasiado peligroso volver allí, correr el albur de quedar atrapado en ella de nuevo. Se estremeció. Demasiado tiempo atrapado. Nunca más.

Por supuesto, nadie la llamaba ya Aridhol, sino Shadar Logoth. «Donde Acecha la Sombra.» Un nombre muy apropiado. Habían cambiado muchas cosas. Hasta él mismo. Padan Fain. Mordeth. Ordeith. A veces no sabía con certeza cuál de esos nombres era el suyo, quién era en realidad. Pero una cosa sí era cierta: todos tenían una idea errónea respecto a él. Quienes creían conocerlo estaban muy equivocados. Había sufrido una transformación; dentro de sí alentaba una fuerza que iba más allá de cualquier otro poder, pero, al final, todos lo descubrirían.

Con un sobresalto, advirtió que la Amyrlin había dicho algo y, rebuscando en su mente, encontró qué era.

—Sí, madre, la chaqueta me sienta muy bien. —Pasó una mano por el negro terciopelo para demostrar lo mucho que le gustaba, como si las ropas tuvieran importancia—. Se trata de una prenda muy buena y os lo agradezco profundamente, madre.

Estaba preparado para aguantar que la mujer siguiera intentando hacerlo sentirse a gusto, dispuesto a arrodillarse y besarle el anillo, pero en esta ocasión la Amyrlin fue directa al grano:

—Contadme más sobre lo que sabéis de Rand al'Thor, maese Fain.

Los ojos de Padan se dirigieron hacia el cuadro de los dos hombres y, mientras lo contemplaba, su espalda se enderezó. El retrato de Rand al'-Thor lo atraía casi con tanta intensidad como el propio hombre, consiguiendo que la ira y el odio corrieran, abrasadores, por sus venas. Por culpa de ese joven había padecido un dolor que estaba más allá de la evocación porque no se permitía recordarlo; había sufrido algo mucho peor que la tortura física. Por culpa de al'Thor lo habían despedazado y reconstruido. Por supuesto, esa reconstrucción le había proporcionado los medios para vengarse, pero tal circunstancia no venía al caso. Aparte de su deseo de acabar con al'Thor, todo lo demás carecía de importancia.

Cuando se volvió hacia la Amyrlin, no se dio cuenta de que su actitud era tan imperiosa como la de la mujer, de que la miraba de igual a igual.

—Rand al'Thor es retorcido y astuto, y no le importa nada ni nadie excepto su propio poder. —Necia mujer—. Es de los que nunca hacen lo que uno espera. —Pero si ella ponía a al'Thor en sus manos...—. Es un hombre difícil, muy difícil, de llevar donde uno quiere, pero creo que puede conseguirse. Ante todo debéis atar una cuerda a uno de los pocos en quienes confía... —Si le entregaba a al'Thor, a lo mejor la dejaba con vida cuando se marchara, a pesar de ser una Aes Sedai.

En mangas de camisa, arrellanado en un dorado sillón con una pierna echada sobre el reposabrazos, Rahvin sonrió cuando la mujer que estaba frente a la chimenea repitió lo que él le había dicho. Los grandes ojos marrones de la joven estaban ligeramente vidriosos. Era hermosa, incluso con aquellas ropas sencillas de lana que se había puesto como disfraz, pero no era eso lo que le interesaba de ella.

Por los altos ventanales no penetraba ni el más leve soplo de aire, y el sudor corría por el rostro de la mujer mientras hablaba; también penaba la cara del otro hombre presente en el cuarto. A pesar de la fina chaqueta de seda que vestía, con sus bordados en oro, su postura era tan tiesa como la de un sirviente, lo que, en cierto modo, era por propia voluntad, a diferencia de la mujer. Por supuesto, estaba ciego y sordo de momento.

Rahvin manejaba con delicadeza los flujos de Energía que había tejido alrededor de la pareja. No había necesidad de dañar unos sirvientes valiosos.

Él no sudaba, naturalmente. No permitía que el persistente bochorno estival lo alcanzara. Era un hombre alto, corpulento, moreno y apuesto a pesar de las canas que pintaban de blanco sus sienes. La compulsión había presentado dificultades con esta mujer.

Un leve ceño ensombreció su semblante. Pocas personas —muy pocas— poseían la suficiente fuerza de voluntad para que sus mentes buscaran grietas por las que escabullirse aun siendo inconscientes de ello. Sólo era cuestión de mala suerte que todavía necesitara a alguien así. Podía manejar a la mujer, pero ella seguía intentando encontrar una salida por donde huir sin saber que estaba atrapada. Finalmente dejaría de necesitarla, por supuesto, y entonces habría de decidir si la dejaba seguir su camino o si se libraba de ella definitivamente. Ambas opciones entrañaban peligro. Nada que significara una amenaza para él, claro está, pero era un hombre precavido, meticuloso. Los pequeños peligros acababan creciendo si se los pasaba por alto, y él calculaba siempre los riesgos con prudencia. ¿Matarla o conservarla? El silencio que se produjo cuando la mujer dejó de hablar lo sacó de sus reflexiones.

—Cuando salgas de aquí —le dijo—, no recordarás nada de esta visita; sólo conservarás en tu memoria tu cotidiano paseo matinal. —La mujer asintió, ansiosa por complacerlo, y Rahvin aflojó ligeramente las ataduras de Energía para que se evaporaran de su recuerdo poco después de que hubiera llegado a la calle. El uso repetido de la compulsión hacía la obediencia más fácil incluso cuando no estaba activada, pero mientras lo estaba siempre existía el peligro de que se la detectara.

Hecho esto, liberó también la mente de lord Elegar, un noble de segunda fila, pero fiel a sus juramentos. El hombre se lamió los labios con nerviosismo y echó una ojeada a la mujer para, acto seguido, hincar una rodilla ante Rahvin. Los Amigos de la Sombra —o Amigos Siniestros como se los llamaba ahora— habían empezado a comprender la rigurosidad con que debían mantener sus promesas ahora que Rahvin y los otros estaban libres.

—Condúcela a la calle por las dependencias traseras —instruyó Rahvin— y déjala allí. Nadie debe verla.

—Se hará como ordenáis, Gran Amo —repuso Elegar, que inclinó la cabeza donde estaba arrodillado. Luego se puso de pie y se retiró caminando de espaldas y haciendo reverencias a Rahvin al tiempo que se llevaba a la mujer agarrada de un brazo. Ella lo siguió dócilmente, por supuesto, todavía con aquel velo vidrioso en los ojos. Elegar no le preguntaría nada; sabía a qué atenerse y era muy consciente de que había cosas que prefería ignorar.

—¿Uno de tus bonitos juguetes? —preguntó una voz a espaldas de Rahvin cuando la puerta tallada se hubo cerrado—. ¿Ahora te gusta vestirlas así?

Asiendo rápidamente el *Saidin*, se llenó de Poder; la mitad masculina infectada de la Fuente Verdadera fluyó sobre la protección de sus vínculos y juramentos, sus ataduras a lo que conocía como un poder superior a la Luz o incluso al Creador.

En medio de la estancia se había abierto un portal por encima de la alfombra roja y dorada, un acceso a otro sitio. Atisbó fugazmente una habitación adornada con colgaduras de seda blanca, antes de que desapareciera para dar paso a una mujer ataviada con un vestido blanco que ceñía un cinturón de plata tejida. El leve hormigueo en su piel, como un leve escalofrío, fue la única indicación que tuvo de que la mujer había encauzado. Era alta y esbelta, tan hermosa como él apuesto, con unos ojos oscuros y profundos cual un estanque sin fondo, y el cabello, adornado con estrellas y medias lunas de plata, le caía en negras ondas sobre los hombros. A la mayoría de los hombres se les habría quedado la boca seca por el deseo.

—¿Qué te propones apareciendo furtivamente, Lanfear? —demandó con dureza. No cortó el contacto con el Poder, sino que preparó unas cuantas sorpresas desagradables por si acaso necesitaba recurrir a ellas—. Si quieres hablar conmigo, envía un emisario y decidiré dónde y cuándo. Y si me place hacerlo.

Lanfear esbozó aquella dulce y traicionera sonrisa.

—Siempre eres un cerdo, Rahvin, pero rara vez un estúpido. Esa mujer es Aes Sedai. ¿Y si la echan de menos? ¿Es que ahora también envías heraldos para anunciar dónde te encuentras?

—¿Porque encauce? —dijo con sorna—. No es bastante fuerte para permitirle salir a la calle sin un defensor. Llaman Aes Sedai a chiquillas sin preparación que la mitad de lo que saben sólo son trucos aprendidos por sí mismas, y la otra mitad apenas si araña la superficie del conocimiento.

—¿Seguirías mostrándote tan autocomplaciente si esas chiquillas sin preparación formaran un círculo de trece a tu alrededor? —El frío tono burlón de su voz lo aguijoneó, pero no dejó que se reflejara en su rostro.

—Tomo precauciones, Lanfear. En lugar de uno de mis «bonitos juguetes», como tú las llamas, es la espía de la Torre aquí. Ahora informa exactamente lo que yo quiero y está deseosa de hacerlo así. Las que sirven a los Elegidos en la Torre me dijeron dónde encontrarla. —Pronto llegaría el día en que el mundo descartaría el apelativo Renegados y se postraría de rodillas ante los Elegidos. Así se les había prometido mucho tiempo atrás—. ¿Por qué has venido, Lanfear? En ayuda de mujeres indefensas no, desde luego.

—En lo que a mí concierne, puedes seguir divirtiéndote con tus juguetes cuanto quieras. —La mujer se encogió de hombros—. Como anfitrión dejas mucho que desear, Rahvin, así que me disculparás si... —Una jarra de plata se elevó de una mesita que había junto al lecho de Rahvin y se ladeó para verter un vino oscuro en una copa con relieves de oro. Mientras la jarra se posaba de nuevo en la mesita, la copa flotó hacia la mano de Lanfear. El hombre sólo percibió un ligero hormigueo, por supuesto, sin ver los flujos tejidos, cosa que jamás le había hecho gracia. El hecho de que tampoco ella fuera capaz de ver su manipulación con el Poder no era más que un parco consuelo.

—¿Por qué? —preguntó de nuevo.

Lanfear bebió calmosamente un sorbo de vino antes de contestar:

—Puesto que nos evitas a los demás, unos cuantos de los Elegidos aparecerán por aquí. Vine primero para que sepas que no se trata de un ataque.

—¿Es un plan tuyo? ¿De qué me sirven a mí los propósitos de otros? —De repente soltó una risa honda, plena—. Así que no es un ataque, ¿eh? Atacar abiertamente nunca fue tu estilo, ¿verdad? Puede que tus métodos no sean tan retorcidos como los de Moghedien, pero siempre has preferido los flancos y la retaguardia. Esta vez te creeré lo suficiente para oír lo que tienes que decirme. Siempre y cuando te tenga siempre a la vista. —Quien confiara en dar la espalda a Lanfear merecía la puñalada que podría llegarle por detrás. Tampoco era de fiar teniéndola delante; en el mejor de los casos, su genio era inestable—. ¿Quién más se supone que está metido en esto?

Esta vez la señal que lo puso sobre aviso fue más clara cuando se abrió otro portal, porque era obra de otro varón; a través del acceso atisbó arcos de mármol que se abrían a amplias balconadas de piedra y gaviotas volando en círculo y chillando en un cielo azul. Finalmente, un hombre cruzó el umbral y éste se cerró tras él.

Sammael parecía más macizo y grande de lo que era realmente; caminaba con pasos rápidos y vivos y sus ademanes eran bruscos. Tenía los ojos azules y el cabello rubio, y llevaba una barba pulcramente recortada; habría resultado apuesto de no ser por una larga cicatriz que le cruzaba el rostro desde la raíz del pelo hasta la mandíbula, como si le hubieran dibujado una línea con un atizador al rojo vivo. Podría haberla borrado nada más hacérsela, muchos años atrás, pero había preferido dejársela.

Unido al *Saidin* tan estrechamente como Rahvin —a esta corta distancia Rahvin lo percibía aunque vagamente—, Sammael lo miró con cautela.

—Esperaba encontrarte con sirvientas y danzarinas, Rahvin. ¿Es que has cambiado de gustos después de tantos años? ¿Prefieres otras diversiones ahora?

Lanfear soltó una queda risa y bebió vino.

—¿Alguien ha hablado de diversiones?

Rahvin ni siquiera había advertido la apertura de un tercer portal que mostraba una amplia estancia llena de estanques, columnas estriadas, acróbatas casi desnudos y criados cubiertos incluso menos. Curiosamente, un hombre viejo y flaco, vestido con una chaqueta arrugada, estaba sentado entre ellos con actitud desconsolada. Dos sirvientes con minúsculas prendas diáfanas —un hombre musculoso que sostenía una bandeja de oro y una bella y voluptuosa mujer que vertía vino de una jarra de cristal tallado en una copa a juego que reposaba sobre la bandeja— salieron en pos del verdadero visitante antes de que el portal desapareciera.

Junto a cualquier otra mujer que no fuera Lanfear, a Graendal se la habría considerado una belleza exuberante, en plena sazón. Llevaba un vestido de seda verde, con el escote bajo. Un rubí del tamaño de un huevo de gallina reposaba entre sus senos, y sobre su dorado cabello brillaba una tiara con más rubíes incrustados. Sin embargo, al lado de Lanfear no era más que una mujer bonita y algo rolliza. Si le molestaba la inevitable comparación, su divertida sonrisa no lo daba a entender.

Los brazaletes de oro tintinearon cuando agitó una mano, cuajada de anillos, con un ademán dirigido a su espalda; la criada le puso apresuradamente la copa entre los dedos, exhibiendo una sonrisa zalamera que era reflejo de la del hombre. Graendal no les hizo caso.

—Vaya —dijo alegremente—. Casi la mitad de los Elegidos supervivientes reunidos en un mismo lugar, y nadie intenta matar a nadie. ¿Quién habría esperado cosa igual antes de la llegada del Gran Señor de la Oscuridad? Ishamael se las ingenió para que no nos lanzáramos sobre la yugular de los demás durante un tiempo, pero esto...

—¿Siempre hablas tan a las claras delante de tus sirvientes? —inquirió Sammael con una mueca.

Graendal parpadeó y miró hacia atrás a la pareja, como si se hubiera olvidado de ellos.

—No hablan a menos que se lo ordene. Me adoran. ¿No es cierto? —Los dos sirvientes cayeron de hinojos, atropellándose para proclamar su ferviente amor por ella; y lo sentían de verdad... en ese momento. Al cabo de un instante, Graendal frunció ligeramente el ceño y los sirvientes se quedaron paralizados, con la boca abierta a mitad de una palabra—. Seguirían si no los parara, pero no quiero que os molesten.

Rahvin sacudió la cabeza y se preguntó quiénes eran o habían sido. La belleza física no bastaba para los sirvientes de Graendal; también tenían que poseer poder y posición. Un antiguo lord como lacayo o una dama para prepararle el baño: eso era lo que le gustaba a Graendal. Darse caprichos no era reprochable, pero lo que hacía ella era un derroche. Esa pareja habría sido de gran utilidad con la adecuada manipulación, mas el nivel de compulsión empleado por Graendal seguramente sólo los había dejado válidos para poco más que como objetos decorativos. No tenía estilo.

—¿Falta alguno más, Lanfear? —gruñó—. ¿Acaso has convencido a Demandred de que deje de considerarse el heredero del gran Señor?

—Dudo que sea lo bastante arrogante para creerse algo así —repuso suavemente Lanfear—. Ha visto adónde lo llevó tal idea a Ishamael. Y ése es el asunto, un asunto que ha planteado Graendal. Antaño éramos trece e inmortales. Ahora han muerto cuatro y otro nos ha traicionado. No falta nadie más. Nosotros cuatro somos los únicos que teníamos que reunirnos aquí hoy, y bastamos.

—¿Estás segura de que Asmodean se ha pasado al otro bando? Jamás tuvo valor para correr riesgos, así pues ¿de dónde sacó reaños para unirse a una causa perdida?

La fugaz sonrisa de Lanfear fue divertida.

—Tuvo valor para tender una emboscada que creyó lo situaría por encima del resto de nosotros, y cuando la única elección que le quedó fue la muerte o una causa perdida, no era menester mucho valor para tomar una decisión

—Y apuesto a que tampoco dispuso de mucho tiempo para tomarla. —La cicatriz acentuó la mueca burlona de Sammael—. Si estabas lo bastante cerca de él para saber todo esto, ¿por qué lo dejaste con vida? Podrías haberlo matado antes de que se percatara de tu presencia.

—No estoy tan ansiosa por matar como tú. La muerte es definitiva, sin vuelta atrás, y por lo general hay otros métodos más provechosos. Además, utilizando términos comprensibles para ti, no quería lanzar un ataque frontal contra fuerzas superiores.

—Ese tal Rand al'Thor, ¿es realmente tan fuerte? —inquirió en tono quedo Rahvin—. ¿Habría podido superarte en un mano a mano?

—Con ello no quería decir que él mismo, o Sammael fuera incapaz de vencerla si llegaba el caso, aunque Graendal tomaría partido por Lanfear si cualquiera de ellos lo intentaba. En realidad, seguramente las dos mujeres estaban llenas a reventar de Poder en ese mismo instante, prestas para atacar ante el menor gesto sospechoso de cualquiera de los dos varones. O de una de ellas. Pero ese granjero... ¡Un pastor sin adiestrar! A menos, claro, que Asmodean se estuviera encargando de ello.

—Es la reencarnación de Lews Therin Telamon —respondió Lanfear con un tono igualmente quedo—, y Lews Therin era tan fuerte como cualquiera.

Sammael se frotó con gesto absorto la cicatriz que le cruzaba la cara; había sido obra de Lews Therin, hacía tres mil años o más, mucho antes del Desmembramiento del Mundo; antes de que el Gran Señor quedara prisionero; antes de tantas cosas... Pero Sammael nunca lo olvidaba.

—Vaya —intervino Graendal—, por fin entramos en materia y vamos a discutir el asunto que nos ha traído aquí. —Rahvin hizo un gesto de desagrado y Sammael masculló entre dientes.

»Si el tal Rand al'Thor es realmente Lews Therin Telamon —continuó la mujer mientras se sentaba en la espalda del sirviente puesto a gatas—, me sorprende que no hayas intentado engatusarlo para meterlo en tu lecho, Lanfear. ¿O no es una tarea tan fácil? Si no recuerdo mal, era Lews Therin quien te llevaba de la nariz, no al contrario. Ponía fin a tus pequeñas rabietas. Te mandaba corriendo a buscar su vino, por decirlo de algún modo. —Dejó su propia copa sobre la bandeja que sostenía la mujer arrodillada en una rígida postura—. Estabas tan obsesionada con él que te habrías tendido a sus pies si hubiera pronunciado la palabra «felpudo».

Los oscuros ojos de Lanfear centellearon brevemente antes de que la mujer recobrara el control.

—Por más que sea la reencarnación de Lews Therin, no es el propio Lews Therin.

—¿Cómo lo sabes? —preguntó Graendal que sonreía como si todo aquello fuera un chiste—. Podría ser que, como creen muchos, todos renacemos una y otra vez mientras la Rueda gira, pero nunca ha pasado nada igual, que yo sepa. Un hombre específico que renace según se ha profetizado. ¿Quién sabe lo que es realmente?

Lanfear esbozó una sonrisa de menosprecio.

—Lo he observado de cerca. No es más que el pastor que aparenta, y puede que más cándido de lo que parece. —La expresión de mofa dio paso a otra seria—. Pero ahora tiene a Asmodean, aunque sea un aliado débil. Y, antes de Asmodean, cuatro de los Elegidos murieron al enfrentarse con él.

—Deja que reduzca la leña seca —comentó Sammael bruscamente. Tejió flujos de Aire para arrastrar otra silla sobre la alfombra y apoyó las piernas cruzadas por los tobillos sobre el bajo respaldo tallado. Cualquiera que pensara que estaba relajado sería un necio; a Sammael le gustaba embaucar a sus enemigos haciéndoles creer que podían cogerlo por sorpresa—. Así tocaremos a más los que quedemos cuando llegue el Día del Retorno. ¿O es que crees que se alzará con la victoria en el Tarmon Gai'don, Lanfear? Aun en el caso de que consiga insuflar coraje a Asmodean, esta vez no cuenta con los Cien Compañeros. Solo o con Asmodean, el Gran Señor lo extinguirá como un blandón roto.

La mirada que le asestó Lanfear rebosaba desprecio.

—¿Y cuántos de nosotros seguiremos vivos cuando el Gran Señor se libere por fin? Ya han muerto cuatro. A lo mejor tú eres el próximo en su lista. ¿Te gustaría eso, Sammael? Puede que por fin te libres de esa cicatriz si lo derrotas. Oh, lo olvidaba. ¿Cuántas veces te enfrentaste a él en la Guerra del Poder? ¿Venciste en alguna ocasión? No consigo recordarlo. —Sin hacer una pausa se volvió hacia Graendal—. O puede que seas tú la siguiente. Por alguna razón se muestra reacio a hacer daño a las mujeres, pero tú ni siquiera tendrás la oportunidad de elegir como Asmodean. No puedes enseñarle más de lo que podría una piedra. A menos que decida conservarte como mascota. Eso sería toda una novedad para ti, ¿no es cierto? En lugar de decidir cuál de tus bellezas te complace más, tendrías que aprender a complacer.

El semblante de Graendal se crispó, y Rahvin se aprestó a levantar un escudo tras el que protegerse contra lo que quiera que las dos mujeres pudieran lanzarse la una a la otra, dispuesto a Viajar al más mínimo atisbo de fuego compacto. Entonces percibió que Sammael hacía acopio de Poder, notó una diferencia —lo que Sammael llamaría aprovechar una ventaja táctica— y se inclinó para agarrarlo por el brazo. Sammael se soltó con una brusca sacudida, furioso, pero el momento había pasado. Las dos mujeres los miraban ahora a ellos, no la una a la otra. Ninguna de ellas podía saber lo que había estado a punto de ocurrir, pero era evidente que algo había sucedido entre Rahvin y Sammael, y la desconfianza brilló en sus ojos.

—Quiero oír lo que Lanfear tenga que decir. —Rahvin no miró a Sammael, pero la frase iba dirigida a él—. Tiene que haber otra razón de más peso que el simple deseo de asustarnos.

Sammael movió la cabeza en lo que podía ser un gesto de asentimiento o de simple mal humor.

—Oh, así es, aunque un poco de miedo no estaría de más. —Los oscuros ojos de Lanfear todavía denotaban recelo, pero su voz sonaba calmada como el agua de un estanque—. Ishamael intentó controlarlo y fracasó. Después trató de matarlo, y fracasó. Pero utilizó la amenaza y el temor, y eso no funciona con Rand al'Thor.

—Ishamael estaba medio loco —rezongó Sammael— y sólo era medio humano.

—¿Y eso es lo que somos nosotros? —Graendal enarcó una ceja—. ¿Simples seres humanos? Sin duda somos algo más. Ésta es humana. —Pasó un dedo por la mejilla de la mujer que estaba arrodillada a su lado—. Habría que inventar una palabra nueva para describirnos.

—Seamos lo que seamos —dijo Lanfear—, podemos tener éxito donde Ishamael fracasó. —Estaba ligeramente inclinada hacia adelante, como si quisiera que sus palabras penetraran en ellos. Rara vez denotaba tensión. ¿Por qué estaba tensa ahora?

—¿Por qué sólo nosotros cuatro? —inquirió Rahvin. Los demás «por-qués» tendrían que esperar.

—¿Y para qué más? —fue la respuesta de Lanfear—. Si conseguimos presentar al Dragón Renacido de rodillas ante el Gran Señor el Día del Retorno, ¿por qué compartir el honor, y la recompensa, más de lo estrictamente necesario? Y quizá se lo podría utilizar incluso para... ¿Cómo lo dijiste, Sammael? ¿Reducir la leña seca?

Ésa era la clase de respuesta que Rahvin podía entender. No es que confiara en Lanfear, por supuesto, ni en ninguno de los otros, pero sí comprendía la ambición. Los Elegidos habían maquinado unos contra otros para alcanzar una posición superior desde el día en que Lews Therin los había encerrado al sellar la prisión del Gran Señor, y habían vuelto a hacerlo desde el día en que habían quedado libres. Sólo tenía que asegurarse de que la intriga urdida por Lanfear no alterara sus propios planes.

—Habla —le dijo.

—En primer lugar, hay alguien más que intenta controlarlo. O puede que matarlo. Sospecho de Moghedien o de Demandred. Moghedien ha intentado siempre actuar a la sombra, y Demandred odia a Lews Therin. —Sammael sonrió o tal vez fue una mueca, pero su odio era trivial al lado del de Demandred, aunque por un motivo mejor.

—¿Cómo sabes que no es ninguno de los que estamos aquí? —preguntó Graendal con desparpajo.

La sonrisa de Lanfear era tan amplia como la de la otra mujer e igualmente gélida.

—Porque vosotros tres escogisteis excavar agujeros en los que resguardaros y reforzar vuestro poder, mientras que los otros se atacan entre sí. Y por más razones. Ya he dicho que he vigilado de cerca a Rand al'Thor.

Lo que decía era la pura verdad. El propio Rahvin prefería la diplomacia y la manipulación al conflicto abierto, aunque no eludiría la lucha si se hacía necesario. El estilo de Sammael había sido siempre la utilización de ejércitos y la conquista; no se acercaría a Lews Therin, ni siquiera en su reencarnación como pastor, hasta que estuviera seguro de alzarse con la victoria. También Graendal perseguía la conquista, aunque sus métodos no incluían el uso de soldados; a pesar de su superficial interés por sus juguetes humanos, era de las que avanzaban paso a paso. Abiertamente, desde luego; al menos, lo que los Elegidos entendían por eso. Pero los pasos nunca eran demasiado largos.

—Puedo vigilarlo sin que se dé cuenta —continuó Lanfear—, pero los demás debéis manteneros alejados o corréis el riesgo de que os detecte. Tenemos que llevarlo hacia...

Graendal se inclinó hacia adelante, y Sammael empezó a asentir con la cabeza a medida que Lanfear exponía su plan. Rahvin prefirió reservar para sí lo que opinaba. Podía funcionar. Y si no... Si no, veía varios modos de encauzar los acontecimientos en su favor. Sí, esto podía funcionar realmente bien.

1

ATIZANDO LAS CHISPAS

L a Rueda del Tiempo gira, y las eras llegan y pasan y dejan tras de sí recuerdos que se convierten en leyenda. La leyenda se difumina, deviene mito, e incluso el mito se ha olvidado mucho antes de que la era que lo vio nacer retorne de nuevo. En una era llamada la Tercera Era por algunos, una era que ha de venir, una era transcurrida hace mucho, comenzó a soplar un viento en una gran fronda conocida como Bosque de Braem. El viento no fue el inicio, pues no existen comienzos ni finales en el eterno girar de la Rueda del Tiempo. Pero aquél fue un comienzo.

Sopló hacia el sudoeste, seco, bajo un sol de oro fundido. No había llovido desde hacía largas semanas sobre la tierra allá abajo, y el calor de finales de verano se hacía más y más bochornoso. Las hojas marrones empezaban a salpicar algunos árboles prematuramente, y las piedras desnudas se cocían donde antes corrían regatos y arroyos. En un espacio abierto donde la hierba había desaparecido y sólo los arbustos secos y retorcidos sujetaban la tierra con sus raíces, el viento empezó a descubrir piedras largo tiempo enterradas; estaban desgastadas y erosionadas, y ningún ojo humano las habría identificado con los restos de una ciudad olvidada, sólo recordada por la historia.

Surgieron pueblos desperdigados antes de que el viento cruzara la frontera de Andor, así como campos donde granjeros preocupados recorrían penosamente áridos surcos. Hacía mucho que el bosque se había reducido a grupos arbóreos cuando el viento pasó, arrastrando polvo, a lo largo de la solitaria calle de un pueblo llamado Hontanares de Kore, donde los manantiales empezaban a fluir con poco caudal aquel verano. Unos cuantos perros estaban tumbados, jadeantes, ahogados por el calor, y dos chiquillos sin camisa corrían empujando con palos una vejiga hinchada, haciéndola rodar por el suelo.

No se movía nada más, salvo el viento y el polvo y el rechinante letrero que colgaba sobre la puerta de la posada, construida con ladrillos rojos y techo de bálago, como los restantes edificios que se alineaban a lo largo de la calle. Con sus dos pisos, era la construcción más grande de Hontanares de Kore, una agradable y pacífica aldea. Los caballos ensillados y atados delante de la posada apenas si agitaban las colas. El letrero del establecimiento proclamaba su nombre: La Justicia de la Gentil Reina.

Parpadeando para librarse del molesto polvo, Min acercó el ojo a la grieta de la burda pared del cobertizo donde estaban encerradas. Sólo alcanzaba a ver el hombro de un guardia junto a la puerta, pero su atención estaba puesta en la posada que había más allá. Deseó para sus adentros que el nombre del establecimiento fuera menos ominosamente idóneo; el hombre que las juzgaba, el señor local, hacía un rato que había llegado, pero no lo había visto. Sin duda estaba escuchando los cargos presentados por el granjero; Admer Nem, junto con sus hermanos y primos y todas sus esposas, se había mostrado partidario de un linchamiento fulminante antes de que los criados del señor pasaran por casualidad por allí. Se preguntó qué pena se impondría en esos lares por incendiar el granero de un hombre y sus vacas lecheras; de manera accidental, por supuesto, pero Min no creía que eso tuviera mucha importancia cuando todo había empezado con la entrada ilegal en una propiedad privada.

Logain había escapado en la confusión, abandonándolas —como era de esperar en él, ¡así lo abrasara la Luz!—, y la joven no sabía si alegrarse por ello o no. Era él quien había derribado a Nem cuando éste los descubrió justo antes de amanecer, con lo que la linterna del hombre había volado por el aire y había ido a caer sobre la paja. Si alguien tenía la culpa, era él. Además, a veces le costaba trabajo tener cuidado con lo que decía. Quizás era mejor que se hubiera ido.

Se giró para apoyarse en la pared y se limpió el sudor de la frente, aunque de inmediato se le volvió a humedecer. El interior del cobertizo era como un horno, pero sus dos compañeras no parecían advertirlo. Siuan, que llevaba un vestido de montar de oscura lana muy parecido al de Min, yacía de espaldas mirando fijamente el techo mientras se daba golpecitos en la barbilla con una paja. Leane, con su piel cobriza, esbelta y casi tan alta como la mayoría de los hombres, estaba sentada, cruzada de piernas y en ropa interior, mientras cosía algo de su vestido. Les habían permitido conservar las alforjas después de registrarlas por si guardaban en ellas espadas, hachas o cualquier otra cosa que pudiera ayudarlas a escapar.

—¿Cuál es la pena por quemar un establo en Andor? —preguntó Min.

—Si tenemos suerte —contestó Siuan sin moverse—, azotarnos con correas en la plaza del pueblo. Con menos suerte, nos tundirán a palos.

—¡Luz! —exclamó Min—. ¿Cómo puedes llamar suerte a eso?

Siuan giró sobre sí misma y se incorporó apoyándose en un codo. Era una mujer robusta, guapa en cierto sentido, aunque no hermosa, y aparentemente unos pocos años mayor que Min, pero aquellos ojos azules y penetrantes poseían una expresión autoritaria que no encajaba con una mujer joven que estaba esperando a ser juzgada en un cobertizo perdido en medio del campo. A veces Siuan era tan conflictiva como Logain, con un comportamiento fuera de tono; puede que incluso más.

—Cuando los azotes terminen, se acabó el problema —dijo con un tono con el que dejaba claro que no admitía tonterías ni chiquilladas—. Y podremos seguir nuestro camino. No se me ocurre ningún otro castigo que nos haga perder menos tiempo. Mucho menos, indiscutiblemente, que la horca, diría yo. Aunque no creo que se llegue a eso, por lo que recuerdo de las leyes andoreñas.

Una risa resollante sacudió a Min durante un momento; la otra alternativa era echarse a llorar.

—¿Tiempo? Por como nos van las cosas, diría que es lo único que tenemos. Juro que hemos pasado por todos los pueblos y aldeas que hay desde aquí a Tar Valon, y sin descubrir nada. Ni la menor vislumbre ni un solo rumor. Dudo que haya siquiera un agrupamiento. Y ahora nos hemos quedado a pie. Por lo que he oído de casualidad, Logain se llevó los caballos con él. ¡A pie y encerradas en un cobertizo y esperando sabe la Luz qué!

—Cuidado con decir nombres —advirtió Siuan en un tenso susurro al tiempo que echaba una ojeada significativa a la puerta, al otro lado de la cual había un guardia—. Irse de la lengua puede ponerte dentro de la red en lugar de al pez.

Min hizo una mueca, en parte porque empezaba a estar harta de los dichos de marinero teariano de Siuan y en parte porque la mujer tenía razón. Hasta ese momento llevaban ventaja a las noticias embarazosas —letales sería un término más apropiado—, pero algunas tenían la facilidad de recorrer cientos de millas en un día. Siuan viajaba con el nombre de Mara, Leane como Amaena, y Logain había adoptado el apelativo Dalyn después de que Siuan lo convenciera de que Guaire era una elección estúpida. Min seguía convencida de que nadie reconocería su propio nombre, pero Siuan había insistido en llamarla Serenla. Ni siquiera Logain sabía los verdaderos nombres de las tres mujeres.

El problema principal era que Siuan no iba a darse por vencida. Primero, semanas de total fracaso, y ahora esto; empero, cualquier mención de dirigirse a Tear, sugerencia por demás sensata, provocaba en ella un estallido de ira que acobardaba incluso a Logain. Cuanto más tiempo pasaba sin que encontraran lo que Siuan buscaba, de peor genio estaba la mujer. «Y no es que antes no pudiera partir piedras con ese temperamento suyo», pensaba Min, aunque era lo bastante lista para guardar para sí tal opinión.

Leane acabó finalmente de coser el vestido y se lo metió por la cabeza; echó los brazos hacia atrás para abotonar la espalda. Min no entendía por qué se había tomado esa molestia; ella detestaba cualquier tipo de labor con la aguja. El escote era algo más bajo ahora, con lo que dejaba entrever el busto de Leane, y también se ajustaba más en esa zona y en las caderas. Pero ¿qué sentido tenía? Nadie iba a pedirle un baile en ese horno que era el cobertizo.

Leane rebuscó en las alforjas de Min y sacó el estuche de maquillaje, polvos y tonterías por el estilo que Laras había obligado a la joven a guardar en su equipaje antes de partir. Min había tenido intención de deshacerse de él, pero nunca había llegado a hacerlo por uno u otro motivo. La tapa del estuche tenía un espejo, y a no tardar Leane se había puesto manos a la obra utilizando los pequeños cepillos hechos con piel de conejo. Antes nunca había mostrado un interés especial en estas cosas, y ahora parecía irritarla tener sólo un cepillo de madera negra y un pequeño peine de marfil para arreglarse el pelo. ¡Incluso refunfuñó por no tener medios para calentar las tenacillas para hacer rizos! Su oscuro cabello había crecido desde que habían iniciado la búsqueda dispuesta por Siuan, pero todavía no le llegaba a los hombros.

—¿Qué te propones, Le... Amaena? —preguntó Min tras observarla un rato. Evitó mirar a Siuan. Sabía contener la lengua, pero estar encerrada y asándose viva, por no mencionar el inminente juicio, hacía que tuviera algún desliz. O la horca o los azotes en público. ¡Menuda alternativa!—. ¿Has decidido dedicarte al coqueteo?

Su intención era bromear, ya que Leane era la seriedad y eficiencia hechas mujer, un comentario para aliviar la tensión, pero su respuesta la sorprendió.

—Sí —repuso enérgicamente Leane, que se miraba en el espejo con los ojos muy abiertos mientras se hacía algo en las pestañas—. Y, si coqueteo con el hombre adecuado, tal vez no tengamos que preocuparnos por azotes públicos en ningún otro sitio. Puede que, al menos, consiga una sentencia más leve para las tres.

Con la mano levantada para enjugarse de nuevo la frente, Min dio un respingo; era como si un búho hubiera manifestado su intención de convertirse en un colibrí. Sin embargo, Siuan se limitó a sentarse y clavó los ojos en Leane.

—¿A qué viene esto? —inquirió con voz firme.

Min sospechaba que, si Siuan le hubiera asestado esa penetrante mirada a ella, habría confesado cosas que ya tenía olvidadas. Cuando la antigua Amyrlin observaba a alguien de ese modo, uno empezaba a hacer reverencias y a cumplir rápidamente sus órdenes antes de darse cuenta de lo que estaba haciendo. Le ocurría incluso a Logain la mayor parte del tiempo, exceptuando lo de las reverencias.

Leane pasó suavemente un pequeño cepillo por los pómulos y examinó el resultado en el espejo. Miró de soslayo a Siuan pero, viera lo que viera en la otra mujer, respondió con el mismo tono tajante que siempre utilizaba:

—Ya sabes que mi madre era mercader y comerciaba principalmente con pieles y madera. Una vez la vi embelesar a un lord saldaenino ofuscándole la mente hasta conseguir que le consignara la totalidad de su producción anual de madera a la mitad de precio que quería, y dudo que el hombre se diera cuenta de lo que había ocurrido hasta que llegó de vuelta a su casa. Si es que lo hizo. Poco después le envió un brazalete con piedras de luna engarzadas. Las domanis no merecemos toda esa reputación que nos achacan, en su mayoría rumores divulgados por gazmoños estirados que van de paso, aunque sí parte de ella. Mi madre y mis tías me enseñaron, junto con mis hermanas y primas, por supuesto. —Se observó, sacudió la cabeza y reanudó sus menesteres con un suspiro.

»Pero me temo que era tan alta como ahora en mi decimocuarto cumpleaños, toda rodillas y codos, como un coyote que ha crecido demasiado deprisa. Y poco tiempo después de ser capaz de cruzar una habitación sin tropezar dos veces, supe que... —Soltó un hondo suspiro—. Supe que mi vida tomaría otro rumbo que ser una mercader. Y ahora también me he quedado sin eso. Va siendo hora de que aproveche lo que me enseñaron hace tantos años. Considerando las circunstancias, no se me ocurre lugar ni momento mejores que éstos para llevarlo a la práctica.

—Ésa no es la razón —dijo Siuan tras observarla astutamente unos instantes más—. No la única. Vamos, suéltalo.

Leane arrojó el pequeño cepillo en el estuche, echando chispas.

—¿La única razón? Ignoro si tengo más. Sólo sé que necesito algo en mi vida que reemplace... lo que me falta. Tú misma me dijiste que era la única esperanza de sobrevivir. La venganza se queda corta, al menos para mí. Comprendo que tu causa es necesaria y puede que incluso sea justa, pero, la Luz me valga, tampoco eso es suficiente. Soy incapaz de involucrarme tanto como tú. Tal vez salí demasiado tarde del marasmo. Me quedaré contigo, pero no me basta. —La rabia se apagó al ponerse a cerrar botes y frasquitos y a colocarlos en su sitio, aunque para ello utilizó más fuerza de la necesaria. A su alrededor flotaba un tenue perfume de rosas.

»Sé que coquetear no es algo que sirva para colmar el vacío, pero sí para llenar un rato ocioso. Quizá ser la persona que habría sido me baste. No lo sé. No es una idea nueva; siempre deseé ser como mi madre y mis tías. A veces soñaba despierta con ello después de haber crecido. —El semblante de Leane se tornó pensativo, y las últimas cosas entraron en el estuche con más suavidad.

»Creo que quizá siempre he tenido la sensación de estar haciéndome pasar por otra persona, de haber ido construyendo una máscara hasta que se convirtió en algo asumido como natural. Había que ocuparse de un trabajo serio, más que comerciar, y para cuando quise darme cuenta de que existía otro camino que podría haber tomado incluso en esas circunstancias, la máscara estaba sujeta con demasiada firmeza para quitármela. En fin, eso se ha terminado ahora, y la máscara empieza a desprenderse. Incluso me planteé empezar con Logain hace una semana, para practicar. Pero la verdad es que estoy desentrenada, y creo que él es la clase de hombre que oye más promesas de las que la mujer tiene intención de hacer, y espera que las cumpla. —Una suave y repentina sonrisa asomó a sus labios—. Mi madre decía siempre que si ocurría algo así era que uno había cometido un grave error de cálculo, y que si no había salida o había que renunciar a su dignidad y echar a correr o había que pagar el precio y tomarlo como una lección. —La sonrisa adquirió un tinte pícaro—. Mi tía Resara decía que uno pagara el precio y lo disfrutara.

Min sólo fue capaz de sacudir la cabeza. Era como si Leane se hubiera transformado en otra mujer. ¡Mira que hablar así de...! A pesar de estar escuchándola, casi no daba crédito a sus oídos. Pensándolo bien, de hecho Leane parecía diferente. Pese a todo el maquillaje, no había rastro de pinturas o polvos en su cara que Min pudiera ver y, sin embargo, sus labios daban la impresión de estar más llenos, sus pómulos, más altos, sus ojos, más grandes. Siempre había sido una mujer muy hermosa, pero ahora su belleza se había quintuplicado.

42

Pero Siuan no había terminado con el asunto.

—¿Y si este señor de campo resultar ser como Logain? —preguntó suavemente—. ¿Qué harás entonces?

Leane se irguió sobre las rodillas, con la espalda muy recta, y tragó saliva con esfuerzo antes de contestar, aunque su voz sonó firme:

—Considerando las alternativas, ¿qué harías tú?

Las dos se sostuvieron la mirada sin parpadear, y el silencio se prolongó.

Antes de que Siuan respondiera —si es que pensaba hacerlo, y Min habría dado cualquier cosa por oír su contestación— la cadena y el candado tintinearon al otro lado de la puerta.

Las otras dos mujeres se pusieron lentamente de pie y recogieron las alforjas con calma, pero Min dio un brinco y deseó tener su cuchillo a mano. «Una idea estúpida —pensó—. Sólo conseguiría empeorar la situación. Además, no soy la condenada heroína de un cuento. Aunque saltara sobre el guardia...»

La puerta se abrió, y un hombre que llevaba un chaleco de cuero sobre la camisa llenó el vano. No era un tipo al que pudiera atacar una joven, ni siquiera con un cuchillo. Puede que ni con un hacha. Ancho era el término para describirlo, y fornido. En el poco cabello que le quedaba en la cabeza había más canas que otra cosa, pero su apariencia era tan sólida como la de un tocón de roble.

—Muchachas, es hora de que os presentéis ante el señor —dijo con aspereza—. ¿Venís de buen grado o tendré que arrastraron como unos sacos de grano? En uno u otro caso, iréis, y preferiría no tener que cargar con vosotras con este calor.

Min miró detrás de él y vio otros dos hombres esperando, también canosos e igualmente fuertes, aunque no tan fornidos.

—Iremos por nuestro propio pie —replicó secamente Siuan.

—Bien. Entonces, venid, y daos prisa. A lord Gareth no le gustaría que lo hicieseis esperar.

A pesar de haber admitido que irían por propia voluntad, cada hombre cogió firmemente a una de ellas por el brazo cuando echaron a andar por la polvorienta calle. La mano del hombretón medio calvo se cerró alrededor del brazo de Min como un grillete. «Adiós a la posibilidad de salir corriendo», pensó la joven con amargura. Se planteó propinarle una patada en el tobillo para ver si así aflojaba los dedos, pero el aspecto del hombre era tan sólido que Min sospechó que lo único que conseguiría con ello sería algún dedo del pie contusionado y que el resto del camino la llevara a rastras.

Leane parecía perdida en sus pensamientos; con la mano libre iniciaba gestos que no acababa, y sus labios se movían como si estuviera repasando lo que pensaba decir, pero no dejaba de sacudir la cabeza y volvía a empezar de nuevo. También Siuan parecía absorta en sí misma, pero su frente se fruncía con un gesto preocupado e incluso se mordisqueaba el labio inferior; Siuan jamás había exteriorizado tanta inquietud. Total, que ninguna de las dos contribuyó a que Min se sintiera más segura.

La sala de La Justicia de la Gentil Reina, con su techo de vigas al aire, tampoco ayudó a calmar su ansiedad. Admer Nem, con sus largos y lacios cabellos y luciendo una contusión amarillenta alrededor del ojo hinchado, se encontraba de pie a un lado, junto con media docena de hermanos y primos tan fornidos como él, así como sus esposas, todos ellos ataviados con sus mejores chaquetas y delantales. Los granjeros miraron a las tres prisioneras con una mezcla de cólera y satisfacción tal que a Min se le cayó el alma a los pies. Y las miradas de sus esposas eran aun peores, de puro odio. En las otras paredes se alineaban, de seis en fondo, los vecinos del pueblo, todos con las ropas del trabajo que habían interrumpido para esto. El herrero todavía llevaba su mandil de cuero, y varias mujeres iban remangadas, mostrando los brazos manchados de harina. La sala zumbaba con los murmullos que intercambiaban entre sí, tanto los mayores como los contados niños, y sus ojos se clavaron sobre las tres mujeres con tanta avidez como los de los Nem. Min pensó que éste debía de ser el suceso más excitante habido en Hontanares de Kore. Una vez había visto a una multitud mostrando la misma expectación que estas gentes, y fue en una ejecución.

Se habían retirado todas las mesas a excepción de una que habían colocado delante de la gran chimenea de ladrillos. Un hombre fornido, de rostro franco, cabello espeso y canoso, estaba sentado a ella, con las manos cruzadas ante sí sobre el tablero; vestía una chaqueta de buen corte, en seda verde oscuro. Una mujer delgada, más o menos de la misma edad, se encontraba de pie a un lado de la mesa; llevaba un vestido de buena lana gris, con flores blancas bordadas en el cuello. Min supuso que eran el señor del lugar y su esposa; la nobleza del campo no estaba mucho más informada que sus aparceros y arrendatarios de lo que pasaba en el mundo.

Los guardias las condujeron delante de la mesa del señor y después se mezclaron con el resto de los espectadores. La mujer vestida de gris se adelantó, y los murmullos cesaron.

—Todos los asistentes presten atención —anunció la mujer—, porque hoy lord Gareth Bryne impartirá justicia. Prisioneras, se os ha traído a presencia de lord Bryne para ser juzgadas. —Entonces, no era la esposa del noble, sino alguna clase de oficial. ¿Gareth Bryne? Que Min recordara, ese hombre era capitán general de la Guardia Real, en Caemlyn. Si es que se trataba de la misma persona. Miró de soslayo a Siuan, pero ésta tenía prendidos los ojos en los anchos tablones del suelo, delante de sus pies. Fuera quien fuera, el tal Bryne tenía un aire cansado, abatido.

—Se os acusa —continuó la mujer de gris— de entrar ilegítimamente en una propiedad ajena de noche, de incendio premeditado y destrucción de un edificio y su contenido, de matar ganado valioso, de asalto a la persona de Admer Nem y del robo de una bolsa con oro y plata. Se da por hecho que el asalto y el robo fueron obra de vuestro compañero, quien se dio a la fuga, pero las tres sois igualmente culpables a los ojos de la ley.

Hizo una pausa para que las acusadas comprendieran bien lo que acababa de decir, y Min intercambió una mirada lastimosa con Leane. Así que Logain no había tenido bastante con lo que había hecho que también había tenido que robar. Probablemente se encontraba a mitad de camino de Murandy a estas alturas, si no más lejos aun. Al cabo de unos segundos, la mujer continuó:

—Los denunciantes están aquí para presentar sus acusaciones. —Hizo un gesto señalando al apiñado grupo de los Nem—. Admer Nem, sal a prestar testimonio.

El hombretón se adelantó con una actitud mezcla de prepotencia y timidez, dando tirones a la chaqueta allí donde los botones de madera tiraban de los ojales, a la altura del estómago, y retirándose el escaso cabello que no dejaba de caérsele sobre la frente.

—Como ya dije, lord Gareth, la cosa pasó así...

Hizo un relato bastante ajustado a la verdad sobre haberlos descubierto en el pajar y haberles ordenado que se fueran, aunque describió a Logain con un palmo más de altura y transformó el único puñetazo del hombre en una refriega en la que Nem había propinado tantos golpes como los que había recibido. La linterna había caído y la paja había prendido fuego. Entonces el resto de la familia había salido corriendo de la granja, cuando todavía no había amanecido. Habían logrado reducir a las prisioneras, y el establo había ardido como una tea. Después habían descubierto la desaparición de la bolsa del dinero en la casa. Quitó importancia a la parte en que el criado de lord Bryne había pasado a caballo de casualidad por allí mientras algunos miembros de la familia sacaban cuerdas y buscaban unas ramas sólidas donde colgarlas.

Cuando volvió a referirse a la «pelea» —esta vez parecía que estaba ganando él—, Bryne lo interrumpió.

—Eso será suficiente, maese Nem. Podéis regresar a vuestro sitio.

45

En lugar de ello, una de las mujeres Nem, de edad adecuada para ser esposa de Admer, se adelantó junto a él. Tenía la cara redonda, pero no suave, sino redonda como una sartén o como un canto de río. Y congestionada por la ira.

—Azotad bien a estas tunantas, lord Gareth, ¿me oís? ¡Azotadlas bien y llevadlas a rastras hasta Colina de Jorn!

—Nadie te ha pedido que hables, Maigan —dijo severamente la esbelta mujer de gris—. Esto es un juicio, no una petición de demanda. Volved a vuestro sitio, tú y Admer. Inmediatamente. —La pareja obedeció, Admer con más presteza que Maigan. La mujer de gris se volvió hacia Min y sus compañeras—. Si deseáis testificar para defenderos o mitigar la ofensa, podéis hacerlo ahora. —En su voz no había comprensión; de hecho, no reflejaba emoción alguna.

Min esperaba que Siuan tomara la palabra —era la que llevaba la batuta siempre, la que hablaba siempre—, pero la mujer no se movió ni levantó los ojos. En cambio, fue Leane quien se acercó a la mesa con la mirada prendida en el hombre sentado detrás.

Su postura era tan erguida como siempre, pero sus andares habituales —pasos largos y gráciles, pero pasos al fin y al cabo— se habían convertido en una especie de suave deslizarse con un ligero cimbreo. De algún modo, sus caderas y su busto se hicieron más notorios, y no porque se contoneara o hiciera alarde de sus atributos; simplemente, el modo de moverse conseguía que quien la miraba se percatara de ellos.

—Mi señor, somos tres mujeres indefensas, unas refugiadas que huyen de las tormentas que barren el mundo. —Su enérgico tono habitual había desaparecido para dar paso a otro aterciopelado y acariciante. En sus oscuros ojos había un brillo intenso, una especie de abrasador desafío—. Perdidas y sin un céntimo, nos refugiamos en el establo de maese Nem. Estuvo mal, lo sé, pero teníamos miedo de la noche. —Un pequeño gesto, las manos medio levantadas con la parte interior de las muñecas en dirección a Bryne, logró que por un instante su apariencia fuera de total desamparo. Pero sólo durante un momento.

»Ese hombre, Dalyn, era realmente un desconocido, alguien que nos ofreció protección. En los tiempos que corren, las mujeres solas deben tener quien las proteja, mi señor, aunque me temo que hicimos una mala elección. —Los ojos muy abiertos en una mirada suplicante bastaron para decirle que él sería un paladín mucho mejor—. Efectivamente fue Dalyn quien atacó a maese Nem, mi señor. Nosotras nos habríamos marchado o habríamos trabajado para pagar el hospedaje de la noche. —Rodeó la mesa por un lado y se arrodilló grácilmente junto a la silla de Bryne; posó suavemente los dedos sobre la muñeca del hombre y alzó los ojos hacia él de modo que sus miradas se trabaron. Había un leve temblor en su voz, pero su sonrisa bastaba para acelerar los latidos del corazón de cualquier hombre. Era... sugerente.

»Mi señor, somos culpables de un pequeño delito, pero no de todos los cargos que nos hacen. Nos confiamos a vuestra merced. Os lo suplico, mi señor, apiadaos de nosotras y protegednos.

Durante un largo instante Bryne se miró en sus ojos. Luego, carraspeando con fuerza, retiró la silla hacia atrás, se puso en pie y rodeó la mesa por el lado opuesto al que estaba la mujer. Hubo un rebullir generalizado entre granjeros y aldeanos; los hombres se aclaraban la garganta como había hecho su señor, y las mujeres rezongaban entre dientes. Bryne se paró delante de Min.

—¿Cómo te llamas, muchacha?

—Min, mi señor. —Oyó un ahogado gruñido de Siuan y añadió con premura—: Serenla Min. Todos me llaman Serenla, mi señor.

—Tu madre debió de tener una premonición —murmuró con una sonrisa. No era el primero en reaccionar así con el nombre—. ¿Tienes algo que alegar, Serenla?

—Sólo que lo lamento mucho, mi señor, y que realmente no fue culpa nuestra. Dalyn lo hizo todo. Os pido clemencia, mi señor. —Aquello no parecía gran cosa al lado de la súplica de Leane; cualquier cosa parecería insignificante comparada con la actuación de la otra mujer. Empero, era lo mejor que se le ocurría. Tenía la boca tan seca como la calle polvorienta. ¿Y si Bryne decidía ahorcarlas?

El hombre asintió con la cabeza y se movió hacia Siuan, que seguía con la vista clavada en el suelo. Le agarró la barbilla suavemente y le hizo levantar la cabeza para mirarla a la cara.

—¿Y cómo te llamas tú, joven?

Siuan retiró bruscamente la cabeza para liberar la barbilla y retrocedió un paso.

—Mara, mi señor —susurró—. Mara Tomanes.

Min gimió suavemente. Siuan estaba aterrorizada y, sin embargo, al mismo tiempo sostenía la mirada del hombre con actitud desafiante. Min temió que en cualquier momento le exigiera que las dejara en libertad de inmediato. Bryne le preguntó si quería decir algo, y ella denegó con otro nervioso susurro, pero mientras tanto lo contemplaba como si fuera él el acusado. Sin duda estaba controlando la lengua, pero, desde luego, no hacía lo mismo con los ojos.

Al cabo de un momento, Bryne se volvió.

—Vuelve junto a tus amigas, muchacha —le dijo a Leane mientras regresaba a su silla. La mujer caminó hacia ellas con un aire de clara frustración y lo que cualquier otro excepto Min habría calificado de cierto malhumor.

—He tomado una decisión —anunció Bryne a la sala—. Los delitos son graves y nada de lo que he oído cambia los hechos. Si tres hombres se cuelan en la casa de otro para robarle las velas y uno de ellos ataca al propietario, los tres son igualmente culpables. Tiene que haber una recompensa. Maese Nem, os entregaré el importe de la reconstrucción de vuestro establo, más el precio de seis vacas lecheras. —Los ojos del fornido granjero se iluminaron de alegría hasta que Bryne agregó—: Caralin desembolsará el dinero una vez que haya fijado el montante real. Algunas de vuestras vacas ya casi no daban leche, por lo que he oído. —La delgada mujer de gris asintió con satisfacción—. Por la contusión de la cabeza, os compensaré con un marco de plata. No protestéis —dijo firmemente al ver que Nem abría la boca—. Maigan os ha dado peores golpes por excederos con la bebida. —Una risa generalizada entre los asistentes celebró aquellas palabras, a lo que contribuyó la actitud medio avergonzada de Nem y más aun la iracunda mirada que le asestó Maigan—. También repondré la suma de la bolsa robada, una vez que Caralin esté convencida de la cantidad que había dentro. —Tanto Nem como su esposa parecían descontentos, pero refrenaron la lengua; era obvio que les daba lo que consideraba justo, y nada más. Min empezó a albergar esperanzas.

Bryne apoyó los codos en la mesa y volvió su atención hacia ellas. Sus palabras, pronunciadas lentamente, le hicieron un nudo en el estómago:

—Vosotras tres trabajaréis para mí, por el salario normalmente estipulado para el tipo de tarea que se os destine, hasta que el dinero que he desembolsado me haya sido devuelto. No penséis que soy clemente. Si prestáis un juramento que me satisfaga no tendréis que estar bajo custodia y podréis trabajar en mi mansión. Lo contrario significa el trabajo en los campos, donde estaréis vigiladas en todo momento. Los jornales son interiores en esas labores, pero la decisión es vuestra.

Min se devanó los sesos buscando una promesa poco comprometedora que pudiera satisfacerlo. No le gustaba faltar a su palabra en ninguna circunstancia, pero tenía intención de marcharse tan pronto como se le presentara la oportunidad y no quería cargar sobre su conciencia el incumplimiento de un juramento importante.

Leane parecía debatirse en idénticas consideraciones, pero Siuan apenas vaciló antes de arrodillarse y cruzar las manos sobre el corazón. Sus ojos parecieron trabarse con los de Bryne; la expresión desafiante no había mermado un ápice.

—Por la Luz y por mi esperanza de salvación y renacimiento, juro serviros en lo que quiera que requiráis durante el tiempo que requiráis. Y, si no lo hago, que la faz del Creador se aparte para siempre de mí y que la oscuridad consuma mi alma. —Pronunció las palabras en un quedo susurro, pero éstas provocaron un profundo silencio. No había un juramento más fuerte, aparte de los que prestaba una mujer al ascender a Aes Sedai, y la Vara Juratoria la comprometía a cumplirlos con tanta certeza como si fueran parte de su carne y de su sangre.

Leane miró de hito en hito a Siuan; después también se puso de rodillas.

—Por la Luz y por mi esperanza de salvación y renacimiento...

Min dejó de oírla en su desesperada búsqueda de una salida. Hacer un juramento menos serio que el de ellas significaba sin duda el trabajo en los campos y estar vigilada constantemente, pero esto... Por lo que le habían enseñado, romperlo sería poco menos que cometer un asesinato, o quizás igualmente grave. Pero no había salida. O hacía el juramento o quién sabía cuántos años pasaría haciendo labores en el campo de sol a sol y probablemente encerrada bajo llave de noche. Se hincó de rodillas junto a las otras dos mujeres y pronunció las palabras, pero para sus adentros estaba gritando. «¡Siuan, grandísima estúpida! ¿En qué me has metido ahora? ¡No puedo quedarme aquí! ¡Tengo que ir con Rand! ¡Oh, Luz, ayúdame!»

—Bien —dijo Bryne cuando quedaron hechos los juramentos—. No esperaba algo así. Me basta. Caralin, ¿quieres llevar a maese Nem a alguna parte para saber a cuánto considera él que ascienden sus pérdidas? Y haz que todo el mundo desaloje la sala excepto ellas tres. Ocúpate de los preparativos para transportarlas a la mansión. Dadas las circunstancias, no creo que sean necesarios los guardias.

La delgada mujer le lanzó una mirada agobiada, pero a no tardar tenía a todos los asistentes al juicio dirigiéndose ordenadamente hacia la puerta. Admer Nem y sus parientes varones se mantuvieron cerca de ella; en el rostro del primero era patente la avaricia. Sus mujeres no parecían menos codiciosas, pero aun así tuvieron tiempo para asestar varias miradas furibundas a Min y a sus dos compañeras, que permanecían de rodillas mientras la sala se vaciaba. En lo que a ella se refería, Min dudaba que sus piernas pudieran sostenerla. En su mente se repetían una y otra vez las mismas frases: «Oh, Siuan, ¿por qué? No puedo quedarme aquí. ¡No puedo!».

—Ya han pasado por aquí varios refugiados —dijo Bryne cuando el último aldeano se hubo marchado. Se recostó en la silla y las observó con atención—, pero ninguno tan extraño como vosotras tres. Una domani, una ¿teariana? —Siuan asintió bruscamente con la cabeza. Ella y Leane se pusieron de pie; esta última se frotó suavemente las rodillas, pero Siuan se limitó a quedarse erguida. Min se las ingenió para incorporarse sobre las inestables piernas—. Y tú, Serenla. —De nuevo asomó un atisbo de sonrisa a sus labios al pronunciar el nombre—. Si no me equivoco, por tu acento diría que procedes de algún lugar al oeste de Andor.

—De Baerlon —musitó la joven, que se mordió la lengua demasiado tarde. Alguien podría saber que Min era de Baerlon.

—No me ha llegado noticia de ningún suceso al oeste que haya obligado a la gente a huir de sus casas —comentó con un tono interrogante; pero, al ver que la muchacha guardaba silencio, no insistió—. Después de que hayáis saldado la deuda con vuestro trabajo, seréis bienvenidas a continuar a mi servicio. La vida puede ser muy dura para quienes han perdido su hogar, e incluso el catre de una doncella es mejor que dormir debajo de unos arbustos.

—Gracias, mi señor —dijo Leane con aquel tono acariciante al tiempo que hacía una reverencia con tanta gracia que hasta vestida con el burdo traje de montar pareció un paso de baile. Las palabras de agradecimiento de Min sonaron torpes, y la joven no hizo ninguna reverencia porque no se fiaba de la estabilidad de sus rodillas. Siuan se limitó a seguir plantada allí, muy erguida, mirándolo de hito en hito sin decir nada.

—Lástima que vuestro compañero se llevara las monturas. Cuatro caballos habrían reducido gran parte de la deuda.

—Era un desconocido y un ladrón —adujo Leane con una voz apropiada para algo mucho más íntimo—. Por lo que a mí respecta, me siento más que satisfecha con haber cambiado su protección por la vuestra, mi señor.

Bryne la miró —apreciativamente, en opinión de Min—, pero se limitó a contestar:

—Al menos en la mansión estaréis a una distancia segura de los Nem.

A ese respecto, holgaban los comentarios. Min suponía que fregar suelos en la mansión de Bryne y fregarlos en la granja de los Nem no sería muy diferente. «¿Cómo puedo salir de esto? Luz, ¿cómo?»

El silencio se prolongó, salvo porque Bryne empezó a tamborilear los dedos sobre la mesa. Min habría asegurado que el noble no sabía qué más decir, porque de lo que estaba segura era de que ese hombre nunca perdía los nervios. Lo que probablemente ocurría era que estaba irritado porque sólo Leane parecía mostrar cierta gratitud; suponía que su sentencia podría haber sido mucho peor desde el punto de vista del noble. Quizá las miradas ardientes y el tono acariciador de Leane habían funcionado en cierto sentido, pero Min habría preferido que la mujer hubiera mantenido su actitud de antes. Ser colgada por las muñecas en la plaza del pueblo se le antojaba mejor que esto.

Finalmente Caralin regresó, mascullando para sí. Su voz sonaba exasperada al informar a Bryne.

—Se tardará varios días en obtener respuestas precisas de esos Nem, lord Gareth. Si lo dejara, Admer tendría cinco establos y cincuenta vacas. Por lo menos creo que realmente existía la bolsa de dinero, pero en cuanto a la cantidad... —Sacudió la cabeza y suspiró—. Acabaré descubriéndolo. Joni está preparado para llevar a estas muchachas a la mansión, si habéis terminado con ellas.

—Llévatelas, Caralin —dijo Bryne mientras se levantaba de la silla—. Cuando se hayan puesto en camino, reúnete conmigo en el ladrillar. —De nuevo parecía cansado—. Thad Haren dice que necesita más agua para seguir haciendo ladrillos, y sólo la Luz sabe de dónde voy a sacarla. —Abandonó la sala corno si hubiera olvidado por completo a las tres mujeres que acababan de jurar servirlo.

Joni resultó ser el corpulento y calvo hombretón que había ido a buscarlas al cobertizo, y ahora esperaba junto a una carreta de altas ruedas y con una cubierta redonda de lona, tirada por un flaco caballo pardo. Había unos cuantos aldeanos por los alrededores para verlas partir, pero la mayoría parecía haber regresado a sus casas, huyendo del calor. Gareth Bryne caminaba por la polvorienta calle, alejándose a buen paso.

—Joni os llevara a salvo hasta la mansión —dijo Caralin—. Haced lo que se os ha ordenado, y no llevaréis una vida dura. —Las observó un momento; sus oscuros ojos eran casi tan penetrantes como los de Siuan. Luego asintió con la cabeza como satisfecha de lo que veía y se apresuró a ir en pos de Bryne.

Joni mantuvo retiradas las solapas de lona que cerraban la parte trasera de la carreta, pero dejó que subieran sin ayuda y tomaran asiento. No había ni un poco de paja para aliviar la dureza del fondo de madera, y la gruesa lona conservaba el calor en el interior. El hombretón no pronunció una sola palabra. El vehículo se meció cuando subió al pescante, protegido por la lona. Min le oyó chasquear la lengua para que el caballo se pusiera en marcha, y la carreta arrancó con un brusco tirón; las ruedas chirriaban ligeramente y saltaban al coger alguno que otro bache.

Entre las solapas de la parte posterior quedaba una abertura lo bastante amplia para que Min viera cómo el pueblo iba quedando atrás hasta desaparecer por completo en la distancia para ser reemplazado por amplias arboledas y labrantíos vallados. Estaba demasiado conmocionada para hablar. La grandiosa causa de Siuan iba a terminar fregando cacerolas y suelos. Jamás tendría que haber ayudado a esta mujer ni haberse quedado con ella. Debería haber partido a galope hacia Tear en la primera oportunidad que se le presentó.

—Bien —dijo repentinamente Leane—, parece que no lo hice mal del todo.

Su tono volvía a ser tan firme como siempre, pero se podía advertir un atisbo de entusiasmo —¡entusiasmo!— en él, además de que sus mejillas mostraban un vivo rubor.

—Podría haber sido mejor —continuó—, pero la práctica se encargará de eso. —Su queda risa casi sonó traviesa—. No me había dado cuenta de lo divertido que podía ser. De hecho, cuando noté que el ritmo de su pulso se había disparado... —Sostuvo la mano un instante en la postura que tenía cuando la posó sobre la muñeca de Bryne—. Creo que nunca me había sentido tan viva, tan alerta. Tía Resara solía decir que los hombres eran un deporte más divertido que la caza con halcón, pero no lo entendí realmente hasta hoy.

Sujetándose para evitar los zarandeos de la carreta, Min la miró con ojos desorbitados.

—Te has vuelto loca —dijo al cabo—. ¿Cuántos años de nuestras vidas hemos empeñado? ¿Dos? ¿Cinco? ¡Supongo que esperas que Gareth Bryne se los pase siguiéndote como un perrillo faldero! Bien, pues ojalá consiga que se vuelvan las tornas contra ti.

La expresión sobresaltada de Leane no sirvió para mejorar el malhumor de Min. ¿Es que esperaba que se tomara las cosas con la misma calma que ella? Pero en realidad Min no estaba furiosa con Leane, de modo que la joven se volvió hacia Siuan, que estaba medio tendida sobre las burdas tablas.

—¡Y tú! Cuando decides rendirte no lo haces a medias, sino como un cordero que se deja llevar al matadero. ¿Por qué elegiste ese juramento? Oh, Luz, ¿por qué?

—Porque era el único con el que estaba segura de que no nos tendría vigiladas día y noche —contestó Siuan—, estuviéramos en los campos o en la mansión. —Lo dijo como si fuera algo obvio para cualquiera, y Leane parecía estar de acuerdo con ella.

—Entonces es que tienes intención de quebrantarlo —adivinó Min, escandalizada, al cabo de un momento y, a pesar de haber hablado en un susurro, echó una ojeada hacia las solapas de lona tras las que estaba Joni. No creía que el hombre la hubiera oído.

—Tengo intención de hacer lo que debo —repuso firmemente Siuan, pero en un susurro igualmente comedido—. Dentro de dos o tres días, cuando esté segura de que no nos tienen vigiladas, nos marcharemos. Me temo que tendremos que coger caballos puesto que nos hemos quedado sin los nuestros. Bryne debe de poseer unas buenas caballerizas. Lamentaré tener que hacer algo así.

Y Leane seguía sentada tranquilamente, tan satisfecha como una gata relamiéndose la nata pegada a los bigotes. Debía de haberse dado cuenta desde el principio; por eso no había vacilado en pronunciar el juramento.

—¿Que lamentarás robar caballos? —repitió roncamente Min—. Te dispones a romper un juramento que cualquiera cumpliría salvo un Amigo Siniestro ¿y dices que lamentarás robar caballos? No puedo creeros a ninguna de las dos. La verdad es que no os conozco.

—¿Acaso tienes intención de quedarte y restregar cacerolas? —inquirió Leane en un tono tan bajo como el de las otras dos—. ¿Estando Rand ahí fuera, con tu corazón en un bolsillo?

Min sintió una sorda rabia. Ojalá nunca hubieran descubierto que amaba a Rand al'Thor. A veces quería no haberlo descubierto nunca ella misma. Un hombre que casi no sabía que existía; un hombre como él. Lo que Rand era ya no parecía ser tan importante como el hecho de que nunca se hubiera fijado en ella, pero en realidad lo uno iba unido a lo otro. Deseó manifestar que pensaba cumplir su juramento y olvidarse de Rand durante el tiempo que tardara el saldar su deuda trabajando. Pero fue incapaz de abrir la boca. «¡Así se abrase! ¡Si no lo hubiera conocido no estaría metida en este lío!»

Cuando el silencio se prolongó demasiado para el gusto de Min, roto sólo por el rítmico chirriar de las ruedas y el suave trapaleo de los cascos del caballo de tiro, Siuan habló:

—Me propongo cumplir lo que juré... cuando haya terminado lo que debo hacer primero. No prometí servirle inmediatamente; tuve mucho cuidado en no insinuarlo siquiera, estrictamente hablando. Una puntualización sutil que sin duda Gareth no comprendería, pero que no deja de ser verdad.

Min se quedó desmadejada por la sorpresa, y se dejó sacudir por el suave traqueteo de la carreta.

—¿Os proponéis huir y después volver al cabo de unos años y entregaros a Bryne? Ese hombre os desollará a las dos y venderá vuestros pellejos a un curtidor. Nuestros pellejos. —Hasta que no hubo dicho aquello no fue consciente de que había aceptado la solución de Siuan. Huir, regresar después y... «¡No puedo! Amo a Rand. ¡Y él no se dará cuenta si Gareth Bryne me hace trabajar en sus cocinas el resto de mi vida!»

—Con ese hombre no se puede jugar, lo admito —suspiró Sitian— Lo conocí... hace tiempo. Estaba aterrada de que pudiera reconocer mi voz. Los rostros cambian, pero no las voces. —Se tocó la cara como hacía a veces sin que al parecer se diera cuenta de ello—. Los rostros cambian —repitió. Después su tono se tornó firme—. He pagado un precio muy alto por lo que he de hacer, y también pagaré éste. En su momento. Si hay que elegir entre ahogarse y subirse a lomos de una escorpina, uno se monta en ella y espera que todo vaya bien. No hay vuelta de hoja, Serenla.

—Ser una criada dista mucho del futuro que elegiría —adujo Leane—, pero aún está por llegar, y ¿quién sabe lo que puede ocurrir mientras tanto? No he olvidado cuando creía que no tenía futuro. —Un atisbo de sonrisa asomó a sus labios, entrecerró los párpados en un gesto soñador y su voz se tornó aterciopelada—. Además, no creo que venda nuestros pellejos, ni mucho menos. Dadme unos pocos años de práctica y después unos cuantos minutos con lord Gareth Bryne, y nos recibirá con los brazos abiertos y nos instalará en sus mejores habitaciones. Nos vestirá con sedas y pondrá su carruaje a nuestra disposición para llevarnos a donde nos apetezca.

Min la dejó cobijarse en sus fantasías. A veces pensaba que las otras dos mujeres vivían en un mundo de sueños. Algo más le vino a la cabeza, una cosa pequeña, pero que empezaba a irritarla.

—Por cierto, Mara, dime una cosa. He reparado que a veces la gente sonríe cuando me llamas Serenla. Bryne lo hizo, y dijo algo sobre que mi madre debió de tener una premonición. ¿Por qué?

—En la Antigua Lengua —contestó Siuan—, significa «hija testaruda». Tenías una vena de tozudez cuando nos conocimos. Una vena de una milla de ancho por otra de profundidad. —¡Y era Siuan quien decía eso! ¡Siuan, nada menos, la mujer más obstinada del mundo! Sonreía de oreja a oreja—. Claro que pareces ir progresando. En el próximo pueblo podrías utilizar el nombre de Chalinda. Significa «chica dulce». O, quizá...

De repente la carreta dio un tirón más brusco que los anteriores y empezó a cobrar velocidad a medida que el caballo se ponía a galope. Zarandeadas como granos de trigo en un cedazo, las tres mujeres se miraron con sorpresa. Después Siuan se incorporó y apartó la solapa de lona que tapaba el pescante. Joni había desaparecido. Siuan se echó sobre el asiento de madera, agarró las riendas y tiró con fuerza hasta que frenó al caballo. Min abrió las solapas traseras para registrar el entorno.

La calzada cruzaba allí por una arboleda, casi un bosquecillo de robles y olmos, pinos y cedros. El polvo de la corta galopada todavía estaba posándose, parte de él sobre Joni, que yacía despatarrado a la orilla del camino de tierra, unos sesenta pasos más atrás.

Instintivamente, Min se bajó de un salto y corrió hacia donde estaba tendido el hombre, junto al que se arrodilló. Todavía respiraba, pero tenía los ojos cerrados y un corte a un lado de la cabeza, donde empezaba a formarse una tumefacción purpúrea.

Leane la apartó a un lado y tanteó la cabeza de Joni con dedos expertos.

—Vivirá —manifestó, tajante—. No parece que haya nada roto, pero tendrá jaqueca durante días cuando vuelva en sí. —Se sentó sobre los talones, enlazó las manos y su voz sonó entristecida—. En cualquier caso, no puedo hacer nada por él. Maldita sea, prometí que no volvería a lamentarme por eso.

—La cuestión es... —Min tragó saliva y volvió a empezar—. La cuestión es ¿lo subimos a la carreta y lo llevamos a la mansión, o... nos vamos? —«¡Luz, no soy mejor que Siuan!»

—Podemos transportarlo hasta la próxima granja —sugirió lentamente Leane.

Siuan llegó junto a ellas llevando por las riendas al caballo de tiro como si temiera que el tranquilo animal fuera a morderla. Echó una ojeada al hombre tendido en el suelo y frunció el entrecejo.

—No es posible que se haya caído de la carreta. No se ve ninguna raíz ni roca que provocara algo así. —Empezó a escudriñar la fronda que las rodeaba, y entonces un hombre salió de entre los árboles montado en un alto semental negro, tirando de las riendas de tres yeguas, una de ellas peluda y dos palmos más baja que las otras dos.

Era un hombre alto, vestido con chaqueta de seda azul, con una espada al costado; el rizoso cabello le caía sobre los anchos hombros, y era apuesto a pesar del aire de dureza con que lo había marcado su mala estrella. Y era el último hombre que Min esperaba ver.

—¿Has sido tú? —demandó Siuan.

Logain sonrió mientras sofrenaba al caballo junto a la carreta, aunque no había jovialidad en aquel gesto.

—Una honda puede ser muy útil, Mara. Tenéis suerte de que esté aquí. No esperaba que salieseis del pueblo hasta dentro de varias horas, y caminando a duras penas, he de añadir. El señor del lugar fue indulgente, al parecer. —Repentinamente su rostro se tornó aun más sombrío y su voz sonó tan áspera como una piedra—. ¿Creíais que iba a abandonaros a vuestra suerte? Tal vez debí hacerlo. Me hicisteis ciertas ofertas, Mara. Quiero la venganza que me prometisteis. Os he seguido medio camino hacia el Mar de las Tormentas en esta búsqueda, aunque no me habéis dicho para qué. No he hecho preguntas sobre cómo planeáis darme lo ofrecido. Pero os diré algo: vuestro tiempo se está acabando. Acabad pronto vuestra búsqueda y cumplid lo prometido, u os dejaré que sigáis solas vuestro camino. No tardaríais en descubrir que hay pocos pueblos que se muestren compasivos con forasteros sin un céntimo en el bolsillo. ¿Tres hermosas mujeres solas? La presencia de esto —se tocó la espada colgada a la cadera os ha mantenido a salvo más veces de las que podáis imaginar. Encontrad pronto lo que buscáis, Mara.

No había sido tan arrogante al principio del viaje. Entonces se había mostrado humilde y agradecido por su ayuda; tan humilde como un hombre como Logain podía serlo, se entiende. Pero, al parecer, el tiempo transcurrido y la falta de resultados habían marchitado su gratitud.

Siuan le sostuvo sin parpadear la intensa mirada.

—Eso espero —repuso firmemente—. Pero, si quieres marcharte, ¡deja nuestras monturas y vete! Si no quieres remar, baja de la barca y empieza a nadar. Veremos hasta dónde llegas solo en tu revancha.

Las grandes manos de Logain se crisparon sobre las riendas hasta que Min oyó crujir los nudillos. Tembló, conteniéndose a duras penas.

—Me quedaré un poco más, Mara —dijo finalmente—. Un poco más.

Por un instante, ante los ojos de Min resplandeció un halo alrededor de la cabeza del hombre, una corona radiante dorada y azul. Siuan y Leane no vieron nada, por supuesto, aunque sabían que ella sí podía. A veces vislumbraba cosas sobre la gente —visiones, las llamaba—, imágenes o halos. En ocasiones sabía lo que significaban: una mujer que se casaría; un hombre que moriría. Hechos insignificantes o grandes acontecimientos, cosas alegres o tristes; nunca había una pauta o razón para verlo en una u otra persona, ni en tal lugar o tal momento. Las Aes Sedai y los Guardianes siempre tenían halos; la mayoría de la gente carecía de él. Y saber el significado no siempre resultaba agradable.

Ya había visto el halo de Logain anteriormente, y sabía lo que significaba: gloria venidera. Pero, de todos los hombres del mundo, en su caso tal cosa no parecía tener sentido. Había conseguido el caballo, la espada y la chaqueta jugando a los dados, aunque Min no estaba segura de la limpieza de esas partidas. No poseía nada más y no tenía otras perspectivas de futuro salvo las promesas de Siuan, algo que Min ignoraba hasta qué punto podía cumplir la mujer. Su propio nombre podía significar una sentencia de muerte. No tenía sentido.

Logain recobró el buen humor tan repentinamente como lo había perdido. Sacó una hinchada bolsa que llevaba metida en el cinturón y la hizo tintinear.

—Me he hecho con un poco de dinero. No tendremos que dormir en establos durante un tiempo.

—Ya nos hemos enterado —dijo secamente Siuan—. Supongo que no podría esperar otra cosa de ti.

—Consideradlo como una contribución a vuestra búsqueda. —La mujer alargó la mano, pero Logain volvió a atar la bolsa en su cinturón con una sonrisa burlona—. No querría que vuestra mano se manchara con dinero robado, Mara. Además, de este modo quizás esté seguro de que vos no me dejaréis. —La expresión de Siuan era tan dura que parecía capaz de partir un clavo de un mordisco, pero no dijo nada. Logain se incorporó sobre los estribos y escudriñó el camino a lo lejos, en dirección a Hontanares de Kore—. Veo un rebaño de ovejas viniendo hacia aquí con un par de chiquillos. Es hora de que nos pongamos en marcha. La noticia de lo ocurrido llegará tan deprisa como sean capaces de correr. —Volvió a sentarse y echó una ojeada a Joni, todavía tendido en el suelo, inconsciente—. Y traerán ayuda para ese tipo. No creo que lo haya golpeado lo bastante fuerte para herirlo gravemente.

Min sacudió la cabeza; Logain no dejaba de sorprenderla. Jamás se le habría ocurrido que se preocupara ni poco ni mucho por un hombre al que acababa de romper la crisma.

Siuan y Leane subieron a sus monturas sin perder tiempo, la segunda en la yegua gris a la que llamaba *Campánula,* y Siuan en *Bela,* la baja y peluda yegua. Más que subir, podría decirse que gateó a lomos del animal. No era buena amazona, y después de semanas de cabalgar todavía trataba a la tranquila *Bela* como si fuera un fiero caballo de guerra. Por su parte, Leane manejaba a *Campánula* con total soltura. Min sabía que estaba entre las dos; subió a *Galabardera,* su alazana, con bastante más gracia que Siuan y considerablemente menos que Leane.

—¿Crees que nos perseguirá? —inquirió Min mientras partían hacia el sur, alejándose de Hontanares de Kore al trote. La pregunta iba dirigida a Siuan, pero fue Logain quien contestó.

—¿El señor del lugar? Dudo que os considere lo bastante importantes. Claro que puede enviar a un hombre, y sin duda difundirá vuestra descripción. Cabalgaremos tan lejos como podamos aguantar antes de pararnos, y mañana haremos igual. —Daba la impresión de que estuviera poniéndose al mando.

—No es que no nos considere importantes. Es que no lo somos —dijo Siuan mientras botaba con inestabilidad sobre el lomo de *Bela.* Por más que estuviera pendiente de la yegua, la mirada que asestó a la espalda de Logain puso de manifiesto que el desafío del hombre a su autoridad no duraría mucho.

Por su parte, Min confiaba en que Bryne no las considerara importantes. Probablemente así fuera... mientras no descubriera sus verdaderos nombres. Logain hizo que el semental acelerara el trote, y la joven taconeó a *Galabardera* para mantener el paso mientras pensaba en lo que le aguardaba en lugar de lo que dejaba atrás.

Metiendo bajo el cinturón los guanteletes de cuero, Gareth Bryne recogió el sombrero de terciopelo con el ala vuelta que estaba sobre su escritorio. Era el último grito en Caemlyn. Caralin se había ocupado de conseguírselo, ya que a él lo traía sin cuidado la moda; pero la mujer pensaba que debía vestir de acuerdo con su posición, de modo que las ropas que encontraba por las mañanas eran sedas y terciopelos.

Mientras se encajaba el sombrero de copa alta, captó su imagen borrosa reflejada en una de las ventanas del estudio. Vestido así, parecía muy delgado e indeciso. Por mucho que estrechara los ojos, era innegable que el sombrero gris y la chaqueta de seda, también gris, bordada con espirales plateadas en las mangas y el cuello no tenían nada que ver con el yelmo y la armadura que solía utilizar. Eso había terminado. Y esto... Esto era sólo algo para llenar las horas vacías. Nada más.

—¿Estáis seguro de querer hacer esto, lord Gareth?

Le dio la espalda a la ventana para mirar a Caralin, que se encontraba junto a su propio escritorio, al otro lado del estudio. La mesa estaba llena de montones de libros contables de la hacienda, ya que era ella quien se había ocupado del funcionamiento de su feudo durante todos los años que él había estado ausente, y sin duda todavía lo hacía mejor que él.

—Si las hubieseis puesto a trabajar para Admer Nem, como marca la ley —continuó Caralin—, esto no os concerniría en absoluto.

—Pero no lo hice —repuso—. Y no lo haría si tuviera que decidirlo otra vez. Sabes tan bien como yo que Nem y sus parientes varones estarían acosando a esas chicas día y noche. Y Maigan y las demás mujeres harían de sus vidas un infierno, si es que antes no caían accidentalmente a un pozo y se ahogaban.

—Ni siquiera Maigan utilizaría un pozo —adujo con sequedad Caralin— teniendo en cuenta el tiempo tan seco que tenemos. Aun así, entiendo vuestro punto de vista, lord Gareth. Sin embargo, han tenido todo un día y una noche para huir en cualquier dirección. Las localizaríais igual denunciando su fuga. Si es que hay modo de encontrarlas.

—Thad puede hacerlo. —Thad tenía más de setenta años, pero todavía era capaz de rastrear el viento del día anterior sobre una roca pelada a la luz de la luna, y se había mostrado más que satisfecho de pasar la responsabilidad de la ladrillera a su hijo.

—Si vos lo decís, lord Gareth. —Thad y ella no se llevaban bien—.

En fin, cuando las traigáis de vuelta, les estará esperando trabajo de sobra que les habré preparado.

Algo en el tono de su voz, a pesar de la actitud despreocupada de la mujer, llamó la atención de Bryne. Prácticamente desde el día en que había llegado a su casa, Caralin había llevado a la mansión una serie de doncellas y jovencitas granjeras muy agraciadas, todas ellas deseosas de ayudar al señor a olvidar sus penas.

—Han quebrantado su juramento, Caralin. Me temo que irán a los campos.

Un fugaz y exasperado gesto de apretar los labios le confirmó sus sospechas, pero cuando la mujer habló su voz seguía siendo indiferente.

—Las otras dos, quizá, lord Gareth, pero la donosura de la chica domani se desperdiciaría en los labrantíos, y resultaría ideal para servir la mesa. Es una joven extraordinariamente hermosa. Con todo, se hará como mandéis, por supuesto.

Así que ésa era la que Caralin había escogido. Efectivamente, una joven extraordinariamente hermosa. Aunque, cosa curiosa, distinta de las domanis que había conocido. Un toque de vacilación aquí, otro de excesiva premura allí. Era casi como si acabara de empezar a utilizar sus artes por primera vez, pero tal cosa era imposible, por supuesto. Las domanis instruían a sus hijas para enredar a los hombres entre sus redes casi desde la cuna. Y no es que pensara que la chica lo hubiera hecho mal, ni mucho menos. Si Caralin intentaba ponérsela delante de las narices escogiéndola entre las doncellas... Extraordinariamente hermosa.

Entonces ¿por qué no era su rostro el que llenaba su mente? ¿Por qué se sorprendía a sí mismo pensando en unos ojos azules? Unos ojos que lo desafiaban como deseando blandir una espada, temerosos y rehusando someterse al miedo. Mara Tomanes. Habría jurado que era de las que mantenían su palabra, incluso sin hacer promesas.

—La traeré de vuelta —masculló para sí—. Descubriré por qué quebrantó su juramento.

—Como digáis, mi señor —contestó Caralin—. Pensé que podría ser vuestra doncella de cámara. Sela se está haciendo mayor para andar corriendo escaleras arriba y abajo para atenderos por la noche.

Bryne parpadeó, desconcertado. ¿De qué hablaba? Ah, sí, de la chica domani. Sacudió la cabeza por el absurdo comportamiento de Caralin. Empero ¿acaso no estaba siendo él igualmente majadero? Era el señor del lugar, y debería quedarse para ocuparse de su gente. No obstante, Caralin había llevado los asuntos mejor de lo que él sabía durante todos los años que había estado ausente. Él era experto en campamentos, soldados y campañas, y tal vez sabía algo de moverse entre las intrigas de la corte. Caralin tenía razón. Debería quitarse la espada y ese estúpido sombrero, encargarle que pusiera por escrito la descripción de las jóvenes, y...

—No pierdas de vista a Admer Nem y a su familia —dijo en cambio—. Intentarán engañarte todo lo que puedan.

—Como digáis, mi señor.

Sus palabras eran totalmente respetuosas, pero el tono le estaba diciendo que fuera a enseñar a su abuelo a trasquilar ovejas. Riendo para sus adentros, Bryne salió del estudio.

La mansión era en realidad poco más que una granja que había ido creciendo hasta hacerse tremendamente grande, con dos plantas laberínticas de ladrillo y piedra bajo un techo de pizarra, a la que las sucesivas generaciones de Bryne habían ido añadiendo estancias. La casa Bryne había poseído esa tierra —o la tierra los había poseído a ellos— desde que Andor se había forjado de los restos del imperio de Artur Hawkwing, un milenio atrás, y durante todo ese tiempo había enviado a sus hijos a combatir en las guerras de Andor. El ya no participaría en más conflictos, pero ya era demasiado tarde para la casa Bryne. Había habido demasiadas guerras, demasiadas batallas. Era el último de su linaje. Ni esposa ni hijo ni hija. La estirpe se acababa con él. Pero todas las cosas tenían que acabar; la Rueda del Tiempo giraba.

Veinte hombres aguardaban junto a los caballos ensillados en el patio de adoquines, delante de la mansión. En su mayoría eran aun más canosos que él, si es que tenían pelo. Combatientes veteranos todos ellos, soldados, oficiales y portaestandartes de escuadrón que habían servido con él en uno u otro momento de su carrera. Joni Shagrin, que había sido portaestandarte mayor de la guardia, estaba al frente con un vendaje en la cabeza, aunque Bryne sabía que sus hijas habían puesto de guardia a los nietos en su cama para que no se levantara. Era uno de los pocos que tenía familia, aquí o en cualquier otra parte. Casi todos habían preferido ir a servir a Gareth Bryne en vez de gastarse en bebida las pensiones mientras evocaban recuerdos que nadie que no fuera otro viejo soldado querría escuchar.

Todos portaban espadas ceñidas encima de las chaquetas, y unos cuantos llevaban largas lanzas que habían permanecido colgadas durante años en una pared hasta aquella mañana. Detrás de cada silla de montar iba un abultado rollo de mantas y alforjas llenas a reventar, además de un cazo y odres de agua, exactamente como si partieran a una campaña, en lugar de una excursión de una semana para prender a tres mujeres que habían incendiado un establo. Ésta era la ocasión de revivir viejos tiempos... o de fingirlo.

Se preguntó si sería la razón que lo espoleaba a ponerse en marcha. Desde luego, era demasiado viejo para cabalgar en pos de los ojos azules de una mujer lo bastante joven para ser su hija. Puede que su nieta. «No soy tan necio», se dijo firmemente para sus adentros. Caralin se ocuparía mejor de las cosas sin tenerlo al lado estorbando. Un alazán castrado llegó galopando por el camino jalonado de robles que conducía a la calzada, y su jinete desmontó antes de que el animal se hubiera parado del todo; el hombre trastabilló un poco, pero se las ingenió para poner el puño sobre el corazón en un saludo reglamentario. Barim Halle, que había servido bajo su mando años atrás como oficial de escuadrón, era de constitución recia y nervuda, calvo como una pelota de cuero y con unas cejas blancas tan espesas que parecían querer compensar la falta de pelo en la cabeza.

—¿Habéis sido llamado de nuevo a Caemlyn, mi capitán general? —jadeó.

—No —respondió Bryne con un tono un tanto seco—. ¿A qué viene que entres aquí cabalgando como si te persiguiera toda la caballería cairhienina? —Algunos de los otros animales empezaban a patear y caracolear, contagiados por el alazán.

—Nunca cabalgué así de rápido a menos que fuéramos persiguiéndolos, mi señor. —La sonrisa de Barim se borró al darse cuenta del gesto serio de Bryne—. En fin, mi señor, vi los caballos e imaginé que... —Le echó otra mirada al semblante y no terminó la frase—. Bueno, de hecho, también tengo ciertas noticias. Estuve en Nueva Braem para ver a mi hermana, y me he enterado de muchas cosas.

Nueva Braem era más antigua que Andor —la Braem original había sido destruida en la Guerra de los Trollocs, mil años antes de que existiera Artur Hawkwing— y era un buen lugar para las noticias. Era una ciudad fronteriza de tamaño regular, bastante al este de las posesiones de Bryne, en la calzada de Caemlyn a Tar Valon. Aun teniendo en cuenta la actitud actual de Morgase, los mercaderes seguirían transitando y dando mucha vida a esa calzada.

—Bueno ¿a qué esperas, hombre? Si tienes noticias, suéltalas de una vez.

—Eh... sólo estaba pensando por dónde empezar, mi señor. —Sin ser consciente de ello, Barim se puso firme, como si estuviera dando un informe—. Lo más importante, a mi modo de entender, es que dicen que Tear ha caído. Los Aiel tomaron la Ciudadela, y La Espada que no Puede Tocarse tendría que cambiar de nombre, porque al parecer alguien la empuñó.

—¿Que la empuñó un Aiel? —repitió Bryne con incredulidad. Un Aiel preferiría morir antes que tocar una espada; lo había visto con sus propios ojos, en la Guerra de Aiel. Aunque se decía que *Callandor* no era realmente una espada. Significara lo que significara tal cosa.

—Eso no me lo dijeron, mi señor. Sí que oí algunos nombres, pero el que más se repetía era Ren no sé qué. Sin embargo, se habla de ello como un hecho, no un rumor. Como si lo supiera todo el mundo.

Bryne arrugó la frente en un gesto pensativo. Si aquello era cierto, la noticia resultaba más que preocupante. Si *Callandor* había sido empuñada, entonces el Dragón había renacido, y, según las Profecías, ello significaba que la Última Batalla se aproximaba porque el Oscuro estaría pronto libre. El Dragón Renacido salvaría al mundo, decían las Profecías. Y lo destruiría. Esta noticia por sí sola habría sido suficiente para que Halle hubiera viajado a galope tendido si lo hubiera pensado un poco.

Pero el curtido hombre no había terminado todavía.

—Pues la noticia llegada de Tar Valon es casi igualmente importante, mi señor. Dicen que hay una nueva Sede Amyrlin. Elaida, mi señor, la que fue consejera de la reina. —Parpadeó con nerviosismo y prosiguió rápidamente; Morgase era tema prohibido, y todos los hombres del feudo lo sabían aunque Bryne no lo hubiera dicho nunca—. Dicen que la antigua Amyrlin, Siuan Sanche, fue neutralizada y ejecutada. Y que Logain, el falso Dragón que capturaron y amansaron el año pasado, también ha muerto. Lo comentaban como si fuera verdad, mi señor. Algunos afirmaban que se encontraban en Tar Valon cuando ocurrió todo.

Lo de Logain no era una noticia de primer orden, aun cuando hubiera provocado una guerra en Ghealdan al afirmar que era el Dragón Renacido. Había habido varios falsos Dragones durante los últimos años. No obstante, podía encauzar, y eso era un hecho irrefutable. Hasta que las Aes Sedai lo habían amansado, claro. En fin, no era el primer hombre atrapado y amansado, a quien cortaban su acceso al Poder Único para que nunca más pudiera encauzar. Decían que los hombres así, ya fueran falsos Dragones o meramente pobres necios contra los que actuaba el Ajah Rojo, no sobrevivían mucho tiempo porque se les quitaban las ganas de vivir.

Pero lo de Siuan Sanche sí era una noticia importante. La había conocido en una ocasión, hacía casi tres años. Una mujer que exigía obediencia sin dar explicaciones. Dura como una vieja bota, y con una lengua como una lima y un temperamento peor que el de un oso con dolor de muelas. De ella habría esperado que despedazara con sus propias manos a cualquier advenediza. Neutralizar era lo mismo que amansar a un hombre, pero sucedía con muchísima menos frecuencia. Sobre todo tratándose de una Sede Amyrlin. Sólo dos de ellas habían sufrido esa suerte en los últimos tres milenios, al menos que la Torre hubiera admitido, aunque cabía la posibilidad de que hubieran ocultado veinte casos más; la Torre era experta en ocultar lo que quería. Empero, una ejecución además de la neutralización parecía algo innecesario. Se decía que las mujeres neutralizadas sobrevivían tan poco tiempo como los hombres amansados.

Todo ello apestaba a conflictos. Cualquiera sabía que la Torre mantenía alianzas secretas, cuerdas atadas a los tronos y a los nobles poderosos. Con una Amyrlin ascendida de este modo, algunos sin duda intentarían probar si las Aes Sedai se mantenían vigilantes. Y una vez que ese tipo de Tear reprimiera toda oposición —no es que pudiera haber mucha, ya que tenía la Ciudadela en su poder— se pondría en marcha, ya fuera contra Illian o contra Cairhien. La cuestión era ¿con qué rapidez podría moverse? ¿Las fuerzas se unirían contra él o bajo su mando? Tenía que ser el Dragón Renacido, pero las casas tomarían partido tanto a favor como en contra, y el pueblo también. Si, además, estallaban disputas mezquinas por causa de la Torre...

—Viejo estúpido —rezongó. Al ver que Barim daba un respingo, añadió—: Tú no. Hablaba de otro necio vejestorio. —Nada de esto era ya asunto suyo, excepto decidir de qué lado se ponía la casa Bryne llegado el momento. Tampoco es que le importara a nadie, salvo para saber si tenían que atacarlo o no. Bryne nunca había sido una casa poderosa ni grande.

—Eh..., mi señor —Barim miró a los hombres que esperaban con sus caballos—. ¿Creéis que podríais necesitarme?

Así, sin preguntar siquiera por qué o dónde. Al parecer no era el único que estaba aburrido de la vida campestre.

—Alcánzanos cuando hayas recogido tu equipo. Nos dirigimos hacia el sur, por la calzada de los Cuatro Reyes.

Barim saludó y se marchó presuroso, tirando de las riendas del caballo.

Bryne montó, hizo un gesto con el brazo sin pronunciar palabra, y los hombres se colocaron en columna de a dos detrás de él mientras avanzaban por el camino flanqueado de robles. Estaba dispuesto a obtener respuestas, aunque para ello tuviera que coger a la tal Mara del cogote y sacudirla hasta sacárselas.

La Gran Señora Alteima se tranquilizó cuando las puertas del palacio real de Andor se abrieron y su carruaje las cruzó. No las había tenido todas consigo respecto a que se le franqueara la entrada. La espera se había alargado el tiempo suficiente para despachar una nota, y más aun para tener una respuesta. Su doncella, una chica delgada conseguida allí, en

Caemlyn, miraba todo con ojos desorbitados, pero brincaba en el asiento opuesto por la excitación que le producía entrar en palacio.

Alteima abrió con brusquedad el abanico e intentó refrescarse un poco. Todavía faltaba bastante para el mediodía, de modo que el calor aún aumentaría bastante. ¡Y pensar que siempre había imaginado Andor como un lugar fresco! Hizo un último y rápido repaso de lo que pensaba decir. Era una mujer bonita —sabía exactamente en qué medida— con unos grandes ojos castaños que hacían que algunas personas la consideraran, erróneamente, inocente e incluso inofensiva. Ella sabía que no era ninguna de las dos cosas, pero le convenía que otros lo creyeran. Especialmente allí, ese día. El carruaje le había costado casi el último oro que había conseguido llevarse en su huida de Tear. Si quería tener alguna posibilidad de recobrar su posición, necesitaba amigos poderosos, y no había nadie más poderoso en Andor que la mujer a quien iba a ver.

El carruaje se paró cerca de una fuente, en un patio rodeado de columnas, y un lacayo con librea roja y blanca se apresuró a abrir la puerta. Alteima apenas si echó una ojeada al hombre; su mente estaba totalmente concentrada en la entrevista que iba a tener lugar. El negro cabello, sujeto por un ajustado tocado de perlas, le colgaba hasta la mitad de la cintura; también las perlas adornaban los finos pliegues del vestido de seda, con cuello alto, de un tono verde desvaído. Había visto a Morgase en una ocasión, brevemente, cinco años atrás, durante una visita de estado. Era una mujer que irradiaba poder, tan reservada y majestuosa como cabía esperarse de una reina; y también solemne, al estilo andoreño. O, lo que era lo mismo, afectada. Los rumores que corrían por la ciudad sobre que tenía un amante —un hombre poco apreciado por el pueblo, al parecer— no encajaba bien con esa imagen. Sin embargo, por lo que Alteima recordaba, el vestido de etiqueta —y el alto cuello— le gustarían a Morgase.

Tan pronto como los escarpines de Alteima tocaron los adoquines del suelo, la doncella, Cara, bajó de un salto y empezó a arreglar con excesivos aspavientos los minúsculos pliegues del vestido de su señora, hasta que Alteima cerró bruscamente el abanico y la golpeó con él en la muñeca; un patio no era lugar para hacer eso. Cara —qué nombre tan estúpido— retrocedió con un respingo y se agarró la muñeca con expresión dolida, al borde de las lágrimas.

Alteima apretó los labios en un gesto de irritación. La chica ni siquiera sabía asumir una suave reprimenda. Se había estado engañando; la muchacha no daría la talla, y es que, obviamente, no estaba preparada para su trabajo. Pero una dama tenía que tener doncella, sobre todo si quería diferenciarse de la masa de refugiados que había en Andor. Había visto hombres y mujeres trabajando al sol, incluso mendigando por las calles, vestidos todavía con restos de atuendos de la nobleza cairhienina. Le pareció reconocer a una o dos. Tal vez debía haber tomado alguna de ellas a su servicio; ¿quién iba a saber mejor que una dama las obligaciones de una doncella? Y, puesto que se veían obligadas a realizar las labores más duras, habrían aprovechado de buena gana la oportunidad. Habría sido muy divertido tener de doncella a una antigua «amiga», pero ya era demasiado tarde. Y una criada inexperta, una chica del lugar, apuntaba con bastante claridad que Alteima estaba al borde de sus recursos, a un solo paso de convertirse en otra mendiga.

Adoptó una actitud de preocupada afabilidad.

—¿Te he hecho daño, Cara? —preguntó dulcemente—. Quédate aquí, en el carruaje, y alivia tu muñeca. Estoy segura de que alguien te traerá un poco de agua fría para beber.

La necia gratitud reflejada en el rostro de la muchacha fue increíble.

Los lacayos vestidos con libreas, bien adiestrados, permanecían de pie, impasibles, como si no vieran nada, pero se correría la voz sobre su amabilidad o es que Alteima no sabía nada respecto a la servidumbre.

Un hombre joven, con la chaqueta roja de cuello blanco y el bruñido peto de la Guardia Real, apareció ante ella e hizo una reverencia con la mano apoyada en la empuñadura de la espada.

—Soy Tallanvor, teniente de la guardia, Gran Señora. Si tenéis la bondad de acompañarme, os escoltaré a presencia de la reina Morgase.

—Le ofreció un brazo, que ella aceptó, aunque apenas si reparó en él. No le interesaban los militares a no ser generales y lores.

Mientras la conducía por amplios pasillos llenos de atareados hombres y mujeres con uniformes de servicio —pusieron gran cuidado en no obstruir el paso de la noble, naturalmente— Alteima examinó disimuladamente las exquisitas colgaduras, los arcones y bargueños taraceados con marfil, los jarrones y cuencos repujados en oro y plata o de fina porcelana de los Marinos. El palacio real no exhibía tanta riqueza como la Ciudadela de Tear, pero Andor era un país rico, quizá tanto como Tear. Lo que le convenía era un lord de edad avanzada, manejable para una mujer todavía joven, quizás un poco débil y enfermizo. Y con vastas propiedades. Eso sería un principio, mientras descubría con exactitud dónde se manejaban los hilos del poder en Andor. Unas cuantas palabras intercambiadas con Morgase hacía unos cuantos años no eran gran cosa como introducción, pero Alteima tenía lo que una poderosa reina quería y necesitaba: información.

Finalmente, Tallanvor la hizo pasar a una gran sala de estar con pájaros, nubes y cielo abierto pintados en el alto techo y en la que había unas sillas doradas y de ornamentada talla situadas frente a una chimenea de mármol blanco. Una parte de la mente de Alteima constató, divertida, que la gran alfombra roja y dorada era de manufactura teariana. El joven oficial hincó la rodilla.

—Mi reina —dijo con una voz repentinamente ronca—, como me habéis ordenado, os traigo a la Gran Señora Alteima, de Tear.

Morgase lo despidió con un ademán.

—Sed bienvenida, Alteima. Me alegra volver a veros. Sentaos y hablemos un rato.

La noble hizo una reverencia y musitó las gracias antes de tomar asiento. La envidia se enroscó como una serpiente en su interior. Recordaba a Morgase como una mujer hermosa, pero la realidad de aquella belleza rubia dejaba pequeña la imagen que guardaba de ella. Morgase era una rosa en plena flor que habría eclipsado a todas las demás flores. Alteima no pudo culpar al joven oficial por tropezar ligeramente mientras se retiraba. Se alegró de que se marchara, porque de ese modo no tendría que soportar la certidumbre de que las miraba a las dos, comparándolas.

No obstante, también había cambios. Y enormes, por cierto. Morgase, reina de Andor por la gracia de la Luz, Defensora del Pueblo, Cabeza Insigne de la casa Trakand, tan reservada, majestuosa y solemne, lucía un vestido de brillante seda blanca que mostraba su busto lo bastante para hacer enrojecer a una camarera de taberna en el Maule. Se ceñía a sus caderas y sus muslos lo suficiente para encajar con una estatuilla de jade tarabonesa. Evidentemente, los rumores eran ciertos. Morgase tenía un amante. Y, si tanto había cambiado, resultaba igualmente obvio que procuraba complacer al tal Gaebril, no hacer que él la complaciera. Morgase todavía irradiaba poder y una presencia que colmaba la sala, pero, de algún modo, aquel vestido restaba empaque a ambos.

Alteima se alegró aún más de llevar el cuello alto. Una mujer tan dominada por los encantos de un hombre podía estallar en un ataque de celos ante la menor provocación o hasta sin motivo alguno. Si por casualidad conocía a Gaebril, estaba dispuesta a mostrarle tanta indiferencia como se lo permitiera la más estricta cortesía. Incluso ser sospechosa de pensar birlarle el amante a Morgase podía ponerle al cuello la soga del verdugo en lugar de proporcionarle un marido rico que estuviera en las últimas. En su lugar, ella haría lo mismo.

Una mujer vestida con el uniforme rojo y blanco les llevó vino, un excelente caldo murandiano, y lo sirvió en copas de cristal en las que estaba tallado el rampante León de Andor. Cuando Morgase cogió una de las copas, Alteima reparó en su anillo, una serpiente de oro mordiéndose la cola. Al igual que las Aes Sedai, el anillo de la Gran Serpiente lo llevaban puesto algunas mujeres, que, como Morgase, habían sido entrenadas en la Torre Blanca sin convertirse en Aes Sedai. Era una tradición milenaria que las reinas de Andor recibieran ese entrenamiento en la Torre. Empero, corría de boca en boca el rumor de que existía una ruptura entre Morgase y Tar Valon, y que el sentimiento de rechazo hacia las Aes Sedai que había en las calles se habría sofocado rápidamente si la reina hubiese querido. ¿Por qué, entonces, seguía llevando el anillo? Alteima se exhortó a tener cuidado con lo que decía hasta que estuviera segura del terreno que pisaba.

La mujer uniformada se retiró al otro extremo de la sala, donde no oiría la conversación, pero lo bastante cerca para volver a llenar las copas de vino cuando fuera necesario.

—Ha pasado mucho tiempo desde que nos vimos —dijo Morgase tras beber un sorbo—. ¿Vuestro esposo está bien? ¿Se encuentra con vos en Caemlyn?

Alteima cambió rápidamente sus planes. No había imaginado que Morgase supiera que tenía esposo, pero era una persona que siempre había tenido facilidad de improvisar sobre la marcha.

—Tedosian estaba bien cuando lo vi por última vez. —Quisiera la Luz que muriera pronto—. Estaba algo reacio a servir al tal Rand al'-Thor, y eso equivale hoy a saltar sobre un peligroso abismo. Sabed que algunos lores han sido ahorcados como si fueran delincuentes comunes.

—Rand al'Thor —musitó suavemente Morgase—. Lo vi una vez. No tenía el aspecto de alguien que se autoproclama el Dragón Renacido. Era un joven pastor que procuraba no demostrar que estaba asustado. Empero, pensándolo bien, daba la impresión de estar buscando alguna... salida. —Sus ojos azules tenían una expresión absorta—. Elaida me puso en guardia contra él. —No parecía consciente de haber pronunciado estas últimas palabras.

—¿Elaida era entonces vuestra consejera? —inquirió con cautela Alteima. Estaba enterada de ello y tal cosa hacía más increíbles los rumores de una ruptura con Tar Valon. Tenía que saber qué había de cierto en ellos—. Imagino que la habréis reemplazado ahora que se ha convertido en Sede Amyrlin.

Los ojos de Morgase volvieron a enfocarse repentinamente.

—¡No, claro que no! —Al momento, su voz se suavizó de nuevo—. Mi hija, Elayne, está entrenándose en la Torre. Ya ha ascendido a la categoría de Aceptada.

Alteima agitó el abanico confiando en evitar que la transpiración le humedeciera la frente. Si la propia Morgase no tenía claro sus sentimientos hacia la Torre, era imposible hablar sin correr riesgos. Los planes de Alteima se tambalearon al borde del precipicio.

Entonces, inopinadamente, Morgase los salvó y, con ellos, a la noble:

—Dijisteis que vuestro esposo estaba indeciso respecto a servir o no a Rand al'Thor. ¿Y vos?

Casi soltó un suspiro de alivio. Aunque Morgase actuara como una muchachita campesina inculta respecto al tal Gaebril, no había perdido la cabeza en lo relativo al poder y a los posibles peligros contra su reino.

—Lo observé de cerca en la Ciudadela, naturalmente. —Aquello plantaría la semilla, si es que era necesario—. Puede encauzar, y a un hombre así siempre hay que temerlo. Sin embargo, es el Dragón Renacido, de eso no cabe duda. La Ciudadela cayó y *Callandor* estaba en su mano cuando ocurrió. Las Profecías... Me temo que he de dejar las decisiones sobre qué hacer respecto al Dragón Renacido a aquellos que son más sabios que yo. Lo único que sé es que me da miedo quedarme donde gobierna. Ni siquiera una Gran Señora de Tear iguala el valor de la reina de Andor.

La mujer rubia le asestó una mirada sagaz que la hizo temer haberse excedido en la lisonja. A algunos poderosos no les gustaba el halago tan directo. Empero, Morgase se limitó a recostarse en el sillón y dar un sorbo de vino.

—Contadme cosas de él, de ese hombre que supuestamente ha de salvarnos y, al hacerlo, destruirnos.

Éxito. O al menos, los prolegómenos.

—Aparte de cualquier consideración sobre el Poder, es un hombre peligroso. Un león parece perezoso, aletargado, hasta que de repente carga, y entonces es todo velocidad y fuerza. Rand al'Thor parece inocente, no perezoso, e ingenuo, no aletargado, pero cuando carga... No muestra el menor respeto hacia persona alguna ni posición. No exageré cuando dije que ahorcó nobles. Es un generador de anarquía. En Tear, bajo sus nuevas leyes, hasta un Gran Señor o Señora puede ser requerido ante un magistrado para ser multado o algo peor por los cargos presentados por un campesino o pescador de la más baja estofa. Él...

Desde su punto de vista, no se salió de la más estricta verdad, bien que era capaz de decir mentiras con igual facilidad si se hacía necesario. Morgase bebía vino a sorbitos y escuchaba; Alteima podría haber pensado que estaba holgando indolentemente, salvo porque sus ojos delataban que asimilaban cada palabra y tomaba nota de ella.

—Debéis comprender —terminó Alteima— que me he limitado a arañar la superficie. Rand al'Thor y lo que ha hecho en la Ciudadela son temas para tratar durante horas.

—Dispondréis de ellas —repuso Morgase, y Alteima sonrió para sus adentros. Éxito—. ¿Es cierto que llevó consigo Aiel a la Ciudadela?

—Oh, sí. Unos salvajes terribles que se cubren el rostro la mitad del tiempo, e incluso las mujeres están prestas para matar sin pensarlo dos veces. Lo seguían como sabuesos, aterrorizando a todo el mundo y apoderándose de cuanto querían en la Ciudadela.

—Creía que eran rumores absurdos —reflexionó Morgase—. Se hablaba de eso el año pasado, pero no habían salido del Yermo desde hacía veinte años, desde la Guerra de Aiel. Desde luego, lo que el mundo menos necesita es que el tal Rand al'Thor nos eche encima de nuevo a los Aiel. —La expresión de sus ojos se volvió penetrante otra vez—. Habéis dicho que lo «seguían». ¿Acaso se han marchado?

—Justo antes de que yo partiera de Tear —asintió Alteima con calma—. Y él se fue con ellos.

—¡Que se fue con ellos! —exclamó Morgase—. Me temo que pueda encontrarse en Cairhien en este mismo...

—¿Tienes una invitada, Morgase? Debí ser informado para así poder darle la bienvenida.

Un hombre fornido entró en la sala; era alto, y la chaqueta de seda roja con bordados dorados se ajustaba a los macizos hombros y ancho tórax. Alteima no tuvo que ver la expresión radiante que asomó al rostro de Morgase para saber que era lord Gaebril; bastaba con la tranquila seguridad con que había interrumpido a la reina. Levantó un dedo, y la criada hizo una reverencia y se marchó prestamente; tampoco pedía permiso a Morgase para despachar a la servidumbre. Era enigmática e increíblemente apuesto, con las sienes pintadas de canas.

Alteima compuso un semblante inexpresivo y esbozó una distante sonrisa de cortesía apropiada para un tío mayor sin poder, riqueza ni influencia. El hombre sería tremendamente atractivo, pero, aun en el caso de que no perteneciera a Morgase, no era el tipo de hombre al que intentaría manipular a menos que fuera absolutamente preciso. Trascendía un poder quizá mayor que el de la propia soberana.

Gaebril se paró junto a Morgase y posó la mano sobre el hombro desnudo de un modo muy familiar. Faltó poco para que ella apoyara la mejilla en el envés de la mano del hombre, pero los ojos de Gaebril estaban prendidos en Alteima. La noble teariana estaba acostumbrada a que los varones la miraran, pero aquellos ojos la hicieron rebullir con inquietud; eran excesivamente penetrantes, veían demasiado.

—¿Venís de Tear? —El timbre profundo de su voz le causó un estremecimiento; su piel, e incluso sus huesos, reaccionaron como si se hubiera sumergido en agua helada, pero, curiosamente, su momentánea inquietud desapareció.

Fue Morgase quien respondió; Alteima parecía incapaz de mover la lengua con aquella mirada prendida en ella.

—Te presento a la Gran Señora Alteima, Gaebril. Me ha estado contando muchas cosas sobre el Dragón Renacido. Estaba en la Ciudadela cuando ésta cayó. Gaebril, era cierto que había Aiel en... —La presión de los dedos del hombre la hicieron callar. Una fugaz irritación se plasmó en el semblante de la soberana, pero enseguida desapareció y fue reemplazada por una radiante sonrisa dirigida a él.

Los ojos de Gaebril, fijos todavía en Alteima, provocaron en la mujer otro escalofrío, y esta vez acompañado por un respingo ahogado.

—Hablar tanto debe de haberte fatigado, Morgase —dijo el noble sin retirar la mirada—. Trabajas demasiado. Ve a tus aposentos y duerme un poco. Ve ahora. Te despertaré cuando hayas descansado.

Morgase se puso de pie inmediatamente, todavía sonriéndole con devoción. Los ojos de la soberana parecían algo vidriosos.

—Sí, estoy cansada. Echaré una siesta, Gaebril.

Salió de la sala sin dedicar siquiera una mirada a Alteima, pero ésta tenía toda su atención puesta en Gaebril. El corazón le palpitó más deprisa y su respiración se aceleró. Indiscutiblemente, era el hombre más apuesto que había visto nunca. El más magnífico, más fuerte, más poderoso... Los superlativos acudieron a su mente en una sucesión imparable.

Gaebril prestó tan poca atención como ella a la marcha de Morgase. Ocupando el sillón dejado por la soberana, se recostó en el respaldo, con las piernas estiradas.

—Contadme por qué habéis venido a Caemlyn, Alteima. —Una vez más, le recorrió un escalofrío—. Toda la verdad, pero sed breve. Ya me daréis después los detalles si quisiera saberlos.

—Intenté envenenar a mi esposo y tuve que huir antes de que Tedosian y esa zorra de Estanda me mataran a mí o algo peor —contestó sin vacilar—. Rand al'Thor tenía intención de permitírselo, para que sirviera de escarmiento. —Admitirlo en voz alta la hizo encogerse, y no tanto porque fuera la verdad que había ocultado, como porque lo que más deseaba en el mundo era complacerlo y temía que la rechazara. Pero él quería saber la verdad—. Elegí Caemlyn porque no soporto Illian, y, aunque Andor no es mucho mejor, Cairhien está casi en ruinas. En Caemlyn puedo encontrar un marido rico o un hombre que se considere mi protector si lo necesito, y valerme de su poder para...

Gaebril la interrumpió agitando la mano.

—Una gatita resabiada, pero hermosa —comentó él riendo quedo—. Quizá suficientemente bella para conservaros, aunque arrancándoos primero las uñas y los colmillos. —De repente su expresión se hizo más interesada—. Contadme todo lo que sepáis sobre Rand al'Thor, y en especial sobre sus amigos, si los tiene, sus compañeros, sus aliados.

Así lo hizo ella, que habló hasta quedársele secas la boca y la garganta y la voz enronquecida. No se llevó la copa a los labios hasta que él le dijo que bebiera; entonces se tomó el vino de un trago y continuó hablando. Podía complacerlo. Más de lo que Morgase era capaz de imaginar.

Las doncellas que trabajaban en los aposentos de la reina hicieron reverencias precipitadamente, sorprendidas de verla allí a media mañana. Las despidió con un ademán y se encaramó al lecho sin quitarse el vestido. Durante un rato yació tendida mirando las doradas tallas de los postes de la cama. Allí no había Leones de Andor, sino rosas. Por la Corona de la Rosa de Andor, pero estas flores le agradaban más que los leones.

«Deja de ser obstinada», se reprendió, y luego se preguntó por qué. Le había dicho a Gaebril que estaba cansada, y... ¿O se lo había dicho él? Imposible. Era la reina de Andor y ningún hombre le decía lo que tenía que hacer. «Gareth.» Y ahora ¿por qué había pensado en Gareth Bryne? Él nunca le había dicho lo que tenía que hacer, por supuesto; el capitán general de la Guardia Real obedecía a la reina, no al contrario. Pero era testarudo, capaz de no dar su brazo a torcer hasta que ella tenía que admitir su punto de vista. «¿Por qué pienso en él? Ojalá estuviera aquí.» Eso era ridículo. Lo había destituido por oponerse a ella; ya no recordaba exactamente el motivo, pero tal cosa carecía de importancia. Se había opuesto. Sólo recordaba vagamente los sentimientos que había albergado hacia él, como si hiciera años que estuviera ausente. No podía ser mucho tiempo, ¿no? «¡Deja de ser testaruda!»

Cerró los ojos y de inmediato se quedó dormida, aunque fue un sueño agitado por pesadillas en las que huía de algo que no podía ver.

2

RHUIDEAN

En la ciudad de Rhuidean, Rand al'Thor se asomó a una alta ventana; si en algún momento había tenido cristal hacía mucho que había desaparecido. Allá abajo, las sombras se inclinaban pronunciadamente hacia el este. Un arpa de bardo tocaba suavemente en la habitación, a su espalda. El sudor se evaporaba de su rostro casi en el momento de brotar; la chaqueta de seda roja, húmeda entre los hombros, le colgaba abierta esperando un soplo de aire inexistente, y su camisa estaba desanudada hasta la mitad del pecho. La noche en el Yermo de Aiel llevaría un frío gélido, pero, durante las horas diurnas, la esporádica brisa nunca era fresca.

Al tener las manos apoyadas en el pulido dintel de piedra, las mangas de la chaqueta caían de manera que dejaban ver parte de la figura enroscada alrededor de cada antebrazo: una criatura serpentina de dorada melena y ojos como el sol, cubierta de escamas escarlatas y oro, y con las patas rematadas por cinco garras, también doradas. No eran tatuajes, sino que formaban parte de su piel; brillaban como metal precioso y gemas talladas que, bajo la luz del avanzado atardecer, casi parecían tener vida.

Para las gentes a ese lado de la cordillera conocida como Pared del Dragón o Columna Vertebral de Mundo, esas figuras lo señalaban como

El que Viene con el Alba. Del mismo modo, y de acuerdo con las Profecías, las garzas marcadas en las palmas de sus manos lo identificaban como el Dragón Renacido ante los ojos de los que estaban al otro lado de la cadena montañosa. En ambos casos se profetizaba que uniría, salvaría... y destruiría.

Eran nombres que habría eludido de poder hacerlo, pero ese tiempo había quedado atrás hacía mucho, si es que había existido alguna vez, y ya no pensaba en ello. O, si lo hacía en contadas ocasiones, era con el vago pesar del hombre que recuerda un necio sueño de su adolescencia. ¡Como si su adolescencia no estuviera tan reciente como para evocar cada minuto de ella! En cambio, procuraba pensar únicamente en lo que debía hacer. El destino y el deber lo apremiaban a seguir el camino como las riendas de un jinete; empero, había quien a menudo lo acusaba de obstinado. Sabía que tenía que llegar hasta el final de la senda marcada, pero si existía la posibilidad de alcanzar ese destino de otro modo quizá no tendría que ser el final. Una posibilidad remota y, casi seguro, inexistente. Las profecías exigían su sangre.

Rhuidean se extendía a sus pies, azotada por un sol todavía implacable a pesar de que ya descendía hacia las montañas rocosas, desoladas, sin apenas rastro de vegetación. Esa tierra accidentada y escabrosa, donde los hombres habían matado y muerto por un charco de agua que lograban encontrar, era el último lugar del mundo donde nadie esperaría encontrar una gran ciudad. Sus ancestrales constructores no habían terminado jamás su obra. Edificios increíblemente altos salpicaban la urbe, palacios escalonados y con los costados hechos de inmensas losas que a veces, tras ocho o diez pisos, acababan no en un techo sino con la irregular albañilería de otra planta a medio construir. Las torres se elevaban incluso más, pero la mitad de las veces se interrumpían bruscamente en una línea desigual, dentada. Una cuarta parte de las grandes estructuras, con sus descomunales columnas e inmensos ventanales de cristales multicolores, yacían esparcidas en escombros sobre amplias avenidas, por cuya parte central se extendían anchas franjas de tierra pelada, una tierra que nunca había sustentado los árboles para los que estaba destinada. Las maravillosas fuentes estaban secas, como lo habían estado cientos y cientos de años. Todo ese fútil trabajo para nada, ya que sus creadores acabaron muriendo sin concluir la obra; empero, a veces Rand pensaba que la ciudad había sido comenzada únicamente para que él pudiera encontrarla.

«Demasiada arrogancia —pensó—. Un hombre tendría que estar medio loco para ser tan soberbio.» Soltó una seca risa sin poder evitarlo. Había Aes Sedai con los hombres y mujeres que habían llegado allí tan-

73

to tiempo atrás, y conocían *El Ciclo Karaethon,* las Profecías del Dragón. O puede que fueran ellos quienes habían escrito las Profecías. «El décuplo de la soberbia.»

Directamente debajo de su posición se extendía una vasta plaza, medio cubierta por las alargadas sombras, que estaba repleta con un fárrago de estatuas y sillas de cristal, objetos raros y formas peculiares de metal, cristal o piedra, cosas que no sabía identificar y que se encontraban desperdigadas en confusos montones, como depositadas por un vendaval. Si en las zonas de sombras hacía fresco, era sólo en comparación con lo otro. Unos hombres con ropas burdas —no Aiel— sudaban para cargar las carretas con los objetos que elegía una mujer esbelta, de estatura baja, ataviada con un prístino vestido de seda azul, que se desplazaba de un lado a otro manteniendo recta la espalda, como si el calor no la afectara como a los demás. No obstante, llevaba un pañuelo húmedo ceñido a las sienes; la realidad era que no se permitía manifestar los efectos que tenía en ella el calor. Rand habría apostado que ni siquiera transpiraba.

El jefe de la cuadrilla era un hombre moreno y corpulento llamado Hadnan Kadere, un supuesto buhonero vestido con un traje de color crema, que estaba empapado de sudor. Se enjugaba el rostro de manera continua con un pañuelo grande mientras gritaba maldiciones a los hombres —sus carreteros y guardias—, pero se afanaba tanto como ellos en recoger lo que quiera que la esbelta mujer señalara, ya fuera grande o pequeño. Las Aes Sedai no paraban mientes en la envergadura de lo que requiriese su voluntad, pero Rand era de la opinión de que Moraine habría hecho lo mismo aunque nunca hubiera estado en la Torre Blanca.

Dos de los hombres estaban intentando mover lo que parecía ser un marco de puerta hecho de piedra roja, extrañamente retorcido; las esquinas parecían no encajar correctamente, y los ojos de cualquier observador esquivaban seguir la línea de las piezas rectas. Se mantenía erguido, girando libremente sobre sí pero rehusando inclinarse por mucho que lo manipularan de formas distintas. Entonces uno de los hombres resbaló y pasó a través del marco hasta la cintura. Rand se puso en tensión. Por un instante, el tipo pareció desaparecer de cintura para arriba mientras sus piernas pateaban frenéticamente, con pánico, hasta que Lan, un hombre alto vestido con un atuendo de tonalidades verdes, se acercó en dos zancadas y lo sacó tirando del cinturón. Lan era el Guardián de Moraine y estaba vinculado a ella de un modo que escapaba a la comprensión de Rand; era un hombre duro, que se movía como los Aiel, como un lobo al acecho; la espada que llevaba al costado parecía formar parte de su persona. Soltó al trabajador en las losas del suelo sobre sus posaderas y lo dejó allí; los gritos aterrados del tipo llegaron apagados hasta Rand, y éste observó que su compañero parecía a punto de echar a correr. Varios hombres de Kadere que habían estado lo bastante cerca para ver lo ocurrido se miraron entre sí y luego a las montañas que rodeaban la ciudad, obviamente sopesando las posibilidades de huida.

Moraine surgió en medio de ellos tan rápidamente que pareció hacerlo mediante el Poder y fue de un hombre a otro, sosegada. Por su actitud Rand casi adivinó las frías e imperiosas órdenes, pronunciadas con una certidumbre tal de que serían obedecidas que no hacerlo resultaría absurdo. A no tardar, Moraine había suprimido la resistencia, revocado las objeciones y azuzado a todos de vuelta al trabajo. Los dos que se ocupaban del marco enseguida estaban de nuevo forcejeando y empujando con tanto empeño como antes, aunque echaban frecuentes miradas de soslayo a Moraine cuando creían que ésta no los veía. A su modo, era más dura que el propio Lan.

Que Rand supiera, todos los objetos de allí abajo eran *angreal* o *sa'angreal* o *ter'angreal* creados antes del Desmembramiento del Mundo con el fin de incrementar el Poder Único o de ser utilizados de distintos modos. Indudablemente los habían creado mediante el Poder, aunque en la actualidad ni siquiera las Aes Sedai sabían cómo construir esa clase de objetos. Rand casi estaba seguro de saber la utilidad del marco de puerta retorcido: un umbral a otro mundo; pero en cuanto al resto, no tenía la menor idea. Nadie la tenía. Ésa era la razón de que Moraine estuviera trabajando con tanto afán, para enviar a la Torre para su estudio tantos como pudiera cargar en las carretas. Incluso allí, sólo se sabía la utilidad de algunos.

Lo que estaba en las carretas o tirado sobre el pavimento no le interesaba a Rand; ya había cogido lo que necesitaba de allí. En cierto sentido, había cogido más de lo que deseaba.

En el centro de la plaza, cerca de los restos calcinados de un gran árbol de cientos de pies de altura, se alzaba un pequeño bosque de columnas de cristal, todas ellas casi tan altas como el árbol y tan esbeltas que daba la impresión que cualquier ventarrón las echaría abajo, haciéndolas añicos. A pesar de que las sombras empezaban a tocarlas, las columnas reflejaban la luz del sol irradiándola en centelleos y titilaciones. Durante incontables años, hombres Aiel habían entrado en aquel bosque de cristal y habían salido marcados como Rand, pero sólo en un brazo, con la señal de jefes de clan. O salían con la marca o no volvían a ser vistos. También mujeres Aiel habían ido a la ciudad para convertirse en Sabias. Nadie más lo hacía, o no vivía para contarlo. «Un hombre puede ir a Rhuidean una vez, y una mujer, dos; más veces significa la muerte», es lo que habían dicho las Sabias, y entonces era verdad. Ahora todo el mundo podía entrar en Rhuidean.

Cientos de Aiel recorrían las calles y un número cada vez mayor vivía en los edificios; cada día más franjas de tierra a lo largo de las calles aparecían con plantas de judías, calabazas o *zemai,* arduamente regadas con recipientes de barro acarreados desde el enorme lago nuevo que llenaba el extremo sur del valle, la única extensión de agua de ese tamaño que había en todo el territorio. Millares levantaban campamentos en las montañas circundantes, incluso en la propia Chaendaer, donde antes sólo habían acudido con gran ceremonia para enviar a un solo hombre o mujer cada vez al interior de Rhuidean.

Dondequiera que fuera, Rand llevaba consigo cambios y destrucción. Esta vez confiaba, contra toda esperanza, que el cambio fuera para bien. Quizá fuera así. El árbol quemado parecía mofarse de él. *Avendesora,* el legendario Árbol de la Vida; los relatos nunca habían dicho dónde se hallaba, y resultó una sorpresa encontrarlo allí. Moraine decía que todavía estaba vivo, que volvería a echar brotes, pero hasta el momento Rand sólo veía corteza ennegrecida y ramas desnudas.

Con un suspiro, se volvió de la ventana hacia la gran estancia, aunque no la mayor de Rhuidean, con altos ventanales en dos lados y el abovedado techo de mosaico que representaba gentes aladas y animales. La mayoría de los muebles de la ciudad hacía tiempo que se había podrido a pesar de la sequedad del ambiente, y gran parte de lo poco que quedaba estaba carcomido por los insectos. Empero, en el otro extremo de la estancia había un sillón de respaldo alto, sólido y con el dorado bastante bien conservado, casi intacto, aunque no hacía juego con el escritorio, una pieza ancha con las patas y los bordes tallados profusamente con flores. Alguien lo había lustrado con cera hasta conseguir sacarle un brillo apagado a despecho de su antigüedad. Los Aiel habían encontrado ambas piezas para él, aunque sacudieron la cabeza al verlas; en el Yermo había pocos árboles que pudieran producir madera suficientemente recta y larga para hacer el sillón, y ninguno del que obtener el escritorio.

Ése era todo el mobiliario; o lo que Rand entendía como tal. Una fina alfombra illiana de seda, azul y dorada, botín de alguna antigua batalla, cubría el centro del suelo de baldosas rojas oscuras. Había cojines de seda y borlas de fuertes colores esparcidos por aquí y por allí. Eran lo que los Aiel utilizaban para sentarse, en lugar de sillas, cuando no se limitaban a ponerse en cuclillas tan cómodamente como él lo haría en un mullido sillón.

Había seis hombres reclinados en los cojines, sobre la alfombra. Eran seis jefes de clan que representaban a los clanes que habían acudido desde muy lejos para seguir a Rand. O, más bien, para seguir a El que Viene con el Alba. Y no con entusiasmo. Rand pensaba que Rhuarc, un hombre de ojos azules, anchos hombros y abundantes canas en su cabello rojizo oscuro, quizá sentía cierta amistad hacia él, pero no los demás. Sólo seis de doce.

Haciendo caso omiso de la silla, Rand se sentó cruzado de piernas, frente a los Aiel. Fuera de Rhuidean, las únicas sillas existentes en el Yermo eran las de los jefes, utilizadas únicamente por ellos y sólo por tres motivos: para ser aclamado como jefe de clan, para aceptar la sumisión honorable de un enemigo, o para fallar sentencia en un juicio. Tomar asiento en una silla estando presentes estos hombres implicaría que tenía intención de hacer una de esas tres cosas.

Vestían con el *cadin'sor*, chaquetas y polainas en tonalidades pardas que se confundían con el paisaje, y suaves botas atadas a la rodilla. Incluso allí, reunidos con el hombre al que habían proclamado el *Car'a'carn*, el jefe de jefes, todos ellos iban armados con un gran cuchillo al cinto y llevaban el pardo *shoufa* envuelto al cuello como un gran pañuelo; si cualquiera de ellos se cubría el rostro con el negro velo que era parte del *shoufa*, significaba que estaba dispuesto a matar. Y tal cosa no era una posibilidad remota. Estos hombres habían combatido entre sí en un interminable ciclo de ataques a clanes, batallas y enemistades heredadas. Lo observaban atentos, esperando que hablara, pero en los Aiel estar a la expectativa siempre implicaba disposición para moverse, repentina y violentamente.

Bael, el hombre más alto que Rand había visto en su vida, y Jheran, esbelto como una cuchilla y rápido como un látigo, estaban recostados con la mayor distancia posible entre sí sin salirse de la alfombra. Entre los Goshien de Bael y los Shaarad de Jheran existía un pleito de sangre, suspendido por El que Viene con el Alba, pero no olvidado. Y quizá la paz de Rhuidean todavía se respetaba a despecho de todo lo que había ocurrido. Aun así, las tranquilas notas del arpa contrastaban fuertemente con la obstinada y rotunda negativa de Bael y Jheran a mirarse. Se enfrentó a los seis pares de ojos, azules o verdes o grises, en rostros curtidos por el sol; los Aiel podían hacer parecer mansos a los halcones.

—¿Qué he de hacer para ganarme a los Reyn? —preguntó—. Tú estabas seguro de que vendrían, Rhuarc.

El jefe de los Taardad lo observó calmosamente; su semblante era tan impasible que podría haber estado tallado en piedra.

—Esperar, sólo eso. Dhearic los traerá. A la larga.

El canoso Han, tendido junto a Rhuarc, retorció la boca como si fuera a escupir. Su rostro, curtido como un trozo de cuero, tenía la expresión agria que era habitual en él.

—Dhearic ha visto a muchos hombres y Doncellas permanecer sentados durante días mirando fijamente al vacío y después tirar sus lanzas. ¡Tirarlas!

—Y huir —añadió quedamente Bael—. Yo mismo he visto gente entre los Goshien, incluso entre los de mi propio septiar, salir corriendo. Y tú, Han, has visto lo mismo entre los Tomanelle. Todos lo hemos visto. No creo que sepan hacia dónde corren, sólo de qué huyen.

—Serpientes cobardes —espetó Jheran. Su cabello castaño claro estaba surcado por hebras grises; entre los jefes de clan no había hombres jóvenes—. Apestosos gusanos que se alejan retorciéndose de su propia sombra. —Un leve movimiento de sus azules ojos hacia el lado opuesto de la alfombra dejó claro que su descripción iba dirigida a los Goshien, no sólo a quienes habían tirado al suelo sus lanzas.

Bael hizo ademán de incorporarse, endureciendo aun más el gesto de su rostro si tal cosa era posible, pero el hombre que estaba a su lado le puso la mano en el brazo para calmarlo. Bruan, de los Nakai, era tan corpulento y fuerte como dos herreros juntos, pero tenía un carácter plácido que resultaba chocante en un Aiel.

—Todos nosotros hemos visto hombres y Doncellas echar a correr. —Su voz sonaba casi indolente, y también lo era la expresión de sus grises ojos, pero Rand sabía que era una falsa impresión; hasta Rhuarc consideraba a Bruan un guerrero mortífero y un estratega astuto. Ni siquiera Rhuarc tenía tanto peso para los planes de Rand como Bruan, pero, por suerte, había venido para seguir a El que Viene con el Alba; no conocía a Rand al'Thor—. Igual que tú, Jheran. Sabes muy bien lo duro que es para ellos lo que afrontan. Si no puedes llamar cobardes a quienes murieron por ser incapaces de afrontarlo, ¿cómo vas a tildar de cobardes a quienes huyeron por la misma razón?

—Nunca debieron descubrirlo —rezongó Han mientras abría y cerraba los dedos sobre su cojín azul como si fuera la garganta de un enemigo—. Ese conocimiento era sólo para quien era capaz de entrar en Rhuidean y salir con vida.

La frase no iba dirigida a nadie en particular, pero tenía que ir destinada a los oídos de Rand. Era él quien había revelado a todo el mundo lo que un hombre descubría en medio de las columnas de cristal de la plaza; o, al menos, había revelado lo suficiente para que los jefes y Sabias no pudieran negar el resto cuando les preguntaron. Si había un Aiel en todo el Yermo que no supiera la verdad a esas alturas, no era ninguno de aquellos con los que había hablado en el último mes.

Lejos del glorioso pasado guerrero en el que la mayoría creía, los Aiel habían empezado como indefensos refugiados a raíz del Desmembramiento del Mundo. Todos los que sobrevivieron al cataclismo lo eran, por supuesto, pero los Aiel nunca se habían considerado indefensos. Lo que era peor, habían sido seguidores de la Filosofía de la Hoja, una ética que rechazaba el uso de la violencia incluso en defensa de la propia vida. Aiel significaba «Dedicados» en la Antigua Lengua, y era a la paz a lo que estaban consagrados. Los que en la actualidad se llamaban a sí mismos Aiel eran los descendientes de aquellos que habían roto una promesa mantenida durante incontables generaciones. Sólo quedaba un vestigio de aquella creencia: un Aiel prefería morir antes que tocar una espada. Siempre habían considerado que ello era parte de su orgullosa ascendencia, de su disociación con quienes vivían fuera del Yermo.

Rand les había oído decir que habían cometido algún pecado por el que los habían llevado a vivir a esas desoladas tierras. Ahora sabían cuál era. Los hombres y mujeres que habían construido Rhuidean y muerto allí —los llamados Jenn Aiel, el clan que no lo era, en las contadas ocasiones en que se hablaba de ellos— eran los únicos que se habían mantenido fieles a las Aes Sedai desde los tiempos anteriores al Desmembramiento. Era muy duro afrontar el hecho de que aquello en lo que uno siempre había creído era una mentira.

—Había que decirlo —adujo Rand.

«Tenían derecho a saberlo —se dijo—. Un hombre no debería verse obligado a vivir una mentira. Además, sus propias profecías dicen que los destruiría. No podría haber actuado de otro modo.» El pasado era pasado y había quedado atrás; debería preocuparse del futuro. «Algunos de estos hombres no me aprecian y algunos me odian por no haber nacido entre ellos, pero me siguen. Los necesito a todos.»

—¿Y qué hay de los Miagoma? —preguntó.

Erim, recostado entre Rhuarc y Han, sacudió la cabeza. Su cabello, antaño de un fuerte tono pelirrojo, estaba ahora medio cano, pero en sus verdes ojos había tanta fuerza como en los de un joven. Sus grandes manos, anchas, largas y firmes, pregonaban la fortaleza de sus brazos.

—Timolan no deja que sus pies sepan hacia qué lado saltarán hasta que ha brincado.

—Cuando Timolan era un joven jefe —dijo Jheran—, intentó unir a los clanes y fracasó. No le sentará muy bien que haya alguien que ha tenido éxito en donde él falló.

—Vendrá —manifestó Rhuarc—. Timolan jamás se creyó a sí mismo El que Viene con el Alba. Y Janwin traerá a los Shiande. Pero esperarán. Antes tienen que asumir los acontecimientos en sus propias mentes.

—Lo que tienen que asumir es el hecho de que El que Viene con el Alba es un hombre de las tierras húmedas —espetó Han—. Sin ánimo de ofender, *Car'a'carn*. —En su voz no había servilismo; un jefe no era un rey, y tampoco lo era el jefe de jefes. En el mejor de los casos, se lo consideraba el primero entre iguales.

—También los Daryne y los Codarra acabarán viniendo, creo —dijo calmosamente Bruan. Y deprisa, no fuera a ser que el silencio se convirtiera en una razón para danzar las lanzas. El primero entre iguales en el mejor de los casos—. Han sido los clanes que han sufrido más bajas por el marasmo. —Así era como los Aiel habían dado en llamar al largo período de estupefacción y parálisis en que habían quedado sumidos antes de que alguien intentara escapar de ser Aiel—. Por el momento, Mandelain e Indirian están volcados en mantener unidos a sus clanes, y ambos querrán ver con sus propios ojos los dragones en tus brazos, pero vendrán.

Aquello dejaba sólo pendiente de discusión un clan, precisamente al que ninguno de los jefes deseaba mencionar.

—¿Qué noticias tenemos de Couladin y de los Shaido? —preguntó Rand.

Silencio por toda respuesta; un silencio roto únicamente por las suaves y serenas notas del arpa en segundo plano. Los hombres, en un estado de ánimo lo más parecido al desasosiego en unos Aiel, aguardaban a que fuera otro quien hablara. Jheran se examinaba fijamente, con el ceño fruncido, la uña del pulgar; Bruan jugueteaba con una de las borlas plateadas de su cojín verde, e incluso Rhuarc contemplaba atentamente la alfombra.

Los hombres y mujeres vestidos de blanco se afanaban en silencio escanciando vino en copas de plata que se iban colocando al lado de cada jefe, llevando bandejas con aceitunas, escasas en el Yermo, queso de oveja y los pálidos y arrugados frutos secos que los Aiel llamaban *pecara*. Los rostros Aiel que asomaban bajo las blancas capuchas mantenían los ojos fijos en el suelo y una inusitada expresión de mansedumbre.

Capturados, ya fuera en batalla o en un asalto a un dominio, los *gai'shain* juraban servir obedientemente durante un año y un día, sin tocar un arma, sin actuar con violencia, y al finalizar el plazo regresaban a su clan y a su septiar como si no hubiera ocurrido nada. Una curiosa reminiscencia de la Filosofía de la Hoja. El *ji'e'toh*, honor y obligación, lo exigía, y romper el *ji'e'toh* era casi lo peor que podía hacer un Aiel. Puede que lo peor. Cabía la posibilidad que alguno de esos hombres o mujeres estuvieran sirviendo en ese momento al jefe de su propio clan; pero, mientras durara el período de *gai'shain,* no darían señal alguna de reconocimiento, ni el más leve parpadeo, incluso en el caso de ser un hijo o una hija.

De repente se le ocurrió a Rand que tal era la razón de que algunos Aiel reaccionaran como lo habían hecho ante su revelación. Para ellos debía de haber sido como si sus antepasados hubieran prometido ser *gai'shain* de por vida, y no sólo para ellos, sino también para todas las generaciones venideras. Y esas generaciones —todas, desde el principio hasta el día de hoy— habían quebrantado el *ji'e'toh* al tomar la lanza. ¿Alguno de los jefes que tenía delante se habría planteado este punto de vista? El *ji'e'toh* era un asunto sumamente serio para cualquier Aiel.

Los *gai'shain* se marcharon sin que sus pasos levantaran el más leve rumor. Ninguno de los jefes tocó el vino ni la comida.

—¿Hay alguna esperanza, por remota que sea, de que Couladin se reúna conmigo? —Rand sabía que no la había; había dejado de enviar mensajes requiriendo una entrevista cuando se enteró de que Couladin desollaba vivos a los portadores. Empero, era un modo de hacer hablar a los otros.

—La única noticia que hemos tenido de él —contestó Han con un resoplido de desprecio— es que se propone despellejarte a ti cuando te ponga los ojos encima. ¿Te parece que eso apunta alguna intención de dialogar?

—¿Qué posibilidades tengo de apartar a los Shaido de él?

—Ellos lo siguen —repuso Rhuarc—. No es jefe, pero ellos creen que lo es. —Couladin no había entrado en aquellas columnas de cristal, por lo que tal vez todavía siguiera creyendo lo que proclamaba: que todo lo que Rand había dicho era mentira—. Afirma que él es el *Car'a'carn*, y ellos también lo creen. Las Doncellas Shaido que vinieron lo hicieron por su asociación, y ello porque las *Far Dareis Mai* son defensoras de tu honor. Ninguno más de ellos vendrá.

—Enviamos exploradores para vigilarlos —dijo Bruan—, y los Shaido los matan en cuanto tienen ocasión. Con ello, Couladin ha iniciado media docena de pleitos de sangre, pero hasta el momento no da señales de que vaya a atacarnos. Según me han contado dice que estamos profanando Rhuidean y que atacarnos aquí sólo sería agravar el sacrilegio.

Erim gruñó y rebulló en el cojín.

—Lo que quiere decir es que hay suficientes lanzas aquí para matar dos veces a los Shaido y todavía sobrarían. —Se metió un trozo del blanco queso en la boca y agregó—: Los Shaido fueron siempre cobardes y ladrones.

—Perros sin honor —manifestaron al unísono Bael y Jheran, que de inmediato se miraron de hito en hito como si cada cual pensara que el otro lo había inducido a ello con engaños.

—Con honor o sin él —adujo Bruan reposadamente—, el número de guerreros de Couladin está creciendo. —A pesar de lo tranquilo que parecía, tomó un buen trago de vino antes de continuar—: Todos sabéis a lo que me refiero. Algunos de los que huyeron después del marasmo no tiraron sus lanzas, sino que se unieron a sus asociaciones entre los Shaido.

—Ningún Tomanelle ha renegado de su clan —bramó Han.

Bruan miró por encima de Rhuarc y de Erim al jefe de los Tomanelle.

—Ha ocurrido en todos los clanes —dijo con deliberada calma, y, para dejar claro que no admitiría otro desafío contra su palabra, volvió a recostarse en el cojín—. No es renegar del clan. Sólo se han unido a sus asociaciones. Es lo mismo que han hecho las Doncellas Shaido que han venido a su Techo aquí.

Hubo unos cuantos murmullos, pero nadie le discutió esta vez. Las reglas que regían las asociaciones guerreras Aiel eran complejas, y en algunos aspectos sus miembros se sentían tan vinculados a su asociación como a su clan. Por ejemplo, los miembros de una misma asociación no lucharían entre sí aun cuando sus clanes tuvieran un pleito de sangre. Algunos hombres no se casaban con una mujer que fuera familiar cercano de un miembro de su asociación, como si ello la convirtiera en pariente allegada suya. Respecto a las costumbres de las *Far Dareis Mai*, las Doncellas Lanceras, Rand prefería no planteárselas siquiera.

—Necesito saber lo que se propone hacer Couladin —les dijo. El Shaido era como un toro con una avispa metida en la oreja; podía cargar en cualquier dirección. Rand vaciló antes de exponer su idea—. ¿Sería una violación del honor enviar gente a unirse a sus asociaciones entre los Shaido? —No fue preciso explicar con más detalle a lo que se refería. Como si fueran un solo hombre, los jefes se pusieron tensos, incluido Rhuarc, en cuyos ojos había una frialdad suficiente para acabar con el calor de la habitación.

—Espiar de ese modo —Erim torció la boca al pronunciar la palabra «espiar», como si tuviera un sabor amargo— sería como espiar en tu propio septiar. Nadie con honor haría algo así.

Rand contuvo las ganas de preguntarles si no podían encontrar a alguien menos puntilloso. El sentido del humor de los Aiel era muy raro, a menudo cruel, pero respecto a ciertos temas no tenían absolutamente ninguno.

—¿Hay alguna noticia del otro lado de la Pared del Dragón? —inquirió para cambiar de tema. Sabía la respuesta, ya que noticias así se propagaban rápidamente incluso entre tantos Aiel como los que había en Rhuidean.

—Nada que merezca la pena tenerse en cuenta —contestó Rhuarc—. Con los problemas existentes entre los Asesinos del Árbol, pocos buhoneros entran en la Tierra de los Tres Pliegues. —Tal era el nombre por el que los Aiel conocían al Yermo; un castigo por su pecado, un territorio duro para poner a prueba su valor, un yunque para moldearlos. Asesinos del Árbol era como llamaban a los cairhieninos—. El estandarte del Dragón sigue ondeando sobre la Ciudadela de Tear. Los tearianos se han movido hacia el norte y han entrado en Cairhien, como ordenaste, para distribuir comida entre los Asesinos del Árbol. No hay nada más.

—Debiste dejar que los Asesinos del Árbol se murieran de hambre —masculló Bael, y Jheran cerró la boca con un seco chasquido. Rand sospechó que había estado a punto de decir lo mismo.

—No valen para nada salvo para matarlos o venderlos como animales en Shara —dijo sombríamente Erim. Ésas eran dos de las cosas que los Aiel hacían con quienes entraban en el Yermo sin estar invitados; sólo los juglares, los buhoneros y los gitanos tenían paso libre, bien que los Aiel evitaban a estos últimos como si tuvieran la peste. Shara era el nombre de las tierras que había más allá del Yermo; ni siquiera los Aiel sabían gran cosa acerca de ellas.

Por el rabillo del ojo, Rand vio dos mujeres paradas debajo de la alta entrada en arco. Alguien había colgado sartas de cuentas rojas y azules en el hueco para sustituir las puertas que faltaban. Una de las mujeres era Moraine. Por un instante consideró dejarlas aguardando; Moraine tenía esa irritante expresión de autoridad y saltaba a la vista que esperaba que interrumpieran lo que quiera que estuvieran haciendo para atenderla a ella. El problema era que no quedaba nada más de lo que hablar, y Rand veía claramente en los ojos de los hombres que no sentían ningún deseo de conversar. En especial cuando acababan de hablar del marasmo y de los Shaido.

Suspirando, se puso de pie y los jefes de clan lo imitaron. Todos excepto Han eran tan altos como él o más. Donde Rand se había criado, a Han se lo consideraría de estatura regular; entre los Aiel, era un hombre bajo.

—Sabéis lo que hay que hacer: atraer al resto de los clanes y tener vigilados a los Shaido. —Calló un momento y luego añadió—: Haré cuanto pueda para que todo acabe lo mejor posible para los Aiel.

—La profecía dice que nos destruirás —adujo amargamente Han—, y no has empezado mal. Pero te seguiremos. Hasta que no queden sombras —recitó—, hasta que no quede agua, hacia la Sombra enseñando los dientes, gritando desafiantes con el último aliento, para escupir al ojo del Cegador de la Vista en el Último Día.

83

El Cegador de la Vista era uno de los nombres Aiel para designar al Oscuro. Rand sólo podía contestar con la respuesta adecuada, la que en otros tiempos no conocía:

—Por mi honor y por la Luz, mi vida será una daga en el corazón del Cegador de la Vista.

—Hasta el Último Día —terminaron los Aiel—, en el mismísimo Shayol Ghul.

El arpista continuaba tocando sosegadamente. Los jefes salieron junto a las mujeres que aguardaban, mirando respetuosamente a Moraine. No había en ellos temor alguno, y Rand deseó poder sentirse tan seguro de sí mismo. La Aes Sedai albergaba demasiados planes para él, tenía demasiados modos de tirar de cuerdas que él ignoraba que le había atado.

Las dos mujeres entraron tan pronto como los jefes se hubieron marchado, Moraine con la fría elegancia de siempre. Era una mujer pequeña y bonita, con aquellos rasgos de Aes Sedai a los que Rand jamás sabría poner una edad, o sin ellos; se había quitado el pañuelo húmedo anudado a las sienes y, en su lugar, una pequeña gema azul colgaba sobre su frente desde una fina cadena de oro ceñida al oscuro cabello. Habría dado igual si se hubiera dejado el pañuelo; nada menguaba su porte regio. Normalmente daba la impresión de medir un palmo más de su verdadera altura, y sus ojos irradiaban seguridad y autoridad.

La otra mujer era más alta, aunque sólo le llegaba al hombro a Rand, y joven, no intemporal: Egwene, a la que conocía desde que eran niños. Ahora, salvo por sus brillantes ojos oscuros, casi habría pasado por una Aiel, y no sólo debido al tono tostado de su rostro y sus manos. Vestía una falda Aiel de lana marrón y una blusa suelta de tejido blanco que se obtenía de una fibra llamada *algode*. El *algode* era más suave que la más fina lana; sería un excelente producto para el comercio si conseguía convencer a los Aiel. Un chal gris rodeaba los hombros de Egwene, y un pañuelo del mismo color, doblado, hacía las veces de cinta alrededor de la frente para sujetarle el cabello. A diferencia de la mayoría de las mujeres Aiel, lucía un único brazalete, un aro de marfil tallado de modo que semejaba un círculo de llamas, y un solo collar de oro y cuentas de ébano. Y otra cosa más: un anillo de la Gran Serpiente en la mano izquierda.

Egwene había estado estudiando con algunas Sabias Aiel —Rand ignoraba exactamente qué, aunque suponía con bastante certeza que tenía que ver con los sueños; tanto Egwene como las Sabias mantenían la más estricta reserva al respecto— pero también había estudiado en la Torre Blanca. Era una Aceptada, en camino de convertirse en Aes Sedai. Y, al menos allí y en Tear, ya se hacía pasar por Aes Sedai. A veces

Rand le tomaba el pelo por ello, aunque la joven no recibía bien sus chanzas.

—Las carretas estarán listas para partir hacia Tar Valon pronto —anunció Moraine. Tenía una voz musical, cristalina.

—Envíalas con una guardia nutrida —dijo Rand—, o puede que Kadere no las lleve donde quieres. —Se volvió hacia la ventana de nuevo, deseoso de mirar el exterior y pensar sobre el buhonero—. Antes no me necesitabas nunca para agarrarte de la mano ni para darte permiso.

De repente algo pareció golpearlo en los hombros, como si le hubieran dado con una vara; la sensación de que se le ponía la piel de gallina, cosa harto difícil con este calor, fue lo único que lo puso sobre aviso de que una de las mujeres había encauzado.

Girando sobre sí mismo para tenerlas de frente, entró en contacto con el *Saidin* y se llenó del Poder Único. Era como si la vida misma entrara a raudales en él, como si estuviera diez, cien veces más vivo que antes; también lo llenó la infección del Oscuro, muerte y corrupción, como gusanos reptando en su boca. Era un torrente que amenazaba con arrastrarlo, una violenta riada contra la que tenía que luchar cada instante. Casi se había acostumbrado a ella ahora y, al mismo tiempo, jamás se acostumbraría. Deseaba retener para siempre la dulzura del *Saidin* y deseaba vomitar. Y, mientras tanto, el impetuoso caudal intentaba arrancarle la carne hasta dejarle los huesos pelados para después reducir éstos a cenizas.

Con el tiempo, la infección lo volvería loco, si es que antes no lo mataba el Poder; era una carrera hacia uno u otro destino. La locura era la suerte que aguardaba a todos los hombres con capacidad de encauzar desde que había empezado el Desmembramiento del Mundo, desde el día en que Lews Therin Telamon, el Dragón, y sus Cien Compañeros habían encerrado al Oscuro en la prisión de Shayol Ghul. La onda expansiva producida por el último estallido al sellar esa prisión tuvo por consecuencia la contaminación de la mitad masculina de la Fuente Verdadera, y los hombres que podían encauzar, dementes que podían encauzar, habían hecho pedazos el mundo.

Se hinchió de Poder... Y no supo discernir cuál de las dos mujeres lo había hecho. Ambas lo miraban como unas mosquitas muertas, las dos con una ceja enarcada en un gesto interrogante casi idéntico y levemente divertido. Una o las dos a la vez podían estar en contacto con la mitad femenina de la Fuente en ese mismo instante, y él jamás lo percibiría.

Claro que un varazo en los hombros no era el estilo de Moraine; ella tenía otros medios para castigar, más sutiles pero, al final, más dolorosos. Empero, y aunque tenía la certeza de que había sido Egwene, no hizo nada. «Pruebas.» La idea se deslizó por el borde del vacío en el que flotaba, envuelto en la nada, lejos de pensamientos, emociones e incluso de la rabia. «No haré nada sin tener pruebas. Esta vez no saltaré aunque me pinchen.» Ya no era la Egwene con la que había crecido; se había convertido en parte de la Torre desde que Moraine la había enviado allí. De nuevo Moraine. Siempre Moraine. A veces desearía poder librarse de ella. «¿Sólo a veces?» Rand se concentró en la Aes Sedai.

—¿Qué quieres de mí? —Incluso a sus oídos su voz sonó fría e impasible. El Poder rugía dentro de él. Egwene le había explicado que, para una mujer, entrar en contacto con la Fuente era como un abrazo; para un hombre era siempre una guerra a muerte—. Y no vuelvas a hablar de las carretas, hermanita. Generalmente descubro lo que te propones hacer mucho después de que ya está hecho.

La Aes Sedai lo miró con el entrecejo fruncido, y no era de extrañar. Evidentemente, no estaba acostumbrada a que ningún hombre la tratara así, ni siquiera el Dragón Renacido. Ni siquiera él entendía de dónde había salido lo de «hermanita» ni por qué la tuteaba ahora; últimamente parecía que las palabras surgían repentinamente en su cabeza. Tal vez el primer atisbo de locura. Algunas noches yacía despierto hasta altas horas, preocupado por eso. Dentro del vacío tenía la sensación de que era una preocupación que no le atañía a él.

—Deberíamos hablar a solas —dijo Moraine, asestando una fría mirada al arpista.

Jasin Natael, el nombre por el que se lo conocía allí, estaba medio tumbado sobre cojines, recostado en una de las paredes sin ventanas, tocando suavemente el arpa apoyada sobre una rodilla; la parte superior del instrumento musical estaba tallada y dorada a semejanza de las criaturas que Rand tenía en los antebrazos, a las que los Aiel llamaban dragones. Rand sólo tenía cierta sospecha respecto a dónde había conseguido Natael el arpa. Era un hombre de cabello oscuro, de mediana edad, al que habrían considerado más alto que la mayoría en cualquier otro lugar que no fuera el Yermo. La chaqueta y los calzones eran de seda azul oscuro, apropiados para una corte real, con recargados bordados de oro en el cuello y los puños, y llevaba todas las prendas completamente abotonadas y atadas a despecho del calor reinante. Las finas ropas no encajaban con la capa de juglar que tenía extendida junto a él: una prenda de buena calidad, pero cubierta completamente con centenares de parches de colores casi igualmente numerosos, todos ellos cosidos de manera que se agitaran con el menor soplo de brisa, y que señalaba a un artista provinciano, un juglar y titiritero, músico y contador de cuentos que viajaba de pueblo en pueblo. Nada que ver con un hombre que vestía ropas de sedas; en fin, que tenía ciertas debilidades. Aparentemente estaba absorto en la música.

—Puedes decir lo que quieras en presencia de Natael —manifestó Rand—. Al fin y al cabo, es el juglar del Dragón Renacido. —Si mantener en secreto el asunto que quería tratar era tan importante, Moraine insistiría, y entonces Rand mandaría salir a Natael, aunque no le gustaba perder de vista al hombre.

Egwene resopló con desdén y ajustó el chal a sus hombros.

—La soberbia se te ha subido a la cabeza, Rand al'Thor. —Lo dijo categóricamente, como manifestando un hecho.

La rabia hirvió en el exterior del vacío, aunque no a causa de lo que la joven había dicho; siempre había tenido por costumbre intentar rebajarlo desde que eran niños, generalmente tanto si lo merecía como si no. Pero últimamente Rand tenía la impresión de que trabajaba en connivencia con Moraine, tratando de desconcertarlo para que la Aes Sedai pudiera llevarlo al terreno que quería. Cuando eran más jóvenes, antes de que ambos descubrieran lo que era, Egwene y él habían creído que se casarían algún día. Y ahora hacía causa común con Moraine contra él.

Adoptando una expresión severa, habló con más dureza de lo que era su intención:

—Dime qué quieres, Moraine. Dímelo ya o tendrá que esperar hasta que disponga de un rato para atenderte. Estoy muy ocupado. —Aquello era totalmente falso. La mayoría del tiempo lo ocupaba practicando esgrima con Lan o el manejo de la lanza con Rhuarc o aprendiendo a luchar con manos y pies con cualquiera de los dos. Pero, si alguien tenía que intimidar allí ese día, sería él. Natael podía oírlo todo. O casi todo. Siempre y cuando Rand supiera dónde se encontraba en todo momento.

Las dos mujeres pusieron ceño, pero al menos la verdadera Aes Sedai pareció darse cuenta de que esta vez no daría el brazo a torcer. Moraine echó una ojeada a Natael —que aparentemente seguía absorto en la música—, apretó los labios y finalmente sacó un envoltorio de seda gris de su bolsillo.

Lo desenvolvió y dejó sobre la mesa lo que contenía, un disco del tamaño de la mano de un hombre, la mitad negro y la otra mitad blanco; ambos colores confluían en una línea sinuosa con la que se formaban dos lágrimas unidas. Ése había sido el símbolo de los Aes Sedai antes del Desmembramiento, pero el disco era algo más. Se habían creado sólo siete como éste, y servían como sellos de la prisión del Oscuro. O, más específicamente, cada uno de ellos era el foco de uno de los verdaderos sellos. Moraine sacó del cinturón la daga, cuya empuñadura estaba forrada con alambre plateado, y rascó suavemente el borde del disco. De la mitad negra se desprendió una minúscula esquirla.

Aun estando sumergido en el vacío, Rand dio un respingo; por un instante el Poder pareció a punto de arrollarlo y hasta el propio vacío se estremeció.

—¿Es una copia? ¿Una falsificación?

—Lo encontré aquí abajo, en la plaza —informó Moraine—. Pero es un original. El que traje conmigo de Tear es igual. —Habló como si estuviera comentando que quería crema de guisantes para comer.

Por su parte, Egwene se arrebujó en el chal como si tuviera frío. Rand notó el miedo tratando de alcanzarlo a través del vacío. Le costó un arduo esfuerzo cortar el contacto con el *Saidin,* pero se obligó a hacerlo. Si perdía la concentración, el Poder lo destruiría allí mismo, y ahora quería poner toda su atención en el asunto que tenían entre manos. A pesar de todo, a pesar de la infección, fue una dura renuncia.

Miró la esquirla caída sobre la mesa sin dar crédito a sus ojos. Los discos estaban hechos con *cuendillar,* la piedra del corazón, y nada hecho con ella podía romperse, ni siquiera con el Poder Único. Cualquier fuerza utilizada contra ella sólo la volvía más resistente. El proceso para hacer la piedra del corazón se había perdido con el Desmembramiento del Mundo, pero todo cuanto se había fabricado con ella durante la Era de Leyenda todavía existía, hasta el jarrón más frágil, aunque el propio Desmembramiento lo hubiera hundido en el fondo del océano o enterrado bajo una montaña. Claro que ya se habían roto tres de los siete discos, pero había hecho falta algo más que la punta de una daga.

Aunque, pensándolo bien, no sabía exactamente cómo se habían roto aquellos tres discos. Si ninguna fuerza menor que el propio Creador podía romper el *cuendillar,* entonces ¿cuál era la causa?

—¿Cómo? —preguntó, sorprendido de que su voz siguiera sonando tan impasible como cuando lo envolvía el vacío.

—Lo ignoro —contestó Moraine, en apariencia con tanta calma como él—. Sin embargo, ¿comprendes el problema? Esto se rompería con caerse de la mesa. Si los demás, dondequiera que estén, se encuentran en el mismo estado, cuatro hombres con martillos serían capaces de abrir de nuevo ese agujero en la prisión del Oscuro. Además, ¿quién sabe hasta qué punto son efectivos en estas condiciones?

Sí, Rand se daba cuenta. «Aún no estoy preparado.» Ni siquiera sabía si llegaría a estarlo en algún momento, pero ahora, desde luego, no lo estaba. El aspecto de Egwene era como si estuviera contemplando su propia tumba abierta. Moraine envolvió de nuevo el disco y lo guardó en el bolsillo.

—Quizá se me ocurra alguna posibilidad antes de que lleve esto a Tar Valon. Si descubrimos el porqué, tal vez estemos en condiciones de hacer algo al respecto.

Rand imaginó al Oscuro alargando de nuevo sus manos desde Shayol Ghul, logrando por fin liberarse completamente; el fuego y la oscuridad cubrieron el mundo en su mente, llamas que consumían pero no daban luz, tinieblas sólidas como piedra estrujando el aire. Con aquella imagen llenando su cerebro, tardó unos segundos en asimilar lo último que había dicho Moraine.

—¿Tienes intención de ir en persona? —Creía que la Aes Sedai pensaba pegarse a él como el musgo a la piedra. «¿Y no es precisamente eso lo que quieres, que te deje en paz?»

—Finalmente tendré que... dejarte, después de todo —repuso Moraine en voz queda—. Lo que haya de ser, será. —Rand creyó verla estremecerse, pero, tan fugazmente, que bien podría haber pasado por ser producto de su imaginación, y al cabo de un instante la mujer había recuperado la compostura, el dominio de sí misma—. Tienes que estar preparado. —A Rand no le sentó bien este recordatorio de sus propias dudas—. Deberíamos discutir tus planes. No puedes quedarte aquí parado mucho más tiempo. Aun en el caso de que los Renegados no se hayan planteado atacarte, están ahí fuera, extendiendo su poder. Reunir a los Aiel no te servirá de mucho si te encuentras con que tienen bajo su dominio todo cuanto hay al otro lado de la Columna Vertebral del Mundo.

Soltando una queda risita, Rand se recostó contra la mesa. Así que sólo se trataba de otra estratagema; si tan nervioso lo ponía su marcha, quizá debería mostrarse más inclinado a escuchar sus consejos, más dócil a dejarse guiar. Naturalmente, Moraine no podía mentir, no directamente. Uno de los tan cacareados Tres Juramentos se ocupaba de ello: no decir nada que no fuera cierto. Rand había descubierto que eso dejaba un amplio margen para maniobrar. Al fin tendría que dejarlo solo. Después de que estuviera muerto, sin duda.

—Así que quieres discutir sobre mis planes —dijo, cortante. Sacó una pipa de caña corta y una bolsa de tabaco del bolsillo de la chaqueta, llenó la cazoleta, apretó el tabaco con el pulgar, y tocó fugazmente el *Saidin* para encauzar una llamita que tituló sobre la pipa—. ¿Por qué? Son míos. —Chupó lentamente mientras esperaba, pasando por alto la mirada feroz de Egwene.

La expresión de la Aes Sedai no se alteró, pero sus grandes y oscuros ojos parecieron arder.

—¿Qué hiciste cuando te negaste a dejarte guiar por mí? —Su voz era tan fría como sus rasgos, pero las palabras parecieron salir de su boca como trallazos—. Allí por donde has pasado, has dejado tras de ti muerte, destrucción y guerra.

—En Tear no —replicó con excesiva premura. Y demasiado a la defensiva. No debía dejar que lo alterara. Se puso a dar largas chupadas a la pipa, con deliberada lentitud.

—No —convino ella—, en Tear no. Por una vez tuviste una nación respaldándote, un pueblo, ¿y qué hiciste con ellos? Implantar justicia en Tear era loable. Establecer el orden en Cairhien, alimentar a los hambrientos, es digno de encomio. En otro momento te habría elogiado por ello. —Ella era cairhienina—. Pero eso no te ayuda para el día que habrás de afrontar el Tarmon Gai'don. —Una mujer de ideas fijas, fría en cuanto atañía a todo lo demás, incluso su propio país. Mas ¿no debería ser él igual, tener un único propósito?

—¿Y qué habrías querido que hiciera? ¿Rastrear y dar caza a los Renegados, uno por uno? —De nuevo se obligó a chupar lentamente la pipa; fue un arduo esfuerzo—. ¿Sabes siquiera dónde están? Oh, sí, Sammael se encuentra en Illian, ambos estamos informados de ello, pero ¿y los demás? ¿Y si voy por Sammael como querías y me encuentro con dos, tres o cuatro de ellos?, ¿o con todos?

—Podrías haberte enfrentado a tres o a cuatro, puede que a los nueve que sobreviven, si no te hubieras dejado a *Callandor* en Tear —adujo con un timbre gélido—. La verdad es que estás huyendo. En realidad no tienes ningún plan, ninguno que te prepare para la Última Batalla. Corres de un sitio a otro con la esperanza de que de algún modo todo se resuelva por sí mismo. Esperando, porque no sabes qué otra cosa hacer. Si aceptaras mi consejo, al menos...

Él la hizo callar con un brusco ademán, sin importarle ni poco ni mucho las miradas furibundas que le asestaban las dos mujeres.

—Tengo un plan. —Si tanto interés tenían, que lo supieran, y así la Luz lo abrasara si cambiaba ni un punto ni una coma—. En primer lugar, tengo intención de acabar con las guerras y con las matanzas, las haya empezado yo o no. Si los hombres tienen que matar, que maten trollocs, no los unos a los otros. En la Guerra de Aiel cuatro clanes cruzaron la Pared del Dragón e impusieron su voluntad durante dos largos años. Saquearon y arrasaron Cairhien, derrotando a todos los ejércitos que lanzaron contra ellos. Podrían haber tomado Tar Valon si hubiesen querido. La Torre no habría podido pararlos entonces a causa de vuestros Tres Juramentos. —No utilizar el Poder como arma excepto contra los Engendros de la Sombra o Amigos Siniestros o en defensa de sus propias vidas era otro de los juramentos, y los Aiel no habían amenazado a la propia Torre. La cólera se había apoderado de él ahora. Así que huyendo y esperando ¿no?—. Y eso lo consiguieron entre cuatro clanes. ¿Qué ocurrirá cuando conduzca a once a través de la Columna Vertebral del Mundo? —Tenían que ser sólo once; contar con los Shaido quedaba descartado—. Para cuando a las naciones se les ocurra la idea de unirse, ya será demasiado tarde. Aceptarán mi paz o seré enterrado en Can Breat.

Una nota desafinada se alzó en el arpa, y Natael se inclinó sobre el instrumento mientras sacudía la cabeza. Al cabo de un instante la armoniosa melodía sonó de nuevo.

—Un melón pasado no se hincharía lo bastante para confundirse con tu cabeza —masculló Egwene, cruzándose de brazos—. ¡Y una piedra no sería más obstinada! Moraine sólo intenta ayudarte. ¿Por qué eres tan ciego?

La Aes Sedai se alisaba los pliegues de la falda de seda a pesar de que no era necesario.

—Llevar a los Aiel a través de la Pared del Dragón tal vez sea el mayor error que podrías cometer. —En su voz había un timbre de rabia y frustración. Por lo menos Rand estaba dejándole muy claro que no era la marioneta de nadie—. A estas alturas, la Sede Amyrlin estará poniéndose en contacto con los dirigentes de todas las naciones que todavía tengan quienes las dirijan, exponiendo las pruebas de que eres el Dragón Renacido. Conocen las Profecías; saben para lo que has nacido. Una vez que se hayan convencido de quién y qué eres, te aceptarán porque tienen que hacerlo. La Última Batalla se aproxima, y tú eres su única esperanza, la única esperanza de la humanidad.

Rand estalló en carcajadas. Era una risa amarga. Sujetando la pipa entre los dientes, se aupó a la mesa y se sentó cruzado de piernas, mirándolas.

—Así que tú y Siuan Sanche todavía creéis que sabéis cuanto hay que saber. —Así lo quisiera la Luz, no sabían, ni de cerca, todo sobre él y jamás lo descubrirían—. Sois unas necias las dos.

—¡Muestra más respeto! —gruñó Egwene, pero Rand al'Thor pasó por alto su protesta.

—Los Grandes Señores tearianos conocían las Profecías también, y me reconocieron una vez que vieron a *Callandor* aferrada en mi mano. La mitad de ellos esperaban que les proporcionara poder o gloria o ambas cosas. La otra mitad estaba dispuesta a clavarme un cuchillo en la espalda en cuanto se le presentara la ocasión e intentar olvidar que el Dragón Renacido había pisado Tear alguna vez. Así es como las naciones recibirán al Dragón Renacido. A menos que antes las someta, como hice con Tear. ¿Sabes por qué dejé a *Callandor*? Para que no se olvidaran de mí. Saben que está allí, hincada en el Corazón de la Ciudadela, y saben que regresaré por ella. Eso es lo que los mantiene sujetos a mí. —Aquélla era una de las razones de que hubiera dejado La Espada que no es una Espada. No quería pensar siquiera en la otra.

—Ten mucho cuidado —dijo Moraine al cabo de un momento. Sólo eso, y con una voz que rebosaba una fría calma. Rand captó una seria amenaza en sus palabras. Una vez la había oído decir con el mismo tono que antes lo vería muerto que permitir que la Sombra se apoderara de él. Una mujer dura.

Lo estuvo observando fijamente unos instantes, sus oscuros ojos cual estanques profundos que amenazaban con engullirlo. Después hizo una impecable reverencia.

—Con tu permiso, mi señor Dragón, iré a informar a maese Kadere del lugar donde quiero que trabajen mañana.

Nadie habría visto o advertido la más leve burla en su gesto o sus palabras, pero Rand lo percibió. Recurría a cualquier cosa que sirviera para alterarlo, para hacerlo más sumiso por el sentido de la culpabilidad, la vergüenza, la incertidumbre o lo que fuera. Lo intentaría todo. La siguió con la mirada hasta que la cortina de cuentas se cerró, tintineando, tras ella.

—No tienes por qué fruncir el ceño así, Rand al'Thor. —Egwene hablaba despacio; sus ojos estaban iracundos y sujetaba el chal como si deseara estrangularlo con él—. ¡Menudo lord Dragón estás hecho! Seas lo que seas, en el fondo no eres más que un palurdo grosero y sin modales. ¡No creo que te matara el esfuerzo de mostrar un poco de educación! Te merecerías más de lo que ya has recibido.

—Así que fuiste tú —espetó, pero, para su sorpresa, la joven empezó a sacudir la cabeza negando antes de contenerse. De modo que había sido Moraine, después de todo. Si la Aes Sedai estaba dando rienda suelta a semejante genio, algo debía de estar llevándola al límite de su paciencia. Él, sin duda. Quizá debería disculparse. «Supongo que ser educado no me perjudicaría.» Aunque no alcanzaba a entender por qué tenía que ser cortés con la Aes Sedai mientras que ella intentaba llevarlo sujeto por una correa.

Empero, si él se estaba planteando ser amable, no era el caso de Egwene. Si las ascuas ardientes hubieran sido marrón oscuro, no se habrían diferenciado en nada de sus ojos.

—Eres un necio con paja en la cabeza en vez de cerebro, Rand al'Thor, y jamás debí decirle a Elayne que eras lo bastante bueno para ella. ¡Ni siquiera eres bueno para una comadreja! No tengas tantos humos, porque todavía te recuerdo pasándolas moradas para salir de alguna situación apurada en la que te había metido Mat. Aún recuerdo a Nynaeve azotándote hasta que chillabas como un cochino y que después necesitabas un cojín para poder sentarte el resto del día. Tampoco hace tantos años de eso. Habré de decirle a Elayne que te olvide. Si supiera en lo que te has convertido...

Rand se quedó mirándola, boquiabierto, mientras ella soltaba la parrafada, más furiosa de lo que había estado en ningún momento desde que había entrado por la puerta. Entonces lo comprendió. Todo venía por la leve sacudida de cabeza que no había tenido intención de hacer, con la que había descubierto que había sido Moraine quien lo había golpeado con el Poder. Egwene se esforzaba al máximo para realizar de manera apropiada lo que quiera que se trajera entre manos. Al estudiar con la Sabias, vestía ropas Aiel; conociéndola como la conocía, tal vez hasta estaba intentando adoptar costumbres Aiel. Pero siempre se esforzaba al máximo para ser una Aes Sedai adecuada, aun cuando sólo fuera una Aceptada. Por lo general, las Aes Sedai mantenían controlado el genio, pero nunca jamás demostraban algo que quisieran ocultar.

«Ilyena jamás descargó su mal genio conmigo cuando estaba furiosa consigo misma. Las veces que mostraba su lado mordaz era porque...» Su mente se quedó paralizada momentáneamente. Él nunca había conocido a una mujer llamada Ilyena. Sin embargo, evocaba un rostro con ese nombre, una imagen borrosa; una cara bonita, piel cremosa, cabello dorado igual al de Elayne. Esto tenía que ser la locura. Mira que recordar una mujer imaginaria... A lo mejor algún día se ponía a hablar con personas que no existían.

La diatriba de Egwene cesó bruscamente, dando paso a una expresión preocupada.

—¿Te encuentras bien, Rand? —La rabia había desaparecido de su voz como si nunca hubiera estado allí—. ¿Ocurre algo? ¿Voy a buscar a Moraine para que...?

—¡No! —gritó, y enseguida suavizó el tono—. No puede Curar... —Ni siquiera una Aes Sedai podía sanar la locura; ninguna de ellas podía Curar sus padecimientos—. ¿Está bien Elayne?

—Está bien, sí. —A despecho de lo que había dicho, en la voz de Egwene había un atisbo de compasión. Eso era todo lo que realmente esperaba. Aparte de saber que Elayne se marchaba de Tear, el resto eran asuntos de Aes Sedai, nada que le concerniera a él; así se lo había dicho Egwene en más de una ocasión y Moraine se había hecho eco de sus palabras. Las tres Sabias que caminaban por los sueños, con las que Egwene estaba estudiando, habían sido aun menos comunicativas; tenían sus propias razones para no estar contentas con él.

—Será mejor que me marche —siguió Egwene, colocándose bien el chal sobre los hombros—. Estás cansado. —Arrugó ligeramente el entrecejo—. Rand, ¿qué significa ser enterrado en el Can Breat?

Iba a preguntarle de qué demonios hablaba cuando recordó haber utilizado esa frase.

—Sólo es algo que oí una vez —mintió. No tenía la más ligera idea de lo que significaba ni de dónde lo había sacado.

—Descansa, Rand —dijo como si fuera veinte años mayor que él en lugar de ser tres más joven—. Prométeme que lo harás. Lo necesitas.

Él asintió. Egwene lo observó atentamente como buscando la verdad en su rostro y después se encaminó hacia la puerta.

La copa de vino de Rand flotó de la alfombra hacia donde estaba él; se apresuró a cogerla en el aire justo antes de que Egwene volviera la cabeza para mirarlo por encima del hombro.

—Quizá no debería contarte esto —empezó—. Elayne no me lo dijo como un mensaje para ti, pero... Me confesó que te amaba. Quizá lo sabes ya; pero, si no es así, deberías pensar en ello.

Sin más, Egwene salió de la estancia, y las sartas de cuentas tintinearon al cerrarse tras ella.

Bajando de un salto de la mesa, Rand arrojó la copa lejos, salpicando con el vino las baldosas del suelo, y se giró violentamente hacia Jasin Natael, furioso.

3

SOMBRAS DIFUSAS

Asiendo el *Saidin*, Rand encauzó y tejió flujos de Aire que levantaron en vilo a Natael de los cojines; la dorada arpa cayó en las baldosas rojo oscuro mientras el hombre quedaba aplastado contra la pared, inmóvil desde el cuello hasta los tobillos, con los pies a dos palmos del suelo.

—¡Te lo advertí! ¡No encauces jamás cuando haya gente! ¡Jamás!

Natael inclinó la cabeza de aquella manera peculiar en él, como queriendo mirar a Rand de reojo u observar con disimulo.

—Si se hubiera dado cuenta habría creído que eras tú. —En su voz no había disculpa ni timidez, pero tampoco desafío; por lo visto creía que estaba dando una explicación razonable—. Además, parecías tener sed. Un bardo de corte debe atender las necesidades de su señor. —Esta era una de las pequeñas vanidades que se permitía; si Rand era el lord Dragón, entonces él tenía que ser el bardo de corte, no un simple juglar.

Sintiéndose tan asqueado consigo mismo como furioso con el otro hombre, Rand deshizo los flujos tejidos y lo dejó caer. Maltratarlo era como enzarzarse en una pelea con un niño de diez años. No veía el escudo que impedía el acceso de Natael al *Saidin,* ya que era creación femenina, pero sabía que estaba allí. Mover una copa era a lo máximo que

95

llegaba ahora la habilidad de Natael. Afortunadamente, el escudo también quedaba oculto a los ojos femeninos. Natael lo llamaba «inversión», pero no parecía capaz de explicarlo.

—¿Y si me hubiera visto la cara y hubiera sospechado? ¡Me quedé tan estupefacto como si esa copa hubiera flotado hacia mí por propia iniciativa! —Volvió a ponerse la pipa entre los dientes y expulsó grandes bocanadas de humo.

—Aun así no habría sospechado de mí. —Acomodándose de nuevo entre los cojines, Natael volvió a coger el arpa y rasgueó unas notas que sonaban aviesas—. ¿Cómo iba a sospechar nadie? Ni siquiera yo acabo de creer la situación en la que estoy. —Si en su voz hubo algún indicio de amargura, Rand no lo detectó.

Tampoco él estaba seguro de creerlo, aunque su trabajo le había costado llegar a las condiciones actuales. El hombre que tenía delante, Jasin Natael, tenía otro nombre: Asmodean.

Viéndolo tocar ociosamente el arpa, nadie habría imaginado que Asmodean era uno de los Renegados. Era incluso moderadamente apuesto; Rand suponía que a las mujeres debía de resultarles atractivo. A menudo le chocaba el hecho de que la maldad no dejara marcas exteriores. Era uno de los Renegados y, en lugar de intentar matarlo, Rand ocultaba su condición a Moraine y a todos los demás. Necesitaba un maestro.

Lo que valía para las mujeres Aes Sedai llamadas «espontáneas» también rezaba para los varones, de modo que sólo tenía una oportunidad entre cuatro de sobrevivir al intento de aprender a utilizar el Poder por sí mismo. Eso sin contar con la locura. Su maestro tenía que ser un hombre; Moraine y las otras se lo habían repetido hasta la saciedad: un pájaro no podía enseñar a volar a un pez, ni un pez enseñar a nadar a un pájaro. Y su maestro debía ser alguien experimentado, alguien que ya supiera todo lo que él necesitaba aprender. Con las Aes Sedai amansando hombres que podían encauzar tan pronto como eran descubiertos —y cada año aparecían menos— las posibilidades eran escasas, por no decir nulas. Un hombre que hubiera descubierto simplemente que era capaz de encauzar no sabría más de lo que sabía él. Un falso Dragón que pudiera encauzar —si es que Rand tenía oportunidad de encontrar uno que ya no hubiera sido capturado y amansado— no estaría muy dispuesto a renunciar a sus sueños de gloria por otro que afirmara ser el Dragón Renacido. En tales circunstancias, la única opción que quedaba era uno de los Renegados, y, con tal de conseguirlo, se había puesto a sí mismo de cebo.

Asmodean hizo sonar notas al azar mientras Rand tomaba asiento en un cojín frente a él. Estaba bien recordar que ese hombre no había cambiado, no dentro de sí, desde el lejano día en que había entregado su alma a la Sombra. Lo que estaba haciendo ahora lo hacía por compulsión, no porque hubiera vuelto a la Luz.

—¿Alguna vez te has planteado volverte atrás, Natael? —Siempre era muy cuidadoso con el nombre; el menor desliz con «Asmodean», y Moraine estaría convencida de que se había pasado a la Sombra. Ella y tal vez otros. Ni Asmodean ni él sobrevivirían a algo así.

Las manos del hombre se quedaron paralizadas sobre las cuerdas; su semblante estaba totalmente vacío de expresión.

—¿Volverme atrás? Ahora mismo, Demandred o Rahvin o cualquiera de ellos me mataría nada más verme. Eso, siendo afortunado. Excepto, quizá, Lanfear, y comprenderás que no desee ponerla a prueba. Semirhage sería capaz de hacer que una roca pidiera clemencia y le diera las gracias por matarla. Y en cuanto al Gran Señor...

—El Oscuro —lo corrigió con brusquedad sin soltar la pipa que apretaba entre los dientes. El Gran Señor de la Oscuridad era la denominación que daban el Oscuro los Amigos Siniestros y los Renegados.

Asmodean inclinó ligeramente la cabeza en un gesto de aquiescencia.

—Cuando el Oscuro esté libre... —Si su rostro era inexpresivo antes, ahora podía compararse con una talla de piedra—. Baste decir que encontraré a Semirhage y me entregaré a ella antes que afrontar el castigo por traición del Gran... del Oscuro.

—Bueno es, pues, que estés aquí para enseñarme.

Del arpa empezó a brotar una melodía lúgubre que evocaba lágrimas y penalidades.

—*La marcha de la Muerte* —aclaró Asmodean mientras tocaba—, el último movimiento de *El Ciclo de las Pasiones Sublimes,* compuesta unos trescientos años antes de la Guerra del Poder por...

—No me estás enseñando muy bien —lo interrumpió Rand.

—Tanto como podía esperarse dadas las circunstancias. Ahora ya puedes aferrar el *Saidin* siempre que lo intentas y sabes distinguir un flujo de otro. Sabes rodearte con un escudo, y el Poder hace lo que tú deseas que haga. —Dejó de tocar y frunció el entrecejo, sin mirar a Rand—. ¿Crees que Lanfear quería realmente que te enseñara todo? Si hubiera sido eso lo que deseaba, habría ideado el modo de quedarse cerca para así vincularnos. Quiere que vivas, Lews Therin, pero esta vez tiene intención de ser más fuerte que tú.

—¡No me llames así! —espetó Rand, pero Asmodean hizo como si no lo oyera.

—Si planeasteis esto entre los dos, lo de atraparme —continuó el Renegado, y Rand percibió una oleada de energía en él, como si Asmodean estuviera poniendo a prueba el escudo que Lanfear había tejido a su alrededor; las mujeres que podían encauzar veían un halo rodeando a otra mujer que había abrazado el *Saidar* y la notaban encauzar claramente, pero él nunca veía nada en torno a Asmodean y percibía muy poco—. Si lo preparasteis juntos, entonces has dejado que ella te sobrepase en astucia en más de un nivel. Te dije que no soy un buen maestro, sobre todo sin un vínculo. Lo planeasteis entre los dos, ¿no es cierto? —Entonces sí que miró a Rand, de reojo pero aun así intensamente—. ¿Cuánto recuerdas? Me refiero a ser Lews Therin. Ella afirma que no te acuerdas de nada, pero es muy capaz de mentir al mismísimo Gran... al Oscuro.

—En esto ha dicho la verdad. —Se sentó en uno de los cojines y encauzó para atraer hacia sí la copa intacta de uno de los jefes. Hasta aquel mínimo contacto con el *Saidin* resultaba gozoso, excitante... y repulsivo. Y difícil de renunciar a él. No deseaba hablar de Lews Therin; estaba harto de que la gente creyera que él era Lews Therin. La cazoleta de la pipa se había puesto caliente por chupar tan fuerte y tan seguido, así que la sujetó por la caña y gesticuló con ella—. Si ello te ayuda a enseñarme, ¿por qué no nos vinculamos?

Asmodean lo miró como si le hubiera preguntado por qué no comían rocas, y luego sacudió la cabeza.

—Olvido constantemente lo mucho que ignoras. Tú y yo no podemos hacerlo. Ha de ser una mujer la que nos una. Puedes pedírselo a Moraine, supongo, o a esa chica, Egwene. Una de ellas podría ser capaz de discurrir el método. Eso, siempre y cuando no te importe que descubran quién soy.

—No me mientas, Natael —gruñó Rand. Mucho antes de conocer a Asmodean había descubierto que el encauzamiento de un hombre era tan distinto del de una mujer como lo eran entre sí el uno y la otra por naturaleza, pero no daba crédito a casi nada de lo que decía el Renegado—. He oído a Egwene y a otras hablar sobre Aes Sedai que unen poderes. Si ellas pueden hacerlo, ¿por qué tú y yo no?

—Porque no podemos. —El tono de Asmodean era exasperado—. Pide explicaciones a un filósofo si quieres saber la razón. ¿Por qué no vuelan los perros? Tal vez en el grandioso esquema del Entramado sea una compensación por ser más fuertes los varones. Nosotros no podemos vincularnos sin ellas, pero ellas sí pueden hacerlo sin nosotros. Hasta un máximo de trece, en cualquier caso; menuda merced para los varones. A partir de ahí, necesitan hombres para ampliar el círculo.

Esta vez Rand estaba seguro de que había pillado una mentira. Moraine había dicho que en la Era de Leyenda los hombres y las mujeres habían sido igualmente fuertes en el Poder, y ella, como Aes Sedai, no podía mentir. Así se lo dijo a Asmodean, y añadió:

—Los Cinco Poderes son iguales.

—Tierra, Fuego, Aire, Agua y Energía. —Natael acompañó con una nota cada nombre—. Son iguales, cierto, y también es verdad que lo que un varón puede hacer con uno, también puede hacerlo una mujer. Al menos, en comparación. Pero eso no tiene nada que ver con que los hombres sean más fuertes. Lo que Moraine cree que es verdad lo manifiesta como tal, lo sea o no; una de las mil debilidades de esos absurdos Juramentos. —Interpretó varias notas que realmente sonaban absurdas—. Hay mujeres que tienen brazos más fuertes que algunos hombres, pero, en general, es al contrario. Lo mismo reza para el Poder, y más o menos en la misma proporción.

Rand asintió lentamente. Tenía sentido. Elayne y Egwene estaban consideradas como dos de las mujeres más fuertes entrenadas en la Torre desde hacía mil años o más, pero en una ocasión él se había puesto a prueba contra las dos y, posteriormente, Elayne le había confesado que se había sentido como un gatito agarrado por un mastín.

—Si dos mujeres se vinculan —prosiguió Asmodean—, no duplican su fuerza, ya que la vinculación no es algo tan simple como sumar el poder de ambas, pero si son bastante fuertes pueden igualar a un hombre. Y, cuando forman el círculo de trece, entonces hay que ser muy precavido. Trece mujeres con apenas capacidad de encauzar pueden superar a la mayoría de los varones cuando están vinculadas. Las trece mujeres más débiles de la Torre podrían superarte a ti o a cualquier varón sin que el esfuerzo alterara el ritmo de su respiración. Topé con un dicho de Arad Doman: «Cuantas más mujeres hay cerca, con más pies de plomo va un hombre prudente». No estaría mal recordarlo.

Rand se estremeció al acordarse de cierta vez en que había estado entre muchas más Aes Sedai que trece. Claro que entonces la mayoría ignoraba quién era. Si lo hubiesen sabido... «Si Egwene y Moraine se vincularan... —No quería creer que Egwene se hubiera identificado hasta ese punto a la Torre y se hubiera desligado tanto de su amistad—. En cualquier cosa que hace pone todo el corazón, se vuelca en ello, y se está convirtiendo en Aes Sedai. E igual le ocurre a Elayne.»

Beberse de un trago la mitad del vino no arrastró completamente el mal sabor dejado por esa idea.

—¿Qué más puedes contarme de los Renegados? —Era una pregunta que sabía que había hecho al menos un centenar de veces, pero siempre albergaba la esperanza de que hubiera algún pequeño detalle más que sonsacar. Además, era mejor que pensar en Moraine y Egwene vinculándose para...

—Te he dicho todo lo que sé. —Asmodean soltó un sonoro suspiro—. Entre nosotros sólo había una relación de compromiso, en el mejor de los casos. ¿Crees que te estoy ocultando algo? Ignoro dónde están los otros, si es eso lo que quieres saber. Excepto Sammael, y tú ya sabías que estaba dirigiendo Illian como su reino antes de que te lo contara. Graendal estuvo un tiempo en Arad Doman, pero imagino que ya debe de haberse ido; le gustan demasiado las comodidades. Sospecho que Moghedien está o estaba también en alguna parte del oeste, pero nadie encuentra a la Araña hasta que ella quiere que la encuentren. Rahvin tiene a una reina como una de sus amantes, pero tanto tú como yo sólo podemos conjeturar qué país es el que regenta a través de ella. Y eso es todo lo que sé que pueda servir para localizarlos.

Rand había oído lo mismo en anteriores ocasiones; tenía la impresión de haber escuchado ya cincuenta veces todo cuanto Asmodean tenía que decir sobre los Renegados, y, tan a menudo, que había momentos en los que tenía la sensación de saber desde siempre lo que el hombre le contaba. Ciertas cosas habría preferido no saberlas nunca —por ejemplo, lo que Semirhage encontraba divertido— y había otras que no tenían sentido. ¿Que Demandred se había entregado a la Sombra porque envidiaba a Lews Therin Telamon? Rand no entendía que alguien pudiera envidiar tanto a otra persona para hacer nada empujado por ello, pero menos aun dar un paso así. Asmodean afirmaba que había sido la idea de la inmortalidad, de interminables eras de música, lo que lo había seducido; aseguraba que antes había sido un notable compositor. Absurdo. Empero, en ese revoltijo de conocimientos que a menudo le helaban hasta los huesos, podría haber claves para sobrevivir al Tarmon Gai'don. Dijera lo que le dijera a Moraine, sabía que tendría que enfrentarse a ellos entonces, si no antes. Vació la copa y la puso sobre las baldosas. El vino no borraría los hechos.

La cortina de cuentas repiqueteó, y Rand miró hacia atrás a tiempo de ver entrar a varios *gai'shain* en silencio, con sus vestidos blancos. Mientras unos recogían la comida y la bebida que les habían servido a los jefes y a él, otro llevó una bandeja de plata grande hacia la mesa. En ella había platos tapados, una copa de plata y dos jarras de cerámica con franjas verdes. Una contendría vino y la otra, agua. Una *gai'shain* entró con una lámpara dorada, ya encendida, y la puso junto a la bandeja. A través de las ventanas el cielo empezaba a adquirir la tonalidad dorado rojiza del ocaso; en el breve período entre el calor abrasador y el gélido frío, la temperatura era, de hecho, agradable.

Rand se puso de pie a la par que los *gai'shain* se marchaban, pero no salió de inmediato tras ellos.

—¿Qué oportunidades crees que tengo cuando llegue la Última Batalla, Natael?

Asmodean estaba sacando unas mantas de rayas azules y rojas de detrás de los cojines y se quedó parado un instante; alzó la cabeza para mirar a Rand de soslayo, como era su modo habitual.

—Encontraste... algo en la plaza el día que nos encontramos aquí.

—Olvídate de eso —replicó bruscamente. Eran dos objetos lo que había encontrado, no uno—. Lo destruí, de todos modos. —Le dio la impresión de que Asmodean encorvaba ligeramente los hombros.

—Entonces el... el Oscuro te consumirá vivo. En cuanto a mí, tengo intención de cortarme las venas en el mismo momento en que sepa que está libre. Una muerte rápida es mejor que cualquiera de las otras alternativas que me aguardan. —Echó las mantas a un lado y se quedó mirando tristemente al vacío—. Mejor que acabar loco, sin duda. Ahora estoy en las mismas condiciones que tú, ya que rompiste los vínculos que me protegían. —En su voz no había amargura, sólo desesperanza.

—¿Y si hubiera otro modo de escudarse contra la infección? —inquirió Rand—. ¿Y si se pudiera erradicar? ¿Todavía intentarías matarte?

La seca risa de Asmodean sonó realmente acerba.

—¡Así me lleve la Sombra, en verdad tienes que estar empezando a creerte el maldito Creador en persona! Estamos muertos. Los dos. ¡Muertos! ¿Tan ciego te tiene la soberbia que no te das cuenta? ¿O simplemente eres demasiado estúpido, infeliz pastor?

Rand rehusó seguirle el juego, negándose a responder a la provocación.

—¿Por qué, entonces, no te matas ya y acabas de una vez? —preguntó con voz tensa. «No estaba tan ciego para no ver lo que tú y Lanfear os traíais entre manos. Ni soy tan estúpido si conseguí engañarla a ella y hacerte caer en mi trampa a ti»—. Si no hay esperanza, si no existe posibilidad alguna, ni la más mínima, entonces ¿por qué sigues vivo?

Todavía sin mirarlo, Asmodean se frotó un lado de la nariz.

—Una vez vi a un hombre colgando en un precipicio —dijo con lentitud—. El borde al que se agarraba estaba desmenuzándose bajo sus dedos y lo único que había a su alcance para aferrarse era un puñado de hierba, unas pocas briznas largas con las raíces apenas sujetas a la roca. Era la única oportunidad que tenía de trepar de nuevo a lo alto del precipicio. Así que lo agarró. —En su corta y seca risa no hubo hilaridad—. Tenía que saber que no aguantaría, que las raíces se soltarían.

—¿Lo salvaste? —preguntó Rand, pero Asmodean no contestó.

Mientras salía por la puerta empezaron a sonar de nuevo las notas de *La marcha de la Muerte.*

Las sartas de cuentas se cerraron a su espalda, y las cinco Doncellas que estaban esperando en el amplio y vacío pasillo se incorporaron ágilmente de donde estaban en cuclillas. Todas excepto una eran altas para ser mujeres, aunque no para la media de las mujeres Aiel. A su cabecilla, Adelin, le faltaba poco más de un palmo para poder mirarla a los ojos de frente. La excepción, una pelirroja llamada Enaila, era más o menos de la talla de Egwene y bastante quisquillosa respecto a su corta estatura. Al igual que los jefes de clan, tenían los ojos azules, grises o verdes, y las tonalidades de sus cabellos eran castaño claro, rubio o pelirrojo; lo llevaban corto salvo una cola de caballo en la nuca. Las aljabas llenas hacían de contrapeso con los cuchillos en sus cinturones, y a la espalda llevaban arcos de hueso metidos en estuches. Cada una portaba tres o cuatro lanzas cortas con la punta de más de un palmo y una adarga de cuero. Las mujeres Aiel que no deseaban hogar e hijos tenían su propia asociación guerrera, *Far Dareis Mai*, las Doncellas Lanceras.

Las saludó con una ligera inclinación de cabeza, cosa que las hizo sonreír; no era costumbre en los Aiel, al menos no era el modo de saludar que le habían enseñado.

—Te veo, Adelin —dijo—. ¿Dónde está Joinde? Me pareció verla contigo antes. ¿Se ha puesto enferma?

—Te veo, Rand al'Thor —respondió al saludo. Su cabello rubio claro parecía más pálido en contraste con su atezado semblante, que estaba surcado por una fina y blanca cicatriz en una de las mejillas—. En cierto modo, podría decirse que sí. Ha estado hablando consigo misma todo el día y, hace menos de una hora, se marchó para poner una guirnalda de esponsales a los pies de Garan, un Goshien del septiar Jhirad. —Algunas de las mujeres sacudieron la cabeza; casarse significaba renunciar a la lanza—. Mañana es el último día de Garan como su *gai'shain*. Joinde es una Shaarad del septiar Roca Negra —añadió significativamente, y lo cierto es que no era para menos. Con frecuencia se tomaba en matrimonio a hombres o mujeres hechos *gai'shain*, pero rara vez ocurría entre clanes con pleitos de sangre ni siquiera cuando éstos se encontraban en un período de receso.

—Es una enfermedad que se está propagando —intervino acaloradamente Enaila, cuyo tono de voz era tan ardiente como su cabello—. Desde que vinimos a Rhuidean, cada día una o dos Doncellas confeccionan sus guirnaldas de boda.

Rand asintió con un gesto que esperaba que interpretaran de comprensión. Era culpa suya, y se preguntó cuántas seguirían arriesgándose a estar cerca de él, si se lo dijera. Todas, probablemente; el honor las sujetaría, y le tenían tan poco temor como los jefes de clan. Al menos hasta el momento sólo eran bodas; incluso las Doncellas considerarían mejor el matrimonio que lo que les había sucedido a otros. Tal vez.

—Tardaré sólo un momento y después podremos marcharnos —les dijo.

—Esperaremos con paciencia —repuso Adelin. En realidad, el término «paciencia» no describía su compostura; todas parecían a punto de ponerse en movimiento al instante siguiente.

En verdad Rand sólo tardó un momento en hacer lo que quería: tejer un cubo de flujos de Energía y Fuego alrededor de la habitación y atarlos para que el tejido aguantara por sí mismo. Cualquiera podría entrar y salir del cuarto, salvo un hombre que pudiera encauzar. Para él —o para Asmodean— cruzar ese umbral sería como atravesar un muro de fuego sólido. Había descubierto ese tejido por casualidad, así como que Asmodean, aislado casi por completo de la Fuente, era demasiado débil para encauzar a través de él. No era probable que la conducta de un juglar despertara la curiosidad de nadie; pero, si alguien preguntaba, la simple explicación era que Jasin Natael había preferido dormir tan lejos de los Aiel como le fuera posible en Rhuidean. Esa elección resultaba muy comprensible para los carreteros y guardias de Hadnan Kadere al menos. Y, de este modo, Rand sabía exactamente dónde estaba el hombre de noche. Las Doncellas no le hacían preguntas.

Dio media vuelta y echó a andar seguido por las Doncellas, que tomaron posiciones y se pusieron alerta como si esperaran un ataque en ese mismo momento. Asmodean todavía tocaba la endecha.

Con los brazos extendidos, Mat Cauthon caminaba por el ancho reborde de la fuente seca mientras cantaba para los hombres que lo observaban a la luz crepuscular.

> *Apuraremos la copa de vino,*
> *y besaremos a las chicas para que no lloren,*
> *y tiraremos los dados hasta que partamos*
> *a bailar con la Dama de las Sombras.*

El aire era fresco después del calor del día, y durante un instante pensó en abotonarse la fina chaqueta de seda verde con bordados dorados, pero la bebida a la que los Aiel llamaban *oosquai* le había provocado un zumbido en la cabeza como el de unas moscas gigantes, y la idea se esfumó de su cerebro. En el centro del polvoriento pilón, sobre una plataforma, se alzaban las esculturas de tres mujeres en piedra blanca, de unos

103

veinte pies de altura y desnudas. Las tres tenían una mano levantada, mientras que en la otra sostenían una enorme jarra de piedra, inclinada sobre el hombro, desde la que verter agua; pero a una de ellas le faltaba la cabeza y el brazo levantado, y la jarra de otra estaba destrozada.

Bailaremos toda la noche mientras gire la luna,
y en nuestras rodillas brincarán las muchachas,
y después cabalgaréis conmigo,
para danzar con la Dama de las Sombras.

—Una canción demasiado bonita para referirse a la muerte —gritó uno de los carreteros con un fuerte acento lugardeño. Los hombres de Kadere se mantenían en un apiñado grupo, alejados de los Aiel que había alrededor de la fuente; todos eran tipos de aspecto duro, pero hasta el último de ellos estaba convencido de que cualquiera de los Aiel lo degollaría con que creyera que lo había mirado mal. Y no andaban muy equivocados—. Oí a mi abuela hablar de la Dama de las Sombras —continuó el lugardeño de enormes orejas—. No está bien cantar así sobre la muerte.

En medio de su atontamiento, Mat consideró la tonada que había estado cantando y se encogió. Nadie había oído *Bailar con la Dama de las Sombras* desde que Aldeshar había caído; todavía podía oír en su cabeza el desafiante canto elevándose en el aire mientras los Leones Dorados lanzaban su última y desesperada carga contra el cerco del ejército de Artur Hawkwing. Por lo menos no había estado balbuciendo la canción en la Antigua Lengua. No estaba ni la mitad de achispado de lo que daba a entender su talante, pero indiscutiblemente habían sido muchas las copas de *oosquai*. El brebaje tenía el aspecto y el sabor de agua sucia, pero atizaba en la cabeza con la fuerza de una coz de mula. «Moraine todavía podría mandarme a la Torre si no me ando con cuidado. Bueno, así por lo menos estaría lejos del Yermo y de Rand.» Debía de estar más borracho de lo que pensaba si aquello le parecía un buen trueque. Cambió a *Gitano en la cocina:*

El gitano en la cocina, con trabajo entre manos que hacer.
Y la señora arriba se acicala y ciñe el azul corsé.
Baja la escalera y dando alegre rienda suelta a su antojo
grita, ¡gitano, oh, gitano! ¿me echas un remiendo al perol?

Algunos de los hombres de Kadere cantaron con él mientras Mat regresaba brincando hacia el punto de donde había arrancado. Los Aiel no se unieron al canto; entre ellos, los varones no cantaban excepto los cantos de guerra y los fúnebres para los muertos, y tampoco cantaban las Doncellas, salvo cuando estaban solas.

Dos Aiel se habían subido en cuclillas al reborde de la fuente, sin dar señales de los efectos del *oosquai* que habían tomado, aparte de tener un poco vidriosos los ojos. A Mat le habría alegrado volver a un sitio donde los ojos claros eran una rareza; donde había crecido él, sólo los había visto castaños o negros, salvo los de Rand.

Unos trozos de madera —brazos y patas de sillas carcomidos por los insectos— estaban esparcidos sobre las grandes baldosas del pavimento, en la zona despejada por los espectadores. Había un cacharro de cerámica roja vacío junto al reborde, así como otro que todavía contenía *oosquai*, y una copa de plata. El juego consistía en echar un trago y después intentar hacer diana con el cuchillo en una madera arrojada al aire. Ninguno de los hombres de Kadere y muy pocos Aiel querían jugar a los dados con él porque ganaba con demasiada frecuencia, y a las cartas no jugaban. Lanzar el cuchillo se suponía que era diferente, sobre todo cuando iba acompañado por el *oosquai*. No ganaba tan a menudo como a los dados, pero media docena de copas y dos cuencos de oro tallado se encontraban dentro del pilón, debajo de él, junto con brazaletes y collares engastados con rubíes o piedras de luna o zafiros, así como un buen puñado de monedas. Su sombrero de copa baja y la extraña lanza con el astil negro descansaban junto a las ganancias. Algunas cosas eran incluso de manufactura Aiel; era más frecuente que los Aiel pagaran con piezas procedentes de un botín que con monedas.

Corman, uno de los Aiel encaramados al reborde, alzó la vista hacia él cuando dejó de cantar. Una cicatriz blanca le cruzaba la nariz.

—Eres casi tan bueno con el cuchillo como con los dados, Matrim Cauthon. ¿Lo damos por terminado? Se está yendo la luz.

—Todavía hay de sobra. —Mat escudriñó el cielo; unas tenues sombras lo cubrían todo en el valle de Rhuidean, pero en el cielo quedaba suficiente claridad, al menos para ver a contraluz—. Mi abuela podría hacer diana en estas condiciones, y yo, con los ojos vendados.

Jenric, el otro Aiel en cuclillas, echó un vistazo a los espectadores.

—¿Hay mujeres aquí? —Con la constitución de un oso, Jenric se consideraba ingenioso—. Un hombre sólo habla de ese modo cuando hay mujeres a las que quiere impresionar.

Las Doncellas repartidas entre la muchedumbre se echaron a reír como todos los demás y puede que con más ganas.

—¿Crees que no puedo hacerlo? —masculló Mat mientras se arrancaba de un tirón el pañuelo negro que llevaba alrededor del cuello para taparse la cicatriz dejada por la cuerda cuando había estado a punto de morir ahorcado—. Tú, Corman, sólo tienes que gritar «ya» cuando lances. —Se tapó apresuradamente los ojos con el pañuelo y sacó un cuchillo de una de las mangas. El sonido más alto que se oía era el de la respiración de los mirones. «¿Que no estoy borracho? Más que una cuba.» Y, sin embargo, de repente percibió su buena fortuna, notó la misma sensación que cuando sabía el número de puntos que saldría antes de que los dados dejaran de rodar. Fue como si le aclarara un poco los vapores del cerebro—. Lanza —ordenó calmosamente.

—¡Ya! —anunció Corman, y el brazo de Mat se echó hacia atrás y a continuación hacia adelante.

En la quietud reinante, el seco impacto del acero atravesando la madera sonó tan fuerte como el repiqueteo de la diana al caer en el pavimento.

Nadie pronunció una palabra mientras Mat se quitaba el pañuelo y volvía a anudarlo alrededor del cuello. Un trozo de un brazo de silla, más o menos del tamaño de su mano, yacía en el espacio despejado, con su cuchillo firmemente hincado en el centro. Por lo visto, Corman había intentado compensar las desventajas. Bueno, él no había especificado el tamaño del blanco; de repente se dio cuenta de que no había hecho una apuesta.

—¡Eso es tener la suerte del propio Oscuro! —medio gritó uno de los hombres de Kadere finalmente.

—La suerte es un corcel en el que cabalgar como cualquier otro —se dijo Mat. Daba igual de dónde viniera; y no es que él supiera de dónde venía la suya. Lo único que intentaba era montarla lo mejor posible.

Puesto que había hablado entre dientes, Jenric lo miró con el entrecejo fruncido.

—¿Qué has dicho, Matrim Cauthon? —preguntó.

Mat abrió la boca para repetirlo, y entonces la volvió a cerrar cuando las palabras acudieron con claridad a su mente: *Sene sovya caba'donde ain dovienya*. La Antigua Lengua.

—Nada —masculló—. Sólo hablaba conmigo mismo. —Los espectadores empezaban a dispersarse—. Supongo que es verdad que apenas queda luz para seguir con el juego.

Corman plantó el pie en el trozo de madera para sacar el cuchillo de Mat y se lo alcanzó.

—Otra vez quizá, Matrim Cauthon, algún día. —Era el modo Aiel de decir «nunca» cuando no querían ser demasiado claros.

Mal asintió mientras guardaba el arma en una de las fundas, debajo de la manga; había pasado igual que cuando había sacado seis seises veintitrés veces seguidas. No podía culparlos. No todo podía achacarse a la suerte. Reparó con un poco de envidia en que ninguno de los Aiel daba el menor traspié mientras se unían a la muchedumbre que se alejaba.

Se pasó los dedos por el cabello, y se sentó pesadamente en el reborde de la fuente. Los recuerdos que antes se amontonaban como pasas en la masa de un bizcocho, ahora se mezclaban con los suyos propios. Una parte de su cerebro sabía que había nacido en Dos Ríos hacía veinte años, pero recordaba claramente haber dirigido el ataque por el flanco que había derrotado a los trollocs en Maighande; y estar bailando en la corte de Tarmandewin; y un centenar, un millar de cosas más. Casi todas, batallas. Recordaba estar muriendo más veces de las que querría. Ninguna línea visible de separación entre las vidas ya; no sabía distinguir unos recuerdos de otros a menos que se concentrara.

Recogió el sombrero de ala ancha y se lo puso; luego levantó la extraña lanza y la cruzó sobre sus rodillas. En lugar de la punta normal, tenía lo que parecía una cuchilla de unos dos pies de longitud en la que aparecían grabados dos cuervos. Lan decía que esa cuchilla había sido forjada con el Poder Único durante la Guerra de la Sombra, la Guerra del Poder; el Guardián afirmaba que nunca tendría que afilarla y que jamás se rompería. Mat no pondría a prueba tal cosa a no ser que no le quedara más remedio. Puede que hubiera durado tres mil años, pero no se fiaba gran cosa del Poder. A lo largo del negro astil había una escritura cursiva, enmarcada a cada extremo por otros dos cuervos hechos con algún tipo de metal todavía más oscuro que la madera. Estaba en la Antigua Lengua, pero, naturalmente, él sabía leerlo:

Así queda escrito el trato; así se cierra el acuerdo.
La mente es la flecha del tiempo; jamás se borra el recuerdo.
Lo que se pidió se ha dado. El precio queda pagado.

Hacia un extremo de la amplia avenida, a poco más de media milla, había una plaza que se habría considerado grande en casi todas las ciudades. Los comerciantes Aiel se habían retirado al acabar la jornada, pero los pabellones, hechos con la misma lana parda utilizada para las tiendas, todavía seguían levantados. Cientos de comerciantes habían acudido a Rhuidean desde todas partes del Yermo para la feria más grande que los Aiel habían visto nunca, y seguían llegando más cada día. De hecho, fueron comerciantes los primeros que habían empezado a vivir en la ciudad.

Aunque Mat no quería mirar hacia el otro lado, hacia la gran plaza, lo hizo. Distinguía las siluetas de las carretas de Kadere, aguardando a recibir más carga al día siguiente. Lo que parecía el marco retorcido de una puerta, en piedra roja, se había cargado en uno de los vehículos esa misma tarde; Moraine se había tomado mucho interés en que quedara bien atado, exactamente como quería.

El joven ignoraba lo que la Aes Sedai sabía de ese objeto —y él no tenía intención de preguntarle; mejor si se olvidaba de su presencia, aunque tal cosa le parecía harto improbable—, pero lo que quiera que supiera, estaba seguro de que él sabía más que ella. Lo había cruzado como un necio, buscando respuestas. En cambio, lo que había conseguido era una cabeza repleta de recuerdos de otro hombre. Eso, y la muerte. Se ajustó más el pañuelo al cuello. Y dos cosas más: un medallón con una cabeza de zorro hecha de plata, que llevaba debajo de la camisa, y el arma que tenía cruzada sobre las rodillas. Parca recompensa. Pasó las yemas de los dedos sobre la escritura. *Jamás se borra el recuerdo.* La gente al otro lado del umbral tenía un sentido del humor muy acorde con el de los Aiel.

—¿Puedes hacer eso todas las veces?

Giró bruscamente la cabeza hacia la Doncella que acababa de sentarse a su lado. Alta, incluso para la media Aiel, quizá más que él, tenía el cabello como oro hilado y los ojos del color de un claro cielo matinal. Era mayor que él, quizás unos diez años, pero eso nunca lo había echado atrás. Claro que era *Far Dareis Mai.*

—Soy Melindhra —siguió la mujer—, del septiar Jumai. ¿Puedes hacer eso todas las veces?

Mat comprendió que se refería al lanzamiento de cuchillo. Le había dicho su septiar, pero no su clan. Los Aiel nunca hacían eso. A menos... Tenía que ser una de las Doncellas Shaido que habían venido para unirse a Rand. Mat no entendía realmente ese lío de las asociaciones, pero, en lo referente a los Shaido, recordaba muy bien que habían intentado clavarle sus lanzas. A Couladin no le gustaba nada que tuviera que ver con Rand, y lo que Couladin odiaba, lo odiaban los Shaido. Por otro lado, Melindhra había venido a Rhuidean. Una Doncella. Pero esbozaba una leve sonrisa; en su mirada había un brillo invitador.

—Casi siempre —dijo con sinceridad. Incluso cuando no la percibía, su suerte era buena; cuando la notaba, era perfecta.

La mujer soltó una risita y su sonrisa se ensanchó, como si pensara que estaba jactándose. Las mujeres parecían sacar sus propias conclusiones respecto a si uno mentía o no sin tener en cuenta las evidencias. Por otro lado, si uno les gustaba, o no les importaba que mintiera o decidían que hasta el embuste más flagrante era verdad.

Las Doncellas podían ser peligrosas, pertenecieran al clan que pertenecieran —cualquier mujer podía serlo; eso lo había aprendido por propia experiencia—, pero, definitivamente, los ojos de Melindhra no se limitaban a mirarlo.

Sacó de entre sus ganancias un collar de espirales de oro, cada una de ellas rematada en el centro por un zafiro azul profundo, el mayor tan grande como el nudillo de su pulgar. Todavía recordaba un tiempo —en su propia memoria— en que la más pequeña de estas gemas lo habría hecho sudar.

—Lucirán mucho con tus ojos —dijo mientras ponía la joya en las manos de la mujer. Nunca había visto a una Doncella llevando puesto ningún adorno, pero, según su experiencia, a todas las mujeres les gustaban las joyas. Cosa curiosa, las flores les gustaban casi igual. No lo comprendía, pero era consciente de que entendía tan poco a las mujeres como su suerte o como lo que había ocurrido al otro lado de aquel umbral.

—Un trabajo muy bueno —alabó ella, mientras sostenía el collar en alto—. Acepto tu oferta. —La joya desapareció en la bolsa del cinturón. Melindhra se inclinó para echarle el sombrero hacia atrás—. Tienes unos ojos bonitos, como oscuras ágatas pulidas. —Girándose para subir los pies al reborde de la fuente, se sentó con los brazos alrededor de las rodillas y lo observó fijamente—. Mis hermanas de lanza me han hablado de ti.

Mat volvió a ponerse el sombrero en su sitio y la contempló con cautela por debajo del ala. ¿Qué le habían contado? ¿Y a qué «oferta» se refería? No era más que un collar. La expresión invitadora había desaparecido de sus ojos; parecía un gato examinando a un ratón. Ése era el problema con las Doncellas Lanceras. A veces costaba distinguir si querían bailar con uno, besarlo o matarlo.

La calle se iba quedando desierta y las sombras se hacían más densas, pero reconoció a Rand caminando avenida adelante, con la pipa sujeta entre los dientes. Era el único hombre en Rhuidean que caminaría acompañado por un puñado de *Far Dareis Mai*. «Siempre están a su alrededor —pensó Mat—. Guardándolo como una manada de lobas y saltando para hacer lo que quiera que diga.» Algunos hombres lo habrían envidiado por ello, pero no Mat. No la mayoría del tiempo. Si hubiera sido un puñado de chicas como Isendre...

—Disculpa un momento —le dijo a Melindhra apresuradamente. Recostó la lanza contra el costado del pilón de la fuente y echó a correr. La cabeza todavía le zumbaba, pero no tan fuerte como antes, y tampoco daba traspiés. No le preocupaban sus ganancias; los Aiel tenían muy claro lo que estaba bien y lo que no; lanzar un ataque era una cosa, y robar, otra muy distinta. Los hombres de Kadere habían aprendido a mantener las manos en los bolsillos después de que a uno de ellos lo sor-

prendieron robando. Después de sufrir una flagelación que lo dejó desollado de los hombros a los talones, lo expulsaron. El único odre de agua
que le dieron no le habría bastado para llegar a la Pared del Dragón aun
en el caso de que hubiera llevado puesto algo de ropa. Ahora los hombres de Kadere ni siquiera recogerían un céntimo que se encontraran tirado en la calle.

—¡Rand! —El otro hombre siguió caminando con su círculo de escolta—. ¡Rand! —Su amigo estaba a menos de diez pasos, pero ni siquiera vaciló. Algunas Doncellas miraron atrás, pero no Rand. Mat sintió un repentino frío que nada tenía que ver con el relente de la cercana
noche. Se humedeció los labios y volvió a llamar, esta vez sin levantar la
voz—. Lews Therin. —Y Rand se volvió. Mat habría querido que no lo
hiciera.

Durante unos instantes sólo se miraron el uno al otro a la luz crepuscular. Mat vaciló, sin saber si acercarse más o no. Intentó engañarse argumentando que era por las Doncellas. Adelin era una de las que le habían enseñado el juego que llamaban «Beso de las Doncellas» y que
seguramente jamás olvidaría; ni volvería a jugarlo, si de él dependía la
decisión. Y sentía la mirada de Enaila como un taladro perforándole el
cráneo. ¿Quién habría imaginado que una mujer estallaría como aceite
arrojado al fuego sólo porque alguien le decía que era la florecilla más
bonita que había visto en su vida?

Y ahora Rand. Rand y él habían crecido juntos. Ellos dos y Perrin, el
aprendiz del herrero de Campo de Emond, habían cazado, pescado y
puesto trampas juntos por las Colinas de Arena hasta el mismo borde de
las Montañas de la Niebla, acampando bajo las estrellas. Rand era su
amigo. Sólo que ahora era la clase de amigo que podía arrancarle la cabeza de cuajo sin tener intención de hacerlo. Perrin podía estar muerto
por culpa de Rand.

Se obligó a acercarse a un paso del otro hombre. Rand le sacaba más
de un palmo, y bajo la luz del crepúsculo daba la impresión de ser aun
más alto. Y más impasible que antes.

—He estado pensando, Rand. —Mat habría querido que su voz
no sonara ronca. Confiaba en que su amigo respondiera a su verdadero
nombre esta vez—. Llevo mucho tiempo fuera de casa.

—Los dos llevamos ausentes mucho —dijo suavemente Rand. De
repente se echó a reír, no con fuerza pero casi como el Rand de antaño—. ¿Empiezas a echar de menos ordeñar las vacas de tu padre?

Mat se rascó la oreja y esbozó una sonrisa.

—Eso no, exactamente. —Por mucho que tardara en volver a pisar
el interior de un establo siempre le parecería demasiado pronto—. Pero

estuve pensando en marcharme con ellos cuando las carretas de Kadere se pongan en camino.

Rand guardó silencio. Cuando habló de nuevo el atisbo de buen humor en su voz había desaparecido.

—¿Todo el camino hasta Tar Valon?

Ahora fue Mat quien vaciló. «Él no me entregaría a Moraine, ¿verdad?»

—Quizá —contestó con indiferencia—. No estoy seguro. Allí es donde Moraine querría tenerme. A lo mejor encuentro la ocasión de volver a Dos Ríos y ver si todo va bien en casa. «Ver si Perrin sigue vivo. Y si lo están mis hermanas y mis padres.»

—Todos hacemos lo que debemos, Mat, aunque muy a menudo no es lo que deseamos. Lo que tenemos que hacer.

A Mat le sonaba como una excusa, como si Rand le estuviera pidiendo que lo comprendiera. Sólo que él había hecho consigo mismo lo que debía unas cuantas veces. «No puedo culparlo por lo de Perrin. ¡Nadie me obligó a seguirlo como un jodido sabueso!» Pero tampoco eso era del todo cierto. Lo habían obligado, y no sólo Rand.

—¿No vas a... impedir que me vaya?

—No soy yo quien te dice que vengas o vayas, Mat —contestó cansadamente Rand—. La Rueda teje el Entramado, no yo, y la Rueda gira según sus designios. —¡Vaya hombre, ahora hablaba como una Aes Sedai! A medio volverse para seguir su camino, Rand añadió—: No te fíes de Kadere, Mat. En ciertos aspectos, es probablemente el hombre más peligroso con el que hayas topado en tu vida. No confíes en él ni una pizca, o podrías acabar degollado de oreja a oreja, y tú y yo seríamos los únicos que lamentaríamos que ocurriera algo así.

Se marchó acto seguido, con las Doncellas rodeándolo como lobas furtivas. Mat lo siguió con la mirada. ¿Que no confiara en el buhonero? «No me fiaría de Kadere aunque estuviera atado dentro de un saco.» ¿Así que Rand no tejía el Entramado? ¡Pues no andaba muy lejos! Antes incluso de que ninguno descubriera que las Profecías tenían algo que ver con ellos, se habían enterado de que Rand era *ta'veren,* una de las pocas personas que, en lugar de ser tejidas a la fuerza en el Entramado, obligaban a éste a tejerse a su alrededor. Mat sabía el significado de ser *ta'veren*; era uno de ellos, aunque no tan fuerte como Rand. A veces Rand podía influir en la vida de la gente, cambiar su curso, simplemente estando en la misma ciudad. Perrin también era *ta'veren*; o lo había sido. Moraine consideró muy significativo encontrar a tres jóvenes que habían crecido en la misma localidad que estaban todos destinados a ser *ta'veren*, y se propuso incluirlos en sus planes, fueran los que fueran.

Se suponía que tal cosa era algo magnífico; todos los *ta'veren* de los que Mat tenía noticia habían sido hombres como Artur Hawkwing, o mujeres como Mabriam en Shereed, de quien los relatos decían que había impulsado el Pacto de las Diez Naciones después del Desmembramiento. Pero ningún relato contaba qué ocurría cuando un *ta'veren* estaba cerca de otro tan fuerte como Rand. Era como ser una hoja en medio de un remolino.

Melindhra se paró a su lado y le entregó su lanza y un pesado y tosco saco que tintineaba.

—Guardé tus ganancias aquí dentro. —Era, efectivamente, más alta que él, por lo menos un par de pulgadas. Lanzó una mirada a Rand—. He oído comentar que eras medio hermano de Rand al'Thor.

—En cierto sentido —contestó secamente.

—No importa —comentó ella como restándole importancia, y clavó su mirada en él, puesta en jarras—. Me fijé en ti, Mat Cauthon, antes de que me entregaras un regalo de estima. No es que vaya a renunciar a la lanza por ti, naturalmente, pero hace días que no te quito ojo. Tienes la sonrisa de un niño que está a punto de hacer una travesura, y eso me gusta. Y tus ojos. —Bajo la escasa luz del anochecer su sonrisa era suave y ancha. Y cálida—. Me gustan tus ojos.

Mat se puso derecho el sombrero, aunque estaba en su sitio, bien colocado. De perseguidor a perseguido en un abrir y cerrar de ojos. Con las Aiel podía suceder así. Sobre todo con las Doncellas.

—¿Te dice algo el nombre de Hija de las Nueve Lunas? —Esta pregunta se la hacía a veces a las mujeres. La respuesta equivocada lo pondría en camino fuera de Rhuidean esa misma noche aunque tuviera que recorrer el Yermo a pie.

—Nada —contestó ella—. Pero te diré lo que me gusta hacer a la luz de la luna.

Le echó el brazo por los hombros, le quitó el sombrero y empezó a susurrarle algo al oído. En un visto y no visto, la sonrisa de Mat era aun más ancha que la de la mujer.

4

CREPÚSCULO

C on su escolta de *Far Dareis Mai,* Rand se aproximó al Techo
de las Doncellas en Rhuidean. Una escalinata blanca, tan ancha como el alto edificio y con escalones de un paso de profundidad, subía hacia unas gruesas columnas en espiral de
veinte pasos de altura, aparentemente negras en la penumbra del ocaso,
pero de un fuerte tono azul a la luz del día, que se ahusaban progresivamente a medida que cobraban altura. El exterior del edificio era un mosaico de pequeñas baldosas vidriadas, blancas y azules, que también formaban espirales aparentemente interminables. Directamente encima de
las columnas, un enorme ventanal de cristales de colores representaba la
figura de una mujer de quince pies, con el cabello oscuro, ataviada con
complejas vestiduras azules y con la mano derecha levantada, ya fuera en
una bendición o en un imperioso gesto de alto. Su rostro era sereno y severo al mismo tiempo. Quienquiera que hubiera sido, su pálida piel y
sus oscuros ojos ponían de manifiesto que no era Aiel. Quizás una Aes
Sedai. Rand sacudió la pipa en el tacón de la bota y la guardó en el bolsillo de la chaqueta antes de empezar a subir la escalinata.

A excepción de los *gai'shain,* los varones tenían prohibida la entrada
en el Techo de las Doncellas, todos, en cualquier dominio del Yermo.

Un jefe o un familiar de una Doncella podía morir si lo intentaba, aunque, de hecho, a ningún hombre Aiel se le pasaría siquiera por la cabeza. Lo mismo rezaba para todas las asociaciones; sólo los miembros de cada una de ellas y los *gai'shain* podían acceder al interior.

Las dos Doncellas que hacían guardia en las altas puertas de bronce tuvieron un rápido intercambio en el lenguaje de signos, y sus ojos no se apartaron de él mientras cruzaba entre las columnas; después compartieron una leve sonrisa. Rand habría querido saber qué habían dicho con las manos. Hasta en una tierra tan seca como el Yermo, el bronce se deslustraría con el paso del tiempo, pero los *gai'shain* habían bruñido estas puertas hasta hacer que parecieran nuevas. Estaban abiertas de par en par, y la pareja de guardianas no hizo intención alguna de cerrarle el paso cuando las cruzó, con Adelin y las demás pegadas a sus talones.

Los anchos pasillos de blancas baldosas y las grandes estancias estaban repletos de Doncellas sentadas sobre cojines de colores, charlando, repasando sus armas, jugando a las damas o a las Mil Flores, un juego Aiel que consistía en crear figuras específicas con trozos planos de piedra en los que aparecían grabados lo que parecían cientos de símbolos diferentes. Ni que decir tiene, un grupo numeroso de *gai'shain* se movía silenciosamente realizando sus tareas, ya fuera limpiar, servir, remendar o poner aceite a las lámparas de muy variada manufactura, desde las sencillas de alfarería vidriada hasta las de oro, obtenidas como botín en alguna parte, pasando por las de pie que se encontraron en la ciudad. En la mayoría de las habitaciones, las paredes y los suelos estaban cubiertos con alfombras y tapices de vivos colores y con diseños y dibujos tan numerosos como las propias piezas. Los mismos techos y paredes eran detallados mosaicos de bosques, ríos y cielos que jamás se habían visto en el Yermo.

Jóvenes o mayores, las Doncellas sonrieron al ver a Rand, y algunas lo saludaron con un gesto de la cabeza y hasta con familiares palmadas en el hombro. Otras le preguntaban cómo estaba, si había comido o si le apetecía que los *gai'shain* le sirvieran vino o agua. Él respondió brevemente, aunque devolviéndoles las sonrisas, que estaba bien y que no tenía hambre ni sed, y siguió caminando sin aflojar siquiera el paso cuando hablaba. Hacerlo habría conducido de manera inevitable a pararse, y aquella noche no estaba con ánimos para eso.

Las *Far Dareis Mai* lo habían adoptado, en cierto sentido. Algunas lo trataban como a un hijo y otras como a un hermano, aunque en ello no influía la edad; mujeres con canas en el cabello a lo mejor charlaban con él durante el té como lo harían con su hermano, en tanto que otras Doncellas uno o dos años mayores que él se preocupaban de que llevara la ropa más adecuada para el calor. No podía evitar ser objeto de aquel trato solícito; lo hacían, simplemente, y él no veía cómo impedírselo a menos que recurriera al Poder.

Se había planteado la conveniencia de que otra asociación le proporcionara su guardia personal —quizá los *Shae'en M'taal*, los Perros de Piedra, o los *Aethan Dor*, los Escudos Rojos; Rhuarc había pertenecido a esta última asociación antes de convertirse en jefe—, pero ¿qué razón daría? La verdad no, desde luego. La mera idea de tener que darles esa explicación a Rhuarc y a los otros lo ponía nervioso; considerando el humor tan particular de los Aiel, hasta el avinagrado y viejo Han se partiría de risa. El mero hecho de pedir ese cambio, fuera por la razón que fuera, seguramente ofendería el honor de las Doncellas, de la primera a la última. Por lo menos, sólo se mostraban solícitas con él en el Techo, donde nadie lo veía, aparte de los *gai'shain*, que sabían a qué atenerse y jamás hablarían de lo que pasaba allí dentro.

«Las *Far Dareis Mai* —había dicho en cierta ocasión— guardan mi honor.» Todo el mundo lo recordaba, y las Doncellas se mostraron tan orgullosas como si les hubiera regalado todos los tronos del mundo. Pero al final había resultado que lo guardaban del modo que ellas decidían.

Adelin y las otras cuatro lo dejaron para reunirse con sus amigas, aunque tal cosa no significó que se quedara solo, ni mucho menos. Mientras subía a la siguiente planta del edificio por los curvados tramos de blancas escaleras, tuvo que responder a las mismas preguntas prácticamente a cada paso: no, no tenía hambre; sí, sabía que todavía no estaba acostumbrado al calor; y no, no había pasado demasiado tiempo al sol. Lo soportó con paciencia, pero soltó un hondo suspiro de alivio cuando llegó al segundo piso, por encima del inmenso ventanal. Allí no había Doncellas ni *gai'shain* por los amplios corredores ni por las escaleras que conducían a los pisos de más arriba. Las paredes desnudas y las estancias vacías acentuaban la ausencia de gente; pero, después de cruzar los pisos inferiores, recibió la soledad como una bendición.

Su dormitorio era una cámara sin ventanas, cerca de la parte central del edificio, una de las pocas que no eran enormes, a pesar de que el techo era tan alto que hacía que la medida mayor de la habitación fuera la altura. Rand no tenía ni idea de para qué estaba destinada originalmente esta cámara; un mosaico de enredaderas alrededor de la pequeña chimenea era la única ornamentación. Habríase dicho que era el cuarto de un sirviente, pero los aposentos de la servidumbre no tenían puertas forradas de bronce, por sencillas que fueran. Los *gai'shain* la habían bruñido hasta sacarle un apagado brillo. Había unos cuantos cojines esparcidos sobre las azules baldosas del suelo para sentarse en ellos, y un grueso jergón, encima de una pila de alfombrillas de llamativos colores, para dormir. En el suelo, cerca de la «cama», había una sencilla jarra de agua, vidriada en azul, y una copa de color verde oscuro. Y eso era todo, salvo dos lámparas de pie de tres brazos, ya encendidas, y un montón de libros apilados en un rincón. Con un suspiro de cansancio, se tendió en el jergón sin quitarse la chaqueta ni las botas; por mucho que se moviera y cambiara de postura, no era más blando que estar tumbado sobre el suelo desnudo.

El relente de la noche empezaba a filtrarse en la habitación, pero Rand no se molestó en prender el estiércol de vaca seco que había en la chimenea; prefería aguantar el frío que el olor. Asmodean había intentado enseñarle un modo sencillo de mantener caliente la habitación; sería sencillo, pero el Renegado no tenía fuerza suficiente para hacerlo por sí mismo. La única vez que Rand lo intentó, se había despertado en mitad de la noche jadeando, respirando con dificultad mientras los bordes de las alfombrillas se chamuscaban por el calor que desprendía el suelo. No había vuelto a intentarlo.

Había elegido este edificio como su alojamiento porque estaba intacto y cerca de la plaza; sus altísimos techos proporcionaban una sensación de frescor hasta en las horas más calurosas del día, y sus gruesas paredes aislaban del frío durante la noche. Entonces no era todavía el Techo de las Doncellas, por supuesto. Simplemente, una mañana despertó y se encontró con el hecho consumado, con Doncellas en todas las habitaciones de los dos primeros pisos y con guardias apostadas en las puertas. Tardó un poco en comprender que habían ocupado el edificio como el Techo de su asociación en Rhuidean, pero que esperaban que él se quedara. De hecho, estaban dispuestas a cambiar el Techo dondequiera que se instalara él. Tal era el motivo de que tuviera que reunirse con los jefes de clan en otro sitio. Lo más que había conseguido era que las Doncellas accedieran a quedarse en el piso inmediatamente inferior del que dormía; aquello había sido motivo de diversión sin cuento para las mujeres. «Ni siquiera el *Car'a'carn* es un rey», se recordó con amarga ironía. Ya había tenido que trasladarse otro piso más arriba dos veces, a medida que aumentaba el número de Doncellas. Ociosamente, intentó calcular cuántas más podrían venir antes de que se encontrara durmiendo en el tejado.

Prefería entretenerse en eso que pensar en cómo había dejado que Moraine lo irritara. En ningún momento había tenido la menor intención de revelarle sus planes hasta el día en que los Aiel se pusieran en marcha. La Aes Sedai sabía exactamente cómo manipular sus emociones, cómo ponerlo tan furioso que decía más de que lo quería. «Antes nunca me enfurecía de ese modo. ¿Por qué me cuesta tanto ahora controlar mi genio?» En fin, no había nada que pudiera hacer Moraine para detenerlo. Creía que no lo había. Tenía que tener más cuidado cuando la Aes Sedai estuviera cerca. El hecho de que sus habilidades estuvieran aumentando lo hacía descuidado con ella; pero, aunque fuera más fuerte, Moraine seguía sabiendo más que él, a pesar de las enseñanzas de Asmodean.

En cierto modo, que Asmodean conociera sus planes era menos importante que revelar su intención a la Aes Sedai. «Para Moraine sigo siendo un pastor al que puede utilizar para los propósitos de la Torre, pero para Asmodean soy la única rama a la que puede agarrarse en una riada.» Qué extraño pensar que seguramente podía confiar más en un Renegado que en Moraine. Aunque no es que confiara gran cosa en ninguno de los dos. Asmodean... Si sus vínculos con el Oscuro lo habían protegido de la infección del *Saidin,* tenía que haber otro modo de hacerlo. O de limpiarlo.

El problema era que, antes de entregarse a la Sombra, los Renegados se contaban entre los Aes Sedai más poderosos de la Era de Leyenda, cuando cosas que para la Torre Blanca eran inalcanzables se consideraban algo cotidiano. Si Asmodean no sabía cómo hacerlo, seguramente es que no había ningún modo. «Tiene que poder hacerse. Tiene que haber alguna cosa. No pienso quedarme sentado hasta enloquecer o morir.»

Eso era una estupidez. Las Profecías le habían dispuesto una cita en Shayol Ghul. No sabía cuándo, pero después de eso ya no tendría que preocuparse de si se volvía loco. Sufrió un escalofrío y pensó en echarse las mantas.

Se incorporó bruscamente al oír el apagado sonido de unos pasos en el pasillo. «¡Se lo advertí! ¡Si son incapaces de...!» La mujer que abrió la puerta, con los brazos cargados de mantas de lana, no era alguien que esperara ver allí.

Aviendha se paró nada más cruzar el umbral y lo miró con sus fríos y verdes ojos. La hermosa mujer, de su misma edad más o menos, había sido Doncella hasta que había renunciado a la lanza para convertirse en Sabia no hacía mucho tiempo. Su cabello rojizo oscuro todavía no le llegaba a los hombros, por lo que el pañuelo doblado que le ceñía las sienes para evitar que le cayera a la cara todavía resultaba innecesario. Daba la impresión de sentirse incómoda con el chal marrón y un tanto impaciente a causa de la larga falda gris.

Rand sintió una punzada de celos al reparar en el collar de plata que lucía, una sarta de discos profusamente trabajados, todos ellos diferentes. «¿Quién le dio eso?» La joven no lo habría adquirido, ya que no parecía que le gustaran las joyas. Sólo llevaba otro adorno, un ancho brazalete de marfil con rosas delicada y minuciosamente talladas. Se lo había regalado él, y todavía no estaba seguro de que lo hubiera perdonado por ello. En cualquier caso, era absurdo que se sintiera celoso.

—Hace diez días que no te veía —dijo— Pensé que las Sabias te atarían a mi brazo una vez que descubrieron que les había cerrado el paso a mis sueños. —Asmodean se había mostrado divertido al enterarse de qué era lo primero que Rand quería aprender, y después frustrado por lo mucho que tardaba en asimilarlo.

—Tengo que realizar mi aprendizaje, Rand al'Thor. —Sería una de las pocas Sabias con capacidad de encauzar; ésa era una parte de sus enseñanzas—. No soy una de tus mujeres de las tierras húmedas que haya de estar cerca a todas horas para que puedas mirarme cada vez que se te antoje. —A pesar de conocer a Egwene, y también a Elayne, tenía una idea muy particular sobre cómo eran las que ella llamaba mujeres de las tierras húmedas; y de todos los habitantes de las tierras húmedas en general—. No les ha gustado lo que has hecho. —Se refería a Amys, Bair y Melaine, las tres Sabias, caminantes de sueños, que la estaban instruyendo y que intentaban tenerlo vigilado a él. Aviendha sacudió la cabeza tristemente—. Sobre todo no les ha hecho gracia que te dijera que caminaban en tus sueños.

Rand la miró de hito en hito.

—¿Se lo confesaste? Pero si realmente no me dijiste nada. Yo mismo lo deduje, y al final lo habría descubierto aunque no se te hubiera escapado aquella insinuación que lo apuntaba. Aviendha, fueron ellas las que me contaron que hablaban con la gente en sus sueños. De ahí a sacar la conclusión lógica sólo había un paso.

—¿Qué esperabas? ¿Que me deshonrara más aun? —Su voz sonaba impasible, pero sus ojos podrían haber encendido el fuego de la chimenea—. ¡No pienso deshonrarme ni por ti ni por ningún hombre! Te di la pista que te condujo a ello, y no podía ocultar mi vergüenza. Debería haber dejado que te congelaras. —Le arrojó las mantas sobre la cabeza.

Rand se las quitó y las puso a un lado del jergón mientras intentaba discurrir qué decirle. Otra vez el *ji'e'toh*. Esta mujer era más punzante que un espino. Aparentemente le habían encargado la tarea de enseñarle las costumbres Aiel, pero él sabía cuál era su verdadera misión: espiarlo por encargo de las Sabias. Fuera cual fuera el deshonor que implicaba el espionaje entre los Aiel, por lo visto no contaba para las Sabias. Ellas sabían que estaba enterado, pero, por alguna razón, no parecía preocuparles; y, mientras se mostraran partidarias de dejar las cosas como estaban, él no pensaba poner pegas. Para empezar, Aviendha no era muy buena espía; casi nunca trataba de sonsacarle cosas, y su genio vivo le impedía ponerlo furioso o hacerlo sentir culpable como hacía Moraine. En segundo lugar, la joven resultaba una compañía agradable algunas veces, cuando se olvidaba de erizar las espinas. Al menos sabía a quién habían puesto Amys y las demás para vigilarlo; si no era ella, sería otra persona, y entonces tendría que estar ojo avizor, preguntándose quién. Además, nunca se mostraba cautelosa con él.

Había veces que, cuando Mat, Egwene e incluso Moraine lo miraban, veían al Dragón Renacido o al menos el peligro de un hombre que podía encauzar. Los jefes de clan y las Sabias lo veían como El que Viene con el Alba, el hombre que según la profecía partiría a los Aiel como ramitas secas; si no lo temían, en ocasiones todavía lo trataban como una serpiente coral con quien tenían que convivir. Lo que quiera que viera Aviendha no impedía que fuera tan mordaz como y cuando le venía en gana, lo que ocurría casi de manera continua.

Un extraño consuelo, pero, comparado con el resto, no dejaba de ser un descanso. La había echado de menos. Incluso había cogido flores de algunas de las plantas espinosas que había en los alrededores de Rhuidean —pinchándose los dedos hasta que cayó en la cuenta de que podía utilizar el Poder— y se las había mandado media docena de veces; las Doncellas habían llevado las flores en persona, en lugar de encargárselo a los *gai'shain*. Ni que decir tiene que Aviendha no había dado las gracias nunca.

—Gracias —dijo Rand, acariciando las mantas. Era un tema bastante seguro del que hablar—. Supongo que no estarán de sobra con lo frías que son las noches aquí.

—Enaila me pidió que te las trajera cuando se enteró que había venido a verte. —Sus labios se curvaron en un atisbo de sonrisa divertida—. Unas cuantas hermanas de lanza estaban preocupadas de que no estuvieras bastante caliente. He de asegurarme que enciendes el fuego esta noche; ayer no lo prendiste.

Rand sintió que la sangre se agolpaba en sus mejillas. Aviendha lo sabía. «¿Y de qué te extrañas? ¡Pues claro que lo sabe! Las condenadas Doncellas puede que ya no le cuenten todo, pero tampoco se preocupan de ocultarle nada.»

—¿Por qué querías verme?

Para su sorpresa, la joven se cruzó de brazos y paseó de un lado al otro de la habitación dos veces antes de pararse para mirarlo con expresión furibunda.

—Esto no fue un regalo de estima —dijo acusadoramente mientras sacudía el brazalete delante de sus narices—. Tú mismo lo admitiste.

—Y era verdad, aunque Rand creía que le habría clavado un cuchillo en las costillas si no lo hubiera reconocido así—. Simplemente fue un estúpido regalo de un hombre que ni sabía ni le importaba lo que mis... lo que las hermanas de lanza pudieran pensar. Bueno, pues esto tampoco guarda ningún significado. —Sacó algo de su bolsillo y lo arrojó sobre el catre, junto a Rand—. Cancela la deuda entre nosotros.

Rand cogió lo que Aviendha le había tirado y le dio vueltas entre los dedos. Era la hebilla de un cinturón con la forma de un dragón, hecha de excelente acero con incrustaciones de oro.

—Gracias. Es precioso. Aviendha, no hay deuda alguna que cancelar.

—Si no quieres cogerlo a cambio de mi deuda, entonces tíralo —manifestó con firmeza ella—. Ya encontraré otra cosa con la que compensarte.

—No es ninguna baratija. Tienes que haber encargado que lo hagan.

—Pues no creas que eso significa algo, Rand al'Thor. Cuando renuncié... a la lanza, todas mis armas, mis lanzas, mi cuchillo —en un gesto inconsciente se acarició el cinturón, donde solía colgar el arma blanca—, hasta las puntas de mis flechas, me fueron arrebatadas y entregadas a un forjador para que fabricara cosas sencillas para regalar. La mayoría se las di a amigas, pero las Sabias me obligaron a que nombrara a los tres hombres y las tres mujeres a quien más odiaba, y me ordenaron que les entregara con mis propias manos a cada uno un regalo hecho con mis armas. Bair dice que eso enseña a tener humildad. —Con la espalda muy recta y echando chispas por los ojos, escupiendo cada palabra, su actitud y su porte estaban muy lejos de ser humildes—. Así que no vayas a pensar que significa algo.

—No significa nada —dijo él mientras asentía tristemente. En realidad, tampoco es que quisiera que significara algo, pero habría sido agradable pensar que la chica empezaba a verlo como un amigo. Era una solemne estupidez sentir celos si le hacían regalos. «Me pregunto quién le habrá dado eso»—. Aviendha, ¿era yo uno de esos tres a los que odias tanto?

—Sí, Rand al'Thor. —De repente la voz le sonaba muy ronca. Giró el rostro un instante, con los ojos cerrados y tiritando—. Te odio con todo mi corazón. Te odio. Y siempre te odiaré.

No se molestó en preguntarle el motivo. Una vez le había preguntado por qué no le caía bien, y había faltado poco para que le aplastara la nariz de un puñetazo. Sin embargo, no le había contestado. Pero esto era algo más que el desagrado que a veces parecía olvidar.

—Si de verdad me odias —dijo de mala gana—, les pediré a las Sabias que me envíen a otra persona para enseñarme.

—¡No!

—Pero si tú...

—¡No! —Esta vez el rotundo «no» sonó aun más feroz si cabe. Se puso en jarras y habló como si quisiera que cada palabra se le clavara en el corazón—. Aun en el caso de que las Sabias accedieran a reemplazarme, tengo *toh,* obligación y deber, hacia mi medio hermana Elayne, de guardarte para ella. Le perteneces, Rand al'Thor. A ella y a nadie más. Recuérdalo.

Rand estuvo a punto de levantar las manos. Al menos esta vez no le describía el aspecto de Elayne sin ropa; había algunas costumbres Aiel a las que le costaba más trabajo acostumbrarse que a otras. En ocasiones se preguntaba si Aviendha y Elayne habían acordado esta «vigilancia». No podía creer que lo hubieran hecho, pero las mujeres, aunque no fueran Aiel, actuaban de un modo extraño las más de las veces. Lo que era más, se preguntaba de qué demonios se suponía que tenía que protegerlo Aviendha. Exceptuando a las Doncellas y a las Sabias, las Aiel lo miraban como si fuera una profecía en carne y hueso y, por ende, no como un ser humano sino más como una jodida serpiente suelta entre niños. Las Sabias casi eran tan retorcidas como Moraine a la hora de intentar obligarlo a hacer lo que querían, y, en cuanto a las Doncellas, ni siquiera quería pensarlo. El asunto lo ponía furioso.

—Ahora, escúchame tú. Besé a Elayne unas cuantas veces, y creo que le gustó tanto como a mí, pero no estoy comprometido con nadie. Ni siquiera sé si ya quiere algo de mí, aunque sólo sea eso. —En el espacio de unas pocas horas le había escrito dos cartas; en una llamándolo la más preciada luz para su corazón para continuar con otras cosas que lo habían enardecido; y en la segunda lo llamaba miserable con corazón de piedra al que no quería volver a ver y después seguía vapuleándolo y despellejándolo con más arte de lo que Aviendha había hecho jamás. Definitivamente, las mujeres eran muy raras—. En cualquier caso, no tengo tiempo para pensar en mujeres. Lo único que ocupa mi mente es unir a los Aiel, incluso a los Shaido si me es posible. Yo... —Enmudeció de repente y exhaló un gemido cuando la última mujer que habría esperado ver apareció contoneándose en la habitación, acompañada del tintineo de joyas y llevando una bandeja de plata con una botella de cristal con vino y dos copas de plata.

El transparente pañuelo de seda roja que cubría la cabeza de Isendre no ocultaba su pálido y bello rostro con forma de corazón. El largo cabello negro y los oscuros ojos proclamaban que no era Aiel. Sus labios llenos, con aquel mohín característico, iniciaron una sonrisa tentadora... hasta que vio a Aviendha. Entonces la sonrisa se trocó en una mueca forzada. Aparte del pañuelo, llevaba puestos una docena o más de collares de oro y marfil, algunos con perlas o gemas. Otros tantos brazaletes se amontonaban en cada muñeca, y aun eran más numerosos los que rodeaban sus tobillos. Y eso era todo; no llevaba puesto nada más. Rand se obligó a mantener la vista estrictamente en el rostro de la mujer, pero aun así sentía arderle las mejillas.

Aviendha parecía un nubarrón a punto de descargar rayos y centellas, e Isendre tenía la expresión de alguien que acaba de saber que lo van a cocer vivo. Rand hubiera querido encontrarse en la Fosa de la Perdición o en cualquier otra parte menos en ese cuarto. Con todo, se puso de pie; tendría más autoridad mirándolas desde arriba que a la inversa.

—Aviendha —empezó, pero la joven hizo caso omiso de él.

—¿Te envió alguien con eso? —preguntó fríamente.

Isendre abrió la boca; su intención de mentir se hizo patente en su cara, pero tragó saliva con esfuerzo y musitó:

—No.

—Se te ha advertido de esto, *serda*. —Una *serda* era una especie de rata especialmente ladina, según los Aiel, y que no servía para nada; su carne era tan apestosa que hasta los gatos rara vez se comían las que cazaban—. Adelin pensaba que lo de la última vez te habría enseñado la lección.

Isendre se encogió y se tambaleó como si fuera a desmayarse. Rand hizo acopio de firmeza.

—Aviendha, si alguien la envió o no, da lo mismo. Tengo un poco de sed, y si ha sido tan amable de traerme vino, habría que darle las gracias. —La Aiel miró fríamente las dos copas y enarcó las cejas. Rand respiró hondo—. No debe ser castigada por traerme algo de beber. —Tuvo buen cuidado en no mirar la bandeja—. La mitad de las Doncellas que están bajo el Techo debe de haberme preguntado si...

—Fue cogida por las Doncellas por robo a las Doncellas, Rand al'Thor. —El tono de Aviendha era aun más frío que cuando se había dirigido a la mujer—. Ya te has entrometido demasiado en los asuntos de las *Far Dareis Mai*, más de lo que te deberían haber consentido. Ni siquiera un *Car'a'carn* puede obstaculizar la justicia; esto no es asunto tuyo.

Rand se encogió levemente... y desistió. Lo que quiera que las Doncellas hicieran con ella, Isendre se lo había buscado. Y no por esto. Había entrado en el Yermo con Hadnan Kadere, pero el buhonero no se rasgó las vestiduras cuando las Doncellas la prendieron por robar las joyas que ahora eran todo cuanto le permitían llevar encima. Rand había hecho cuanto estaba en su mano para evitar que la enviaran a Shara atada como una cabra u obligada a caminar desnuda hacia la Pared del

Dragón con sólo un odre de agua; al verla suplicar clemencia una vez que comprendió lo que la Doncellas se proponían hacer con ella, Rand había sido incapaz de mantenerse al margen. Una vez había matado a una mujer; una mujer que intentaba matarlo a él, pero el recuerdo todavía le escocía. Dudaba que pudiera hacerlo otra vez, aun en el caso de que su vida corriera peligro. Una idea estúpida, considerando que las Renegadas probablemente buscaban su sangre o algo peor, pero no podía evitarlo. Y, si era incapaz de matar a una mujer, ¿cómo iba a quedarse sin hacer nada y dejar que muriera una mujer, aunque lo mereciera?

Eso era lo que le causaba desazón. En cualquier país al oeste de la Pared del Dragón, Isendre se habría enfrentado a la horca o al tajo del verdugo por lo que él sabía sobre ella... al igual que sobre Kadere y probablemente la mayoría de los hombres del buhonero, si no todos. Eran Amigos Siniestros. Y él no podía desenmascararlos. Ni siquiera ellos sabían que estaba enterado.

Si cualquiera de ellos era denunciado como Amigo Siniestro... Isendre lo soportaba lo mejor que podía, porque hasta ser una criada o tener que ir desnuda era mejor que acabar atada de pies y manos y abandonada bajo el sol, pero ninguno guardaría silencio si Moraine les ponía las manos encima. Las Aes Sedai tampoco mostraban mucha compasión por los Amigos Siniestros; les haría soltar la lengua en poco tiempo. Y Asmodean había llegado al Yermo con la caravana del buhonero y por lo que Kadere y los demás sabían, era otro Amigo Siniestro, aunque uno con autoridad. Sin duda pensaban que se había puesto al servicio del Dragón Renacido siguiendo las órdenes de alguien más poderoso que él. Si quería conservar a su maestro, si quería evitar que muy probablemente Moraine tratara de matarlos a los dos, Rand no tenía más remedio que guardar su secreto.

Afortunadamente, nadie se cuestionó por qué los Aiel mantenían una vigilancia tan férrea sobre el buhonero y sus hombres. Moraine creyó que se debía a la habitual desconfianza de los Aiel con los forasteros que entraban al Yermo, incrementada por el hecho de encontrarse en Rhuidean; tuvo que poner en juego toda su persuasión para convencerlos de que permitieran entrar a Kadere y sus carretas en la ciudad. Empero, la sospecha existía; Rhuarc y los otros jefes seguramente habrían puesto guardias aunque Rand no lo hubiera pedido. Y Kadere parecía contento de no haber acabado con una lanza en las costillas.

Rand no tenía idea de cómo iba a resolver la situación. O si podía hacerlo. Estaba en un buen lío. En los relatos de los juglares, sólo los villanos quedaban atrapados en un atolladero como éste.

Una vez que estuvo segura de que Rand no iba a interferir más, Aviendha puso de nuevo su atención en la otra mujer.

—Puedes dejar el vino.

Isendre se inclinó grácilmente para soltar la bandeja junto al catre; había una extraña mueca en su rostro, y Rand tardó unos segundos en comprender que era un intento de sonreírle sin que la Aiel la viera.

—Y ahora irás corriendo hasta la primera Doncella con la que topes y le dirás lo que has hecho —continuó Aviendha—. ¡Corre, *serda*!

Gimiendo y retorciéndose las manos, Isendre echó a correr en medio de un sonoro tintineo de joyas. Tan pronto como hubo salido de la habitación, Aviendha se volvió hacia Rand.

—¡Le perteneces a Elayne! ¡No tienes derecho a intentar engatusar a ninguna mujer, pero mucho menos a ésa!

—¿Ella? —Rand dio un respingo—. ¿Piensas que yo...? Créeme, Aviendha, aunque fuera la única mujer en el mundo, correría hasta donde me llevaran las piernas para alejarme de ella.

—Eso es lo que dices. —Resopló—. Se la ha vareado siete veces, ¡siete!, por intentar escabullirse hasta tu cama. No sería tan persistente si no tuviera algún estímulo. Se enfrenta a la justicia de las *Far Dareis Mai* y no es asunto siquiera del *Car'a'carn*. Ésta será la lección de hoy sobre nuestras costumbres. ¡Y recuerda que perteneces a mi medio hermana!

Sin dejarle decir una sola palabra al respecto, salió a grandes zancadas del cuarto con una expresión tal, que Rand creyó que Isendre no sobreviviría si Aviendha la alcanzaba.

Soltó un largo suspiro y retiró la bandeja con el vino a un rincón de la habitación. No tenía la menor intención de beber nada que Isendre le llevara.

¿Que ha intentado siete veces llegar hasta mí?» Debía de haberse enterado de que había intercedido por ella; con su forma de pensar, sin duda se había preguntado que, si había hecho algo así por una mirada insinuante y una sonrisa, qué no haría por algo más. Sintió un escalofrío, tanto por esa idea como por el creciente frío nocturno. Antes prefería tener un escorpión en su cama. Si las Doncellas no lograban convencerla, entonces le diría lo que sabía sobre ella; eso pondría fin a cualquier maquinación.

Apagó las lámparas y se metió en el catre a oscuras, todavía calzado y completamente vestido, y manoseó las mantas hasta que se las hubo echado todas encima. Sin el fuego, sospechaba que le estaría agradecido a Aviendha antes de que llegara el alba. Colocar las guardas de Energía que escudaban sus sueños de intrusismos era un acto casi reflejo en él ahora, pero mientras lo hacía se rió para sus adentros. Podría haberse metido en la cama primero y después apagar las lámparas con el Poder. Eran las cosas sencillas las que nunca se le ocurría hacer con el Poder.

Durante un rato permaneció tumbado, esperando que su cuerpo cogiera calor bajo las mantas. ¿Cómo en un mismo lugar podía hacer tanto calor de día y tanto frío por la noche? No lo entendía. Metió una mano por debajo de la chaqueta y se tanteó la cicatriz medio curada de su costado. Esa herida, la que Moraine nunca conseguía curar por completo, sería lo que lo mataría con el tiempo. Estaba seguro. Su sangre en las rocas de Shayol Ghul. Eso era lo que decían las Profecías.

«Esta noche no. No quiero pensar en eso. Todavía dispongo de un poco de tiempo. Empero, si ahora los sellos pueden descarnarse con un cuchillo, ¿aguantan todavía con tanta firmeza...? No. Esta noche no.»

Dentro de las mantas empezaba a estar un poco más caliente, y se movió para encontrar una postura más cómoda, sin conseguirlo. «Tendría que haberme lavado», pensó, soñoliento. Seguramente Egwene estaría en ese mismo momento dentro de una tienda de vapor. La mitad de las veces que Rand había utilizado una, un puñado de Doncellas había intentado entrar con él... y casi se habían partido de risa cuando insistió en que se quedaran fuera. Bastante incómodo era ya tener que desvestirse y vestirse en el arroyo.

El sueño llegó finalmente y, con él, unos sueños protegidos de la intromisión de las Sabias o de cualquier otro. Pero no protegidos de sus propios pensamientos. Tres mujeres los invadieron constantemente. Isendre no, salvo en una fugaz pesadilla que casi lo despertó. Por turnos, soñó con Elayne, con Min y Aviendha, ya estuvieran juntas o por separado. Sólo Elayne lo había mirado como un hombre, pero las tres lo veían como quien era, no como lo que era. Aparte de la pesadilla, todos fueron unos sueños placenteros.

ENTRE LAS SABIAS

D e pie, tan cerca como le era posible del pequeño fuego que
ardía en el centro de la tienda, Egwene tiritó mientras vertía agua caliente de un cazo en un barreño de franjas azules. Había bajado los laterales de la tienda, pero el frío se
colaba entre las alfombras que cubrían el suelo, y todo el calor del fuego
parecía escaparse por el agujero del humo que había en el centro del techo de la tienda, dejando únicamente el olor a excremento de vaca que-
mándose. Tuvo que apretar los dientes para que no le castañetearan.

De hecho, el vapor del agua empezaba a desaparecer; abrazó el *Saidar* un momento y encauzó Fuego para calentarla más. Amys o Bair
probablemente se habrían lavado con agua fría; en realidad, siempre tomaban baños de sudación. «Vale, no soy tan dura como ellas, ¿y qué?
No crecí en el Yermo y no tengo por qué congelarme ni lavarme con
agua fría si no quiero.» Aun así no dejó de sentirse culpable mientras
frotaba en un paño el jabón con olor a lavanda que había comprado a
Hadnan Kadere. Las Sabias no le habían pedido que actuara de otro
modo, pero no se libraba de la sensación de estar haciendo trampa.

Cortar el contacto con la Fuente Verdadera la hizo suspirar con remordimiento, pero a pesar de estar temblando por el frío se echó a reír

bajito, burlándose de su necedad. La maravilla de estar llena con el Poder, la impetuosa oleada de vida y percepción, era el peligro intrínseco en ello. Cuanto más *Saidar* se absorbía, más se deseaba, y si no se tenía una férrea disciplina se seguía absorbiendo hasta el punto en que no se podía controlar, de manera que el desenlace era la muerte o la propia neutralización. Y eso no era para tomárselo a risa.

«Ése es uno de tus mayores fallos —se reprendió severamente—. Siempre quieres hacer más de lo que se espera de ti. Deberías lavarte con agua fría; eso te enseñaría autodisciplina.» El problema era que había tanto que aprender que a veces parecía que una vida entera no sería suficiente para asimilarlo. Sus maestras se mostraban siempre demasiado cautas, ya fueran las Sabias o las Aes Sedai en la Torre; era muy difícil contenerse cuando se sabía que, en muchos aspectos, ya las aventajaba. «No se dan cuenta de que puedo hacer más de lo que creen.»

Una bocanada de aire frío la azotó y extendió el humo del fuego por la tienda.

—Si haces el favor... —dijo una voz de mujer.

Egwene dio un brinco y soltó un penetrante chillido antes de ser capaz de gritar:

—¡Cierra! —Se rodeó con los brazos para dejar de dar brincos—. ¡Entra o sal, pero cierra! —Tanto esfuerzo para tener un poco de calor, y ahora estaba con piel de gallina de la cabeza a los pies.

La mujer de blanco se deslizó en la tienda a gatas, y la solapa de la tienda se cerró tras ella. Mantenía los ojos bajos y las manos enlazadas humildemente; habría hecho lo mismo si Egwene la hubiera golpeado en vez de limitarse a gritarle.

—Si haces el favor —repitió con voz queda—, la Sabia Amys me envía para que te acompañe a la tienda de sudación.

Deseando poder ponerse sobre el fuego, Egwene gimió. «¡Así la Luz abrase a Bair y su obstinación!» Si no hubiera sido por la Sabia de cabello blanco, en esos momentos habrían estado en una casa de la ciudad, en lugar de vivir en tiendas en los límites de la urbe. «Dispondría de un cuarto con una chimenea como es debido. Y con puerta.» Seguro que Rand no tenía que aguantar que la gente lo molestara cuando se le antojaba. «El maldito lord Dragón chasquea los dedos, y las Doncellas corren a servirlo como si fueran criadas. Apuesto a que le han buscado una cama de verdad en lugar de un catre en el suelo.» Estaba segura de que Rand disfrutaba de un baño caliente todas las noches. «Seguramente las Doncellas suben cubos de agua caliente a sus aposentos. Apostaría a que incluso han encontrado una bañera para el gran señor.»

Amys y Melaine se habían mostrado bien dispuestas a la sugerencia de Egwene, pero Bair se había plantado, sin querer dar el brazo a torcer, y las otras dos habían accedido a sus deseos como si fueran *gai'shain*. Egwene imaginaba que, con tantos cambios provocados por Rand, Bair quería aferrarse a las viejas costumbres todo lo posible, pero la joven habría deseado que la Sabia hubiese escogido otras tradiciones donde imponer su criterio de continuidad.

Ni siquiera se planteó rehusar; había prometido a las Sabias olvidar que era Aes Sedai —cosa fácil considerando que realmente no lo era— y hacer exactamente lo que le ordenaran. Y ésa era la parte difícil; había estado ausente de la Torre bastante tiempo para volver a ser dueña de sus actos. No obstante, Amys le había dicho tajantemente que caminar en los sueños era peligroso aun sabiendo lo que uno se traía entre manos, cuanto más cuando no lo sabía, y que, si no obedecía en el mundo de vigilia, no podrían fiarse de que obedeciera en el de los sueños, de modo que no aceptarían esa responsabilidad. En consecuencia, Egwene realizaba sus tareas junto con Aviendha, aceptaba las regañinas y los castigos tan pacientemente como le era posible y brincaba cada vez que Amys, Melaine o Bair decían «rana». Metafóricamente, se entiende. Ninguna de las Sabias había visto una rana en su vida. «No me llamarán para que les sirva el té.» No, esa noche le tocaba a Aviendha esa tarea.

Se planteó ponerse las medias, pero finalmente se agachó para meterse sólo los zapatos. Era un calzado tosco, muy en consonancia con el Yermo; recordaba con añoranza los escarpines de seda que había desgastado en Tear.

—¿Cómo te llamas? —preguntó en un intento de mostrarse sociable.

—Cowinde —fue la dócil y escueta respuesta.

Egwene suspiró. Insistía en intentar entablar amistad con los *gai'-shain,* pero sin resultado. No había tenido ocasión de acostumbrarse a los sirvientes, aunque en realidad los *gai'shain* no eran criados precisamente.

—¿Eras Doncella?

Un fugaz y feroz destello en los azules ojos de la otra mujer le reveló que su deducción era acertada; empero, los agachó de inmediato asumiendo de nuevo su actitud humilde.

—Soy *gai'shain.* Antes y después no es ahora, y sólo existe el presente.

—¿A qué septiar y clan perteneces? —Por lo general no era necesario preguntarlo, ni siquiera a un *gai'shain.*

—Sirvo a la Sabia Melaine, del septiar Jhirad, de los Goshien Aiel.

Egwene estaba intentando elegir entre dos capas, una marrón de burda lana y otra azul de seda acolchada que había comprado a Kadere —el buhonero había vendido todo lo que llevaba en las carretas para dejar espacio a la carga de Moraine, y a buen precio—, e hizo una pausa para mirar a la otra mujer con el entrecejo fruncido. Esa no era la respuesta correcta. Había oído comentar que una variante del marasmo había afectado a algunos *gai'shain;* cuando su período de servidumbre de un año y un día terminaba, se negaban a quitarse la túnica blanca, simplemente.

—¿Cuándo finaliza tu plazo? —preguntó.

—Soy *gai'shain* —musitó Cowinde, que se encogió más, casi acurrucándose.

—Sí, lo sé, pero ¿cuándo podrás regresar a tu septiar, a tu propio dominio?

—Soy *gai'shain* —repitió la mujer con voz ronca, sin levantar la vista de las alfombras—. Si la respuesta te desagrada, castígame, pero no puedo dar otra.

—No seas absurda —replicó secamente Egwene—. Y ponte derecha. Eres una persona, no una rana.

La mujer de blanco obedeció de inmediato y se sentó sobre los talones, esperando sumisamente la siguiente orden. Era como si jamás hubiera alentado aquel fugaz destello de carácter en sus ojos.

Egwene respiró profundamente. Cowinde había asumido a su estilo los efectos del marasmo. Era un modo absurdo, pero ella no podía hacer nada para cambiarlo. En cualquier caso, se suponía que debía estar de camino hacia la tienda de sudación, no hablando con esta mujer.

Al recordar la corriente de aire frío, vaciló. La bocanada de viento gélido había hecho que se cerraran a medias dos grandes flores blancas que estaban en un cuenco somero. Procedían de la *segade,* una planta gruesa, sin hojas, de aspecto correoso y plagada de espinas. Había sorprendido a Aviendha con ellas en las manos, contemplándolas, esa misma mañana; la joven Aiel se había llevado un sobresalto al verla, y después se las entregó diciendo que las había cogido para ella. Egwene suponía que lo que todavía quedaba de Doncella en Aviendha no le permitía admitir que le gustaban las flores. Aunque, pensándolo bien, la había visto, siendo aún Doncella llevar de vez en cuando una en el cabello o en la chaqueta.

«Sólo estás intentado retrasar lo que tienes que hacer, Egwene al'Vere. ¡Deja de hacer el tonto! Estás comportándote de un modo tan absurdo como Cowinde.»

—Salgamos —dijo, y tuvo el tiempo justo de cubrir su desnudez con la capa antes de que la *gai'shain* levantara la solapa de la tienda para dejar paso al gélido aire de la noche.

Allá arriba las estrellas eran puntos chispeantes en medio de la oscuridad, y brillaba tres cuartos de luna. El campamento de las Sabias lo formaban dos docenas de tiendas situadas a menos de cien pasos de donde terminaba el resquebrajado pavimento de una de las calles de Rhuidean. El juego de luces y sombras de la luna daba a la ciudad la apariencia de extraños riscos y quebradas. Todas las tiendas tenían bajada la solapa de entrada, y los olores de las lumbres y las comidas se mezclaban en el aire.

Las otras Sabias acudían allí casi a diario para asistir a reuniones, pero pasaban las noches con sus propios septiares. Algunas incluso dormían en Rhuidean. Pero Bair no. Esto era lo más cerca de la ciudad que la Sabia había aceptado instalarse; si Rand no hubiera estado allí, sin duda habría insistido en levantar el campamento en las montañas.

Egwene mantuvo cerrada la capa con las dos manos mientras caminaba tan deprisa como podía. El frío se colaba por debajo del repulgo de la prenda y se metía por delante cada vez que las piernas desnudas de la joven daban un paso. Cowinde tuvo que remangarse las faldas de la túnica blanca a la altura de las rodillas para apretar el paso a fin de situarse delante de Egwene; la joven no necesitaba que la *gai'shain* la guiara, pero, puesto que la habían enviado a buscarla, se sentiría avergonzada y puede que ofendida si no le permitía hacerlo. Mientras apretaba los dientes para que no le castañetearan, Egwene deseó que la otra mujer fuera corriendo en lugar de caminar deprisa.

La tienda de sudación tenía el mismo aspecto que las demás, baja y ancha, con los laterales bajados completamente, salvo porque el agujero del humo estaba tapado. Cerca, un fuego había ardido hasta reducirse a rojas brasas esparcidas sobre unas cuantas piedras del tamaño de la cabeza de un hombre. No había luz suficiente para distinguir el bulto que había junto a la entrada de la tienda, pero Egwene sabía que eran ropas de mujeres cuidadosamente dobladas.

Tras inhalar profundamente el gélido aire, se descalzó, dejó caer la capa y casi se zambulló de cabeza dentro de la tienda. Un instante de estremecedor frío antes de que la solapa se cerrara detrás de ella, y de inmediato la asaltó el húmedo calor que hizo brotar una película de sudor en todo su cuerpo cuando todavía tiritaba.

Las tres Sabias que le estaban enseñando a caminar en los sueños se encontraban sentadas despreocupadamente, sudando, con el largo cabello cayéndoles, empapado, hasta la cintura. Bair hablaba con Melaine, la Sabia de cabello rubio y ojos verdes, cuya belleza contrastaba marcadamente con el rostro apergaminado y el blanco cabello de la otra mujer. Amys también tenía el pelo blanco —o quizás era de un color

130

rubio tan pálido que daba esa impresión—, pero no tenía aspecto de ser mayor. Melaine y ella podían encauzar —cosa poco frecuente entre las Sabias—, de modo que poseía algo del aire intemporal de las Aes Sedai. Moraine, que junto a las otras parecía delgada y pequeña, exhibía un gesto imperturbable con el que parecía negar su desnudez, aunque el sudor le corría por el desnudo cuerpo y tenía el cabello pegado al cráneo. La Sabias utilizaban unas piezas de bronce, finas y curvas, llamadas *staera*, para rascar la piel húmeda y así arrastrar el sudor y el polvo del día.

Aviendha estaba en cuclillas, sudorosa, junto a la negra olla con piedras calientes y tiznadas que había en el centro de la tienda, y utilizaba cuidadosamente una tenaza para pasar la última piedra de una olla más pequeña a la grande. Hecho esto, roció sobre ellas agua de una calabaza para aumentar el vapor. Si dejaba que el vaho disminuyera en exceso, como poco se ganaría una regañina. La próxima vez que las Sabias se reunieran en la tienda de sudación, le tocaría a Egwene encargarse de esta tarea.

La joven se sentó con las piernas cruzadas al lado de Bair —allí no había alfombras, sólo el rocoso suelo desnudo, desagradablemente caliente, húmedo e irregular— y advirtió con un sobresalto que Aviendha había sido azotada, y recientemente. Cuando la joven Aiel tomó asiento cautelosamente al lado de Egwene, lo hizo con un gesto tan pétreo como el propio suelo, pero a pesar de ello no pudo evitar un fugaz gesto de dolor.

Esto era algo totalmente inesperado para Egwene. Las Sabias imponían una férrea disciplina —más dura que la de la Torre, que ya era decir— pero Aviendha trabajaba en aprender a encauzar con inflexible determinación. No podía caminar en los sueños, pero desde luego se esforzaba al máximo para asimilar cualquiera de las otras artes de una Sabia con tanto empeño como cuando había aprendido a manejar las armas como una Doncella. Por supuesto, cuando confesó que por su culpa Rand se había enterado que las Sabias le espiaban los sueños, la habían hecho pasar tres días cavando agujeros hasta la altura del hombro para después volver a taparlos, pero ése fue uno de los contados pasos en falso dados por la joven Aiel. Amys y las otras dos se la habían puesto como ejemplo de humilde obediencia y adecuada fortaleza tan a menudo que a veces a Egwene le entraban ganas de chillar, aunque Aviendha fuera amiga suya.

—Has tardado mucho en venir —dijo Bair en tono gruñón mientras Egwene seguía intentando encontrar una postura donde no se le clavaran las irregularidades del suelo. La anciana Sabia tenía una voz fina y aguda, pero con la dureza del hierro. Siguió rascándose los brazos con una *staera*.

—Lo siento —se disculpó Egwene. Eso debía de ser suficientemente humilde.

Bair aspiró por la nariz con desdén.

—Eres Aes Sedai al otro lado de la Pared del Dragón, pero aquí sigues siendo una alumna, y una alumna no se retrasa. Cuando mando llamar a Aviendha y le encargo algo, obedece corriendo, aunque sólo le haya pedido un alfiler. No te vendría mal tomarla como ejemplo.

Egwene enrojeció y procuró dar a su voz una entonación sumisa:

—Lo intentaré, Bair. —Era la primera vez que una Sabia las comparaba estando presentes las dos. Lanzó una mirada de reojo a Aviendha y se sorprendió al verla absorta en sus pensamientos. A veces deseaba que su «medio hermana» no fuera siempre un ejemplo tan bueno.

—La chica aprenderá o no aprenderá, Bair —dijo Melaine con irritación—. Enséñale a obedecer con prontitud después, si es que todavía le hace falta. —Debía de tener diez o doce años más que Aviendha, pero siempre hablaba como si debajo de la falda llevara clavado un cardo. A lo mejor estaba sentada sobre una piedra picuda, aunque si lo estaba no se movería; esperaría a que lo hiciera la piedra—. Os lo repito, Moraine Sedai, los Aiel siguen a El que Viene con el Alba, no a la Torre Blanca.

Obviamente, Egwene tendría que seguir la conversación a partir de este momento, deduciendo lo que habían hablado antes.

—Tal vez los Aiel vuelvan a servir a las Aes Sedai, pero todavía no ha llegado ese momento, Moraine Sedai —manifestó Amys con voz sosegada, sin dejar de pasarse el rascador por la piel mientras observaba a Moraine tranquilamente.

Egwene sabía que llegaría, ahora que Moraine había descubierto que algunas Sabias podían encauzar. Las Aes Sedai vendrían al Yermo para encontrar chicas a las que enseñar, y casi con toda seguridad también tratarían de llevar a la Torre a todas las Sabias dotadas con esa habilidad. Hubo un tiempo en que le había preocupado que las Sabias fueran sometidas y obligadas a marcharse a la fuerza, quisieran o no; las Aes Sedai jamás dejaban que ninguna mujer capaz de encauzar escapara al control de la Torre. Pero ya había dejado de preocuparle, aunque a las Sabias pareciera que sí. Amys y Melaine igualaban a cualquier Aes Sedai en cuanto a imponer su voluntad, y así lo demostraban a diario con Moraine.

A decir verdad, Bair no era la Sabia más voluntariosa. Tal honor le correspondía a una mujer aun más vieja, Sorilea, de los Chareen del septiar Jarra. La Sabia del dominio Shende encauzaba incluso menos que la mayoría de las novicias de la Torre, pero era muy capaz de mandar a otra Sabia con cualquier encargo como si fuera una *gai'shain*. E iba. En fin, que no había razón para angustiarse por el temor de que a las Sabias las mangoneara nadie.

—Es comprensible que deseéis proteger vuestras tierras —intervino Bair—, pero es obvio que Rand al'Thor no se propone dirigirnos a una campaña de castigo. Nadie que se someta a El que Viene con el Alba sufrirá daño alguno.

Así que de eso se trataba. Por supuesto.

—No es evitar muertes ni la destrucción de países lo único que me preocupa. —Moraine convirtió en algo regio el simple gesto de limpiarse el sudor de la frente con un dedo, pero su tono era casi tan tenso como el de Melaine—. Si permitís esto, será desastroso. El trabajo de años elaborando planes empieza a dar frutos, y él lo va a echar todo a rodar.

—Planes de la Torre Blanca —dijo Amys en un tono tan suave que habríase dicho que estaba de acuerdo—. No nos incumben. Nosotras, y las otras Sabias, debemos considerar lo que es conveniente para nuestro pueblo. Y nos ocuparemos de que los Aiel hagan lo que es mejor para los Aiel.

Egwene se preguntó qué tendrían que decir al respecto los jefes de clan. Claro que con frecuencia protestaban porque las Sabias se entrometían en asuntos que no eran de su incumbencia, así que tal vez no los cogería de sorpresa. Todos los jefes parecían ser hombres inteligentes y voluntariosos, pero Egwene era de la opinión que tenían tan poco que hacer contra el colectivo de las Sabias como el Consejo del Pueblo de su tierra contra el Círculo de Mujeres.

Empero, esta vez Moraine tenía razón.

—Si Rand... —empezó, pero Bair la atajó firmemente:

—Oiremos lo que tengas que decir después, muchacha. Tus conocimientos sobre Rand al'Thor son valiosos, pero ahora guardarás silencio y escucharás hasta que tengas permiso para hablar. Y no te pongas mohína o te haré tomar una dosis de infusión de espino azul.

Egwene se encogió. El respeto hacia Moraine, aunque fuera de igual a igual, no contaba para nada con la alumna a pesar de que creían que también era Aes Sedai. De todos modos, se guardó mucho de hablar. Bair era capaz de mandarla a buscar su bolsa de hierbas y ordenarle que preparara ella misma la increíblemente amarga infusión; no tenía utilidad terapéutica excepto poner remedio al malhumor o las rabietas o lo que quiera que una Sabia considerara motivo de desaprobación, y se conseguía simplemente con su repugnante sabor. Aviendha le dio una palmadita de consuelo en el brazo.

—¿Es que no creéis que también sea una catástrofe para los Aiel? —Debía de resultar muy difícil mantener una actitud tan fría como un arroyo invernal cuando a uno lo cubría una película de vapor condensado y de sudor, pero a Moraine no parecía costarle ningún trabajo—. Será una repetición de la Guerra de Aiel. Mataréis, incendiaréis y saquearéis ciudades como hicisteis entonces hasta que tengáis a todo hombre y toda mujer en contra vuestra.

—El quinto es nuestro tributo, Aes Sedai —dijo Melaine mientras se retiraba el pelo hacia atrás para pasar la *staera* sobre el suave hombro. A pesar de estar apelmazado y húmedo por el vapor, el cabello le brillaba como seda—. Ni siquiera cogimos más de los Asesinos del Árbol. —La mirada que dirigió a Moraine era demasiado afable para no llevar segunda intención; sabían que la Aes Sedai era cairhienina—. Vuestros reyes y reinas toman un montante igual con sus impuestos.

—¿Y cuando las naciones se vuelvan contra vosotros? —insistió Moraine—. En la Guerra de Aiel los países unidos os rechazaron. Lo mismo puede y volverá a suceder, con grandes pérdidas en vidas para ambos bandos.

—Ninguno de nosotros teme la muerte, Aes Sedai —le dijo Amys, que sonreía suavemente, como quien explica algo a un niño—. La vida es un sueño del que todos hemos de despertar antes de poder dormir otra vez. Además, sólo fueron cuatro clanes los que cruzaron la Pared del Dragón al mando de Janduin. Aquí ya hay seis, y vos misma habéis dicho que Rand al'Thor se propone llevar a todos los clanes.

—La Profecía de Rhuidean vaticina que nos destruirá. —El brillo en los verdes ojos de Melaine pudo ser a causa de Moraine o porque en realidad no estaba tan resignada como aparentaba—. ¿Qué importa si lo hace aquí o al otro lado de la Pared del Dragón?

—Haréis que pierda el apoyo de todas las naciones al oeste de la Pared del Dragón —adujo Moraine. Su actitud era tan sosegada como siempre, pero en su voz había un tono cortante que denunciaba la cólera contenida—. ¡Debe tener su respaldo!

—Tiene el del pueblo Aiel —replicó Bair con aquella frágil pero inflexible voz; gesticuló con el fino rascador metálico para recalcar sus palabras—. Los clanes jamás hemos sido una nación, pero ahora nos ha convertido en una.

—No os ayudaremos en esto Aes Sedai. No le daremos la espalda —agregó Amys con idéntica firmeza.

—Ahora podéis dejarnos, Aes Sedai, si hacéis el favor —dijo Bair—. Hemos hablado de lo que queríais discutir tanto como estamos dispuestas a hacerlo esta noche. —Amable, pero, al fin y a la postre, era una orden velada de que se marchara.

—Os dejaré solas —respondió Moraine, de nuevo la viva imagen de la serenidad. Lo dijo como si la sugerencia fuera suya, su decisión. A estas alturas ya se había acostumbrado a que las Sabias dejaran muy claro que no estaban bajo la autoridad de la Torre—. Tengo que ocuparme de otros asuntos.

Eso, desde luego, sí debía de ser cierto. Probablemente algo relacionado con Rand, pero Egwene sabía a qué atenerse y no le hizo preguntas; si Moraine quería que lo supiera, se lo contaría, y si no... Si no, obtendría alguna de las verdades a medias que utilizaban las Aes Sedai cuando deseaban evitar ser sinceras, o una seca respuesta indicándole que no era de su incumbencia. Moraine sabía que «Egwene Sedai del Ajah Verde» era un fraude. Toleraba el embuste en público, pero por lo demás dejaba bien claro a la joven cuál era su sitio cada vez que le venía en gana.

—Aviendha, sirve el té —ordenó Amys tan pronto como Moraine se hubo marchado, en medio de una bocanada de aire gélido.

La joven Aiel sufrió un sobresalto y abrió dos veces la boca antes de responder débilmente:

—Todavía no lo he preparado. —Sin más, se escabulló rápidamente de la tienda andando a gatas. La segunda bocanada de aire frío casi acabó con el vapor.

Las Sabias intercambiaron miradas que eran casi tan sorprendidas como la de Egwene; Aviendha realizaba hasta las tareas más onerosas con eficiencia, ya que no siempre de buen grado. Algo debía de estar preocupándole mucho para que olvidara algo tan simple como preparar el té. Las Sabias siempre pedían la infusión.

—Más vapor, muchacha —instó Melaine.

Se lo decía a ella, comprendió Egwene, ya que Aviendha se había marchado. Se apresuró a rociar más agua sobre las piedras, y encauzó para calentarlas más, así como la olla, hasta que oyó el chasquido de las piedras y sintió el calor irradiando de la propia olla como si ésta fuera un horno. Las Aiel podían estar acostumbradas a pasar de golpe de estar asándose en sus propios jugos a estar congelándose, pero ella no. Unas densas volutas de vaho se alzaron de las piedras y llenaron la tienda. Amys asintió aprobadoramente; ella y Melaine podían ver el halo del *Saidar* rodeándola, naturalmente, aunque ella misma no lo viera. Melaine se limitó a seguir rascándose con su *staera*.

Cortó el contacto con la Fuente Verdadera, volvió a tomar asiento cerca de Bair y susurró:

—¿Aviendha ha hecho algo muy mal? —Ignoraba cómo se sentía la joven Aiel al respecto, pero no veía motivo para avergonzarla ni siquiera a su espalda.

Por su parte, Bair no tenía tantos escrúpulos.

135

—¿Lo dices por los verdugones? —preguntó en un tono normal—. Vino y me confesó que había mentido dos veces hoy, aunque no quiso decir a quién ni sobre qué. Era asunto suyo, claro, mientras no hubiera mentido a una Sabia, pero argumentó que su honor requería una satisfacción del *toh*.

—Ella misma os pidió que la... —Egwene dio un respingo y no finalizó la pregunta.

Bair asintió como si aquello fuera lo más normal del mundo.

—Le propiné unos pocos golpes más por molestarme con algo así. Si el *ji* estaba involucrado, su obligación no era hacia mí. Probablemente sus, así denominadas, mentiras eran sobre algún asunto que a nadie le preocuparía salvo a una *Far Dareis Mai*. Las Doncellas, incluso las que han dejado de serlo, a veces son tan aspaventeras como los hombres.

Amys le asestó una mirada cortante que resultó obvia incluso a través del vapor. Como Aviendha, también ella había sido una *Far Dareis Mai* antes de convertirse en Sabia.

Egwene no conocía a ningún Aiel que no fuera exagerado respecto al *ji'e'toh,* a su modo de entender. ¡Pero esto! Los Aiel estaban chiflados.

Al parecer, Bair se había olvidado ya del asunto.

—Hay más Errantes en la Tierra de los Tres Pliegues que nunca —dijo sin dirigirse a nadie en particular. Así era como los Aiel llamaban a los gitanos, los Tuatha'an.

—Huyen de los conflictos desatados al otro lado de la Pared del Dragón. —El desdén en la voz de Melaine era evidente.

—Me han contado —intervino lentamente Amys— que algunos de los que huyeron tras el marasmo han buscado a los Errantes y les han pedido que los acepten entre ellos.

Se hizo un prolongado silencio. Ahora sabían que los Tuatha'an tenían los mismos antepasados que ellos, que se habían separado antes de que los Aiel cruzaran la Columna Vertebral del Mundo y entraran en el Yermo, pero, en todo caso, ese conocimiento sólo había ahondado su aversión hacia ellos.

—Trae cambios —susurró roncamente Melaine.

—Pensé que estabais resignadas a los cambios que traía —adujo Egwene en un tono cargado de compasión. Tenía que ser muy duro afrontar que toda la vida y las costumbres de uno se habían ido a pique. Casi esperaba que le ordenaran callarse de nuevo, pero nadie lo hizo.

—Resignadas —repitió Bair, como si saboreara la palabra—. Más acertado sería decir que lo soportamos lo mejor que podemos.

—Lo transforma todo. —Amys parecía preocupada—. Rhuidean. Los Errantes. El marasmo y la revelación de lo que jamás debió salir a la

136

luz. —A las Sabias, en realidad a todos los Aiel, todavía les costaba hablar de ello.

—Las Doncellas se apiñan a su alrededor como si le debieran más que a sus propios clanes —añadió Bair—. Por primera vez en toda nuestra historia han permitido que un hombre viva bajo el Techo de las Doncellas.

Por un momento pareció que Amys iba a decir algo, pero lo que quiera que supiera sobre las interioridades de las *Far Dareis Mai* no lo compartía con nadie excepto quienes eran o habían sido Doncellas Lanceras.

—Los jefes ya no nos escuchan —rezongó Melaine—. Oh, sí, nos piden consejo como siempre, ya que no se han vuelto completamente idiotas, pero Bael ha dejado de contarme lo que le ha dicho a Rand al'-Thor o lo que éste le ha dicho a él. Cuando le pregunto me contesta que me dirija a Rand al'Thor, quien me dice que pregunte a Bael. Con el *Car'a'carn* no puedo hacer nada al respecto, pero con Bael... Siempre ha sido un hombre obstinado, irritante, sin embargo ahora se pasa de la raya. A veces me dan ganas de atizarle con un palo en la cabeza.

Amys y Bair rieron bajito como si fuera algo muy divertido. O tal vez reían para olvidar los cambios durante un momento.

—Sólo hay tres cosas que puedas hacer con un hombre así —manifestó con guasa Bair—. Mantenerte alejada de él, matarlo o casarte con él.

Melaine se puso muy tiesa y su tostado rostro enrojeció. Egwene temió que la Sabia rubia iba a soltar unas cuantas palabras más abrasadoras que la rojez de su cara, pero en ese momento una bocanada de aire helado anunció el regreso de Aviendha, que traía una bandeja de plata con una tetera amarilla, delicadas copas de dorada porcelana de los Marinos y un tarro de piedra con miel.

Temblaba mientras servía el té, ya que sin duda no se había molestado en ponerse algo encima mientras había estado fuera, y a continuación fue pasando las tazas y la miel. No sirvió tazas para Egwene y para ella hasta que Amys le dijo que lo hiciera.

—Más vapor —pidió Melaine; el aire frío parecía haber aplacado su mal genio.

Aviendha soltó su taza, sin haber probado todavía la infusión, y se acercó presurosa a la calabaza; saltaba a la vista que estaba deseosa de compensar su olvido con el té.

—Egwene —dijo Amys entre sorbo y sorbo—, ¿cómo reaccionaría Rand al'Thor si Aviendha le pidiera dormir en su cuarto?

Aviendha se quedó paralizada con la calabaza en las manos.

—¿En su...? —Egwene soltó una exclamación ahogada—. ¡No podéis pedir a Aviendha semejante cosa! ¡No podéis!

—Muchacha necia —rezongó Bair—. No le pedimos que comparta sus mantas, pero ¿creerá él que es eso lo que intenta? Y, aun así ¿se lo permitiría? Los hombres son criaturas extrañas en el mejor de los casos, y no se crió entre nosotros, de modo que sigue siendo un forastero.

—Por supuesto que no pensaría tal cosa —barbotó Egwene, que añadió más lentamente—: No creo que lo pensara. Pero no es correcto. ¡De ningún modo!

—Os suplico que no me pidáis eso —intervino Aviendha en un tono más humilde de lo que Egwene habría esperado nunca de ella. Estaba esparciendo agua con movimientos bruscos, incrementando las volutas de vapor—. He aprendido mucho durante estos últimos días al no tener que dedicarle mi tiempo. Puesto que habéis permitido a Egwene y a Moraine Sedai que me ayuden con el encauzamiento, aprendo incluso más deprisa. Y con ello no quiero decir que enseñen mejor que vosotras, por supuesto —se apresuró a añadir—, pero deseo mucho aprender.

—Y seguirás haciéndolo —le dijo Melaine—. No tendrás que estar a todas horas con él. Si te aplicas, tus lecciones no se retrasarán. No estudias mientras estás durmiendo.

—No puedo —masculló Aviendha, que había agachado la cabeza y miraba fijamente la calabaza. Luego, en tono más alto y firme, agregó—: No lo haré. —Alzó la cabeza y sus verdes ojos centellearon—. ¡No pienso estar allí cuando vuelva a emplazar a esa descocada Isendre a sus mantas!

—¡Isendre! —Egwene la miraba boquiabierta. Había visto, y había desaprobado de plano, el modo escandaloso en que las Doncellas la obligaban a ir desnuda, ¡pero esto!—. No dirás en serio que él...

—¡Silencio! —espetó Bair, como un latigazo. Sus azules ojos podrían haber desmenuzado piedras—. ¡Las dos! Sois jóvenes, pero incluso las Doncellas deberían saber que los hombres pueden ser unos estúpidos, sobre todo cuando no están unidos a una mujer que los guíe.

—Me alegra ver que ya no mantienes tus emociones bajo un control tan rígido, Aviendha —dijo Amys con sequedad—. Las Doncellas son tan estúpidas como los hombres cuando se trata de eso; lo recuerdo bien y todavía me causa empacho. Dar rienda suelta a las emociones nubla el buen juicio un instante, pero contenerlas en exceso lo nubla siempre. Lo único que has de hacer es asegurarte que no las dejas salir demasiado a menudo o cuando es más aconsejable controlarlas.

Melaine se echó hacia adelante, apoyándose sobre las manos, hasta que dio la impresión de que el sudor que le goteaba del rostro caería sobre la ardiente olla.

—Sabes cuál es tu destino, Aviendha. Serás una Sabia de gran poder y autoridad, y algo más. Ya hay en ti parte de esa fortaleza. Me ocupé de que pasaras tu primera prueba, y me ocuparé de que superes ésta.

—Mi honor —empezó la joven Aiel con voz ronca, pero tragó saliva, incapaz de continuar, y se quedó encogida, apretando contra sí la calabaza como si en ella estuviera el honor que deseaba proteger.

—El Entramado no contempla el *ji'e'toh* —le dijo Bair con un leve atisbo de compasión, si es que lo había—. Sólo lo que debe ser y lo que será. Los hombres y las Doncellas luchan contra el destino aun cuando es evidente que el Entramado teje a pesar de sus afanes, pero ya no eres *Far Dareis Mai*. Tienes que aprender a dejarte llevar por el destino. Sólo rindiéndote al Entramado podrás empezar a tener cierto control sobre el curso de tu propia vida. Si te resistes, el Entramado seguirá obligándote y sólo encontrarás pesar donde en cambio podrías hallar alegría.

A Egwene aquello le sonaba muy parecido a lo que le habían enseñado respecto al Poder Único. Para controlar el *Saidar* primero había que rendirse a él. Si uno se resistía, éste llegaba violentamente o lo superaba; rendirse y dirigirlo suavemente, y así hacía lo que uno deseaba. Pero eso no explicaba por qué querían que Aviendha propusiera a Rand algo tan absurdo, de modo que lo preguntó y volvió a añadir:

—No es correcto.

—¿Se negará Rand al'Thor a permitírselo? —inquirió Amys en lugar de responderle—. No podemos obligarlo.

Bair y Melaine observaban a Egwene con tanta intensidad como Amys. No iban a decirle el motivo. Más fácil sería conseguir que una piedra hablara que sacar algo a una Sabia en contra de su voluntad. Aviendha tenía la vista clavada en el suelo, con mohína resignación; sabía que las Sabias conseguirían lo que se proponían, de un modo u otro.

—Lo ignoro —contestó lentamente Egwene—. Ya no lo conozco tan bien como antes. —Lo lamentaba, pero habían ocurrido muchas cosas; una de ellas, darse cuenta de que lo quería sólo como a un hermano. Su aprendizaje, tanto en la Torre como aquí, había influido en este cambio quizá tanto como que Rand se hubiera convertido en lo que era—. Si le dais una buena razón, quizá. Creo que aprecia a Aviendha.

La joven Aiel soltó un hondo suspiro, pero no levantó la cabeza.

—Una buena razón —resopló Bair con desdén—. Cuando yo era una muchacha, cualquier hombre habría estado contentísimo de que una joven demostrara tanto interés en él. Habría ido en persona a recoger las flores para hacer la guirnalda de bodas. —Aviendha dio un respingo y miró a las Sabias con algo de su antiguo espíritu—. En fin, encontraremos una razón que hasta alguien criado en las tierras húmedas pueda aceptar.

—Faltan unas cuantas noches para el encuentro acordado en el *Tel'-aran'rhiod* —dijo Amys—. Esta vez, con Nynaeve.

—Esa podría aprender mucho —intervino Bair—, si no fuera tan testaruda.

—Hasta entonces, tienes libres las noches —anunció Melaine—. Es decir, a menos que hayas estado entrando en el *Tel'aran'rhiod* sin nosotras.

—Por supuesto que no —contestó Egwene, que sospechaba lo que vendría a continuación. Sólo había sido un poco, porque hacerlo más significaría que las Sabias lo descubrirían, sin lugar a dudas.

—¿Has tenido éxito en encontrar los sueños de Nynaeve o de Elayne? —preguntó Amys en actitud coloquial, como si hablara del tiempo.

—No, Amys.

Encontrar los sueños de una persona era mucho más difícil que entrar en el *Tel'aran'rhiod,* el Mundo de los Sueños, sobre todo si esa persona estaba lejos. Resultaba más sencillo cuanto más cerca estuviera y más se la conociera. Las Sabias seguían exigiendo que no entrara al *Tel'-aran'rhiod* sin que al menos una de ellas la acompañara, pero el sueño de otra persona era quizás igualmente peligroso a su modo. En el *Tel'aran'-rhiod* tenía control sobre sí misma y sobre las cosas que la rodeaban hasta un grado considerable, a menos que las Sabias decidieran tomar cartas en el asunto; su dominio del *Tel'aran'rhiod* seguía aumentando, pero todavía no podía igualar a ninguna de ellas, con su extensa experiencia. En el sueño de otro, sin embargo, uno era parte de ese sueño; había que hacer un tremendo esfuerzo para no actuar como deseaba el soñador, y aun así en ocasiones no se conseguía. Las Sabias habían sido muy prudentes cuando vigilaban los sueños de Rand y nunca habían entrado del todo en ellos. Con todo, insistían en que aprendiera. Si iban a enseñarle a caminar en los sueños, tenían intención de enseñarle todo lo que sabían sobre ello.

No es que fuera reacia, pero las pocas veces que la habían dejado practicar, consigo mismas o con Rhuarc, habían sido unas experiencias mortificantes. Las Sabias poseían un dominio considerable sobre sus propios sueños, de modo que lo ocurrido allí —para mostrarle los peligros, adujeron— había sido obra de ellas, pero sufrió una impresión al descubrir que Rhuarc la consideraba como poco más que una niña, como su hija más pequeña. Y su propio control vaciló durante un momento, tras lo cual había sido en efecto poco más que una niña; todavía era incapaz de mirar al hombre sin recordar que le había regalado una muñeca por estudiar con tanto ahínco. Y que le había gustado el regalo tanto como la aprobación de Rhuarc. Amys había tenido que entrar y sacarla de donde jugaba con la muñeca, tan feliz. Que Amys lo supiera ya era bastante malo, pero Egwene sospechaba que Rhuarc también recordaba parte del sueño.

—Debes seguir intentándolo —dijo Amys—. Tienes la fuerza para llegar a ellas, a pesar de lo lejos que están. Y no te vendrá mal descubrir cómo te ven.

Egwene no estaba tan segura de eso. Elayne era una amiga, pero Nynaeve había sido la Zahorí de Campo de Emond durante casi toda su infancia y adolescencia, de modo que sospechaba que los sueños de Nynaeve serían aun peor que el de Rhuarc.

—Esta noche dormiré fuera de las tiendas —continuó Amys—. No muy lejos. Debería serte fácil encontrarme si lo intentas. Si no sueño contigo, hablaremos de ello por la mañana.

Egwene contuvo un gemido. Amys la había guiado a los sueños de Rhuarc —permaneció sólo un instante en ellos, apenas lo suficiente para revelar que Rhuarc seguía viéndola igual, como la joven con quien se había casado—, y hasta ahora las Sabias habían estado siempre en la misma tienda antes de que lo intentara.

—Bien —dijo Bair mientras se frotaba las manos—, ya hemos oído lo que necesitábamos oír. Las demás podéis quedaros si gustáis, pero yo me siento bastante limpia para ir a mis mantas. No soy tan joven como vosotras.

Joven o no, seguramente era capaz de resistir corriendo más que cualquiera de ellas y después llevarla cargada el resto del camino. Mientras Bair se ponía de pie, Melaine habló y, cosa rara en ella, lo hizo vacilante:

—Necesito... He de pedirte ayuda, Bair. Y a ti, Amys. —La mujer mayor volvió a sentarse y tanto ella como Amys miraron a Melaine con expectación—. Yo... querría pediros que hablaseis a Dorindha por mí. —Las últimas palabras salieron precipitadamente de su boca. Amys sonrió de oreja a oreja, y Bair soltó una carcajada. Aviendha pareció entender también a qué se refería y dio un respingo, pero Egwene estaba completamente perdida.

—Siempre dijiste que no necesitabas un esposo y que no lo querías —dijo, regocijada, Bair—. Yo he enterrado a tres y no me importaría tener otro. Son muy útiles cuando la noche es fría.

—Una mujer puede cambiar de opinión. —La voz de Melaine sonaba bastante firme, pero contrastaba con el rubor de sus mejillas—. No puedo mantenerme alejada de Bael y tampoco puedo matarlo. Si Dorindha acepta ser mi hermana conyugal, haré mi guirnalda de boda y la pondré a los pies de Bael.

141

—¿Y si la pisa, en lugar de recogerla? —quiso saber Bair.

Amys prorrumpió en carcajadas y se echó hacia atrás mientras se daba palmadas en los muslos. Egwene no creía que hubiera peligro de que ocurriera tal cosa considerando las costumbres Aiel. Si Dorindha decidía que quería a Melaine como hermana conyugal, Bael no tendría mucho que opinar al respecto. Ya no la escandalizaba, precisamente, que un hombre tuviera dos esposas. Exactamente, no. «Países distintos implican costumbres distintas», se recordó firmemente. Nunca había tenido valor para preguntarlo, pero no le habría extrañado saber que podría haber mujeres Aiel con dos esposos. Eran gente muy extraña.

—Os pido que actuéis como mis hermanas primeras en esto. Creo que Dorindha me aprecia bastante.

Tan pronto como Melaine pronunció estas palabras, la hilaridad de las otras mujeres cambió. Seguían riendo, pero la abrazaron y le dijeron lo felices que se sentían por ella y lo bien que le iría con Bael. Amys y Bair, al menos, daban por sentada la aquiescencia de Dorindha. Las tres se marcharon del brazo, todavía riendo como chiquillas, aunque no antes de ordenar a Egwene y Aviendha que arreglaran la tienda.

—Egwene, ¿una mujer de tu tierra aceptaría una hermana conyugal? —preguntó Aviendha mientras utilizaba un palo para abrir el agujero del humo.

Egwene habría querido que hubiera dejado esa tarea para el final; el calor empezó a disiparse de inmediato.

—No lo sé —contestó al tiempo que recogía rápidamente las tazas y el tarro de miel. Las *staera* fueron a parar también a la bandeja—. Creo que no. Quizá sí si fuera una amiga íntima —agregó con premura; no tenía objeto dar la impresión de denigrar las costumbres Aiel.

Aviendha se limitó a gruñir y empezó a levantar los costados de la tienda.

Con los dientes castañeteando tan fuerte como el tintineo de las copas y las piezas de bronce sobre la bandeja, Egwene salió al exterior. Las Sabias se estaban vistiendo sin prisa, como si hiciera una cálida noche y se encontraran en los dormitorios de un dominio. Una figura vestida de blanco, pálida a la luz de la luna, le cogió la bandeja de las manos, y entonces Egwene empezó a buscar rápidamente su capa y sus zapatos. No se encontraban entre las ropas que quedaban amontonadas en el suelo.

—He mandado que lleven tus cosas a tu tienda —dijo Bair, que se ataba los lazos de la blusa—. Todavía no las necesitas.

A Egwene se le cayó el alma a los pies. Empezó a brincar y a sacudir los brazos en un fútil intento de entrar en calor; por lo menos no le dijeron que parara. De repente se dio cuenta de que la figura de blanco que había cogido la bandeja era demasiado alta incluso para corresponder a una mujer Aiel. Apretó los dientes y asestó una mirada furibunda a las Sabias, a quienes parecía importar poco si se congelaba dando brincos hasta morir. Para las Aiel no tendría ninguna importancia que un hombre las viera totalmente desnudas, al menos si se trataba de un *gai'shain*, ¡pero para ella sí!

Un instante después Aviendha se reunía con ellas y, al verla dar saltos, se limitó a quedarse plantada en el sitio sin molestarse en buscar sus ropas. Aparentemente, el frío la afectaba tan poco como a las Sabias.

—Bien —dijo Bair mientras se ajustaba el chal a los hombros—, tú, Aviendha, no sólo eres obstinada como un hombre sino que además eres incapaz de acordarte de una simple tarea que has hecho en otras ocasiones. Y tú, Egwene, eres igualmente testaruda, y también piensas que puedes remolonear en tu tienda cuando se te ha mandado llamar. Esperemos que correr cincuenta vueltas alrededor del campamento temple vuestra tozudez, aclare vuestras mentes y os recuerde cómo responder a una llamada o hacer una tarea. Podéis empezar.

Sin pronunciar una palabra, Aviendha se alejó trotando de inmediato hacia el borde del campamento, esquivando con destreza las cuerdas de las tiendas disimuladas por la oscuridad. Egwene vaciló sólo un instante antes de seguirla. La joven Aiel mantenía un trote lento para que pudiera alcanzarla. El aire nocturno la helaba hasta los huesos, y la agrietada y dura arcilla del suelo estaba igualmente gélida, además de amenazar con atraparle los dedos de los pies entre sus fisuras. Aviendha corría con envidiable facilidad.

Cuando llegaron a la última tienda y giraron hacia el sur, Aviendha dijo:

—¿Sabes por qué razón estudio con tanto afán? —Ni el frío ni el trote afectaban su voz.

—No. ¿Por qué? —Egwene tiritaba tan violentamente que apenas podía hablar.

—Porque Bair y las otras siempre te ponen como ejemplo y me cuentan la facilidad con que aprendes y que nunca te tienen que explicar lo mismo dos veces. Me dicen que debería intentar parecerme a ti. —Miró a Egwene de reojo, y las dos jóvenes compartieron una risita divertida mientras corrían—. Ésa es parte de la razón. Las cosas que estoy aprendiendo a hacer... —Aviendha sacudió la cabeza, y bajo la luz de la luna su expresión maravillada fue patente—. Y el propio Poder. Nunca me había sentido así. Tan viva. Percibo el más tenue olor, siento la más leve agitación del aire.

—Es peligroso mantener el contacto demasiado tiempo o absorber demasiado —dijo Egwene. Correr la estaba haciendo entrar un poco en calor, aunque de vez en cuando la sacudía un escalofrío—. Ya te lo he dicho antes y sé que también lo han hecho las Sabias.

—¿Crees que iba a atravesarme mi propio pie con una lanza? —resopló la joven Aiel.

Estuvieron corriendo un rato en silencio.

—¿De verdad Rand...? —no pudo por menos que preguntar finalmente Egwene. El frío no tenía nada que ver con su dificultad en pronunciar las palabras; de hecho, empezaba a sudar otra vez—. Me refiero a Isendre. —Era incapaz de decirlo con más claridad.

—No creo que lo hiciera. —Dijo al cabo Aviendha, lentamente. Parecía furiosa—. Pero ¿por qué iba a pasar por alto los azotes esa mujer si él no le ha demostrado interés? Es una mañosa mujer de las tierras húmedas que espera que los hombres se le rindan. He visto cómo la miraba él, aunque intentó disimularlo. Le gustaba lo que veía.

Egwene se preguntó si la joven Aiel pensaba alguna vez en ella como una mañosa mujer de las tierras húmedas. Seguramente no o, de otro modo, no serían amigas. Pero Aviendha no aprendía nunca a plantearse, antes de hablar, si sus palabras podrían herir a alguien; sin duda se sorprendería incluso de que a ella se le hubiera pasado por la cabeza la idea de sentirse herida.

—Del modo en que las Doncellas la hacen ir por ahí, cualquier hombre la miraría —admitió Egwene a regañadientes. Lo que le recordó que ella estaba al aire libre sin llevar puesto nada encima, y tropezó y casi se fue de bruces al suelo cuando miró con nerviosismo en derredor. Hasta donde alcanzaba a ver, la noche estaba desierta. Incluso las Sabias habían regresado a sus tiendas. Calentitas entre las mantas. Estaba transpirando, pero las gotitas de sudor parecía querer congelarse nada más brotar.

—Le pertenece a Elayne —dijo ferozmente Aviendha.

—Admito que nunca he comprendido del todo vuestras singulares costumbres, sin embargo, las nuestras no son iguales. Rand al'Thor no está comprometido con Elayne. —«Por qué razón le defiendo? ¡A él sería a quien habría que azotar!» Pero la honradez la obligó a continuar—: Hasta vuestros hombres están en su derecho a decir no, si les preguntan.

—Las dos sois medio hermanas, como tú y yo —protestó Aviendha, aminorando el ritmo que llevaba un par de pasos antes de reanudar el de antes—. ¿Acaso no fuiste tú quien me pidió que lo vigilara en su nombre? ¿No quieres que sea para ella?

—Por supuesto que sí. Pero sólo si él la quiere. —Eso no era exactamente cierto. Deseaba para Elayne toda la felicidad posible teniendo en cuenta que estaba enamorada del Dragón Renacido, y haría cualquier cosa, menos atar a Rand de pies y manos, para asegurarse de que Elayne consiguiera lo que deseaba. Quizá llegaría incluso a eso si fuera necesario. Pero admitirlo era algo muy distinto. Las Aiel eran mucho más lanzadas de lo que ella sería capaz de ser nunca—. De otro modo, no sería justo.

—Le pertenece —repitió Aviendha con determinación.

Egwene suspiró. Simplemente, Aviendha se negaba a entender otras costumbres que no fueran las suyas. La Aiel todavía estaba escandalizada de que Elayne no pidiera a Rand que se casara con ella, que fuera el hombre el que hiciera la propuesta.

—Estoy segura de que las Sabias atenderán a razones mañana. No pueden hacerte dormir en el cuarto de un hombre.

La otra joven la miró con evidente sorpresa. Por un instante perdió su agilidad y se golpeó un dedo del pie en el irregular suelo; el desliz la hizo mascullar unas maldiciones que hasta los carreteros de Kadere habrían escuchado con interés —y que a Bair la habrían puesto a preparar una infusión de espino azul— pero no dejó de correr.

—No entiendo por qué te incomoda eso —dijo Aviendha cuando finalmente se terminaron sus juramentos—. He dormido cerca de un hombre muchísimas veces durante los asaltos, e incluso he compartido las mantas para poder entrar en calor si la noche resultaba ser muy fría; sin embargo, te altera el hecho de que duerma a diez pasos de él. ¿Es eso parte de vuestras costumbres? He advertido que nunca tomas baños de vapor con hombres. ¿No confías en Rand al'Thor? ¿O acaso es de mí de quien no te fías? —Su voz se había reducido a un susurro preocupado al final.

—Por supuesto que confío en ti —protestó acaloradamente Egwene—. Y en él. Es sólo que... —Se quedó en suspenso, sin saber cómo continuar. El concepto de propiedad de los Aiel era a veces más estricto que donde se había criado ella; pero, respecto a otras cosas, el Círculo de Mujeres no habría sabido si desmayarse o coger una buena vara—. Aviendha, si tu honor está involucrado de algún modo... —Era un terreno resbaladizo—. Seguro que si se lo explicas a las Sabias, no te obligarán a ir en contra de tu honor.

—No tengo nada que explicar —manifestó firmemente la otra joven.

—Aviendha, sé que no entiendo el *ji'e'toh*... —empezó Egwene, y Aviendha se echó a reír.

—Dices que no lo entiendes, Aes Sedai, y sin embargo demuestras que vives regida por él. —Egwene lamentaba mantener ese engaño con Aviendha; le había costado mucho trabajo que la joven Aiel la llamara sólo por su nombre, y aún a veces volvía al tratamiento. No obstante, tenía que serlo para todo el mundo si quería que lo fuera para la mayoría—. Eres Aes Sedai, y muy fuerte con el Poder para superar a Amys y a

Melaine juntas —continuó Aviendha—, pero dices que obedecerás, así que friegas ollas cuando te dicen que las friegues, y corres cuando te mandan que corras. Puede que no conozcas el *ji'e'toh,* pero lo sigues.

No era ni mucho menos lo mismo, claro está. Apretaba los dientes y hacía lo que le mandaban porque era la única forma de aprender a caminar en los sueños, y deseaba aprender, saberlo todo, más que ninguna otra cosa. Pensar siquiera que podría vivir conforme a este estúpido *ji'e'-toh* era sencillamente absurdo. Hacía lo que tenía que hacer, y sólo cuando y porque tenía que hacerlo.

Estaban llegando al punto donde habían empezado. Cuando puso el pie en el sitio, Egwene dijo:

—Llevamos una —y siguió corriendo en medio de la oscuridad sin que la viera nadie más que Aviendha, sin que hubiera nadie que supiera si continuaba o si volvía a su tienda en ese mismo momento. Aviendha no la delataría, pero a Egwene ni siquiera se le pasó por la cabeza parar antes de haber dado las cincuenta vueltas.

6

Accesos

Rand despertó en medio de una total oscuridad y yació tendido bajo las mantas, intentando deducir qué lo había despertado. Había sido algo, pero no en el sueño; en él, estaba enseñando a Aviendha a nadar en un estanque del Bosque de las Aguas, en Dos Ríos. Era otra cosa. Entonces ocurrió de nuevo, una débil vaharada de repugnante miasma colándose por debajo de la puerta. No era realmente un olor, sino una percepción de algo totalmente ajeno, pero ésa era la sensación que daba. La fetidez de una cosa que llevaba muerta una semana en agua estancada. Se disipó de nuevo, aunque esta vez no completamente.

Apartó las mantas y se puso de pie al tiempo que se rodeaba con el *Saidin*. Dentro del vacío, rebosante de Poder, notó que su cuerpo temblaba, pero el frío parecía existir en un lugar que no era donde se encontraba él. Abrió cautelosamente la puerta y salió del cuarto. Los ventanales arqueados a ambos extremos del pasillo permitían la entrada de los rayos de la luna. En contraste con las profundas tinieblas de su habitación, allí fuera parecía casi de día. No se movía nada, pero aun así Rand percibía... algo acercándose. Algo perverso. Daba la misma sensación que la infección del torrente de Poder que recorría su cuerpo.

147

Su mano fue hacia el bolsillo de la chaqueta, a la pequeña figurilla con forma de hombre gordo que sostenía una espada sobre las rodillas: un *angreal*. Con él encauzaría más Poder de lo que podría sin ayuda, por sí mismo, sin que resultara peligroso. Creía que no lo necesitaría; quienquiera que hubiera mandado el ataque contra él no sabía con quién se las veía ahora. No tendrían que haberlo dejado despertar.

Vaciló un momento. Podía afrontar la lucha con lo que quiera que hubieran lanzado contra él, pero pensó en la calma que reinaba abajo. Allí las Doncellas seguían durmiendo, a juzgar por el silencio. Con suerte, no las molestarían, a no ser que él corriera escaleras abajo para luchar contra aquello. Sin duda eso las despertaría, y por supuesto no se quedarían quietas, limitándose a mirar. Lan decía que uno debía elegir su propio terreno si le era posible y obligar a que el enemigo viniera a él.

Sonriendo, Rand corrió hacia la escalera curva más cercana, haciendo un ruido sordo con las botas, y subió hasta llegar al último piso. La planta alta del edificio era una enorme cámara con el techo ligeramente abovedado y esbeltas columnas en espiral que se ahusaban progresivamente. Había ventanales de medio punto, carentes de cristales, todo en derredor, de modo que la luz de la luna entraba a raudales y llegaba a todos los rincones. En el polvo y la arenilla que cubrían el suelo todavía se veían débilmente las huellas que él mismo había dejado la vez que había subido allí, y ninguna otra marca.

Caminó hacia el centro de la estancia y se plantó sobre el mosaico que había allí y que representaba el antiguo símbolo de los Aes Sedai, una circunferencia de diez pies de diámetro. Era un lugar muy apropiado. «Bajo este emblema vencerá.» Era lo que decía de él la Profecía de Rhuidean. Se situó a caballo sobre la sinuosa línea divisoria, con un pie sobre la negra lágrima a la que ahora se llamaba el Colmillo del Dragón y que se utilizaba para representar la maldad, y el otro en la blanca, a la que actualmente se conocía como la Llama de Tar Valon. Algunos hombres decían que representaba la Luz. Un lugar adecuado para hacer frente a sus atacantes, en la luz y la oscuridad.

La sensación de fetidez se hizo más intensa, y un olor a azufre quemado impregnó el aire. De repente se movieron cosas que se escabulleron desde la escalera como sombras lunares a lo largo del perímetro de la sala. Lentamente se concretaron en tres perros negros, más oscuros que la noche y tan grandes como ponis. Con los ojos reluciendo como plata líquida, lo rodearon cautelosamente. Henchido de Poder, Rand percibía el latido de sus corazones, semejante al profundo toque de tambores. No los oía respirar, sin embargo; quizás es que no lo hacían.

Encauzó, y en sus manos apareció una espada de hoja ligeramente curva, con la marca de las garzas y que parecía estar hecha de fuego. Rand había esperado ver un Myrddraal o algo incluso peor que los Seres de Cuencas Vacías; pero, para unos perros, aunque fueran Engendros de la Sombra, le bastaba con la espada. Quienquiera que los había enviado no lo conocía. Lan afirmaba que ahora casi había alcanzado el nivel de maestro espadachín, y el Guardián no era pródigo con los cumplidos, de modo que su comentario le hacía pensar que tal vez ya estaba en dicho nivel.

Con gruñidos que sonaban como huesos machacándose, los perros se arrojaron sobre él desde tres flancos distintos y con una velocidad mayor que caballos al galope.

Se quedó quieto hasta que casi los tuvo encima; entonces inició unos movimientos gráciles, haciéndose uno con la espada, como si estuviera bailando. En un abrir y cerrar de ojos, la maniobra conocida como *Torbellino en la montaña* dio paso a *El viento sopla sobre la pared,* y ésta a *Desplegar el abanico.* Las enormes cabezas negras se separaron de los cuerpos decapitados, con las fauces goteantes todavía abiertas y mostrando los acerados colmillos mientras rodaban por el suelo. Rand ya daba un paso para salir del mosaico al tiempo que las oscuras formas se desplomaban en bultos informes que se retorcían por los espasmos.

Riendo para sus adentros, Rand hizo desaparecer la espada, aunque se mantuvo conectado con el *Saidin,* con el rugiente Poder, con la dulzura y la infección. El desprecio se deslizó a lo largo del borde del vacío. Perros. Engendros de la Sombra, sí, pero, al fin y al cabo... La risa cesó.

Lentamente, los cuerpos y las cabezas de los animales muertos se estaban derritiendo y creando charcos de sombras líquidas que vibraban ligeramente, como si tuvieran vida. La sangre esparcida por el suelo tembló. De repente, los charcos más pequeños se deslizaron sobre el suelo en viscosos regueros que convergieron con los más grandes, que a su vez empezaron a separarse de las baldosas, alzándose más y más a la par que formaban tres bultos, hasta que los tres enormes perros volvieron a cobrar forma, gruñendo y babeando mientras acababan de crecerles las fuertes patas.

Rand no sabía por qué sentía la sensación de sorpresa fuera del vacío. Sólo eran perros, sí, pero Engendros de la Sombra. Quienquiera que los hubiese mandado no era tan descuidado como había creído al principio; empero, todavía no lo conocía.

En lugar de recurrir de nuevo a la espada, Rand encauzó del modo que recordaba haber hecho una vez mucho tiempo atrás. Los perrazos saltaron y aullaron a la par cuando una gruesa barra de luz blanca salió disparada de sus manos como acero fundido, como fuego líquido. La movió en un barrido sobre los animales; durante un instante se convirtieron en extrañas sombras de sí mismos, todos los colores invertidos, y después sus formas fueron chispeantes motas que se separaron, reduciéndose más y más hasta desaparecer por completo.

Hizo desaparecer aquella cosa que había creado y esbozó una lúgubre sonrisa. Una barra de luz purpúrea siguió impresa en sus retinas unos instantes.

Al otro lado de la estancia, un trozo de una de las columnas se desplomó sobre las baldosas. Por dondequiera que aquella barra de luz —o lo que fuera, pero no exactamente luz— había pasado, había rebanado limpiamente porciones de las columnas; detrás de ellas, un ancho corte surcaba la mitad de la pared del fondo.

—¿Alguno de ellos te mordió o te hizo sangrar?

Giró rápidamente sobre sí mismo al sonido de la voz de Moraine; absorto en lo que había hecho, no la había oído subir la escalera. La mujer se agarraba la falda con las manos crispadas, observándolo atentamente, el rostro oculto en las sombras. Debía de haber percibido la presencia de las criaturas igual que él, pero para llegar allí arriba tan deprisa tenía que haber corrido.

—¿Las Doncellas te dejaron pasar? ¿Te has convertido en *Far Dareis Mai*, Moraine?

—Me conceden algunos privilegios de una Sabia —repuso con rapidez; su voz habitualmente melodiosa apuntaba una nota de impaciencia—. Les dije a las guardias que tenía que hablar contigo urgentemente. ¡Y ahora, respóndeme! ¿Los Sabuesos del Oscuro te mordieron o te hicieron sangrar? ¿Te tocó su saliva?

—No —contestó muy despacio. Sabuesos del Oscuro. Lo poco que sabía de ellos lo había aprendido de viejos cuentos, de los que utilizaban para asustar a los niños en las tierras sureñas. También algunos adultos creían en esos cuentos—. ¿Por qué te preocupa un mordisco? Puedes sanarlo. ¿Significa que el Oscuro está libre? —Rodeado por el vacío hasta el miedo era algo distante.

Los relatos que había oído contar decían que los Sabuesos del Oscuro salían de noche en la Cacería Salvaje con el Oscuro en persona como cazador; no dejaban huellas ni en el polvo más fino, sólo sobre la piedra, y no se detenían hasta que se les hacía frente y se los derrotaba o se ponía una corriente de agua entre ellos y uno. Las encrucijadas eran lugares particularmente peligrosos para un encuentro con esas criaturas, al igual que la hora inmediatamente posterior al anochecer o justo antes del alba. A estas alturas había visto que se hacían realidad suficientes cuentos supuestamente imaginarios para creer que cualquiera de ellos podía tornarse verídico.

—No, eso no, Rand. —Parecía estar recuperando el control sobre sí misma; su voz era de nuevo como tañido de campanillas de plata, tranquila y fría—. Sólo son una clase más de Engendros de la Sombra, algo que jamás debió crearse, pero su mordisco es tan mortal como una daga en el corazón, y no creo que hubiera podido curar una herida así antes de que te hubiera matado. Su sangre, e incluso su saliva, son venenosas. Una gota sobre la piel acarrea una muerte lenta, muy dolorosa al final. Tuviste suerte de que sólo fueran tres, a no ser que hubieras matado más antes de que llegara yo. Por lo general van en manadas más numerosas, de entre diez y doce animales, o eso dicen los fragmentos de información que quedan de la Guerra de la Sombra.

Manadas más numerosas. Él no era la única presa en Rhuidean para uno de los Renegados...

—Tenemos que hablar de lo que utilizaste para matarlos —empezó Moraine, pero Rand ya se había dado media vuelta y corría tan deprisa como podía, sin hacer caso a sus gritos de adónde iba y por qué.

Bajó la escalera y pasó por oscuros corredores donde las adormiladas Doncellas, despiertas por el golpeteo de sus botas, lo miraban con consternación desde las habitaciones iluminadas por la luna. Cruzó las puertas principales, donde Lan aguardaba, impaciente, junto a las dos mujeres que estaban de guardia; la capa de colores cambiantes del Guardián hacía que algunas partes de su cuerpo se confundieran con la noche.

—¿Dónde está Moraine? —gritó mientras Rand pasaba corriendo, pero éste descendió los anchos peldaños de la escalinata de dos en dos, sin contestar.

La herida a medio curar de su costado le oprimía como un puño cerrado, aunque desde el interior del vacío sólo era vagamente consciente del dolor para cuando llegó al edificio al que se dirigía. Éste se hallaba al borde mismo de Rhuidean, lejos de la plaza, tanto como el campamento que Moraine compartía con las Sabias, instalado fuera de la ciudad y lo bastante apartado para estar en ella sin estarlo realmente. Los pisos altos se habían desplomado en un montón de escombros que aparecían esparcidos sobre la agrietada tierra, más allá del pavimento de la calle. Únicamente se mantenían en pie las dos plantas inferiores. Rechazando el impulso de su cuerpo de doblarse sobre el dolorido costado, Rand entró sin frenar la veloz carrera.

La inmensa antesala, rodeada por una balconada de piedra, había sido alta antaño; ahora lo era más aún, abierta al cielo nocturno, con el pálido suelo de piedra sembrado de cascotes del derrumbe. En las sombras de debajo de la balconada se hallaban tres Sabuesos del Oscuro levantados sobre las patas traseras mientras arañaban y lanzaban dentelladas a una puerta revestida con bronce que se sacudía con sus arremetidas. El olor a azufre quemado impregnaba intensamente el aire.

Recordando lo que había ocurrido antes, Rand corrió hacia un lado mientras encauzaba, y el haz de blanco fuego líquido rozó la puerta al descargarse sobre los Engendros de la Sombra. Había intentado que esta vez no fuera tan intenso y limitar la destrucción a los Sabuesos del Oscuro, pero en el grueso muro del fondo quedó una grieta ennegrecida. Sin embargo, le pareció que no se extendía de lado a lado, aunque resultaba difícil de distinguir con la luz de la luna; aun así, tendría que afinar el control sobre esta arma.

El recubrimiento de bronce de la puerta aparecía desgarrado como si los dientes y las uñas de los Sabuesos del Oscuro hubieran sido de acero; a través de varios agujeros pequeños se filtraba la luz de lámparas. Sobre las losas del suelo había huellas marcadas, aunque, cosa sorprendente, eran pocas. Interrumpiendo el contacto con el *Saidin,* Rand buscó un hueco en la puerta en el que poder llamar sin destrozarse la mano con los bordes del metal roto. De repente el dolor del costado se hizo muy real; inhaló hondo en un intento de rechazarlo.

—¿Mat? ¡Soy yo, Rand! ¡Abre, Mat!

Al cabo de un momento, la puerta se abrió una rendija por la que salió la luz de la lámpara. Mat se asomó con vacilación; después la abrió más y se recostó contra la hoja como si hubiera corrido diez millas cargado con un saco de piedras. Excepto por el medallón colgado al cuello —una cabeza de zorro de plata cuyos ojos eran el antiguo símbolo de los Aes Sedai— estaba desnudo. Considerando la opinión que tenía Mat sobre las Aes Sedai, a Rand le sorprendía que su amigo no hubiera vendido el adorno mucho tiempo atrás. Dentro de la habitación, una mujer alta, de cabello dorado, se envolvía calmosamente en una manta. Era una Doncella, a juzgar por las lanzas y la adarga que yacían a sus pies. Rand apartó rápidamente los ojos y carraspeó.

—Sólo quería comprobar que te encontrabas bien —dijo.

—Los dos lo estamos. —Intranquilo, Mat echó un vistazo a la antesala—. Ahora sí. ¿Los mataste o algo por el estilo? No quiero saber qué eran, siempre y cuando hayan desaparecido. A veces es jodidamente duro para un hombre ser tu amigo.

No sólo un amigo, sino también otro *ta'veren,* y tal vez la clave de la victoria en el Tarmon Gai'don; cualquiera que quisiera acabar con Rand también tenía motivos para hacer lo mismo con Mat. Aun así, Mat siempre intentaba negar ambas cosas.

—Han muerto, Mat. Eran Sabuesos del Oscuro. Tres.

—Te dije que no quería saberlo —gimió el otro joven—. Ahora Sabuesos del Oscuro también. No puede decirse que no haya siempre algo nuevo allí donde estás. Uno no se aburre contigo... hasta el momento de su muerte. Si no hubiera estado levantado para echar un trago de vino cuando la puerta empezó a abrirse... —Dejó la frase sin terminar y se estremeció mientras se rascaba una rojez que tenía en el brazo derecho y observaba el revestimiento metálico—. ¿Sabes? Es gracioso cómo la mente te juega malas pasadas. Cuando estaba poniendo todo lo que tenía a mano para mantener la puerta cerrada, habría jurado que uno de ellos había abierto un agujero de un mordisco, y pude ver su condenada cabeza. Y sus dientes. La lanza de Melindhra ni siquiera lo asustó.

La llegada de Moraine resultó más espectacular esta vez,— corriendo, con las faldas remangadas, jadeando y echando pestes. Lan la seguía pisándole los talones, con la espada en la mano y una expresión tormentosa en su pétreo semblante; y, justo detrás de él, una multitud de *Far Dareis Mai* tan nutrida que llegaba hasta la calle. Algunas de las Doncellas sólo llevaban la ropa interior, pero todas ellas iban equipadas con lanzas y el *shoufa* enrollado a la cabeza, con el negro velo cubriéndoles la cara salvo los ojos, preparadas para matar. Moraine y Lan, al menos, parecieron aliviados al verlo de pie en la puerta de la habitación, charlando tranquilamente con Mat, aunque la Aes Sedai también daba la impresión de estar dispuesta a decirle unas cuantas palabras gruesas. Con los velos, era imposible adivinar lo que pensaban las Doncellas.

Mat soltó un chillido y regresó corriendo dentro del cuarto, donde empezó a ponerse un par de pantalones con precipitación, aunque no acertaba a meter el pie por la pernera porque mientras tiraba de la prenda hacia arriba no dejaba de rascarse el brazo. La Doncella rubia lo observaba sonriendo de oreja a oreja, a punto de prorrumpir en carcajadas.

—¿Qué te pasa en el brazo? —preguntó Rand.

—Ya te dije que la mente gasta malas pasadas —contestó Mat, que seguía intentando rascarse y vestirse al mismo tiempo—. Cuando me pareció que esa cosa abría un agujero en la puerta, también tuve la sensación de que me babeaba todo el brazo, y ahora me pica de un modo rabioso. Tengo incluso la sensación de que me arde.

Rand abrió la boca, pero en ese momento Moraine llegó a su altura y lo apartó de un empellón. Al verla entrar, Mat se echó al suelo a la par que intentaba, frenético, acabar de subirse los pantalones; la Aes Sedai se arrodilló a su lado, haciendo caso omiso de sus protestas, y le cogió la cabeza entre ambas manos. Rand ya había sido sanado antes con la Curación y también había visto hacerlo; pero, en lugar de la reacción que esperaba, Mat sólo se estremeció y levantó el medallón por el cordón de cuero de modo que quedó suspendido sobre su mano.

—Esta maldita cosa se ha puesto de repente más fría que el hielo —rezongó—. ¿Qué hacéis, Moraine? Si queréis ser útil curadme este picor; ahora se ha extendido a todo el brazo. —Lo tenía colorado desde la muñeca hasta el hombro y empezaba a hinchársele.

Moraine lo miraba con la expresión más estupefacta que Rand había visto nunca en ella; puede que fuera la primera vez que la veía así.

—Lo haré —dijo lentamente—. Si el medallón está frío, quítatelo.

Mat frunció el entrecejo y finalmente se sacó el adorno por la cabeza y lo dejó a su lado. La Aes Sedai volvió a cogerle la cabeza, y el joven soltó un chillido tan penetrante como si lo hubieran zambullido de cabeza en el hielo; las piernas se le pusieron rígidas y la espalda se le arqueó; sus ojos miraron fijamente el vacío, desorbitados al máximo. Cuando Moraine retiró las manos, Mat se desplomó, respirando trabajosamente, inhalando aire a boqueadas. La rojez y la hinchazón habían desaparecido. Hubo de hacer tres intentos antes de ser capaz de hablar:

—¡Rayos y truenos! ¿Es que todas las malditas veces tiene que ser de ese maldito modo? ¡Sólo era un jodido picor!

—Cuidado, no utilices ese lenguaje conmigo —advirtió Moraine mientras se incorporaba—, o buscaré a Nynaeve y te pondré a su cargo. —Pero no estaba centrada en lo que decía; parecía que hablara en sueños. Procuró no mirar fijamente la cabeza de zorro cuando Mat se colgó el medallón al cuello—. Necesitarás descansar —dijo con aire ausente—. Guarda cama mañana, si te apetece.

La Doncella tapada con la manta —¿Melindhra?— se arrodilló detrás de Mat, puso las manos sobre sus hombros y miró a Moraine por encima de la cabeza del joven.

—Me encargaré de que haga lo que le habéis mandado, Aes Sedai. —Esbozó una sonrisa y le revolvió el cabello—. Ahora es mi pequeño travieso.

Por la expresión aterrada de Mat, Rand supo que hacía acopio de fuerzas para salir corriendo. Oyó a su espalda unas suaves y divertidas risitas. Las Doncellas, con el *shoufa* y el negro velo sobre los hombros ahora, se habían apiñado en el acceso y se asomaban al cuarto.

—Enséñale a cantar, hermana de lanza —dijo Adelin, y más Doncellas se sumaron a las carcajadas.

Rand salió del cuarto y les habló con aire serio.

—Dejadlo descansar. ¿No os parece que a algunas no os vendría mal poneros encima algo de ropa?

Las mujeres cedieron de mala gana, pero siguieron echando ojeadas al interior del cuarto. Hasta que Moraine salió a la antesala.

—¿Os importaría dejarnos solos, por favor? —dijo la Aes Sedai mientras cerraba a su espalda la destrozada puerta. Miró de soslayo por encima del hombro; tenía los labios apretados en un gesto iracundo—. He de hablar con Rand al'Thor a solas.

Las Doncellas asintieron con un gesto y se dirigieron hacia la salida, algunas todavía bromeando respecto a si Melindhra —una Shaido, al parecer; Rand se preguntó si su amigo lo sabría— enseñaría a cantar a Mat. Significara lo que significara eso.

Rand detuvo a Adelin poniéndole la mano sobre el desnudo brazo; otras advirtieron su gesto y también se pararon, de modo que se dirigió a todas:

—Si no os marcháis cuando os digo que lo hagáis, ¿qué ocurrirá si tengo que utilizaros en una batalla? —No tenía esa intención si podía evitarlo; sabía que eran feroces guerreras, pero habían crecido con la creencia de que un hombre debía morir si con ello evitaba la muerte de una mujer. La lógica podría demostrar que era una estupidez, sobre todo tratándose de mujeres como éstas, pero era su forma de pensar y no podía evitarlo. Empero, sabía muy bien a qué atenerse y no se lo dijo—. ¿Pensaréis que es una broma o decidiréis poneros en marcha cuando os parezca bien?

Lo miraron con la consternación de quien escucha a alguien que ha puesto en evidencia su ignorancia en hechos simples.

—En la danza de las lanzas —le contestó Adelin—, seguiremos tus directrices, pero esto no es la danza. Además, no nos dijiste que nos marcháramos.

—Ni siquiera el *Car'a'carn* es un rey de las tierras húmedas —añadió una Doncella de cabellos grises. Nervuda y firme a pesar de su edad, vestía únicamente la ropa interior y el *shoufa*.

Rand empezaba a estar harto de esa frase. La Doncellas volvieron a bromear mientras salían y lo dejaban solo con Moraine y con Lan en la antesala. El Guardián había envainado la espada y su actitud era tan sosegada como siempre, lo que equivale a decir que era tan sosegada e impasible como su rostro, todo él ángulos y planos pétreos bajo la luz de la luna, y con un aire de estar a punto de entrar en acción que, en comparación, hacía que los Aiel parecieran plácidos. Un cordón de cuero trenzado sujetaba a la nuca el cabello de Lan, gris en las sienes. Su mirada podría haber pasado por la de un halcón de ojos azules.

—He de hablar contigo sobre... —empezó Moraine.

—Podemos hablar mañana —la interrumpió Rand. El rostro de

Lan se endureció aun más, si ello era posible; los Guardianes se mostraban más protectores con sus Aes Sedai, tanto en lo concerniente a su dignidad como a sus personas, que consigo mismos. Rand hizo caso omiso del hombre. El dolor del costado seguía instándolo a doblarse sobre él, pero se las ingenió para permanecer erguido; no estaba dispuesto a demostrar a Moraine ninguna debilidad—. Si piensas que voy a ayudarte a arrebatarle a Mat esa cabeza de zorro, quítatelo de la cabeza. —Por algún motivo, el medallón había interrumpido el encauzamiento de la Aes Sedai. O, al menos, había impedido que el encauzamiento surtiera efecto sobre Mat mientras estaba en contacto con él—. Pagó un alto precio por él, Moraine, y es suyo. —Recordando el golpe que ella le había descargado con el Poder sobre los hombros, agregó secamente—: A lo mejor le pregunto si quiere prestármelo. —Sin más le dio la espalda. Todavía quedaba comprobar cómo se encontraba alguien más, aunque, en cualquier caso, ya no era urgente; a estas alturas los Sabuesos del Oscuro habrían hecho lo que se propusieran hacer.

—Por favor, Rand —dijo Moraine, y la clara súplica en su voz lo paró en seco. Nunca había oído algo parecido en la mujer. Aquel tono pareció ofender a Lan.

—Creía que te habías convertido en un hombre —manifestó el Guardián con dureza—. ¿Es así como se comporta uno? Actúas como un muchachito arrogante. —Lan hacía prácticas de esgrima con él, y Rand sabía que lo apreciaba; pero, si Moraine decía la palabra adecuada, el Guardián haría cuanto estuviera a su alcance para matarlo.

—No estaré contigo para siempre —se apresuró a decir Moraine. Sus manos aferraron la falda con tanta fuerza que le temblaron—. Podría morir en el próximo ataque. Podría caerme del caballo y romperme el cuello o una flecha de un Amigo Siniestro podría atravesarme el corazón. Y la Curación no puede hacer nada contra la muerte. He dedicado toda mi vida a buscarte, encontrarte y ayudarte. Todavía no conoces tu propia fuerza, ni sabes la mitad de lo que haces. Yo... pido perdón humildemente... por cualquier ofensa que te haya hecho. —Aquellas palabras, unas palabras que Rand jamás habría imaginado oír de ella, salieron de sus labios casi como si se las sacaran a la fuerza, pero las dijo; y ella no podía mentir—. Déjame que te ayude en la medida de mis fuerzas y mientras me sea posible. Por favor.

—Es difícil confiar en ti, Moraine. —Hizo caso omiso de Lan, que rebulló bajo la luz de la luna; toda su atención estaba puesta en la mujer—. Me has manejado como a una marioneta, me has hecho bailar como has querido desde el día en que nos conocimos. Las contadas veces que me he sentido libre de tu influencia ha sido cuando estaba lejos o cuando hacía caso omiso de ti. Y conseguías que eso fuera todavía más duro.

La risa de Moraine sonó tan plateada como la luna suspendida en el cielo, pero había un regusto de amargura en ella.

—Más bien ha sido como luchar a brazo partido con un oso que tirar de las cuerdas de una marioneta. ¿Quieres que jure que no intentaré manipularte? Lo haré. —Su voz adquirió la dureza del cristal—. Incluso juraré obedecerte como una de tus Doncellas, incluso como una *gai'shain* si así lo exiges, pero tienes que... —Respiró profundamente y volvió a empezar con más suavidad—. Te pido humildemente que me permitas ayudarte.

Lan la miraba de hito en hito, y Rand estaba convencido de que sus ojos casi se le salían de las órbitas.

—Aceptaré tu ayuda —contestó lentamente—. Y también me disculpo por toda la rudeza con la que te he tratado. —Tenía la impresión de que todavía lo estaba manipulando; al fin y al cabo, había sido brusco porque tenía motivo para serlo. Sin embargo ella no podía mentir.

La tensión abandonó el cuerpo de Moraine de manera palpable. Se adelantó un paso y alzó los ojos hacia él.

—Lo que utilizaste para matar a los Sabuesos del Oscuro se llama fuego compacto. Todavía percibo los residuos aquí. —También él lo notaba, como el tenue aroma de un bizcocho que se ha sacado de la habitación o como el recuerdo de algo que acaba de desaparecer de la vista—. Desde antes del Desmembramiento del Mundo, el uso del fuego compacto estaba prohibido. A nosotras la Torre Blanca nos prohíbe incluso aprenderlo. En la Guerra del Poder, los propios Renegados y juramentados de la Sombra eran reacios a utilizarlo.

—¿Prohibido? —repitió Rand, frunciendo el entrecejo—. Te vi utilizarlo en una ocasión. —Con la tenue luz de la luna no estaba seguro, pero le pareció que el rubor teñía las mejillas de la mujer. Por una vez era ella la que era cogida por sorpresa.

—A veces es necesario hacer lo prohibido. —Si estaba nerviosa, su voz no lo denotaba—. Cuando se destruye cualquier cosa con fuego compacto, deja de existir antes del momento de su destrucción, como un hilo que arde apartándose de la llama que lo ha prendido. Cuanto mayor es el poder del fuego compacto, más retrocede en el tiempo el momento en que deja de existir. Lo más intenso que he sido capaz de hacer sólo ha retrasado unos pocos segundos en el Entramado. Tú eres mucho más fuerte. Muchísimo más.

—Pero, si no existe antes de que lo destruyas... —Rand se pasó los dedos por el cabello en un gesto desconcertado.

—¿Empiezas a darte cuenta de los problemas, del peligro que implica? Mat recuerda haber visto a uno de los Sabuesos del Oscuro abrir un agujero en la puerta a dentelladas, pero ahora no hay tal agujero. Si lo babeó del modo que recuerda, tendría que haber muerto antes de que yo hubiera llegado hasta él para ayudarlo. Con todo ese retroceso desde que destruiste a la criatura, lo que quiera que ésta hizo en ese tiempo ya no ha ocurrido. Sólo queda el recuerdo en aquellos que lo vieron o lo experimentaron. Ahora sólo es real lo que hizo antes del retroceso en el tiempo: unos cuantos agujeros de dientes en la puerta, y una gota de saliva en el brazo de Mat.

—Eso me parece estupendo —contestó él—. Mat está vivo por esa razón.

—Es terrible, Rand. —La voz de la Aes Sedai tenía un tono apremiante—. ¿Por qué crees que hasta los Renegados temían utilizarlo? Piensa en el efecto que tendría en el Entramado que la urdimbre realizada durante horas o incluso días de un único hilo, de un hombre, fuera desbaratada, como una hebra sacada parcialmente de un trozo de tela. Fragmentos de manuscritos que quedan de la Guerra del Poder relatan que ciudades enteras fueron destruidas con el fuego compacto antes de que ambos bandos comprendieran los peligros que entrañaba. Cientos de miles de hilos entresacados del Entramado, desaparecidos durante días que ya habían pasado; lo que quiera que esas gentes hicieran en ese período, ya no había sido hecho, como tampoco lo que otras hicieron como consecuencia de las anteriores. Las alteraciones fueron incalculables, y hasta el Entramado estuvo a punto de destejerse. Habría sido la destrucción de todo. el mundo, el tiempo, la propia Creación.

Rand se estremeció y no por el frío que se colaba a través de su chaqueta.

—No puedo prometer que no vuelva a utilizarlo, Moraine. Tú misma dijiste que hay veces en que es preciso hacer lo que está prohibido.

—No esperaba que lo hicieras —repuso fríamente la mujer. Su agitación estaba desapareciendo e iba recuperando la calma habitual en ella—. Pero debes tener cuidado. —Ya empezaba otra vez con el término «debes»—. Con un *sa'angreal* como *Callandor* podrías aniquilar una ciudad con fuego compacto. El Entramado quedaría alterado durante años, y quién sabe si el tejido permanecería centrado en ti, a pesar de que seas *ta'veren,* hasta que se normalizara de nuevo. Ser *ta'veren,* y más tan fuerte como tú, podría significar el margen preciso para la victoria, incluso en la Última Batalla.

—Quizá lo sea —dijo, sombrío. En todos los relatos heroicos, el protagonista clamaba que se alzaría con la victoria o moriría. Por lo visto, lo que podía esperar él, en el mejor de los casos, era la victoria y la muerte—. Tengo que comprobar cómo está una persona —adujo en voz queda—: Te veré por la mañana. —Absorbió el Poder, vida y muerte en capas superpuestas, e hizo un agujero en el aire más alto que él y que se abría a una oscuridad tal que hacía parecer pleno día la luz de la luna. Un acceso, lo llamaba Asmodean.

—¿Qué es eso? —inquirió Moraine con una exclamación ahogada.

—Una vez que he hecho algo, recuerdo cómo realizarlo. Casi siempre. —No era una respuesta, pero había llegado el momento de poner a prueba el juramento de la mujer. No podía mentir, pero una Aes Sedai sabía cómo buscar huecos por los que escabullirse hasta en una roca—. Deja en paz a Mat esta noche. Y no intentes quitarle el medallón.

—Tiene que ir a la Torre para ser estudiado, Rand. Debe de ser un *ter'angreal,* pero hasta ahora no se había encontrado uno que...

—Sea lo que sea —manifestó firmemente—, le pertenece. Déjaselo.

Por un momento la mujer pareció luchar consigo misma; su espalda se puso rígida y levantó la barbilla mientras lo miraba de hito en hito. No estaba acostumbrada a recibir órdenes de nadie excepto de Siuan Sanche, y Rand habría apostado que jamás lo había hecho sin antes pelearse con ella. Finalmente, asintió con la cabeza e incluso llegó a hacer un atisbo de reverencia.

—Como quieras, Rand. Es suyo. Por favor, ten cuidado. Aprender por uno mismo algo como el fuego compacto puede resultar suicida, y la muerte no tiene Curación. —Esta vez no había mofa en su voz—. Hasta mañana.

Se marchó seguida por Lan. El Guardián miró a Rand con una expresión indescifrable; puede que no le complaciera este giro en los acontecimientos. Rand atravesó el acceso y desapareció.

Se encontró de pie sobre un disco, una copia del antiguo símbolo Aes Sedai de casi dos pasos de diámetro. Incluso su mitad negra misma parecía más clara en contraste con las infinitas tinieblas que lo rodeaban; Rand estaba convencido de que, si se caía, estaría cayendo eternamente. Asmodean afirmaba que había un método más rápido, llamado Viaje, de utilizar un acceso, pero había sido incapaz de enseñárselo, en parte porque carecía de la fuerza necesaria para crear un acceso al estar aislado por el escudo de Lanfear. En cualquier caso, el Viaje requería que se conociera muy bien el lugar de partida; Rand comentó que, a su entender, lo lógico era que hubiera que conocer muy bien el punto de destino, pero Asmodean lo miró como si le estuviera preguntando por qué razón el aire no era agua. Había muchas cosas que Asmodean daba por sentadas. En fin, Rasar era un sistema bastante rápido.

Tan pronto como plantó los pies en el disco, éste se desplazó lo que pareció una distancia de un pie y luego se detuvo ante otro acceso que apareció delante. Bastante rápido, sobre todo cuando la distancia por cubrir era corta. Rand salió al pasillo donde estaba la habitación de Asmodean.

La luna que se colaba por los ventanales de los extremos era la única luz que alumbraba el corredor; la lámpara de Asmodean estaba apagada. Los flujos que Rand había tejido en torno al cuarto seguían intactos, firmemente atados. No se movía nada, pero flotaba en el aire un leve tufo a azufre quemado.

Se aproximó a la cortina de cuentas y atisbó al otro lado. El cuarto estaba en penumbras, pero una de las sombras era la figura de Asmodean, que se agitaba entre las mantas. Rodeado por el vacío, Rand alcanzaba a oír el latido del corazón del otro hombre y percibía el olor de unos sueños inquietantes. Se inclinó para examinar las baldosas, azul pálido, y las huellas impresas en ellas.

Había aprendido a rastrear siendo pequeño, de modo que no le costó trabajo interpretarlas. Tres o cuatro Sabuesos del Oscuro habían estado allí. Se habían aproximado al umbral en fila, aparentemente, pisando casi sobre las huellas del primero. ¿Habría sido la red tejida alrededor del cuarto lo que los había detenido? ¿O sólo los habían enviado para observar e informar? Inquietante, imaginar que incluso unos Sabuesos del Oscuro fueran tan inteligentes. Claro que los Myrddraal también utilizaban cuervos y ratas como espías, así como otros animales relacionados con la muerte. Los Ojos de la Sombra, los llamaban los Aiel.

Encauzó delicados flujos de Tierra e igualó las baldosas, y fue levantando las compresiones dejadas en el suelo hasta que estuvo en la desierta calle envuelta en la noche y a un centenar de pasos del alto edificio. Por la mañana, cualquiera vería el rastro acabando en ese punto, pero nadie sospecharía que los Sabuesos del Oscuro se habían acercado a Asmodean. Estas criaturas no tenían por qué estar interesadas en Jasin Natael, el juglar.

A estas alturas, seguramente todas las Doncellas de la ciudad debían de estar despiertas, y, desde luego, no quedaría dormida ninguna bajo el Techo de las Doncellas. Creó otro acceso en la calle, una abertura a una negrura más intensa que la propia noche, y dejó que el disco lo transportara a su propia habitación. Se preguntó por qué había elegido el antiguo símbolo, ya que era elección suya, aunque inconsciente; otras veces había sido un escalón o un trozo de suelo. Los charcos en que se habían convertido los Sabuesos del Oscuro antes de volver a formarse escurrieron apartándose del círculo. «Bajo este emblema vencerá.»

Plantado en medio del oscuro dormitorio, encauzó para encender las lámparas, pero no cortó el contacto con el *Saidin*. En cambio, volvió a encauzar, con cuidado de no hacer saltar ninguna de sus propias trampas, y un trozo de pared desapareció y dejó a la vista un nicho que él mismo había excavado allí.

En la pequeña oquedad había dos figurillas de un palmo de alto, un hombre y una mujer, ambos con rostros serenos y vestidos con amplias y largas túnicas; cada uno de ellos sostenía una esfera de cristal en una mano levantada. Le había mentido a Asmodean respecto a que los había destruido.

Eran *angreal*, como el hombrecillo grueso que Rand llevaba guardado en el bolsillo de la chaqueta, y *sa'angreal*, como *Callandor*, que incrementaban la cantidad de Poder que podía manejarse sin peligro mucho más que un simple *angreal*. Eran piezas escasas, muy apreciadas por las Aes Sedai, aunque sólo podían reconocer las afines con las mujeres y con el *Saidar*. Estas dos figurillas eran algo más, algo no tan escaso pero igualmente apreciado. Los *ter'angreal* se habían creado para usar el Poder, no aumentándolo, sino con fines específicos. Las Aes Sedai ignoraban el propósito de la mayoría de los *ter'angreal* que tenían en la Torre Blanca; algunos los utilizaban, pero sin saber si el uso que les daban tenía algo que ver con la función para la que habían sido hechos. Rand sabía la función de estos dos.

La figurilla del hombre podía vincularlo a una gigantesca réplica suya, el *sa'angreal* de varones más poderoso que se había creado jamás, aunque el objeto y él estuvieran separados por el Océano Aricio. Había quedado terminado justo después de que se hubiera vuelto a sellar la prisión del Oscuro —«¿Y cómo sé yo eso?»— y fue escondido antes de que cualquier Aes Sedai varón loco pudiera encontrarlo. La figurilla femenina tenía las mismas funciones para una mujer, a la que podía unir a su equivalente de la estatua gigante; una estatua que Rand esperaba que continuara completamente enterrada en Cairhien. Con tanta cantidad de poder... Moraine había dicho que la muerte no tenía Curación.

El recuerdo no buscado, no deseado, lo hizo revivir aquella vez que se había permitido empuñar *Callandor*, y las imágenes evocadas flotaron al otro lado del vacío.

Su mirada se detuvo en el cuerpo de una chiquilla de cabello oscuro, casi una niña, que yacía despatarrada en el suelo, boca arriba, con los ojos muy abiertos y fijos en el techo; la sangre oscurecía la pechera de su vestido, donde un trolloc la había acuchillado...

El Poder estaba dentro de él. Callandor *resplandecía, y él era el Poder. Encauzó la energía y dirigió los flujos hacia el cuerpo de la chiquilla, bus-*

cando, tanteando; la pequeña se incorporó de golpe, con una rigidez anti-natural en los brazos y las piernas.

—¡Rand, no puedes hacer esto! —gritó Moraine—. ¡No!

«Aire. Necesita respirar.» El pecho de la niña empezó a subir y a bajar. «El corazón. Tiene que latir.» La sangre, ya oscura y espesa, manó de la herida del pecho. «¡Vive! ¡Vive, maldita sea! ¡No fue mi intención llegar demasiado tarde!» Sus ojos lo miraban vidriosos, sin vida. Las lágrimas corrieron por las mejillas de Rand.

Rechazó violentamente el recuerdo; aun estando dentro del vacío, resultaba doloroso. Con tanta cantidad de Poder... Con tanta cantidad de Poder él no era de fiar. «No eres el Creador», le había dicho Moraine mientras él se incorporaba, con la vista prendida en la pequeña tendida a sus pies. Pero con esa figurilla masculina, con sólo la mitad de su poder, en otros tiempos había conseguido mover montañas. Con muchísimo menos, sólo con *Callandor,* había tenido la certeza de que podía hacer que la Rueda girara hacia atrás, conseguir que la niña muerta volviera a vivir. No sólo el Poder único era tentador; también lo era el poder personal. Debería destruir las dos figurillas. En cambio, en lugar de hacer eso, tejió de nuevo los flujos e instaló las trampas otra vez.

—¿Qué hacías ahí? —preguntó una voz femenina mientras la pared adquiría una apariencia intacta, lisa.

Rand ató precipitadamente los flujos —así como el propio nudo con sus letales sorpresas—, absorbió más Poder y giró sobre sus talones.

Al lado de Lanfear, Elayne, Min o Aviendha parecerían casi vulgares. Los oscuros ojos de la mujer bastaban para que un hombre entregara hasta su alma. Al verla, el estómago se le encogió hasta sentir deseos de vomitar.

—¿Qué quieres? —demandó. En una ocasión había dejado aisladas de la Fuente Verdadera a Egwene y a Elayne al tiempo, pero era incapaz de recordar cómo lo había hecho. Mientras Lanfear estuviera en condiciones de entrar en contacto con la Fuente, él tenía tantas posibilidades de atrapar el aire entre sus manos como de dejar inmovilizada a la mujer. «Una fugaz descarga de fuego compacto y...» No podía hacerlo. Lanfear era una Renegada, pero el recuerdo de la cabeza de una mujer rodando por el suelo lo dejó paralizado.

—Así que tienes dos —dijo finalmente ella—. Me pareció ver que... Una es de una mujer, ¿verdad? —Su sonrisa podría parar el corazón de un hombre y hacer que se sintiera agradecido—. Empiezas a tener en cuenta mi plan, ¿no? Con esas estatuillas, juntos, tendremos a los otros Elegidos de rodillas a nuestros pies. Podemos incluso suplantar al Gran Señor en persona. Podemos retar al mismísimo Creador. Podemos...

—Siempre fuiste ambiciosa, Mierin. —Su voz le sonó chirriante—. ¿Por qué crees que te aparté de mí? Puedes pensar lo que quieras, pero no fue por Ilyena. Hacía mucho que había dejado de amarte cuando la conocí. La ambición es lo único que cuenta para ti. Poder es todo lo que has querido siempre. ¡Me das asco!

La mujer lo miraba de hito en hito, con las manos apretadas contra el estómago y los ojos desorbitados.

—Graendal dijo... —empezó débilmente. Tragó saliva con esfuerzo y volvió a intentarlo—: ¿Lews Therin? Te amo, Lews Therin. Siempre te he amado y siempre te amaré. Lo sabes. ¡Tienes que saberlo!

El rostro de Rand semejaba una roca; esperaba que no denotara su conmoción. Ignoraba de dónde habían salido esas palabras, pero, por lo visto, se acordaba de ella; un borroso recuerdo de antaño. «¡No soy Lews Therin Telamon!»

—¡Soy Rand al'Thor! —gritó roncamente.

—Por supuesto que lo eres. —Lo observó atentamente y asintió para sus adentros. Recobró la fría compostura de antes—. Por supuesto. Asmodean te ha estado contando cosas sobre la Guerra del Poder y sobre mí. Pues miente. Me amabas. Hasta que esa ramera rubia, Ilyena, me robó tu amor. —Por un momento la ira transformó su rostro en una máscara grotesca; Rand dudó que la mujer fuera consciente de ello—. ¿Sabías que Asmodean seccionó a su propia madre? Me refiero a lo que ahora llaman neutralizar. Bien, pues, seccionó a su madre y dejó que se la llevara un Myrddraal haciendo oídos sordos a sus aullidos de terror. ¿Cómo vas a confiar en un hombre así?

Rand se echó a reír con ganas.

—Después de que lo atrapé colaboraste para obligarlo a que me enseñara ¿y ahora dices que no me fíe de él?

—En cuanto a enseñarte, sí. —Resopló con desdén—. Lo hará porque es consciente de que su suerte va unida inapelablemente a la tuya. Aun en el caso de que convenciera a los otros de que ha sido un prisionero, no evitaría que lo despedazaran, y lo sabe. El cachorro más débil de la camada suele sufrir esa suerte. Además, vigilo sus sueños de vez en cuando. Sueña que triunfas sobre el Gran Señor y que lo llevas contigo a lo más alto. En ocasiones sueña conmigo. —Su sonrisa dejó ver que tales sueños le resultaban agradables, aunque no lo eran para Asmodean—. Sin embargo, intentará ponerte en contra mía.

—¿Por qué has venido? —demandó. ¿Ponerlo en su contra? En este momento debía de estar henchida de Poder, presta para aislarlo de la Fuente a la más leve sospecha de que intentaba algo. Ya lo había hecho en otra ocasión y con humillante facilidad.

—Me gustas así, arrogante y orgulloso, seguro de tu propia fuerza.

En otro momento le había dicho que le gustaba inseguro, que Lews Therin había sido demasiado arrogante.

—¿Por qué has venido? —insistió.

—Rahvin envió a los Sabuesos del Oscuro contra ti esta noche —dijo calmosamente mientras enlazaba las manos ante sí—. Habría venido antes para ayudarte, pero todavía no puedo revelar a los demás que estoy de tu parte.

De su parte. Una Renegada lo amaba o, mejor dicho, amaba al hombre que había sido hacía tres mil años, y todo lo que quería era que él entregara su alma al Oscuro y gobernara junto a ella el mundo. O un escalón más abajo, como poco. Aparte, claro está, de reemplazar tanto al Oscuro como al Creador. ¿Es que se había vuelto completamente loca? ¿O realmente los dos gigantescos *sa'angreal* eran tan poderosos como afirmaba? Ése era un rumbo que Rand no quería que tomaran sus pensamientos.

—¿Por qué ha elegido Rahvin atacarme precisamente en este momento? Asmodean dice que sólo se preocupa de sus intereses, que se quedará a un lado en la Última Batalla si puede y esperará a que el Oscuro me destruya. ¿Por qué crees que ha sido él y no Sammael o Demandred? Según Asmodean, me odian. —«Luz, por favor, soy Rand al'- Thor.» Rechazó la repentina evocación de tener en sus brazos a esta mujer siendo jóvenes los dos y de estar empezando a aprender lo que podían hacer con el Poder. «¡Soy Rand al'Thor!»—. ¿O por qué no Semirhage o Moghedien o Graen...?

—Oh, pero es que ahora te cuenta entre sus intereses —lo interrumpió, riendo, Lanfear—. ¿Es que no sabes dónde está? En Andor, en la propia Caemlyn. Es quien gobierna desde las sombras. Morgase le sonríe tontamente y baila para él. Ella y otra media docena de mujeres más. —Frunció los labios en un gesto de asco—. Tiene a muchos hombres recorriendo la ciudad y los campos para encontrarle nuevas bellezas.

Durante un instante la impresión lo dejó paralizado. ¡La madre de Elayne en manos de uno de los Renegados! Empero, no permitió que la preocupación asomara a su rostro. Lanfear había hecho gala de sus celos en más de una ocasión; era muy capaz de ir por Elayne y asesinarla si se le pasaba por la cabeza que él albergaba sentimientos por la heredera del trono. «¿Y qué siento por ella?» Aparte de eso, un hecho inexorable flotaba en el exterior del vacío, frío y cruel en su verdad. No emprendería un ataque contra Rahvin aun cuando lo que Lanfear decía fuera cierto. «Perdóname, Elayne, pero no puedo.» Quizá la mujer mentía —no había derramado una sola lágrima por ninguno de los otros Renegados que él había matado; todos se interponían en los propios planes de Lanfear— pero, en cualquier caso, él ya no pensaba reaccionar a lo que hacían otros, porque entonces podrían deducir el curso de acción que seguiría. Mejor dejar que fueran ellos los que reaccionaran por lo que hacía él y sorprenderlos como les había ocurrido a Lanfear y Asmodean.

—¿Es que Rahvin cree que iré corriendo a defender a Morgase? —dijo—. La he visto una sola vez, además de que Dos Ríos es parte de Andor en los mapas, pero jamás vi por allí a la Guardia Real. Ni yo ni nadie desde hace generaciones. Dile a cualquier hombre de Dos Ríos que Morgase es su reina y probablemente pensará que estás chiflada.

—Dudo que Rahvin espere que vayas a salir corriendo en defensa de tu tierra —comentó irónicamente la mujer—, pero sí que defiendas tus ambiciones. Se propone sentar a Morgase en el Trono del Sol también y utilizarla como una marioneta hasta el momento en que pueda salir a descubierto. De día en día aumenta el número de soldados andoreños que entran en Cairhien. Y tú enviaste soldados tearianos al norte para asegurar tu propio dominio sobre esa tierra. No es extraño que te haya atacado tan pronto como ha descubierto tu paradero.

Rand sacudió la cabeza. No había enviado a los tearianos con ese propósito, ni mucho menos, pero no esperaba que la Renegada lo entendiera. O que lo creyera si se lo explicaba.

—Te agradezco el aviso. —¡Cortesía con una de las Renegadas! Por supuesto, lo único que podía hacer era esperar que algo de lo que le había contado fuese cierto. «Una buena razón para no matarla. Te contará más de lo que cree si la escuchas con atención.» Confiaba en que fuera su propia idea, por cínica y fría que le pareciera.

—Has protegido tus sueños contra mí.

—Contra todo el mundo. —Era la pura verdad, aunque ella ocupaba, como mínimo, un lugar tan prominente como las Sabias en la lista de personas menos bienvenidas a sus sueños.

—Los sueños son míos —dijo Lanfear—. Especialmente tú y tus sueños. —Su semblante siguió relajado, pero su voz se había endurecido—. Puedo atravesar tus defensas, y te aseguro que no te gustaría.

Para demostrar su total despreocupación, Rand se sentó a los pies del catre con las piernas cruzadas y las manos apoyadas en las rodillas. Creía que su rostro mostraba tanta calma como el de la mujer. Por dentro, el Poder lo henchía; tenía dispuestos flujos de Aire para atarla, así como flujos de Energía. Eso era lo que tejía un escudo que impedía el acceso a la Fuente Verdadera. En algún lugar de su mente estaba el recuerdo de cómo hacerlo, pero lo percibía muy lejano y no conseguía recordarlo; y, sin ello, lo demás era superfluo. Lanfear podía romper o cortar cualquier cosa que tejiera aun cuando no lo viera. Asmodean estaba intentando enseñarle ese truco, pero resultaba harto difícil sin disponer de una mujer encauzando para practicar.

Lanfear lo observaba algo desconcertada; el ceño levemente fruncido malograba su belleza.

—He examinado los sueños de las Aiel, las que se llaman a sí mismas Sabias. No saben proteger sus sueños muy bien; podría asustarlas hasta el punto de que no desearan volver a soñar, ni siquiera a pensar en invadir los tuyos.

—Creía que no querías ayudarme abiertamente. —No osó decirle que dejara en paz a las Sabias, ya que podría hacer cualquier cosa por despecho. Desde el principio le había dejado muy claro, aunque no lo hubiera hecho de palabra, que se proponía ser la que llevara más ventaja de los dos—. ¿No supondría eso un riesgo de que otro Renegado lo descubriera? No eres la única que sabe cómo entrar en los sueños de otros.

—Los Elegidos —musitó, absorta. Se mordisqueó el labio inferior—. También he espiado los sueños de la chica, Egwene. Hubo un tiempo en que pensé que albergabas ciertos sentimientos hacia ella. ¿Sabes con quién sueña? Con el hijo y el hijastro de Morgase. Con Gawyn, el hijo, más a menudo. —Sonriendo, adoptó un tono burlón de escandalizada sorpresa—. Jamás imaginarías que una muchachita de campo tuviera semejantes sueños.

Rand comprendió que estaba tratando de tantear si se sentía celoso. ¡Realmente creía que había protegido sus sueños para ocultarle pensamientos sobre otra mujer!

—La Doncellas me tienen bien vigilado —adujo secamente—. Si deseas saber hasta qué punto, no tienes más que espiar los sueños de Isendre.

Un leve rubor tiñó los pómulos de Lanfear. Claro. Se suponía que él no debería saber qué se proponía con esos comentarios. El desconcierto bulló al borde del vacío. ¿No creería que...? ¿Isendre? Lanfear sabía que era una Amiga Siniestra; era ella quien había llevado a Kadere y a Isendre al Yermo, y quien había puesto en las bolsas de la otra mujer la mayoría de las joyas por las que fue acusada de robo. La venganza de Lanfear era cruel hasta en las cosas más nimias. Con todo, si creía que podía amar a Isendre, el hecho de que ésta fuera una Amiga Siniestra no representaría un obstáculo para ella.

—Debí dejar que la obligaran a partir en el inútil intento de llegar a la Pared del Dragón —continuó Rand en tono coloquial—, pero ¿quién sabe lo que habría sido capaz de confesar con tal de salvar el pellejo? No tengo más remedio que protegerlos a ella y a Kadere para así proteger a Asmodean.

El sonrojo desapareció; en el momento en que Lanfear abría la boca para decir algo, sonó una llamada a la puerta. Rand se incorporó de un brinco. Nadie reconocería a Lanfear, pero si encontraban una mujer en sus aposentos, una mujer a la que no había visto ninguna de las Doncellas instaladas abajo, se plantearían preguntas para las que él no tenía respuesta.

Empero, Lanfear ya había abierto un acceso a un lugar lleno de blancas colgaduras de seda y plata.

—Recuerda que soy tu única esperanza de sobrevivir, amor mío. —Una voz muy fría para llamar eso a alguien—. A mi lado no tienes nada que temer. A mi lado podrás gobernar... todo cuanto existe o pueda existir. —Remangó el repulgo de la nívea falda, cruzó el umbral, y el acceso desapareció en un visto y no visto.

Rand sólo tuvo tiempo de soltar el *Saidin* y alargar la mano para abrir la puerta cuando la llamada sonó de nuevo.

Era Enaila. La Doncella escudriñó el interior del cuarto con desconfianza.

—Creí que quizás Isendre... —rezongó. Le asestó una mirada acusadora—. Las hermanas de lanza están buscándote; nadie te vio regresar. —Sacudió la cabeza y se puso erguida; tenía la costumbre de estirarse todo lo posible para parecer más alta—. Los jefes han venido a hablar con el *Car'a'carn* —anunció ceremoniosamente—. Están esperando abajo.

Resultó que, al ser hombres, habían tenido que aguardar en la columnata del pórtico. El cielo seguía oscuro, pero las primeras luces del alba se insinuaban por el borde de las montañas orientales. Si estaban impacientes o molestos con las dos Doncellas que hacían guardia entre ellos y las altas puertas, sus rostros no lo dejaban ver.

—Los Shaido se han puesto en movimiento. —Anunció Han tan pronto como Rand apareció—. Y los Reyn, los Miagoma, los Shiande... ¡Todos los clanes!

—¿Para unirse a Couladin o a mí? —demandó Rand.

—Los Shaido van al paso de Jangai —contestó Rhuarc—. En cuanto a los otros, es demasiado pronto para saberlo. Sin embargo, marchan con todas las lanzas disponibles excepto las estrictamente necesarias para defender los dominios y los rebaños.

Rand se limitó a asentir con la cabeza. Tanto estar resuelto a no dejar que nadie dictara lo que tenía que hacer, y ahora ocurría esto. Fuera lo que fuera lo que los demás clanes se proponían, indudablemente Couladin se disponía a entrar en Cairhien. Podía despedirse de sus grandes planes de imponer la paz si los Shaido arrasaban Cairhien mientras él se quedaba sentado en Rhuidean esperando al resto de los clanes.

—Entonces también nos pondremos en camino hacia el paso de Jangai —decidió finalmente.

—No podemos alcanzarlo si su intención es cruzar —advirtió Erim.

—Si algunos de los otros se unen a él —añadió Han amargamente—, nos cogerán desprevenidos, como gusanos ciegos al sol.

—No pienso quedarme aquí parado hasta descubrirlo —adujo Rand—. Si no me es posible alcanzar a Couladin, me propongo entrar en Cairhien pisándole los talones. Que las lanzas entren en acción. Partimos con las primeras luces, tan pronto como podáis organizar la marcha.

Tras dedicarle la extraña salutación Aiel, utilizada únicamente en las ocasiones más protocolarias, con un pie adelantado y una mano extendida, los jefes se marcharon sin pronunciar palabra. Sólo Han dijo algo:

—Hasta el mismísimo Shayol Ghul.

7

LA PARTIDA

Bajo la luz gris del amanecer, Egwene bostezó y se subió a su yegua, pero tuvo que hacer uso de su habilidad para manejar las riendas cuando *Niebla* se puso a caracolear. Hacía semanas que nadie montaba al animal; los Aiel preferían sus propias piernas para desplazarse y apenas cabalgaban, por no decir jamás, aunque utilizaban bestias de carga. Aun en el caso de que hubiera habido suficiente madera para construir carretas, el terreno en el Yermo no era benévolo con las ruedas, como más de un buhonero había descubierto para su desgracia.

A Egwene no le apetecía en absoluto emprender el largo viaje hacia el oeste. El sol estaba oculto tras las montañas ahora, pero el calor aumentaría con el paso de las horas cuando empezara a ascender en el cielo, y no habría una tienda apropiada en la que resguardarse a la caída de la noche. Tampoco las tenía todas consigo respecto a si las ropas Aiel eran cómodas para ir a caballo. El chal, echado sobre la cabeza, resultaba excelente en cuanto a mantener a raya al sol, pero las amplias faldas le dejarían al aire las piernas hasta el muslo si no iba con cuidado. Más que por modestia, su preocupación era por las quemaduras en la piel. «Por un lado, el sol, y...» No podía haberse vuelto tan blanda por llevar un mes sin montar. Esperaba que no o, en caso contrario, iba a ser un viaje muy largo.

Una vez que tuvo controlada a *Niebla*, Egwene advirtió que Amys la estaba observando e intercambió una sonrisa con la Sabia. Las cincuenta vueltas corriendo alrededor del campamento la noche anterior no eran la razón de que estuviera adormilada todavía; por el contrario, la habían ayudado a dormir más profundamente. Había logrado al fin encontrar los sueños de la otra mujer, y, para celebrarlo, al caer la tarde habían tomado té en el sueño, en el dominio Peñas Frías, mientras los niños jugaban entre las plantaciones de las terrazas, y una agradable brisa empezaba a soplar en el valle a medida que el sol se ponía.

Naturalmente, eso no habría sido suficiente para impedirle descansar, pero se sintió tan exultante que, cuando Amys salió del sueño, ella fue incapaz de dejarlo; le resultó imposible en ese momento, por mucho que Amys le hubiera dicho lo contrario. Había sueños por doquier, aunque en su mayor parte ignoraba a quién pertenecían. La mayoría, no todos. Melaine soñaba que estaba dando de mamar a un bebé; y Bair se encontraba con uno de sus esposos fallecidos, los dos jóvenes y rubios. Egwene había tenido mucho cuidado de no entrar en ésos; las Sabias habrían notado al punto la aparición de un intruso, y le daba escalofríos pensar lo que le harían antes de permitirle salir de ellos.

Ni que decir tiene que los sueños de Rand habían sido un reto al que no podía negarse. Ahora que era capaz de pasar de un sueño a otro, ¿cómo no iba a intentarlo allí donde las Sabias habían fracasado? Sólo que tratar de entrar en sus sueños fue como lanzarse de cabeza a toda carrera contra un muro de piedra. Egwene sabía que los sueños de Rand estaban al otro lado y tenía la certeza de ser capaz de hallar un resquicio por el que colarse, pero no encontró nada en lo que basarse, nada que apuntara un atisbo; era un gran muro de nada. Se lo tomó como un problema al que le estaría dando vueltas hasta encontrar una solución. Cuando se le metía algo en la cabeza, era tan perseverante como un tejón.

A su alrededor, los *gai'shain* se movían afanosos de aquí para allí, cargando el campamento de las Sabias a lomos de las mulas. A no tardar, sólo un Aiel u otro rastreador igualmente diestro habría descubierto que había habido tiendas instaladas en aquel trozo de seca tierra arcillosa. La misma actividad bullía en las laderas de las montañas del entorno, y el alboroto también se extendía al interior de la ciudad. No se marchaba todo el mundo, pero sí varios miles. Los Aiel abarrotaban las calles, y la caravana de maese Kadere formaba una hilera que atravesaba la gran plaza; las carretas cargadas con los objetos seleccionados por Moraine y los tres blancos carros con el agua cerraban la fila, como inmensos barriles sobre ruedas tirados por troncos de veinte mulas. La carreta personal de Kadere, a la cabeza de la columna, era una pequeña casa con ruedas, con una escalerilla en la parte trasera y el tubo metálico de una chimenea sobresaliendo en el tejado plano. El corpulento buhonero de nariz aguileña, vestido con ropas de seda de color marfil, se tocó el ala del baqueteado sombrero cuando Egwene pasó ante él sobre la yegua; la sonrisa que le dedicó a la joven no se reflejó en sus oscuros y rasgados ojos.

Egwene hizo caso omiso de él con deliberada frialdad. Sus sueños habían sido por demás desagradables y tenebrosos, cuando no lascivos. «Habría que sumergirle la cabeza en un barril de infusión de espino azul», pensó, sombría.

Al acercarse al Techo de las Doncellas, se abrió camino entre los atareados *gai'shain* y las pacientes mulas. Para su sorpresa, uno de los que cargaban las cosas de las Doncellas vestía una túnica negra, no blanca. Era una mujer, a juzgar por su talla, y se tambaleaba bajo el peso de un bulto enorme, atado con cuerda, que llevaba cargado a la espalda. Mientras pasaba con *Niebla* a su lado, se inclinó sobre la silla para echar una ojeada por debajo de la capucha y vio el ojeroso rostro de Isendre, a quien el sudor le corría ya por las mejillas. Egwene se alegró de que las Doncellas hubieran puesto fin al castigo de dejarla salir —o mandarla salir— casi desnuda, aunque le pareció innecesariamente cruel vestirla de negro. Si ya sudaba con tanta profusión, estaría al borde de la muerte cuando el calor del día estuviera en todo su apogeo.

Con todo, los asuntos de las *Far Dareis Mai* no le concernían. Aviendha así se lo había hecho saber con amabilidad pero firmemente. Adelin y Enaila se habían mostrando un tanto rudas al respecto, y una Doncella nervuda y canosa, llamada Sulin, de hecho la había amenazado con llevarla de vuelta con las Sabias arrastrándola por la oreja. A despecho de sus esfuerzos para persuadir a Aviendha de que dejara de llamarla Aes Sedai, le resultó irritante descubrir que el resto de las Doncellas, tras mostrar cierta incertidumbre respecto a qué trato darle, se habían decantado por considerarla simplemente como una pupila más de las Sabias. ¡Vaya, pero si ni siquiera le permitían que cruzara las puertas del Techo a menos que fuera a cumplir algún encargo!

La presteza con la que taconeó a *Niebla* para pasar entre la multitud no tenía nada que ver con la aceptación de la justicia de las *Far Dareis Mai* ni con la incómoda constatación de que algunas Doncellas la observaban, sin duda dispuestas a sermonearla si pensaban que intentaba inmiscuirse. Tampoco tuvo mucho que ver con el desagrado que le inspiraba Isendre. No quería recordar la fugaz ojeada a los sueños de la mujer justo antes de que Cowinde entrara para despertarla. Habían sido pesadillas de torturas, de cosas que le habían hecho, y Egwene salió de ellas estremecida de horror, notando la presencia de algo oscuro y maligno que reía al verla huir. No era pues de extrañar que el aspecto de Isendre fuera de agotamiento. Egwene había despertado tan bruscamente, con tal sobresalto, que Cowinde retrocedió de un brinco cuando iba a posar la mano sobre su hombro.

Rand estaba en la calle, delante del Techo de las Doncellas, con el *shoufa* envuelto en la cabeza para protegerse del sol que empezaba a asomar, y vestido con una chaqueta de seda azul con bordados en oro tan recargados que era más apropiada para un palacio, bien que la llevaba desabrochada hasta la mitad. Su cinturón lucía una hebilla nueva, una detallada pieza emulando un dragón. Saltaba a la vista que empezaba a tener una gran opinión de sí mismo. De pie junto a *Jeade'en*, su semental rodado, hablaba con los jefes de clan y algunos de los comerciantes Aiel que se quedarían en Rhuidean.

Jasin Natael, casi pegado a los talones de Rand, con el arpa a la espalda y sujetando las riendas de una mula ensillada que le habían comprado a maese Kadere, iba ataviado aun más ostentosamente; los bordados en hilo de plata casi cubrían su chaqueta negra, que lucía además grandes chorreras de encaje en el cuello y los puños. Hasta las botas tenían repujados de plata en el doblez, a la altura de la rodilla. La capa del juglar, con sus parches de colores, echaba a perder el efecto, pero los juglares eran tipos raros.

Los comerciantes vestían el *cadin'sor*, y, aunque los cuchillos del cinturón eran más pequeños que los de los guerreros, Egwene sabía que todos ellos podían manejar bien las lanzas si llegaba el caso; tenían parte, si no toda, de esa agilidad grácil y letal de sus hermanos que llevaban la lanza. Las comerciantes, vestidas con blusas de *algode* sueltas y amplias faldas de lana, pañuelos a la cabeza y chales, resultaban más distinguibles. Salvo por las Doncellas y las *gai'shain* —y Aviendha— todas las Aiel lucían un sinnúmero de brazaletes y collares de oro y marfil, plata y gemas, algunos de manufactura Aiel, otros comprados a buhoneros, y algunos procedentes de saqueos. Empero, entre las comerciantes Aiel la exhibición de joyas se duplicaba, como poco, con respecto a las demás.

Egwene alcanzó a oír parte de lo que Rand decía a los comerciantes:

—... dad carta blanca a los constructores Ogier en parte de las obras que acometan. Hasta donde lo consideréis oportuno. No tiene sentido limitarse a intentar rehacer el pasado.

Así que los enviaba a los *steddings* en busca de Ogier que reconstruyeran Rhuidean. Eso estaba bien. Gran parte de Tar Valon era obra de los Ogier, y, allí donde se los había dejado trabajar según sus propios criterios, los edificios eran tan bellos que quitaban la respiración.

Mat ya estaba montado en su castrado, *Puntos,* con su sombrero de ala ancha bien calado y la punta del astil de la extraña lanza apoyada sobre el estribo. Como siempre, parecía que había dormido con la chaqueta verde puesta. Egwene había evitado sus sueños. Una de las Doncellas, una mujer rubia muy alta, dedicó a Mat una pícara sonrisa que pareció causarle sonrojo. Y debería; la Doncella era demasiado mayor para él. Egwene resopló con desdén. «Sé muy bien qué era lo que soñaba, así que ¡no, muchas gracias!» Si frenó a la yegua al lado del joven fue sólo para buscar a Aviendha.

—Le dijo que se callara, y ella obedeció —comentó Mat cuando Egwene detuvo a *Niebla.* Señaló con la cabeza a Moraine y a Lan; la mujer llevaba un vestido azul pálido y aferraba las riendas de su blanca yegua, mientras que él, con la capa de Guardián, sujetaba corto al enorme y negro caballo de guerra. Lan observaba a Moraine con intensidad, el gesto inexpresivo como siempre, en tanto que la Aes Sedai miraba furibunda a Rand y parecía a punto de estallar de impaciencia—. Ella empezó a explicarle por qué hacer esto es un error, y por su tono imaginé que debía de ser la enésima vez que repetía lo mismo, pero él respondió: «Ya lo he decidido, Moraine. Quédate allí y guarda silencio hasta que disponga de un momento para hablar contigo». Así, como si esperara que hiciera lo que le decía. Y lo bueno es que ella lo hizo. ¿Es vapor eso que le está saliendo por las orejas?

Su risita queda sonó tan complacida, tan divertida por su propio ingenio, que Egwene estuvo a punto de abrazar el *Saidar* y enseñarle una lección allí mismo, delante de todo el mundo. En cambio, volvió a resoplar, lo bastante alto para que Mat comprendiera que era por él y por su ingenio y su guasa. El joven le lanzó una mirada de reojo, con sorna, y volvió a reír entre dientes, cosa que empeoró aun más el mal humor de la muchacha.

Egwene miró brevemente a Moraine, perpleja. ¿Que la Aes Sedai había hecho lo que Rand le mandó? ¿Sin protestar? Eso era como decir que una de las Sabias obedecía o que el sol salía a medianoche. Se había enterado del ataque, por supuesto; desde que amaneció no habían dejado de correr rumores sobre perros gigantescos que dejaban huellas marcadas en la piedra. No obstante, que ella supiera, era la única novedad aparte de la noticia relativa a los Shaido, y no era suficiente para justificar esta reacción. En realidad, no se le ocurría absolutamente nada que la justificara. Si le preguntaba, sin duda Moraine le diría que no era de su incumbencia, pero, en cualquier caso, era un tema que le incomodaba. Le desagradaba no entender las cosas.

Localizó a Aviendha al pie de la escalinata del Techo, de modo que condujo a *Niebla* hacia allí rodeando a la muchedumbre que había en torno a Rand. La joven Aiel lo miraba tan intensa y duramente como la Aes Sedai, pero con el semblante totalmente inexpresivo. No dejaba de dar vueltas al brazalete de marfil que adornaba su muñeca, aparentemente sin ser consciente de ello. Por una razón u otra, aquel brazalete era parte de los problemas que la Aiel tenía con él. Egwene no lo comprendía; Aviendha se negaba a hablar de ello, y ella no se atrevía a preguntarle a nadie más por temor a causar embarazo a su amiga. Su propio brazalete de marfil con tallas en forma de llamas era un regalo de Aviendha para sellar su relación como medio hermanas; su presente había sido el collar de plata que la otra joven lucía, y que maese Kadere afirmaba que era un diseño kandorés llamado copos de nieve. Le tuvo que pedir a Moraine algo de dinero ya que no tenía bastante para pagarlo, pero le había parecido lo más apropiado para una mujer que nunca vería la nieve. O, mejor dicho, que no la habría visto si no hubiera salido del Yermo; no creía muy probable que pudiera regresar antes del invierno. Fuera cual fuera el significado de ese brazalete, Egwene confiaba en que su amiga resolviera finalmente el conflicto.

—¿Estás bien? —preguntó. Al inclinarse por un lado de la silla de montar, la falda se subió hasta dejarle las piernas al aire, pero estaba tan preocupada por su amiga que apenas lo advirtió. Tuvo que repetir la pregunta ya que Aviendha no la había oído, y entonces la joven Aiel dio un respingo y alzó la vista hacia ella.

—¿Que si estoy bien? Sí, claro.

—Déjame que hable con las Sabias, Aviendha. Estoy segura de que puedo convencerlas de que no deben obligarte a... —Fue incapaz de decirlo en voz alta, en medio de la calle, donde todos podrían oírla.

—¿Todavía te preocupa eso? —Aviendha se ajustó el chal gris y sacudió ligeramente la cabeza—. Vuestras costumbres me siguen resultando muy chocantes. —Sus ojos volvieron hacia Rand como si fueran limaduras de hierro atraídas hacia un imán.

—No debes tener miedo de él.

—Yo no le tengo miedo a ningún hombre —espetó la otra joven, cuyos ojos centellearon como si despidieran un fuego azul verdoso—. No deseo que haya problemas entre nosotras, Egwene, pero no deberías decir esas cosas.

Egwene suspiró. Amiga o no, Aviendha era muy capaz de darle una bofetada si se sentía ofendida; en cualquier caso, tampoco estaba segura de que lo hubiera admitido. El sueño de la joven Aiel había sido demasiado doloroso para permanecer en él mucho tiempo. Desnuda salvo por aquel brazalete de marfil, que parecía agobiarla como si pesara una tonelada, Aviendha iba corriendo tan rápido como le era posible a través de un llano resquebrajado y arcilloso. Y detrás de ella venía Rand, un gigante que duplicaba la talla de un Ogier y montado a lomos de un colosal *Jeade'en*, acortando distancias con ella lenta pero inexorablemente.

Pero a una amiga no se le podía decir que estaba mintiendo; un ligero rubor tiñó el rostro de Egwene. Sobre todo si había que confesar cómo lo sabía uno. «Entonces sí que me abofetearía. No volveré a espiar los sueños de otras personas. Por lo menos, los de Aviendha.» No estaba bien espiar los sueños de una amiga; no era exactamente espiar, pero aun así...

La multitud que rodeaba a Rand empezó a desperdigarse, y él subió con fácil soltura a la silla de montar, imitado seguidamente por Natael. Una de las mercaderes Aiel, una pelirroja de cara ancha, que llevaba encima una pequeña fortuna en oro, gemas y marfil, remoloneó.

—*Car'a'carn*, ¿te propones marcharte de la Tierra de los Tres Pliegues para siempre? Has hablado como si jamás fueras a regresar.

Los demás se pararon al oír aquello y se dieron media vuelta. A los murmullos que propagaban lo que le habían preguntado los siguió el silencio, que se extendió como una onda sobre la quieta superficie de un estanque.

También Rand guardó silencio unos instantes mientras contemplaba los rostros vueltos hacia él.

—Espero regresar —repuso al cabo—, pero ¿quién sabe qué puede ocurrir? La Rueda gira según sus designios. —Vaciló al sentir todas las miradas sobre él—. Pero dejaré algo que os hará recordarme —añadió mientras metía una mano en el bolsillo de la chaqueta.

Repentinamente, una fuente cercana al Techo cobró vida y el agua manó por las bocas de unas marsopas, incongruentes en un lugar como el Yermo, que se sostenían sobre las colas. Más atrás, la estatua de un joven que levantaba un cuerno hacia el cielo empezó a expulsar un abanico de chorros de agua, y las dos estatuas de mujeres que había más allá lanzaban más chorros de agua de sus manos. Sumidos en un silencio provocado por la estupefacción, los Aiel contemplaron cómo todas las fuentes de Rhuidean volvían a fluir.

—Debí haberlo hecho hace mucho tiempo. —El rezongo de Rand iba sin duda dirigido a sí mismo, pero en el profundo silencio, roto sólo por el chapoteo de cientos de fuentes, Egwene lo oyó con toda claridad. Natael se encogió de hombros como si no esperara menos.

Pero era a Rand al que Egwene observaba fijamente, no a las fuentes. Un hombre capaz de encauzar. «Sigue siendo él, Rand, a despecho de

175

todo.» Sin embargo, cada vez que lo veía hacerlo era como si descubriera por primera vez que podía. La habían educado en la creencia de que sólo el Oscuro era más de temer que un hombre capaz de encauzar. «Tal vez Aviendha tiene razón al temerlo.»

Pero, cuando volvió la vista hacia la joven Aiel, el rostro de ésta reflejaba una abierta admiración; tanta agua era para ella tan maravillosa como un vestido de la más fina seda o un jardín lleno de flores para Egwene.

—Es hora de ponerse en marcha —anunció Rand al tiempo que tiraba de las riendas para dirigir al rodado hacia el oeste—. Los que no estén listos para partir ahora tendrán que alcanzarnos.

Natael lo siguió de cerca con su mula. ¿Por qué permitiría Rand que semejante lameculos estuviera tan cerca de él?

Los jefes de clan empezaron a impartir órdenes de inmediato, y el bullicio se multiplicó por diez. Las Doncellas y los Buscadores de Agua corrieron hacia la vanguardia, y otras *Far Dareis Mai* cerraron filas en torno a Rand como una guardia de honor, dejando a Natael dentro del círculo. Aviendha caminaba a la derecha de *Jeade'en,* pegada al estribo, manteniendo con facilidad el paso del caballo a pesar de las amplias faldas.

Egwene se situó junto a Mat, a continuación de Rand; la joven llevaba fruncido el ceño. Su amiga tenía de nuevo aquel gesto de sombría resolución, como si hubiera metido el brazo en un nido de víboras de manera deliberada. «Tengo que hacer algo para ayudarla.» Cuando Egwene se metía de lleno en un problema, ya no se daba por vencida.

Moraine se acomodó en la silla de montar y dio unas palmaditas en el arqueado cuello de *Aldieb* con su enguantada mano, pero no siguió inmediatamente a Rand. Hadnan Kadere venía con sus carretas calle arriba, conduciendo personalmente la que iba en cabeza. Debería haberlo obligado a que desmantelara ese vehículo para que transportara carga, como había hecho con los otros de esas características; el hombre le tenía bastante miedo —se lo tenía a las Aes Sedai— para haber consentido. El marco de puerta que era un *ter'angreal* iba atado firmemente en la carreta que marchaba en segundo lugar, cubierto totalmente por una lona atada a fin de que nadie volviera a caer a través de él de manera accidental. Unas largas filas de Aiel —*Seia Doon,* Ojos Negros— caminaban a lo largo de los flancos de la caravana.

Kadere inclinó la cabeza al pasar ante Moraine, pero la mirada de la Aes Sedai recorrió la hilera de vehículos para llegar hasta la gran plaza donde se alzaba el bosque de esbeltas columnas de cristal, relucientes ya a la luz del amanecer. Se habría llevado todo cuanto había en la plaza de haber sido posible, en vez de la pequeña parte que cabía en las carretas. Algunas cosas eran demasiados grandes, como los tres aros de apagado metal gris, cada uno de ellos con dos pasos de diámetro, que se sostenían en equilibrio y se unían en el centro. Alrededor de ese objeto se había colocado un cordón de cuero trenzado, como precaución, para que nadie entrara sin el permiso de las Sabias. Y no es que nadie tuviera ganas de hacerlo, por supuesto. Sólo los jefes de clan y las Sabias entraban en la plaza con cierta tranquilidad, y sólo las Sabias tocaban algunos de los objetos y siempre con obvia reticencia.

Durante incontables años, la segunda prueba a la que se enfrentaba una Aiel que deseaba convertirse en Sabia había consistido en entrar en las arracimadas columnas de cristal para ver exactamente lo mismo que veían los hombres. Eran más las mujeres que sobrevivían a la experiencia que hombres —Bair manifestaba que se debía a que las mujeres eran más duras, y Amys sostenía que las que eran demasiado débiles para sobrevivir ya habían sido cribadas antes de llegar a ese punto—, pero lo cierto es que no se sabía con exactitud la causa. Las que salían con vida no quedaban marcadas; las Sabias manifestaban que sólo los hombres necesitaban signos visibles; para una mujer, estar viva era suficiente.

La primera prueba —la primera criba— era cruzar uno de esos anillos. Daba igual cuál de ellos, o tal vez la elección era cuestión del destino. Al parecer, aquel paso llevaba a la mujer a vivir una y otra vez su vida; se le mostraba su futuro, todos los posibles futuros basados en cada decisión que pudiera tomar durante el resto de su vida. También era posible morir allí; algunas mujeres eran incapaces de afrontar el futuro como otras lo eran de afrontar el pasado. Por supuesto, todos los futuros posibles eran demasiado numerosos para que la mente fuera capaz de recordarlos, de modo que se mezclaban y se desvanecían en su mayoría, pero la mujer conservaba la sensación de cosas que le pasarían en la vida, que podrían o que tendrían que ocurrir. Por lo general, hasta esto último quedaba olvidado, esperando a resurgir llegado el momento. Aunque no siempre. Moraine había cruzado aquellos anillos.

«Una cucharada de esperanza y una taza de desaliento», pensó.

—No me gusta verte así —dijo Lan. A lomos de *Mandarb* y con su gran estatura, el Guardián la miraba desde arriba; la inquietud le marcaba arrugas en los rabillos de los ojos. Tratándose de él, era tanto como unas lágrimas de frustración en cualquier otro hombre.

Los Aiel pasaban sin cesar a ambos lados de sus monturas, así como los *gai'shain* tirando de las mulas de carga. Moraine sufrió un sobresalto al reparar en que las carretas de agua de Kadere ya habían pasado de largo; no se había dado cuenta de que llevaba tanto rato contemplando la plaza.

—¿Cómo? —preguntó mientras hacía girar a la yegua para sumarse a la marcha. Rand y su escolta habían salido ya de la ciudad.

—Preocupada —repuso él, conciso; aquel semblante pétreo había recobrado su habitual impasibilidad—. Asustada. Jamás te había visto asustada. Ni cuando una multitud de trollocs y Myrddraal caía sobre nosotros. Ni siquiera cuando supiste que los Renegados estaban libres y que Sammael casi estaba sentado sobre nosotros. ¿Se aproxima el fin?

Ella dio un respingo y de inmediato deseó no haberlo hecho. Lan miraba al frente por encima de las orejas de su semental, pero a él nunca se le pasaba nada por alto. A veces Moraine pensaba que era capaz de ver caer una hoja a su espalda.

—¿Te refieres al Tarmon Gai'don? Un pinzón de Seleisin sabe tanto como yo de eso. Si la Luz lo quiere, no mientras alguno de los sellos permanezca intacto. —Los dos que tenía también iban en las carretas de Kadere, cada uno de ellos empaquetado en un barril relleno con lana, y metidos en otra carreta distinta de la del marco de puerta; se había asegurado de que fuera así.

—¿Y a qué otra cosa iba referirme? —contestó lentamente el Guardián, sin quitarla vista del frente y haciéndola desear haberse mordido la lengua—. Te has vuelto... impaciente. Recuerdo muy bien cuando eras capaz de esperar semanas para obtener una información minúscula, una palabra, sin retorcerte los dedos, pero ahora... —Entonces sí la miró con aquellos azules ojos que habrían intimidado a la mayoría de las mujeres. Y también a la mayoría de los hombres—. El juramento que prestaste al muchacho, Moraine... ¿Qué demonios te pasó para hacer algo así?

—Se ha ido alejando más y más de mí, Lan, y tengo que estar cerca de él. Necesita toda la guía que pueda darle, y haré cualquier cosa excepto compartir su lecho con tal de que la tenga.

En los anillos había descubierto que tal cosa sería el desastre. Jamás se lo había planteado —¡y la sola idea todavía la conmocionaba!— pero en los anillos había algo que consideraría o podría considerar hacer en el futuro. Era una medida dictada por su creciente desesperación, sin duda, y en los anillos había visto que provocaría el desastre sobre todo. Ojalá recordara cómo —eran claves que conducían al conocimiento de Rand al'Thor— pero sólo el puro y simple hecho de la calamidad permanecía fresco en su memoria.

—Quizá te sirva para aprender humildad el que te pida que le alcances las zapatillas y le enciendas la pipa.

Moraine le asestó una mirada furibunda. ¿Sería una broma? En tal caso, no tenía gracia. Nunca había visto que la humildad sirviera de mucho en ninguna situación. Siuan afirmaba que haberse criado en el

Palacio del Sol de Cairhien le había imbuido la arrogancia en lo más hondo de su ser, donde no alcanzaba a verla; algo que ella negaba con firmeza. Por su parte, aunque Siuan era hija de un pescador teariano, su altanería no tenía nada que envidiar a la de cualquier reina, además de que la Amyrlin entendía por arrogancia el oponerse a sus planes.

Si Lan intentaba hacer bromas, por disparatadas y flojas que fueran, entonces estaba cambiando. La había seguido durante casi veinte años y le había salvado la vida más veces de las que podía recordar, a menudo a riesgo de la suya propia. Siempre había considerado su vida algo de escasa importancia, con el único valor de que a ella le fuera necesaria; algunos comentaban que Lan cortejaba a la muerte igual que un novio corteja a la novia. Ella nunca había tenido su amor y jamás se había sentido celosa de las mujeres que parecían arrojarse a los pies del Guardián. Lan había manifestado mucho tiempo atrás que no tenía corazón. Empero, había descubierto que sí lo tenía un año atrás, cuando una mujer lo ató en un cordón para colgárselo al cuello.

Lan lo negaba, naturalmente. No su amor por Nynaeve al'Meara, antaño una Zahorí de Dos Ríos y actualmente una Aceptada de la Torre Blanca, sino que algún día pudiera hacerla suya. Él sólo poseía dos cosas, afirmaba: una espada que no se rompería y una guerra que no tenía fin; y ése era un presente que jamás entregaría a una novia. De eso, al menos, se había ocupado Moraine, aunque Lan nunca sabría cómo hasta que estuviera hecho. Si lo descubriese, seguramente trataría de cambiar las cosas, considerando lo testarudo y necio que era.

—Esta tierra árida parece haber marchitado tu propia humildad, al'-Lan Mandragoran. Tendré que buscar un poco de agua para regarla y que vuelva a crecer.

—Mi humildad está tan afilada como una cuchilla —replicó secamente—. Jamás permites que se quede embotada. —Mojó un pañuelo blanco con el agua de su cantimplora y se lo tendió. Moraine se lo ató a las sienes sin hacer ningún comentario. El sol empezaba a salir por encima de las montañas a su espalda cual una abrasadora bola de oro fundido.

La gruesa columna avanzaba, sinuosa, ascendiendo por la ladera de Chaendaer; la cola todavía seguía en Rhuidean cuando la cabeza ya coronaba la cima para, seguidamente, continuar cuesta abajo hacia las accidentadas llanuras salpicadas con agujas pétreas y truncados cuetos, algunos surcados con vetas rojas u ocres sobre el fondo gris y pardo. El aire era tan transparente que Moraine alcanzaba a ver a millas de distancia, incluso después de haber descendido de Chaendaer. En el paisaje se alzaban arcos naturales, y en cualquier dirección las montañas ascendían como si quisieran alcanzar el cielo. Hondonadas y cárcavas secas rompían un terreno en el que sólo crecían, dispersos, arbustos espinosos y plantas sin hojas pero llenas de púas. Los escasos árboles, raquíticos y retorcidos, por lo general también tenían espinas y púas. El sol convertía aquel territorio en un horno. Una tierra dura que había creado gentes duras. Pero no era Lan el único que estaba sufriendo cambios. Moraine deseó poder ver lo que Rand hacía de los Aiel al final. Les aguardaba un largo viaje a todos ellos.

8

AL OTRO LADO DE LA FRONTERA

Aferrándose con una mano a su asidero, en la parte trasera de la traqueteante carreta, Nynaeve utilizó la otra para sujetarse el sombrero de paja mientras echaba una ojeada a la feroz tormenta de polvo que se iba quedando atrás, en la distancia. La amplia ala le resguardaba el rostro del caluroso sol matinal, pero la brisa generada por la rápida marcha del vehículo bastaba para quitárselo de la cabeza a despecho del pañuelo, rojo oscuro, que llevaba atado bajo la barbilla. Viajaban a través de una pradera salpicada de ondulantes colinas y alguna que otra arboleda; la hierba era rala y estaba seca con el calor de finales de verano, y el polvo levantado por las ruedas le enturbiaba la vista en cierto modo, además de hacerla toser. Las nubes que surcaban el cielo eran engañosas; no había llovido desde antes de que salieran de Tanchico, hacía semanas, y había pasado cierto tiempo desde que la amplia calzada había tenido trasiego de carretas, lo cual mantenía la tierra compacta.

Nadie salió cabalgando de aquel muro pardo, aparentemente sólido, lo que estaba bien. Había desahogado toda su rabia con los asaltantes que habían intentado detenerlos cuando ya faltaba muy poco para dejar atrás la locura de Tarabon, y a menos que estuviera furiosa no sentía la

181

Fuente Verdadera y menos aun podía encauzar. Incluso estando iracunda, se había sorprendido de ser capaz de desatar semejante tormenta; una vez liberada, alimentada con su furia, cobró vida propia. También Elayne se había sorprendido por la magnitud de la tormenta, aunque, afortunadamente, lo había disimulado con vistas a Thom y a Juilin. Sin duda su fuerza iba incrementándose —sus maestras de la Torre habían pronosticado que sería así, y, por descontado, ninguna era lo bastante fuerte para derrotar a una de las Renegadas como había hecho ella—, pero, aun así, seguía supeditada a esa limitación. Si volvían a aparecer bandidos, Elayne tendría que encargarse de ellos por sí misma, sin su ayuda, y eso era algo que no quería que ocurriera. Su anterior rabia se había disipado, pero estaba sembrando y cultivando la próxima cosecha para recogerla cuando fuera menester.

Trepando torpemente por encima de la lona atada sobre la carga de toneles, alargó la mano hacia uno de los barriles de agua, sujeto a un costado de la carreta junto con los arcones que guardaban sus pertenencias, así como las provisiones. De inmediato, el sombrero resbaló sobre su nuca, sujeto únicamente por el pañuelo. Solamente llegaba con las yemas de los dedos a la tapa del barril, a no ser que se soltara de la cuerda que agarraba con la otra mano, pero por el modo en que se zarandeaba la carreta, si lo hacía corría el riesgo de irse de narices al suelo.

Juilin Sandar condujo su montura, un castrado pardo y desgarbado al que había puesto el inverosímil nombre de *Furtivo*, acercándola a la carreta y le tendió una de las cantimploras que llevaba colgadas a la silla de montar. Nynaeve bebió con ganas, aunque sin habilidad. Zarandeada como un racimo de uvas en un viñedo sacudido por un vendaval, derramó casi tanta agua sobre la pechera de su estupendo vestido gris como consiguió echarse a la boca.

El atuendo era apropiado para una mercader, con el cuello alto, de buen tejido y excelente corte, pero sencillo. El broche prendido sobre el pecho —un pequeño círculo de granates engastados en oro— era quizás excesivo para una mercader, pero era regalo de la Panarch de Tarabon, así como otras joyas más valiosas que iban escondidas en un compartimiento secreto situado debajo del pescante. Lo llevaba para recordarse a sí misma que incluso mujeres que se sentaban en tronos a veces necesitaban que las cogieran por el cogote y las sacudieran. Comprendía mejor las manipulaciones de la Torre sobre reyes y reinas ahora que había tratado con Amathera.

Sospechaba que la Panarch les había hecho estos presentes como un soborno para que abandonaran Tanchico. Hasta se mostró dispuesta a comprar un barco con tal de que no permanecieran en la ciudad ni un minuto más que lo estrictamente necesario, pero nadie quiso venderle uno. Las pocas embarcaciones que quedaban en el puerto de Tanchico y que servían para algo más que bordear la costa estaban llenas hasta los topes con refugiados. Además, un barco era el medio de transporte obvio, el más rápido, para huir, y no era disparatado imaginar que el Ajah Negro las estuviera buscando a Elayne y a ella después de lo que había ocurrido. Habían ido allí con la misión de dar caza a Aes Sedai que eran Amigas Siniestras, no para caer en una emboscada. Tal era el motivo de que hicieran este largo viaje por carreta a través de un país arrasado por la guerra civil y la anarquía. Nynaeve empezaba a desear no haber insistido en evitar los barcos, aunque jamás admitiría tal cosa ante los demás.

Cuando intentó devolverle la cantimplora a Juilin, el hombre la rechazó con un ademán. Era un hombre duro que parecía haber sido tallado en algún tipo de madera oscura, pero no se sentía cómodo a lomos de un caballo. Ofrecía un aspecto ridículo, al parecer de Nynaeve, y no por su evidente inseguridad sobre la silla de montar, sino por el absurdo gorro tarabonés de color rojo que había cogido por costumbre ponerse sobre el liso y negro cabello, una cosa cónica, sin ala, alta y de copa recta. Desentonaba con la oscura chaqueta teariana que se ajustaba a la cintura para después abrirse en un corte acampanado. En realidad, Nynaeve dudaba que fuera bien con ningún tipo de ropa. En su opinión, daba la impresión de que Juilin llevara un pastel sobre la cabeza.

Por si no fuera ya bastante difícil aguantar los zarandeos, las cosas empeoraron al tener que sujetar también la cantimplora; además, el sombrero no dejaba de sacudirse contra su nuca. Empezó a mascullar maldiciones contra el husmeador —¡nada de rastreador!—, contra Thom Merrilin —¡ese petulante juglar!— y contra Elayne de la casa Trakand, heredera del trono de Andor, a quien habría que coger por el pescuezo y sacudirla.

Nynaeve decidió sentarse en el pescante al lado de Thom y de Elayne, pero la joven rubia iba pegada al juglar, con el sombrero de paja colgando sobre la espalda. Se agarraba al brazo del necio viejo de bigote blanco como si tuviera miedo de caerse. Con los labios apretados, Nynaeve tuvo que sentarse al otro lado de Elayne. Se alegraba de llevar de nuevo el cabello trenzado en una coleta, gruesa como una muñeca y tan larga que le llegaba a la cintura; así se conformaría con darse un buen tirón en lugar de propinarle un cachete a la muchacha. Elayne se había mostrado siempre bastante razonable, pero era como si en Tanchico algo le hubiera reblandecido el cerebro.

—Ya no nos persiguen —anunció la antigua Zahorí mientras volvía a ponerse el sombrero—. Ahora puedes aminorar la velocidad, Thom.

—Podría haber dicho lo mismo desde la parte trasera de la carreta, sin necesidad de trepar por encima de los toneles, pero imaginarse a sí misma zarandeándose y gritando que fuera más despacio se lo impidió. No le gustaba ponerse en ridículo, y menos aun que otros pensaran que era una necia—. Ponte el sombrero —le dijo a Elayne—. Esa delicada piel tuya no aguantaría el sol mucho tiempo.

Como casi había esperado que ocurriera, la joven no hizo caso del amistoso consejo.

—Qué bien conduces —dijo con entusiasmo Elayne a Thom mientras éste tiraba de las riendas hasta poner al paso al tiro de cuatro caballos—. Mantuviste a los animales bajo tu control en todo momento.

El alto y nervudo juglar la miró de soslayo y sus espesas cejas se fruncieron, pero se limitó a comentar:

—Nos espera más compañía allá adelante, pequeña.

Bueno, a lo mejor no era tan necio. Nynaeve miró al frente y divisó una columna de jinetes de níveas capas que se aproximaba a ellos coronando el siguiente altozano, alrededor de unos cincuenta hombres equipados con bruñidos petos y relucientes yelmos cónicos que escoltaban otras tantas carretas muy cargadas. Eran Hijos de la Luz. De repente, Nynaeve fue muy consciente del cordón de cuero que colgaba de su cuello, por debajo del vestido, y de los dos anillos que se mecían entre sus senos. El pesado sello de oro de Lan, el anillo de los reyes de la desaparecida Malkier, no tendría ningún significado para los Capas Blancas, pero si veían el anillo de la Gran Serpiente...

«¡Necia! ¡No es fácil que lo vean, a menos que decidas desnudarte delante de ellos!»

Echó una rápida ojeada a sus compañeros. Elayne no podía evitar ser hermosa, y ahora que había soltado el brazo de Thom y se ataba de nuevo el pañuelo verde que sujetaba el sombrero, sus maneras eran más acordes con un salón del trono que con una carreta de mercader; sin embargo, aparte de ser azul, su vestido no difería mucho del de Nynaeve. No lucía ninguna joya; había tildado de «chillones» los regalos de Amathera. Ella podría pasar; lo había hecho cincuenta veces desde Tanchico. Por los pelos. Sólo que esta vez eran Capas Blancas. Thom, con sus burdas ropas de lana, podría ser uno más entre miles de carreteros. Y Juilin era Juilin. Sabía cómo comportarse, aunque parecía que habría preferido estar con los pies plantados en el suelo, enarbolando la vara o la extraña arma de hoja dentada que llevaba en el cinturón, en lugar de estar montado a caballo.

Thom condujo al tronco de animales hacia un lado de la calzada y detuvo el vehículo cuando varios Capas Blancas se separaron de la columna para ir hacia ellos. Nynaeve esbozó una agradable sonrisa; confiaba en que no hubieran decidido que necesitaban otra carreta.

—La Luz os ilumine, capitán —dijo al hombre de rostro estrecho que, obviamente, era el cabecilla, el único que no portaba una lanza. No tenía ni idea del rango que indicaban los dos nudos dorados que lucía en la capa, sobre el pecho, justo debajo del llameante sol que todos llevaban, pero según su experiencia cualquier hombre aceptaba un halago—. Nos alegramos mucho de veros. Unos bandidos intentaron robarnos unas cuantas millas más atrás, pero surgió una tormenta de polvo como por milagro. Escapamos por po...

—¿Sois una mercader? Hace tiempo que son pocos los comerciantes que vienen de Tarabon. —La voz del hombre era tan hosca como su rostro, en el que parecía que toda alegría se hubiera consumido por un fuego devorador aun antes de que dejara la cuna. La desconfianza desbordaba sus oscuros y hundidos ojos; Nynaeve tuvo la certeza de que esto también era permanente en el hombre—. ¿Hacia dónde os dirigís y qué mercancías transportáis?

—Llevo tintes, capitán. —Se esforzó por mantener la sonrisa bajo aquella mirada intensa, penetrante; fue un alivio cuando la dirigió brevemente hacia los demás. Thom estaba haciendo un buen papel, dando la impresión de sentirse aburrido, como se sentiría un carretero a quien pagaban para avanzar o detenerse, y si Juilin no se había quitado ese ridículo gorro como debería haber hecho de inmediato, al menos no parecía otra cosa que un guardia a sueldo que no tenía nada que ocultar. Cuando la mirada del Capa Blanca se detuvo en Elayne, Nynaeve notó que la joven se ponía tensa y se apresuró a añadir—: Tintes taraboneses, los mejores del mundo. Puedo conseguir un buen precio por ellos en Andor.

A una señal de su capitán —o lo que quiere que fuera— uno de los otros Capas Blancas taconeó su montura y la condujo a la parte trasera de la carreta. Cortó una de las cuerdas con su daga y levantó parte de la lona, suficiente para dejar a la vista tres o cuatro toneles.

—Están marcados con la denominación «Tanchico», teniente. En éste pone «carmesí». ¿Queréis que rompa la tapa de unos cuantos?

Nynaeve confió en que el oficial interpretara su expresión de ansiedad del modo correcto. Sin mirarla siquiera, notó que Elayne deseaba reprender al soldado por sus malos modales, pero cualquier mercader de verdad estaría preocupado por que los tintes fueran expuestos a los elementos.

—Si me indicáis cuáles deseáis que abra, capitán, me ocuparé muy gustosamente de hacerlo yo misma. —El hombre no reaccionaba con nada, ni con los halagos ni con la cooperación—. Los toneles se sellaron para que no entrara polvo ni agua, ¿comprendéis? Si se rompe la tapa, aquí no me será posible volver a sellarla de nuevo con cera.

El resto de la columna llegó a la altura de la carreta y empezó a pasar en medio de una nube de polvo; los carreteros eran hombres vulgares y corrientes, vestidos con ropas toscas, pero los soldados cabalgaban muy estirados y sosteniendo las largas lanzas inclinadas en el mismo ángulo preciso. Aun cuando tenían los rostros sudorosos y cubiertos de polvo, ofrecían una estampa imponente, de hombres aguerridos. Sólo los carreteros miraron de soslayo a Nynaeve y a los demás.

El teniente agitó la mano, enfundada en guantelete, para retirarse el polvo de la cara y después hizo un ademán al hombre que estaba en la parte posterior de la carreta. Sus ojos no se apartaron de Nynaeve un solo momento.

—¿Venís de Tanchico?

La mujer asintió, la perfecta imagen de cooperación y franqueza.

—Sí, capitán, de Tanchico.

—¿Qué noticias tenéis de la ciudad? Han corrido ciertos rumores.

—¿Rumores, capitán? Cuando nos marchamos, apenas si había orden. La ciudad está rebosante de refugiados, y la campiña de rebeldes y bandidos. El comercio apenas si existe. —Era la pura y simple verdad—. Ésa es la razón de que estos tintes puedan alcanzar un precio muy bueno. No habrá más tintes taraboneses disponibles durante bastante tiempo, creo.

—No me importan los refugiados ni el comercio ni los tintes, mercader —replicó el oficial con un tono impasible—. ¿Continuaba Andric en el trono?

—Sí, capitán. —Evidentemente, había corrido el rumor de que alguien había tomado Tanchico y suplantado al rey, y puede que hubiera ocurrido así. Pero ¿quién? ¿Uno de los nobles rebeldes que luchaban entre sí con tanta saña como contra Andric o los seguidores del Dragón, que habían jurado vasallaje al Dragón Renacido sin haberlo visto siquiera?—. Andric seguía siendo el rey y Amathera la Panarch cuando nos marchamos.

Los ojos del oficial manifestaban claramente que lo que Nynaeve decía quizá fuera cierto y quizá no.

—Se dice que las brujas de Tar Valon estaban involucradas. ¿Visteis alguna Aes Sedai u oíste hablar de ellas?

—No, capitán —se apresuró a contestar. El anillo de la Gran Serpiente parecía estar al rojo vivo en contacto con su piel. Cincuenta Capas Blancas a dos pasos; una tormenta de polvo no serviría de nada esta vez, y, para ser sincera, aunque intentara negarlo, Nynaeve estaba más asustada que furiosa—. Una simple mercader no se mezcla con esta clase de gente. —Él asintió y Nynaeve se arriesgó a hacer una pregunta. Valía todo para cambiar de tema—. Por favor, capitán, decidme: ¿hemos entrado ya en Amadicia?

—La frontera está cinco millas más al este —respondió—. De momento. El primer pueblo al que llegaréis será Mardecin. Cumplid la ley y no tendréis problemas. Allí hay una guarnición de los Hijos. —Hablaba como si la guarnición al completo fuera a ocuparse de que guardaran las normas.

—¿Estáis aquí para desplazar la frontera? —inquirió Elayne con cortante frialdad. Nynaeve habría querido estrangularla.

Los hundidos ojos del oficial se volvieron hacia la joven y la observaron con desconfianza.

—Disculpadla, señor capitán —se apresuró a intervenir Nynaeve—. Es hija de mi hermana mayor y cree que tendría que haber nacido en una casa noble. Además, es incapaz de mantenerse alejada de los chicos. Por eso es por lo que su madre la ha mandado conmigo. —El indignado respingo de Elayne resultó perfecto. Y probablemente también era real. Nynaeve supuso que no tendría que haber añadido lo de los chicos, pero parecía muy apropiado.

El Capa Blanca la observó de hito en hito un instante más.

—El capitán general nos envía con víveres para Tarabon —dijo después—. De otro modo, las sabandijas tearianas cruzarían nuestra frontera y robarían todo lo que pudieran masticar. Id con la Luz —añadió antes de poner a galope su caballo para alcanzar la cabeza de la columna. No era una sugerencia ni una bendición.

Thom puso en marcha la carreta tan pronto como el oficial se hubo marchado, pero todos guardaron silencio, salvo alguna que otra tos, hasta que pusieron una buena distancia entre ellos y el último soldado y el polvo de las carretas.

Nynaeve bebió un poco de agua para mojarse la garganta y le tendió el recipiente a Elayne.

—¿A qué venía esa actitud de antes? —demandó—. No estamos en el salón del trono de tu madre, ¡y tampoco ella te lo habría permitido!

La joven terminó el agua que quedaba en la cantimplora antes de dignarse contestar.

—Te estabas arrastrando, Nynaeve. —Adoptó un timbre agudo para añadir con fingido servilismo—: Soy una chica muy buena y obediente, capitán. ¿Me permitís que os bese las botas, capitán?

—¡Se supone que somos mercaderes, no princesas disfrazadas!

—¡Una mercader no tiene por qué mostrarse tan servil!

—¡Tampoco mirar a cincuenta Capas Blancas armados con altivez! ¿O piensas que habríamos podido superarlos a todos ellos con el Poder, de ser necesario? —¿Por qué le dijiste que era incapaz de estar alejada de los chicos? ¡Eso estaba de sobra, Nynaeve!

—¡Callaos las dos antes de que regresen para ver cuál de vosotras está matando a la otra! —gritó de repente Thom.

Nynaeve se giró sobre el pescante para mirar hacia atrás antes de caer en la cuenta de que los Capas Blancas estaban demasiado lejos para oír los gritos. Bueno, a lo mejor había chillado demasiado, y no le servía como justificación el que Elayne hubiera hecho lo mismo. Se aferró la coleta con fuerza y asestó una mirada furibunda al juglar, pero Elayne se apretó contra el brazo del hombre y ronroneó:

—Tienes razón, Thom. Lamento haber levantado la voz.

Juilin los observaba de reojo, con disimulo, pero era suficientemente juicioso para mantener lo bastante alejado su caballo y no enredarse en la discusión.

Nynaeve soltó la coleta antes de arrancársela de raíz, se colocó bien el sombrero y se sentó erguida, mirando al frente. Lo que quiera que le hubiera ocurrido a la muchacha, iba siendo hora de hacerle recobrar el buen juicio.

Únicamente dos altos pilares de piedra que flanqueaban el camino señalaban la frontera entre Tarabon y Amadicia. Sólo ellos transitaban por la calzada. Las colinas que salpicaban el paisaje fueron haciéndose más altas de manera gradual, pero, por lo demás, el panorama apenas cambió, prolongándose los pastos amarillentos y las arboledas con escasas tonalidades verdes salvo por las encinas y otros árboles de hoja perenne. Los campos cercados con vallas de piedra y las granjas techadas con bálago salpicaban las laderas de las colinas y las cañadas, pero tenían aspecto de estar abandonados. No salía humo por las chimeneas, no había hombres trabajando en los labrantíos, no se veían vacas ni ovejas. A veces, unas cuantas gallinas escarbaban en el patio de alguna granja, cerca de la calzada, pero se escabullían al ver aproximarse la carreta; al parecer se habían vuelto salvajes. Con guarnición de Capas Blancas o no, por lo visto nadie estaba dispuesto a correr el riesgo de sufrir ataques de bandidos taraboneses a tan corta distancia de la frontera.

Cuando divisaron Mardecin desde la cumbre de un altozano, al sol todavía le faltaba mucho recorrido para alcanzar su cenit. Con casi una milla de extensión, la ciudad en lontananza parecía demasiado grande para llamarla pueblo; a caballo entre dos colinas, sobre un arroyo que salvaba un puente, tenía tantos tejados de pizarra como de bálago y un considerable bullicio en las amplias calles.

—Necesitamos comprar víveres —dijo Nynaeve—, pero debemos hacerlo con rapidez. Así habremos cubierto un buen trecho antes de que caiga la noche.

—Estamos cansados, Nynaeve —adujo Thom—. Llevamos casi un mes viajando desde que amanece hasta que no queda luz. Un día de descanso no supondrá mucho retraso en llegar a Tar Valon. —Él no parecía cansado. Lo más probable era que tuviera muchas ganas de tocar el arpa y la flauta en alguna taberna y conseguir que los hombres lo invitaran a vino.

—No me importaría tomarme un día de descanso para caminar en vez de cabalgar —intervino Juilin, que finalmente había acercado su montura a la carreta—. No sé qué es peor, si esta silla de montar o el pescante de la carreta.

—Creo que deberíamos buscar una posada —manifestó Elayne mientras alzaba la vista hacia Thom—. Estoy harta de dormir debajo de la carreta, y me encantaría escuchar tus historias en la sala.

—Unos mercaderes con una sola carreta son poco más que buhoneros —espetó firmemente Nynaeve—. No pueden permitirse el lujo de pagarse una posada en una ciudad como ésta.

Ignoraba si tal cosa era cierta o no, pero a despecho de su propio deseo de tomar un baño y dormir entre sábanas limpias, no estaba dispuesta a pasar por alto el que la muchacha hubiera dirigido su sugerencia a Thom. Por ello, hasta que las palabras no salieron de su boca no se dio cuenta de que había cedido ante Thom y Juilin. «Un día de descanso no nos vendrá mal. Todavía nos espera un largo camino hasta Tar Valon.»

Ojalá hubiera insistido en lo del barco. Con una embarcación rápida —un bergantín de los Marinos— habrían llegado a Tear en un tercio de tiempo de lo que habían tardado en cruzar Tarabon; bastaba con que soplara buen viento, lo cual «no entrañaba problema teniendo una Detectora de Vientos Atha'an Miere adecuada, e incluso, llegado el caso, Elayne o ella podrían haberse ocupado de hacerlo. Los tearianos sabían que las dos eran amigas de Rand, y esperaba que el miedo de ofender al Dragón Renacido todavía los hiciera sudar a mares; ellos les habrían proporcionado un carruaje y una escolta para el viaje a Tar Valon.

—Encontrad un lugar donde acampar —dijo de mala gana. Tendría que haber insistido en lo del barco. A estas alturas podrían haber estado de vuelta en la Torre.

9

UNA SEÑAL

N ynaeve no pudo menos de admitir que entre Thom y Juilin habían elegido un buen lugar para acampar, en una pequeña arboleda que crecía en una ladera oriental, cubierta de hojas muertas, a poco menos de una milla de Mardecin. Unos cuantos cornejos y una especie de pequeño sauce llorón hacían invisible la carreta desde la calzada y la ciudad; un arroyuelo de dos pies de anchura caía desde un afloramiento rocoso, cerca de la cima de un montículo, y corría por el centro de un cauce de barro seco y el doble de ancho. Había suficiente agua para cubrir sus necesidades. Incluso se estaba un poco más fresco debajo de los árboles, con una ligera y agradable brisa.

Los dos hombres dieron de beber a los animales, los condujeron un poco más arriba de la ladera, donde quedaba algo de pasto, y les trabaron las patas; una vez que acabaron esta tarea, se jugaron a cara o cruz cuál de ellos iba a Mardecin con el desgarbado castrado para comprar lo que necesitaban. Lo de lanzar la moneda al aire era una especie de ritual que habían tomado por costumbre. Thom, cuyos ágiles dedos estaban habituados a los juegos de manos, no perdía nunca cuando lanzaba él la moneda, así que ahora siempre lo hacía Juilin.

De todos modos, Thom volvió a ganar y, mientras desensillaba a *Furtivo*, Nynaeve metió la cabeza debajo del pescante de la carreta y retiró una tabla ayudándose con la punta de su cuchillo. Además de dos pequeños cofres dorados que contenían las joyas regaladas por Amathera, en el escondrijo había varias bolsas de cuero llenas a reventar con monedas. La Panarch se había mostrado más que generosa en su deseo de verlas partir. En comparación, las otras cosas guardadas en el compartimiento secreto parecían fruslerías: una cajita de madera oscura, pulida pero sin tallas, y una bolsa de gamuza en la que se marcaba la forma de un disco. La caja contenía los dos *ter'angreal* que habían recuperado del Ajah Negro, ambos vinculados con los sueños, y la bolsa... Ése era el trofeo que habían obtenido en Tanchico, uno de los sellos de la prisión del Oscuro.

A pesar de lo mucho que deseaba saber si Siuan Sanche quería que fueran a dar caza al Ajah Negro, el sello era el motivo de la ansiedad de Nynaeve para llegar cuanto antes a Tar Valon. Cogió unas cuantas monedas de una de las hinchadas bolsas; cuanto más tiempo tenía el disco en su poder, más anhelaba entregárselo a la Amyrlin y librarse de la responsabilidad. A veces, cuando estaba cerca del objeto, tenía la sensación de que percibía al Oscuro intentando escapar.

Despidió a Thom entregándole un puñado de monedas de plata y advirtiéndole que comprara fruta y verdura; cualquiera de los dos hombres era muy capaz de adquirir únicamente carne y alubias si se les dejaba que hicieran las cosas a su modo. La cojera de Thom al encaminarse hacia la calzada llevando de las riendas al caballo, la hizo encogerse; era una vieja lesión y, según Moraine, ya no podía hacerse nada para remediarla. Eso la sacaba de quicio, no poder hacer nada.

Cuando se había marchado de Dos Ríos fue con el propósito de proteger a unos jóvenes de su pueblo a quienes se había llevado una Aes Sedai en mitad de la noche. Había ido a la Torre albergando todavía la esperanza de que aún estaba en sus manos ampararlos y también con el deseo de hacer pagar a Moraine lo que había hecho. Desde entonces el mundo había cambiado. O quizás era que ella lo veía desde otra perspectiva. «No, no soy yo quien ha cambiado. Sigo siendo la misma; lo diferente es todo lo demás.»

Ahora se trataba de hacer todo lo posible para protegerse a sí misma. Rand era lo que era, sin vuelta atrás; Egwene recorría ansiosamente el camino elegido por ella misma, sin permitir que nada ni nadie la apartara de él aunque la condujera a un precipicio; y Mat se las había ingeniado para pensar sólo en mujeres, juergas y juego. Para su desagrado, en ocasiones entendía y compadecía a Moraine. Por lo menos Perrin había regresado a casa, o eso le había contado Egwene, quien lo sabía por Rand; a lo mejor Perrin estaba a salvo.

Perseguir al Ajah Negro era justo y satisfactorio —y también aterrador, aunque procuraba disimular esto último; era una mujer adulta, no una chiquilla que necesitaba esconderse tras las faldas de su madre—, pero no era el motivo principal de que siguiera dándose de cabeza contra una pared, de que continuara intentando aprender el uso del Poder cuando casi siempre era tan incapaz de encauzar como Thom. La razón era el Talento llamado Curación. Como Zahorí de Campo de Emond había sido gratificante llevar al Círculo de Mujeres hacia su forma de pensar —sobre todo si se tenía en cuenta que la mayoría era lo bastante mayor para ser su madre; con pocos años más que Elayne, se había convertido en la Zahorí más joven que había tenido nunca todo Dos Ríos—, y aun más grato había sido comprobar que el Consejo del Pueblo actuaba correctamente a pesar de ser unos hombres tozudos donde los hubiera. Empero, la mayor satisfacción la había obtenido siempre del hecho de dar con la combinación de hierbas indicada para sanar una dolencia. Pero curar con el Poder Único... Lo había hecho, con la torpeza de la novata, para sanar lo que jamás habría sanado con sus otros conocimientos. La alegría fue tanta que se había puesto a llorar. Algún día, iba a curar a Thom y lo vería bailar. Algún día, curaría incluso aquella herida del costado de Rand. Estaba segura de que no había nada que no pudiera curarse si la mujer que manejaba el Poder tenía la suficiente decisión.

Cuando perdió de vista a Thom, Nynaeve se volvió y vio que Elayne había llenado de agua el balde que iba colgado del fondo de la carreta y se arrodillaba para lavarse las manos y la cara, con una toalla encima de los hombros para evitar que se mojara el vestido. Eso era algo que también le apetecía hacer a ella. Con este calor, a veces resultaba agradable lavarse en las frías aguas de un arroyo. A menudo no habían dispuesto de más agua que la que transportaban en los barriles, y la necesitaban para beber y para cocinar antes que para asearse.

Juilin estaba sentado con la espalda apoyada en una de las ruedas de la carreta, con su vara de clara madera segmentada, del grosor de un pulgar, recostada cerca, a su alcance. Tenía gacha la cabeza, con aquel estúpido gorro inclinado de forma precaria sobre los ojos, pero dudaba que nadie, ni siquiera un hombre, estuviera dormido a esta hora de la mañana. Había ciertas cosas que ni él ni Thom sabían, y que era mejor que no las supieran.

La espesa alfombra de hojas muertas crujió bajo su peso cuando se sentó cerca de Elayne.

—¿Crees que Tanchico habrá caído realmente? —La joven se frotaba suavemente el rostro con un paño jabonoso y no contestó. Nynaeve volvió a intentarlo—. Me parece que las Aes Sedai a las que se refería el Capa Blanca éramos nosotras.

—Tal vez. —El tono de Elayne era frío, un pronunciamiento hecho desde el trono. Sus azules ojos semejaban un pedazo de hielo; no miró a Nynaeve—. O quizá los rumores de lo que hicimos se mezclaron con los de otros acontecimientos. No sería descabellado imaginar que Tarabon tiene un nuevo rey y una nueva Panarch.

Nynaeve controló el genio y mantuvo las manos lejos de la coleta; en cambio las entrelazó alrededor de las rodillas. «Lo que tratas de hacer es congraciarte con ella, así que ¡cuidado con lo que dices!», se increpó para sus adentros.

—Amathera era difícil, pero no le deseo ningún mal. ¿Y tú?

—Guapa mujer —dijo Juilin—, sobre todo con uno de esos vestidos taraboneses de camarera. Con una bonita sonrisa. Pensé que la...

Al advertir que Elayne y ella lo observaban duramente, se apresuró a calar aun más el gorro y volvió a simular que dormía. Las dos mujeres intercambiaron una mirada cómplice y comprendieron que las dos pensaban lo mismo: «¡Hombres!».

—Lo que quiera que haya pasado con Amathera ya no nos incumbe, Nynaeve. —Elayne hablaba con un tono más normal y no parecía estar tan absorta en el aseo—. Le deseo lo mejor, pero ante todo espero que el Ajah Negro no nos esté persiguiendo. Quiero decir, que no venga detrás.

Juilin rebulló con inquietud aunque no levantó la cabeza; todavía no estaba acostumbrado a la idea de que el Ajah Negro era algo real y no una simple hablilla.

«Tendría que estar alegre por no saber lo que sabemos nosotras.» Nynaeve tuvo que admitir que su razonamiento era ilógico; pero, si Juilin hubiera estado enterado de que los Renegados andaban libres por el mundo, ni siquiera la estúpida orden de Rand de que cuidara de Elayne y de ella habría impedido que echara a correr. No obstante, a veces resultaba útil. Él y Thom, los dos. Había sido Moraine quien había empujado a este último a acompañarlas, y el hombre tenía muchos conocimientos mundanos para ser un simple juglar.

—Si nos hubieran seguido, ya nos habrían dado alcance a estas alturas. —Eso era indiscutible, considerando la lentitud con que avanzaba la carreta—. Con un poco de suerte, todavía no saben dónde estamos.

Elayne asintió seriamente, aunque pasado ya su enojo, y empezó a aclararse la cara. A veces era tan terca como una mujer de Dos Ríos.

—Tanto Liandrin como la mayoría de sus compinches seguramente escaparon de Tanchico. Incluso puede que lo hicieran todas. Y todavía ignoramos quién da órdenes desde la Torre al Ajah Negro. Como diría Rand, todavía lo tenemos pendiente, Nynaeve.

A despecho de sí misma, Nynaeve se encogió. Cierto, tenían una lista de once nombres; pero, cuando estuvieran de vuelta en la Torre, casi cualquier Aes Sedai con la que hablaran podría pertenecer al Ajah Negro. O cualquier mujer que encontraran en la calzada. Ya puestos, cualquier persona que se cruzara con ellas podía ser un Amigo Siniestro, pero eso era distinto, y mucho.

—Más que por el Ajah Negro —continuó Elayne—, me preocupo por Mo... —Calló cuando Nynaeve le puso la mano en el brazo y señaló con un gesto a Juilin. Elayne tosió y prosiguió como si hubiese sido eso lo que la había interrumpido—: Por Morgase, mi madre. No tiene razón para apreciarte, más bien todo lo contrario.

—Morgase está muy lejos de aquí. —Nynaeve se alegró de que su voz sonara firme. No hablaban de la madre de Elayne, sino de la Renegada a la que había derrotado. Una parte de ella deseaba que Moghedien realmente estuviera muy, muy lejos.

—Pero ¿y si no es así?

—Lo es —aseguró Nynaeve con firmeza, pero todavía sentía un incómodo escalofrío en la espalda. Otra parte de ella, la que recordaba la humillación que había sufrido a manos de la Renegada, ansiaba enfrentarse de nuevo a esa mujer, volver a derrotarla, y esta vez de manera definitiva. El inconveniente era que Moghedien la pillara por sorpresa, cuando no estuviera lo bastante furiosa para poder encauzar. Ni que decir tiene que lo mismo rezaba para el resto de las hermanas del Ajah Negro, aunque, después de la derrota sufrida en Tanchico, Moghedien tenía razones personales para odiarla. No era en absoluto agradable pensar que una de las Renegadas sabía el nombre de uno y que seguramente quería su cabeza. «Eso no es más que pura cobardía —se reprendió con aspereza—. Y tú no eres cobarde y nunca lo serás.» Tal razonamiento no hizo desaparecer el cosquilleo que sentía entre los hombros cada vez que pensaba en Moghedien, como si la mujer estuviera a su espalda, mirándola.

—Supongo que estar alerta esperando que unos bandidos salten sobre nosotras me ha puesto nerviosa —dijo Elayne en tono coloquial mientras se secaba el rostro con la toalla—. Vaya, pero si, últimamente, hasta cuando «sueño» tengo a veces la impresión de que hay alguien vigilándome.

Nynaeve dio un respingo al oír aquellas palabras que eran fiel reflejo de sus temores, pero entonces comprendió el ligero énfasis puesto por la joven en la palabra «sueño». No se refería a un sueño normal, sino al *Tel'aran'rhiod*. Otra cosa que los dos hombres ignoraban. También ella había tenido la misma sensación; claro que, en el Mundo de los Sueños, a menudo daba la impresión de que había unos ojos espiando. Aunque resultara desagradable, ya habían hablado sobre ello antes.

—Bueno, tu madre no está en nuestros sueños, Elayne —repuso, obligándose a hablar con ligereza— o de otro modo nos habría arrastrado a las dos por la oreja. —Seguramente Moghedien las torturaría hasta que clamaran pidiendo la muerte. O prepararía un círculo de trece hermanas Negras y trece Myrddraal; de ese modo podían hacer a alguien aliado con la Sombra en contra de su voluntad, vinculándolo al Oscuro. Quizá Moghedien podía hacerlo por sí misma, sin ayuda... «¡No seas ridícula, mujer! Si pudiera, ya lo habría hecho. Además la venciste, ¿recuerdas?»

—Espero sinceramente que no —contestó la joven.

—¿Piensas darme la oportunidad de asearme? —dijo Nynaeve con irritación. Una cosa era congraciarse con la muchacha, pero otra muy distinta hablar tanto sobre Moghedien. La Renegada tenía que estar en alguna parte, muy lejos; no les habría permitido llegar tan lejos si supiera dónde se encontraban. «¡Quiera la Luz que eso sea cierto!»

La misma Elayne vació y llenó el balde; generalmente era una chica muy agradable, cuando recordaba que no se encontraba en el Palacio Real de Caemlyn. Y cuando no se comportaba como una idiota. De eso se ocuparía Nynaeve una vez que Thom hubiera regresado.

Después de que la antigua Zahorí hubo disfrutado de un refrescante y pausado lavado de cara y de manos, se puso a organizar el campamento y mandó a Juilin que partiera ramas secas de los árboles para encender una lumbre. Para cuando Thom estuvo de vuelta con dos cestos de mimbre cargados a lomos del castrado, las mantas de Elayne y de ella ya estaban preparadas debajo de la carreta, y las de los dos hombres, bajo las ramas de uno de los sauces; había un buen montón de leña, el cazo con agua caliente estaba apartado, enfriándose, junto a las cenizas de un fuego prendido en un círculo limpio de hojas, y las bastas tazas de loza ya habían sido lavadas. Juilin rezongaba entre dientes mientras cogía agua del pequeño arroyo para rellenar los barriles. A juzgar por los retazos que Nynaeve llegó a escuchar, se alegró de que el resto quedara reducido a un murmullo inaudible. Encaramada a una de las lanzas de la carreta, Elayne no ponía mucho empeño en ocultar su interesado intento de descifrar lo que mascullaba el hombre. Tanto ella como Nynaeve se habían puesto vestidos limpios al otro lado de la carreta, dando la casualidad de que habían intercambiado los colores.

Después de atar una traba a las patas del castrado, Thom descargó los pesados cestos sin esfuerzo y empezó a sacar el contenido.

—Mardecin no es tan próspera como parece a distancia. —Soltó en el suelo una bolsita de malla con manzanas, y otra con un tipo de verdura de color oscuro—. Sin haber comercio en Tarabon, la ciudad está decayendo. —El resto parecía ser todo sacos de alubias, nabos, carne curada con pimienta y jamones curados con sal. Y también una botella de arcilla gris, sellada con cera, que Nynaeve estaba segura de que contenía brandy; los dos hombres habían protestado porque no tenían algo para echar un trago mientras fumaban sus pipas por las noches.

»Apenas se pueden dar más de seis pasos sin tropezar con uno o dos Capas Blancas. La guarnición consta de unos cincuenta hombres, instalados en barracones levantados en una de las colinas de la ciudad, en el extremo más alejado del puente. Era mucho más numerosa antes, pero al parecer Pedron Niall está trasladando Capas Blancas de todas partes a Amador. —Se atusó los largos bigotes con gesto pensativo—. No entiendo qué se trae entre manos. —A Thom no le gustaba ignorar esos detalles; por lo general, le bastaba estar unas pocas horas en un sitio para empezar a desentrañar las relaciones entre la nobleza y las casas de mercaderes, las alianzas, las intrigas y las maquinaciones que constituían lo que se había dado en llamar el Juego de las Casas.

»Abundan los rumores de que Niall intenta impedir una guerra entre Illian y Altara o quizás entre Illian y Murandy. Ése no es motivo para que agrupe soldados en la capital. Sin embargo, os diré una cosa: dijera lo que dijera ese teniente, es un impuesto real lo que ha pagado los víveres que se mandan a Tarabon, y la gente está descontenta; no le gusta soportar tributos para alimentar a los taraboneses.

—El rey Ailron y el capitán general no nos conciernen —dijo Nynaeve mientras examinaba lo que Thom había comprado. ¡Tres jamones salados!—. Cruzaremos Amadicia tan rápida y discretamente como nos sea posible. Quizás Elayne y yo tengamos más suerte que tú en encontrar verduras. ¿Te apetece dar un paseo, Elayne?

La joven se puso de pie de inmediato, se alisó los pliegues de la falda y cogió el sombrero de la carreta.

—Será muy agradable, después de aguantar tanto tiempo la dureza del pescante. Sería distinto si Thom o Juilin me dejaran turnarme con ellos a lomos de *Furtivo* más a menudo. —Por una vez, no miró al juglar con coquetería, lo que ya era algo.

Los dos hombres intercambiaron una mirada, y el rastreador teariano sacó una moneda del bolsillo de su chaqueta, pero Nynaeve no le dio oportunidad de lanzarla.

—No necesitamos compañía. Difícilmente hallaremos problemas de ningún tipo con tantos Capas Blancas rondando por ahí. —Se plantó el sombrero en la cabeza, ató el pañuelo debajo de la barbilla y les asestó una firme mirada—. Además, hay que guardar todas esas cosas que compró Thom.

Los hombres asintieron; lenta, renuentemente, pero lo hicieron. A veces se tomaban su papel de protectores con excesiva seriedad.

Elayne y ella llegaron a la desierta calzada y echaron a andar junto al borde del camino, sobre la rala hierba, para no levantar polvo, antes de que se le ocurriera la forma de sacar a colación el tema del que quería hablar. Empero, Elayne se le adelantó antes de que pudiera decir nada.

—Evidentemente, querías hablar conmigo a solas, Nynaeve. ¿Es respecto a Moghedien?

Nynaeve parpadeó y miró de soslayo a la joven. Buena cosa recordar que Elayne no tenía nada de tonta. Sólo actuaba como si lo fuera. La antigua Zahorí decidió controlar bien su genio; esto ya iba a ser bastante difícil para permitir que acabara en una bronca.

—De ese asunto no, Elayne. —La muchacha era partidaria de incluir a Moghedien en la persecución de las hermanas negras. Por lo visto no se daba cuenta de la diferencia que había entre la Renegada y, por ejemplo, Liandrin o Chesmal—. Pensé que deberíamos discutir tu comportamiento con Thom.

—No sé a qué te refieres —manifestó Elayne, que mantenía la vista al frente, hacia la ciudad, aunque los colores habían teñido sus mejillas de manera repentina, poniendo en evidencia su mentira.

—No solamente es lo bastante mayor para ser tu padre e incluso tu abuelo, sino que...

—¡El no es mi padre! —espetó Elayne—. ¡Mi padre era Taringail Damodred, un príncipe de Cairhien y Primer Príncipe de la Espada de Andor! —Enderezándose innecesariamente el sombrero, continuó en un tono más comedido, aunque no en exceso—: Lo lamento, Nynaeve, no era mi intención gritar.

«Contrólate», se recordó la otra mujer.

—Creí que estabas enamorada de Rand —dijo, obligándose a adoptar un tono sosegado aunque no le resultó fácil—. Los mensajes que me encargaste que transmitiera a Egwene para que ella a su vez se los diera a Rand lo daban a entender así, sin duda. Confío en que tú le dijeras lo mismo.

El rubor de la joven aumentó.

—Lo amo, pero... Está muy lejos, Nynaeve. En el Yermo, rodeado de miles de Doncellas Lanceras que saltan para cumplir cualquier deseo suyo. No puedo verlo ni hablar con él ni tocarlo. —Su voz se fue haciendo un susurro conforme hablaba.

—No creerás que va a fijarse en una Doncella —adujo Nynaeve con incredulidad—. Es un hombre, pero no tan inconstante como para hacer algo así. Y, además, una de ellas lo atravesaría con la lanza si la mirara con esas intenciones, aunque sea el del Alba o comoquiera que lo llamen. En fin, Egwene dice que Aviendha lo está vigilando en tu nombre.

—Lo sé, pero... Tendría que haberme asegurado de que supiera que lo amaba. —En la voz de Elayne había una gran decisión. Y preocupación—. Debí habérselo dicho claramente.

Nynaeve no había prestado atención a ningún hombre antes de conocer a Lan, al menos seriamente, pero había observado y aprendido mucho como Zahorí; de esas observaciones, había llegado a la conclusión de que no había un modo más rápido que aquél para hacer que un hombre saliera corriendo por pies, a no ser que fuere él quien lo dijera primero.

—Creo que Min tuvo una visión sobre Rand y sobre mí —continuó Elayne—. Siempre solía bromear respecto a tener que compartirlo, pero creo que no era ninguna broma y que fue incapaz de decir lo que vio realmente.

—Desde luego eso es ridículo. —Lo era, indudablemente. Aunque en Tear Aviendha le había hablado de una repugnante costumbre Aiel... «Tú compartes a Lan con Moraine», insinuó una vocecilla dentro de su cabeza. «¡Eso es completamente diferente!», replicó con prontitud—. ¿Estás segura de que Min tuvo una de sus visiones?

—Sí. Al principio no tenía la certeza, pero cuanto más pienso en ello más convencida estoy de que es así. Bromeaba respecto a ello demasiado a menudo para referirse a otra cosa.

Bien, hubiera visto lo que hubiera visto Min, Rand no era Aiel. Quizá su ascendencia lo era, como proclamaban las Sabias, pero se había criado en Dos Ríos, y ella no estaba dispuesta a consentir que adquiriera costumbres indecentes. Y dudaba que Elayne se lo permitiera—. ¿Acaso es ésa la razón de que hayas estado... —Iba a decir «provocando» pero prefirió suavizar la frase—, insinuándote con Thom?

Elayne la miró de soslayo; de nuevo sus mejillas habían enrojecido.

—Hay mil leguas entre Rand y yo, Nynaeve. ¿Crees que él se priva de tontear con otras mujeres? «Un hombre es un hombre, tanto si está en un trono como en una pocilga.» —Tenía un amplio repertorio de dichos populares aprendidos de su niñera, una mujer de mente despierta llamada Lini a quien Nynaeve esperaba conocer algún día.

—Bueno, no veo por qué tienes que coquetear sólo porque creas que Rand puede estar haciéndolo. —Se contuvo a tiempo de no mencionar otra vez la edad de Thom. «Lan también tiene edad para ser tu padre», murmuró aquella vocecilla interior. «Amo a Lan. Si fuera capaz de encontrar el modo de liberarlo de Moraine... ¡Ése no es el tema que tenemos entre manos!»—. Thom es un hombre con secretos, Elayne. Recuerda que Moraine le mandó acompañarnos. Sea quien sea, desde luego no es un simple juglar.

—Fue un gran hombre —musitó Elayne—. Y podría haberlo sido más de no interferir el amor.

Aquello acabó con el control de Nynaeve, que se dejó llevar por el genio; se volvió hacia la joven y la agarró por los hombros.

—¡No sabe si ponerte sobre sus rodillas y darte una azotaina o... o... trepar a un árbol!

—Lo sé. —Elayne soltó un suspiro de frustración—. Pero no se me ocurre qué otra cosa puedo hacer.

Nynaeve rechinó los dientes por el esfuerzo de no empezar a sacudirla violentamente.

—¡Si tu madre se entera de esto mandará a Lini para que te lleve a rastras de la oreja y te meta de nuevo en el cuarto de niños!

—Ya no soy una chiquilla, Nynaeve. —La voz de Elayne sonaba tensa, y el rubor que le teñía las mejillas ya no era a causa del azoramiento—. Soy tan mujer como mi madre.

La antigua Zahorí echó a andar de nuevo hacia Mardecin, apretando la coleta con tanta fuerza que le dolían los nudillos. Elayne la alcanzó después de que hubiera dado varias zancadas.

—¿De verdad vamos a comprar verduras? —Su gesto era sereno y el tono de su voz, despreocupado.

—¿Viste lo que trajo Thom? —preguntó secamente Nynaeve.

—Tres jamones. —Elayne se estremeció—. ¡Y esa horrible carne curada con pimienta! ¿Es que los hombres no comen nada más que carne si no se lo ponen delante de las narices?

El malhumor de Nynaeve se apaciguó a medida que caminaban y charlaban de las flaquezas del sexo más débil —los varones, por supuesto— y otros temas por el estilo. No le desapareció por completo, claro está. Le gustaba Elayne y disfrutaba con su compañía; en ocasiones parecía que fuera de verdad la hermana de Egwene, como a veces se llamaban entre ellas. Pero no cuando Elayne actuaba como una niña malcriada queriendo llamar la atención. Thom podría poner fin a esta situación, naturalmente, pero el viejo necio la consentía como un padre afectuoso a su hija preferida, incluso cuando no sabía si echarle un rapapolvo o desmayarse. De un modo u otro, Nynaeve estaba dispuesta a llegar al fondo del asunto, y no por bien de Rand, sino porque esta forma de proceder no era propia de Elayne. Era como si hubiera contraído una rara enfermedad. Y ella se proponía curarla.

Las calles de Mardecin estaban pavimentadas con láminas de granito que aparecían desgastadas por el paso de pies y ruedas de carretas a lo largo de generaciones, y todos los edificios eran de ladrillo o de piedra. Algunos de ellos estaban deshabitados, sin embargo, ya fueran viviendas o tiendas, a veces con la puerta principal abierta de manera que Nynaeve podía ver el vacío interior. Contó tres herrerías, de las que dos estaba abandonadas, y en la tercera un herrero frotaba desganadamente sus herramientas con aceite mientras que la forja permanecía apagada. Una posada con el tejado de pizarra, en donde los hombres estaban sentados con gesto taciturno en unos bancos colocados ante la fachada, tenía varias ventanas rotas; en otra, el establo anexo tenía las puertas medio arrancadas de los goznes, y en el patio sólo se veía un polvoriento carruaje, en cuyo alto pescante estaba anidando una gallina abandonada. En esta última había alguien tocando una canción; parecía *La garza en el ala,* pero sonaba desanimada. La puerta de otra posada aparecía atrancada con dos planchas de madera sujetas con clavos.

Las calles se hallaban abarrotadas de gente, pero se movía como desganada, agobiada por el calor; los embotados semblantes ponían de manifiesto que estas personas no tenían realmente una razón para moverse ni poco ni mucho aparte de hacerlo por costumbre. Muchas mujeres llevaban una especie de toca que casi les ocultaba el rostro, y sus vestidos estaban desgastados por el repulgo; no pocos hombres tenían raídos los cuellos y los puños de sus chaquetas.

Efectivamente, había Capas Blancas deambulando por las calles, y, aunque no eran tantos como había dando a entender Thom, sí que había de sobra. Nynaeve contenía la respiración cada vez que advertía que un hombre con prístina capa y brillante armadura se quedaba mirándola. Sabía que no había trabajado con el Poder tanto tiempo como para adquirir la apariencia intemporal de las Aes Sedai, pero aquellos tipos podrían intentar matarla —una bruja de Tar Valon, una proscrita en Amadicia— si albergaban la menor sospecha de que estuviera relacionada con la Torre Blanca. Caminaban a largas zancadas entre la muchedumbre, por lo visto ajenos a la evidente pobreza que los rodeaba. La gente se apartaba respetuosamente para dejarles paso, recibiendo a cambio una ligera inclinación de cabeza, como mucho, y a menudo un severo y pío «Id con la Luz».

Haciendo caso omiso de los Hijos de la Luz lo mejor que podía, Nynaeve se enfrascó en encontrar verduras y frutas frescas; pero, para cuando el sol alcanzó su cenit cual una bola abrasadora cuyos ardientes rayos traspasaban las tenues nubes, Elayne y ella habían deambulado a ambos lados del puente y entre ambas habían conseguido un puñado de guisantes, algunos rábanos diminutos, unas cuantas peras duras y una cesta para llevarlo todo. A lo mejor Thom sí que había buscado. En esa época del año, los puestos y carros deberían haber estado llenos de productos estivales, pero la mayor parte de lo que vieron eran patatas y nabos amontonados que habían conocido mejores tiempos. Recordando todas aquellas granjas abandonadas en las cercanías de la ciudad, Nynaeve se preguntó cuántas de estas personas conseguirían sobrevivir al invierno. Siguieron caminando.

Colgado boca abajo junto a la puerta de la tienda de una modista había un ramo de lo que parecía genista, con pequeñas flores amarillas, los tallos liados a todo lo largo con una cinta blanca y después atados con otra de color amarillo, una de cuyas puntas colgaba suelta. Uno podría imaginar que era el fútil intento de una mujer de poner un detalle decorativo para alegrar unos malos tiempos. Sin embargo, Nynaeve tenía la certeza de que no se trataba de eso.

Se detuvo junto a un establecimiento cerrado, con un cuchillo dibujado en el letrero que todavía colgaba sobre la puerta, y simuló estar quitándose una china del zapato mientras examinaba furtivamente la tienda de la modista. La puerta se encontraba abierta, y en el escaparate de pequeños cristales se exhibían rollos de telas de colores, pero nadie entraba ni salía.

—¿La encuentras, Nynaeve? Será mejor que te saques el zapato.

Nynaeve dio un respingo; casi había olvidado que Elayne estaba allí. Nadie les prestaba atención ni pasaba lo bastante cerca para oír lo que hablaban, pero aun así mantuvo bajo el tono de voz.

—Ese ramo de genista que hay junto a la puerta de esa tienda. Es una señal del Ajah Amarillo, una señal de emergencia puesta por una informadora Amarilla.

No tuvo que advertir a la joven que no mirara en aquella dirección fijamente; los ojos de Elayne apenas se volvieron hacia allí.

—¿Estás segura? —preguntó en un susurro—. ¿Cómo lo sabes?

—Por supuesto que estoy segura. No puede estar más claro; la punta de la cinta amarilla que cuelga está dividida incluso en tres. —Hizo una pausa para inhalar profundamente. A menos que estuviera completamente equivocada, aquel insignificante puñado de plantas tenía un peligroso significado. Si se equivocaba, entonces estaba poniéndose en ridículo, y eso era algo que detestaba—. Pasé bastante tiempo charlando con hermanas Amarillas en la Torre. —La Curación era el propósito principal de este Ajah, al que no le interesaban mucho las hierbas, naturalmente, ya que uno no necesita esos remedios cuando puede curar con el Poder—. Una de ellas me lo contó. No consideraba una gran transgresión revelarme algo así puesto que estaba convencida de que yo escogería el Ajah Amarillo. Además, no se había utilizado desde hacía casi trescientos años. Elayne, sólo unas pocas mujeres de cada Ajah saben quiénes son las informadoras del suyo, pero un ramo de flores amarillas atadas y colgadas de ese modo advierte a cualquier hermana Amarilla que aquí hay una informadora suya, y con un mensaje lo bastante urgente para correr el riesgo de descubrirse.

—¿Cómo vamos a descubrir de qué se trata?

Eso le gustó a Nynaeve. Nada de «¿qué podemos hacer?». La chica tenía arrestos.

—Sígueme —dijo, aferrando la cesta con más fuerza mientras se ponía erguida. Esperaba recordar todo lo que Shemerin le había dicho. Y confiaba en que Shemerin le hubiera dicho todo. La rellenita Amarilla podía mostrarse demasiado voluble para ser una Aes Sedai.

La tienda no era grande por dentro, y todos los huecos de las paredes estaban ocupados por estantes que contenían paños de seda o de lana finamente tejida, carretes de ribetes y orlas, y cintas y puntillas de todos los anchos y diseños. Había maniquíes repartidos por el establecimiento, luciendo atuendos en varias etapas de la confección y estilos dispares, desde una prenda a medio hacer a otra completamente terminada, desde algo adecuado para un baile, en un tejido verde con bordados, hasta un vestido de seda en gris perla que no habría desentonado en la corte. A primera vista, la tienda tenía un aspecto próspero y con actividad, pero los penetrantes ojos de Nynaeve captaron el indicio de polvo en un cuello alto de encaje de Solinde y en el gran lazo de terciopelo negro que ceñía el talle de otro vestido.

En la tienda había dos mujeres de cabello oscuro. Una, joven y delgada y que intentaba limpiarse la nariz subrepticiamente, sostenía un rollo de seda de color rojo pálido contra su pecho, aferrándolo con nerviosismo. El cabello espeso le caía suelto, en ondas, sobre los hombros, al estilo de Amadicia, pero parecía enmarañado en comparación con el perfecto peinado de la otra mujer. Esta, atractiva y de mediana edad, era sin duda la modista, como lo proclamaba el acerico lleno de alfileres pinchados que llevaba ceñido en la muñeca. Su vestido era de buena lana verde, bien cortado y confeccionado para demostrar su pericia, pero sólo con un ligero adorno de flores blancas alrededor del cuello alto, como para no eclipsar a sus clientes.

Cuando Nynaeve y Elayne entraron, las dos mujeres se quedaron boquiabiertas, como si nadie hubiera cruzado el umbral en un año. La modista se recuperó de la sorpresa primero y las miró con cuidada dignidad al tiempo que hacía una leve reverencia.

—¿Puedo serviros en algo? Soy Ronda Macura. Mi tienda es vuestra.

—Deseo un vestido con rosas amarillas bordadas en el corpiño —le dijo Nynaeve—. Pero sin espinas, naturalmente —añadió con una sonrisa—. Las heridas me tardan en curar. —Lo que dijera no importaba siempre y cuando incluyera las palabras «amarilla» y «curar». A no ser que ese ramo de flores fuera una simple casualidad. En tal caso, tendría que hallar alguna razón para no comprar un traje con rosas. Y el modo de impedir que Elayne participara tan bochornosa experiencia a Thom y a Juilin.

La señora Macura la miró fijamente un momento con sus oscuros ojos y después se volvió hacia la delgada muchacha y la empujó hacia la trastienda.

—Ve a la cocina, Luci, y prepara té para estas damas. Del de la lata azul. El agua ya está caliente, gracias a la Luz. Vamos, muchacha, muévete. Suelta esa tela y cierra la boca de una vez. Venga, venga, date prisa. Ojo, del de la lata azul. Mi mejor té —dijo mientras se volvía hacia Nynaeve al tiempo que la chica desaparecía por la puerta—. Vivo encima de la tienda, y la cocina está en la parte de atrás. —Se alisó la falda con nerviosismo, con el pulgar y el índice formando un círculo. Por el anillo de la Gran Serpiente. Al parecer, no iba a necesitar una excusa para no comprar el vestido.

La antigua Zahorí repitió la señal y, al cabo de un momento, también lo hizo su compañera.

—Soy Nynaeve, y ella, Elayne. Vimos vuestra señal.

—¿La señal? —La mujer pestañeó como si quisiera echar a volar—. Ah, sí. Por supuesto.

—¿Y bien? —dijo Nynaeve—. ¿Qué mensaje urgente es ése?

—No deberíamos hablar sobre eso aquí... eh... señora Nynaeve. Podría entrar alguien. —Nynaeve lo dudaba mucho—. Os lo contaré mientras tomamos una buena taza de té. De mi mejor té, ¿os lo dije ya?

Nynaeve intercambió una mirada con Elayne. Si la señora Macura era tan reacia a hablar, la noticia debía de ser realmente impresionante.

—Podemos entrar en la trastienda —intervino Elayne—. Allí nadie nos oirá. —Su tono regio atrajo la atención de la modista. Por un momento Nynaeve pensó que ello pondría fin a su nerviosismo, pero al instante la mujer volvía a parlotear como antes.

—El té estará preparado dentro de un momento. El agua ya estaba caliente. Antes utilizábamos té tarabonés del que traían los mercaderes. Ese es el motivo de que esté aquí, supongo. No por el té, naturalmente, sino por todo ese comercio que solía haber y las noticias que llegaban con las carretas de una y otra dirección. Ellas... quiero decir, vosotras estáis interesadas principalmente en epidemias o una nueva clase de enfermedad, pero también a mí me interesa algo así. Hice mis pinitos con... —Tosió y se apresuró a continuar mientras se alisaba de nuevo la falda; si frotaba la tela con más fuerza, acabaría haciéndose un agujero en ella—. Es algo relacionado con los Hijos, por supuesto, pero en realidad ellas... vosotras no estáis demasiado interesadas en ellos.

—Vayamos a la cocina, señora Macura —instó firmemente Nynaeve tan pronto como la otra mujer hizo una pausa para respirar. Si las noticias la tenían tan asustada, Nynaeve no admitiría más retrasos en que le pasara la información.

La puerta trasera se abrió lo suficiente para que Luci asomara la cabeza con gesto de ansiedad.

—Está preparado, señora —anunció sin aliento.

—Por aquí, señora Nynaeve —dijo la modista, que seguía sobando la parte delantera de su vestido—. Señora Elayne.

Un pasillo corto conducía, pasando ante una estrecha escalera, a una cocina acogedora con vigas en el techo; en la lumbre había un cazo con agua hirviendo, y había alacenas por todas partes. Ollas de cobre colgaban entre la puerta y una ventana que se asomaba a un pequeño patio, rodeado por una valla de madera. Sobre la pequeña mesa situada en el centro de la cocina había una brillante tetera amarilla, un tarro verde con miel, tres tazas disparejas de otros tantos colores, y un recipiente de loza azul, bajo y ancho, con la tapa a su lado. La señora Macura recogió el recipiente con rapidez, lo tapó y lo guardó en una alacena, donde había otras dos docenas de distintos colores.

—Sentaos, por favor —dijo y empezó a servir el té en las tazas—. Por favor.

Nynaeve tomó asiento al lado de Elayne y la modista les puso las tazas delante, tras lo cual corrió hacia una alacena, de la que sacó cucharillas de peltre.

—¿Y el mensaje? —preguntó Nynaeve mientras la mujer tomaba asiento frente a ellas. La señora Macura estaba demasiado nerviosa para tocar su taza de té, de modo que Nynaeve puso un poco de miel en su infusión, la removió y dio un sorbo; estaba caliente, pero dejaba en la boca un sabor fresco, como a menta. Una buena taza de té tranquilizaría a la mujer, si conseguía que se la tomara.

—Tiene un sabor muy agradable —murmuró Elayne por encima del borde de su taza—. ¿Qué clase de té es?

«Buena chica», pensó Nynaeve. Pero las manos de la modista se limitaron a revolotear junto a la taza, sin cogerla.

—Es té tarabonés, de la región de la Costa de las Sombras.

Suspirando, Nynaeve tomó otro sorbo para asentarse el estómago.

—El mensaje —insistió—. No habéis colgado ese ramo a la puerta sólo para invitarnos a tomar té. ¿Cuál es esa noticia urgente que tenéis?

—Ah, sí. —La señora Macura se lamió los labios, las miró a las dos, y después dijo lentamente—: Me llegó hace casi un mes, con órdenes de que cualquier hermana que pasara por aquí la oyera a toda costa. —Volvió a pasarse la lengua por los labios—. Todas las hermanas son bienvenidas a regresar a la Torre Blanca. La Torre tiene que volver a estar unida y ser fuerte.

Nynaeve esperó a oír el resto, pero la otra mujer guardó silencio. ¿Y éste era el mensaje tan importante? Miró a Elayne, pero el calor parecía estar afectando a la joven; hundida en la silla se contemplaba las manos apoyadas sobre la mesa.

—¿Eso es todo? —demandó Nynaeve, que se sorprendió a sí misma bostezando. También debía de estar sintiendo los efectos del calor.

La modista siguió mirándola atentamente, en silencio.

—He dicho —empezó Nynaeve, pero de repente tuvo la sensación de que la cabeza le pesaba demasiado para sostenerla erguida. Advirtió que Elayne la tenía apoyada en la mesa; sus ojos estaban cerrados y los brazos le colgaban fláccidos. Nynaeve miró la taza que tenía entre las manos, horrorizada—. ¿Qué nos habéis dado? —farfulló; el sabor a menta seguía allí, pero notaba la lengua como si estuviera hinchada—. ¡Responded! —Dejando caer la taza, se incorporó apoyándose en la mesa; las piernas le temblaban—. Así os consuma la Luz, ¿qué...?

La señora Macura retiró su silla hacia atrás y se puso fuera de su alcance, pero su anterior nerviosismo se había convertido ahora en una expresión de tranquila satisfacción.

Nynaeve sintió cómo se hundía en la negrura; lo último que oyó fue la voz de la modista:

—¡Agárrala, Luci!

10

HIGOS Y RATONES

Elayne notó que la subían por la escalera en vilo, sujeta por los hombros y los tobillos. Al tener abiertos los ojos podía ver, pero el resto de su cuerpo no parecía ser suyo ya que no estaba bajo su control. Hasta parpadear resultaba un lento esfuerzo. Sentía embotado el cerebro, como si estuviera envuelto en algodón.

—¡Se está despertando, señora! —chilló Luci, que estuvo a punto de soltarle los pies—. ¡Me está mirando!

—Te dije que no te preocuparas. —La voz de la señora Macura sonaba encima de su cabeza—. No pueden encauzar ni mover un solo músculo después de haberse tomado una infusión de horcaria. Descubrí esa planta y sus efectos por casualidad, pero desde luego me ha sido muy útil.

Era cierto. Elayne se mecía entre las dos como una muñeca a la que le faltara la mitad del relleno, golpeándose el trasero contra los escalones, y estaba tan imposibilitada para encauzar como para salir corriendo. Percibía la Fuente Verdadera, pero intentar abrazarla era como tratar de coger una aguja sobre un espejo con los dedos insensibles por el frío. Sintió una oleada de pánico, y una lágrima se deslizó por su mejilla.

Quizás estas mujeres se proponían entregarla a los Capas Blancas para que la ejecutaran, pero no podía creer que éstos tuvieran mujeres a su servicio poniendo trampas con la esperanza de que una Aes Sedai pasara casualmente por su puerta. La única conclusión que quedaba era que se trataba de Amigas Siniestras que seguramente estaban al servicio del Ajah Negro además del Amarillo. Acabaría en manos de las hermanas Negras a menos que Nynaeve hubiera conseguido escapar. Aun así, no podía contar con nadie para huir, salvo consigo misma, y no le era posible encauzar ni moverse. De repente se dio cuenta de que estaba intentando gritar, pero sólo logró exhalar un débil y borboteante sonido, como el maullido de un gatito. Cortarlo le costó toda la fuerza que le quedaba.

Nynaeve lo sabía todo sobre hierbas, o eso proclamaba; ¿por qué no había reconocido el té por lo que realmente era? «¡Acaba con ese gimoteo! —La vocecilla interna sonaba muy semejante a la de Lini—. Un lechón que chilla por debajo de la cerca sólo consigue llamar la atención del zorro, cuando lo que tendría que hacer es correr.» Desesperadamente, se centró en la sencilla tarea de abrazar el *Saidar*. Hasta entonces había sido sencilla, pero ahora habría tenido el mismo resultado si hubiera intentado tocar el *Saidin*. No se dio por vencida, sin embargo; era lo único que podía hacer.

La señora Macura, aparentemente, no estaba preocupada. Tan pronto como hubieron soltado a Elayne en una estrecha cama de un cuarto pequeño con una ventana, metió prisa a Luci para salir de la habitación sin siquiera dedicarle una mirada. La cabeza de Elayne había quedado en una postura que le permitía ver otro camastro y una cómoda con tiradores de bronce en los cajones. Podía mover los ojos, pero hacer otro tanto con la cabeza estaba fuera de su alcance.

Las dos mujeres regresaron a los pocos minutos, resoplando, con Nynaeve meciéndose entre las dos, y la echaron en la otra cama. Tenía los músculos de la cara fláccidos, y en sus mejillas brillaban las lágrimas, pero sus oscuros ojos... rebosaban ira, y también miedo. Elayne esperaba que la cólera se impusiera al otro sentimiento; Nynaeve era más fuerte que ella cuando conseguía encauzar; a lo mejor era capaz de tener éxito en lo que ella había fracasado. Aquellas lágrimas tenían que ser de rabia. Tenían que serlo.

Tras ordenar a la delgaducha chica que se quedara allí, la señora Macura volvió a salir del cuarto apresuradamente, y esta vez regresó con una bandeja que dejó sobre la cómoda. Contenía la tetera amarilla, una taza, un embudo y un reloj de arena.

—Luci, no olvides hacerles tragar a cada una dos pulgadas tan pronto como el reloj de arena se vacíe. ¡Inmediatamente, fíjate bien!

—¿Por qué no se lo damos ahora, señora? —gimió la chica mientras se retorcía las manos—. Quiero que vuelvan a dormirse. No me gusta que me miren.

207

—Porque entonces se dormirían profundamente, muchacha, y de este modo las tendremos sólo lo bastante atontadas para hacerlas caminar cuando lo necesitemos. Les suministraré otra dosis más adecuada cuando llegue el momento de mandarlas de viaje. Sufrirán fuertes migrañas y dolor de estómago, pero imagino que lo merecen.

—Pero ¿y si pueden encauzar, señora? ¿Y si lo hacen? Me están mirando.

—Deja de lloriquear, muchacha —espetó la mujer con brusquedad—. Si pudieran, ¿no crees que ya lo habrían hecho a estas alturas? Están tan indefensas como gatitos dentro de un saco. Y seguirán así mientras se les dé la dosis. Bien, haz lo que te he dicho, ¿entendido? He de ir a decirle al viejo Avi que mande una de sus palomas y también a acordar algunos arreglos, pero volveré en cuanto pueda. Sería mejor que prepararas otra infusión de horcaria por si acaso. Saldré por la puerta de atrás. Y cierra la tienda. Podría entrar alguien y eso no es conveniente.

Después de que la señora Macura se hubo marchado, Luci se quedó mirando a las dos mujeres durante un tiempo, sin dejar de retorcerse las manos, y finalmente salió también del cuarto. Sus lloriqueos se perdieron escaleras abajo.

Elayne distinguía las gotitas de sudor que perlaban la frente de Nynaeve; confiaba en que se debiera al esfuerzo por liberarse, no a causa del calor. «Inténtalo, Nynaeve.» También ella procuró tocar la Fuente Verdadera, tanteando torpemente entre el algodón que parecía entorpecer su cerebro, y fracasó; volvió a intentarlo y de nuevo falló. Así una y otra vez... «¡Oh, Luz, inténtalo Nynaeve! ¡Inténtalo!»

El reloj de arena atraía su mirada; era incapaz de mirar otra cosa que no fuera el maldito artilugio, con la arena cayendo: cada grano señalaba otro fracaso por su parte. El último grano cayó. Y Luci no apareció.

Elayne se esforzó más por moverse, para alcanzar la Fuente. Al cabo de unos instantes, los dedos de la mano izquierda se crisparon. ¡Sí! Unos pocos minutos más y podría levantarla; sólo logró subirla una pulgada antes de que cayera de nuevo, pero la había movido. No sin esfuerzo, consiguió girar la cabeza.

—Esfuérzate —farfulló Nynaeve de un modo apenas inteligible. Las manos de la antigua Zahorí apuñaban, crispadas, la colcha; parecía que trataba de sentarse. Ni siquiera había levantado la cabeza, pero lo estaba intentando.

—Eso hago —quiso contestar Elayne, aunque a ella le sonó más como un gruñido.

Lentamente, se las arregló para levantar la mano hasta donde alcanzaba a verla y sostenerla así. Un cosquilleo de triunfo la recorrió de la cabeza a los pies. «No nos pierdas el miedo, Luci. Quédate abajo, en la cocina, un poco más y...»

La puerta se abrió de golpe y unos sollozos de frustración sacudieron a Elayne al ver a Luci entrar en el cuarto como una exhalación. ¡Qué poco había faltado! La chica les echó una ojeada y, con un chillido de puro terror, corrió hacia la cómoda.

Elayne trató de resistirse; pero, aunque delgada, Luci le apartó las manos sin esfuerzo y le metió el embudo entre los dientes con igual facilidad. La muchacha jadeaba como si estuviera corriendo; la fría y amarga infusión llenó la boca de Elayne, que alzó hacia la chica los ojos en los que rebosaba un pánico que era fiel reflejo del que se plasmaba en el rostro de Luci. Empero, ésta mantuvo la boca de Elayne cerrada y le manoseó la garganta con porfiada, aunque temerosa, determinación hasta que se tragó el líquido. Mientras la oscuridad la envolvía, Elayne escuchó los gorgoteos de protesta que lanzaba Nynaeve.

Cuando sus ojos volvieron a abrirse, Luci se había marchado y los granos de arena caían de nuevo en el reloj. Los oscuros ojos de Nynaeve estaban desorbitados, ya fuera por el miedo o la rabia. No, Nynaeve no se daría por vencida. Ésa era una de las cosas que admiraba de ella. Nynaeve podría tener la cabeza en el tajo del verdugo y seguiría luchando. «¡Pero es que realmente tenemos la cabeza en el tajo!»

La avergonzaba ser mucho más débil que Nynaeve. Se suponía que algún día sería la reina de Andor y estaba tan aterrada que quería gritar. Pero no lo hizo, ni siquiera para sus adentros —tenazmente, reiteró sus esfuerzos para mover los músculos, para entrar en contacto con *el Saidar*—, pero cómo lo deseaba. ¿Cómo esperaba llegar a convertirse en reina si era tan débil? Una vez más, intentó tocar la Fuente. Y una vez más, y otra, disputando una carrera contra los granos de arena. Y otra.

La ampolla de cristal del reloj se vació por segunda vez sin que Luci apareciera. Aunque muy lentamente, Elayne llegó al punto en que consiguió mover una mano. ¡Y luego la cabeza! Aunque volvió a caer de inmediato. Oía a Nynaeve mascullando entre dientes, y de hecho podía entender la mayoría de las palabras.

La puerta se abrió de nuevo con violencia y chocó contra la pared. Elayne levantó la cabeza para mirar hacia allí con desesperación... y se quedó boquiabierta. Thom Merrilin estaba en el umbral como el héroe de sus propios relatos, con una mano cerrada firmemente sobre la nuca de Luci, que parecía a punto de desmayarse, y en la otra sosteniendo un cuchillo, presto para lanzarlo. Elayne rió con regocijo, aunque sonó más como un graznido.

Rudamente, el juglar empujó a la chica hacia un rincón.

—¡Quédate ahí o te atravieso el pellejo con este cuchillo! —En dos zancadas se plantó junto al catre de Elayne y le retiró el cabello de la cara con ternura; su curtido rostro estaba lleno de preocupación—. ¿Qué les has dado, muchacha? ¡Dímelo o...!

—Ella no —farfulló Nynaeve—. La otra. Se fue. Ayúdame a levantarme. Tengo que caminar.

A Elayne le pareció que Thom se apartaba de ella a regañadientes. El juglar le mostró el cuchillo de nuevo a Luci con actitud amenazadora —la chica se encogió como si no pensara volver a moverse nunca— y después lo hizo desaparecer bajo una manga en un visto y no visto. Ayudó a Nynaeve a incorporarse y la sostuvo mientras la mujer daba, insegura, los pocos pasos que permitía el reducido cuarto, recostada fláccidamente contra él, arrastrando los pies.

—Me alegra saber que esta asustada gatita no os atrapó —dijo—. Si hubiera sido ella... —Sacudió la cabeza. Sin duda, tampoco habría tenido muy buena opinión de ellas si Nynaeve le contaba la verdad; ella, desde luego, no pensaba hacerlo—. La encontré subiendo a toda carrera la escalera, tan asustada que ni siquiera se dio cuenta de que la seguía. Pero ya no me parece tan bien que hubiera una segunda y que pudiera escabullirse sin que Juilin la viera. ¿Existe la posibilidad de que traiga a otras?

—Lo dudo, Thom —farfulló Elayne mientras rodaba sobre su costado—. No le conviene que... haya mucha gente... que sepa su verdadera identidad. —Dentro de un minuto sería capaz de sentarse. Sus ojos estaban prendidos en Luci, que dio un respingo y se apretó contra la pared como queriendo meterse en ella—. Los Capas Blancas... la prenderían... con tanta prontitud como a nosotras.

—¿Y Juilin? —preguntó Nynaeve. Su cabeza se meció, inestable, al alzar la vista hacia el juglar. Empero, no tenía ninguna dificultad para hablar—. Os dije a los dos que os quedarais con la carreta.

Thom resopló con irritación, haciendo ondear sus largos bigotes.

—Nos dijiste que colocáramos los víveres, una tarea para la que no hacen falta dos hombres. Juilin os siguió, y al ver que ninguno de los tres regresaba, salí a buscarlo. —Volvió a resoplar—. Que él supiera, podía haber una docena de hombres aquí dentro, pero estaba dispuesto a entrar a buscaros él solo. Está atando a *Furtivo* en la parte de atrás. Menos mal que decidí venir a caballo, porque creo que nos hará falta para sacaros a las dos de aquí.

Elayne comprobó que ya era capaz de ponerse sentada, aunque para sostenerse tenía que plantar las manos sobre la cama, como apoyos, y faltó poco para que el esfuerzo de incorporarse no la dejara tumbada otra vez. El *Saidar* seguía tan inalcanzable como antes, y su cabeza aún parecía estar rellena con algodón. Nynaeve empezaba a sostenerse un poco más derecha y a levantar ligeramente los pies al caminar, pero seguía colgada de Thom.

Unos minutos más tarde apareció Juilin empujando a la señora Macura, a la que amenazaba con un cuchillo.

—Entró por la puertecilla de la valla de atrás. Me confundió con un ladrón. Me pareció que lo mejor era traerla dentro.

El semblante de la modista se había puesto tan pálido al verlas que sus ojos parecían más oscuros, además de estar a punto de salirse de las órbitas. Se humedeció los labios y se alisó innecesariamente la falda mientras lanzaba rápidas ojeadas al cuchillo de Juilin como si se preguntase si no sería mejor salir corriendo. Sin embargo, la mayor parte del tiempo tenía la mirada puesta en ellas dos; Elayne pensó que había tantas posibilidades de que rompiera a llorar en cualquier momento como que se desmayara.

—Ponla allí —instruyó Nynaeve, señalando con la cabeza al rincón donde Luci seguía tiritando, con los brazos rodeándose las rodillas—, y ayuda a Elayne. No conocía la horcaria, pero parece que caminar ayuda a que se pasen sus efectos paralizantes.

Juilin apuntó el rincón con el cuchillo, y la señora Macura fue presurosa hacia allí y se sentó al lado de Luci, sin dejar de humedecerse los labios con nerviosismo.

—Yo... no habría hecho lo que hice, pero... tenía órdenes. Debéis comprenderlo. Tenía órdenes.

Juilin ayudó a Elayne a incorporarse con toda clase de cuidados y luego la sostuvo mientras daban los pocos pasos que permitían las dimensiones de la habitación, cruzándose con la otra pareja. La joven habría querido que fuera Thom quien la sostuviera, ya que el brazo de Juilin ceñido en torno a su cintura parecía hacerlo con excesiva familiaridad.

—¿Órdenes de quién? —espetó Nynaeve, furiosa—. ¿Quién es tu contacto en la Torre?

La modista parecía a punto de vomitar, pero cerró la boca con determinación.

—Si no hablas —le advirtió Nynaeve, ceñuda—, dejaré que Juilin se ocupe de ti. Es un rastreador teariano y sabe cómo sacar una confesión con tanta rapidez como cualquier interrogador Capa Blanca. ¿No es cierto, Juilin?

—Un poco de cuerda para atarla, un trapo hecho tiras para amordazarla hasta que esté dispuesta a hablar, y un poco de aceite de cocinar y sal... —dijo el hombre mientras esbozaba una mueca tan malvada que

211

Elayne a punto estuvo de retroceder. Su perversa risita le heló la sangre—. Hablará.

La señora Macura se sostenía rígidamente contra la pared, contemplándolo de hito en hito, con los ojos desorbitados. Luci lo miraba como si se hubiera convertido en un trolloc de ocho pasos de alto y con cuernos y todo.

—Está bien —dijo Nynaeve al cabo de un momento—. Encontrarás todo lo que necesitas en la cocina, Juilin.

Elayne miró alternativamente, sobresaltada, a Nynaeve y al rastreador. No lo dirían en serio, ¿verdad? ¿Nynaeve? ¡No, imposible!

—Narenwin Barda —jadeó de repente la modista. Las palabras salieron de sus labios atropellándose—. Envío la información a Narenwin Barda, a una posada de Tar Valon que se llama Río Arriba. Avi Shendar cuida palomas para mí a las afueras de la ciudad. Él no sabe a quién mando mensajes o de quién los recibo, y tampoco le importa. Su esposa padece epilepsia y... —Dejó la frase en el aire y miró, estremecida, a Juilin.

Elayne conocía a Narenwin o, al menos, la había visto en la Torre. Era una mujer menuda, y tan callada que uno se olvidaba fácilmente de su presencia. También era amable; una día a la semana dejaba que los niños llevaran sus animalitos al recinto de la Torre para que ella los curara. No encajaba con la imagen de una hermana Negra. Aunque, pensándolo bien, uno de los nombres del Ajah Negro que sabían era el de Marillin Gemalphin, a quien le gustaban los gatos y se desvivía en cuidados a los animales callejeros.

—Narenwin Barda —musitó sombríamente Nynaeve—. Quiero más nombres, dentro y fuera de la Torre.

—No... no sé ninguno más —respondió con un hilo de voz la señora Macura.

—Eso ya lo veremos. ¿Cuánto hace que las dos sois Amigas Siniestras? ¿Desde cuándo servís al Ajah Negro?

Un grito indignado escapó de los labios de Luci.

—¡No somos Amigas Siniestras! —Miró de soslayo a la señora Macura y se retiró de la mujer—. ¡Yo por lo menos no lo soy! ¡Sigo el sendero de la Luz! ¡Lo juro!

La reacción de la otra mujer no fue menos sorprendente. Si antes tenía los ojos desorbitados, ahora casi se le salían de las órbitas.

—¡El Ajah Ne...! ¿Queréis decir que existe realmente? ¡Pero si la Torre siempre ha negado que...! Le pregunté a Narenwin el día que me escogió como informadora del Ajah Amarillo y hasta la mañana siguiente no pude dejar de llorar y salí de mi cama casi arrastrándome. ¡No soy una Amiga Siniestra! ¡Jamás! ¡Sirvo al Ajah Amarillo! ¡Al Amarillo!

Todavía colgada del brazo de Juilin, Elayne intercambió una mirada desconcertada con Nynaeve. Ni que decir tiene que cualquier Amigo Siniestro negaría que lo era, pero parecía haber un timbre de sinceridad en la voz de las dos mujeres. Su reacción ofendida a la acusación había sido tan fuerte que casi había superado su miedo. Por el modo en que Nynaeve vaciló, Elayne dedujo que también su amiga lo había advertido.

—Si sirves al Amarillo —dijo lentamente—, ¿por qué nos drogaste?

—Por ella —contestó la modista, señalando con la cabeza a Elayne—. Hace un mes que me enviaron su descripción, detallada hasta el punto de mencionar el modo en que levanta la barbilla, como si mirara a los otros con arrogancia. Narenwin decía que quizás utilizaría el nombre de Elayne y que incluso podría afirmar que pertenecía a una casa noble. —A medida que hablaba, su rabia por haber sido acusada de Amiga Siniestra fue creciendo—. Quizá vos seáis una hermana Amarilla, pero ella no es Aes Sedai, sólo una Aceptada desertora. Narenwin me comunicó que debía informar en caso de que apareciera, así como sobre cualquiera que la acompañara. Y que tenía que entretenerla o incluso retenerla a la fuerza. Y también a cualquiera que viniera con ella. Ignoro cómo esperaban que me las arreglara para capturar a una Aceptada, pues dudo mucho que Narenwin esté enterada de mi descubrimiento de la horcaria, ¡pero eso era exactamente lo que decían mis órdenes! ¡Decían que incluso debía correr el riesgo de descubrir mi identidad, aquí, donde tal cosa significaría mi muerte, si ello era preciso! ¡Espera hasta que la Amyrlin te ponga las manos encima, jovencita! ¡A todos vosotros!

—¡La Amyrlin! —exclamó Elayne—. ¿Qué tiene que ver con esto?

—Las órdenes venían de ella, de la mismísima Sede Amyrlin, repito. La comunicación indicaba que la Amyrlin me daba permiso para usar cualquier método con tal de reteneros, salvo mataros. ¡Pero cuando os tenga en su poder, desearéis estar muertas! —El brusco asentimiento de cabeza estaba rebosante de iracunda satisfacción.

—Recuerda que todavía no estamos en manos de nadie —replicó con sequedad Nynaeve—, sino que tú estás en las nuestras. —A pesar de su actitud, la expresión de sus ojos era tan conmocionada como la que sentía Elayne—. ¿Te dieron alguna razón para actuar así?

El recordatorio de que la cautiva era ella aplacó el repentino brío de la mujer, que se apoyó con desánimo en Luci, quien hizo lo mismo a la recíproca, valiéndose la una de la otra para no desmoronarse.

—No —respondió la modista—. A veces Narenwin me da explicaciones, pero no en esta ocasión.

—¿Te proponías simplemente retenernos aquí, drogadas, hasta que alguien viniera por nosotras?

—Os iba a enviar en una carreta, vestidas con ropas viejas. —En la voz de la mujer ya no quedaba ni el menor atisbo de resistencia—. Mandé una paloma para informar a Narenwin que estabais aquí y lo que pensaba hacer. Therin Lugay me debe un gran favor, y pensaba darle suficiente cantidad de horcaria para que le durara todo el camino hasta Tar Valon si Narenwin no enviaba antes hermanas para ocuparse de vosotras. Therin cree que estáis enfermas y que la infusión es lo único que os mantendrá con vida hasta que una Aes Sedai os cure. En Amadicia hay que tener mucho cuidado con la utilización de remedios. Si una cura a demasiados o lo hace demasiado bien, alguien murmura la palabra Aes Sedai y cuando te quieres dar cuenta tu casa está ardiendo por los cuatro costados. O algo peor. Therin es un hombre que sabe guardar silencio sobre lo que le...

Nynaeve hizo que Thom la ayudara a acercarse más, desde donde podía mirar a la modista sentada a sus pies.

—¿Y el mensaje? ¿El verdadero mensaje? No pusiste esa señal en tu puerta con la remota esperanza de atraernos con ella.

—Ya os he dado el verdadero mensaje —dijo débilmente la otra mujer—. No pensé que pudiera ser perjudicial. No lo entiendo, y... Por favor... —De repente rompió a llorar mientras se agarraba a Luci con tanta fuerza como la muchacha se agarraba a ella, ambas gimoteando y balbuciendo—. ¡Por favor, no le dejéis que utilice la sal conmigo! ¡La sal no! ¡Por favor!

—Atadlas —ordenó Nynaeve con desprecio al cabo de un momento—. Después bajaremos al otro piso para hablar.

Thom la ayudó a sentarse al borde de la cama que había más cerca y acto seguido empezó a rasgar en tiras la colcha de la otra.

A no mucho tardar, las dos mujeres estaban atadas espalda contra espalda, las manos de una con los pies de la otra; unas tiras de la colcha hacían las veces de mordazas. Las dos lloraban cuando Thom ayudó a Nynaeve a salir del cuarto.

Elayne habría querido ser capaz de andar tan bien como su amiga, pero todavía necesitó del auxilio de Juilin para bajar torpemente la escalera. Sintió un acceso de celos al ver que Thom rodeaba con su brazo a Nynaeve. «Eres una niña tonta», le pareció oír la voz de Lini, reprendiéndola. «Soy una mujer adulta», respondió con una firmeza que no habría osado utilizar con su niñera ni siquiera en la actualidad. «Amo a Rand, pero está muy lejos, y Thom es tan sofisticado, tan inteligente y tan...» Sonaba demasiado a excusas, incluso para ella. Lini habría soltado el resoplido que anunciaba que iba a poner fin a tantas necedades.

—Juilin —preguntó vacilante—, ¿qué ibas a hacer con la sal y el aceite de cocinar? No con detalles —se apresuró a añadir—, sólo una idea general.

El hombre la miró un momento antes de contestar.

—No lo sé. Pero tampoco lo saben ellas. Ahí está el truco; sus mentes imaginan algo peor de lo que jamás se me ocurriría a mí. He visto a hombres duros venirse abajo cuando mandaba traer un cesto con higos y unos cuantos ratones. Sin embargo, hay que andarse con cuidado. Algunos confesarían cualquier cosa, cierta o no, con tal de evitar lo que imaginan. No obstante, no creo que esas dos lo hayan hecho.

Elayne era de la misma opinión; empero, no pudo evitar un escalofrío. «¿Qué podría hacer alguien con higos y con ratones?» Deseó dejar de hacerse este tipo de preguntas antes de que le provocaran pesadillas.

Para cuando llegaron a la cocina, Nynaeve ya caminaba sin ayuda, aunque con la torpeza de un niño que da los primeros pasos, y rebuscaba en la alacena que estaba llena de latas de colores. Elayne tuvo que sentarse en una silla. La lata azul estaba encima de la mesa, así como una tetera verde llena de la infusión, pero la joven procuró no mirarlas. Todavía le era imposible encauzar; sí podía abrazar el *Saidar,* pero se le escapaba tan pronto como entraba en contacto con él. Al menos, ahora estaba segura de que el Poder volvería a ella; la alternativa era demasiado espantosa para considerarla siquiera, y no se había permitido planteársela hasta este momento.

—Thom —llamó Nynaeve mientras levantaba la tapa de varios recipientes y miraba el contenido—, Juilin. —Hizo una pausa, inhaló profundamente, y, sin mirar a ninguno de los dos hombres, dijo—: Gracias. Empiezo a comprender por qué tienen Guardianes las Aes Sedai. Muchísimas gracias.

No todas las Aes Sedai tenían Guardianes. Las Rojas consideraban que todos los hombres estaban mancillados por la sencilla razón de que los que podían encauzar lo estaban, y unas cuantas no se molestaban en tenerlos porque jamás salían de la Torre o, simplemente, no reemplazaban al Guardián que moría. Las hermanas Verdes eran el único Ajah que admitía vincularse con más de uno. Elayne quería pertenecer a este colectivo. No por esa razón, naturalmente, sino porque las Verdes se denominaban a sí mismas el Ajah de las Batallas. Mientras que las Marrones buscaban el saber perdido y las Azules se involucraban en causas, las Verdes se mantenían en forma, reservándose para la Última Batalla, cuando entrarían en acción igual que habían hecho en la Guerra de los Trollocs, para hacer frente a los nuevos Señores del Espanto.

Los dos hombres intercambiaron una mirada de pura estupefacción. Sin duda habían esperado el habitual azote lingüístico de Nynaeve. Elayne estaba casi igual de sorprendida que ellos. A su amiga le gustaba tan poco que la ayudaran como equivocarse; ambas cosas la ponían más encrespada que un espino, aunque, por supuesto, siempre afirmaba ser un dechado de comprensión, dulzura y sentido común.

—Una Zahorí. —Nynaeve cogió un pellizco de polvillo de una de las latas, lo olisqueó y luego lo probó con la punta de la lengua—. O como quiera que se las llame aquí.

—Aquí no se llaman de ninguna forma —dijo Thom—. Muy pocas mujeres practican vuestro antiguo arte en Amadicia. Demasiado peligroso. Para la mayoría es un pasatiempo, nada más.

Nynaeve sacó una bolsa de cuero que había al fondo de la alacena y empezó a hacer pequeños paquetes con el contenido de algunas latas.

—¿Y a quién acuden cuando están enfermos? ¿A un curandero de tres al cuarto?

—Sí —contestó Elayne. Le encantaba poder demostrar a Thom que también ella conocía el mundo—. En Amadicia son los hombres los que estudian las hierbas medicinales.

—¿Y qué puede saber ningún hombre sobre curaciones? —Nynaeve frunció el entrecejo con expresión desdeñosa—. Preferiría pedirle a un herrador que me hiciera un vestido.

De pronto Elayne cayó en la cuenta de que había estado pensando en cualquier cosa excepto en lo que había dicho la señora Macura. «No pensar en la espina no hace que a uno le duela menos el dedo» era uno de los dichos favoritos de Lini.

—Nynaeve, ¿qué piensas que significa ese mensaje, lo de que todas las hermanas son bienvenidas a regresar a la Torre? No tiene sentido.

—No era eso lo que quería decir, pero se iba acercando a ello.

—La Torre tiene sus propias reglas —intervino Thom—. Lo que hacen las Aes Sedai lo hacen por sus propias razones y a menudo no por las que dan. Si es que se dignan darlas. —Juilin y él sabían que sólo eran Aceptadas, claro, y por eso, al menos en parte, era por lo que la mitad de las veces ni el uno ni el otro hacían lo que se les decía.

La lucha interna se plasmaba claramente en el rostro de Nynaeve. No le gustaba que la interrumpieran o que otro respondiera en su lugar. Había una larga lista de cosas que no le hacían gracia a la antigua Zahorí. No obstante, acababa de darle las gracias a Thom; no debía de ser fácil para ella echarle un rapapolvo a un hombre que acababa de salvarla de ser enviada en un carro como si fuera un repollo.

—Muy pocas cosas en la Torre tienen sentido la mayor parte del tiempo —dijo con acritud. Elayne sospechó que aquel tono desabrido era tanto por Thom como por la Torre.

—¿Crees lo que ha dicho esa mujer? —Elayne respiró hondo antes de continuar—. Me refiero a lo de que la Amyrlin ordenó que había que hacerme regresar a la Torre por cualquier medio.

La fugaz ojeada que le lanzó Nynaeve rebosaba compasión. —No lo sé, Elayne.

—Decía la verdad. —Juilin dio vuelta a una silla y se sentó a horcajadas, apoyando la vara contra el respaldo—. He interrogado a suficientes ladrones y asesinos para reconocer lo que es verdad y lo que no cuando lo oigo. A ratos estaba demasiado aterrada para mentir, y el resto del tiempo, demasiado furiosa para poder hilvanar un embuste.

—Pero la Amyrlin sabe lo que estamos haciendo. Para empezar, fue ella quien nos mandó salir de la Torre.

—Puedo creer cualquier cosa de Siuan Sanche —resopló Nynaeve—. Me gustaría tenerla en mis manos una hora mientras no pudiera encauzar. Entonces sabríamos de verdad lo dura que es.

Elayne no creía que eso cambiara en nada las cosas. Recordando la imperiosa mirada de los azules ojos de la Amyrlin, sospechó que su amiga acabaría con unos cuantos moretones en el improbable caso de que se diera la situación que había descrito.

—Sí, pero ¿qué vamos a hacer al respecto? Los Ajahs tienen informadoras en todas partes, por lo visto. Y también la propia Amyrlin. Podríamos topar con mujeres intentando echarnos algo en la comida todo el camino de aquí a Tar Valon.

—No si nuestro aspecto es distinto del que esperan ver. —Cogió un jarro amarillo de la alacena y lo puso en la mesa, junto a la tetera—. Esto es jempimienta blanca. Alivia el dolor de muelas, pero también pone el pelo negro como la noche. —Elayne se llevó la mano a su cabello dorado rojizo; ¡el suyo, no el de Nynaeve, estaba segura! Pero, por mucho que detestara la idea, era una buena solución—. Un rato de costura en algunos de esos vestidos que hay en la tienda, y habremos pasado de ser mercaderes a unas damas que viajan con sus criados.

—¿Montadas en una carreta cargada de tintes? —apuntó Juilin.

La tranquila mirada de Nynalve denotó gratitud por haberle ahorrado tener que extenderse en más explicaciones.

—Hay un carruaje en un establo al otro lado del puente. Creo que el propietario lo vendería. Si regresáis a la carreta antes de que alguien la robe... ¡No sé en qué estaríais pensando los dos para dejarla en manos del primero que pase por el campamento! Si sigue allí, podéis coger una de las bolsas que...

217

Unos cuantos vecinos que estaban en la calle miraron boquiabiertos cuando el carruaje de Noy Torvald se paró delante de la tienda de Ronda Macura, tirado por un tronco de cuatro caballos, con arcones atados en el techo y un caballo ensillado atado a la parte posterior. Noy lo había perdido todo cuando el comercio con Tarabon se vino abajo; ahora se ganaba la vida a trancas y barrancas haciendo trabajos de vez en cuando para la viuda Teran. Ninguno de los que estaban en la calle ahora había visto al cochero, un tipo alto y curtido, con un largo bigote blanco y ojos imperiosos, y tampoco al lacayo, un individuo de rostro pétreo, cubierto con un gorro tarabonés, que bajó ágilmente de un salto para abrir la puerta del carruaje. Las expresiones pasmadas dieron paso a los murmullos cuando dos mujeres salieron de la tienda cargadas con unos envoltorios en los brazos; una vestía un atuendo de seda gris, y el de la otra era de sencilla lana azul, pero las dos llevaban un pañuelo envuelto a la cabeza de modo que no se veía ni el menor atisbo de sus cabellos. Se metieron en el carruaje rápidamente.

Dos de los Hijos empezaron a deambular de aquí para allí para preguntar quiénes eran las forasteras; pero, mientras el lacayo estaba subiendo todavía al pescante, el cochero hizo chascar el látigo a la par que gritaba que abrieran paso para una dama. Los Hijos no alcanzaron a oír el nombre ya que tuvieron que saltar precipitadamente hacia los lados para no ser atropellados, y fueron a dar con sus huesos al polvoriento suelo mientras el carruaje se alejaba a toda velocidad, entre retumbos, hacia la calzada de Amador.

Los mirones se alejaron hablando entre ellos; obviamente era una dama misteriosa acompañada por su doncella, que había hecho unas compras a Ronda Macura y se había marchado precipitadamente para evitar a los Hijos. Últimamente apenas pasaba nada en Mardecin, de modo que este suceso daría que hablar durante varios días. Los Hijos de la Luz se incorporaron y se limpiaron el polvo, furiosos, pero finalmente decidieron que si informaban del incidente quedarían como unos necios. Además, a su capitán no le gustaban los nobles; probablemente les mandaría traer de vuelta el carruaje, lo que significaba una larga cabalgada bajo el calor simplemente por una arrogante vástago de una casa u otra. Si no se encontraban cargos con los que inculparla —cosa harto difícil con la nobleza— entonces no sería el capitán quien cargaría con las culpas. Confiaron en que no se corriera la voz de su humillación, de modo que en ningún momento se les pasó por la cabeza interrogar a Ronda Macura.

Al cabo de un rato, Therin Lugay condujo su carro hasta el patio posterior de la tienda; las provisiones para el largo viaje que le aguardaba ya estaban guardadas debajo del techo de lona. En efecto, Ronda Macura lo había curado de unas fiebres que se habían cobrado la vida de veintitrés vecinos el invierno anterior, pero su quejica esposa y su gruñona suegra hacían que se alegrara de realizar el largo trayecto hasta donde vivían las brujas. Ronda había dicho que quizás alguien le saldría al encuentro, aunque no quién sería, pero esperaba llegar hasta Tar Valon.

Llamó a la puerta de la cocina seis veces antes de entrar, y, al no encontrar a nadie, subió la escalera. En el cuarto de atrás, Ronda y Luci yacían en las camas, profundamente dormidas y con toda la ropa puesta, aunque bastante arrugada, cuando el sol seguía fuera. Ninguna de las dos se despertó cuando las sacudió. No lo entendía, como tampoco comprendía por qué una de las colchas estaba en el suelo, cortada en tiras atadas ni por qué había dos teteras vacías en el cuarto pero sólo una taza ni por qué había un embudo en la almohada de Ronda. Sin embargo, siempre había sido consciente de que había muchas cosas en el mundo que él no entendía. Así que volvió a su carro y pensó en los víveres que había comprado con el dinero de Ronda; pensó en su esposa y en su suegra, y, cuando puso en marcha al caballo de tiro, fue con la intención de ver cómo era Altara o tal vez Murandy.

En cualquier caso, pasó bastante tiempo antes de que una desgreñada Ronda Macura se dirigiera con pasos torpes hacia la casa de Avi Shendar y enviara una paloma con un fino tubo de hueso atado a la pata. El ave alzó el vuelo y viró hacia el nordeste, recta como una flecha hacia Tar Valon. Tras un momento de reflexión, Ronda preparó otra copia en otra estrecha tira de papel y la ató a la pata de una segunda paloma. Ésta se dirigió hacia el este, ya que la modista había prometido enviar duplicados de todos sus mensajes. En estos tiempos difíciles, una mujer tenía que sobrevivir del mejor modo posible, y no habría mal en ello, considerando el tipo de informes que hacía para Narenwin. Mientras se preguntaba si alguna vez conseguiría quitarse de la boca el sabor de la horcaria, pensó que no le importaría que su acción le reportara algún mal a la que se llamaba Nynaeve.

Trabajando, como siempre, con la azada en su pequeño jardín, Avi no prestó atención a lo que hacía Ronda. Y también como siempre, tan pronto como se marchó, se lavó las manos y entró. Ronda había colocado una hoja de pergamino más grande debajo de las tiras a fin de proteger la punta de la pluma. Cuando la sostuvo en alto, a contraluz, pudo leer lo que la mujer había escrito. A no tardar, una tercera paloma emprendía el vuelo, dirigiéndose en una dirección distinta.

El Tiro de Nueve Caballos

La tarde estaba avanzada, y Siuan cruzó detrás de Logain la Puerta Shilene de Lugard; un amplio sombrero de paja cubría de sombras el rostro de la mujer. Las altas murallas grises de la ciudad se encontraban en mal estado; en dos sitios que alcanzaba a ver, donde las piedras se habían derrumbado, el muro no era más alto que la valla de una granja. Min y Leane la seguían a poca distancia sobre sus yeguas. Las dos mujeres estaban cansadas por el veloz ritmo que Logain había impuesto durante semanas desde que habían salido de Hontanares de Kore. El hombre quería estar al mando, de modo que resultó fácil convencerlo de que era así. Si decidía a qué hora se pondrían en camino por la mañana, a qué hora y en qué lugar pararían por la noche, si guardaba y administraba el dinero, incluso si esperaba que le sirvieran las comidas además de prepararlas, Siuan no lo tomaba a mal. A fin de cuentas, le tenía lástima; Logain no imaginaba lo que planeaba para él. «Un pez grande en el anzuelo para pescar otro mayor», pensó, sombría.

Lugard era, aunque sólo de nombre, la capital de Murandy, la sede del rey Roedran, pero los lores de Murandy hacían pronunciamientos de lealtad y después rehusaban pagar los impuestos o no hacían casi nada de lo que Roedran quería, y el pueblo obraba del mismo modo.

normal220

Murandy era una nación sólo de nombre, y sus gentes mantenían un simulacro de unidad bajo la supuesta obediencia al rey o la reina —a veces el trono cambiaba de manos en cortos intervalos— y por el temor de que Andor o Illian se apoderaran de sus tierras en un ataque rápido si no conservaban cierta unión.

Otros muros entrecruzaban la ciudad, la mayoría en peor estado que los bastiones exteriores, ya que Lugard había ido creciendo al azar a lo largo de los siglos y, de hecho, en más de una ocasión había estado dividida entre nobles enemistados. Era una ciudad sucia, con la mayoría de las anchas calles sin pavimentar y todas ellas polvorientas. Hombres y mujeres, ellos tocados con sombreros de copa alta y ellas con delantales sobre las faldas que dejaban a la vista los tobillos, se movían esquivando las lentas caravanas de mercaderes en tanto que los niños jugaban en las rodadas dejadas por las carretas. El comercio con Illian y Ebou Dar, con Ghealdan a oeste y Andor al norte, mantenía activa y animada a Lugard. Amplios espacios abiertos distribuidos por la ciudad estaban abarrotados de carretas estacionadas rueda con rueda, muchas cargadas a tope bajo las cubiertas de lona atadas, y otras vacías y esperando la siguiente carga. Las calles principales aparecían jalonadas de posadas, tabernas y establos, superando casi en número a las casas y tiendas construidas con piedra gris, todas techadas con tejas azules, rojas, púrpuras o verdes. El aire estaba saturado de polvo y de ruido procedente del martilleo de las forjas, del retumbo de las ruedas de las carretas, de las maldiciones de los conductores y de las estruendosas carcajadas que salían de las posadas. A pesar de estar próximo el ocaso, Lugard se cocía bajo un sol de justicia, y la cargada atmósfera daba la sensación de que no iba a volver a llover nunca.

Cuando finalmente Logain se desvió hacia el patio de un establo y desmontó en la parte trasera de una posada con techo verde llamada El Tiro de Nueve Caballos, Siuan desmontó a *Bela* con un suspiro de alivio y dio una vacilante palmadita a la yegua en el hocico, sin perder de vista sus dientes. A su modo de ver, ir a lomos de un animal no era modo de viajar. Una embarcación se movía hacia donde uno giraba el timón, pero un caballo podía tener sus propias ideas en cualquier momento. Además, los barcos nunca mordían; *Bela* no lo había hecho, pero cabía esa posibilidad. Al menos, habían pasado a ser un simple recuerdo aquellos primeros días de estar agarrotada, de tener la certeza de que Leane y Min se sonreían a su espalda al verla renquear por el campamento al caer la noche. Después de pasarse un día entero encaramada en la silla, todavía se sentía como si le hubieran dado una paliza, pero ahora podía disimularlo.

Tan pronto como Logain empezó a regatear con el encargado del establo —un tipo delgaducho y pecoso que se cubría el torso con un chaleco— Siuan se acercó a Leane.

—Si quieres practicar tus ardides —musitó—, hazlo con Dalyn durante la próxima hora.

Leane le dedicó una mirada desconfiada, ya que había ejercitado sus artimañas en algunos pueblos desde que habían salido de Hontanares de Kore, aunque Logain sólo había recibido alguna que otra mirada cortante, pero después suspiró y asintió con la cabeza. Tras hacer una profunda inhalación, se dio media vuelta y echó a andar de aquel modo tan increíblemente sinuoso, contoneante, conduciendo por la brida a su yegua gris y lanzando ya una sonrisa a Logain. Siuan no entendía cómo lo conseguía; era como si algunos de sus huesos hubieran dejado de ser rígidos de repente.

Se acercó a Min y volvió a hablar en el mismo tono susurrante:

—En el mismo momento en que Dalyn haya cerrado el trato con el encargado del establo, dile que vas a reunirte dentro conmigo, y después pasas enseguida y te mantienes lejos de él y de Amaena hasta que yo haya regresado. —Por el jaleo que salía de la posada, la multitud que había debía de ser lo bastante numerosa para ocultar a todo un ejército, cuanto más a una sola mujer. En los ojos de Min apareció aquella expresión obstinada, y la joven abrió la boca sin duda para preguntar el motivo, pero Siuan se le anticipó—: Limítate a hacer lo que te he dicho, Serenla, o te obligaré a limpiarle las botas además de servirle su plato. —La mirada tozuda no se borró, pero Min asintió con un cabeceo mohíno.

Siuan puso las riendas de *Bela* en las manos de la joven y salió apresuradamente del establo; una vez en la calle, echó a andar en la dirección que confiaba fuera la correcta. No le apetecía tener que buscar por toda la ciudad aguantando el calor y el polvo.

Las calles estaban llenas de carretas muy cargadas y tiradas por troncos de seis, ocho e incluso diez caballos, y los conductores hacían chasquear los látigos y soltaban maldiciones tanto a los animales de tiro como a la gente que cruzaba entre los vehículos. Hombres vestidos con toscas chaquetas de carreteros se entremezclaban con la muchedumbre y a veces dirigían risueñas invitaciones a las mujeres que pasaban a su lado. Las mujeres, que lucían delantales de colores y de rayas, y pañuelos llamativos cubriéndoles la cabeza, caminaban con la vista fija al frente, como si no los oyeran. Otras mujeres sin delantal, con el cabello suelto sobre los hombros y con el repulgo de las faldas a más de un palmo del suelo, a menudo respondían en voz alta con palabras incluso más groseras.

Siuan sufrió un sobresalto cuando cayó en la cuenta de que algunas de las insinuaciones de los hombres iban dirigidas a ella. No la enfurecían —en realidad su mente no podía relacionarlas con su persona—; sólo la sorprendían. Todavía no se había acostumbrado a los cambios físicos experimentados. Aquellos hombres parecían encontrarla atractiva... Su borrosa imagen, reflejada en el sucio escaparate de un sastre, atrajo su mirada; era la de una muchacha de tez clara bajo un sombrero de paja. Era joven, y, por lo que podía ver, no es que diera esa impresión, sino que lo parecía realmente. No mucho mayor que Min. Una muchacha joven con la ventaja de los años que había vivido realmente.

«Una ventaja de haber sido neutralizada», se dijo para sus adentros. Conocía mujeres que habrían pagado cualquier precio por rejuvenecer quince o veinte años; algunas puede que incluso consideraran justo el precio que había pagado ella. A menudo se sorprendía a sí misma enumerando dichas ventajas, quizás intentando convencerse de que eran ciertas. Para empezar, ahora que estaba liberada de los Tres Juramentos, podía mentir cuando era preciso. Y ni su propio padre la habría reconocido, porque en realidad no tenía el mismo aspecto de cuando era una muchacha; los cambios debidos a la madurez seguían allí, pero suavizados por la juventud. Mirándolo con fría objetividad, pensó que tal vez era, de algún modo, más hermosa que cuando era una jovencita; bonita era lo mejor que se había dicho de ella por aquel entonces. El halago más usual que le habían dirigido era atractiva. No podía relacionar aquel rostro con ella, con Siuan Sanche. Sólo por dentro no había cambiado; su cerebro todavía conservaba todos sus conocimientos. Allí, en su mente, seguía siendo la misma.

Algunas posadas y tabernas de Lugard tenían nombres como El Martillo del Herrero o El Oso Danzarín o El Cerdo de Plata, a menudo acompañados por dibujos llamativos en consonancia con ellos. Otras tenían nombres que deberían haber prohibido; el menos fuerte de éstos era El Beso de la Buscona Domani, con el dibujo de una mujer de piel broncínea —¡desnuda de cintura para arriba!— y con los labios fruncidos como para dar un beso. Siuan se preguntó qué pensaría Leane de eso; pero, considerando el comportamiento actual de la mujer, tal vez sólo le diera más ideas.

Finalmente, en una calle lateral tan ancha como la principal, justo detrás de un acceso sin portón de una de las derruidas murallas interiores, Siuan encontró la posada que buscaba, un edificio de piedra de tres pisos, con las tejas de color púrpura. El letrero colgado encima de la puerta mostraba el inverosímil dibujo de una voluptuosa mujer sin ropa, y con el cabello colocado de manera que cubriera lo menos posible, montada a lomos de un caballo sin ensillar; Siuan apartó los ojos del nombre nada más leerlo.

Dentro de la sala flotaba el humo de las pipas; estaba abarrotada de escandalosos hombres que bebían y reían mientras intentaban pellizcar a las camareras, que los esquivaban lo mejor que podían a la par que exhibían sufridas sonrisas. Apenas audible en medio del jaleo, una joven, acompañada por una cítara y una flauta, cantaba y bailaba encima de una mesa, al fondo de la larga sala. De vez en cuando, la cantante daba vueltas a fin de que la falda se levantara hasta dejar al descubierto casi por completo sus piernas desnudas; lo que Siuan alcanzó a entender de la letra de la canción la hizo desear lavar la boca a la chica con jabón. ¿Por qué tenía que andar desnuda por la calle una mujer? ¿Por qué tenía que cantar sobre ello otra mujer ante un montón de patanes borrachos? Era la clase de sitio que jamás había pisado hasta entonces; y tenía la intención de que su visita fuera lo más breve posible.

No había error posible en localizar a la propietaria de la posada, una mujer alta y corpulenta, embutida en un vestido de seda roja que prácticamente resplandecía; el cabello peinado con elaborados rizos y teñido de pelirrojo —aquel tono no podía ser nunca natural, sobre todo con aquellos ojos tan oscuros— enmarcaba una prominente barbilla y una boca de gesto duro. Entremedias de órdenes a gritos dirigidas a las camareras, hacía un alto en esta o aquella mesa para intercambiar unas cuantas palabras o dar una palmada en la espalda y compartir una risa con sus parroquianos.

Siuan mantuvo el gesto estirado y procuró hacer caso omiso de las miradas evaluativas que le asestaban los hombres mientras se dirigía hacia la mujer de cabello carmesí.

—¿Señora Tharne? —Tuvo que repetir el nombre tres veces, subiendo el tono en cada ocasión, antes de que la propietaria de la posada se volviera hacia ella—. Señora Tharne, busco trabajo como cantante. Sé la...

—Vaya, conque sabes cantar, ¿eh? —La mujerona se echó a reír—. Bueno, ya tengo una cantante, pero no me vendría mal otra para darle un descanso. Enséñame las piernas.

—Sé *La canción de los tres peces* —dijo Siuan a voz en grito para hacerse oír. Tenía que ser ésta la mujer que buscaba. Era imposible que hubiera en la misma ciudad dos mujeres con el pelo de ese color y que además tuvieran el mismo nombre y regentaran la misma posada.

La señora Tharne rió con más ganas y palmeó la espalda de uno de los hombres sentados en la mesa más próxima con tanta fuerza que casi lo tiró del banco.

—No hay muchas peticiones de esa canción aquí, ¿verdad, Pel? —El tal Pel, un tipo desdentado que llevaba el látigo de carretero enrollado sobre el hombro, se sumó a sus risas.

—Y también sé *El azul cielo del amanecer*.

La mujer se sacudió mientras se frotaba los ojos como si estuviera llorando de tanto reír.

—Vaya, conque también te sabes ésa, ¿no? Oh, estoy segura de que a los chicos les encantará. Y, ahora, enséñame las piernas. ¡Vamos, muchacha, las piernas o lárgate de aquí!

Siuan vaciló, pero la señora Tharne se limitó a mirarla fijamente, cosa que también hacía un número de hombres cada vez mayor. Tenía que ser la mujer que buscaba. Lentamente, se subió la falda hasta las rodillas, y la mujerona gesticuló con impaciencia. Cerrando los ojos, Siuan siguió remangándose más y más la falda, sintiendo que la sangre se le iba agolpando en las mejillas a medida que se la subía.

—Es modesta, la chica —rió la señora Tharne—. En fin, si esas canciones son un ejemplo de tu repertorio, más vale que tengas unas piernas que hagan caer de bruces a los hombres. Cosa que no sabremos hasta que se quite esas medias de lana, ¿eh, Pel? Bueno, ven conmigo. A lo mejor tienes buena voz, después de todo, pero con este jaleo no podría oírte. ¡Vamos, muchacha! ¡Mueve el culo!

Los ojos de Siuan se abrieron mucho, echando chispas, pero la mujerona ya se encaminaba hacia la parte trasera de la sala. Con la espalda tiesa como un palo, Siuan dejó caer las faldas y la siguió, procurando no hacer caso de las carcajadas y las insinuaciones lascivas que le dirigían. Su gesto era impasible, pero en su interior se libraba una batalla entre la preocupación y la cólera.

Antes de ser nombrada Sede Amyrlin, había dirigido la red de informadoras del Ajah Azul; algunas de ellas también habían sido sus espías personales, tanto entonces como posteriormente. Duranda Tharne ya estaba al servicio de las hermanas Azules cuando Siuan se encargó de la red de información; era una mujer que siempre proporcionaba la información oportuna. No era fácil encontrar informadoras, y su fiabilidad variaba —entre Tar Valon y aquí sólo había habido una en la que confiaba lo suficiente para entrar en contacto, en Cuatro Reyes, en Andor, y había desaparecido—, pero por Lugard pasaba un vasto números de noticias y rumores que llevaban las caravanas de mercaderes. Tal vez también había en la ciudad informadoras de otros Ajahs, algo que convenía tener en cuenta. «La prudencia lleva el barco a puerto», se recordó para sus adentros.

Esta mujer encajaba con la descripción de Duranda Tharne, y sin duda no podía haber otra posada con un nombre tan soez, pero ¿por qué había tenido esa reacción cuando se identificó como otra espía de las Azules? Tenía que correr el riesgo; a su modo, Min y Leane empezaban a impacientarse tanto como Logain. La precaución llevaría el barco a puerto, pero a veces sólo la audacia conseguía que lo hiciera con la bodega llena. En el peor de los casos, podía golpear a la mujer en la cabeza con algo y escapar por la puerta de atrás. Al observar la estatura y la corpulencia de la posadera, así como la firmeza de sus gruesos brazos, esperó ser capaz de hacerlo.

Una puerta del corredor que conducía hacia la cocina daba a un cuarto apenas amueblado con un escritorio y una silla sobre un trozo de alfombra azul, un espejo grande en una pared, y, sorprendentemente, una estantería con unos cuantos libros. No bien la puerta se hubo cerrado tras ellas, amortiguando en parte el jaleo de la sala, la mujerona se volvió hacia Siuan con los puños en las amplias caderas.

—Veamos, ¿qué quieres de mí? No te molestes en darme ningún nombre porque no lo quiero saber, ni que sea el tuyo ni que no.

La tensión que agarrotaba a Siuan se aflojó un poco. Sin embargo, no ocurrió lo mismo con su cólera.

—¡No teníais derecho a tratarme de ese modo ahí fuera! ¿Qué os proponíais haciéndome que...?

—Tenía todo el derecho —espetó la señora Tharne—, respaldado por la necesidad más imperiosa. Si hubieras venido a la hora de abrir o a la de cerrar, como se suponía que tenías que hacer, podría haberte metido aquí rápidamente, sin dar un cuarto al pregonero. ¿Acaso crees que a algunos de esos hombres no les extrañaría si al salir de aquí te acompaño como haría con una amiga a la que no veía hacía mucho tiempo? No puedo permitirme el lujo de llamar la atención de nadie. Tienes suerte de que no te hiciera ocupar el sitio de Susu, encima de la mesa, para que cantaras una o dos canciones. Y cuida tus modales conmigo. —Levantó amenazadoramente una ancha y dura mano—. Tengo hijas casadas, mayores que tú, y cuando las visito se comportan y hablan como es debido. Conmigo no juegues a la señorita Altanera o vas a enterarte. Ahí fuera nadie te oirá gritar, y, si te oyen, no intervendrán. —Tras un brusco cabeceo, como si con ello quedara todo claro, se puso de nuevo en jarras—. Y bien, ¿qué es lo que quieres?

Siuan había intentado meter baza varias veces durante la diatriba, pero el ímpetu de la mujerona era como el oleaje en marea alta: imparable. No estaba acostumbrada a ello; para cuando la señora Tharne hubo terminado, Siuan temblaba de rabia, y sus manos se crispaban sobre la falda con tanta fuerza que tenía blancos los nudillos. Luchó denodadamente por contener el genio. «Se supone que sólo soy otra informadora

—se recordó firmemente—. No la Amyrlin, sino otra informadora.» Además, sospechaba que la mujer era muy capaz de cumplir su amenaza. También esto era algo completamente nuevo para ella: tener que ser prudente con alguien sólo porque esa persona era más fuerte y corpulenta.

—Me han dado un mensaje para que lo transmita a un grupo de las personas a quien servimos. —Confiaba en que la señora Tharne creyera que la tensión de su voz se debía a que se sentía acobardada; puede que la mujerona resultara más útil si creía que la había intimidado convenientemente—. No estaban donde me dijeron que me encontrara con ellas, y mi única esperanza es que sepáis algo que me ayude a encontrarlas.

Cruzando los brazos bajo los orondos senos, la señora Tharne la observó intensamente.

—Así que sabes controlar el genio cuando conviene, ¿eh? Bien. ¿Qué ha ocurrido en la Torre? Y no intentes negar que vienes de allí, mi exquisita y altanera mozuela. Se ve de lejos que eres portadora de una orden o decreto oficial, y no has adquirido esos modales presuntuosos en un pueblo.

Siuan inhaló profundamente antes de contestar.

—Siuan Sanche ha sido neutralizada. —Su voz no sufrió el más leve temblor, y se sintió orgullosa de ello—. Elaida a'Roihan es la nueva Amyrlin. —Empero, fue incapaz de evitar un dejo amargo al decir esto último.

El rostro de la señora Tharne no reflejó ninguna reacción.

—Bueno, eso explica algunas de las órdenes que he recibido. Sólo algunas. Así que la han neutralizado, ¿no? Pensé que sería la Amyrlin por siempre jamás. La vi una vez, hace unos cuantos años, en Caemlyn. A distancia. Parecía capaz de masticar correas de arneses para desayunar. —Los rizos escarlatas ondearon al sacudir la cabeza—. En fin, lo hecho, hecho está. Los Ajahs se han dividido, ¿no es así? Es lo único que encaja; mis órdenes y el que esa vieja corneja haya sido neutralizada. La unidad de la Torre está rota y las Azules han huido.

Siuan rechinó los dientes. Intentó decirse a sí misma que la mujer era leal al Ajah Azul, no a ella personalmente, pero no le sirvió de mucho. «¿Vieja corneja? Ella sí que es vieja, lo bastante para ser mi madre. Aunque, si lo fuera, me habría ahogado a mí misma.» Tuvo que hacer un esfuerzo denodado para dar a su voz un tono humilde.

—Mi mensaje es importante, pero he de ponerme en camino lo antes posible. ¿Podéis ayudarme?

—Así que es importante, ¿no? Bueno, permíteme que lo ponga en duda. El problema es que puedo darte una pista, pero depende de ti descifrarla. ¿La quieres? —Al parecer, la mujerona se negaba a facilitarle las cosas.

—Sí, por favor.

—Sally Daer. Ignoro quién es o quién fue, pero se me dijo que diera su nombre a cualquier Azul que pasara por aquí con aspecto de estar perdida, por decirlo de algún modo. No serás una de las hermanas, pero tienes arrogancia más que de sobra para pasar por una de ellas, así que te lo doy. Sally Daer. Haz lo que gustes con la información.

Siuan contuvo un grito de emoción y se obligó a adoptar un aire abatido.

—Tampoco yo la oí nombrar nunca. No tendré más remedio que seguir buscando.

—Si las encuentras, dile a Aeldene Sedai que sigo siendo leal a pesar de lo que haya ocurrido. He trabajado para las Azules durante tanto tiempo que no sabría qué hacer conmigo misma en caso contrario.

—Se lo comunicaré —aseguró Siuan. Ignoraba que Aeldene era quien la había reemplazado en el cargo de dirigir la red de informadoras de las Azules; la Amyrlin, procediera del Ajah que procediera, pasaba a pertenecer a todos pero no formaba parte de ninguno—. Supongo que necesitaréis una razón para no contratarme. Lo cierto es que no sé cantar, así que supongo que servirá.

—Como si eso les importara a esos patanes de ahí fuera. —La mujerona enarcó una ceja y sonrió de un modo que no le gustó a Siuan—. Ya se me ocurrirá algo, mozuela. Y te daré un consejo: si no bajas un par de peldaños, alguna Aes Sedai te arrastrará al pie de la escalera. Me sorprende que no haya ocurrido ya. Y, ahora, lárgate. Sal de aquí.

«Qué mujer tan odiosa —rezongó Siuan para sus adentros—. Si hubiera algún modo de conseguirlo, haría que se le impusiera un castigo hasta que los ojos se le salieran de las órbitas.» Así que pensaba que merecía ser tratada con más respeto, ¿no?

—Gracias por vuestra ayuda —dijo fríamente al tiempo que hacía una reverencia que no habría desentonado en ninguna corte—. Habéis sido muy amable.

Había dado tres pasos en el interior de la sala cuando la señora Tharne apareció detrás de ella y su voz guasona se levantó por encima del alboroto:

—¡Pues vaya que no es vergonzosa la doncella! ¡Con unas piernas blancas y torneadas como para haceros babear a todos, pero se puso a berrear como un niño cuando le dije que tendría que enseñároslas! ¡Se sentó en el suelo y se puso a gimotear! ¡Con esas caderas, tan redondas como para complacer a cualquiera, y va...!

228

Siuan tropezó al tiempo que las risotadas aumentaban, aunque no lo bastante para ahogar la relación de atributos que enumeraba la mujerona. Consiguió dar otros tres pasos, con la cara tan roja como la grana, y después echó a correr.

Ya en la calle, se detuvo para recuperar el aliento y dejar que su corazón volviera a latir con normalidad. «¡Esa horrible y vieja arpía! ¡Debería...!» Daba igual lo que debería haber hecho; esa repulsiva mujer le había dicho lo que necesitaba. Nada de Sally Daer; no era en absoluto una mujer, pero eso sólo lo sabría o incluso lo sospecharía una Azul. Salidar. El lugar de nacimiento de Deane Aryman, la hermana Azul que había ascendido a Amyrlin después de Bonwhin y que había salvado a la Torre del desastre al que Bonwhin la había empujado. Salidar. Uno de los últimos lugares, aparte de la mismísima Amadicia, en el que nadie buscaría Aes Sedai.

Dos hombres con blancas capas y reluciente cota de malla cabalgaban calle abajo, en su dirección, apartando a regañadientes los caballos del paso de las carretas. Hijos de la Luz. En la actualidad se los encontraba en cualquier sitio. Siuan agachó la cabeza, observando a los Capas Blancas, cautelosamente, por debajo del ala del sombrero, y se acercó más a la fachada azul y verde de la posada. Le echaron un vistazo cuando pasaban a su lado —unos duros rostros bajo los brillantes yelmos cónicos— y siguieron adelante.

Siuan se mordió los labios, mortificada. Probablemente había llamado su atención al echarse hacia atrás. ¿Y si le habían visto la cara...? No pasaría nada, claro está. Los Capas Blancas intentarían matar a una Aes Sedai si la encontraran sola, pero su rostro ya no era el de una Aes Sedai. Únicamente la habían visto intentar esconderse de ellos. Si Duranda Tharne no la hubiera irritado tanto, no habría cometido un error tan estúpido. Todavía recordaba un tiempo en que algo tan sin importancia como los comentarios de la posadera no habría hecho que su paso vacilara en lo más mínimo; naturalmente, esa oronda rabanera oxigenada jamás se habría atrevido a decirle una sola palabra de aquello. «Si a esa verdulera no le gustan mis modales, le...» Lo que tenía que hacer era continuar con el asunto que le importaba, y hacerlo antes de que la señora Tharne la azotara de modo que no pudiera sentarse en la silla de montar. A veces costaba acordarse que habían quedado atrás los días en que podía emplazar a reyes y reinas y hacer que acudieran aunque fuera a la fuerza.

Mientras seguía caminando calle adelante, asestó unas miradas tan duras a algunos carreteros que éstos se tragaron los comentarios que empezaban a dedicar a una hermosa joven que iba sola. Sólo algunos.

Min se encontraba sentada en un banco pegado a la pared de la abarrotada sala, en El Tiro de Nueve Caballos, observando una mesa que estaba rodeada por hombres en pie, algunos con látigos de carreteros enrollados al hombro y otros con espadas al cinto, que los señalaban como guardias de mercaderes. Alrededor de la mesa había otros seis más, sentados hombro con hombro. Apenas alcanzaba a ver a Logain y a Leane, que se habían colocado al otro lado de la mesa. El hombre tenía el ceño fruncido, en un gesto malhumorado; todos los demás parecían pendientes de cada una de las palabras de la sonriente Leane.

El aire estaba cargado con el humo de las pipas, y las conversaciones casi ahogaban la música de flauta y tambor y la voz de la chica que cantaba y bailaba encima de una mesa, entre las chimeneas de piedra. La canción hablaba de una mujer que trataba de convencer a seis hombres que cada uno de ellos era el único hombre de su vida; a Min le pareció interesante a pesar de que la letra la sonrojó. De vez en cuando, la cantante asestaba miradas celosas a la mesa abarrotada. O, más bien, a Leane.

La alta domani ya tenía encandilado a Logain para cuando entraron en la posada, y había atraído a más hombres como moscas a la miel con aquellos andares sinuosos y la ardiente mirada de sus ojos. Había faltado poco para que estallara una reyerta. Logain y los guardias de mercaderes habían llevado la mano a la espada, se habían desenvainado cuchillos, y el fornido propietario y dos tipos musculosos se habían dirigido apresuradamente hacia el grupo blandiendo porras. Y Leane había apagado las llamas con la facilidad con que había atizado el fuego, lanzando una sonrisa aquí, unas cuantas palabras allí, una palmadita en la mejilla acullá. Hasta el posadero había remoloneado un poco junto a la mesa, sonriendo como un estúpido, hasta que los parroquianos le instaron a que se marchara. ¡Y Leane creía que necesitaba practicar! No era justo.

«Si pudiera hacer eso mismo con un hombre en particular, me sentiría más que satisfecha. A lo mejor podría enseñarme a... ¡Luz! ¿Pero qué estoy pensando?» Siempre había sido fiel a sí misma, y los demás podían aceptarla como era o no. Y ahora estaba pensando en cambiar su forma de ser y de pensar por un hombre. Bastante malo había sido tener que esconderse debajo de un vestido, en lugar de llevar la chaqueta y los pantalones que siempre vestía. «Seguro que te miraría luciendo un vestido de escote bajo. Tienes más que enseñar que Leane, y ella... ¡Oh, basta!»

—Tenemos que ir hacia el sur —dijo Siuan junto a su hombro, y

Min se llevó un susto de muerte. No había visto entrar a la mujer—.
Ahora.

Por el brillo de los azules ojos de Siuan, era evidente que se había enterado de algo. Que lo compartiera con los demás, era harina de otro costal. La mujer parecía creer que seguía siendo la Amyrlin la mayoría del tiempo.

—No podremos llegar a ningún sitio con posada antes de la caída de la noche argumentó Min—. Deberíamos coger habitaciones aquí para esta noche. —Era agradable la idea de dormir otra vez en una cama en lugar de hacerlo debajo de unos matorrales o dentro de graneros, aunque por lo general tenía que compartir el cuarto con Leane y Siuan. Logain no habría tenido inconveniente en alquilar habitaciones individuales para cada una de ellas, pero Siuan se ponía en plan ahorrativo cuando Logain empezaba a repartir dinero a manos llenas.

Siuan miró en derredor, pero todos aquellos que no estaban pendientes de Leane se dedicaban a escuchar a la cantante.

—Eso es imposible. Creo... Creo que algunos Capas Blancas podrían empezar a hacer preguntas sobre mí.

Min soltó un quedo silbido.

—A Dalyn no le hará gracia eso.

—Entonces, no se lo cuentes. —Siuan sacudió la cabeza al reparar en la muchedumbre apiñada alrededor de Leane—. Dile a Amaena que tenemos que marcharnos. Él la seguirá. Y esperemos que el resto no haga lo mismo.

Min sonrió irónicamente. Puede que Siuan afirmara que no le importaba que Logain —Dalyn— se hubiera puesto al mando, principalmente haciendo caso omiso de ella cuando la mujer intentaba obligarlo a que hiciera algo, pero no había renunciado a seguir llevándolo pegado a los talones.

—Por cierto, ¿qué demonios será lo de El Tiro de Nueve Caballos? —preguntó la joven mientras se levantaba. Había salido a la puerta esperando encontrar una pista, pero el letrero que colgaba sobre la entrada sólo llevaba puesto el nombre—. Los he visto de ocho e incluso de diez, pero jamás de nueve.

—En esta ciudad —dijo Siuan, con remilgo—, más vale no hacer preguntas. —Un repentino rubor en las mejillas hizo sospechar a Min que la mujer lo sabía, y muy bien—. Ve a buscarlos. Nos aguarda un largo camino y no hay tiempo que perder. Y que no te oiga nadie más.

Min resopló bajito. Absortos en la sonrisa de Leane, ninguno de los hombres repararía siquiera en ella. Le habría gustado saber qué había hecho Siuan para llamar la atención de los Capas Blancas. Era lo que menos les interesaba que ocurriera, y no era propio de Siuan cometer esa clase de errores. Ojalá supiera cómo lograr que Rand la mirara como esos hombres estaban mirando a Leane. Si se iban a pasar toda la noche cabalgando —y sospechaba que era así— a lo mejor Leane accedería a darle unos cuantos consejos.

12

Una vieja pipa

Una racha de viento que arremolinaba el polvo bajó por la calle de Lugard y le arrebató el sombrero de terciopelo a Gareth Bryne; la prenda fue a parar directamente debajo de la rueda de una traqueteante carreta. El aro de hierro machacó el sombrero contra la dura arcilla de la calle, dejando tras de sí un inservible pingo aplastado. Gareth se quedó mirándolo un momento y después siguió caminando. «Después de todo, ya estaba lleno de manchas tras el viaje», se dijo para sus adentros. La chaqueta de seda también estaba llena de polvo antes de llegar a Murandy, y ya no servía de mucho cepillarla cuando se tomaba ese trabajo, cosa harto infrecuente. Ahora parecía más parda que gris. Debería buscar algo más sencillo; al fin y al cabo, no se dirigía a un baile de palacio.

Esquivó las carretas que se zarandeaban sobre los surcos de la calle, haciendo caso omiso de los insultos que le dirigían los carreteros —cualquier soldado de escuadrón los soltaba mejores hasta estando dormido— y se metió en una posada de tejado rojo llamada El Pescante. El dibujo del letrero daba al nombre una interpretación muy explícita.

La sala era como cualquier otra de las que había visto en Lugard, con carreteros y guardias de mercaderes apiñándose con mozos de establo, herreros, peones y tipos de cualquier condición, todos ellos hablando o riendo tan fuerte como les era posible mientras bebían tanto como podían, con una mano sujetando la copa, y la otra siempre dispuesta a toquetear a las camareras. En realidad, no difería mucho de las salas y tabernas de muchas otras ciudades, aunque el ambiente de la mayoría era considerablemente más moderado. Una moza rolliza, que llevaba una blusa que parecía a punto de caérsele, brincaba y cantaba encima de una mesa acompañada por la supuesta música de dos flautas y una vihuela de doce cuerdas.

Gareth no tenía buen oído para la música, pero se detuvo un momento para escuchar cantar a la muchacha; habría tenido muy buena acogida en cualquier campamento de soldados que conocía. Claro que habría sido igualmente popular aunque no cantara. Luciendo esa blusa, no habría tardado en encontrar un marido.

Joni y Barim ya estaban allí; el tamaño del primero bastaba para garantizarles sitio en una mesa para ellos solos a despecho del ralo cabello y del vendaje que todavía le ceñía las sienes. Estaban escuchando cantar a la chica, o, al menos, la miraban muy atentos. Tocó a los dos guerreros en el hombro y señaló con un gesto hacia la puerta lateral que conducía al establo, donde un mozo de cuadra hosco y algo bizco les cuidaba los caballos por tres monedas de plata. Más o menos un año antes Bryne podría haberse comprado un buen corcel por ese mismo precio. Los problemas existentes en el oeste y en Cairhien estaban haciendo estragos en el comercio y los precios.

Ninguno de ellos habló hasta que cruzaron las puertas de la ciudad y se encontraron en una calzada —poco más que un sendero ancho— apenas transitada que serpenteaba en dirección norte, hacia el río Storn.

—Estuvieron aquí ayer, mi señor —dijo entonces Barim.

También Bryne había obtenido la misma información. Tres mujeres bonitas, obviamente forasteras, no podían pasar por una ciudad como Lugard sin que se fijaran en ellas. Al menos, en lo que se refería a los hombres.

—Ellas y un tipo ancho de hombros —continuó Barim—. Quizás el tal Dalyn que estaba con ellas cuando incendiaron el granero de Nem. En fin, sea quien sea, los cuatro estuvieron en El Tiro de Nueve Caballos un rato, pero sólo bebieron algo y se marcharon. Esa domani, de la que me han hablado los chicos, por lo visto estuvo a punto de armar un follón con sus sonrisas y sus cimbreos, pero después volvió a calmar los ánimos del mismo modo. ¡Diablos, cómo me gustaría conocer a una domani!

—¿Te enteraste del camino que tomaron, Barim? —preguntó, armado de paciencia, Bryne. Él no había conseguido esa información.

234

—Eh, no, mi señor. Pero oí comentar que han estado pasando por la ciudad montones de Capas Blancas, todos dirigiéndose hacia el oeste. ¿Creéis que Pedron Niall planea algo? ¿Quizás en Altara?

—Eso ya no nos concierne, Barim. —Bryne sabía que su tono paciente empezaba a sonar un tanto tenso, pero Barim era un veterano en campañas lo bastante baqueteado para atenerse al asunto que tenían entre manos.

—Yo sé dónde fueron, mi señor —intervino Joni—. Al oeste, por la calzada de Jehannah, y con muchas prisas, por lo que oí. —Parecía preocupado—. Mi señor, me encontré con dos guardias de mercaderes, unos muchachos que prestaron servicio en la Guardia Real, y eché un trago con ellos. Resulta que se encontraban en un lupanar llamado La Gran Galopada Nocturna cuando esa chica, Mara, entró y pidió trabajo como cantante. No se lo dieron porque, al parecer, no quería enseñar las piernas del modo que lo hacen las cantantes en casi todos estos sitios, y no se la puede culpar por ello, así que se marchó. Por lo que me ha contado Barim, fue inmediatamente después cuando se pusieron de camino hacia el oeste. No me gusta, mi señor. No es la clase de chica que quiere un trabajo en un sitio así. Me parece que está intentando escaparse del tal Dalyn.

Cosa curiosa, a pesar del tremendo chichón, Joni no sentía animosidad por las tres jóvenes. Era de la opinión, expresada a menudo desde que habían partido de la mansión, de que las chicas se encontraban en alguna clase de aprieto y que necesitaban que las rescataran. Bryne sospechaba que, si conseguía atrapar a las jóvenes y llevarlas de regreso a sus posesiones, Joni estaría detrás de él para que se las entregara a sus hijas a fin de que les procuraran cuidados maternales.

Por su parte, Barim no albergaba tales sentimientos.

—Ghealdan. —Frunció el ceño—. O puede que Altara o Amadicia. Las vamos a pasar moradas para traerlas de vuelta. Yo diría que no merece la pena tantas molestias por un granero y algunas vacas.

Bryne no hizo comentarios. Había seguido a las chicas hasta allí, y Murandy era un sitio poco recomendable para unos andoreños, considerando los innumerables conflictos fronterizos habidos durante tantos años. Sólo un necio entraría en Murandy siguiendo los ojos de una quebrantadora de juramentos. Entonces ¿qué necio redomado los seguiría a través de medio mundo?

—Respecto a esos muchachos con los que hablé —apuntó tímidamente Joni—, en fin, mi señor, parece ser que muchos de los hombres que sirvieron bajo... vuestro mando han sido expulsados de la Guardia Real. —Envalentonado por el prolongado silencio de Bryne, continuó—: Han entrado muchos tipos nuevos. A montones. Esos muchachos me dijeron que por lo menos cuatro o cinco por cada uno que expulsaron con la excusa de que ya no necesitaban sus servicios. Y son de esos a los que les gusta organizar jaleo en lugar de frenarlo. Hay algunos que se autodenominan los Leones Blancos y que sólo obedecen al tal Gaebril. —Escupió con desprecio para demostrar lo que pensaba de ello—. Y un montón más que no pertenecen a la Guardia Real. Nada de levas de la casa Trakand. Que sepan ellos, Gaebril cuenta con un número de tropas diez veces superior al que posee la Guardia Real, y todos han prestado juramento al trono de Andor, pero no a la reina.

—Eso tampoco nos concierne ya —replicó Bryne, cortante. Se fijó en que Barim tenía la mejilla abultada con la lengua, como solía hacer cuando no quería decir algo o cuando no estaba seguro de que fuera lo bastante importante—. ¿De qué se trata, Barim? Vamos, hombre, suéltalo.

El veterano de rostro curtido como un pedazo de cuero viejo lo miró sorprendido. Nunca se había explicado cómo podía saber Bryne que se estaba guardando algo.

—Bueno, mi señor, algunos de los tipos con los que hablé me comentaron que varios Capas Blancas estaban haciendo preguntas ayer sobre una chica cuya descripción encaja con la de la tal Mara. Querían saber quién era y adónde había ido. Así de claro. Por lo visto su interés creció mucho cuando se enteraron de que se había marchado de la ciudad. Si van tras ella, podría acabar en la horca antes de que la encontremos. Y, si se toman la molestia de ir tras ella para prenderla, puede que no hagan demasiadas preguntas respecto a si realmente es una Amiga Siniestra o lo que quiera que sea por lo que la buscan.

Bryne frunció el entrecejo. ¿Capas Blancas? ¿Por qué los Hijos de la Luz estaban interesados en Mara? Jamás creería que era una Amiga Siniestra. Claro que, en cierta ocasión, había visto ahorcar en Caemlyn a un jovenzuelo con cara de niño que era Amigo Siniestro y que había estado impartiendo enseñanzas a los chiquillos en la calle respecto a las glorias del Oscuro, el Gran Señor de la Oscuridad, como lo llamaban ellos. Que se supiera, el muchachito había matado a nueve niños en tres años, cuando sospechaba que iban a denunciarlo. «No, esa chica no es una Amiga Siniestra, y apostaría mi vida en ello.» Los Capas Blancas sospechaban de todo el mundo. Y si se les metía en la cabeza la idea de que se había marchado de Lugard para esquivarlos...

Taconeó a *Viajero* para ponerlo a medio galope. El castrado alazán no tenía una estampa espléndida, pero era resistente y valeroso. Los otros dos hombres lo alcanzaron enseguida y guardaron silencio al advertir el humor de su señor.

A unas dos millas de Lugard, Bryne salió del camino y se internó en un bosquecillo de robles y cedros. El resto de sus hombres habían instalado un campamento temporal allí, en un claro resguardado bajo las extensas ramas de los robles. Había varias lumbres pequeñas encendidas, ya que aprovechaban cualquier oportunidad para preparar un poco de té, y algunos estaban echando una cabezada; dormir era otra de las cosas que un veterano no dejaba de hacer en cuanto tenía ocasión.

Los que estaban en vela despertaron a los demás sin muchas contemplaciones, y enseguida todos se encontraban pendientes de él. Bryne los estuvo observando unos instantes. Los cabellos grises, los cráneos calvos y los rostros arrugados. Todavía endurecidos y en forma, pero aun así... Había sido un necio arriesgándose a llevarlos a Murandy sólo porque quería saber por qué una mujer había roto un juramento. Y tal vez con el agravante de tener tras ellos a los Capas Blancas. Además, no había modo de saber cuánto tiempo pasaría antes de que la aventura llegara a su fin. Si daban media vuelta ahora, habrían estado ausentes de casa más de un mes para cuando volvieran a ver Hontanares de Kore. Si, por el contrario, continuaban, no tenía garantía de que la persecución acabara antes de llegar al Océano Aricio. Lo que debería hacer era coger a sus hombres y llevarlos a casa. Eso era lo que tendría que hacer. No tenía motivo para pedirles que intentaran arrebatar a esas chicas de las manos de los Capas Blancas. Debería abandonar a Mara a la justicia de los Hijos.

—Nos dirigimos hacia el oeste —anunció, y de inmediato todos se pusieron a apagar precipitadamente las lumbres con el té y a guardar los cazos en las alforjas—. Tendremos que forzar la marcha, porque me propongo alcanzarlas en Altara si es posible; pero, si no, es imposible saber hacia dónde nos conducirán. Tal vez hayáis visitado Jehannah o Amador o Ebou Dar antes de que esto haya acabado. —Soltó una risa afectada—. Descubriréis hasta qué punto sois realmente duros si llegamos a Ebou Dar. Tienen tabernas allí donde las camareras desuellan illianos para cenar y ensartan en espetones a Capas Blancas para divertirse.

Los hombres rieron con más ganas de lo que requería la broma.

—Eso no nos preocupa estando vos con nosotros, mi señor —dijo entre risitas Thad mientras metía la taza de estaño en las alforjas. Su rostro estaba tan arrugado como un trozo de cuero estrujado—. Vaya, pero si os oí una vez tener una buena agarrada con la mismísima Amyrlin, y... —Jar Silvin le soltó una patada en el tobillo, y Thad se giró velozmente hacia el hombre más joven, aunque también tenía el pelo canoso, y lo amenazó con el puño—. ¿A qué ha venido eso, Silvin? Si lo que buscas es que te rompa la cabeza, sólo tienes que... ¿Qué? —Las miradas significativas de Silvin y de algunos de los otros lograron finalmente hacerlo caer en la cuenta de lo que había dicho—. Oh. Oh, sí. —Hundió la cara en el flanco de su caballo y se afanó en ajustar las cinchas de la silla, pero las risas habían cesado por completo.

Bryne se obligó a relajar el rostro contraído. Ya iba siendo hora de que dejara atrás el pasado. Sólo por una mujer cuyo lecho —y algo más, pensó él— había compartido, sólo porque esa mujer lo había mirado como si nunca lo hubiera visto, no era motivo para no volver a pronunciar su nombre. Sólo porque lo había exiliado de Caemlyn bajo pena de muerte por haberle aconsejado como juró que lo haría... Si se había convertido en una paloma arrulladora con ese lord Gaebril que tan de repente había aparecido en Caemlyn, era algo que ya no le concernía. Ella le había dicho, con un tono tan frío y seco como un pedazo de hielo, que el nombre de Gareth Bryne no se volvería a pronunciar en palacio, y que sólo sus largos años de servicio la frenaban de mandarlo al tajo del verdugo por el cargo de traición. ¡Traición! No. Necesitaba mantener el ánimo, sobre todo si esto acababa siendo una persecución larga.

Echando la pierna alrededor de la perilla de la silla, sacó la pipa y la bolsita de tabaco. La cazoleta estaba tallada a semejanza de un toro salvaje, ceñido con la Corona de la Rosa de Andor. Durante un milenio éste había sido el emblema de la casa Bryne: fortaleza y valor al servicio de la reina. Necesitaba otra pipa; ésta estaba vieja.

—No salí de ésa tan bien parado como pareces creer. —Se inclinó para que uno de los hombres le tendiera una ramita, todavía que estaba encendida, de una de las lumbres, y después se irguió mientras daba continuamente chupadas a la pipa—. Sucedió hace unos tres años. La Amyrlin estaba haciendo un recorrido: Cairhien, Tear, Illian... y acabó en Caemlyn antes de regresar a Tar Valon. Por aquel entonces teníamos problemas fronterizos con los señores murandianos... para variar. —Hubo una risotada general; todos habían servido en la frontera con Murandy en un momento u otro—. Yo había enviado a algunos de los guardias reales para que dejaran claro a los murandianos quién poseía los rebaños y el ganado que se encontraban a nuestro lado de la frontera. Nunca imaginé que la Amyrlin se interesara por algo así. —Desde luego, todos tenían la atención puesta en él, y, aunque los preparativos para la marcha continuaban, ahora iban más despacio.

»Siuan Sanche y Elaida se encerraron con Morgase —bien; había pronunciado su nombre y ni siquiera le había dolido— y, cuando salieron, Morgase estaba, por un lado, a punto de estallar, echando chispas por los ojos, y por otro, como una niñita de diez años a la que ha reprendido su madre por sorprenderla cogiendo pastelillos. Es una mujer de carácter, pero atrapada entre Elaida y la Sede Amyrlin... —Sacudió la cabeza y los hombres soltaron risitas quedas; atraer el interés de las Aes Sedai era algo que ninguno de ellos envidiaba a los señores y dirigentes—. Me ordenó que retirara inmediatamente todas las tropas de la frontera con Murandy. Le pedí que lo discutiéramos en privado, y Siuan Sanche se me echó encima. Delante de la mitad de la corte, me dio un repaso de arriba abajo y de atrás adelante como si fuera un soldado raso. Dijo que si no hacía lo que me habían mandado me utilizaría como cebo para peces. —Había tenido que pedirle perdón a la Amyrlin delante de todos, sólo por tratar de hacer lo que había jurado hacer, pero no había necesidad de añadir este detalle. Incluso entonces, no estuvo seguro de si la Amyrlin no exigiría a Morgase que fuera decapitado o que la decapitaran a ella misma.

—Entonces es que tenía intención de atrapar un pez gordo —rió alguien, y los demás corearon sus risas.

—El resultado fue —continuó Bryne— que yo salí chamuscado y los guardias reales recibieron la orden de regresar de la frontera. Así que, si confiáis en mí para que os proteja en Ebou Dar, recordad que mi opinión es que esas camareras serían capaces de poner a secar el pellejo de la Amyrlin junto con el del resto de nosotros.

Hubo un estallido de carcajadas.

—¿Llegasteis a descubrir por qué hubo aquella contraorden, mi señor? —quiso saber Joni.

—No. —Bryne sacudió la cabeza—. Algún asunto de las Aes Sedai, supongo. A la gente como tú y como yo no les dan explicaciones de lo que se traen entre manos. —Aquello provocó más risas.

Montaron con una agilidad que desmentía su edad. «Algunos no son mayores que yo», pensó con ironía. Demasiado viejo para andar persiguiendo un par de ojos bonitos, lo bastante jóvenes para ser los de su hija, cuando no su nieta. «Sólo quiero saber por qué faltó a su juramento; sólo eso», se dijo firmemente.

Alzó la mano e hizo la señal de marchar. Se dirigieron hacia el oeste, dejando tras de sí una estela de polvo. Tendrían que cabalgar sin descanso para alcanzarlas, pero estaba dispuesto a conseguirlo. Las encontraría estuvieran donde estuvieran, en Ebou Dar o en la Fosa de la Perdición.

13

Un cuarto pequeño en Sienda

Elayne se sujetaba en el asidero de cuero para aguantar los zarandeos del carruaje intentaba hacer caso omiso del gesto agrio de Nynaeve, sentada enfrente de ella. Las cortinas estaban retiradas a pesar de las bocanadas de polvo que entraban de vez en cuando por las ventanillas; la brisa aliviaba un poco el calor del final de la tarde. Las colinas boscosas pasaban y quedaban atrás, con las frondas rotas de trecho en trecho por pequeñas extensiones de campos de cultivos. La mansión de un señor, al estilo de Amadicia, coronaba un otero a pocas millas de la calzada; era una enorme construcción, con los primeros cincuenta pies de altura hechos de piedra, y sobre ésta, otra estructura de madera, con numerosos balcones ornamentados y techos de tejas rojas. Antaño habría sido toda de piedra, pero habían pasado muchos años desde la época en que un señor necesitaba una fortaleza en Amadicia, y la promulgación del rey exigía construcciones de madera. Ningún noble rebelde resistiría mucho tiempo contra el rey. Por supuesto, los Hijos de la Luz quedaban exentos de dicha ley; en realidad, lo estaban de muchas leyes amadicienses. De pequeña había tenido que aprender algo sobre leyes y costumbres de otras naciones.

También los labrantíos salpicaban las distantes colinas, como parches marrones sobre un paño verde, y los hombres que los trabajaban parecían hormigas. Todo tenía aspecto seco; si hubiera caído un rayo habría prendido un fuego que se habría extendido leguas y leguas. Empero, los rayos significaban lluvia, y las escasas nubes que había en el cielo estaban demasiado altas y eran demasiado tenues para formar una tormenta. Ociosamente, se preguntó si sería capaz de hacer que lloviera. Había aprendido mucho respecto al control sobre los fenómenos atmosféricos. Aun así, resultaba muy difícil si se tenía que empezar partiendo de nada.

—¿Está aburrida, mi señora? —preguntó con acritud Nynaeve—. Por el modo en que mi señora contempla el campo, con altanería, eso sí, se diría que mi señora desearía viajar más deprisa.

Dicho esto, Nynaeve alargó el brazo por detrás de su cabeza y abrió de un tirón un pequeño ventanuco.

—Más rápido, Thom —gritó—. ¡No discutas conmigo! ¡Y tú, Juilin el rastreador, contén también la lengua! ¡He dicho que más deprisa!

La trampilla de madera se cerró con un golpe seco, pero Elayne siguió escuchando los rezongos de Thom; seguramente eran maldiciones. Nynaeve había estado gritando a los dos hombres todo el día. Un instante después, sonó el chasquido del látigo y el carruaje aumentó aun más la velocidad, zarandeándose con tanta violencia que las dos mujeres rebotaron en los asientos de seda dorada. El tapizado había sido cepillado a fondo cuando Thom llevó el carruaje, pero el mullido de los asientos hacía mucho que se había quedado apelmazado. A pesar de las sacudidas que recibía, el firme gesto de Nynaeve manifestaba que no le pediría a Thom que volviera a aminorar la marcha cuando acababa de ordenarle que fuera más deprisa.

—Por favor, Nynaeve —dijo Elayne—. Yo...

—¿Se siente incómoda, mi señora? —la interrumpió—. Sé que las nobles damas están acostumbradas a las comodidades, algo que es desconocido para una pobre doncella, pero sin duda mi señora querrá llegar a la próxima ciudad antes de que oscurezca. Así, la doncella de la señora podrá servirle la cena y abrirle la cama. —Sus dientes chascaron con el violento encuentro del asiento subiendo y su trasero bajando; asestó una mirada furibunda a Elayne, como si la culpa fuera de ella.

Elayne suspiró sonoramente. Nynaeve había caído en la cuenta allá, en Mardecin. Una dama nunca viajaba sin su doncella, y dos damas, lógicamente, irían acompañadas por un par de sirvientas. A menos que pusieran un vestido a Thom o a Juilin, el papel de criada recaía en una de ellas. Nynaeve había comprendido que Elayne conocía mejor el comportamiento de una dama; la joven había expuesto el razonamiento con toda delicadeza, y la antigua Zahorí reconocía un planteamiento sensato cuando lo oía. Casi siempre. Pero eso fue en la trastienda de la señora Macura, después de haber hecho tragar un montón de su propia y horrible cocción a las dos mujeres.

Partieron de Mardecin y viajaron a toda velocidad y sin descanso hasta que a media noche llegaron a un pueblo pequeño que tenía posada, donde despertaron al posadero para que les alquilara dos incómodos cuartuchos con dos camas estrechas; al día siguiente se levantaron con las primeras luces y reanudaron la marcha, dando un rodeo a fin de pasar a varias millas de Amador. Ninguno de los cuatro habría sido tomado por alguien distinto de lo que daba a entender su apariencia, pero no les agradaba la idea de cruzar una urbe llena de Capas Blancas. La Fortaleza de la Luz se encontraba en Amador. Elayne había oído decir que el rey reinaba en Amador, pero que era Pedron Niall quien gobernaba.

El problema había comenzado la pasada noche, en un lugar llamado Bellon, que se alzaba junto a un cenagoso arroyo que tenía el pretencioso nombre de río Gaean, a unas veinte millas de la capital. La posada El Vado de Bellon era más grande que la de la noche anterior, y la señora Alfara, la posadera, ofreció a «lady Morelin» un comedor privado, a lo que Elayne no pudo negarse. La señora Alfara consideró que sólo «Nana», la «doncella» de lady Morelin, sabría cómo servir a su señora adecuadamente; las damas nobles requerían una rigurosa precisión en todo, adujo la mujer, y estaban en su derecho a hacerlo, pero las chicas que trabajan para ella no tenían costumbre de tratar con nobles señoras. Nana sabría exactamente cómo deseaba lady Morelin que le dispusieran las ropas de cama y podría prepararle un estupendo baño caliente tras un largo y caluroso día de viaje. La lista de cosas que Nana haría exactamente al gusto de su señora había sido interminable.

Elayne no estaba segura de si la nobleza amadiciense esperaba este comportamiento por parte de la señora Alfara o es que sencillamente la posadera quería quitarles trabajo a sus chicas cargándoselo a la criada forastera. La joven intentó librar a Nynaeve, pero su amiga había actuado con tantos «como vos digáis» y «mi señora es muy especial» como la posadera. Habría quedado como una necia o, al menos, habría parecido extraño, insistir en ello. Estaban procurando llamar la atención lo menos posible.

Mientras estuvieron en Bellon, Nynaeve había actuado como la perfecta doncella de una dama. En público, se entiende; en privado fue harina de otro costal. Elayne habría querido que Nynaeve hubiera asumido su propio papel en vez de estar chinchando con la pantomima de la doncella de una dama de La Llaga. Sus disculpas fueron recibidas con un «mi señora es muy amable» o simplemente haciendo caso omiso de ellas. «No pienso disculparme otra vez —pensó por enésima vez—. No voy a pedir perdón por algo que no es culpa mía.»

—He estado pensando, Nynaeve. —A pesar de ir aferrada a uno de los asideros de cuero, se sentía como una pelota en el juego infantil conocido en Andor como «el rebote», en el que se intentaba hacer botar lo más posible una pelota de madera, de colores, sobre una paleta. Empero, no pediría que el carruaje bajara la velocidad. Lo aguantaría tanto tiempo como su compañera. ¡Qué tozuda era esta mujer!—. Quiero llegar a Tar Valon y saber qué está ocurriendo, pero...

—¿Que mi señora ha estado pensando? Mi señora debe de tener jaqueca después de tal esfuerzo. Prepararé a mi señora una buena infusión de lengua de carnero y margaritas rojas tan pronto como...

—Cállate, Nana —replicó Elayne reposada pero firmemente, en una estupenda imitación de su madre. Nynaeve se quedó boquiabierta—. Si empiezas a tirarte de la trenza, harás el resto del viaje subida al techo, con el equipaje. —La antigua Zahorí exhaló un sonido ahogado, intentando con tanto empeño hablar que no consiguió pronunciar una sola palabra. Muy satisfactorio—. A veces parece que todavía crees que soy una niña, pero eres tú quien se comporta como tal. No te pedí que me frotaras la espalda en el baño, pero habría tenido que pelearme contigo para impedírtelo. A cambio, me ofrecí a frotar la tuya, no lo olvides. Y también me ofrecí a dormir en la carriola, pero tú te metiste en ella y rehusaste abandonarla. Basta ya de refunfuñar y de estar mohína. Si quieres, yo haré de doncella en la próxima posada. —Seguramente sería un desastre, porque Nynaeve empezaría a dar gritos a Thom en público o a propinar un bofetón a alguien. No obstante, haría cualquier cosa por tener un poco de paz—. Podemos parar ahora mismo y cambiarnos de ropa tras los árboles.

—Elegimos los vestidos de tu talla —rezongó la otra mujer al cabo de un momento. Abrió de nuevo la trampilla del carruaje y gritó—: ¡Aminorad la marcha! ¿Es que intentáis matarnos? ¡Estúpidos hombres!

No se oyó una sola palabra en el pescante del conductor mientras el vehículo reducía la velocidad hasta ponerse a un paso más razonable, pero Elayne habría apostado que los dos hombres estaban hablando. Se arregló el cabello lo mejor que pudo considerando que no tenía espejo. Todavía se sobresaltaba cuando veía los brillantes bucles negros cuando se miraba en uno. El vestido de seda verde también iba a necesitar un buen cepillado.

—¿En qué estuviste pensando, Elayne? —preguntó Nynaeve, cuyos pómulos estaban rojos como la grana. Al menos era consciente de que Elayne tenía razón, pero ceder haciendo esta pregunta era lo más parecido a una disculpa que podía esperarse de ella.

—Regresamos a toda prisa a Tar Valon, pero ¿sabemos realmente lo que nos espera en la Torre? Si es verdad que la Amyrlin dio esas órdenes... No acabo de creerlo, y tampoco puedo entenderlo, pero no pienso entrar en la Torre hasta que lo haga. «Sólo un necio mete la mano en un árbol hueco sin comprobar antes lo que hay dentro.»

—Una mujer sabia, esa Lini —opinó Nynaeve—. Tal vez descubramos algo más si vemos otro ramo de flores amarillas colgadas boca abajo, pero hasta entonces deberíamos actuar como si fuera el mismísimo Ajah Negro el que tiene la Torre bajo control.

—La señora Macura habrá enviado otra paloma a Narewin a estas alturas, con la descripción de este carruaje, de los vestidos que le cogimos, y probablemente de Thom y Juilin también.

—Es inevitable. Esto no habría ocurrido si no nos hubiéramos demorado tanto cruzando Tarabon. Tendríamos que haber cogido un barco. —Elayne se quedó boquiabierta ante su tono acusador, y Nynaeve tuvo la delicadeza de ponerse colorada otra vez—. En fin, lo hecho, hecho está. Moraine conoce a Siuan Sanche. A lo mejor Egwene puede preguntarle si...

De repente, el carruaje se frenó con brusquedad, y Elayne salió lanzada contra Nynaeve. Mientras las dos mujeres intentaban desenredarse, oyeron relinchar y encabritarse a los caballos.

Elayne abrazó el *Saidar* al tiempo que sacaba la cabeza por la ventanilla para ver qué ocurría; con un suspiro de alivio, cortó el contacto con la Fuente Verdadera. Se trataba de algo que ya había visto en Caemlyn más de una vez; acampada en un amplio claro, a las sombras de media tarde, había una colección de jaulas con animales salvajes. Un enorme león de negra melena dormitaba en una de las jaulas, que ocupaba toda la parte trasera de una carreta, en tanto que sus dos consortes paseaban en los confines de otra. Una tercera jaula aparecía abierta; delante de ella, una mujer obligaba a dos osos negros de hocico blanco a hacer equilibrios sobre unas grandes esferas rojas. En otra jaula había lo que parecía un jabalí peludo de gran tamaño, salvo por su hocico que era demasiado afilado y en vez de pezuñas tenía dedos rematados con garras; Elayne sabía que procedía del Yermo de Aiel, y que se llamaba *capari*. En otras jaulas había más animales, así como aves de llamativos colores; pero, a diferencia de los espectáculos de animales salvajes que la joven había visto antes, éste contaba también con artistas humanos: dos hombres hacían juegos malabares con aros que se pasaban entre sí; cuatro acróbatas practicaban haciendo una torre humana; y una mujer daba de comer a una docena de perros que caminaban sobre sus patas traseras y hacían volteretas. Al fondo, otros hombres estaban levantando dos grandes postes; Elayne no tenía ni idea de para qué servían.

Sin embargo, no había sido nada de esto lo que había espantado a los caballos, haciéndoles recular a pesar de todos los esfuerzos de Thom para dominarlos con las riendas. Ella misma percibía el olor de los leones, pero era a los tres enormes animales, grises y arrugados, a los que los caballos miraban con ojos desorbitados. Dos de ellos eran tan altos como el carruaje, con grandes orejas e inmensos colmillos que se curvaban a partir de la nariz, la cual les colgaba hasta el suelo. Un tercero, más bajo que los caballos aunque igualmente corpulento, no tenía colmillos. Elayne supuso que se trataba de una cría. Una mujer de cabello rubio pálido estaba rascando a este último detrás de una oreja con una especie de garrocha. La heredera del trono también había visto criaturas como éstas con anterioridad, y jamás imaginó que volvería a verlas.

Un hombre alto, de cabello oscuro, salió del campamento y se dirigió hacia el carruaje; a pesar del calor, llevaba puesta una capa de seda roja que hizo ondear al tiempo que realizaba una elegante reverencia. Era bien parecido y tenía buen tipo, cosas ambas de las que, obviamente, era consciente.

—Disculpad, mi señora, si los mastodontes paquidercus asustaron a vuestros animales. —Se irguió y llamó por señas a dos de sus hombres para que ayudaran a tranquilizar a los caballos; luego la miró de hito en hito y susurró—: Calma, corazón desbocado. —Lo dijo lo bastante fuerte para que Elayne supiera que tenía que oírlo—. Soy Valan Luca, mi señora, singular director de espectáculos. —Hizo otra reverencia, ésta aun más ostentosa que la primera.

Elayne intercambió una mirada con Nynaeve y captó la divertida sonrisa que su amiga compartía con la suya. Un tipo muy pagado de sí mismo, el tal Valan Luca. Sus hombres parecían ser buenos en su tarea de tranquilizar a los caballos; los animales seguían resoplando e intentando recular, pero ya no tenían los ojos tan desorbitados. Thom y Juilin contemplaban a las extrañas bestias casi con tanta intensidad como los propios caballos.

—¿Mastodontes, maese Luca? —dijo Elayne—. ¿De dónde proceden?

—Mastodontes *paquidercus,* mi señora —fue la enfática respuesta—. Vienen de la legendaria Shara, donde yo mismo dirigí una expedición a un territorio salvaje repleto de raras civilizaciones y extraños paisajes para cazarlos. Me encantaría hablaros de todo ello. Hay gente gigantesca, el doble de grande que los Ogier. —Gesticuló para ilustrar sus palabras—. Seres sin cabeza. Aves lo bastante grandes para apresar toros adultos. Serpientes que pueden engullir a un hombre. Ciudades hechas de oro macizo. Bajad del carruaje, mi señora, y permitid que os lo cuente en detalle.

Elayne estaba convencida de que Luca se sentiría a sus anchas contando sus propios relatos, pero dudaba mucho que aquellas bestias procedieran de Shara. En primer lugar, porque ni siquiera los Marinos conocían de Shara más que los puertos amurallados en los que permanecían confinados durante su estancia en aquellas tierras; cualquiera que osaba ir más allá de las murallas, no volvía a ser visto. Tampoco los Aiel sabían mucho más. Y, en segundo lugar, porque Nynaeve y ella habían visto bestias como éstas en Falme, durante la invasión seanchan. Los seanchan las utilizaban tanto para trabajar como para la guerra.

—Me temo que no, maese Luca —le dijo.

—Entonces, permitid que actuemos para vos —se apresuró a proponer el hombre—. Como podéis ver, éste no es un espectáculo de animales salvajes corriente, sino algo totalmente nuevo. Será una actuación privada. Saltimbanquis, malabaristas, animales amaestrados, el hombre más fuerte del mundo... Hasta fuegos artificiales. Tenemos a un Iluminador entre nosotros. Vamos de camino a Ghealdan, y mañana habremos partido en alas del viento. Por un pequeño donativo...

—Mi señora ha dicho que no —lo atajó Nynaeve—. Tiene cosas mejores en las que emplear su dinero que en mirar animales. —De hecho, era ella quien administraba los fondos comunes casi con tacañería, y, cuando tenía que soltar dinero para lo que necesitaban, lo hacía a regañadientes. Parecía pensar que todo tendría que costar igual que en su tierra natal, Dos Ríos.

—¿Y cómo es que tenéis intención de ir a Ghealdan, maese Luca? —preguntó Elayne. Nynaeve siempre levantaba ampollas y luego le tocaba a ella poner los emplastos—. Según he oído, hay muchos problemas por allí. Al parecer, el ejército ha sido incapaz de reprimir a ese hombre que se hace llamar el Profeta y que predica sobre el Dragón Renacido. Dudo mucho que queráis veros envuelto en revueltas y desórdenes.

—Se han exagerado mucho las cosas, mi señora. Demasiado. Allí donde hay multitudes, la gente quiere que alguien la entretenga. Y donde hay gente que quiere divertirse, mi espectáculo siempre es bienvenido. —Luca vaciló y luego se acercó más al carruaje. Una expresión azorada asomó fugazmente a su semblante cuando alzó la vista hacia Elayne—. Mi señora, la verdad es que me haríais un gran favor permitiéndome que actuáramos para vos. El hecho es que uno de los mastodontes ocasionó un pequeño problema en la próxima ciudad que encontraréis en el camino. Fue un accidente —se apresuró a añadir—, os lo aseguro. Son criaturas mansas y afables, en absoluto peligrosas. Pero la gente de Sienda no sólo se opone a que represente el espectáculo sino que no me permite acercarme a... En fin, que tuve que gastar todo mi dinero para pagar los daños y las multas. —Se encogió—. Sobre todo las multas. Si me permitís que haga la representación para vos, por una miseria, de veras, os proclamaría como protectora de mi espectáculo dondequiera que viajemos por el mundo, propagando la fama de vuestra generosidad, mi señora...

—Morelin —dijo—. Lady Morelin de la casa Samared. —Con el nuevo color de cabello, podía hacerse pasar por cairhienina; pero, aunque habría disfrutado mucho en otro momento, no tenía tiempo para ver su espectáculo, y así se lo dijo, añadiendo—: Pero os ayudaré un poco, si no tenéis dinero. Dale algo de dinero, Nana, para ayudarlo en su viaje a Ghealdan. —Lo que menos deseaba era que Luca «propagara su fama», pero socorrer a los pobres y a los afligidos era un deber que no descuidaría cuando tenía medios para ello, incluso en un país extranjero.

Rezongando, Nynaeve sacó la bolsa de dinero que llevaba sujeta al cinturón y rebuscó en su interior. Se asomó por la ventanilla lo bastante para poner en la mano de Luca lo que le daba. El hombre sufrió un sobresalto cuando le espetó:

—Si realizaseis un trabajo honrado, no tendríais que mendigar. ¡Arranca, Thom!

Thom hizo restallar el látigo, y Elayne fue arrojada contra el respaldo del asiento.

—No tenías que ser tan ruda —dijo—. Ni tan brusca. ¿Qué le diste?

—Un céntimo de plata —repuso tranquilamente Nynaeve mientras volvía a guardar la bolsa del dinero en el cinturón—. Y es más de lo que se merece.

—Nynaeve —gimió Elayne—, ese hombre seguramente cree que nos estábamos burlando de él.

La antigua Zahorí resopló con desdén.

—Con esos hombros —opinó—, un buen día de trabajo no acabará con él.

Elayne guardó silencio, aunque no estaba de acuerdo con ella. No del todo. Ciertamente, trabajar no perjudicaría al hombre, pero no creía que hubiera mucha oferta de trabajo. «Y no es que piense que maese Luca aceptaría una ocupación en la que no pudiera lucir esa capa.» Empero, si daba su opinión, Nynaeve empezaría a discutir —cuando le hacía notar, con toda gentileza, cosas que ella ignoraba, su amiga solía reaccionar acusándola de ser arrogante o de querer darle lecciones— y no merecía la pena que por Valan Luca tuvieran otro altercado cuando hacía tan poco que habían limado asperezas por el último.

Las sombras se iban alargando para cuando llegaron a Sienda, un pueblo grande con casas de piedra y techos de bálago en el que había dos posadas. La primera, El Lancero del Rey, tenía un gran agujero donde había estado la puerta, y una multitud observaba a los obreros que hacían las reparaciones. Quizás al «mastodonte» de maese Luca no le había gustado el letrero, apoyado junto al agujero y, al parecer, partido, que representaba a un soldado cargando con la lanza.

Sorprendentemente, había más Capas Blancas en las abarrotadas calles de tierra que en Mardecin, muchos más, aparte de otros soldados, unos hombres equipados con cota de malla y yelmos cónicos de acero, cuyas capas azules lucían el emblema de Amadicia, la Estrella y el Acanto. Debía de haber guarniciones en las cercanías. Los hombres del rey y los Capas Blancas no parecían tenerse mucho aprecio. O se empujaban al pasar junto al hombre que llevaba la capa del color contrario, como si no existiera, o intercambiaban miradas retadoras que amenazaban con llegar a las manos de un momento a otro. Los hombres de blancas capas lucían el símbolo del cayado de pastor rojo con el sol resplandeciente encima. La Mano de la Luz, como se autodenominaban, la Mano que busca la verdad; pero todos los demás los llamaban interrogadores. Hasta los otros Capas Blancas mantenían las distancias con ellos.

En suma, era suficiente para que a Elayne se le encogiera el estómago. Pero sólo quedaba una hora para la puesta de sol, como mucho, y eso considerando lo largos que eran los días a finales de verano. Aunque continuaran hasta medianoche, no tenían garantías de encontrar otra posada más adelante, y viajar a tan altas horas podría llamar la atención. Además, tenían una razón para parar temprano hoy.

Intercambió una mirada con Nynaeve y, al cabo de un momento, la otra mujer asintió y dijo:

—Tenemos que parar.

Cuando el carruaje se detuvo ante la fachada de La Luz de la Verdad, Juilin descendió de un salto para abrir la puerta, y Nynaeve esperó con actitud respetuosa a que ayudara a bajar a Elayne. Sin embargo, lanzó una fugaz sonrisa a la joven; no volvería a enfurruñarse por su papel de doncella. El morral de cuero que colgaba de su hombro resultaba un tanto chocante, aunque Elayne confió en que no demasiado. Ahora que la antigua Zahorí había conseguido tener a su disposición una provisión de hierbas curativas y ungüentos, no estaba dispuesta a perderla de vista.

El primer vistazo al letrero de la posada —un sol resplandeciente como el que los Hijos lucían en sus capas— bastó para que la joven deseara que el «mastodonte» la hubiera emprendido contra este establecimiento en lugar de destrozar el otro. Por lo menos no tenía el cayado de pastor detrás del sol. La mitad de los hombres que abarrotaban la sala llevaban capas níveas, y sus yelmos descansaban sobre la mesa, ante ellos. Elayne respiró hondo y se dominó para no girar sobre sus talones y marcharse de allí.

Dejando aparte a los soldados, la posada era agradable, con techos altos atravesados por vigas y las paredes cubiertas con paneles de madera pulida. Trozos de leña verde decoraban los hogares fríos de dos grandes chimeneas, y de la cocina salía el apetitoso olor de comida. Las camareras, con delantales blancos, se movían entre las mesas con actitud alegre, llevando bandejas con alimentos, vino y cerveza.

La llegada de una dama provocó un pequeño revuelo; quizás iba de visita a la capital. O tal vez a la mansión del señor de la comarca. Unos cuantos hombres la miraron, pero hubo más que dirigieron sus ojos hacia la «doncella», aunque el severo ceño de Nynaeve, cuando ésta reparó en su interés, los indujo a volver la vista de nuevo a sus bebidas. Nynaeve parecía pensar que era un delito que los hombres la miraran, aunque no dijo nada ni puso gesto de desprecio. Pensándolo bien, Elayne no entendía por qué, si su amiga tenía esa opinión, no llevaba vestidos menos favorecedores. Había tenido que emplearse a fondo para que Nynaeve se sintiera satisfecha de que el sencillo vestido gris le sentara a su gusto. La antigua Zahorí era una completa inútil con la aguja cuando se trataba de hacer un buen trabajo de costura.

La posadera, la señora Jharen, era una mujer rolliza con largos cabellos canosos, una cálida sonrisa y escrutadores ojos oscuros. Elayne sospechó que era capaz de distinguir un repulgo desgastado o una bolsa de dinero vacía a diez pasos de distancia. Obviamente, ella y Nynaeve salieron bien paradas de su revista, porque hizo una profunda reverencia, extendiendo las amplias faldas grises sobre el suelo, y les dio un caluroso recibimiento, preguntando si la dama iba de camino a Amador o venía de allí.

—Vengo de allí —contestó Elayne con lánguida altivez—. Los bailes de la ciudad fueron realmente agradables, y el rey Ailron es tan apuesto como dicen, lo que no siempre ocurre con los monarcas, pero he de regresar a mis posesiones. Necesito una habitación para mí y para Nana, y algo para mi lacayo y mi cochero. —Pensando en Nynaeve y la carriola, añadió—: Quiero dos camas altas. Necesito que Nana esté a mi lado, y, si sólo dispone de una carriola, me tendrá despierta toda la noche con sus ronquidos. —La expresión respetuosa de Nynaeve desapareció, sólo un momento, por suerte, pero lo que había dicho era cierto. Su amiga había roncado de un modo terrible.

—Por supuesto, mi señora —respondió la rolliza posadera—. Tengo justo lo que necesitáis. Pero vuestros hombres tendrán que dormir en el henil del establo. La posada está abarrotada, como podéis ver. Una compañía de cómicos ambulantes trajo unos horribles y enormes animales al pueblo ayer, y uno de ellos causó grandes destrozos en El Lancero del Rey. El pobre Sim ha perdido a la mitad o más de sus clientes, y todos han venido aquí. —La sonrisa de la señora Jharen denotaba más satisfacción que conmiseración—. Sin embargo, dispongo de una habitación.

—Estoy segura de que me complacerá. Si sois tan amable de mandar un refrigerio y agua para el aseo, creo que me retiraré temprano. —Todavía entraba la luz del sol por las ventanas, pero se llevó la mano a la boca con delicadeza, como si contuviera un bostezo.

—Por supuesto, mi señora. Como gustéis. Por aquí, por favor.

La señora Jharen parecía creer que debía entretener a Elayne mientras las conducía al segundo piso, y se pasó charlando todo el rato de la gran ocupación de la posada y de lo milagroso que resultaba que todavía le quedara un cuarto vacío; de los trotamundos con sus animales y de cómo se los había expulsado de la villa y que se fuera en buena hora esa basura; de todos los nobles que se habían alojado en su establecimiento a lo largo de los años, incluso el capitán general de los Hijos, en una ocasión. Hasta un cazador del Cuerno había pasado por allí justo el día antes, de camino a Tear, en la que, según se decía, había caído la Ciudadela en manos de algún falso Dragón. ¿Y no era una terrible iniquidad que los hombres hicieran cosas semejantes?

—Confío en que jamás lo encuentren. —Los canosos bucles de la posadera se mecieron cuando sacudió la cabeza.

—¿Os referís al Cuerno de Valere? —preguntó Elayne—. ¿Y por qué no?

—Vaya, mi señora, porque, si lo encuentran, significará que la Última Batalla está próxima, que el Oscuro está liberándose de su prisión. —La señora Jharen se estremeció—. Quiera la Luz que jamás se encuentre el Cuerno de Valere. De ese modo, la Última Batalla no puede tener lugar, ¿verdad?

No parecía haber respuesta a una lógica tan curiosa.

La habitación no tenía espacio de sobra, aunque no estaba exactamente abarrotada. Había dos camas estrechas, con colchas de franjas, situadas a ambos lados de una ventana que se asomaba a la calle, y entre ellas y las paredes encaladas quedaba el hueco justo para caminar. Entre las camas se acomodaba una mesilla, con una lámpara y un yesquero; una diminuta alfombra de flores y un palanganero con un pequeño espejo completaban el mobiliario. Al menos, todo estaba limpio y reluciente.

La posadera mulló las blancas y suaves almohadas, estiró las colchas y a continuación dijo que los colchones que allí había eran del mejor plumón de ganso que existía, y que los hombres de la señora podían subir sus baúles por la escalera de atrás y que el cuarto quedaría muy acogedor; que por la noche soplaba una agradable brisa si la señora deseaba abrir la ventana y dejar la puerta abierta una rendija. ¡Como si fuera lo más normal dormir con la puerta abierta a un pasillo público! Antes de que Elayne se las ingeniara para quitarse de encima a la señora Jharen, llegaron dos muchachas con delantal llevando un gran cántaro azul con abundante agua caliente, y también una bandeja grande lacada, cubierta con un paño blanco. La forma de una jarra de vino y dos copas sobresalían debajo del paño a un lado de la bandeja.

—Creo que piensa que podríamos irnos a El Lancero del Rey incluso con el agujero de la puerta —dijo Elayne, una vez que la mujer se hubo marchado. Miró en derredor y torció el gesto. Apenas dispondrían de espacio para ellas y los baúles—. Y quizá deberíamos hacerlo.

—Yo no ronco —manifestó Nynaeve con voz tirante.

—Pues claro que no. Pero tenía que decir algo.

Nynaeve soltó un sonoro resoplido, pero lo único que comentó fue:

—Me alegro de estar lo bastante cansada para irme a dormir. Aparte de la horcaria, no vi nada entre las hierbas que tenía la tal Macura que sirviera para conciliar el sueño.

Thom y Juilin tuvieron que hacer tres viajes para subir todos los baúles de madera, reforzados con bandas de hierro, sin dejar de rezongar durante todo el tiempo, como solían hacer los hombres, sobre tener que acarrearlos por la angosta escalera posterior. También mascullaron por verse obligados a dormir en los establos cuando subieron el primer baúl —tenía las bisagras con forma de hoja, y en su fondo se encontraba el mayor montante del dinero y objetos valiosos, incluidos los *ter'-angreal* recuperados—; pero, al echar un vistazo a la habitación, intercambiaron una mirada y cerraron el pico. Al menos, respecto al tema de las habitaciones.

—Vamos a ver de qué nos enteramos en la sala —informó Thom una vez que el último baúl quedó amontonado con los demás. Apenas quedaba espacio para llegar al palanganero.

—Y quizá podríamos dar un paseo por el pueblo —añadió Juilin—. La gente habla cuando hay tanto descontento como el que vi en la calle.

—Eso está bien —dijo Elayne. Era evidente que necesitaban pensar que valían para algo más que para acarrear bultos y conducir carruajes. Y así había sido en Tanchico, y por supuesto en Mardecin, y podría repetirse de nuevo, pero difícilmente en este pueblo—. Llevad cuidado para no tener problemas con los Capas Blancas. —Los dos hombres compartieron una mirada sufrida, como si fuera tonta y no hubiera reparado en los rostros de ambos, magullados y sangrando, después de sus correrías en busca de información, pero los disculpó y sonrió a Thom—. Estoy impaciente por saber lo que descubráis.

—Por la mañana —intervino firmemente Nynaeve. Aunque apartó la intensa mirada de Elayne, fue como si los furibundos ojos estuvieran clavados en ella—. Si nos molestáis antes por algo menos importante que un ataque de trollocs, vais a encontraros con problemas.

La ojeada que intercambiaron los dos hombres fue más que expresiva —e hizo que Nynaeve enarcara las cejas exageradamente—, pero después de que les entregara, a regañadientes, unas cuantas monedas, se marcharon, conviniendo en que las dejarían dormir tranquilamente.

—Si no puedo hablar siquiera con Thom —empezó Elayne una vez que se hubieron marchado los hombres, pero Nynaeve la interrumpió.

—No estoy dispuesta a que entren en la habitación mientras duermo y estoy en camisón. —Mientras hablaba, se desabrochaba trabajosamente los botones que cerraban el vestido por la espalda. Elayne se acercó a ayudarla, pero la otra mujer la rechazó—: Puedo arreglármelas sola. Dame el anillo.

Aspirando el aire por la nariz, la heredera del trono se remangó las faldas para llegar a un pequeño bolsillo que había cosido por la parte interior del vestido. Si Nynaeve quería mostrarse irascible, allá ella; no le seguiría el juego aunque empezara a despotricar otra vez. En el bolsillo había dos anillos; dejó la Gran Serpiente dorada que le habían entregado al ascender a Aceptada, y sacó el otro, de piedra.

Moteado y surcado de vetas rojas, azules y marrones, era demasiado grande para encajar en el dedo, además de estar aplastado y retorcido. Su peculiar aspecto se acentuaba por el hecho de tener un único borde; si se pasaba la yema del dedo sobre dicho borde, se recorría la circunferencia interior y la exterior antes de volver al punto de partida. Era un *ter'angreal,* y su función era permitir el acceso al *Tel'aran'rhiod* incluso a una persona que no poseyera el Talento que Egwene y las caminantes de sueños Aiel compartían. Lo único que hacía falta era dormir con él en contacto con la piel. A diferencia de los dos *ter'angreal* que habían recuperado del Ajah Negro, no requería encauzar para que funcionara. Que Elayne supiera, hasta un hombre podía utilizarlo.

Vestida únicamente con la camisola de lino, Nynaeve ensartó el anillo en el cordón de cuero, junto con el sello de Lan y el suyo de la Gran Serpiente, y después volvió a anudarlo y a colgárselo al cuello antes de tumbarse en una de las camas recién hechas. Sosteniendo los anillos contra su piel, recostó la cabeza en la mullida almohada.

—¿Hay tiempo aún para que Egwene y las Sabias entren allí? —preguntó Elayne—. Nunca soy capaz de calcular la hora que es en el Yermo.

—Aún hay tiempo a menos que entre temprano, cosa que no hará. Las Sabias la tienen atada en corto. Le vendrá bien, a la larga. Siempre ha sido muy testaruda. —Nynaeve abrió los ojos para mirar directamente a la heredera del trono, como si esto también rezara para ella. ¡Para ella!

—Acuérdate de decirle a Egwene que le comunique a Rand que pienso en él. —No pensaba permitirle a su amiga que iniciara una bronca—. Que le diga... Que le diga que lo amo, y sólo a él. —Ya estaba. Lo había soltado.

Nynaeve puso los ojos en blanco de un modo que resultaba verdaderamente ofensivo.

—Si eso es lo que quieres que le diga, lo haré —repuso con aspereza a la par que se acurrucaba contra la almohada.

Mientras la respiración de la otra mujer se tornaba más regular y profunda, Elayne empujó uno de los baúles contra la puerta y se sentó en él para esperar. Siempre odiaba la espera. A Nynaeve le estaría bien empleado que se bajara a la sala y la dejara sola. Thom estaría allí, y... Y nada. Se suponía que era un cochero. La heredera del trono se preguntó si Nynaeve no lo habría planeado cuando aceptó representar el papel de doncella. Con un suspiro, Elayne se recostó en la puerta. Cómo odiaba tener que esperar.

14

Encuentros

Los efectos del anillo *ter'angreal* ya no sobresaltaban a Nynaeve. Se encontraba en un lugar en el que estaba pensando cuando le llegó el sueño: la gran cámara en Tear llamada el Corazón de la Ciudadela, dentro de la gigantesca fortaleza. Las doradas lámparas de pie no estaban encendidas, pero una pálida luz parecía llegar de todas partes y de ninguna para cobrar vida en derredor de ella y disiparse paulatinamente en la distancia, perdiéndose en las sombras. Por lo menos no hacía calor; en el *Tel'aran'rhiod* nunca parecía hacer frío ni calor.

Inmensas columnas de piedra roja se extendían en todas direcciones, mientras que el alto techo abovedado quedaba medio oculto en las sombras, junto con otras lámparas doradas que colgaban de cadenas del mismo metal dorado. Las pálidas baldosas bajo los pies de la mujer estaban desgastadas; los Grandes Señores de Tear habían acudido a esta cámara —en el mundo de vigilia, por supuesto— sólo cuando lo exigían sus leyes y costumbres, pero se habían reunido aquí desde el Desmembramiento del Mundo. Bajo el punto central del abovedado techo se hallaba *Callandor*, en apariencia una brillante espada de cristal, hincada hasta la mitad de la hoja en el suelo de piedra. Como Rand la había dejado.

No se acercó a *Callandor,* Rand afirmaba haber tejido trampas a su alrededor con el *Saidin,* unas trampas que ninguna mujer podía ver. Imaginaba que serían muy peligrosas, ya que el mejor de los hombres podía ser perverso cuando quería ser artero; peligrosas y tan dañinas para una mujer como para los hombres que intentaran apoderarse de ese *sa'angreal.* El joven lo había preparado pensando en protegerla tanto de quienes dirigían la Torre como de los Renegados. Aparte del propio Rand, quienquiera que tocara a *Callandor* se arriesgaba a morir o algo peor.

Eso era un hecho en el *Tel'aran'rhiod*; lo que era en el mundo de vigilia, también lo era aquí, aunque no siempre ocurría a la inversa. El Mundo de los Sueños, el Mundo Invisible, era reflejo del mundo de vigilia, bien que a veces de un modo extraño, y quizá de otros mundos también. Verin Sedai le había dicho a Egwene que existía un arquetipo de entramado de mundos, el de la realidad de aquí y otros, al igual que las vidas de las personas se entretejían en el Entramado de las Eras. El *Tel'aran'rhiod* estaba en contacto con todos ellos, si bien sólo podía entrarse en unos pocos salvo de manera accidental y durante unos instantes, inconscientemente, durante los sueños normales del mundo real. Eran unos instantes peligrosos para los soñadores, aunque jamás llegaban a saberlo a menos que fueran muy infortunados. Otro factor del *Tel'aran'rhiod* era que lo que le ocurriera al soñador aquí, también ocurría en el mundo de vigilia. Morir en el Mundo de los Sueños implicaba una muerte real.

Nynaeve tenía la sensación de que la vigilaban desde la penumbra que reinaba entre las columnas, pero no la inquietaba. No era Moghedien. «Son sólo imaginaciones; no hay nadie observando. Le dije a Elayne que no hiciera caso, y voy yo y me pongo a...» Moghedien no se habría limitado a observar. A pesar de todo, deseó estar lo bastante furiosa para poder encauzar. Y no es que se sintiera asustada, por supuesto. Pero no estaba furiosa. Y tampoco asustada, en absoluto.

El anillo de piedra pareció tornarse ligero, como si quisiera flotar y salirse por el escote de la camisola, lo que le recordó a la mujer que sólo llevaba puesta esa prenda. Tan pronto como pensó en ropa, se encontró con un vestido puesto. Era un truco del *Tel'aran'rhiod* que le encantaba; en ciertos aspectos no era preciso encauzar, porque aquí podía hacer cosas que dudaba que una Aes Sedai hubiera realizado jamás con el Poder. Empero, no era el vestido que esperaba; nada de una prenda de buena y fuerte lana de Dos Ríos. El cuello alto, orlado con encaje de Jaerecruz, le subía hasta la barbilla, pero el vestido de seda, amarillo pálido, le caía en pliegues que se ajustaban a sus formas de manera reveladora. ¿Cuántas veces había invocado atuendos tan indecentes como éste cuando los había llevado puestos en Tanchico para hacerse pasar por una mujer de allí? Por lo visto se había acostumbrado a ellos más de lo que pensaba.

Propinó un seco tirón a la coleta por la indisciplina de su propia mente, pero dejó el vestido tal cual. Puede que no se ajustara a lo que quería, pero no era una muchacha timorata para ponerse a chillar con remilgo. «Un vestido es un vestido», pensó. Seguiría llevándolo cuando apareciera Egwene con cualquiera de las Sabias que la acompañara esta vez, y si alguna de ellas hacía algún comentario... «¡No he venido antes para ponerme a parlotear conmigo misma sobre vestidos!»

—Birgitte... —Sólo respondió el silencio, así que levantó la voz, aunque tal cosa era innecesaria en aquel lugar. Allí, esa mujer en particular oiría su propio nombre aunque se hubiera pronunciado en la otra punta del mundo—. ¡Birgitte!

Una mujer salió de entre las columnas; sus azules ojos rebosaban sosiego y una orgullosa confianza en sí misma, y llevaba el dorado cabello recogido en una trenza aun más elaborada que la de Nynaeve. La corta chaqueta, de color blanco, y los amplios pantalones, de seda amarilla, recogidos en los tobillos por encima de las botas bajas de tacón, eran prendas que se llevaban dos mil años atrás y por las que tenía preferencia. Las flechas de la aljaba, colgada a la cadera, parecían de plata, así como el arco que llevaba.

—¿Está Gaidal por aquí? —preguntó Nynaeve. El hombre solía estar cerca de Birgitte, y a la antigua Zahorí la ponía nerviosa con su empeño de no darse por enterado de su existencia, y frunciendo el ceño cuando Birgitte hablaba con ella. Al principio había sido un tanto sobrecogedor encontrarse con Gaidal Cain y con Birgitte —héroes muertos largo tiempo atrás y vinculados con tantas historias y leyendas— en el *Tel'aran'rhiod*. Pero, como la propia Birgitte había dicho, ¿qué mejor lugar que un sueño para que los héroes ligados a la Rueda del Tiempo aguardaran el renacimiento? Un sueño que existía desde que existía la Rueda. Ellos, Birgitte y Gaidal Cain y Rogosh Ojo de Águila y Arthur Hawkwing y todos los demás, eran a los que emplazaría la llamada del Cuerno de Valere para que regresaran y combatieran en el Tarmon Gai'don.

La coleta de Birgitte se meció cuando la mujer sacudió la cabeza.

—Hace tiempo que no lo veo. Creo que la Rueda lo ha tejido en la vida otra vez. Siempre ocurre así. —En su rostro se reflejaban la expectación y la preocupación por igual.

Si Birgitte estaba en lo cierto, entonces, en algún lugar del mundo, un niño acababa de nacer, un lloroso bebé que no sabía quién era, pero aun así destinado a unas aventuras que darían vida a nuevas leyendas.

La Rueda tejía a los héroes en el Entramado cuando y como los necesitaba, para dar forma a la Urdimbre, y cuando morían regresaban aquí para esperar de nuevo. Eso era lo que significaba estar ligado a la Rueda. Asimismo, otros héroes nuevos podían llegar a encontrarse también ligados a ella, hombres y mujeres cuya bravura y logros en la vida los situarían muy por encima de la gente corriente; pero, una vez que quedaran vinculados, sería para siempre.

—¿Cuánto tiempo te queda? —preguntó Nynaeve—. Años, sin duda.

Birgitte estaba unida a Gaidal siempre; lo había estado en historia tras historia, en Era tras Era, de aventura y amor que ni siquiera la Rueda del Tiempo rompía. Siempre nacía después que Gaidal; un año o cinco o diez, pero siempre después.

—No lo sé, Nynaeve. El tiempo aquí no es como en el mundo de vigilia. Para mí, me reuní contigo hace tres días y con Elayne, sólo un día antes. ¿Cuánto ha pasado para vosotras?

—Nueve y diez —musitó Nynaeve. Elayne y ella habían ido a hablar con Birgitte tan a menudo como podían, aunque con demasiada frecuencia no había sido posible con Thom y Juilin compartiendo el campamento y montando guardia de noche. De hecho, Birgitte recordaba la Guerra del Poder, o al menos durante el curso de una vida, y a los Renegados. Sus vidas pasadas eran como libros de mucho tiempo atrás recordados con cariño, más borrosos cuanto más lejanos, pero los Renegados permanecían indelebles en su memoria. En especial Moghedien.

—¿Lo ves, Nynaeve? Las variantes en el discurrir del tiempo en uno y otro mundo pueden ser incluso mayores. Pueden pasar meses antes de que vuelva a nacer o sólo unos días aquí, para mí. En el mundo real podrían pasar años antes de que se produzca mi nacimiento.

Nynaeve dominó su disgusto con un gran esfuerzo.

—Entonces, no debemos perder el tiempo que nos queda. ¿Has visto a algunos de ellos desde la última vez que nos reunimos? —No había necesidad de decir nombres.

—Demasiados. Lanfear está a menudo en el *Tel'aran'rhiod,* desde luego, pero he visto a Rahvin, a Sammael y a Graendal. También a Demandred. Y a Semirhage. —La voz de Birgitte se puso tensa al mencionar a esta última; ni siquiera Moghedien, que la odiaba, la asustaba de modo visible, pero con Semirhage era otra cosa.

Nynaeve también se estremeció —la mujer rubia le había contado muchas cosas sobre la Renegada— y de pronto advirtió que llevaba puesta una capa de gruesa lana, con la capucha bien calada sobre los ojos. Sonrojada, hizo que la prenda desapareciera.

—¿Y ninguno te vio a ti? —inquirió con ansiedad. En muchos sentidos, Birgitte era más vulnerable que ella, a pesar de sus conocimientos del *Tel'aran'rhiod*. Nunca había tenido el don de encauzar; cualquiera de los Renegados podía destruirla como quien aplasta una hormiga, sin alterar el paso. Y, si moría allí, ya no habría más renacimientos para ella.

—No soy tan inexperta, ni tan necia, como para permitir que pase eso. —Birgitte se apoyó en el arco de plata; la leyenda contaba que jamás fallaba con ese arco y con las flechas argénteas—. Están preocupados los unos por los otros, y por nadie más. He visto a Rahvin, a Sammael, a Graendal y a Lanfear acechándose entre sí a escondidas. Y a Demandred y Semirhage espiándolos a su vez. No se los ve mucho por aquí desde que están libres.

—Traman algo. —Nynaeve se mordió el labio inferior con frustración y rabia—. Pero ¿qué?

—Aún no lo sé, Nynaeve. En la Guerra de la Sombra, siempre estaban maquinando, la mitad de las veces los unos contra los otros, pero sus afanes nunca han sido de buen agüero para el mundo, ya sea éste o el de vigilia.

—Intenta descubrirlo, Birgitte, siempre que no te pongas en peligro, se entiende. No corras ningún riesgo. —La expresión de la otra mujer no cambió, pero a Nynaeve le pareció que sus palabras le habían hecho gracia; la muy necia le daba tan poca importancia al peligro como Lan. Habría querido poder preguntar por la Torre Blanca, sobre lo que Siuan se traía entre manos, pero Birgitte no veía el mundo real ni entraba en él a menos que la llamara el Cuerno. «¡Estás intentando eludir lo que realmente quieres preguntar!»—. ¿Has visto a Moghedien?

—No —musitó Birgitte—, y no porque no lo haya intentado. Habitualmente puedo encontrar a cualquiera que conozco y que se encuentre en el Mundo de los Sueños; es una sensación, como unas ondas que se expanden en el aire a partir de ellos. O quizá de su conciencia; realmente no lo sé. Soy una guerrera, no una erudita. O no ha entrado en el *Tel'aran'rhiod* desde que la derrotaste o... —Vaciló, y Nynaeve deseó impedirle que dijera lo que venía a continuación, pero Birgitte era demasiado fuerte para eludir las posibilidades desagradables—. O sabe que la he estado buscando. Ésa es una experta en esconderse. No se la conoce como la Araña por capricho. —Eso era una *moghedien* en la Era de Leyenda: una araña minúscula que tejía sus telas en lugares ocultos y cuya picadura inoculaba un veneno tan poderoso que causaba la muerte en cuestión de segundos.

De repente muy consciente de sentir unos ojos observándolas, Nynaeve sufrió un escalofrío. No era temblor, sólo un escalofrío. Con todo, tuvo que mantener firmemente el pensamiento en el insinuante vestido tarabonés, pues de otro modo se habría encontrado al punto luciendo una armadura. Bastante embarazoso resultaba ya que ocurriera algo así cuando se encontraba sola, cuanto más estando bajo la fría mirada azul de una mujer tan valerosa como para estar a la altura de Gaidal Cain.

—¿Puedes encontrarla aun cuando quiere permanecer oculta, Birgitte? —Era mucho pedir si Moghedien sabía que estaban buscándola; como rastrear un león entre hierba alta yendo armada con un simple palo.

Empero, la otra mujer no vaciló.

—Tal vez. Lo intentaré. —Aferró el arco y añadió—: He de marcharme ahora. No quiero correr el riesgo de que me vean las otras cuando lleguen. Nynaeve la detuvo poniendo la mano en su brazo.

—Sería una ayuda si me dejas que se lo cuente. Eso me permitiría compartir lo que me has dicho sobre los Renegados con Egwene y las Sabias, y ellas a su vez le informarían a Rand. Birgitte, Rand necesita saber...

—Lo prometiste, Nynaeve. —Aquellos brillantes ojos azules eran tan inflexibles como un pedazo de hielo—. Los preceptos establecen que no debemos dejar que nadie sepa que residimos en el *Tel'aran'rhiod*. He incumplido muchos al hablar contigo, y muchos más al ayudarte, porque soy incapaz de ver cómo lucháis contra la Sombra y mantenerme al margen. He luchado esa batalla en más vidas de las que puedo recordar. Sin embargo, tengo intención de guardar todos los preceptos que me sea posible. Tienes que mantener tu promesa.

—Pues claro que la mantendré —repuso, indignada—, a menos que tú me liberes de ella. Y eso es lo que te pido, por favor...

—No.

Y Birgitte desapareció en un visto y no visto; en cierto momento, Nynaeve tenía la mano sobre la manga de una chaqueta blanca y, al siguiente, estaba suspendida en el aire. Para sus adentros, repitió todo el repertorio de imprecaciones que había escuchado mascullar a Thom y a Juilin sin que ellos lo supieran; la clase de palabrotas por las que habría reprendido a Elayne por escucharlas, cuanto más por decirlas. No tenía sentido llamar de nuevo a Birgitte, porque seguramente no vendría. Nynaeve confiaba en que acudiría la próxima vez que Elayne o ella la llamaran.

—¡Birgitte! ¡Mantendré mi promesa, Birgitte!

Eso lo habría oído. Tal vez en su próximo encuentro la mujer ya sabría algo sobre las actividades de Moghedien. Nynaeve casi deseó que no fuera así porque, en tal caso, significaría que la Araña estaba realmente acechando en el *Tel'aran'rhiod*.

259

«¡Necia! Si no buscas rastros de serpientes, no te quejes cuando te muerda una, como dice Lini.» Verdaderamente, algún día tenía que conocer a la antigua nodriza de Elayne.

La soledad de la inmensa cámara la oprimía; todas aquellas enormes columnas, y esa sensación de que la estaban vigilando desde la penumbra que las envolvía. «Si realmente hubiera alguien aquí, Birgitte lo habría sabido.»

Reparó en que estaba alisándose el vestido de seda sobre las caderas, y, para quitarse de la cabeza la idea de unos ojos acechantes que no existían, se concentró en el atuendo. Había sido con ropas de buena lana de Dos Ríos como Lan la había conocido, y llevaba un vestido con sencillos bordados cuando le había confesado su amor, pero deseaba que la viera con atuendos como éste. No resultaría indecente si fuera él quien la veía.

Apareció un espejo de cuerpo entero que reflejó su imagen mientras se volvía hacia uno y otro lado, incluso mirándose por detrás girando la cabeza sobre el hombro. El tejido amarillo se le ajustaba al cuerpo sugiriendo todo aquello que ocultaba. El Círculo de Mujeres de Campo de Emond la habría llevado a rastras para mantener con ella una conversación en privado, ni que fuera Zahorí ni que no. Sin embargo, era precioso. Aquí, a solas, podía admitir que se había acostumbrado más que de sobra a vestir así en público. «Y te gustaba —se reprendió—. ¡Buena maula estás hecha! ¡Tan maula como parece que se está volviendo Elayne!» Pero era precioso. Y quizá no tan inmodesto como siempre había dicho ella. Nada de un escote por el ombligo, como el de la Principal de Mayene, por ejemplo. Bueno, tal vez el escote de Berelain no era tan bajo, pero aun así seguía sobrepasando los límites que exigía la respetabilidad.

Había oído hablar de lo que las domani solían llevar puesto; hasta los taraboneses consideraban aquello indecente. Al mismo tiempo que la idea acudió a su mente, la prenda de seda amarilla se convirtió en ondulantes plisados sujetos por un estrecho cinturón de oro tejido. Y vaporosos. Sus mejillas enrojecieron. Demasiado vaporosos. De hecho, casi traslúcidos. El vestido hacía algo más que insinuar. Si Lan la viera así, dejaría de farfullar que su amor era imposible y que no le daría como presente de bodas las ropas de luto. Una ojeada, y su sangre ardería. Se...

—¿Pero qué demonios llevas puesto, Nynaeve? —dijo Egwene con tono escandalizado.

La antigua Zahorí dio un brinco y giró al mismo tiempo, y cuando estuvo de frente a Egwene y a Melaine —tenía que ser Melaine precisamente, aunque ninguna de las otras Sabias habría sido mejor— el espejo había desaparecido y ella se cubría con un oscuro vestido de lana de Dos Ríos, el paño lo bastante grueso para pleno invierno. Mortificada tanto por haberse sobresaltado como por lo demás —en especial por haberse sobresaltado— cambió de vestido al punto, sin pensar, volviendo de nuevo a la gasa domani e igualmente rápido al tarabonés de seda amarilla.

La cara le ardía. Seguramente la tomaban por una completa idiota. Y encima, delante de Melaine. La Sabia era hermosa, con el largo cabello rubio rojizo y los ojos de un tono verde claro. Y no es que le importara un pimiento la apariencia de la Aiel. Pero Melaine había estado presente en el último encuentro que había tenido con Egwene, y le había tirado puntadas sobre Lan. Nynaeve se había puesto furiosa, a pesar de que Egwene afirmaba que no eran indirectas malintencionadas, no entre las Aiel, pero Melaine había hecho cumplidos sobre los hombros de Lan, y sus manos, y sus ojos. ¿Qué derecho tenía esa gata de ojos verdes de mirar los hombros de Lan? Y no es que albergara dudas sobre su fidelidad. Pero al fin y al cabo era un hombre, y estaba lejos de ella, y Melaine sí estaba allí, y... Firmemente, interrumpió el derrotero de sus pensamientos.

—¿Está Lan...? —Creyó que la cara le iba a arder. «¿Es que eres incapaz de controlar tu lengua, mujer?» Pero ya no podía, no quería, echar marcha atrás, y menos estando presente Melaine. Ya tenía bastante con la sonrisa socarrona de Egwene, aunque la Sabia tuvo buen cuidado en adoptar una expresión comprensiva—. ¿Se encuentra bien? —Procuró recobrar la compostura, pero su voz sonó tensa.

—Sí —contestó Egwene—. Y preocupado por tu seguridad.

Nynaeve soltó la respiración que había estado conteniendo sin darse cuenta. El Yermo era un lugar peligroso aunque no existieran gentes como Couladin y los Shaido, y Lan desconocía lo que significaba tener precaución. ¿Que estaba preocupado por su seguridad? ¿Es que ese estúpido hombre pensaba que no sabía cuidar de sí misma?

—Por fin hemos llegado a Amadicia —se apresuró a decir, confiando en disimular sus sentimientos. «¡Primero, una lengua demasiado suelta, y después suspiros! ¡Ese hombre me ha sorbido el seso!» Imposible saber por las expresiones de las otras mujeres si estaba teniendo éxito con su actuación—. Estamos en una villa llamada Sienda, al este de Amador. Hay Capas Blancas por todas partes, pero no hemos despertado su interés. Es de otros de quienes tenemos que preocuparnos. —Delante de Melaine tenía que andarse con cuidado, disfrazar un poco la verdad, dándole un toque aquí y allí, pero les habló de Ronda Macura y su extraño mensaje, así como de su intento de drogarlas. Dijo intento, porque fue incapaz de admitir ante Melaine que la mujer había tenido éxito. «Luz, ¿qué estoy haciendo? ¡Jamás, en toda mi vida, le he mentido a Egwene!»

La supuesta razón —el llevar de vuelta a la fuerza a una Aceptada que había escapado— ciertamente no podía mencionarla estando presente una de las Sabias, porque las Aiel creían que tanto Elayne como ella eran Aes Sedai. Empero, tenía que hacer saber a Egwene esta circunstancia de un modo u otro.

—Podía estar relacionado con algún complot con respecto a Andor, pero Elayne, tú y yo tenemos cosas en común, Egwene, y creo que deberíamos ser tan precavidas como Elayne. —La muchacha asintió lentamente; parecía estupefacta, y con razón, pero aparentemente había comprendido el mensaje—. Menos mal que el sabor de la infusión despertó mis sospechas. ¿Te imaginas, intentar hacer tomar horcaria a alguien que conoce las hierbas como yo?

—Intrigas dentro de intrigas —rezongó Melaine—. La Gran Serpiente es un símbolo adecuado para vosotras, las Aes Sedai. Algún día podríais engulliros a vosotras mismas por accidente.

—También nosotras tenemos noticias —intervino Egwene.

Nynaeve no veía motivo para la precipitación de la muchacha. «No pienso permitir que esa mujer me saque de mis casillas. Y ciertamente no voy a enfurecerme porque insulte a la Torre.» Apartó la mano de la coleta, por si acaso. No obstante, lo que Egwene tenía que contarle acabó con su genio.

El hecho de que Couladin cruzara la Columna Vertebral del Mundo sin duda era grave, y no lo era menos que Rand le siguiera los pasos; avanzaba a marchas forzadas hacia el paso de Jangai, iniciando la andadura con las primeras luces del día y no parando hasta después de anochecer. Según Melaine, llegarían pronto a él. Las condiciones en Cairhien ya eran bastante duras de por sí para que se agravaran con una guerra entre Aiel en su territorio. Y se avecinaba otra Guerra de Aiel si llevaba adelante su absurdo plan. Absurdo, no demente. Todavía no; tenía que aferrarse a la cordura de algún modo.

«¿Cuánto hace que me preocupaba la idea de protegerlo? —pensó con amargura—. Y ahora sólo quiero que siga cuerdo para que libre la Última Batalla. —No sólo por esa razón, pero también por ella. Rand era lo que era—. ¡La Luz me abrase, no soy mejor que Siuan Sanche o cualquiera de ellas!»

Con todo, lo que le causó más conmoción fue lo que Egwene le contó sobre Moraine.

—¿Que ella le obedece? —preguntó con incredulidad.

Egwene asintió con un vigoroso cabeceo que zarandeó aquel ridículo pañuelo Aiel que llevaba.

—Anoche tuvieron una discusión, ya que ella sigue intentando convencerlo de que no cruce la Pared del Dragón, y finalmente él le dijo que saliera fuera hasta que se calmara; Moraine parecía estar a punto de tragarse la lengua, pero se marchó de la tienda, y se quedó fuera, en la noche, durante una hora.

—No es correcto —adujo Melaine mientras se ajustaba el chal con gestos bruscos—. Los hombres tienen tan poco derecho a dar órdenes a las Aes Sedai como a las Sabias. Incluso el *Car'a'carn*.

—Desde luego —convino Nynaeve, y después cerró bruscamente la boca, sorprendida consigo misma. «¿Y a mí qué me importa si la hace bailar al son que toca él? Moraine nos ha hecho bailar a todos con demasiada frecuencia. —Pero no era correcto—. No quiero ser Aes Sedai, sólo aprender la Curación. Quiero seguir siendo yo misma. ¡Anda y que Rand le ordene!» Aun así, seguía sin ser correcto.

—Por lo menos ahora habla con ella —dijo Egwene—. Antes, se volvía más amargo que la hiel cuando Moraine se acercaba a diez pasos de él. Nynaeve, cada día es más engreído.

—Eso me recuerda los días en que pensaba que me sucederías en el cargo de Zahorí —le replicó irónicamente Nynaeve—. Te enseñé a bajar los humos. Lo mejor para él sería que hicieses lo mismo, aunque se haya convertido en un gallito de corral. O más bien precisamente por eso. A mi modo de entender, los reyes, reinas y dirigentes en general pueden ser unos necios cuando olvidan lo que son y actúan como quienes son, pero todavía es peor cuando sólo recuerdan lo que son y olvidan quiénes son. A la mayoría no les vendría mal tener a alguien cuya única misión fuera recordarles que comen, sudan y lloran igual que cualquier campesino.

Melaine se ajustó el chal en torno a los hombros, aparentemente sin saber si convenir o no con esta opinión.

—Lo intentaré —dijo, sin embargo, Egwene—, pero a veces ni siquiera parece él; e, incluso cuando lo es, su arrogancia suele ser una burbuja demasiado gruesa para pincharla.

—Pon todo tu empeño en ello. Ayudarlo a aferrarse a sí mismo quizá sea lo mejor que uno puede hacer. Por él y por el resto del mundo.

Estas palabras provocaron un silencio. Ciertamente, a Egwene y a ella no les gustaba hablar de que, a la larga, Rand terminaría volviéndose loco, y a Melaine debía de ocurrirle otro tanto.

—Tengo otra información importante que darte —continuó al cabo de un momento—. Creo que los Renegados están planeando algo.

—No era lo mismo que hablarles de Birgitte. Dio a entender que había sido ella misma la que había visto a Lanfear y a los demás. En realidad, Moghedien era la única a quien podía reconocer de vista, y tal vez a Asmodean, aunque sólo lo había atisbado una vez, y a distancia. Confió en que ninguna de las dos mujeres le preguntara cómo sabía quién era quién o por qué suponía que Moghedien estaba al acecho. De hecho, al final el problema no surgió por esto.

—¿Habéis estado deambulando por el Mundo de los Sueños? —Los ojos de Melaine eran como un pedazo de hielo verde.

Nynaeve le sostuvo la mirada con igual impasibilidad, de igual a igual, a pesar del lastimoso gesto de Egwene sacudiendo la cabeza.

—Difícilmente podría ver a Rahvin y a los demás si no lo hubiera hecho, ¿verdad?

—Aes Sedai, sabéis poco e intentáis demasiado. No habría que haberos enseñado las pocas cosas sueltas que conocéis. En lo que a mí respecta, a veces lamento haber aceptado incluso acudir a estos encuentros. A las mujeres sin preparación no se les debería permitir entrar en el *Tel'aran'rhiod.*

—He sido mi propia maestra en más cosas de las que vosotras me habéis enseñado. —Nynaeve mantenía el tono sosegado sólo gracias a un arduo esfuerzo—. Aprendí a encauzar por mí misma, y no veo por qué tiene que ser diferente el *Tel'aran'rhiod.* —Sólo su obstinación y su rabia la hacían decir esas cosas. Había aprendido a encauzar ella sola, cierto, pero sin saber lo que estaba haciendo y sólo hasta cierto punto. Antes de ir a la Torre Blanca, había Curado en ocasiones, pero sin ser consciente de ello, hasta que Moraine se lo hizo ver. Sus maestras en la Torre habían dicho que ésa era la razón de que necesitara estar furiosa para poder encauzar; se había ocultado a sí misma su habilidad porque sentía miedo de ella, y sólo la rabia podía superar aquel temor enterrado de antiguo en lo más hondo de su ser.

—Así que sois una de esas a las que las Aes Sedai llaman espontáneas. —El modo en que pronunció esta última palabra apuntaba algo, pero si era desdén o pena Nynaeve no supo descifrarlo. En la Torre, dicho término no solía tener connotaciones halagüeñas. Además, entre las Aiel no había espontáneas. Las Sabias capaces de encauzar encontraban a todas las chicas que tenían el don de modo innato, a las que desarrollarían la habilidad de encauzar antes o después aunque no quisieran aprender. Afirmaban que también localizaban a todas las jóvenes a las que se podía instruir, aunque no poseyeran el don innato. Ninguna muchacha Aiel moría intentando aprender por sí misma—. Sabéis los peligros que entraña manejar el Poder sin una guía, Aes Sedai. No os equivoquéis pensando que los peligros que entraña caminar por los sueños son menores. Son igualmente grandes, quizá más para quienes se aventuran en este mundo sin conocimientos.

—Tengo cuidado —se defendió Nynaeve con voz tirante. No había acudido allí para aguantar reprimendas de esta arpía rubia—. Sé lo que estoy haciendo, Melaine.

—No sabéis nada. Sois tan testaruda como era Egwene cuando vino a nosotras. —La Sabia dedicó una sonrisa a la joven que, de hecho, parecía afectuosa—. Domamos su excesivo ímpetu y ahora aprende con rapidez. Aunque todavía tiene muchas faltas. —La sonrisa complacida de Egwene se borró; Nynaeve sospechó que esa mueca era la razón de que Melaine hubiera añadido este último comentario—. Si deseáis caminar por los sueños —continuó la Aiel—, acudid a nosotras. Domaremos también vuestro exagerado celo y os enseñaremos.

—Yo no necesito que me dome nadie, muchas gracias —repuso con una cortés sonrisa.

—*Aan'allein* morirá el día que sepa que habéis muerto.

Nynaeve sintió como si le hubieran hincado una aguja de hielo en el corazón. *Aan'allein* era como los Aiel llamaban a Lan. Un Hombre, significaba en la Antigua Lengua, u Hombre Solo o El Hombre que es Todo un Pueblo; traducir la Antigua Lengua con exactitud resultaba a menudo difícil. Los Aiel sentían un gran respeto por Lan, el hombre que no renunciaría a su lucha contra la Sombra, el enemigo que había destruido su país.

—No lucháis limpio —masculló.

—¿Es que estamos luchando? —Melaine enarcó una ceja—. En tal caso, tened en cuenta que en la batalla sólo hay dos posibilidades: ganar o perder. No vale el juego limpio. Quiero vuestra promesa de que no haréis nada en los sueños sin antes preguntarle a una de nosotras. Sé que las Aes Sedai no pueden mentir, así que quiero oíros decirlo.

Nynaeve rechinó los dientes. Pronunciar las palabras sería fácil; no tendría que cumplirlo porque no estaba sujeta a los Tres Juramentos. Pero hacerlo significaría admitir que Melaine tenía razón, y, como no creía que fuera así, no estaba dispuesta a complacerla.

—No lo prometerá, Melaine —dijo finalmente Egwene—. Cuando tiene esa expresión terca, no saldría de una casa aunque le demostraras que el techo está en llamas.

Nynaeve le asestó una mirada cortante. ¡Conque era terca! Todo porque no permitía que nadie la zarandeara como a una muñeca de trapo.

—Muy bien —suspiró Melaine al cabo de unos largos instantes—.

Pero no os vendría mal recordar, Aes Sedai, que sois como una niñita en el *Tel'aran'rhiod.* Vamos, Egwene, debemos irnos.

Una mueca divertida asomó al rostro de la muchacha en el momento en que las dos se desvanecían.

De repente, Nynaeve se dio cuenta de que su ropa había cambiado. Las Sabias tenían suficientes conocimientos del *Tel'aran'rhiod* para cambiar cosas de otros con igual facilidad como consigo mismas. Ahora vestía una blusa blanca y una falda oscura; pero, a diferencia de las que llevaban las dos mujeres que acababan de desaparecer, ésta terminaba más arriba de las rodillas. No llevaba zapatos ni medias, y sus cabellos estaban partidos en dos coletas que le tapaban las orejas y que iban trenzadas con cintas amarillas. Una muñeca de trapo, con la cara de madera pintada, descansaba junto a sus pies. Oyó cómo rechinaban sus dientes. Esto ya había ocurrido antes, y había conseguido sonsacar a Egwene que así era como vestían las niñas Aiel.

Hecha una furia, cambió de nuevo al vestido de seda tarabonés —en esta ocasión aun más ajustado a su cuerpo— y propinó una patada a la muñeca, que salió volando por el aire y desapareció de repente. Esa Melaine probablemente le había echado el ojo a Lan; todos los Aiel parecían considerarlo como una especie de héroe. El cuello alto se convirtió en otro de encaje, y la profunda abertura del escote dejó a descubierto el nacimiento de sus senos. Si a esa mujer se le ocurría siquiera sonreírle... ¡Si se atrevía a...! De repente reparó en que el escote descendía a una velocidad vertiginosa al tiempo que se ampliaba hacia los hombros, y lo hizo subir de nuevo; no del todo, pero sí lo suficiente para que no le causara sonrojo. El vestido se había vuelto tan ajustado que la mujer no podía moverse, así que también rectificó aquello.

De modo que se suponía que debía pedir permiso, ¿no? Que tenía que suplicar a la Sabias antes de poder hacer algo, ¿verdad? ¿Acaso no había derrotado a Moghedien? Se habían mostrado adecuadamente impresionadas cuando lo supieron, pero parecían haberlo olvidado ya.

Si no podía recurrir a Birgitte para descubrir qué estaba ocurriendo en la Torre, puede que hubiera un modo de averiguarlo por sí misma.

15

LO QUE PUEDE DESCUBRIRSE EN LOS SUEÑOS

Con cuidado, Nynaeve recreó una imagen mental del estudio de la Amyrlin, tal como había hecho con el Corazón de la Ciudadela al quedarse dormida. No sucedió nada, y la mujer frunció el ceño. Debería haberse trasladado a la Torre Blanca, a la estancia que había imaginado. Volvió a intentarlo, evocando otra habitación que había visitado mucho más a menudo, aunque por razones más desagradables.

El Corazón de la Ciudadela se convirtió en el estudio de la Maestra de las Novicias, un cuarto reducido, forrado con paneles de madera oscura, repleto de muebles sencillos y sólidos, que había sido utilizado por generaciones de mujeres que habían tenido a su cargo ese puesto. Cuando las transgresiones de una novicia eran tan importantes que unas horas extraordinarias de trabajo fregando suelos o rastrillando senderos no era castigo suficiente, se la enviaba allí. Para que a una Aceptada se la llamara a este cuarto tenía que tratarse de una infracción mucho más grave, pero aun así acudía, arrastrando los pies, sabiendo que le aguardaba un serio correctivo.

Nynaeve no quería fijarse en la habitación —Sheriam la había llamado terca voluntariosa en sus numerosas visitas— pero se encontró observando fijamente el espejo de la pared, donde novicias y Aceptadas por igual tenían que contemplar sus rostros llorosos mientras escuchaban la perorata de Sheriam sobre obedecer las reglas o mostrar el respeto debido o lo que quiera que fuera. Obedecer las reglas de otros y demostrar el respeto debido había sido siempre algo con lo que Nynaeve tropezaba. Los tenues restos de dorado que quedaban en el marco tallado eran el indicativo de que había estado allí desde la Guerra de los Cien Años al menos, cuando no desde el Desmembramiento.

El vestido tarabonés era precioso, pero levantaría sospechas si alguien la veía. Hasta las domani vestían con más recato cuando visitaban la Torre, y no creía que hubiera nadie que soñara estar en este recinto sin hacer gala del comportamiento más correcto. No había demasiadas posibilidades de que se encontrara con alguien, salvo quizás una mujer dormida que entrara inconscientemente en el *Tel'aran'rhiod* durante unos breves instantes; antes de Egwene no había habido ninguna mujer en la Torre con capacidad de entrar en el Mundo de los Sueños por sí misma desde Corianin Nedeal, y de eso hacía más de cuatrocientos años. Por otro lado, de los *ter'angreal* robados a la Torre que todavía seguían en poder de Liandrin y sus compinches, los últimos estudios realizados sobre once de ellos habían sido hechos por Corianin. Los otros dos investigados por ella, los que Elayne y ella tenían bajo su custodia, daban acceso al *Tel'-aran'rhiod*, más valía dar por sentado que los otros tenían la misma utilidad. No había muchas posibilidades de que Liandrin o cualquiera de las otras se soñaran a sí mismas en la Torre de la que habían huido, pero hasta esa mínima posibilidad era un riesgo excesivo cuando ello significaba encontrarse bajo su acecho. Pensándolo bien, no tenía la certeza de que los *ter'angreal* robados fueran los únicos que Corianin había investigado. Los registros eran a menudo poco claros respecto a los *ter'angreal* que nadie entendía, y no era descabellado imaginar que hubiera otros en poder de las hermanas Negras que continuaban en la Torre.

El vestido cambió completamente y se convirtió en uno de lana blanca, fina pero no de una calidad excesivamente buena, y adornado en el repulgo con siete bandas de colores, una por cada Ajah. Si veía a alguien que no desaparecía al cabo de pocos segundos, regresaría a Sienda, y esa persona la tomaría por una Aceptada dormida que había entrado de refilón en el *Tel'aran'rhiod*. No. No regresaría a la posada, sino al estudio de Sheriam. Cualquiera que encajara en este supuesto tenía que pertenecer al Ajah Negro, y, después de todo, se suponía que ella tenía que perseguirlas.

Completado el disfraz, se agarró la trenza que ahora era dorada rojiza y se encogió al ver reflejada en el espejo la imagen de Melaine. Vaya, a ésta sí que le gustaría dejarla en manos de Sheriam un rato.

El estudio de la Maestra de las Novicias se encontraba próximo a los aposentos de las jóvenes iniciadas, y en los anchos pasillos enlosados se advertían fugaces movimientos delante de los tapices y las lámparas apagadas; eran efímeras vislumbres de muchachas asustadas, todas vestidas con la túnica blanca de novicia. Muchas pesadillas de las jóvenes debían de tener a Sheriam de protagonista. Nynaeve hizo caso omiso de ellas mientras pasaba presurosamente a su lado; no permanecían en el Mundo de los Sueños el tiempo suficiente para verla o, si lo hacían, la tomarían como parte de sus sueños.

Había un corto tramo de anchos escalones hasta el estudio de la Amyrlin. Cuando se acercaba a él, de pronto casi se dio de bruces con Elaida, el rostro sudoroso y vestida de rojo, con la estola de la Sede Amyrlin echada sobre los hombros. Aunque había una diferencia con la estola de la Amyrlin: no tenía franja azul. Aquellos ojos severos se posaron en Nynaeve.

—¡Soy la Sede Amyrlin, muchacha! ¿Es que no sabes mostrar el respeto debido? Tendré que... —Desapareció en mitad de la frase.

Nynaeve respiró entrecortadamente. Elaida como Amyrlin; eso sí que era una pesadilla. «Probablemente es su más ferviente sueño —pensó con ironía—. Antes nevará en Tear que esa mujer llegue tan alto.»

La antesala seguía como la recordaba, con un amplio escritorio y una silla detrás para la Guardiana de las Crónicas. Había unas cuantas sillas más colocadas contra la pared, destinadas a las Aes Sedai que estuvieran esperando para hablar con la Amyrlin; las novicias y las Aceptadas debían hacerlo de pie. Sin embargo, el pulcro orden de los papeles sobre la mesa, rollos de pergaminos atados y grandes hojas con cartas y sellos, no era propio de Leane. No es que la mujer fuera desordenada, todo lo contrario, pero Nynaeve siempre había pensado que lo dejaba recogido todo por la noche.

Abrió la puerta que comunicaba la antesala con el estudio, pero aflojó el paso nada más entrar. No era de extrañar que le resultara imposible soñarse allí, pues la estancia no tenía nada que ver con la que recordaba. Esa mesa excesivamente tallada y el alto sillón, semejante a un trono. Las banquetas talladas a semejanza de enredaderas, colocadas en un perfecto semicírculo, a la pulgada, frente a la mesa. Siuan Sanche prefería los muebles sencillos, como si pretendiera seguir siendo la hija de un simple pescador, y sólo tenía una silla extra, que no siempre dejaba utilizar a sus visitantes. Y el jarrón blanco lleno de rosas rojas, colocadas perfectamente sobre un pedestal, como un monumento. A Siuan le gustaban las flores, pero prefería un ramo colorido, como un campo de flores silvestres en miniatura. Encima de la chimenea había colgada una sencilla pintura de barcas pesqueras entre altos cañizales, pero ahora se veían dos cuadros, uno de los cuales reconoció Nynaeve: Rand combatiendo contra el Renegado que se había llamado a sí mismo Ba'alzamon entre las nubes, sobre Falme. El otro, un tríptico, representaba unas escenas relativas a algún suceso que no alcanzaba a recordar.

La puerta se abrió, y a Nynaeve le dio un vuelco el corazón. Una Aceptada de cabello pelirrojo a la que nunca había visto entró en la estancia y la miró de hito en hito. No desapareció, y, justo cuando Nynaeve se disponía a regresar de inmediato al estudio de Sheriam, la mujer pelirroja le dijo:

—Nynaeve, si Melaine se entera que estás utilizando su rostro, no se limitará a vestirte con ropas de niña. —Y de repente se transformó en Egwene, con sus ropas Aiel.

—Me has dado un susto de muerte —rezongó Nynaeve—. ¿Así que las Sabias han decidido por fin dejarte ir y venir a tu antojo? O es que Melaine está...

—Haces bien en estar asustada —espetó Egwene, cuyas mejillas habían enrojecido—. Eres una necia, Nynaeve. Una cría jugando en el pajar con una vela.

Nynaeve se quedó pasmada. ¿Egwene riñéndola a ella?

—Escúchame bien, Egwene al'Vere. No he permitido que Melaine me eche una filípica y no voy a admitir que tú...

—Pues harías bien en seguir los consejos que te dan antes de que acabes muerta.

—Debería quitarte ese anillo de piedra. Tendría que habérselo confiado a Elayne con la advertencia de que no te dejara usarlo ni poco ni mucho. —¡Que no me dejara...!

—¿Crees que Melaine exageraba? —dijo severamente Egwene al tiempo que sacudía el índice casi exactamente igual que la Sabia—. Pues no lo hacía, Nynaeve. Las Sabias te han dicho la simple verdad sobre el *Tel'aran'rhiod* una y otra vez, pero parece ser que piensas que son unas estúpidas y que es mejor hacer oídos sordos a sus advertencias. Se supone que eres una mujer adulta, no una cría tonta. Juro que si alguna vez has tenido una pizca de sentido común ahora ha desaparecido como una voluta de humo. ¡Bueno, pues búscalo, Nynaeve! —Resopló al tiempo que se ajustaba el chal sobre los hombros—. Ahora mismo intentas jugar con las bonitas llamas de la chimenea, demasiado estúpida para darte cuenta de que puedes caerte en el fuego.

Nynaeve no salía de su estupor. Siempre habían discutido, pero Egwene jamás la había tratado como a una niña a la que ha sorprendido con los dedos metidos en un frasco de miel. ¡Jamás! El vestido. Seguía siendo el de Aceptada que llevaba antes, así como el rostro de otra mujer. Volvió a ser ella misma, con un buen vestido de lana azul que a menudo llevaba en las reuniones del Círculo y para poner al Consejo en su sitio. Así se sentía arropada por toda su autoridad como Zahorí.

—Soy muy consciente de lo mucho que ignoro —dijo con tono impasible—, pero esas Aiel...

—¿Te das cuenta de que podrías haberte soñado en algo de lo que quizá no fueras capaz de salir? Aquí los sueños son reales. Si te dejas llevar y envolver por un sueño indulgente podrías quedar atrapada en él. Te atraparías a ti misma. Hasta que murieras.

—¿Quieres...?

—Hay pesadillas con vida propia en el *Tel'aran'rhiod,* Nynaeve.

—¿Quieres dejarme hablar?

—No, no quiero —replicó firmemente Egwene—. No hasta que vayas a decir algo que merezca la pena ser escuchado. He dicho pesadillas, y lo decía en serio, Nynaeve. Cuando alguien tiene una pesadilla mientras se encuentra en el *Tel'aran'rhiod,* también es real. Y a veces pervive después de que el soñador ha desaparecido. No lo entiendes, ¿verdad?

De repente, unas rudas manos rodearon los brazos de Nynaeve, que giró la cabeza a uno y otro lado, con los ojos desorbitados. Dos corpulentos y desharrapados individuos le levantaron en vilo; sus rostros eran unos desechos de carne medio podrida, y las babeantes bocas estaban llenas de afilados y amarillentos dientes. La mujer intentó hacerlos desaparecer —si una caminante de sueños Aiel podía hacerlo, ella también podía— y uno de los hombres le desgarró el vestido por delante, de arriba abajo, como si fuera papel. El otro le aferró la barbilla con la callosa mano y le hizo girar la cara hacia él; se inclinó hacia ella, entreabriendo la boca. Nynaeve ignoraba si lo que intentaba era besarla o morderla, pero antes prefería morir que permitir ninguna de las dos cosas. Buscó el contacto con el *Saidar* y no halló nada; era el terror lo que la colmaba, no la ira. Unas gruesas uñas se hincaron en sus mejillas, sujetándole firmemente la cabeza. Egwene era la responsable de esto, de algún modo.

—¡Por favor, Egwene! —Fue un chillido, pero estaba tan aterrada que no le importó—. ¡Por favor!

Los hombres —los seres— desaparecieron, y sus pies tocaron el suelo con un ruido sordo. Durante un momento lo único que pudo hacer fue temblar y sollozar. Arregló el vestido roto precipitadamente, pero los arañazos de las uñas permanecieron inalterables en su cuello y su torso. La ropa se reponía fácilmente en el *Tel'aran'rhiod,* pero cualquier cosa que le ocurriera a una persona... Las rodillas le temblaban de tal modo que casi no se sostenía en pie.

Casi esperaba que Egwene la consolara, y por una vez lo habría aceptado de buen grado. Pero la joven se limitó a decir:

—Aquí hay cosas peores, pero las pesadillas son suficientemente malas. Éstas las hice y las deshice, pero incluso yo he tenido problemas con esas que acabo de encontrar. Y no intenté retenerlas, Nynaeve. Si supieras cómo deshacerlas, lo habrías hecho tú misma.

Nynaeve irguió la cabeza, furiosa, rehusando limpiarse las lágrimas de las mejillas.

—Podría haber escapado de aquí soñándome en otro lugar, en el estudio de Sheriam o de vuelta en mi cama. —Su voz no sonaba avinagrada. Por supuesto que no.

—Eso, en caso de no haber estado tan loca de terror que ni siquiera se te ocurrió la idea —replicó secamente Egwene—. Oh, cambia ese gesto mohíno. Resulta ridículo en ti.

Nynaeve asestó una mirada furibunda a la otra mujer, pero no tuvo el resultado de anteriores ocasiones. En lugar de enzarzarse en una discusión, Egwene se limitó a enarcar pronunciadamente una ceja, observándola.

—Nada de esto parece tener relación con Siuan Sanche —dijo, para cambiar de tema. ¿Qué le había ocurrido a esta chica?

—No, no la tiene —convino Egwene mientras echaba un vistazo a la habitación—. Ahora entiendo por qué tuve que llegar a través de mi antiguo dormitorio, en los aposentos de las novicias. Pero supongo que la gente decide probar cosas nuevas de vez en cuando.

—Eso es a lo que me refiero —comentó pacientemente Nynaeve. Ni su tono ni su actitud denotaban mal humor. Era absurdo—. La mujer que amuebló este cuarto no contempla el mundo del mismo modo que la mujer que eligió lo que solía haber antes aquí. Fíjate en esas pinturas. Ignoro a qué aluden esas tres que hay juntas, pero reconocerás la otra como la he reconocido yo. —Ambas habían sido testigos del acontecimiento que representaba.

—Yo diría que es Bonwhin —dijo pensativamente Egwene—. Nunca prestabas atención en las clases. Es un tríptico.

—Sea lo que sea, lo importante es la otra. —Había atendido las clases de las Amarillas con interés. El resto era un montón de tonterías inútiles la mayoría de las veces—. Me parece que la mujer que la colgó ahí quiere recordar lo peligroso que es Rand. Si Siuan Sanche se ha vuelto contra él por alguna razón... Egwene, esto puede ser mucho peor que el simple hecho de querer traer de vuelta a Elayne a la Torre.

—Tal vez —contestó juiciosamente la joven—. Quizá los papeles nos aclaren algo. Tú mira aquí, y cuando yo termine en el escritorio de Leane, te ayudaré.

Nynaeve miró con indignación la espalda de Egwene mientras ésta salía del estudio. «¡Vaya, conque yo busque aquí, ¿no?!» La chica no tenía derecho a darle órdenes. Debería ir tras ella y dejárselo muy claro. «Entonces ¿por qué te quedas aquí, plantada como un pasmarote?» se reprochó, furiosa. Buscar en los papeles era buena idea, y podía hacerlo igualmente allí como en el otro estudio. De hecho, había más probabilidades de que hubiera algo importante en el escritorio de la Amyrlin. Rezongando para sus adentros sobre lo que haría para poner a Egwene en su sitio, se acercó a la mesa profusamente tallada dando pasos tan enérgicos que levantaban el repulgo del vestido.

Sobre el mueble no había nada salvo tres cajas lacadas que estaban colocadas con milimétrica precisión. Recordando la clase de trampas que podía poner una persona que deseaba mantener en privado sus posesiones, creó un largo palo para abrir la tapa de la primera, un objeto dorado y verde, decorado con garzas. Era una escribanía, con plumas, tinta y arena. La caja más grande, con rosas rojas entretejidas con volutas doradas, contenía unas veinte tallas delicadas de marfil y jade con figuras de animales y personas, todas colocadas sobre terciopelo gris pálido.

Mientras levantaba la tapa de la tercera caja —con dibujos de halcones dorados combatiendo en el cielo entre las nubes— advirtió que la primera volvía a estar cerrada. Aquí pasaba este tipo de cosas, y, además, si uno apartaba los ojos un momento, podía encontrarse con detalles diferentes cuando volvía a mirar el objeto que fuera.

La tercera caja contenía documentos. El palo desapareció y Nynaeve levantó la primera hoja con cautela. Oficiosamente firmado «Joline Aes Sedai», era una humilde petición para cumplir una serie de castigos que hicieron que Nynaeve se encogiera mientras los repasaba por encima. En esto no había nada de importancia, salvo para Joline. Al pie de la página había una anotación «aprobado» escrita con una letra angulosa. En el momento en que se disponía a dejar el papel en la caja, desapareció de su mano, y la caja volvió a estar cerrada.

Suspirando, volvió a abrirla. Los papeles que guardaban tenían un aspecto distinto. Sostuvo levantada la tapa y los fue hojeando rápidamente uno tras otro. O, más bien, lo intentó. A veces las cartas y los informes desaparecían cuando todavía los estaba cogiendo y otras mientras estaba leyéndolos. Si llevaban saludo, era un simple «Madre, con respeto». Algunos estaban firmados por Aes Sedai y otros por mujeres con otros títulos, nobles o en absoluto honoríficos. Ninguno de ellos parecía tener relación con el asunto que le interesaba. No se había dado con el paradero del mariscal de la reina de Saldaea y de su ejército, y la reina Tenobia se negaba a cooperar; Nynaeve consiguió terminar de leer este informe, pero daba a entender que el destinatario sabía por qué el militar no se encontraba en Saldaea y respecto a qué se suponía que la reina debería cooperar. No se habían recibido noticias de las informantes de ningún Ajah en Tanchico desde hacía tres semanas; pero no consiguió leer más que ese párrafo. Algunos problemas entre Illian por un lado y Murandy por el otro estaban disminuyendo, y Pedron Niall reclamaba ser responsable de ello; a pesar de lograr leer sólo unas cuantas líneas, Nynaeve tuvo la certeza de que el autor del informe debía de estar rechinando los dientes cuando lo escribió. No cabía duda de que las cartas eran importantes, al menos aquellas a las que pudo echar una rápida ojeada y las que se desvanecieron mientras las leía, pero a ella no le sirvieron de nada. Acababa de empezar lo que parecía un informe sobre lo que, según se sospechaba —ésa era la palabra utilizada—, era una reunión de hermanas Azules, cuando un angustiado grito llegó de la otra habitación:

—¡Oh, Luz, no!

Nynaeve corrió hacia la puerta mientras hacía aparecer en sus manos un sólido garrote, con la cabeza erizada de pinchos. No obstante, cuando lo que esperaba encontrar era a Egwene defendiéndose, lo que vio fue a la joven plantada de pie tras el escritorio de la Guardiana, mirando al vacío. En su semblante había plasmada una expresión de terror, pero estaba ilesa y nadie, que Nynaeve pudiera ver, la amenazaba.

Egwene sufrió un sobresalto al verla entrar y después recobró el dominio sobre sí misma.

—Nynaeve, Elaida es la Sede Amyrlin.

—No digas tonterías —se mofó. Empero, el hecho de que el otro estudio fuera tan discorde con la personalidad de Siuan Sanche...—. Son imaginaciones tuyas. Tienen que serlo.

—Tenía un papel en mis manos, Nynaeve, firmado: «Elaida do Avriny a'Roihan, Vigilante de los Sellos, Llama de Tar Valon, la Sede Amyrlin». Y lleva el sello de la Amyrlin.

Nynaeve tuvo la sensación de que el estómago se le quería subir a la boca.

—Pero ¿cómo? ¿Qué le ha ocurrido a Siuan? Egwene, la Torre no depone a una Amyrlin excepto por algo muy serio. Sólo ha ocurrido en dos ocasiones en casi tres mil años.

—Quizá lo de Rand era suficientemente serio. —La voz de la joven era firme, aunque sus ojos seguían demasiado abiertos—. A lo mejor se puso enferma de algo que las Amarillas no pudieron curar o se cayó por la escalera y se rompió el cuello. Lo que importa es que Elaida es la Amyrlin, y no creo que apoye a Rand como hizo Siuan.

—Moraine —masculló Nynaeve—. Tan segura de que Siuan haría que la Torre lo respaldara. —No podía imaginar muerta a Siuan Sanche. Había sentido odio hacia ella frecuentemente, y a veces le había inspirado miedo (ahora era capaz de admitir tal cosa, al menos para sus adentros), pero también la había respetado. Había pensado que Siuan viviría para siempre—. Elaida. ¡Luz! Es tan artera como una serpiente y tan cruel como un felino. Quién sabe lo que es capaz de hacer.

—Me temo que tengo una pista. —Egwene se llevó las manos al estómago como si también ella lo tuviera revuelto—. Era un documento muy corto y logré leerlo todo: «Todas las hermanas leales tienen la obligación de informar sobre la presencia de la mujer llamada Moraine Damodred. Se la debe apresar si ello es posible por cualquier medio que sea preciso y ha de ser enviada de vuelta a la Torre Blanca para someterla a juicio bajo el cargo de traición». Aparentemente el mismo tipo de lenguaje utilizado para apresar a Elayne.

—Si Elaida quiere que se arreste a Moraine eso significa que tiene que saber que ha estado ayudando a Rand y no le gusta que lo haya hecho. —Era bueno hablar; así olvidaba las náuseas. Neutralizaban a una mujer por un cargo de traición. Desde el principio había querido derribar a Moraine, y ahora Elaida iba a hacerlo en su lugar—. Ciertamente ella no apoya a Rand.

—Exactamente.

—Las hermanas leales... Egwene, eso encaja con el mensaje que nos dio Macura, la modista. Sea lo que sea que le haya pasado a Siuan, los Ajahs se han dividido por el nombramiento de Elaida como Amyrlin. Tiene que ser por eso.

—Sí, claro. Muy bien, Nynaeve. Yo no había caído en ello.

Su sonrisa era tan complacida que la antigua Zahorí no pudo por menos que responder con otra.

—Hay un informe sobre el escritorio de Siu... de la Amyrlin respecto a una reunión de Azules. Lo estaba leyendo cuando gritaste. Apuesto a que las Azules no apoyaron a Elaida. —Entre los Ajahs Azul y Rojo había una especie de tregua en el mejor de los casos, y casi se echaban las manos al cuello en el peor.

Sin embargo, cuando regresaron al estudio de la Amyrlin ya no encontraron el informe allí. Había montones de documentos —la carta de Joline había vuelto a aparecer; una lectura de pasada hizo que Egwene enarcara las cejas exageradamente— pero ninguno era el que buscaban.

—¿Recuerdas lo que ponía? —preguntó la joven.

—Sólo había leído unas cuantas líneas cuando te oí gritar, y... No me acuerdo.

—Inténtalo, Nynaeve. Inténtalo con todas tus fuerzas.

—Ya lo intento, Egwene, pero no funciona.

Caer en la cuenta de lo que estaba haciendo le causó un impacto tan fuerte como si hubiera recibido un golpe entre las cejas. Se estaba disculpando. Con Egwene, una chica a la que había dado azotes en el culo por coger una rabieta no hacía ni dos años. Y un instante antes se había sentido tan orgullosa como una gallina que ha puesto un huevo porque Egwene estaba complacida con ella. Recordaba muy bien el día en que la balanza que había entre ellas se había inclinado hacia el otro lado, cuando dejaron de ser la Zahorí y la muchacha que corría a cumplir las órdenes de su Zahorí, convirtiéndose en cambio en dos simples mujeres que estaban lejos de casa. Por lo visto aquella balanza se había desequilibrado aun más, y no le gustaba. Iba a tener que hacer algo para volver a poner los platillos en el sitio que les correspondía.

La mentira. Hoy había mentido deliberadamente a Egwene por primera vez en su vida. Y por ese motivo su autoridad moral había desaparecido, por eso estaba farfullando, incapaz de expresarse adecuadamente.

—Bebí la infusión, Egwene. —Tuvo que obligarse a pronunciar cada palabra, porque por dentro seguía resistiéndose a admitirlo—. La infusión de horcaria que preparó esa mujer, la tal Macura. Ella y Luci nos subieron como muñecas desmadejadas al primer piso. Así era como nos sentíamos. Si Thom y Juilin no hubieran acudido a rescatarnos, seguramente todavía estaríamos allí. O de camino a la Torre, tan hinchadas de horcaria que no habríamos despertado hasta llegar allí. —Respiró hondo e intentó dar a su voz un tono de firme seguridad, pero tal cosa resultaba difícil cuando se acababa de confesar que se había actuado como una completa necia. Lo que dijo a continuación sonó demasiado vacilante para su gusto—. Si se lo cuentas a las Sabias, en especial a Melaine, te daré de bofetadas.

Esto último tendría que haber provocado la ira de Egwene. Parecía raro estar buscando provocar una agarrada —por lo general las tenían a causa de que Egwene se negaba a atender a razones, y rara vez acababan bien puesto que la muchacha había cogido la costumbre de continuar negándose a dar su brazo a torcer— pero sin duda sería mejor que esto. Empero, Egwene se limitó a sonreírle. Una sonrisa divertida. Una sonrisa de divertida prepotencia.

—Era lo que sospechaba, Nynaeve. Solías hablar a todas horas de hierbas y plantas, pero jamás mencionaste una llamada horcaria. Estaba segura de que no habías oído hablar de ella hasta que esa mujer la mencionó. Siempre has intentado quedar en buen lugar. Si te cayeras de bruces en una cochiquera, intentarías convencer a todo el mundo de que lo hiciste a propósito. Bien, lo que hemos de decidir...

—Yo no hago eso —barbotó Nynaeve.

—Desde luego que sí. Los hechos hablan por sí solos. Podrías dejar de lloriquear por eso y ayudarme a decidir...

¡Lloriquear! Esto no iba ni mucho menos como quería.

—De eso nada. Me refiero a lo de los hechos. Jamás he actuado como dices.

Egwene se quedó mirándola intensamente, en silencio, un momento.

—No piensas dejar el tema a un lado, ¿verdad? Muy bien. Me mentiste y...

—No fue una mentira —masculló—. No exactamente.

—... y te mentiste a ti misma —continuó la joven haciendo caso omiso de la interrupción—. ¿Recuerdas lo que me obligaste a beber la última vez que te mentí? —De repente apareció una taza en su mano, llena de un líquido verde, viscoso, de aspecto repugnante; parecía que se hubiera cogido de un estanque empantanado y lleno de verdín—. La única vez que te mentí. El recuerdo de ese gusto horrible tuvo un efecto disuasorio muy efectivo para no caer de nuevo en la mentira. Si eres incapaz de decir la verdad ni siquiera a ti misma...

Nynaeve retrocedió un paso sin poder evitarlo. Una cocción de agrimonia y hojas de ricino machacadas; la lengua empezó salivarle sólo de pensarlo.

—De hecho, no mentí realmente. —¿Por qué estaba dando excusas?—. Sólo me limité a no decir toda la verdad. —«¡Yo soy la Zahorí! Bueno, era la Zahorí; eso tendría que contar para algo todavía»—. No estarás pensando que me... —«Pues díselo. Tú no eres la pequeña de las dos, y desde luego no vas a beber»—. Egwene, yo... —Egwene casi le metió la taza debajo de la nariz; el acre olor le inundó las fosas nasales—. De acuerdo —se apresuró a decir. «¡Esto no puede estar ocurriendo!» Pero no podía evitar tener los ojos fijos en aquella taza llena a rebosar ni impedir que las palabras salieran atropelladamente de su boca—. A veces intento contar lo ocurrido mejorándolo para quedar en buen lugar. De vez en cuando. Pero nunca en cosas importantes; sólo cuando es algo baladí. —La taza desapareció, y Nynaeve soltó un suspiro de alivio. «¡Idiota, estúpida mujer! ¡No podía obligarte a que te bebieras eso! ¿Qué demonios te pasa?»

—Lo que tenemos que decidir es a quién contárselo —dijo Egwene como si nada hubiera ocurrido—. Moraine, por supuesto, tiene que saberlo. Y también Rand. Pero si alguien se entera de ello... Los Aiel son muy peculiares, y no lo son menos respecto a las Aes Sedai. Creo que seguirían a Rand por ser El que Viene con el Alba a pesar de todo, pero si descubren que la Torre Blanca está en contra suya, tal vez no se muestren tan fervientes.

—Se enterarán antes o después —rezongó Nynaeve. «¡No habría podido obligarme a beberlo!»

—Mucho mejor después que antes, Nynaeve. Así que ten cuidado; no se te ocurra perder los nervios y que en un arranque de mal genio se te vaya la lengua delante de las Sabias en nuestra próxima reunión. De hecho, sería mejor que no mencionaras siquiera esta visita a la Torre. De ese modo quizá logremos mantenerlo en secreto.

—No soy tan idiota —protestó Nynaeve, muy estirada, y sintió bullir dentro de sí la rabia cuando Egwene volvió a enarcar la ceja de aquel modo. No pensaba contarles a las Sabias esta visita, pero el motivo no era porque resultara más fácil contravenir sus órdenes a sus espaldas. De eso nada. Y tampoco estaba intentando quedar en buen lugar. No era justo que Egwene pudiera entrar en el *Tel'aran'rhiod* siempre que quisiera mientras que ella tenía que aguantar sermones y tratos humillantes.

—Lo sé —dijo Egwene—. A no ser que te dejes dominar por tu genio. Tienes que aprender a dominar ese temperamento tuyo y conservar fría la cabeza si existe la posibilidad de que te topes con los Renegados, en especial con Moghedien. —Nynaeve le asestó una mirada iracunda y abrió la boca para manifestar que sabía controlar su genio y que le soltaría una bofetada si insinuaba lo contrario, pero la joven no le dio ocasión de hablar—. Hemos de encontrar esa reunión de hermanas Azules, Nynaeve. Si están contra Elaida, tal vez, sólo tal vez, apoyen a Rand como lo hacía Siuan. —Se mencionaba en ese papel una ciudad o un pueblo? ¿O un país, aunque sólo fuera?

—Creo... No me acuerdo. —Se esforzó por anular el tono defensivo que había en su voz. «¡Luz, le he confesado todo, he hecho el ridículo, y eso sólo empeora las cosas!»—. Seguiré intentándolo.

—Bien. Tenemos que encontrarlas, Nynaeve. —Egwene la observó un momento, rehusando repetirse—. Ten cuidado con Moghedien. No cargues alegremente como un oso en primavera sólo porque se te escapó en Tanchico.

—No soy tan necia, Egwene —contestó sosegadamente Nynaeve. Resultaba frustrante tener que controlar el genio; pero, si la única reacción de Egwene iba a ser hacer caso omiso o reprenderla por ello, no iba a ganar nada, aparte de hacer más el ridículo.

—Lo sé. Fuiste tú quien lo dijo, no yo. Pero asegúrate de que no se te olvida. Y ten cuidado. —Egwene no se desvaneció paulatinamente esta vez, sino que desapareció de repente, como Birgitte.

Nynaeve miró fijamente el punto donde había estado su amiga mientras se repetía para sus adentros todas las cosas que debería haber dicho. Al cabo, se dio cuenta de que no podía quedarse allí de pie toda la noche; lo único que hacía era repetirse, y el momento de decir cualquier cosa había pasado ya. Rezongando entre dientes, salió del *Tel'aran'rhiod,* de vuelta a la cama en Sienda.

Egwene abrió los ojos repentinamente a una oscuridad casi total, rota únicamente por un pequeño rayo de luna que se colaba por el agujero del humo. Se alegró de encontrarse bajo el montón de mantas; el fuego se había apagado y en la tienda reinaba un gélido frío. Su aliento se tornaba vaho delante de su cara. Sin levantar la cabeza, examinó el interior de la tienda. No había Sabias. Todavía seguía sola.

Aquél era su mayor temor en estas excursiones solitarias al *Tel'aran'rhiod:* regresar para encontrarse con Amys o cualquiera de las otras esperándola. Bueno, quizá no fuera su mayor temor —los peligros en el Mundo de los Sueños eran tan grandes como le había dicho a Nynaeve— pero, aun así, uno de los peores. No era el castigo lo que la asustaba, del tipo que solía imponer Bair. Si al despertar se hubiera encontrado a una Sabia mirándola fijamente, habría aceptado ese correctivo de buen grado, pero Amys le había dicho casi al principio de acceder a instruirla que si entraba en el *Tel'aran'rhiod* sin que una de ellas la acompañara, rehusaría seguir enseñándole y la expulsarían. Por muy deprisa que impartieran sus enseñanzas, no eran lo bastante rápidas para Egwene, que deseaba saberlo todo, y saberlo ya.

Encauzó para encender la lámpara y prender el fuego en el agujero de la lumbre; no quedaba combustible que consumir, pero la joven ató los flujos utilizados. Permaneció tumbada, contemplando cómo su aliento se condensaba en el aire al salir de su boca, y esperó a que el ambiente se caldeara lo suficiente para vestirse. Era tarde, pero quizá Moraine estaba despierta todavía.

Lo ocurrido con Nynaeve todavía la sorprendía. «De hecho creo que se lo habría bebido si la hubiera presionado.» Había sentido tanto miedo de que Nynaeve descubriera que, desde luego, no tenía permiso de las Sabias para entrar sola en el Mundo de los Sueños, tan segura de que el rubor repentino la había delatado, que lo único que se le ocurrió fue no dejar de hablar a Nynaeve, impedir que desvelara la verdad. Y estaba tan convencida de que su amiga acabaría descubriéndola —era muy capaz de volverla del revés y afirmar que era por su propio bien— que sólo se le ocurrió hablar sin parar y procurar mantener la atención en lo que quiera que Nynaeve estuviera haciendo mal. Por muy furiosa que la hubiera puesto Nynaeve, aparentemente no había sido capaz de levantar la voz. Y con su reacción, de algún modo, le había ganado por la mano y había llevado la voz cantante.

Pensándolo bien, Moraine rara vez alzaba la voz y cuando lo hacía tenía menos resultado en conseguir lo que quería. Así había ocurrido incluso antes de que empezara a comportarse de un modo tan extraño con Rand. Tampoco las Sabias gritaban nunca a nadie —excepto unas a las otras de vez en cuando— y, a pesar de sus rezongos respecto a que los jefes ya no les hacían caso, todavía se salían con la suya las más de las veces. Había un viejo dicho que no había comprendido realmente hasta ahora: «Quien se niega a oír un grito se esfuerza por escuchar un susurro». No volvería a gritarle a Rand. Una voz femenina, sosegada, firme, era la clave. En realidad, tampoco debería gritarle a Nynaeve; era una mujer, no una chiquilla abandonándose a un berrinche.

Se sorprendió a sí misma al soltar una queda risita. Sobre todo no debería levantarle la voz a Nynaeve cuando hablar sosegadamente tenía tan buenos resultados.

Cuando al fin le pareció que la temperatura dentro de la tienda era lo bastante cálida, se levantó y se vistió con presteza. Aun así tuvo que romper el hielo en el cubo de agua para enjuagarse la boca tras el sueño. Se echó sobre los hombros la capa de lana, deshizo el nudo de los fluidos de Fuego —resultaba peligroso dejarlo atado sin vigilancia— y, al mismo tiempo que las llamas se consumían, la joven salió de la tienda. El frío la ciñó como un puño de hielo mientras cruzaba apresuradamente el campamento.

Sólo las tiendas más próximas eran visibles para la joven, unas formas bajas y oscuras que podrían haber formado parte del accidentado terreno salvo porque el campamento se extendía millas en el montañoso paisaje a uno y otro lado. Estos escarpados e irregulares picos no eran la Columna Vertebral del Mundo; dichas cumbres eran mucho más elevadas y todavía se encontraban a varios días de distancia, hacia el oeste.

Se aproximó a la tienda de Rand, vacilante. Una línea luminosa se marcaba alrededor de la solapa de entrada. Una Doncella pareció brotar del suelo cuando la joven se acercó, con el arco de hueso a la espalda, la aljaba colgada al costado y las lanzas y la adarga en las manos. Egwene no distinguió a otras en la oscuridad, pero sabía que estaban allí, a pesar de encontrarse rodeados por seis clanes que proclamaban lealtad al *Car'a'carn*. Los Miagoma se encontraban en alguna parte, al norte, avanzando en paralelo a ellos; por lo visto, Timolan no pensaba decir cuáles eran sus intenciones. A Rand parecía no importarle cuál era el paradero de los otros clanes. Todo su interés estaba puesto en la carrera hacia el paso de Jangai.

—¿Está despierto, Enaila? —preguntó.

El juego de luces y sombras de la luna se movió sobre el rostro de la Doncella cuando ésta asintió con la cabeza.

—No duerme bastante. Un hombre no puede aguantar sin tener el descanso adecuado. —Hablaba como una madre preocupada por su retoño.

Una sombra se movió junto a la tienda y se concretó en la figura de Aviendha, arrebujada en el chal. No parecía afectada por el frío, sino por la hora.

—Le cantaría una nana si sirviera de algo. Sé de mujeres que han estado en vela toda la noche por causa de un niño, pero un hombre adulto tendría que darse cuenta de que a otros nos gustaría meternos entre nuestras mantas. —Ella y Enaila compartieron una queda risita.

Egwene sacudió la cabeza, extrañada de nuevo por las rarezas de los Aiel, y se agachó para atisbar por la rendija de la solapa. Varias lámparas iluminaban el interior de la tienda. Rand no estaba solo; los oscuros ojos de Natael denotaban cansancio y el hombre reprimió un bostezo. Él por lo menos deseaba dormir. Rand estaba tumbado boca abajo, cerca de una de las doradas lámparas, y leía un libro cuya cubierta de piel estaba ajada. O no lo conocía en absoluto o sin duda era una u otra traducción de *Las Profecías* del Dragón.

De improviso, empezó a pasar hacia atrás las hojas rápidamente, leyó algo y luego se echó a reír. Egwene intentó convencerse de que no había ningún síntoma de locura en aquella risa, sólo amargura.

—Menuda broma —le dijo a Natael mientras cerraba de golpe el libro y se lo lanzaba—. Lee la página doscientos ochenta y siete y la página cuatrocientos, y dime si no estás de acuerdo conmigo.

Egwene apretó los labios al tiempo que se erguía. Rand debería ser más cuidadoso con un libro. No podía hablar con él delante del juglar. Era una pena que tuviera que recurrir a un hombre al que apenas conocía para tener compañía. No. Tenía a Aviendha y a los jefes con bastante frecuencia, y a Lan todos los días, y a veces a Mat.

—¿Por qué no te unes a ellos, Aviendha? Si estuvieras con él a lo mejor le apetecería hablar de otra cosa que no fuera ese libro.

—Quería conversar con el juglar, Egwene, y rara vez lo hace estando yo o cualquiera. Si no me hubiera marchado, habrían salido ellos dos.

—Según tengo entendido, los niños dan muchas preocupaciones. —Enaila rió—. Y los hijos más aun. Ahora que has renunciado a la lanza, podrías comprobar si tal cosa es verdad y decírmelo.

281

Aviendha le asestó una mirada ceñuda y regresó a su puesto, a un costado de la tienda, como una gata ofendida. Enaila pareció encontrar divertida también su reacción, porque empezó a partirse de la risa.

Rezongando entre dientes algo sobre el humor Aiel —casi nunca era capaz de entenderlo—, Egwene se dirigió hacia la tienda de Moraine, a corta distancia de la de Rand. También aquí se veía luz a través de la rendija de la solapa; la Aes Sedai se encontraba despierta. Moraine estaba encauzando, sólo una minúscula cantidad de Poder, pero aun así suficiente para que Egwene lo percibiera. Lan dormía tendido cerca, envuelto en su capa de Guardián; aparte de su cabeza y sus botas, el resto de su cuerpo parecía formar parte de la noche. Egwene agarró la capa, se remangó la falda, y avanzó de puntillas para no despertarlo.

El ritmo de la respiración del hombre no cambió, pero algo indujo a la joven a mirarlo otra vez. La luz de la luna brillaba en los ojos del hombre, abiertos y observándola. Al mismo tiempo que Egwene volvía la cabeza, Lan los cerró de nuevo. No movió ningún otro músculo, como si no se hubiera despertado. Este hombre la ponía nerviosa a veces, y no entendía qué había visto en él Nynaeve.

Se arrodilló junto a la solapa de entrada y se asomó. Moraine estaba sentada, rodeada del brillo del *Saidar,* con la pequeña gema azul que solía llevar sobre la frente colgando de los dedos frente a su rostro. La gema brillaba, sumando su resplandor a la luz de una única lámpara. El agujero de la lumbre sólo contenía cenizas; ni siquiera quedaba olor.

—¿Puedo entrar?

Tuvo que repetir la pregunta antes de que Moraine respondiera:

—Desde luego.

La luz del *Saidar* se apagó, y la Aes Sedai empezó a ajustarse la cadena dorada a la frente.

—¿Estabas espiando a Rand? —Egwene se acomodó junto a la otra mujer. Dentro de la tienda hacía tanto frío como fuera. Encauzó e hizo brotar llamas sobre las cenizas de la lumbre, tras lo cual ató los flujos de Fuego—. Dijiste que no volverías a hacerlo.

—Dije que, puesto que las Sabias vigilaban sus sueños, deberíamos permitir que tuviera cierta intimidad. No han vuelto a pedírmelo desde que les cerró el acceso a sus sueños, y yo no me he ofrecido. Recuerda que tienen sus propias metas, las cuales pueden diferir de las de la Torre.

Sin proponérselo, habían llegado a donde quería Egwene. La joven aún no sabía muy bien cómo decirle lo que había descubierto sin revelar su desobediencia a las Sabias, pero quizás el único modo era contarlo sin más y después actuar según la reacción de la Aes Sedai.

—Elaida es la Amyrlin, Moraine. Ignoro lo que le ha ocurrido a Siuan.

—¿Cómo lo sabes? —inquirió quedamente Moraine—. ¿Descubriste algo en tu caminar por los sueños o finalmente tu Talento como Soñadora se ha manifestado por sí mismo?

Ahí tenía su escapatoria. Algunas de las Aes Sedai de la Torre creían que podía ser una Soñadora, una mujer cuyos sueños pronostican el futuro. Tenía sueños que sabía eran vaticinadores, pero interpretarlos era harina de otro costal. Las Sabias decían que el conocimiento tenía que venir del interior, y ninguna Aes Sedai le había servido de más ayuda. En uno de ellos, Rand sentado en un sillón, y, de algún modo, ella sabía que la cólera de la dueña de ese sillón por ser despojada de él resultaría mortalmente peligrosa; aparte de saber que era una mujer, no lograba descifrar nada más. A veces los sueños eran complejos. Perrin, que tenía a Faile en su regazo, reía y la besaba mientras ella jugueteaba con la corta barba con la que aparecía en el sueño. Detrás de ellos ondeaban dos estandartes: la cabeza de un zorro rojo y un águila carmesí. Un hombre, vestido con una chaqueta de un fuerte color amarillo, estaba de pie cerca del hombro de Perrin, con una espada envainada a la espalda; de algún modo Egwene sabía que era un gitano, aunque ningún gitano tocaría jamás una espada. Y cada detalle del sueño, salvo la barba, parecía importante. Lo de los estandartes; que Faile besara a Perrin; hasta lo del gitano. Cada vez que se acercaba a su amigo, era como si un escalofrío premonitorio irradiara de toda la escena. Otro sueño: Mat arrojaba los dados mientras la sangre le chorreaba por la cara, con el sombrero de ala ancha bien calado, de modo que no llegaba a verle la herida; mientras tanto, Thom Merrilin metía la mano en un fuego para recuperar la pequeña gema azul que ahora se mecía sobre la frente de Moraine. O un sueño sobre una tormenta, con grandes nubarrones que se agitaban, sin viento ni lluvia, en tanto que los rayos, todos ellos idénticos, resquebrajaban la tierra. Sí, tenía sueños, pero como Soñadora era un completo fracaso hasta ahora.

—Vi una orden de arresto contra ti, Moraine, firmada por Elaida como la Amyrlin. Y no era un sueño corriente. —Hasta la última palabra, cierta. De repente se alegró de que Nynaeve no estuviera allí. «En ese caso, sería yo la que estaría mirando una taza de purgante.»

—La Rueda gira según sus designios. Quizá todo dé igual si Rand conduce a los Aiel a través de la Pared del Dragón. Dudo que Elaida haya continuado con la política de acercamiento a los dirigentes aun en el caso de que sepa que Siuan lo estaba haciendo.

—¿Eso es todo lo que se te ocurre? Creía que hubo un tiempo en que Siuan era tu amiga, Moraine. ¿No vas derramar una sola lágrima por ella?

283

Los ojos de la Aes Sedai se prendieron en los suyos, y aquella mirada, fría y serena, le descubrió lo lejos que estaba aún de poder usar ese título por derecho. Sentada, era casi un palmo más alta que Moraine, además de ser más fuerte en el Poder, pero ser Aes Sedai implicaba mucho más que eso.

—No tengo tiempo para derramar lágrimas, Egwene. La Pared del Dragón está ya a pocos días de distancia, y el Alguenya... Siuan y yo fuimos amigas, sí. Dentro de pocos meses se cumplirán veintiún años desde que las dos empezamos a buscar al Dragón Renacido. Sólo nosotras dos, recién ascendidas a Aes Sedai. Sierin Vayu fue nombrada Amyrlin al poco tiempo. Era una Gris con muchos rasgos de Roja. Si hubiera descubierto lo que nos proponíamos, habríamos pasado el resto de nuestras vidas cumpliendo penitencia, con las hermanas Rojas vigilándonos constantemente, hasta estando dormidas. Hay un dicho en Cairhien, aunque también lo he oído decir en lugares tan lejanos como Tarabon y Saldaea: «Toma lo que quieres y paga por ello». Siuan y yo tomamos el camino que elegimos, y sabíamos que, con el tiempo, tendríamos que pagar por ello.

—No entiendo cómo puedes estar tan tranquila. Siuan podría haber muerto o incluso haber sido neutralizada. Elaida se opondrá completamente a Rand o intentará retenerlo de algún modo hasta el Tarmon Gai'don; sabes que jamás permitirá que un hombre capaz de encauzar ande libre. Por lo menos no todas apoyan a Elaida. Algunas Azules se están reuniendo en alguna parte, todavía no sé dónde, y creo que también otras se han marchado de la Torre. Nynaeve dijo que una informadora de las Amarillas le había dado el mensaje de que todas las hermanas eran bienvenidas a regresar a la Torre. Si las Azules y las Amarillas se han marchado, también pueden haberlo hecho otras. Y si se oponen a Elaida, quizás apoyen a Rand.

Moraine suspiró quedamente.

—¿Y esperas que me alegre el hecho de que la Torre Blanca esté dividida? Soy Aes Sedai, Egwene. Entregué mi vida a la Torre mucho antes de sospechar siquiera que el Dragón renacería en mi época. La Torre ha sido un baluarte contra la Sombra durante tres mil años. Ha guiado a dirigentes a tomar decisiones sabias, ha impedido que estallaran guerras, ha puesto fin a las que sí empezaron. Si la humanidad recuerda que el Oscuro aguarda la ocasión de escapar, que la Última Batalla tendrá lugar, es gracias a la Torre. La Torre, como un sólido pilar, unida. Casi desearía que todas las hermanas hubieran apoyado a Elaida, sea lo que sea que le haya ocurrido a Siuan.

—¿Y Rand? —Egwene mantuvo el tono de voz igualmente impasible, suave. Las llamas empezaban a prestar cierta calidez a la atmósfera, pero Moraine había añadido su propio frío—. El Dragón Renacido. Tú misma dijiste que no puede estar preparado para el Tarmon Gai'don a menos que se le permita libertad de acción, tanto para aprender como para que su presencia surta efecto en el mundo. La Torre unida podría cogerlo prisionero a pesar de todos los Aiel del Yermo.

—Vas aprendiendo. —Moraine esbozó un atisbo de sonrisa—. Razonar fríamente siempre es mejor que unas frases acaloradas. Pero olvidas que bastan trece hermanas vinculadas para aislar a cualquier hombre del *Saidin* y, aun cuando desconozcan cómo atar los flujos, hacen falta menos todavía para mantener activo ese escudo.

—Sé que no te das por vencida, Moraine. ¿Qué piensas hacer?

—Mi intención es tratar con el mundo según se presenten las circunstancias y mientras me sea posible hacerlo. Al menos Rand estará más... accesible ahora que ya no tengo que intentar convencerlo de que no haga lo que quiere. Supongo que debería darme por satisfecha de no tener que servirle el vino. Casi nunca me hace caso, ni aun las contadas veces que da señal de pensar en lo que le he dicho.

—Dejaré que seas tú quien le cuente lo de Siuan y la Torre. —Con ello evitaría preguntas incómodas; siendo Rand tan testarudo, quizá querría saber más sobre sus viajes por los sueños de lo que ella era capaz de inventar—. Hay algo más. Nynaeve ha visto Renegados en el *Tel'- aran'rhiod.* Los mencionó a todos los que aún viven excepto Asmodean y Moghedien, y eso incluye a Lanfear. Sospecha que están tramando algo, y quizás entre todos.

—Lanfear —dijo Moraine al cabo de un momento.

Las dos sabían que la Renegada había visitado a Rand en Tear y puede que en más ocasiones de las que él no les había hablado. Nadie sabía gran cosa de los Renegados excepto ellos mismos —únicamente quedaban fragmentos de fragmentos de información en la Torre— pero era de sobra conocido el hecho de que Lanfear había amado a Lews Therin Telamon. Ellas dos, y Rand, sabían que todavía lo amaba.

—Con suerte —continuó la Aes Sedai—, no tendremos que preocuparnos por Lanfear. Los demás que Nynaeve ha visto son otra historia. Tú y yo debemos estar tan alertas como nos sea posible. Ojalá más Sabias pudieran encauzar. —Soltó una corta risa—. Ya puesta, podría desear que todas recibieran entrenamiento en la Torre como me gustaría, o vivir para siempre. Por muy fuertes que sean en ciertos aspectos, adolecen de terribles carencias en otros.

—Lo de estar alertas me parece muy bien, pero ¿qué más hacemos? Si lo atacan seis Renegados a la vez, va a necesitar toda la ayuda que podamos prestarle.

Moraine se inclinó para posar la mano sobre su brazo; una expresión de afecto asomó a su semblante.

—No podemos llevarlo agarrado de la mano para siempre, Egwene. Ya ha aprendido a caminar solo, y ahora está aprendiendo a correr. Lo único que nos queda hacer es confiar en que aprenda a hacerlo antes de que sus enemigos le den alcance. Y, por supuesto, seguir aconsejándolo y guiarlo cuando nos sea posible. —Se puso erguida, se estiró y reprimió un pequeño bostezo—. Es tarde, Egwene, y sospecho que Rand nos hará levantar el campamento dentro de muy pocas horas, aunque no haya dormido ni un rato. A mí en cambio me gustaría descansar todo lo posible antes de enfrentarme de nuevo a la silla de montar.

Egwene se dispuso a partir, pero antes planteó una pregunta:

—Moraine, ¿por qué has empezado a hacer todo lo que Rand te dice que hagas? Hasta Nynaeve piensa que no es justo.

—Conque eso piensa, ¿no? —murmuró Moraine—. Todavía acabará siendo Aes Sedai, lo quiera o no. ¿Preguntas que por qué? Porque recordé cómo se controla el *Saidar*.

Al cabo de un momento, Egwene asintió en silencio. Para controlar el *Saidar* primero había que rendirse a él.

Iba de camino de regreso a su tienda, tiritando, cuando cayó en la cuenta de que Moraine le había hablado de igual a igual todo el rato. Quizás estaba más cerca de elegir su Ajah de lo que creía.

16

UNA OFERTA INESPERADA

La luz del sol que se colaba por la ventana despertó a Nynaeve. La mujer siguió tendida un momento, despatarrada sobre el cobertor de rayas. Elayne dormía en la otra cama. Se notaba ya el calor a pesar de la temprana hora, y no había sido mucho mejor por la noche, pero no era ésa la razón de que la camisola de Nynaeve estuviera retorcida y sudorosa. Después de discutir con Elayne lo que había visto no había tenido sueños agradables. En la mayoría de ellos era llevada de vuelta a la Torre y arrastrada ante la Amyrlin, que unas veces era Elaida y otras, Moghedien. En algunos, Rand estaba tendido como un perro junto al escritorio de la Amyrlin, con collar, correa y bozal. Los sueños sobre Egwene habían sido en cierto modo igualmente malos; la agrimonia cocida y las hojas de ricino machacadas tenían un sabor tan horrible en los sueños como en la vigilia.

Fue hacia el palanganero, donde se lavó la cara y se frotó los dientes con sal y soda. El agua no estaba caliente, pero tampoco podía decirse que estuviera fría. Se quitó la empapada camisola y sacó otra limpia de uno de los baúles, así como un cepillo del pelo y un espejo. Al mirarse en él, lamentó haber deshecho la trenza por comodidad. No le había servido de nada y ahora tenía la larga melena enredada. Tomó asiento en el baúl y, con gran trabajo, fue desenredando los nudos, hecho lo cual empezó a pasar el cepillo por el pelo cien veces.

Tres arañazos arrancaban de su cuello y se perdían debajo de la camisola. No estaban tan enrojecidos como podía esperarse, ya que se había dado un ungüento de milenrama de las provisiones cogidas en casa de Macura. A Elayne le había dicho que se los había hecho con unas zarzas. Una tontería por su parte, pues sospechaba que la joven sabía que no era verdad a pesar de su cuento de haber hecho una inspección por el recinto de la Torre nada más marcharse Egwene; sin embargo, estaba demasiado alterada para pensar con claridad. Le había hablado con brusquedad a Elayne varias veces sin más motivo que estar rumiando el trato injusto que le habían dado Melaine y Egwene. «Aunque tampoco le viene mal que se le haga recordar que aquí no es la heredera del trono.» Aun así, la chica no tenía la culpa; tendría que hacer las paces con ella.

En el espejo vio que Elayne se levantaba y empezaba a lavarse.

—Todavía pienso que mi plan es el mejor —dijo la joven mientras se frotaba la cara. Su cabello, teñido de negro, no parecía tener un solo enredo a pesar de los rizos—. Podríamos llegar a Tear mucho más deprisa de ese modo.

Su plan era abandonar el carruaje una vez que llegaran al Eldar, en algún pueblecito donde seguramente no habría muchos Capas Blancas y, lo que era igualmente importante, ninguna informadora de la Torre. Allí tomarían una barca fluvial para bajar a Ebou Dar, donde podrían encontrar un barco para Tear. Que tenían que dirigirse a esta ciudad estaba fuera de dudas; tenían que evitar Tar Valon a toda costa.

—¿Y cuánto tiempo pasará para que una barca se detenga donde estemos? —contestó pacientemente Nynaeve. Creía que el asunto había quedado acordado antes de irse a dormir. Al menos, ella lo había dado por hecho—. Tú misma dijiste que quizá no todas las barcas pararían. Además, ¿cuánto tendríamos que esperar en Ebou Dar hasta que encontráramos un barco con destino a Tear? —Soltó el cepillo y empezó a trenzarse de nuevo el cabello.

—Los lugareños cuelgan una bandera si quieren que una barca pare, y la mayoría lo hace. En cuanto al barco, en una ciudad portuaria como Ebou Dar siempre los hay para cualquier destino.

Como si ella hubiera estado alguna vez en una ciudad portuaria más o menos importante antes de marcharse de la Torre juntas. Elayne tenía la mala costumbre de creer que todo lo que no había aprendido sobre el mundo como heredera del trono, lo había aprendido en la Torre, aun después de las muchas pruebas que demostraban lo contrario. Además, ¿cómo se atrevía a utilizar ese tono indulgente con ella?

—No encontraremos la reunión de Azules en un barco, Elayne.

Su propio plan era quedarse con el carruaje, acabar de cruzar Amadicia, y después Altara y Murandy, hasta Far Madding en Colinas de Kintara, y por los llanos de Maredo a Tear. Ciertamente tardarían mucho más tiempo, pero, aparte de tener la oportunidad de encontrar esa reunión de algún modo, los carruajes rara vez se hundían. Sabía nadar, pero no se sentía a gusto sin que hubiera tierra a la vista.

Elayne se secó la cara, se cambió de camisola y se acercó a ayudarla con la trenza. Nynaeve no se dejó engañar; volvería a oír hablar de barcos. Su estómago y el agua no hacían buenas migas. Y no es que tal cosa influyera en su decisión, naturalmente. Si podía atraer a las Aes Sedai para que ayudaran a Rand, entonces el tiempo empleado habría merecido la pena.

—¿Has recordado el nombre? —inquirió Elayne mientras le trenzaba el cabello.

—Por lo menos me he acordado de que era un nombre. Luz, Elayne, dame un poco de tiempo. —Estaba segura de que era un nombre. Tenía que ser el de una villa o una ciudad, porque era imposible que si hubiera visto el nombre de un país lo hubiera olvidado. Respiró hondo para dominar su mal genio, y prosiguió con un tono más comedido—. Lo recordaré, Elayne. Sólo necesito un poco de tiempo.

La joven emitió un sonido con el que no se comprometía, ni afirmaba ni negaba, y siguió haciendo la trenza.

—¿Te parece realmente una idea sensata enviar a Birgitte a buscar a Moghedien? —dijo poco después.

Nynaeve asestó a la muchacha una mirada de soslayo, ceñuda, pero a Elayne le resbaló como el agua sobre seda impregnada de aceite. No habría sido éste el tema que habría escogido como alternativa al anterior.

—Más vale que la encontremos a que nos encuentre ella.

—Supongo que sí. Pero ¿qué haremos cuando haya dado con su paradero?

Ésa era una pregunta para la que no tenía respuesta. Sin embargo, siempre era mejor ser el cazador que la pieza, por muy mal que fueran las cosas. Eso se lo había enseñado el Ajah Negro.

No había mucha gente en la sala cuando bajaron, pero incluso a una hora tan temprana se veían níveas capas entre los parroquianos, la mayoría sobre el torso de hombres mayores, todos con rango de oficiales. Sin duda preferían la comida de la posada que la que preparaban los cocineros de la guarnición. Nynaeve habría preferido desayunar arriba, pero el diminuto cuarto era como una caja. Todos los hombres estaban absortos en su comida, tanto los Capas Blancas como los demás. Seguramente no había peligro. El olor de los alimentos impregnaba el aire; por lo visto estos hombres tomaban carne de vaca o cordero incluso para desayunar.

Elayne acababa de poner el pie en el último escalón cuando la señora Jharen acudió presurosa a su encuentro para ofrecerles o, más bien, ofrecer a «lady Morelin» un comedor privado. Nynaeve ni siquiera miró a la joven, pero ésta respondió:

—Creo que desayunaremos aquí. Rara vez tengo la oportunidad de hacer las comidas en una sala común y disfruto mucho con ello, de verdad. Mandad a alguna de vuestras camareras que nos traiga algo refrescante. Si ya hace tanto calor a estas horas, me temo que me ahogaré de calor antes de llegar a la siguiente parada.

A Nynaeve no dejaba de asombrarla que no acabaran echándolos de patadas a la calle con aquellos modales altaneros. Había visto suficientes nobles a estas alturas para saber que la inmensa mayoría actuaban de ese modo. Ella no lo habría aguantado ni un minuto. La posadera, sin embargo, hizo una reverencia mientras sonreía y se secaba las manos, y las condujo a una mesa próxima a una ventana que daba a la calle, tras lo cual se marchó presurosa para llevar a cabo las órdenes de Elayne. Tal vez era el modo de vengarse de la muchacha. Estaban aparte, bastante retiradas de los hombres que ocupaban otras mesas, pero cualquiera que pasara por la sala podía observarlas a su antojo; por otra parte, si alguno de los platos que les llevaban era caliente, cosa que esperaba no ocurriera, estaban bastante lejos de las cocinas.

El desayuno que les llevaron consistía en aromáticos panecillos, envueltos en un paño blanco y todavía templados, pero aun así muy apetitosos, peras, uvas negras que estaban un poco arrugadas, y unas frutas pequeñas y rojas que la camarera llamó fresas, aunque no se parecían a ninguna baya que Nynaeve conociera. Desde luego, eran jugosas y tenían un gusto exquisito, sobre todo al ponerles por encima nata cuajada. Elayne aseguró que había oído hablar de estas bayas, aunque era de esperar que dijera algo así. Junto con un vino ligeramente aromatizado, que supuestamente se había estado enfriando en la fresquera —un sorbo bastó a Nynaeve para deducir que el manantial que enfriaba el cuarto; no estaba muy fresco o que ni siquiera existía— resultó un agradable y reparador desayuno.

El hombre que se encontraba más cerca estaba tres mesas más allá; vestía una chaqueta de lana azul oscuro y parecía ser un próspero comerciante, pero aun así las dos mujeres no hablaron. Tiempo habría para eso cuando se hallaran de nuevo en camino, donde tendrían la seguridad de que ningún oído fino escucharía su conversación. Nynaeve terminó su parte mucho antes que Elayne; por la calmosa parsimonia con que la muchacha pelaba y partía la pera, habríase dicho que disponían de todo el día para estar sentadas a la mesa.

De pronto, los ojos de Elayne se desorbitaron por la impresión, y el pequeño cuchillo de fruta cayó en la mesa con gran ruido. Nynaeve miró en derredor y se encontró con un hombre que estaba tomando asiento al otro lado de la mesa.

—Me pareció que eras tú, Elayne, pero el cabello me desconcertó al principio.

Nynaeve miraba de hito en hito a Galad, el hermanastro de Elayne. Era alto y esbelto como una cuchilla de acero, con el cabello y los ojos oscuros, y el hombre más apuesto que había visto en su vida. El apelativo apuesto no le hacía justicia. Era guapísimo. Había visto cómo las mujeres se apiñaban a su alrededor en la Torre, incluso Aes Sedai, todas ellas sonriendo como necias. Borró la que había aparecido en su propio rostro; sin embargo, no pudo hacer nada respecto a los alocados latidos de su corazón ni para aquietar la agitada respiración. No sentía nada por él, pero era muy guapo. «¡Contrólate, mujer!»

—¿Qué haces aquí? —La complació que su voz no sonara estrangulada. No era justo que un hombre tuviera ese físico.

—¿Y qué haces con eso puesto? —Elayne hablaba bajo, pero a pesar de ello había un tono cortante en su voz.

Nynaeve parpadeó y entonces cayó en la cuenta de que Galad llevaba una reluciente malla y una blanca capa con dos nudos dorados de rango, debajo del sol resplandeciente. Notó que la sangre se le agolpaba en las mejillas; ¡estaba tan absorta contemplando el rostro del hombre que no se había fijado en lo que llevaba puesto! Deseó hurtar el rostro para ocultar su humillación.

Galad sonrió, y Nynaeve tuvo que inhalar profundamente.

—Estoy aquí porque soy uno de los Hijos que han trasladado desde el norte. Y soy un Hijo de la Luz porque considero que es lo apropiado. Elayne, cuando vosotras dos y Egwene desaparecisteis, a Gawyn y a mí no nos llevó mucho tiempo descubrir que no estabais cumpliendo un castigo en ninguna granja, en contra de lo que nos dijeron. No tienen derecho a involucrarte en sus intrigas, Elayne. A ninguna de vosotras.

—Por lo visto has ascendido de rango rápidamente —comentó Nynaeve. ¿Es que el muy necio no se daba cuenta de que hablar de intrigas de Aes Sedai podría conducirlas a la muerte?

—Parece ser que Elmon Valda consideró que mi experiencia, dondequiera que la hubiera obtenido, lo justificaba. —Su gesto, encogiéndose de hombros, quitó importancia al rango. No lo hacía precisamente por modestia, aunque tampoco por afectación. Era el mejor espadachín entre los que habían llegado a instruirse con los Guardianes en la Torre, y también destacaba en las clases de estrategia y táctica, pero Nynaeve no recordaba haberlo visto alardear de sus hazañas, ni siquiera de broma. Las alabanzas no surtían efecto en él, quizá porque las obtenía con gran facilidad.

—¿Lo sabe madre? —demandó Elayne, todavía con el mismo tono quedo. Empero, su gesto ceñudo habría acobardado a un oso. Galad rebulló ligeramente, incómodo.

—No he encontrado el momento oportuno para escribirle, pero no estés tan segura de que lo desapruebe, Elayne. Sus relaciones con el norte ya no son tan amistosas como solían desde tu desaparición. He sabido de una derogación de privilegios que puede convertirse en ley.

—Le envié una carta, explicándoselo. —La mirada furibunda de Elayne había dado paso a una expresión desconcertada—. Tiene que comprenderlo. También ella se instruyó en la Torre.

—Baja la voz —instó él en tono quedo y seco—. Recuerda dónde te encuentras. Elayne se puso colorada hasta la raíz del pelo, pero Nynaeve no supo distinguir si el sonrojo era a causa de la ira o del azoramiento.

De repente cayó en la cuenta de que Galad había estado hablando en tono tan bajo como ellas y con idéntica discreción. Ni una sola vez había mencionado la Torre ni las Aes Sedai.

—¿Está Egwene con vosotras? —continuó.

—No —respondió, a lo que el hombre suspiró profundamente.

—Albergaba la esperanza de que... Gawyn estaba casi desquiciado de preocupación cuando desapareció. También él la estima. ¿Vais a decirme dónde está?

Nynaeve tomó nota de aquel «también». Se había convertido en un Capa Blanca y, sin embargo, «estimaba» a una mujer que deseaba ser Aes Sedai. Los hombres eran seres tan extraños que a veces no parecían humanos.

—No, no lo haremos —repuso firmemente Elayne, cuyo sonrojo había perdido intensidad—. ¿Está aquí Gawyn también? No puedo creer que se haya convertido en un... —Tuvo el sentido común de bajar el tono más, pero aun así espetó—: ¡Un Capa Blanca!

—Sigue en el norte, Elayne. —Nynaeve supuso que se refería a Tar Valon, pero sin duda Gawyn se habría marchado de allí; él no apoyaría a Elaida—. No te imaginas lo que ha ocurrido allí, Elayne —continuó—. Toda la corrupción y la vileza de ese lugar acabó desbordándose, como era de esperar. La mujer que os mandó fuera ha sido depuesta. —Echó una rápida ojeada en derredor y redujo la voz a un momentáneo susurro a pesar de que no había nadie cerca para que lo oyeran—. Neutralizada y ejecutada. —Inhaló profundamente e hizo un sonido de desagrado—. Nunca fue el lugar apropiado para ti. Ni para Egwene. No hace mucho que estoy con los Hijos, pero no me cabe duda de que mi capitán me dará permiso para que escolte a mi hermana a casa. Allí es donde deberías estar, con madre. Dime dónde se encuentra Egwene y me encargaré de que sea conducida también a Caemlyn, donde las dos estaréis a salvo.

Nynaeve tenía la sensación de que los músculos de la cara se le habían quedado entumecidos. Neutralizada. Y ejecutada. Nada de una muerte accidental ni por enfermedad. El que hubiera tenido en cuenta esta última posibilidad no hacía que los hechos resultaran menos conmocionantes. Rand tenía que ser la razón. Si en algún momento había albergado una remota esperanza de que la Torre no fuera contra él, ahora había desaparecido.

El rostro de Elayne estaba vacío de expresión y sus ojos tenían una mirada remota.

—Advierto que mis noticias te han impresionado —musitó Galad—. Ignoro hasta qué punto te enredó esa mujer en sus maquinaciones, pero ahora ya estás libre de ella. Déjame que te lleve a Caemlyn sana y salva. Nadie tiene que saber que tuviste más contacto con ella que cualquiera de las otras jóvenes que fueron allí para aprender. Ninguna de vosotras dos.

Nynaeve le enseñó los dientes en lo que esperaba pareciera una sonrisa. Qué amable por su parte al incluirla finalmente. Con gusto le habría dado una bofetada. Si no fuera tan guapo...

—Lo pensaré —contestó lentamente Elayne—. Lo que dices tiene sentido, pero debes darme tiempo para pensar. Tengo que pensar.

Nynaeve la miró de hito en hito. ¿Que tenía sentido? Esta chica desvariaba.

—Puedo darte un poco de tiempo —dijo Galad—, pero no dispongo de mucho si he de pedir permiso para acompañarte. Tal vez nos ordenen...

Inesperadamente, un Capa Blanca de rostro cuadrado y pelo negro palmeó a Galad en el hombro al tiempo que esbozaba una amplia sonrisa. Mayor que él, lucía los mismos dos nudos de rango en su capa.

—Bueno, joven Galad, no puedes guardar para ti a todas las mujeres hermosas. Todas las chicas de la ciudad suspiran cuando te ven pasar, y también la mayoría de las madres. Preséntame.

Galad retiró hacia atrás su asiento para ponerse de pie.

—Eh... pensé que las conocía cuando bajaron la escalera, Trom; pero, sea cual sea el encanto que me atribuyes, no funciona con esta dama. No le gusto y creo que tampoco le gustará ningún amigo mío. Si practicamos esgrima esta tarde, tal vez atraigas la atención de una o dos.

—Contigo cerca, jamás —gruñó Trom en tono amistoso—. Y antes prefiero que el herrero me atice en la cabeza con su martillo que hacer prácticas contigo.

A pesar del comentario, dejó que Galad lo condujera hacia la puerta tras lanzar una mirada pesarosa a las dos mujeres. Mientras se alejaban, Galad echó un rápido vistazo a la mesa, rebosante de frustración e indecisión. Tan pronto como los perdieron de vista, Elayne se puso de pie.

—Nana, te necesito arriba. —La señora Jharen apareció de pronto a su lado para preguntarle si le había gustado el refrigerio. Elayne dijo a la mujer—: Necesito a mi conductor y a mi lacayo inmediatamente. Nana pagará la cuenta. —Se dirigió hacia la escalera antes de haber terminado de hablar.

Nynaeve hizo intención de ir tras ella, pero se detuvo para sacar la bolsita de dinero y pagar a la posadera al tiempo que aseguraba que todo había sido del agrado de su señora e intentaba no dar un respingo al enterarse del precio. Una vez que se hubo librado de la mujer, se apresuró a subir la escalera. Elayne estaba metiendo sus cosas en los baúles a empujones, de cualquier manera, incluidas las camisolas sudadas que habían dejado a los pies de las camas para que se secaran.

—Elayne, ¿qué ocurre?

—Debemos marcharnos de inmediato, Nynaeve. Al punto. —No alzó la vista hasta que hubo guardado todo—. En este mismo instante, diga lo que diga él, Galad está cavilando algo a lo que nunca ha tenido que enfrentarse. Dos cosas que son correctas, pero opuestas. A su modo de entender, es adecuado atarme a una bestia de carga si es preciso y llevarme con madre a la fuerza para aliviar sus preocupaciones y salvarme de convertirme en Aes Sedai, con mi beneplácito o sin él. Y también es correcto denunciarnos, ya sea a los Capas Blancas o al ejército o a ambos. Es la ley en Amadicia, y también la de los Capas Blancas. Aquí las Aes Sedai son delincuentes, e igualmente cualquier mujer que haya recibido enseñanzas en la Torre. Madre se reunió con Ailron una vez para firmar un acuerdo comercial, y tuvieron que hacerlo en Altara porque madre no podía entrar legalmente en Amadicia. Abracé el *Saidar* nada más verlo, y no cortaré el contacto hasta que nos encontremos bien lejos de él.

—Estás exagerando, Elayne. Es tu hermano.

—¡No es mi hermano! —La joven inhaló profundamente y soltó el aire muy despacio—. Tuvimos el mismo padre —añadió con voz más serena—, pero no es mi hermano. No lo soporto. Nynaeve, te lo he repetido una y mil veces, pero parece que no lo entiendes. Galad hace lo que es correcto. Siempre. Jamás miente. ¿Oíste lo que le dijo a ese tal Trom? No dijo que no supiera quiénes éramos. Hasta la última palabra que pronunció era verdad. Hace lo que es correcto, perjudique a quien perjudique, incluso a sí mismo. O a mí. Solía delatarnos a Gawyn y a mí por todo, y también a sí mismo. Si toma la decisión equivocada, tendremos a los Capas Blancas tendiéndonos una emboscada antes de que lleguemos a los aledaños de la villa.

Alguien llamó a la puerta, y a Nynaeve se le cortó la respiración. Galad no sería capaz... El gesto de Elayne era firme, presto a la lucha.

Vacilante, Nynaeve entreabrió una rendija. Eran Thom y Juilin, éste con aquel ridículo gorro en la mano.

—¿Mi señora nos necesita? —preguntó Thom con un tono de servilismo por si alguien estaba escuchando.

Recuperada la capacidad de respirar, Nynaeve abrió bruscamente la puerta del todo, sin importarle quién estuviera escuchando.

—¡Entrad los dos! —Se estaba cansando de que los dos hombres intercambiaran una mirada cada vez que hablaba.

—Thom —dijo Elayne antes de que su amiga hubiera cerrado la puerta—, debemos partir de inmediato. —La expresión decidida había desaparecido de su semblante y en su voz había una nota de ansiedad—. Galad está aquí. Tienes que acordarte de la clase de monstruo que era de niño. Bueno, no es mucho mejor de mayor, y además es un Capa Blanca. Podría... —Las palabras se le quedaron atascadas en la garganta. Miró fijamente a Thom mientras abría y cerraba la boca sin emitir una sola sílaba.

Los ojos del juglar estaban tan desorbitados como los de la joven. Thom se sentó pesadamente en uno de los baúles, sin apartar la vista de Elayne.

—Yo... —Carraspeó con fuerza y continuó—. Me pareció verlo, vigilando la posada. Un Capa Blanca. Se ha convertido en la clase de hombre que presagiaba el niño. Supongo que, pensándolo bien, no debería ser causa de sorpresa que se haya hecho Capa Blanca.

Nynaeve fue hacia la ventana; Elayne y Thom apenas notaron que pasó entre los dos. El ajetreo de la calle empezaba a notarse; campesinos, carretas y gente del pueblo se mezclaban en sus idas y venidas con Capas Blancas y soldados. Al otro lado de la calle había un Capa Blanca sentado en un barril, inconfundible su rostro perfecto.

—¿Te...? —Elayne tragó saliva—. ¿Te reconoció?

—No. Quince años cambian más a un hombre que a un chico. Pensé que no te acordabas, Elayne.

—Te recordé en Tanchico, Thom. —Con una sonrisa temblorosa, la joven alargó la mano y dio un suave tirón al largo bigote. Thom sonrió casi con igual inseguridad; parecía estar a punto de saltar por la ventana.

Juilin se rascaba la cabeza, y Nynaeve habría querido saber de qué demonios estaban hablando, pero había cosas más importantes de las que ocuparse.

—Aún tenemos que marcharnos antes de que nos eche encima a toda la guarnición, pero estando él vigilándonos no va a ser fácil. No he visto a ningún otro huésped con aspecto de tener un carruaje.

—El nuestro es el único que hay en el establo —anunció en tono seco Juilin—. Y el callejón de la parte de atrás es muy angosto. En esta villa sólo hay dos o tres calles lo bastante anchas para que quepa el carruaje. —Observó detenidamente el gorro cilíndrico mientras le daba vueltas en las manos—. Podría acercarme sin que repare en mí y golpearlo en la cabeza. Si estáis preparados para salir de inmediato, podríais escapar aprovechando el jaleo y luego os alcanzaría en el camino. Nynaeve resopló con desdén.

—¿Cómo? ¿Galopando después en *Furtivo*? Aun en el caso improbable de que no te cayeras de la silla antes de haber recorrido una milla, ¿crees que conseguirías llegar hasta el caballo habiendo atacado a un Capa Blanca en plena calle? —Galad seguía enfrente de la posada, y Trom se había unido a él; los dos hombres aparentemente mantenían una charla insustancial. Se adelantó y le propinó un fuerte tirón del bigote a Thom—. ¿Tenéis algo que añadir? ¿Algún plan brillante? ¿Habéis sacado algo en claro, algo que nos pueda servir de ayuda con todas vuestras charlas y cotilleos con unos y otros?

El juglar se llevó la mano a la cara y le asestó una mirada ofendida.

—No a menos que pienses que sirve de algo el que Ailron reclame la posesión de algunos pueblos fronterizos de Altara, lo que abarca una franja a todo lo largo de la frontera, desde Salidar a So Eban y Mosra. ¿Ves alguna ayuda en eso, Nynaeve? ¿La hay? ¿O en intentar arrancarle el bigote a un hombre? Alguien debería darte un buen cachete.

—¿Qué interés tendrá Ailron en disponer de esa franja de tierra a lo largo de la frontera, Thom? —preguntó Elayne. Tal vez le interesaba, ya que parecía interesarle cualquier cambio en política y diplomacia, o puede que sólo intentara cortar una discusión. Antes de enderezarse en el absurdo juego de tontear con Thom, siempre había procurado limar asperezas y tensiones.

—No es el rey, pequeña. —Al hablarle a ella la voz del juglar se suavizó—. Es Pedron Niall. Ailron suele hacer lo que le dicen, aunque él y Niall simulan que no es así. La mayoría de esos pueblos han estado abandonados desde la Guerra de los Capas Blancas, lo que ellos denominan los Disturbios. En aquel entonces Niall era el general de campo, y dudo que haya renunciado jamás a conquistar Altara. Si controla ambas riberas del Eldar podrá cortar el comercio fluvial a Ebou Dar, y si puede provocar la quiebra económica de Ebou Dar, el resto de Altara caerá en sus manos como trigo derramándose por el agujero de un saco.

—Todo eso está muy bien —intervino Nynaeve firmemente antes de que él o la joven tuvieran oportunidad de volver a hablar. Algo en lo que el juglar había dicho estuvo a punto de despertar en su memoria algo, pero no sabía qué ni por qué. En cualquier caso, no tenían tiempo que perder en clases prácticas sobre las relaciones entre Amadicia y Altara, considerando que Galad y Trom vigilaban la posada, y así lo dijo, añadiendo—: ¿Y qué dices tú, Juilin? Tú entablas relaciones con individuos de baja estofa. —El rastreador solía buscar información entre los rateros, ladrones y salteadores de una ciudad; afirmaba que éstos sabían más de lo que pasaba realmente que cualquier cargo oficial—. ¿Hay contrabandistas a los que podamos sobornar para que nos saquen a escondidas de aquí o... o...? Vamos, hombre, sabes de sobra lo que nos haría falta.

—Apenas he sacado información. Los delincuentes escasean en Amadicia, Nynaeve. El primer delito se castiga con una marca a fuego, el segundo, con la amputación de la mano derecha y el tercero, con la horca, ya sea por el robo de la corona del rey o una hogaza de pan. No hay muchos ladrones en una villa de este tamaño, al menos de los que hacen de ello su profesión. —Juilin despreciaba a los ladrones aficionados—. Y de esos pocos en su mayoría sólo quieren hablar de dos temas: si el Profeta viene realmente a Amadicia, como afirman los rumores, y si los próceres locales cederán y permitirán que ese espectáculo ambulante de animales dé una función. Por otro lado, Sienda está demasiado lejos de la frontera para que los contrabandistas...

Nynaeve lo atajó con un gesto entre perentorio y satisfecho.

—¡Eso es! ¡El espectáculo ambulante de animales!

Todos la miraron como si se hubiera vuelto loca.

—Claro —dijo Thom con voz excesivamente suave—. Haremos que Luca traiga de vuelta a los mastodontes y escaparemos mientras destrozan algún otro local de la villa. No sé cuánto le diste, Nynaeve, pero nos arrojó una piedra mientras nos alejábamos.

Por una vez, la mujer disculpó el sarcasmo del juglar. Y también su corto ingenio por no ver lo que ella había visto.

—Puede que tengas razón en lo que dices, Thom Merrilin, pero maese Luca quiere un patrocinador, y es lo que vamos a ser Elayne y yo.

En cualquier caso, tenemos que dejar el carruaje y el tiro... —Eso la escocía; podría construirse una bonita casa en Dos Ríos con lo que les habían costado esas cosas—. Y tendremos que escabullirnos por el callejón de atrás. —Abrió la tapa del baúl con las bisagras en forma de hojas, rebuscó entre ropas, mantas, ollas y todo lo que no había querido dejar atrás con la carreta llena de tintes, para lo cual se había asegurado de que los dos hombres empaquetaran todo salvo los arreos, hasta que encontró los cofres dorados y las bolsas de dinero.

»Thom, tú y Juilin salid por el portón trasero y buscad una carreta y cualquier tiro. Comprad algunas provisiones y reuníos con nosotras en la calzada que va hacia el campamento de Luca. —No sin pesar llenó la mano de Thom con monedas de oro, sin molestarse siquiera en contarlas; no había modo de calcular lo que costarían esas cosas, y no quería que el juglar perdiera tiempo regateando.

—Es una idea estupenda —opinó Elayne, sonriente—. Galad buscará dos mujeres, no una compañía de artistas y animales amaestrados. Y jamás se le ocurrirá que nos dirigimos hacia Ghealdan.

Nynaeve no había caído en esto último. Su intención era convencer a Luca de que se dirigiera directamente hacia Tear. Un espectáculo ambulante como el que tenía, con saltimbanquis y malabaristas además de los animales, podía ganar dinero dondequiera que fuera, no le cabía duda. Pero si Galad iba en su busca o enviaba a alguien, lo haría hacia el este, y quizás era lo bastante listo para registrar incluso el espectáculo ambulante; a veces también los hombres utilizaban el cerebro, por lo general cuando una menos se lo esperaba.

—Es lo primero que pensé, Elayne. —Hizo caso omiso del repentino amargor de su boca, el recuerdo del horrendo sabor de una cocción de ricino y agrimonia.

Ni que decir tiene que Thom y Juilin protestaron. No de la idea en sí, sino porque pensaban que uno de los dos debería quedarse, al parecer convencidos de que cualquiera de ellos podría protegerlas de Galad y todo un regimiento de Capas Blancas. No parecían darse cuenta de que, llegado el caso, encauzar sería más efectivo que ellos dos juntos y diez más. Aunque no se borró el gesto preocupado de los hombres, consiguió sacarlos a empujones mientras les daba una última orden con actitud severa:

—Y no se os ocurra volver aquí. Nos reuniremos con vosotros en la calzada.

—Si nos vemos obligadas a encauzar —adujo Elayne en voz queda cuando Nynaeve hubo cerrado la puerta—, nos encontraremos haciendo frente a toda la guarnición en un visto y no visto, y probablemente también contra el destacamento del ejército. El Poder no nos hace invencibles. Sólo harán falta dos flechas.

—Nos preocuparemos de eso en su momento, si surge el problema —le respondió Nynaeve.

Confiaba en que los dos hombres no pensaran en tal posibilidad. De ser así, seguramente uno de ellos se quedaría rondando por allí, al acecho, y probablemente haría sospechar a Galad si no se andaba con cuidado. Estaba dispuesta a aceptar su ayuda cuando la precisaran —lo de Ronda Macura había sido una lección, aunque todavía la irritaba que hubieran tenido que rescatarlas como si fueran unas gatitas indefensas—, pero sería cuando ella lo considerara necesario, no ellos.

Bajó rápidamente a la planta inferior y encontró a la señora Jharen; le dijo que su señora había cambiado de idea, que no se creía capaz de afrontar de nuevo el calor y el polvo de la calzada tan pronto, que tenía intención de tumbarse a descansar y que no quería que se la molestara hasta entrada la tarde, para tomar otro refrigerio que mandaría subir a su cuarto. Entregó otra moneda para otra noche de estancia. La posadera se mostró muy comprensiva con la delicadeza de una noble dama y con la caprichosa inconstancia de sus deseos. Nynaeve estaba segura de que la señora Jharen se habría mostrado comprensiva con cualquier cosa salvo el asesinato siempre y cuando se pagara la cuenta.

Dejó a la oronda posadera y abordó a una de las criadas durante un momento. Unos cuantos céntimos de plata cambiaron de mano y, seguidamente, la chica salió presurosa, sin quitarse el delantal, en busca de dos de esas profundas tocas por cuyo aspecto, según dijo Nynaeve, tenían que resguardar del sol y del calor estupendamente; no era el tipo de tocado que su señora luciría, naturalmente, pero a ella le vendrían muy bien.

Cuando regresó al cuarto, Elayne había puesto los cofrecillos dorados sobre una manta, así como la caja de oscura madera pulida que guardaba los *ter'angreal* recuperados y la bolsita de cuero en cuyo interior iba el disco. Las hinchadas bolsas de dinero estaban con el morral de Nynaeve, sobre la otra cama. Envolvió la manta y ató el bulto con una sólida cuerda de uno de los baúles. Nynaeve se había llevado todo lo que iba en la carreta.

La mujer lamentaba tener que dejarlo ahora, y no sólo por el gasto. Uno nunca sabía cuándo le vendría bien cualquiera de esas cosas. Como por ejemplo, los dos vestidos de lana que Elayne había puesto sobre su cama. No eran bastante finos para una dama, y lo eran demasiado para una doncella; pero, si los hubieran dejado en Mardecin como quería Elayne, ahora estarían en un buen apuro al no tener ropa que ponerse.

Nynaeve se arrodilló y rebuscó en otro de los baúles. Había unas cuantas mudas; otros dos vestidos de lana para tener quita y pon. Las dos sartenes de hierro, metidas en una bolsa de lona, se encontraban en perfectas condiciones, pero pesaban demasiado; ciertamente, a los hombres no se les olvidaría adquirir otras para reemplazar éstas. Los utensilios de costura se hallaban en una bonita caja con incrustaciones de hueso; a ellos nunca se les pasaría por la cabeza comprar ni siquiera un alfiler. Empero, su mente sólo estaba puesta a medias en hacer la selección.

—¿Conocías a Thom de antes? —preguntó con un tono que esperaba sonase coloquial. Observó a Elayne por el rabillo del ojo mientras simulaba estar absorta en enrollar medias.

La muchacha había empezado a sacar vestidos suyos, suspirando con pesar antes de apartar los de seda. Se quedó paralizada, con las manos metidas en uno de los baúles, y no miró a Nynaeve.

—Era el bardo de la corte de Caemlyn cuando era pequeña —respondió en tono quedo.

—Comprendo. —La verdad era que no entendía nada. ¿Cómo podía renunciar un hombre a su puesto de bardo al servicio de la realeza, una posición que era casi nobiliaria, para convertirse en juglar recorriendo los caminos de pueblo en pueblo?

—Fue amante de mi madre después de que padre muriera. —Elayne estaba de nuevo eligiendo ropa e hizo el comentario con tal indiferencia que Nynaeve la miró boquiabierta.

—¡El amante de tu...!

La muchacha siguió sin mirarla.

—No lo recordé hasta llegar a Tanchico. Era muy pequeña. Fue por el bigote, y estar de pie lo bastante cerca de él para tener que mirar hacia arriba, y oírle recitar parte de *La Gran Cacería del Cuerno*. El creyó que volvería a olvidarlo. —Un ligero rubor tiñó sus mejillas—. Esa noche yo... bebí demasiado vino, y al día siguiente fingí que no me acordaba de nada de lo que había pasado.

Nynaeve sólo fue capaz de sacudir la cabeza. Recordaba la noche en que la joven se había embriagado. Por lo menos no había vuelto a hacer eso; la migraña que sufrió al día siguiente por lo visto fue un buen revulsivo. Ahora sabía por qué se comportaba de ese modo con Thom. Había visto lo mismo en Dos Ríos en varias ocasiones. Una chica apenas lo bastante crecida para considerarse realmente una mujer. ¿Qué mejor rival para medirse que su propia madre? Por lo general las cosas no llegaban más allá de tratar de ser mejor en todo, desde cocinar a coser o quizás un poco de coqueteo inofensivo con su padre. Pero, en el caso de una viuda, Nynaeve vio cómo se ponía en ridículo la hija de aquella mujer al intentar atrapar al hombre con el que su madre tenía intención de casarse. El problema era que Nynaeve no sabía qué hacer con esta actitud estúpida de Elayne. A despecho de los sermones y reprimendas más serias por su parte y por el Círculo de Mujeres, Sari Ayellan no se normalizó hasta que su madre contrajo segundas nupcias y ella misma también encontró un marido.

—Supongo que fue como un segundo padre para ti —apuntó con cuidado la antigua Zahorí. Fingía estar absorta en hacer el equipaje. Desde luego, Thom miraba y trataba a la muchacha como si lo fuera. Aquello explicaba muchas cosas.

—No pienso en él bajo ese aspecto. —Elayne parecía concentrada en decidir cuántas mudas de seda llevarse, pero sus ojos se entristecieron—. En realidad no recuerdo a mi padre; sólo era un bebé cuando él murió. Gawyn dice que se pasaba todo el tiempo con Galad. Lini intentó quitar importancia al asunto, pero sé que nunca vino a vernos a Gawyn o a mí al cuarto de los niños. Sé que lo habría hecho cuando hubiéramos crecido lo bastante para enseñarnos cosas, como hacía con Galad. Pero murió.

—Al menos Thom está en buena forma para la edad que tiene —lo intentó de nuevo Nynaeve—. Nos encontraríamos en un buen aprieto si sufriera de inflamación en las articulaciones. Es algo muy corriente en los hombres mayores.

—Si no fuera por la cojera, todavía sería capaz de dar volteretas hacia atrás. Aunque no me importa que cojee. Es realmente inteligente y tiene una gran experiencia en las cosas mundanas. Es amable y tierno conmigo, y sin embargo me siento muy segura con él. No creo que deba decirle eso. Ya intenta protegerme bastante sin que lo anime.

Con un suspiro, Nynaeve se dio por vencida. Al menos de momento. Puede que Thom viera a Elayne como una hija; pero, si la chica no cambiaba de actitud, el antiguo bardo podría recordar que no lo era, y entonces Elayne se iba a encontrar metida en un buen lío.

—Thom te aprecia mucho, Elayne. —Había llegado el momento de cambiar de tema—. ¿Estás segura de lo de Galad? ¡Elayne! ¿Estás segura de que Galad nos delataría?

La muchacha sufrió un sobresalto, y se borró el ligero frunce de su ceño.

—¿Qué? ¿Galad? Oh, sí, estoy segura, Nynaeve. Y, si rehusamos que nos escolte hasta Caemlyn, sólo servirá para ahorrarle el dilema de tener que tomar él la decisión.

Rezongando para sus adentros, Nynaeve sacó un vestido de amazona, en seda, del baúl. A veces pensaba que el Creador sólo había hecho a los hombres para dar problemas a las mujeres.

17

HACIA EL OESTE

Cuando la sirvienta regresó con las tocas, Elayne estaba tendida en una de las camas, con una banca camisola de seda y un paño húmedo sobre los ojos, mientras Nynaeve fingía arreglar el bajo del vestido verde pálido que había llevado puesto Elayne. La antigua Zahorí se pinchaba el pulgar cada dos por tres; jamás lo admitiría ante nadie, pero no era muy buena con la costura. Llevaba puesto el vestido, naturalmente, ya que las doncellas no se repantigaban como las damas, pero se había dejado el pelo suelto. Evidentemente, no tenía intención de salir del cuarto en mucho rato. Le dio las gracias a la chica en un susurro, como para no despertar a la señora, y le ofreció otro penique de plata de propina al tiempo que repetía la orden de que a su señora no se la podía molestar por ningún motivo.

Tan pronto como se cerró la puerta, Elayne se incorporó de un brinco y empezó a sacar los bultos escondidos debajo de las camas. Nynaeve tiró el vestido de seda y echó los brazos hacia atrás para desabotonarse el que llevaba puesto. En un abrir y cerrar de ojos estuvieron listas, Nynaeve con un vestido de lana verde y el de Elayne, en azul, y con los bultos cargados a la espalda. Nynaeve se encargaba del morral donde guardaba las hierbas y el dinero, mientras que Elayne cargaba con las ca-

302

jas envueltas en la manta. Las amplias y curvadas alas de los gorros les ocultaban tan bien el rostro que Nynaeve pensó que habrían podido pasar por delante de Galad sin que las reconociera, sobre todo llevando ella el pelo suelto; la recordaría con trenza. La señora Jharen, sin embargo, podía parar a dos mujeres desconocidas que bajaban del primer piso cargadas de bultos y paquetes.

La escalera posterior —unos peldaños de piedra adosados a la pared— descendía por el exterior de la posada. Nynaeve sintió una fugaz compasión por Thom y Juilin, que habían tenido que subir los pesados baúles por estos escalones, pero principalmente su atención estaba puesta en el patio del establo y en el edificio de piedra, techado con pizarra, donde se guardaban los caballos. Un perro canela estaba tumbado a la sombra, debajo del carruaje, a resguardo del creciente calor, pero todos los mozos de cuadra se encontraban dentro del edificio. De vez en cuando atisbaba movimiento tras las puertas abiertas del establo, pero nadie salió al patio; también allí dentro estaba agradablemente umbrío.

Cruzaron el patio casi a la carrera y salieron a un callejón estrecho, flanqueado por una de las paredes del establo y un alto muro de piedra. En ese momento pasaba un carro, poco más estrecho que el callejón, cargado hasta los topes de estiércol, con una nube de moscas sobrevolándolo, y dando tumbos. Nynaeve sospechó que el brillo del *Saidar* envolvía a Elayne, aunque no lo veía. Por su parte, confiaba en que el perro no se pusiera a ladrar y que no saliera nadie de las cocinas o del establo. Utilizar el Poder no era el modo de huir a hurtadillas, y abrirse paso a la fuerza dejaría un rastro que Galad seguiría.

El burdo portón de madera que había al final del callejón estaba cerrado sólo con un pestillo; la angosta calle que había al otro lado, flanqueada por sencillas casas de piedra y con tejados de pizarra en la mayoría de los casos, se encontraba vacía excepto por un puñado de niños enzarzados en un juego que parecía consistir en golpearse con un saquillo de judías. El único adulto a la vista era un hombre que daba de comer a las palomas, en la terraza de un edificio que había al otro lado de la calle, con la cabeza y los hombros metidos por la trampilla del palomar. Ni él ni los niños se fijaron en ellas cuando cerraron el pestillo del portón y echaron a andar por la sinuosa calleja, como si no tuvieran nada que ocultar.

Recorrieron unas cinco millas hacia el oeste de Sienda por la polvorienta calzada antes de que Thom y Juilin las alcanzaran; el juglar conducía lo que parecía el carromato de un gitano excepto porque era de un solo color, un verde pardusco, con grandes trozos de pintura desconchada. Nynaeve suspiró con alivio al meter los bultos debajo del pescante y subió junto a él, pero no le hizo gracia ver a Juilin a lomos de *Furtivo.*

—Te dije que no volvieras a la posada —le recriminó mientras juraba para sus adentros que le atizaría con algo si miraba a Thom.

—No volví —contestó el hombre, ignorante de que acababa de evitarse un buen chichón—. Le dije al encargado del establo que mi señora quería fresas frescas del campo y que Thom y yo teníamos que ir a recogerlas. Es la clase de tontería que un nob... —Se interrumpió y carraspeó mientras Elayne le asestaba una fría e inexpresiva mirada desde el otro lado de Thom. A veces olvidaba que en realidad pertenecía a la realeza.

—Teníamos que buscar una excusa para marcharnos de la posada y del establo —intervino Thom al tiempo que hacía chasquear el látigo—. Supongo que vosotras dos dijisteis que os retirabais a vuestro cuarto aquejadas de un ligero desvanecimiento o, al menos, que lo tenía lady Morelin, pero los mozos de cuadra se habrían extrañado de que prefiriéramos salir a la calle con este calor en lugar de quedarnos en el fresco pajar, sin tener que trabajar e incluso con una jarra de cerveza. Seguramente así nuestra ausencia no levante comentarios.

Elayne lanzó a Thom una mirada severa —sin duda por los «ligeros desvanecimientos»—, pero él fingió no advertirlo. O tal vez no se dio cuenta realmente. Los hombres podían ser ciegos cuando les convenía. Nynaeve resopló sonoramente; eso sí que no podía pasarle inadvertido. Y, en efecto, inmediatamente después Thom hizo chasquear el látigo sobre los caballos con bastante fuerza. Todo era una disculpa para así poder cabalgar por turnos. Eso era otra de las cosas que hacían los hombres: buscar excusas para salirse con la suya y hacer exactamente lo que les venía en gana. Al menos Elayne lo miraba ahora un poco ceñuda en lugar de sonreírle como una bobalicona.

—Anoche me enteré de algo más —continuó Thom al cabo de unos minutos—. Pedron Niall esta intentando unir a las naciones contra Rand.

—No es que no lo crea, Thom —dijo Nynaeve—, pero ¿cómo te enteraste de eso? No puedo creer que algún Capa Blanca te lo contara así como así.

—Muchas personas hablaban de lo mismo, Nynaeve. Hay un falso Dragón en Tear. Un falso Dragón, y poco importan las profecías sobre la caída de la Ciudadela o *Callandor.* Ese tipo es peligroso y las naciones deben unirse igual que hicieron en la Guerra de Aiel. Y ¿quién mejor para dirigirlas contra ese falso Dragón que Pedron Niall? Cuando tantas lenguas dicen lo mismo, significa que esa idea existe en las altas esferas, y en Amadicia ni siquiera Ailron expresa una opinión sin antes consultar con Niall.

El viejo juglar tenía la facilidad de aglutinar rumores y hablillas y sacar conclusiones acertadas la mayoría de las veces. No, nada de juglar; tenía que recordar eso. Dijera lo que dijera él, había sido bardo real y probablemente había sido testigo directo de intrigas cortesanas como ésta. Puede que incluso se hubiera enredado en ellas, si había sido amante de Morgase. Miró de reojo aquel rostro curtido, las espesas cejas, el largo bigote, tan blanco como el cabello. Sobre gustos no había nada escrito, y menos sobre los de algunas mujeres.

—Ya contábamos con que ocurriera algo así. —A ella nunca se le había pasado por la cabeza, pero tendría que haberlo pensado.

—Madre apoyará a Rand —dijo Elayne—. Sé que lo hará. Conoce las Profecías, y tiene tanta influencia como Pedron Niall.

Thom sacudió ligeramente la cabeza, y aquel gesto negó, al menos, la última afirmación de la joven. Morgase regía una próspera nación, pero había Capas Blancas en todos los países y de casi cualquier nacionalidad. Nynaeve se dio cuenta de que tendría que prestar más atención a lo que decía Thom. Quizá sabía tanto como afirmaba.

—Así que crees que tendríamos que haber dejado a Galad que nos escoltara a Caemlyn.

Elayne se asomó por delante de Thom para lanzarle una seria mirada a Nynaeve.

—Por supuesto que no. En primer lugar, no hay modo de saber si esa decisión era suya o no. Y en segundo... —Se puso derecha, ocultándose detrás del hombre; cuando continuó, pareció estar hablando consigo misma, recordándose hechos—. Y en segundo, si es cierto que madre se ha puesto en contra de la Torre, por ahora prefiero decirle todo lo que tenga que decirle por carta. Es muy capaz de retenernos en palacio por nuestro propio bien. No puede encauzar, pero no siento el menor deseo de enfrentarme a ella hasta que sea Aes Sedai, y tal vez ni siquiera entonces.

—Una mujer fuerte —musitó Thom con un tono grato—. Morgase te enseñaría rápidamente a tener modales, Nynaeve.

La mujer soltó otro resoplido —llevar suelto el pelo no le permitía darse un buen tirón— pero el viejo necio se limitó a sonreírle.

El sol estaba alto para cuando llegaron al campamento del espectáculo ambulante, todavía en el mismo sitio donde lo habían dejado, en un claro junto a la calzada. Bajo el aplastante calor, hasta los robles tenían un aspecto algo mustio. Excepto los caballos y los inmensos mastodontes grises, todos los otros animales estaban en sus jaulas, y también los humanos se habían resguardado del bochorno, sin duda dentro de las carretas, de aspecto muy semejante al de la de ellos. Nynaeve y los demás habían bajado del carromato antes de que Valan Luca apareciera, todavía llevando aquella ridícula capa de seda roja.

Esta vez no hubo peroratas floridas ni reverencias acompañadas por revuelos de capa. Sus ojos se abrieron asombrados cuando reconoció a Thom y Juilin y se estrecharon al fijarse en el carromato cuadrado que había tras ellos. Se agachó para asomarse bajo las amplias alas de las tocas, y su sonrisa no fue agradable.

—Vaya, conque nos hemos venido a menos, ¿no, «lady» Morelin? O tal vez es que nunca estuvimos arriba. Robasteis un carruaje y algunos vestidos, ¿verdad? En fin, detestaría ver marcada con fuego una frente tan bonita, porque eso es lo que hacen aquí, por si no lo sabéis, o puede que incluso algo peor. Así que, puesto que ya debéis de haberos enterado, o, en caso contrario, no estaríais huyendo, os aconsejo que sigáis adelante tan rápido como os sea posible. Si queréis que os devuelva vuestro asqueroso céntimo, lo encontraréis tirado en medio del camino, donde cayó cuando os lo arrojé, y por mí puede encontrarse en cualquier punto de aquí a Tarmon Gai'don.

—Queríais un patrocinador —dijo Nynaeve mientras el hombre empezaba a darse media vuelta—. Nosotras podemos serlo.

—¿Vos? —contestó con sorna, pero se quedó callado—. Aunque hasta unas cuantas monedas robadas de la bolsa de algún noble serían una gran ayuda, no aceptaré dinero rob...

—Pagaremos vuestros gastos, maese Luca —lo atajó Elayne con aquel tono frío y arrogante tan propio de ella—, y además cien marcos de oro, si podemos viajar con vos hasta Ghealdan y si aceptáis no hacer paradas hasta que lleguemos a la frontera.

Luca la observó fijamente al tiempo que se pasaba la lengua por los dientes. Nynaeve gimió suavemente. ¡Cien marcos de oro! Con cien de plata se habrían cubierto de sobra los gastos hasta Ghealdan y más allá por mucho que comieran esos bichos a los que llamaba mastodontes.

—¿Tanto robasteis? —preguntó, cauteloso, Luca—. ¿Quién os persigue? No me arriesgaré con Capas Blancas ni con el ejército. Nos meterán en prisión a todos y probablemente matarán a los animales.

—Mi hermano —repuso Elayne antes de que Nynaeve negara, furiosa, que ellos hubieran robado nada—. Al parecer se ha acordado un matrimonio durante mi ausencia, y enviaron a mi hermano a buscarme. No estoy dispuesta a volver a Cairhien para casarme con un hombre un palmo más bajo que yo, que pesa tres veces más y me triplica la edad.

—Sus mejillas adquirieron un leve rubor de ira, pero su carraspeo fue más efectivo—. Mi padre abriga el sueño de reclamar el Trono del Sol si consigue reunir suficiente apoyo. Mis sueños se centran en un andoreño pelirrojo con quien me casaré, diga lo que diga mi padre. Y eso, maese Luca, es todo cuanto necesitáis saber sobre mí.

—Quizá seáis quien decís ser —acotó Luca lentamente—, o tal vez no. Mostradme algo de ese dinero que según vos me daréis. Las promesas pagan pocas copas de vino.

Nynaeve manoseó con rabia dentro del zurrón hasta dar con la bolsa más hinchada de monedas y la agitó delante del hombre, pero volvió a guardarla cuando éste alargó la mano hacia ella.

—Se os dará lo que necesitéis a medida que haga falta. Y los cien marcos de oro después de que lleguemos a Ghealdan. —¡Cien marcos de oro! Tendrían que encontrar a un banquero y usar las cartas de valores que llevaban si Elayne seguía despilfarrando dinero de este modo.

Luca soltó un agrio gruñido.

—Hayáis o no robado ese dinero, no cambia el hecho de que huís de alguien. No pienso arriesgar mi espectáculo, ya sea el ejército o algún señor cairhienino quien os persigue. El lord podría ser incluso peor si cree que he secuestrado a su hermana. Tendréis que mezclaros con mi elenco y enmascararos. —Aquella sonrisa aviesa asomó de nuevo a su rostro; no iba a olvidar el dichoso céntimo de plata—. Todos los que viajan conmigo trabajan en algo, así que también tendréis que trabajar si pretendéis no llamar la atención. Si los otros saben que vais a pagar para salir de Amadicia, le darán a la lengua, y no creo que queráis que ocurra eso. Limpiar las jaulas puede servir; los cuidadores de los caballos se quejan de tener que encargarse también de eso. Incluso recuperaré ese céntimo y os lo devolveré como pago. Que no se diga que Valan Luca no es generoso.

Nynaeve estaba a punto de decir, sin dejar lugar a dudas, que no iban a pagar el viaje a Ghealdan y también a trabajar, cuando Thom le puso la mano en el brazo. Sin decir palabra, se agachó, recogió unas piedrecillas del suelo y empezó a hacer juegos malabares con ellas, haciendo girar seis en círculo.

—Tengo malabaristas —dijo Luca. Las seis piedrecillas aumentaron a ocho, luego a diez y después a una docena—. No eres malo. —El círculo se hizo dos, que se entrelazaron. Luca se frotó la barbilla—. A lo mejor podría buscarte un hueco en el espectáculo.

—También trago fuego —dijo Thom, que dejó caer las piedrecillas—, utilizo cuchillos —ondeó las manos vacías y después pareció sacar una de las piedrecillas de la oreja de Luca—, y hago algunas cosas más.

Luca reprimió una fugaz sonrisa.

—Eso vale en tu caso, pero ¿y los demás? —Parecía enfadado consigo mismo por demostrar un atisbo de entusiasmo o aprobación.

—¿Qué es eso? —preguntó Elayne a la par que señalaba.

Los dos altos postes que Nynaeve había visto levantar estaban sujetos ahora con cuerdas y tenían una pequeña plataforma en la parte alta, con un cable tendido, tirante, sobre los treinta pasos que los separaban. De cada plataforma colgaba una escala de cuerda.

—El aparato que utilizaba Sedrin —contestó Luca, que después sacudió la cabeza—. Sedrin era funambulista. Tentaba a la suerte caminando sobre ese fino cable a diez pasos del suelo. El muy necio.

—Yo puedo hacerlo —le dijo Elayne.

Thom hizo intención de cogerla por el brazo mientras la joven se quitaba la toca y echaba a andar hacia los postes, pero se contuvo tras el leve gesto negativo de la muchacha, que le sonrió. Luca, sin embargo, se interpuso en su camino.

—Escuchad, Morelin, o como quiera que os llaméis. Vuestra frente es demasiado bonita para que la marquen con un hierro al rojo vivo, pero vuestro cuello es mucho más hermoso para que os lo rompáis. Sedrin sabía lo que se traía entre manos y lo hemos enterrado hace menos de una hora. Ése es el motivo de que todo el mundo esté en sus carromatos. Claro que anoche bebió demasiado, después de que nos expulsaran de Sienda, pero lo había visto caminar por el cable con el estómago lleno de brandy sin que pasara nada. Y os diré una cosa: no tenéis que limpiar las jaulas. Os instalaréis en mi carromato y le diremos a todo el mundo que sois mi amante. Sólo en apariencia, naturalmente. —Su maliciosa sonrisa ponía de manifiesto que esperaba que fuera algo más que mera simulación.

La sonrisa que Elayne le asestó en respuesta tendría que haberlo dejado helado.

—Os agradezco la oferta, maese Luca, pero si sois tan amable de apartaros...

Tuvo que hacerlo o la muchacha habría pasado por encima de él. Juilin estrujó el gorro cilíndrico entre las manos y después volvió a encasquetárselo mientras Elayne empezaba a subir por una de las escalas de cuerda, con cierta dificultad por el estorbo de las largas faldas. Nynaeve sabía lo que hacía la joven, y los dos hombres tendrían que haberlo comprendido. Al menos Thom parecía estar al tanto, pero aun así parecía presto para echar a correr hacia el aparato para cogerla si caía. Luca se acercó más, como si tuviera la misma idea.

Elayne se quedó en la plataforma un momento, alisándose el vestido. La plataforma parecía mucho más pequeña y estar mucho más alta ahora que la joven se había subido a ella. Luego, levantando con delicadeza la falda, como para que el repulgo no se le manchara con barro, la muchacha plantó un pie sobre el cable; anduvo por él como si estuviera cruzando una calle. Nynaeve sabía que, en cierto modo, era lo que estaba haciendo. No veía el brillo del *Saidar,* pero sabía que había tejido un paso entre las dos plataformas, sin duda de Aire y tan sólido como piedra.

Inesperadamente, Elayne dio dos volteretas laterales en medio de un remolino de cabellos negros y piernas enfundadas en medias de seda. Durante una fracción de segundo, mientras se ponía derecha, sus faldas parecieron rozar una superficie plana antes de que la joven volviera a recogérselas con rapidez. En dos pasos más llegó a la otra plataforma.

—¿Hacía eso Sedrin, maese Luca?

—Daba saltos mortales —contestó él a voces. Luego, en un susurro, añadió—: Pero no tenía unas piernas así. Conque una dama, ¡ja!

—No soy la única que posee esta habilidad —adujo Elayne—. Juilin y... —Nynaeve sacudió ferozmente la cabeza; encauzara o no encauzara, su estómago aguantaría tan mal aquel cable en el vacío como el mar azotado por la tormenta— y yo hemos hecho esto muchas veces. Vamos, Juilin, sube y demuéstraselo.

A juzgar por la expresión del rastreador, éste habría preferido limpiar las jaulas con sus propias manos. Las jaulas de los leones, con las fieras dentro. Cerró los ojos, sus labios se movieron en una silenciosa plegaria, y trepó por la escala de cuerda como si subiera al patíbulo. Ya en lo alto, su mirada fue de Elayne al cable tendido entre ambos con aterrada concentración. De repente, echó a andar rápidamente, con los brazos extendidos a los lados, los ojos fijos en Elayne y los labios musitando otra plegaria. La joven descendió un tramo de la escala para dejarle espacio en la plataforma, tras lo cual tuvo que ayudarlo a encontrar los peldaños con los pies y guiarlo hasta el suelo.

Thom sonrió a la muchacha, enorgullecido, mientras ésta regresaba junto a ellos y recogía la toca que le había dejado a Nynaeve. El aspecto de Juilin era como si lo hubieran empapado en agua caliente para a continuación escurrirlo.

—Eso estuvo bien —dijo Luca al tiempo que se frotaba la barbilla pensativamente—. No tan bueno como el número de Sedrin, ojo, pero bastante bien. Sobre todo por el hecho de que lo hicisteis parecer tan fácil mientras que... ¿Juilin? Sí, Juilin fingía estar muerto de miedo. Eso funcionará bien. —El rastreador le dedicó una mueca en la que había un atisbo de intención de sacar sus cuchillos. Luca hizo ondear la roja capa al volverse hacia Nynaeve; parecía realmente satisfecho—. ¿Y vos, mi querida Nana? ¿Qué talento sorprendente tenéis vos? ¿Acrobacias, tal vez? ¿O sois tragasables?

—Administro el dinero —le contestó mientras daba una palmada al morral—. A menos que queráis ofrecerme a mí vuestro carromato. —Le asestó una sonrisa que borró de golpe la suya, además de hacerlo retroceder dos pasos.

Las voces habían sacado de los carromatos a la gente, y todo el mundo se reunió alrededor mientras Luca presentaba a los nuevos componentes de la compañía. Fue bastante vago respecto a Nynaeve y se limitó a tildar de espeluznante lo que hacía; la mujer pensó que tendría que mantener una charla con él.

Los encargados de los caballos, como Luca llamaba a los hombres que no poseían talento artístico, eran una desaliñada pandilla de amargados, quizá porque su paga era inferior. No eran muchos si se comparaba con el número de carromatos. De hecho, resultó que todo el mundo colaboraba en el trabajo, incluido el de conducir los vehículos; en una compañía ambulante de artistas y animales amaestrados no sobraba el dinero, aunque fuera una como ésta. El resto de la compañía era un grupo heterogéneo.

Petro, el hombre forzudo, era el tipo más grande que Nynaeve había visto en su vida, no a lo alto, sino a lo ancho; el chaleco de cuero dejaba al aire unos brazos del tamaño de troncos. Estaba casado con Clarine, la rellenita domadora de perros, que parecía pequeña al lado de su esposo. Latelle, que trabajaba con los osos, era una mujer de rostro serio y ojos oscuros que llevaba corto el negro cabello y en cuyos labios se insinuaba de manera continua una mueca burlona. Aludra, la esbelta mujer que se suponía era una Iluminadora, sí que podría ser tal. No llevaba el oscuro cabello recogido con las trenzas tarabonesas, cosa nada sorprendente dada la forma de pensar de Amadicia, pero tenía el acento de esas tierras; además, a saber qué habría sido de la Corporación de Iluminadores. De hecho, la casa filial de Tanchico había cerrado sus puertas. Los acróbatas, por otro lado, afirmaban ser hermanos y llamarse Chavana, pero aunque todos eran hombres de constitución baja y compacta, su apariencia no podía ser más distinta, desde Taeric, con sus verdes ojos, pómulos altos y nariz aguileña que proclamaban su ascendencia saldaenina, hasta Barit, que tenía una tez más oscura que Juilin y llevaba tatuadas las manos como los Marinos, si bien no lucía pendientes ni anillos en la nariz.

Todos salvo Latelle dieron una calurosa bienvenida a los recién llegados; más artistas significaba que más gente acudiría al espectáculo y, por ende, entraría más dinero. Los dos malabaristas, Bari y Kin —que resultaron ser hermanos— entablaron conversación con Thom sobre su actividad artística cuando se enteraron de que realizaba el mismo trabajo que ellos. Atraer más gente al espectáculo era una cosa, y la competencia, otra. Empero, fue la mujer de cabello claro que se ocupaba de los mastodontes quien atrajo de inmediato el interés de Nynaeve. Cerandin se mantuvo apartada, con actitud tensa, y apenas habló; Luca afirmaba que procedía de Shara, como los animales, pero su forma de hablar tan suave, casi un ronroneo, hizo que Nynaeve aguzara los oídos.

Les costó un rato colocar el carromato en su sitio. Thom y Juilin se mostraron más que complacidos por la ayuda de los cuidadores de caballos con el tiro, a pesar del modo hosco en que les fue ofrecida, y Nynaeve y Elayne recibieron invitaciones. Petro y Clarine las invitaron a tomar té una vez que se hubieran instalado. Los Chavana querían que las dos mujeres cenaran con ellos, y Kin y Bari, también, con lo que consiguieron que la mueca burlona de Latelle se tornara ceñuda. Dichas invitaciones fueron declinadas con cortesía, quizás un poco más por parte de Elayne que de Nynaeve; el recuerdo de sí misma contemplando embobada a Galad como una tonta muchachita estaba demasiado fresco en su memoria para mostrarse poco más amable con cualquier hombre que lo mínimamente preciso. Luca hizo su propia invitación, sólo a Elayne, cuando Nynaeve no podía oírlo. Se ganó una bofetada, y Thom hizo una ostentosa exhibición con sus cuchillos, que parecían girar entre sus dedos con vida propia, hasta que finalmente el hombre se alejó rezongando entre dientes y frotándose la mejilla.

Nynaeve dejó a Elayne colocando sus cosas en el carromato —más bien zarandeándolas mientras farfullaba, furiosa, entre dientes— y se dirigió hacia donde estaban los mastodontes. Las colosales bestias grises parecían criaturas bastante plácidas; pero, al recordar aquel agujero en la pared de piedra de El Lancero del Rey, no se sintió muy segura respecto a la efectividad de las trabas de cuero que sujetaban las macizas patas delanteras de los animales. Cerandin estaba rascando al macho con el aguijón de punta de cobre.

—¿Cómo se llaman realmente? —Nynaeve dio unas tímidas palmaditas en la larga nariz... u hocico o lo que quiera que fuera del macho. Aquellos colmillos eran tan anchos como su pierna y tenían más de tres pasos de largo, sólo un poco más que los de la hembra. El largo hocico olisqueó su falda, y la mujer reculó con prontitud.

—S'redit —contestó la mujer de cabello claro—. Son s'redit, pero maese Luca pensó que un nombre más imponente era mejor. —El acento, alargando las palabras, era inconfundible.

—¿Hay muchos s'redit en Seanchan?

311

El aguijón se detuvo un momento y luego siguió rascando al animal.

—¿Seanchan? ¿Dónde está eso? Los *s'redit* vienen de Shara, como yo. Nunca había oído hablar de...

—Puede que hayas estado en Shara, Cerandin, pero lo dudo. Eres seanchan. A menos que me equivoque, eres parte de la fuerza invasora que desembarcó en Punta de Toman y que fue abandonada en tierra después de lo de Falme.

—Indudablemente —convino Elayne, que apareció detrás de su amiga—. Oímos el acento seanchan en Falme, Cerandin. No te haremos daño.

Eso era más de lo que Nynaeve estaba dispuesta a prometer; no tenía buenos recuerdos de los seanchan. Y, sin embargo... «Fue una seanchan quien nos ayudó cuando más lo necesitábamos. No todos son perversos. Sólo la mayoría.»

Cerandin soltó un largo suspiro y se encogió ligeramente de hombros. Era como si hubiera desaparecido una tensión que arrastraba desde tan lejos que ya no era consciente de ella.

—Pocas personas de las que he conocido saben algo que se parezca remotamente al Retorno o lo ocurrido en Falme. He oído cientos de versiones, cada cual más fantástica que la anterior, pero nunca la verdadera. Mejor para mí. Me dejaron en tierra, efectivamente, y también a muchos de los *s'redit*. Estos tres fueron los únicos que conseguí reunir. No sé qué ha sido del resto. El macho se llama *Mer*, la hembra, *Sanit*; y la cría, *Nerin*. No es de *Sanit*.

—¿A qué te dedicabas? —se interesó Elayne—. ¿A entrenar *s'redit*?

—¿O eras *sul'dam*? —añadió Nynaeve antes de que la otra mujer tuviera tiempo de contestar.

—No —sacudió la cabeza Cerandin—. Se me sometió a la prueba, como a todas las chicas, pero no conseguía hacer nada con el *a'dam*. Me alegré de que me eligieran para trabajar con *s'redit*. Son unos animales magníficos. Tenéis un amplio conocimiento de los seanchan si sabéis lo de las *sul'dam* y las *damane*. Hasta ahora no había topado con nadie que estuviera enterado de su existencia. —No denotaba miedo. O tal vez era que había acabado por acostumbrarse después de ser abandonada en una tierra extraña. Claro que también podía estar mintiendo.

Los seanchan eran tan aciagos para las mujeres que podían encauzar como los amadicienses, tal vez peor. Ellos no las exiliaban o mataban; las apresaban y utilizaban. Mediante un artilugio llamado *a'dam* —Nynaeve estaba convencida de que tenía que ser una especie de *ter'-angreal*— una mujer que tenía el don de manejar el Poder Único era controlada por otra mujer, una *sul'dam*, que obligaba a la *damane* a utilizar su talento para lo que quiera que los seanchan ordenaran, incluso como arma. Una *damane* era tratada como un animal, aunque estaba bien cuidada. Y hacían *damane* a todas las mujeres que encontraban con la habilidad de encauzar o con el don innato; los seanchan habían registrado Punta de Toman más exhaustivamente de lo que la Torre habría soñado hacer nunca. La mera noción del *a'dam*, las *sul'dam* y las *damane* le revolvía el estómago a Nynaeve.

—Sí, algo sabemos de tu pueblo —le dijo a Cerandin—, pero queremos saber más.

Los seanchan se habían marchado, expulsados por Rand, pero ello no quería decir que no regresaran algún día. Era otro peligro más, aunque no inmediato, de los muchos a los que se enfrentaban. Empero, el hecho de tener una espina clavada en el pie no significaba que el arañazo de una zarza en el brazo no acabara por infectarse al cabo del tiempo.

—Harías bien en responder con sinceridad a nuestras preguntas —añadió Nynaeve. Ya llegaría el momento de viajar al norte.

—Te prometo que no te ocurrirá nada —dijo Elayne—. Te protegeré, si es preciso.

Los ojos de la mujer de cabello claro fueron de la una a la otra y, de repente, con gran pasmo de Nynaeve, se postró a los pies de Elayne.

—Sois una Augusta Señora de esta tierra, como le dijisteis a Luca. No me di cuenta. Perdonadme, Augusta Señora. Estoy a vuestro servicio. —Y besó el suelo delante de los pies de la joven.

Elayne tenía los ojos tan desorbitados que parecían a punto de salirse de las órbitas, y Nynaeve supuso que su expresión de pasmo no era menor.

—Levántate —siseó mientras miraba frenéticamente en derredor para ver si alguien las estaba observando. Luca las miraba, ¡maldito!, y también Latelle, cuyo ceño no se había borrado, pero ya no tenía remedio la cosa—. ¡Ponte en pie!

La mujer no movió un solo músculo.

—Levántate, Cerandin —dijo Elayne—. En esta tierra nadie exige a otras personas que se comporten de ese modo. Ni siquiera un dirigente. —Al tiempo que Cerandin se incorporaba con timidez, añadió—: Te enseñaré cómo comportarte correctamente a cambio de que respondas a nuestras preguntas.

La mujer hizo una reverencia, con las manos apoyadas en las rodillas y la cabeza inclinada.

—Sí, Augusta Señora. Se hará como decís. Os pertenezco.

Nynaeve soltó un borrascoso suspiro. Desde luego, no iban a aburrirse en el viaje a Ghealdan.

18

Un sabueso del Oscuro

Liandrin guió a su caballo a través de las abarrotadas calles de Amador; la ancha y curvada ala de la toca ocultaba la mueca despectiva de sus gordezuelos labios. Le había resultado odioso tener que renunciar a su peinado de múltiples trenzas, y aún le parecían más odiosas las ridículas costumbres de ese ridículo país; el gorro y el vestido de montar, de color amarillo rojizo, le agradaban bastante, pero no los grandes lazos de terciopelo que adornaban ambas prendas. Aun así, la toca le ocultaba los ojos —la combinación de cabello rubio oscuro y ojos castaños la señalaban de inmediato como tarabonesa, cosa poco recomendable en esos días en Amadicia— y escondía lo que habría sido aun más peligroso mostrar allí: un rostro de Aes Sedai. Aprovechando esta tapadera, podía mirar con mofa a los Capas Blancas, tan numerosos que eran una quinta parte de los hombres que pasaban por la calle. No es que los soldados, otro quinto de los transeúntes masculinos, fueran mejores. Pero a ninguno de ellos se le ocurrió asomarse por debajo de la toca, naturalmente. Las Aes Sedai eran proscritas allí, lo que significaba que no había ninguna.

Con todo, se sintió un poco mejor cuando entró por las ornamentadas puertas de hierro que daban a la casa de Jorin Arene. Otra excursión infructuosa en busca de noticias de la Torre Blanca; no había habido nada más desde que se había enterado de que Elaida estaba al frente de la Torre, y que se habían deshecho de esa mujer, Siuan Sanche. Siuan había escapado, cierto, pero ahora era tan inútil como un trapo viejo.

Los jardines al otro lado del muro de piedra estaban llenos de plantas bastante mustias por falta de lluvia, pero podadas en formas cuadradas y redondas, aunque una tenía la forma de un caballo dando un salto. Sólo una, por supuesto. Los mercaderes como Arene imitaban a quienes ocupaban posiciones más altas, pero tenían buen cuidado en no extralimitarse para evitar que alguien pensara que eran demasiado presuntuosos. Unos balcones muy ornamentados decoraban la gran casa de madera, con sus tejados rojos, e incluso había una arcada de columnas talladas; pero, a diferencia de la vivienda de un noble que supuestamente imitaba, los cimientos de piedra no alcanzaban más que diez pies de altura. En conjunto, era una infantil imitación de la mansión de un lord.

El nervudo y canoso hombre que se acercó rápida y temerosamente para sujetar el estribo mientras ella desmontaba y coger después las riendas, iba vestido completamente de negro. Fueran cuales fueran los colores que un mercader pudiera escoger para el uniforme de sus lacayos, sin duda pertenecerían a uno u otro noble de verdad, e incluso un lord de poca importancia podía ocasionar problemas al tratante de mercancías más rico. La gente de la calle llamaba al color negro «librea de mercader», y se reía con sorna cuando lo decía. Liandrin despreciaba el negro uniforme del criado tanto como aborrecía la casa de Arene y al propio Arene. Algún día ella poseería verdaderas mansiones. Palacios. Se lo habían prometido, así como el poder que conllevaban dichas posesiones.

Mientras se quitaba los guantes de montar subió por la ridícula rampa que se inclinaba a lo largo de los cimientos y llegaba a las puertas principales, talladas con hojas de enredaderas. A las mansiones fortificadas de los nobles se accedía por rampas, de modo que un mercader que tuviera buena opinión de sí mismo nunca pondría escalera en su casa. Una joven criada, vestida de negro, le cogió los guantes y el sombrero cuando entró en el vestíbulo redondo, jalonado por numerosas puertas, con columnas talladas y decoradas con fuertes colores y una balconada que recorría todo el perímetro circular. El techo se había lacado a semejanza de un mosaico, estrellas dentro de estrellas, en dorado y negro.

—Tomaré el baño dentro de una hora —le dijo a la joven—. Y esta vez tendrá la temperatura adecuada, ¿verdad?

La doncella se puso pálida e hizo una reverencia al tiempo que asentía entre balbuceos; luego se escabulló rápidamente.

Amellia Arene, la esposa de Jorin, salió por una de las puertas enfrascada en una conversación con un hombre gordo y calvo que llevaba un blanco delantal impoluto. Liandrin resopló con desdén. La mujer se daba muchos aires, pero no sólo hablaba directamente con el cocinero, sino que sacaba al hombre de las cocinas para discutir sobre las comidas. Y trataba a su sirviente como... ¡como a un amigo!

El gordo Evon la vio primero y tragó saliva con esfuerzo; sus ojillos de cerdo se apartaron de inmediato. A Liandrin no le gustaba que los hombres la miraran y le había dirigido unas palabras cortantes el primer día de su estancia allí por el modo en que sus ojos se demoraban sobre ella en ocasiones. El hombre había intentado negarlo, pero ella conocía las viles costumbres de los varones. Sin esperar a que su señora le diera permiso para retirarse, Evon volvió por donde había venido casi corriendo.

Cuando Liandrin y las demás habían llegado a la casa, la canosa consorte del mercader era una mujer de rostro severo; ahora se pasó la lengua por los labios y se alisó innecesariamente la drapeada falda de seda.

—Arriba hay una persona reunida con las otras, mi señora —dijo tímidamente. El primer día había creído que podía llamar a Liandrin por su nombre—. En la salita principal. Viene de Tar Valon, creo.

Preguntándose quién podría ser, Liandrin se dirigió hacia la escalera de trazado curvo que estaba más cercana. Sabía que conocía a muy pocas hermanas del Ajah Negro, naturalmente, por razones de seguridad; lo que otras no supieran no podían delatarlo. En la Torre sólo conocía a una de las doce que habían partido con ella cuando se marchó. Dos de esas doce había muerto, y sabía a quién culpar de ello: Egwene al'Vere, Nynaeve al'Meara y Elayne Trakand. Todo había salido tan terriblemente mal en Tanchico que habría jurado que aquellas tres Aceptadas advenedizas estaban allí de no ser porque eran unas necias que, por dos veces, se habían metido mansamente en las trampas tendidas por ella. El que hubieran escapado en ambas ocasiones no tenía relevancia. Si hubiesen estado en Tanchico habrían caído en su poder, a pesar de lo que dijera haber visto Jeane. La próxima vez que se las encontrara, no escaparían. Acabaría con ellas de manera definitiva, tuviera las órdenes que tuviera.

—Mi señora —balbució Amellia—. Sobre mi esposo, señora... Por favor, ¿alguna de vosotras querría ayudarlo? Jorin no lo hizo con intención, mi señora. Ha aprendido la lección.

Liandrin hizo un alto en la escalera, con la mano apoyada en la balaustrada tallada, y miró hacia atrás.

—No tendría que haber pensado que su juramento al Gran Señor podía olvidarlo cuando le conviniera, ¿verdad?

—Ha aprendido la lección, mi señora. Por favor. Yace bajo las mantas todo el día, tiritando a pesar de este calor. Solloza cuando alguien lo toca o habla en susurros.

Liandrin simuló estar sopesando la idea y después asintió.

—Le pediré a Chesmal que vea lo que puede hacer al respecto. Empero, ten presente que no te prometo nada.

Las vacilantes palabras de agradecimiento de la mujer la siguieron escaleras arriba, pero ella no prestó atención. Temaile se había dejado llevar por el genio. Había pertenecido al Ajah Gris antes de entrar a formar parte del Negro y siempre ponía un gran empeño en prolongar el dolor de un modo parejo y regular cuando mediaba; había obtenido excelentes resultados como mediadora porque disfrutaba alargando el dolor. Chesmal aseguraba que Jorin podría realizar pequeñas tareas dentro de unos cuantos meses siempre y cuando no fueran demasiado duras y nadie levantara la voz. Había sido una de las mejores Curadoras de las Amarillas desde hacía generaciones, de modo que tenía que saberlo.

Se sorprendió al entrar en la salita principal. Nueve de las diez hermanas Negras que habían venido con ella estaban de pie alrededor de la habitación, contra los paneles de madera que recubrían las paredes, tallados y pintados, a pesar de que había cómodas sillas de sobra sobre la alfombra. La décima hermana, Temaile Kinderode, le entregaba una taza de té, de delicada porcelana, a una mujer morena, de robusto atractivo, que llevaba un vestido de color broncíneo con un corte desconocido para Liandrin. La mujer sentada tenía un vago aire familiar aunque no era Aes Sedai; se encontraba en la madurez y, a despecho de las tersas mejillas, no había en su rostro la apariencia de intemporalidad.

Empero, la atmósfera que había en la estancia despertó la cautela en Liandrin. Temaile tenía una engañosa apariencia frágil, con sus enormes ojos azules de expresión infantil que hacían que la gente confiara en ella; ahora parecían preocupados o inquietos, y la taza tintineó en el platillo antes de que la otra mujer la cogiera. Todos los semblantes tenían una expresión inquieta salvo el de la extrañamente familiar mujer. Jeane Caide, con uno de aquellos indecentes vestidos domani que llevaba dentro de casa y que dejaban al aire gran parte de su piel cobriza, todavía tenía el rastro húmedo de las lágrimas en las mejillas; había sido una Verde y le gustaba lucirse y llamar la atención de los hombres más aun que cualquier otra Verde. Rianna Andomeran, antes Blanca y siempre una arrogante y fría asesina, no dejaba de toquetear con nerviosismo el mechón blanco que tenía en la negra melena y que le caía sobre la oreja izquierda. Toda su altanería había desaparecido.

—¿Qué pasa aquí? —demandó Liandrin—. ¿Quién sois vos y qué...?

—De repente la reconoció. Una Amiga Siniestra, una sirvienta de Tanchico que continuamente se excedía, olvidando el lugar que le correspondía—. ¡Gyldin! —espetó. Esta criada las había seguido de algún modo y, obviamente, intentaba hacerse pasar por un correo de las Negras con alguna noticia terrible—. Esta vez te has pasado de la raya en exceso.

Buscó el contacto con el *Saidar,* pero antes de conseguirlo el brillo del poder envolvió a la otra mujer y el intento de Liandrin se estrelló contra un muro invisible que le impedía llegar a la Fuente, que quedó suspendida como un sol, tentadoramente fuera del alcance.

—Cierra la boca, Liandrin —dijo la otra mujer sosegadamente—. Pareces un pez fuera del agua. No soy Gyldin, sino Moghedien. A este té le hace falta un poco más de miel, Temaile.

La esbelta hermana de rostro zorruno se apresuró a cogerle la taza, con la respiración entrecortada.

Tenía que ser eso. ¿Qué otra persona habría amedrentado de ese modo a las demás? Liandrin las observó, recorriendo con la mirada las figuras plantadas de pie en derredor del cuarto. Eldrith Johndar, con su cara redonda, por una vez no parecía totalmente absorta a pesar de la mancha de tinta que tenía en la nariz y asintió con la cabeza enérgicamente. Las otras parecían temerosas de mover un solo músculo. No entendía por qué una de las Renegadas —se suponía que no debían utilizar ese apelativo, pero generalmente lo hacían para hablar entre ellas—, por qué Moghedien había tenido que disfrazarse de sirvienta. Esa mujer tenía, o podía tener, todo cuanto quisiera. No sólo conocimientos del Poder Único más allá de lo que Liandrin era capaz de soñar, sino poder. Poder sobre otros, poder sobre el mundo. E inmortalidad. Poder para toda una vida que jamás acabaría. Ella y sus hermanas habían especulado sobre disensiones entre los Renegados; había habido órdenes que chocaban entre sí, instrucciones dadas a otros Amigos Siniestros que estaban en contra de las que tenían ellas. Quizá Moghedien se había estado escondiendo de los otros Renegados.

Liandrin extendió la falda pantalón de montar lo mejor posible para hacer una profunda reverencia.

—Os damos la bienvenida, Insigne Señora. Con la guía de los Elegidos, triunfaremos sin duda antes del Día del Retorno del Gran Señor.

—Muy bien expresado —replicó secamente Moghedien mientras cogía de nuevo la taza que le tendía Temaile—. Sí, así está mucho mejor.

Temaile parecía absurdamente complacida y aliviada. ¿Qué había hecho Moghedien? De repente se le pasó algo por la cabeza a Liandrin; algo poco grato. Había tratado a una de las Elegidas como a una sirvienta.

—Insigne Señora, en Tanchico ignoraba que fueseis vos...

—Pues claro que lo ignorabas —la interrumpió Moghedien con un dejo de irritación—. ¿De que me habría servido quedarme en las sombras si tú y las demás lo hubieseis sabido? —Inopinadamente, un atisbo de sonrisa asomó a sus labios, pero no se reflejó en el resto de los rasgos de la mujer—. ¿Estás preocupada por todas las veces que mandaste a Gyldin para que el cocinero la castigara? —El sudor perló de manera repentina la cara de Liandrin—. ¿Crees de verdad que habría permitido que ocurriera algo así? Sin duda el hombre te informó que lo había hecho, pero recordaba sólo lo que yo quería que recordara. De hecho, sentía lástima por Gyldin, que tan cruel trato recibía de su señora. —Eso pareció divertirla enormemente—. Me dio algunos postres que había preparado para ti. No me desagradaría que siguiera vivo.

Liandrin soltó un suspiro de alivio. No iba a morir.

—Insigne Señora, no es necesario que me aisléis del Poder. También yo sirvo al Gran Señor. Presté juramento como Amiga Siniestra incluso antes de ir a la Torre Blanca. Busqué al Ajah Negro desde el día en que supe que podía encauzar.

—Así pues ¿serás tú la única en este indócil grupo a la que no haga falta enseñarle quién es su señora? —Moghedien enarcó una ceja—. Nunca lo habría imaginado en alguien como tú. —El brillo a su alrededor desapareció—. Tengo trabajo para ti. Para todas vosotras. Sea lo que sea lo que estuvieseis haciendo, tendréis que olvidaros de ello. Sois un puñado de ineptas, como lo demostrasteis en Tanchico. Si blando el látigo de la jauría, puede que actuéis como sabuesos mejor entrenados y tengáis más éxito en la cacería.

—Estamos esperando órdenes de la Torre, Insigne Señora —adujo Liandrin. ¡Ineptas! Casi habían encontrado lo que buscaban en Tanchico cuando los tumultos estallaron en la ciudad; habían escapado por poco de la destrucción a manos de Aes Sedai que, de algún modo, se habían interpuesto en sus planes. Si Moghedien se hubiera dado a conocer o incluso hubiera tomado cartas en el asunto, se habrían alzado con el triunfo. Si la culpa del fracaso había que achacársela a alguien era a la propia Moghedien. Liandrin tanteó el camino hacia la Fuente Verdadera, no para abrazarla sino para comprobar que los flujos del escudo no se habían atado simplemente. Había desaparecido—. Se nos han dado graves responsabilidades, grandes tareas que realizar, y seguramente se nos ordenará que sigamos...

—Servís a cualquier Elegido que decida utilizaros —la interrumpió Moghedien sin contemplaciones—. Quienquiera que os envía órdenes desde la Torre Blanca, las recibe a su vez de uno de nosotros, y seguramente se arrastrará mientras se le imparten. Me serviréis a mí, Liandrin. Tenlo por cierto.

Eso era toda una revelación: la Renegada ignoraba quién dirigía al Ajah Negro. Moghedien no lo sabía todo. Liandrin había imaginado siempre que los Renegados eran seres casi omnipotentes, muy por encima de los mortales. Quizás era cierto que la mujer estaba huyendo de los otros Renegados. Entregársela le reportaría, indudablemente, un lugar destacado. Puede que incluso se convirtiera en una de ellos. Sabía un truco aprendido en la infancia; y tenía acceso al Poder Único.

—Insigne Señora, servimos al Gran Señor, como vos. También a nosotras se nos prometió la vida eterna, y poder, cuando el Gran Señor re...

—¿Acaso te consideras mi igual, hermanita? —Moghedien hizo una mueca de desagrado—. ¿Estuviste en la Fosa de la Perdición para dedicar plenamente tu alma al Gran Señor? ¿Paladeaste las mieles de la victoria en Paaran Disen o las hieles de la derrota de Asar Don? Eres poco más que un cachorrillo mal entrenado, no la señora de la jauría, e irás donde señale hasta que considere oportuno darte un puesto mejor. También estas otras se tenían en más de lo que son. ¿Deseas probar tu fuerza contra mí?

—Por supuesto que no, Insigne Señora. —Cuando la Renegada estaba advertida y dispuesta, no, desde luego—. Yo...

—Lo harás antes o después, y prefiero dejar ese asunto zanjado ahora, al principio. ¿Por qué crees que tus compañeras parecen tan alegres? Ya les he enseñado a cada una de ellas la misma lección hoy. No quiero estar preguntándome cuándo habré de enseñártela a ti también, de modo que lo haré en este momento. Inténtalo.

Liandrin se humedeció los labios con nerviosismo mientras su mirada recorría a las mujeres que estaba en pie, rígidamente, contra las paredes. Sólo Asne Zeramene hacía algún movimiento, un ligerísimo parpadeo; y sacudió la cabeza casi imperceptiblemente. Los ojos rasgados de Asne, los altos pómulos y la firme nariz la señalaban como saldaenina, y poseía todo el arrojo del que hacía alarde la gente de su tierra. Si le aconsejaba que no lo hiciera, si en sus oscuros ojos asomaba un atisbo de miedo, entonces no cabía duda de que lo mejor era arrastrarse cuanto fuera necesario para aplacar a Moghedien. Y, sin embargo, estaba ese truco que sabía.

Se puso de rodillas, gacha la cabeza, y alzó la vista hacia Moghedien con un temor que sólo era fingido en parte. Moghedien siguió repantigada en el sillón, tomando sorbitos de té.

—Insigne Señora, os pido disculpas si me he mostrado presuntuosa. Sé que sólo soy un gusano a vuestros pies. Os suplico, como el fiel sabueso que tendréis en mí, que mostréis compasión por este miserable perro.

Moghedien bajó los ojos hacia la taza y, en un visto y no visto, mientras las palabras acababan de salir de su boca, Liandrin abrazó el *Saidar* y encauzó, buscando la grieta que debía de haber en la seguridad de la Renegada, la fisura que existía en la fachada de fortaleza de cualquier ser.

En el mismo instante en que atacaba, la luz del *Saidar* rodeó a la otra mujer y el dolor envolvió a Liandrin. Cayó hecha un ovillo sobre la alfombra, intentando aullar, pero un dolor que iba más allá de cuanto conocía acalló los gritos que pugnaban por salir de su boca abierta. Sentía como si los ojos fueran a salírsele de las órbitas y su piel estuviera a punto de arrancársele en tiras. Se retorció en el suelo lo que le pareció una eternidad y, cuando la agonía desapareció de manera tan repentina como había surgido, se quedó tendida allí, incapaz de hacer nada, estremecida por los temblores y sollozando.

—¿Empiezas a entenderlo? —inquirió sosegadamente Moghedien al tiempo que tendía la taza vacía a Temaile y le decía—: Estaba muy bueno, pero la próxima vez prepáralo un poco más fuerte. —Temaile parecía a punto de desmayarse—. No eres lo bastante rápida, Liandrin, ni lo bastante fuerte ni sabes lo bastante. Esa pequeñez que has intentado contra mí resulta lastimosa. ¿Te gustaría ver cómo es realmente? —Encauzó.

Liandrin alzó la mirada hacia ella, con adoración. Gateó por el suelo y pronunció unas palabras entre los sollozos que todavía no conseguía reprimir:

—Perdonadme, Insigne Señora. —Esta magnífica mujer, como una estrella en el cielo, un cometa, por encima de todos los reyes y reinas—. Perdonadme, por favor —suplicó al tiempo que besaba con fervor el repulgo del vestido de Moghedien—. Perdonadme. Soy un perro, un gusano —balbució. La avergonzaba en lo más profundo de su ser haber dicho antes esas cosas sin sentirlas. Eran verdad. Ante esta mujer todas ellas eran ciertas—. Permitidme que os sirva, Insigne Señora. Concededme la gracia de serviros. Por favor. Por favor.

—Yo no soy Graendal —repuso Moghedien, que la apartó rudamente de una fuerte patada.

De repente el sentimiento de adoración desapareció. No obstante, mientras seguía allí tendida, hecha un ovillo y sacudida por los sollozos, Liandrin lo recordaba claramente. Contempló con horror a la mujer.

—¿Te has convencido ya, Liandrin?

—Sí, Insigne Señora —consiguió mascullar. Lo estaba. Convencida por completo de que no se atrevería a intentarlo de nuevo sin estar segura de tener éxito, ni siquiera se lo plantearía. Su truco no era más que una pálida sombra de lo que Moghedien había hecho. Ojalá pudiera aprenderlo...

—Veremos. Me da la impresión de que eres una de esas que necesitan una segunda lección. Ruega para que no sea así, Liandrin; mis segundas lecciones suelen ser terriblemente duras. Ahora, ocupa tu sitio con las demás. Descubrirás que he cogido algunos de los objetos de poder que guardabas en tu cuarto, pero puedes quedarte la morralla restante. ¿A que soy muy amable?

—Sí, la Insigne Señora es muy considerada —aseveró Liandrin entre hipidos y alguno que otro sollozo que no lograba contener.

Desmadejada, se dirigió con pasos inseguros hacia la pared, donde se quedó de pie junto a Asne; buscó apoyo recostando la espalda contra la cubierta de paneles. Vio los flujos de Aire que empezaban a tejerse; sólo de Aire, pero aun así dio un respingo cuando le amordazaron la boca y le taparon los oídos. Ciertamente no trató de resistirse; ni siquiera se permitió pensar en el *Saidar*. ¿Quién sabía lo que era capaz de hacer una Renegada? A lo mejor leía los pensamientos; aquello casi la hizo salir corriendo. No. Si Moghedien le hubiera leído la mente, ahora estaría muerta; o aullando y retorciéndose en el suelo; o besando los pies de Moghedien mientras suplicaba ser su sierva. Liandrin tembló de manera incontrolada; si aquellos flujos no la hubieran tenido amordazada, sus dientes habrían estado castañeteando.

Moghedien realizó el mismo tejido alrededor de todas ellas salvo Rianna, a la que la Renegada ordenó con un gesto imperioso del dedo que se arrodillara ante ella. Después Rianna se marchó y Marillin Gemalphin fue desatada y requerida.

Desde su lugar, Liandrin podía ver sus caras y el movimiento de los labios aunque no oyera el sonido de las palabras. Era evidente que cada una de ellas estaba recibiendo órdenes que las otras no escuchaban. Nada podía adivinarse por la expresión de sus semblantes. Rianna se limitó a escuchar, con un atisbo de alivio en los ojos; luego asintió con la cabeza y se marchó. Marillin pareció sorprendida y luego ansiosa, pero había sido una Marrón, y las Marrones podían entusiasmarse con cualquier cosa que les diera la oportunidad de desenterrar algún mohoso pedacito de saber perdido. La cara de Jeane Caide adquirió paulatinamente la apariencia de una máscara de terror; al principio sacudió la cabeza e intentó cubrirse a sí misma y aquel repugnante atavío transparente. Pero, cuando el gesto de Moghedien se endureció, Jeane asintió apresuradamente y se marchó, si no con tanta ansiedad como Marillin, sí con igual rapidez. Berylla Naron, de esbeltez casi escuálida y una excelente maquinadora y manipuladora donde las hubiera, así como Falion Bhoda, de rostro alargado y actitud fría a pesar de su obvio miedo, se mantuvieron tan inexpresivas como Rianna. Por su parte, Ispan Shefar, tarabonesa como Liandrin aunque con el cabello oscuro, de hecho besó el repulgo del vestido de Moghedien antes de incorporarse.

Luego los flujos de Aire se destejieron en torno a Liandrin. La mujer pensó que le había llegado el turno de que le mandara sabría la Sombra qué encargo, hasta que vio que las ataduras urdidas en torno a las restantes hermanas también desaparecían. El dedo de Moghedien las llamó perentoriamente, y Liandrin se arrodilló entre Asne y Chesmal Emry, una mujer alta y atractiva, de cabello y ojos oscuros. Chesmal, antaño del Ajah Amarillo, era capaz de Curar y de matar con igual facilidad, pero la intensidad de su mirada prendida en Moghedien, el modo en que sus manos temblaban, crispadas y apuñando la falda, ponían de manifiesto que su única intención era obedecer.

Liandrin comprendió que tendría que dejarse guiar por esas indicaciones. Cualquier insinuación a una de las otras sobre su idea de que serían bien recompensadas si entregaban a Moghedien al resto de los Renegados podía resultar desastrosa si alguna de ellas hubiera decidido que le interesaba ser el perrillo faldero de Moghedien. Casi rompió a llorar ante la sola idea de recibir una «segunda lección».

—A vosotras os he reservado para la tarea más importante —dijo la Renegada—. Los logros de las otras pueden dar dulces frutos, pero para mí la vuestra será la recolección primordial. Una recolección personal. Hay una mujer llamada Nynaeve al'Meara. —Liandrin levantó bruscamente la cabeza, y los oscuros ojos de Moghedien parecieron taladrarla—. ¿La conoces?

—La desprecio —respondió con sinceridad Liandrin—. Es una asquerosa espontánea a la que jamás se debió admitir en la Torre. —Aborrecía a todas las espontáneas. Soñando en entrar a formar parte del Ajah Negro, ella misma había empezado a aprender a encauzar un año antes de ir a la Torre, pero no era en absoluto una de ésas.

—Muy bien. Vosotras cinco vais a encontrarla para mí. La quiero viva. Oh, sí, la quiero viva. —La sonrisa de Moghedien hizo temblar a Liandrin; entregarle a Nynaeve y a las otras dos podría ser muy conveniente—. Anteayer se encontraba en una villa llamada Sienda, a unas sesenta millas al este de aquí, con otra joven que podría interesarme, pero han desaparecido. Tendréis que...

Liandrin escuchó con ansiedad. Para esta tarea, sería un sabueso fiel. Para lo demás, esperaría pacientemente.

19

RECUERDOS

M i reina...

Morgase alzó la vista del libro que tenía en el regazo. La luz del sol penetraba oblicuamente a través de la ventana de la sala de estar, anexa a su dormitorio. Ya se notaba el calor, no soplaba el aire y el sudor le humedecía el rostro. Pronto sería mediodía y no se había movido de sus aposentos; no recordaba por qué había decidido pasarse la mañana leyendo un libro. Últimamente parecía incapaz de concentrarse en la lectura. Por el reloj dorado que había sobre la repisa de la chimenea de mármol, había transcurrido una hora desde que había pasado la página y no recordaba lo que estaba escrito en ella. Tenía que deberse al calor.

El joven oficial, con la chaqueta roja de su guardia, postrado sobre una rodilla y con un puño plantado en la alfombra roja y dorada, le resultaba vagamente familiar. Antaño recordaba todos los nombres de los guardias asignados a palacio. Puede que fuera por tantas caras nuevas que había ahora.

—Tallanvor —dijo al cabo, sorprendiéndose a sí misma. Era un joven alto, bien formado, pero no sabía por qué lo recordaba a él en particular. ¿Había acompañado a alguien ante ella en alguna ocasión? ¿Mucho tiempo atrás?—. Teniente de la guardia Martyn Tallanvor.

Él la miró, con unos ojos sorprendentemente duros, antes de bajarlos de nuevo a la alfombra.

—Mi reina, disculpadme, pero me ha sorprendido que continuéis aquí dadas las noticias de esta mañana.

—¿Qué noticias? —Estaría bien enterarse de algo más que los cotilleos de Alteima sobre la corte teariana. A veces tenía la sensación de que había algo más que quería preguntarle a la mujer, pero lo único que hacían siempre era chismorrear, cosa que no recordaba haber hecho nunca antes. Gaebril parecía divertirse escuchándolas, sentado en aquel sillón de respaldo alto, delante de la chimenea, con los tobillos cruzados y sonriendo satisfecho. Alteima había cogido la costumbre de llevar vestidos muy atrevidos; tendría que decirle algo al respecto. Tuvo la vaga sensación de haber pensado lo mismo antes. «Tonterías. Si lo hubiera pensado, ya habría hablado con ella.» Sacudió la cabeza al caer en la cuenta de que había olvidado por completo al joven oficial, quien había empezado a hablar pero que se calló al ver que no lo estaba escuchando.

—Empieza de nuevo. Estaba distraída. Y ponte de pie.

Él lo hizo, con la ira plasmada en el rostro y una abrasadora mirada prendida en la reina antes de que agachara los ojos otra vez. Morgase bajó la vista hacia donde el joven estaba observando fijamente, y se ruborizó; el escote de su vestido era extremadamente bajo. Pero a Gaebril le gustaba que los llevara así. Aquel pensamiento hizo que dejara de apurarse por estar casi desnuda delante de uno de sus oficiales.

—Sé breve —dijo con brusquedad. «¿Cómo osa mirarme de esa manera? Debería hacer que lo azotaran»—. ¿Qué noticias tan importantes son ésas para que te creas con el derecho de entrar en mi sala de estar como si fuera una taberna? —El semblante del joven enrojeció, pero Morgase no supo si se debió a la turbación o a su creciente ira. «¿Cómo se atreve a estar enfadado con su reina? ¿Acaso piensa que no tengo otra cosa que hacer que escucharlo?»

—Rebelión, mi reina —contestó en aquel tono impasible, y toda idea de ira o miradas descaradas desapareció.

—¿Dónde?

—En Dos Ríos, mi reina. Alguien ha izado la antigua enseña de Manetheren, el Águila Roja. Un mensajero llegó de Puente Blanco esta mañana.

Morgase tamborileó los dedos en la cubierta del libro, y las ideas acudieron a su cabeza con mayor claridad de lo que lo habían hecho durante mucho tiempo. Algo referente a Dos Ríos, una débil chispa que no consiguió avivar para que prendiera, alentó en su memoria. La región casi no formaba parte de Andor y así había sido durante generaciones. Ella, como las tres reinas que la habían precedido, había recibido fuertes presiones para que mantuviera cierto control sobre los mineros y fundidores de las Montañas de la Niebla, e incluso ese mínimo control se habría perdido si hubiera existido otro modo de extraer los metales sin peligro del resto de Andor. La decisión entre mantener las minas de oro, hierro y otros metales o conservar la lana y el tabaco de Dos Ríos no había sido difícil. Pero una rebelión sin freno, aunque fuera en una parte de su reino en la que sólo gobernaba sobre el mapa, podía extenderse como un fuego en la pradera a otros lugares que le pertenecían de hecho. Y Manetheren, destruida en la Guerra de los Trollocs, Manetheren, de leyenda e historia, todavía tenía peso en las mentes de algunos hombres. Además, Dos Ríos le pertenecía. Si se les había dejado floja la rienda, permitiéndoles hacer las cosas a su modo durante demasiado tiempo, aun así seguían siendo parte de su reino.

—¿Ha sido informado lord Gaebril? —Por supuesto que no le habrían informado. Si lo hubiesen hecho, habría venido a comunicarle la nueva y a sugerirle las medidas que convenía tomar. Sus sugerencias siempre eran claramente acertadas. «¿Sugerencias?» De algún modo, tenía la sensación de recordarlo diciéndole lo que tenía que hacer, pero eso era imposible, naturalmente.

—Sí, mi reina. —La voz de Tallanvor seguía siendo suave, a diferencia de su semblante, donde una reprimida cólera aún ardía—. Se echó a reír. Dijo que Dos Ríos parecía un constante semillero de problemas y que tendría que hacer algo al respecto algún día. Dijo que esa insignificante molestia tendría que esperar su turno, después de asuntos más importantes.

El libro cayó al suelo cuando Morgase se incorporó bruscamente; a la soberana le pareció que Tallanvor sonreía con sombría satisfacción cuando pasó rápidamente ante él. Una criada le dijo dónde se encontraba Gaebril, y se dirigió directamente al patio de la columnata, con su fuente de mármol, el pilón lleno de peces y nenúfares. Allí estaba umbrío y hacía más fresco.

Gaebril se hallaba sentado en el amplio y blanco reborde del pilón, con lores y damas reunidos a su alrededor. Morgase no conocía a más de la mitad. Jarid de la casa Sarand, de rostro cuadrado y moreno, y su astuta y rubia esposa, Elenia. La afectada Arymilla de la casa Marne, con los tiernos ojos castaños siempre muy abiertos en un gesto de fingido interés; el huesudo Masin de la casa Caeren, con su rostro de carnero, que se abalanzaría sobre cualquier mujer a la que consiguiera acorralar a pesar de su ralo y blanco cabello. Naean de la casa Arawn, exhibiendo como siempre aquella mueca burlona que resaltaba su pálida belleza; y

Lir de la casa Baryn, despabilado donde los hubiera, que llevaba nada menos que una espada. Y Karind de la casa Anshar, con aquella mirada apática e inmutable que según algunos había conducido a la tumba a tres maridos. A los otros no los conocía, cosa muy extraña, pero a los que identificaba no les había permitido entrar en palacio excepto en ocasiones oficiales. Todos se habían opuesto a ella durante la Sucesión. Elenia y Naean habían deseado el Trono del León para sí mismas. ¿En qué estaría pensando Gaebril para llevar a esa gente a palacio?

—... la extensión de nuestras propiedades en Cairhien, mi señor —estaba diciendo Arymilla, inclinada sobre Gaebril, cuando Morgase se acercó. Ninguno de ellos le dedicó más que una mirada de soslayo. ¡Como si fuera una sirvienta que les llevara vino!

—Quiero hablar contigo respecto a Dos Ríos, Gaebril. En privado.

—Ya se han tomado medidas, querida —repuso con desgana mientras jugueteaba con los dedos en el agua—. Hay otros asuntos que me tienen ocupado ahora. Creía que ibas a leer durante las horas de calor. Deberías regresar a tu habitación hasta que refresque por la tarde.

Querida. ¡La había llamado querida delante de estos entremetidos! Por mucho que deseara oír esa palabra en sus labios cuando estaban a solas... Elenia se cubría la boca con la mano.

—Me parece que no, lord Gaebril —replicó fríamente Morgase—. Vendréis conmigo ahora. Y estas personas habrán salido de palacio para cuando regrese o las exiliaré de Caemlyn.

De repente el hombre se había puesto de pie; era un hombretón que la empequeñecía. Se sintió incapaz de mirar otra cosa que no fueran sus negros ojos; notó un cosquilleo en la piel, como si un viento helado hubiera soplado en el patio.

—Te irás y me esperarás, Morgase. —Su voz era un clamor lejano que le llenaba los oídos—. Yo me ocuparé de lo que haya que ocuparse. Me reuniré contigo esta tarde. Ahora, vete. Vete.

Levantaba la mano para abrir la puerta de su salita de estar cuando se dio cuenta de dónde estaba. Y lo que había ocurrido. Le había ordenado que se marchara, y ella había obedecido. Contemplando con pasmado horror la puerta, recordó las muecas burlonas en los rostros de los hombres y la risa sin disimulo de algunas de las mujeres. «¿Qué me ha pasado? ¿Cómo puedo haber llegado a estar tan embobada con un hombre?» Todavía percibía el impulso de entrar y esperarlo.

Mareada, se obligó a dar media vuelta y alejarse de allí. Le costó un ímprobo esfuerzo. Por dentro, se encogió ante la idea de la decepción que sería para Gaebril no encontrarla donde esperaba, y se encogió aun más al asimilar el fondo servil que alimentaba esa noción.

Al principio no se dio cuenta de adónde iba ni por qué; sólo era consciente de la determinación de no esperar obedientemente ni a Gaebril ni a ningún hombre o mujer. El patio de la fuente seguía acudiendo a su memoria, al hombre mandándole que se marchara, y aquellos odiados rostros observando con regocijo. Su mente parecía estar sumida todavía en la confusión. No entendía cómo y por qué había permitido que esto ocurriera. Tenía que pensar algo que pudiera comprender, algo de lo que pudiera ocuparse. Jarid Sarand y los demás.

Cuando ascendió al trono, les había perdonado todo cuanto habían hecho durante la Sucesión, como también había otorgado el perdón a cuantos se habían opuesto a ella. Había creído que lo mejor era enterrar todas las animosidades antes de que se contagiaran con la infección de conspiraciones e intrigas que emponzoñaba tantas naciones y que se llamaba el Juego de las Casas —*Daes Dae'mar*—, o el Gran Juego; sólo conducía a interminables y enredadas enemistades entre las casas con el fin de derribar a las dirigentes; el Juego era el centro de la guerra civil que asolaba Cairhien, y sin duda había influido en los conflictos existentes en Arad Doman y Tarabon. Los indultos tuvieron que ser para todos sin excepción a fin de impedir que el *Das Dae'mar* se desarrollara en Andor, pero de haber podido dejar algunos sin firmar habrían sido los pergaminos con aquellos siete nombres.

Y Gaebril lo sabía. Públicamente ella no había demostrado su desaprobación, pero en privado no había tenido inconveniente en hablar de la desconfianza que le inspiraban. Casi habían tenido que abrirles la boca a la fuerza para que pronunciaran el juramento de lealtad, y ella percibió la mentira en sus palabras. Cualquiera de ellos saltaría presto a la primera oportunidad que se le presentara de derrocarla, de modo que estando juntos los siete...

Sólo podía llegar a una conclusión. Gaebril tenía que estar conspirando contra ella. Y no para poner a Elenia o Naean en el trono. «¿Para qué —pensó amargamente— si ya me tiene actuando como su perrillo faldero?» Su propósito debía de ser suplantarla él en persona, convertirse en el primer rey que había habido en Andor. Y todavía sentía el deseo de volver a su libro y esperarlo. Todavía anhelaba su contacto.

No se dio cuenta de dónde estaba hasta que vio los rostros envejecidos en el pasillo a su alrededor, las mejillas arrugadas y muchas espaldas encorvadas. El Alojamiento de los Jubilados. Algunos sirvientes regresaban con sus familias cuando se hacían mayores, pero otros llevaban tanto tiempo en palacio que no conocían otra vida fuera de él. Aquí tenían sus propios cuartos, su propio jardín sombreado y un patio espacioso. Como todas las reinas que la habían precedido, incrementaba la paga que recibían al retirarse permitiendo que compraran alimentos a través de las cocinas de palacio por un precio inferior a su coste, y la enfermería atendía sus dolencias. A su paso la siguieron reverencias inestables acompañadas por crujidos de huesos y murmullos de «La Luz os ilumine, mi reina» y «La Luz os bendiga, mi reina» y «La Luz os proteja, mi reina» que ella recibió con gesto ausente. Ahora sabía adónde iba.

La puerta de Lini era como todas las demás que jalonaban el corredor de baldosas verdes, y sin más adorno que el rampante León de Andor cincelado en la madera. Ni siquiera se le pasó por la cabeza llamar antes de entrar; era la reina y éste era su palacio. La vieja niñera no se encontraba allí, aunque una humeante tetera de calentar agua, encima de una pequeña lumbre en el hogar de ladrillos, proclamaba que la anciana no tardaría en regresar.

Un gran orden imperaba en las dos reducidas habitaciones, con la cama hecha a la perfección y las dos sillas colocadas con precisión junto a la mesa, en cuyo centro exacto había un jarrón azul con un pequeño ramo de plantas verdes. Lini había sido siempre muy puntillosa con el orden. Morgase estaba dispuesta a apostar que en el armario del dormitorio todos los vestidos estarían colocados metódicamente, al igual que los cacharros en la alacena de la cocina, que se hallaba junto al hogar.

Seis miniaturas, pintadas en marfil, aparecían colocadas sobre pequeños pedestales, en hilera sobre la repisa. Morgase había sido incapaz de imaginar cómo había podido permitirse adquirir estas miniaturas con su estipendio de niñera; pero no podía preguntarle algo así, naturalmente. En parejas, representaban tres muchachas jóvenes y las mismas tres de pequeñas. Elayne estaba allí, y también ella. Cogió su retrato con catorce años y, al mirar a aquella esbelta doncellita, no pudo creer que alguna vez hubiera sido tan inocente. Llevaba puesto aquel vestido de seda en tono marfileño el día que había partido hacia la Torre Blanca, sin imaginar siquiera en aquel momento que algún día sería reina, sólo abrigando la vana esperanza de llegar a ser Aes Sedai.

Con gesto ausente se tocó el anillo de la Gran Serpiente que lucía en la mano izquierda. No se lo había ganado realmente; las mujeres que no podían encauzar no eran premiadas con el anillo. Pero poco después de cumplir los dieciséis años había regresado para competir por la Corona de la Rosa en nombre de la casa Trakand, y cuando subió al trono, casi dos años después, recibió el anillo como regalo. Conforme a la tradición, la heredera del trono de Andor se instruía siempre en la Torre, y en reconocimiento al apoyo dado por Andor a la Torre durante tanto tiempo, se le otorgó el anillo, pudiera o no encauzar. Durante su estancia en la Torre sólo había sido la heredera de la casa Trakand, pero de todos modos se lo dieron una vez que la Corona de la Rosa estuvo sobre su cabeza.

Volvió a colocar en su sitio su retrato y cogió el de su madre, realizado cuando tendría aproximadamente dieciséis años. Lini había sido la niñera de tres generaciones de mujeres Trakand. Maighdin había sido hermosísima. Morgase recordaba todavía aquella sonrisa cuando se iluminaba con amor maternal. Tendría que haber sido Maighdin quien subiera al Trono del León, pero unas fiebres se la habían llevado a la tumba, de modo que una muchachita se encontró siendo la Cabeza Insigne de la casa Trakand en mitad de una disputa por el trono, sin más respaldo al principio que la servidumbre y el bardo de su casa. «Conquisté el Trono del León y no renunciaré a él ni permitiré que un hombre lo ocupe. Durante mil años una reina ha dirigido Andor ¡y no voy a consentir que eso termine ahora!»

—Así que estás revolviendo en mis cosas otra vez, ¿no, pequeña?

La voz hizo saltar unos mecanismos reflejos largo tiempo olvidados, y Morgase ocultó la miniatura a su espalda antes de darse cuenta de lo que hacía. Sacudió tristemente la cabeza y volvió a colocar el retrato en su sitio.

—Ya no soy una cría que juega en el cuarto de niños, Lini. Tienes que recordarlo o algún día dirás algo en un sitio en el que me vea obligada a hacer algo al respecto.

—Mi cuello es escuálido y viejo —repuso Lini mientras ponía sobre la mesa una bolsa de zanahorias y nabos. Su aspecto era frágil con aquel limpio vestido gris, el blanco cabello sujeto en un moño bajo, dejando despejado un rostro estrecho, con la tez como pergamino, pero su espalda se mantenía erguida, su voz sonaba clara y firme, y sus oscuros ojos eran tan penetrantes como siempre—. Si quieres entregárselo al verdugo para la horca o en tajo, no me importa porque poco servicio puede prestarme ya. «Una vieja rama nudosa embota la cuchilla que corta un arbolillo.»

Morgase suspiró. Lini no cambiaría jamás. No haría una reverencia aunque toda la corte estuviera presente.

—Te vas haciendo más dura a medida que envejeces. No estoy segura de que el verdugo encontrara un hacha lo bastante afilada para tu cuello.

—Hace tiempo que no venías a verme, así que imaginé que tenías que reflexionar para tomar una resolución. Cuando estabas a mi cuidado, y después también, solías acudir a mí cuando no lograbas resolver las cosas. ¿Preparo un poco de té?

—¿Hace tiempo, Lini? Te visito todas las semanas y es asombroso que lo siga haciendo, dado el modo en que me hablas. Exiliaría a la dama de más alta alcurnia de Andor si me dijera la mitad de las cosas que tú me dices.

Lini la observó detenidamente.

—No has cruzado el umbral de mi puerta desde la primavera. Y hablo como lo he hecho siempre. Soy demasiado vieja para cambiar ahora. ¿Quieres té?

—No. —Morgase se llevó la mano a la cabeza con desconcierto. Visitaba a Lini todas las semanas. Recordaba que... No recordaba nada. Gaebril había ocupado su tiempo de un modo tan completo que a veces resultaba difícil recordar otra cosa que no fuera él—. No, no quiero té. No sé por qué he venido. No puedes ayudarme con el problema que tengo.

Su antigua niñera resopló, aunque de algún modo logró que fuera un sonido delicado.

—Tu problema es con Gaebril, ¿verdad? Y te da vergüenza decírmelo. Pequeña, te cambiaba los pañales en la cuna, te cuidaba cuando estabas enferma o tenías una indigestión, y te expliqué lo que necesitabas saber sobre los hombres. Nunca te ha dado vergüenza hablar de cualquier tema conmigo, y no es momento de que empieces ahora.

—¿Gaebril? —Morgase abrió mucho los ojos—. ¿Lo sabes? Pero ¿cómo?

—Oh, pequeña —musitó tristemente Lini—, todo el mundo lo sabe, aunque nadie tiene valor para decírtelo. Yo lo habría hecho si no te hubieras mantenido alejada de mí, pero no es algo que pudiera ir corriendo a decirte, ¿verdad? Es el tipo de asunto al que una mujer no dará crédito hasta que lo descubra por sí misma.

—¿A qué viene eso? —demandó Morgase—. Era tu deber venir a decírmelo si lo sabías, Lini. ¡Era el deber de todo el mundo! ¡Luz, soy la última en enterarme, y ahora puede ser demasiado tarde para frenarlo!

—¿Demasiado tarde? —repitió Lini con incredulidad—. ¿Por qué iba a ser demasiado tarde? Pones a Gaebril de patitas en la calle, fuera de palacio y de Andor, y a Alteima y a las demás con él, y se acabó. Vaya, conque demasiado tarde.

Morgase se quedó sin habla un momento.

—Alteima —dijo finalmente— y... ¿y las demás?

Lini la miró de hito en hito y después sacudió la cabeza con irritación.

—Soy una vieja estúpida; se me están resecando los sesos. En fin, ahora ya lo sabes. «Cuando la miel está fuera del panal ya no puede volver a meterse.» —Su voz adoptó un tono más tierno y al mismo tiempo enérgico, el mismo que había utilizado para decirle, siendo pequeña, que su poni se había roto una pata y había que sacrificarlo—. Gaebril pasa la mayoría de las noches contigo, pero le dedica a Alteima casi tanto tiempo como a ti. Se reparte con menos prodigalidad entre las otras seis. Cinco de ellas tienen aposentos en palacio. La sexta, una joven de grandes ojos, entra y sale a hurtadillas embozada, por alguna razón, en una capa, incluso con este calor. Quizás está casada. Lo siento, pequeña, pero la verdad no tiene vuelta de hoja. «Más vale enfrentarse al oso que huir de él.»

A Morgase le fallaron las piernas, y si Lini no hubiera andado lista para ponerle debajo una de las sillas, habría acabado sentada en el suelo. Alteima. La imagen de Gaebril observándolas a las dos mientras cotorreaban cobró un nuevo sentido: un hombre contemplando a sus dos gatas jugando. ¡Y otras seis! La ira hervía en su interior, una ira mayor que la experimentada cuando creyó que sólo iba tras su trono. Aquello lo había analizado fríamente, con tanta claridad como era capaz de analizar algo últimamente. Aquél era un peligro que había que contemplar con frío razonamiento. Pero ¡esto! Ese hombre había instalado cómodamente a sus mancebas en su palacio. La había convertido en una de sus fulanas. Quería su cabeza. Quería que lo desollaran vivo a latigazos. «La Luz me valga, quiero sentirlo a él. ¡Debo de estar loca!»

—Eso se resolverá junto con todo lo demás —dijo fríamente. Mucho dependía de quién estaba en Caemlyn y quién en sus posesiones del campo—. ¿Dónde están lord Pelivar, lord Abelle y lady Arathelle? —Estos dirigían tres casas poderosas y mucha servidumbre.

—Exiliados —contestó lentamente Lini, que la miró de un modo raro—. Los exiliaste de la ciudad la pasada primavera.

Morgase le sostuvo fijamente la mirada. No recordaba nada de eso. Excepto que ahora, aunque borroso y distante, se acordaba de ello.

—¿Y lady Ellorien? —inquirió muy despacio—. ¿Lady Aemlyn y lord Luan? —Más casas fuertes. Más de las que la habían respaldado antes de subir al trono.

—Exiliados —repuso la niñera tan lentamente como antes—. Ordenaste que azotaran a Ellorien por exigir saber por qué. —Se inclinó para retirar el cabello de la cara de la reina, y sus nudosos dedos acariciaron la mejilla como hacían para comprobar si tenía fiebre—. ¿Te encuentras bien, pequeña?

Morgase asintió despacio, pero se debía a que estaba recordando, aunque de manera vaga. Ellorien gritando, injuriada, cuando le rasgaron el vestido por la espalda. La casa Traemane había sido la primera en prestar su apoyo a la de Trakand, y la portadora del ofrecimiento, Ellorien, una bonita y rellena muchacha pocos años mayor que la propia

Morgase, se había convertido con el tiempo en una de sus amigas íntimas. Al menos, lo había sido. Elayne había recibido ese nombre en honor a la abuela de Ellorien. Vagamente recordó a otros abandonando la ciudad; distanciándose de ella, cosa que ahora resultaba obvia. ¿Y los que se habían quedado? O eran casas demasiado débiles para que sirvieran de ayuda o eran aduladores. Creyó recordar haber firmado numerosos documentos que Gaebril había puesto ante ella, otorgando nuevos títulos. Los lagoteros de Gaebril y sus enemigos; los únicos que había en Caemlyn fuertes y poderosos en la actualidad, estaba segura.

—Me importa poco lo que digas —adujo firmemente Lini—. No tienes fiebre, pero algo va mal. Lo que te hace falta es una Aes Sedai Curadora.

—Nada de Aes Sedai.

El tono de Morgase se hizo más duro si cabe. Volvió a toquetear su anillo brevemente. Sabía que su animosidad hacia la Torre se había acrecentado últimamente más de lo que algunos podrían considerar razonable, pero era incapaz de confiar en unas personas cuya intención parecía ser ocultarle el paradero de su hija. La carta enviada a la nueva Amyrlin exigiendo el regreso de Elayne —nadie exigía nada a una Sede Amyrlin, pero ella lo había hecho— aún no había tenido contestación. Apenas debía de haber tenido tiempo para llegar a Tar Valon. Sea como fuere, estaba plenamente convencida de que no admitiría a una Aes Sedai cerca de ella. Y, sin embargo, al mismo tiempo, no podía pensar en Elayne sin sentirse llena de orgullo. Ascendida a Aceptada en tan poco tiempo. Elayne podía ser la primera mujer que se sentara en el trono de Andor siendo Aes Sedai, no sólo una alumna de la Torre. Era absurdo que pudiera sentir ambas cosas al tiempo, pero ahora mismo era poco lo que tenía sentido. Y muy bien podría ocurrir que su hija no se sentara nunca en el Trono del León si ella no se aseguraba de conservarlo.

—He dicho que nada de Aes Sedai, Lini, así que mejor será que dejes de mirarme así. Ya no puedes hacerme tragar una medicina amarga. Además, dudo que haya una sola Aes Sedai de cualquier Ajah en Caemlyn. —Sus antiguos partidarios ausentes, exiliados por su propia firma, y puede que ahora fueran sus enemigos más acérrimos por lo que le había hecho a Ellorien. Nuevos lores y ladis ocupando sus lugares en palacio. Nuevos rostros en la Guardia. ¿Cuántos leales le quedaban?—. ¿Reconocerías a un teniente de la guardia llamado Tallanvor, Lini? —Cuando la otra mujer asintió enérgicamente, continuó—: Encuéntralo y traémelo aquí. Pero no le digas que va a reunirse conmigo. De hecho, si cualquiera de los del Alojamiento de los Jubilados te hace alguna pregunta, le dices que no estoy aquí.

—Hay algo más en todo esto que simplemente el tal Gaebril y sus mujeres, ¿verdad?

—Ve, Lini. Y apresúrate. No disponemos de mucho tiempo. —Por las sombras que veía en el jardín lleno de árboles a través de la ventana, el sol había pasado su cenit. La tarde se echaría rápidamente encima. La tarde, cuando Gaebril iría a buscarla.

Después de que Lini se hubo marchado, Morgase permaneció en la silla, sentada rígidamente. No se atrevía a ponerse de pie; las piernas habían recuperado las fuerzas, pero temía que si empezaba a caminar no se detendría hasta encontrarse de nuevo en su salita de estar, esperando a Gaebril. El impulso era muy intenso, sobre todo ahora que estaba sola. Y, una vez que él la mirara, una vez que la tocara, estaba convencida de que le perdonaría todo. Quizá lo olvidara todo, basándose en lo hilvanados e incompletos que eran sus recuerdos. De no saber que era imposible, habría pensado que Gaebril había utilizado el Poder Único con ella, pero ningún hombre capaz de encauzar había llegado vivo a su edad.

Lini le había dicho a menudo que siempre había un hombre en el mundo por el que una mujer se comportaría como una estúpida sin cerebro, pero jamás pensó que ella podría sucumbir a eso. Empero, nunca había estado muy acertada al elegir a un hombre por muy indicado que pareciera en principio.

Se había casado con Taringail Damodred por razones políticas. Él había estado casado con Tigraine, la heredera del trono cuya desaparición había provocado la Sucesión a la muerte de Mordrellen. El matrimonio con él había creado un vínculo con la anterior reina, suavizando las dudas de la mayoría de sus oponentes, y, lo más importante, había mantenido la alianza que había puesto fin a las incesantes guerras con Cairhien. Así era como las reinas elegían a sus maridos. Taringail había sido un hombre frío, distante, y jamás hubo amor entre ellos a pesar de los dos maravillosos hijos que tuvieron; casi había sentido alivio cuando murió en un accidente de caza.

La relación con Thomdril Merrilin, el bardo de la casa y después de la corte, resultó gozosa al principio; era un hombre inteligente, ingenioso y alegre que utilizó los trucos del Juego de las Casas para ayudarla a subir al trono y, después de que lo consiguió, para ayudarla a fortalecer Andor. Aunque por entonces le doblaba la edad, se habría casado con él —los matrimonios con plebeyos no era una práctica desconocida en Andor—, pero desapareció sin decir palabra, y su genio vivo se impuso. Nunca supo por qué se marcó, pero tanto daba. Cuando por fin regresó, seguramente habría anulado la orden de arresto; pero, por una vez, en lugar de apaciguar su rabia con suavidad había respondido con palabras duras a palabras duras, diciendo cosas que nunca podría perdonarle. Todavía le ardían las orejas cuando recordaba que la había llamado niña mimada y marioneta de Tar Valon. De hecho, había llegado a sacudirla por los hombros; ¡a ella, su reina!

Luego había sido Gareth Bryne, fuerte y competente, tan franco como su rostro y tan testarudo como ella; había resultado ser un necio traidor. Lo había apartado de ella; parecía que habían pasado años desde que lo vio partir en vez de los seis meses que hacía.

Y, finalmente, Gaebril. La joya en su lista de malas elecciones. Al menos los demás no habían intentado suplantarla.

No eran muchos hombres en la vida de una mujer, pero, por otro lado, eran demasiados. Otra de las frases que Lini solía repetir era que los hombres sólo servían para tres cosas, aunque eran realmente buenos en ellas. Había subido al trono antes de que Lini la considerara lo bastante mayor para decirle cuáles eran esas tres cosas. «Quizá si me limitara al baile —pensó con acritud—, no me iría tan mal con ellos.»

Por la longitud de las sombras del jardín, al otro lado de la ventana, había transcurrido una hora cuando Lini regresó con el joven Tallanvor, que hincó una rodilla en tierra mientras la vieja niñera no había terminado de cerrar la puerta.

—Al principio se negó a acompañarme —dijo Lini—. Supongo que hace cincuenta años podría haberle dejado entrever lo que tú llevas casi al aire, y me habría seguido con presteza, pero ahora necesito recurrir al dulce razonamiento.

Tallanvor volvió la cabeza y asestó a la anciana una mirada mordaz.

—Oh, sí, me amenazasteis con traerme aquí a palos si no venía por gusto. Tenéis suerte de que me preguntara qué podía ser tan importante para vos, en lugar de dejar que alguien os llevara a rastras a la enfermería. —El severo resoplido de la niñera no lo arredró. La mirada mordaz del soldado se tornó iracunda al volverse hacia Morgase—. Veo que vuestra reunión con Gaebril no fue bien, mi reina. Había esperado... algo más.

La estaba mirando directamente a los ojos, pero el comentario de Lini le había hecho recordar de nuevo su vestido. Tuvo la sensación de que unas ardientes flechas estuvieran apuntando a sus senos descubiertos. Tuvo que hacer un esfuerzo denodado para mantener las manos sobre el regazo.

—Eres un muchacho avispado, Tallanvor. Y leal, creo, o en caso contrario no habrías venido a informarme de la noticia de Dos Ríos.

—No soy un muchacho —espetó, irguiendo la espalda aunque siguió arrodillado—. Soy un hombre que juró entregar su vida al servicio de la reina.

Morgase dejó que su fuerte temperamento replicara con contundencia.

—Si eres un hombre, compórtate como tal. Levántate y responde con sinceridad las preguntas de tu reina. Y recuerda que soy tu reina, joven Tallanvor. Sea lo que sea lo que pienses que ha ocurrido, soy la reina de Andor.

—Perdonad, majestad. Os escucho y obedezco. —Las palabras fueron pronunciadas correctamente, si no con verdadera contrición, pero se puso de pie, la cabeza erguida, contemplándola tan desafiante como antes. Luz, era tanto o más testarudo que Gareth Bryne en sus mejores tiempos.

— Cuántos hombres leales hay entre los guardias de palacio? ¿Cuántos cumplirán lo que juraron y me seguirán?

—Yo lo haré —respondió quedamente, y de repente toda su rabia desapareció, aunque siguió mirándola fijamente a la cara—. En cuanto a los demás... Si deseáis encontrar hombres leales, tendréis que buscarlos en las guarniciones fronterizas, quizá tan lejos como Puente Blanco. Algunos que quedaban en Caemlyn fueron enviados a Cairhien con las levas, pero los que hay en la ciudad obedecen a Gaebril. Su nuevo... juramento es para el trono y la ley, no para la reina.

Era peor de lo que había imaginado, pero no más de lo que esperaba, a fuer de ser sincera. Gaebril podría ser cualquier cosa, pero no un necio.

—Entonces tendré que ir a otra parte para empezar a restablecer mi mandato. —No sería fácil recobrar el apoyo de las casas después de los exilios y de la afrenta a Ellorien, pero había que hacerlo—. Gaebril podría intentar impedirme salir de palacio —tenía el vago recuerdo de haber intentado marcharse dos veces y haber sido detenida por Gaebril—, así que tendrás que conseguir dos caballos y esperarme en la calle de detrás de los establos del sur. Me reuniré contigo allí, vestida con ropa de montar.

—Demasiado público —dijo el soldado—. Y demasiado cerca. Los hombres de Gaebril podrían reconoceros por mucho que os disfracéis. Conozco a un hombre... ¿Sabríais encontrar una posada llamada La Bendición de la Reina, en el sector oeste de la Ciudad Nueva?

La Ciudad Nueva sólo lo era en comparación con la Ciudad Interior que rodeaba.

—Sabré. —No le gustaba que la contradijeran, aunque fuera razonable. Bryne había hecho lo mismo. Sería un placer enseñarle a este jovencito lo bien que podía disfrazarse. Tenía por costumbre hacerlo una vez al año, aunque ahora cayó en la cuenta de que no lo había hecho todavía en el transcurso del actual; se vestía como una plebeya y recorría las calles para tomar el pulso a la opinión del pueblo. Nadie la había reconocido nunca—. Pero ¿se puede confiar en ese hombre, joven Tallanvor?

—Basel Gill es tan leal a vos como yo mismo. —Vaciló, y una expresión angustiada cruzó su rostro fugazmente antes de ser reemplazada de nuevo por la ira—. ¿Por qué habéis esperando tanto? Tendríais que haberlo visto, tendríais que haberos dado cuenta, y sin embargo no habéis reaccionado mientras Gaebril aferraba por el cuello a Andor. ¿Por qué habéis esperado?

Vaya, así que su rabia le venía por un motivo honrado, de modo que merecía una respuesta honrada. Sólo que no la tenía, al menos una que pudiera darle.

—No eres quién para interrogar a tu reina y poner en tela de juicio sus actos, joven —dijo con suave firmeza—. Un hombre leal, como sé que tú eres, obedece sin discutir.

El soldado soltó un largo suspiro.

—Os esperaré en el establo de La Bendición de la Reina, majestad. —Tras hacer una reverencia que no habría desentonado en un acto oficial, se marchó.

—¿Por qué insistes en llamarlo joven? —demandó Lini una vez que la puerta se hubo cerrado tras él—. Lo encrespa. «Sólo un necio pone un cardo debajo de la silla de montar cuando va a cabalgar.»

—Es joven, Lini. Lo bastante para ser mi hijo.

Lini resopló, y esta vez no hubo nada de delicado en el sonido.

—Tiene unos cuantos años más que Galad, y éste es demasiado mayor para ser tuyo. Todavía jugabas con muñecas cuando Tallanvor nació, y aún creías que los bebés venían al mundo igual que los muñecos.

Morgase suspiró mientras se preguntaba si Lini había tratado igual a su madre. Probablemente sí. Y, si la niñera vivía lo suficiente para ver a Elayne en el trono —lo que, de algún modo, no dudaba en absoluto, convencida de que Lini viviría para siempre—, seguramente trataría a Elayne exactamente igual. Es decir, si es que para entonces seguía conservando el trono para que Elayne lo heredara.

—La cuestión es: ¿realmente es leal como aparenta, Lini? ¿Cómo puede haber un único guardia leal en palacio cuando a todos los demás los han mandado fuera? De repente me parece demasiado bueno para ser verdad.

—Prestó el nuevo juramento. —Morgase abrió la boca, pero la niñera la atajó—. Lo vi después, detrás de los establos, solo. Por eso sabía a quién te referías; me enteré de su nombre. Él no me vio. Estaba de rodillas, llorando a mares, pidiéndote perdón y repitiendo el antiguo juramento. No sólo «a la reina de Andor» sino «a la reina Morgase de Andor». Juró a la antigua usanza, sobre su espada, abriéndose un corte en el brazo para demostrar que derramaría hasta la última gota de su sangre antes de quebrantarlo. Sé un par de cosas sobre los hombres, pequeña. Ese te seguirá contra cualquier ejército sin más armas que sus propias manos.

Era bueno saberlo. Si no podía confiar en él, lo siguiente sería desconfiar de Lini. No, de ella nunca. ¿Que había jurado a la antigua usanza? Hoy en día eso quedaba para los relatos de bardos. Estaba dejándose llevar otra vez por el hilo de sus pensamientos, lo que significaba que el aturdimiento mental provocado por Gaebril estaba remitiendo con todo lo que sabía ahora. Entonces ¿por qué razón una parte de ella todavía deseaba regresar a su salita y esperarlo? Tenía que concentrarse.

—Me hará falta un vestido sencillo, Lini. Uno que no me siente demasiado bien, con un poco de hollín de la chimenea, y...

Lini insistió en acompañarla. Morgase tendría que atarla a una silla si quería dejarla atrás y no estaba segura de que la anciana permitiera que la atara; siempre había parecido muy frágil, pero también siempre había demostrado ser más fuerte de lo que aparentaba.

Cuando se escabulleron por una puertecilla lateral, Morgase no guardaba semejanza consigo misma. Un poco de hollín había oscurecido su cabello rubio rojizo, apagando su brillo y dejándolo lacio. El sudor que le corría por la cara contribuía a enmascararla; nadie creía que las reinas sudaban. Un vestido suelto, de lana muy burda en color gris, con la falda partida a guisa de pantalones, completaba el disfraz. Hasta la ropa interior y las medias eran de tosca lana. Parecía una granjera que había ido al mercado montada en el caballo de tiro del carro y ahora quería ver algo de la ciudad. Lini seguía siendo Lini, estirada y estricta; llevaba un vestido de montar de gruesa lana verde, bien cortado pero pasado de moda diez años.

Morgase habría querido poder rascarse, y también que la vieja niñera no se hubiera tomado tan al pie de la letra lo de que el vestido no le sentara muy bien. Mientras escondía debajo de la cama el vestido de escote bajo, Lini había rezongado una máxima sobre exhibir una mercancía que no se tenía intención de vender, y, cuando Morgase contestó que acababa de inventársela, su respuesta fue:

—A mi edad, aunque me lo invente sigue siendo un viejo dicho.

La reina estaba convencida de que el vestido rasposo y mal confeccionado era un castigo por aquel escote.

La Ciudad Interior estaba construida sobre cerros, con las calles siguiendo la curvatura natural del terreno y diseñadas para ofrecer inesperadas vistas de parques llenos de árboles, monumentos o torres cubiertas de azulejos a los que el sol arrancaba destellos de cien colores. Unas cuestas pronunciadas permitían contemplar el panorama de toda Caemlyn, con las ondulantes llanuras y bosques que había más allá. Morgase no se fijó en nada de ello mientras avanzaba apresuradamente entre la multitud que abarrotaba las calles. Por lo general, habría intentado escuchar a la gente, sopesar su estado de ánimo. Esta vez sólo oían el runrún y el murmullo de la gran urbe. No tenía planeado levantar al pueblo. Miles de hombres, armados principalmente con piedras y cólera, podrían superar a los guardias del Palacio Real; pero, si antes no lo sabía, los tumultos de la primavera que habían hecho fijar su atención en Gaebril y los que habían estado a punto de estallar el año anterior sí que le habían enseñado lo que la chusma enfurecida podía llegar a hacer. Se proponía volver a reinar en Caemlyn, no verla arrasada por el fuego.

Al otro lado de las blancas murallas de la Ciudad Interior, la Ciudad Nueva contaba con sus propias maravillas. Altas y esbeltas torres, relucientes cúpulas blancas y doradas, amplias extensiones de tejados rojos, y las enormes murallas exteriores salpicadas de torreones, de un gris pálido con vetas plateadas y blancas. Los amplios bulevares, divididos en el centro por anchos paseos de árboles y césped, estaban abarrotados de gente, carruajes y carretas. Excepto reparar de pasada en que la hierba estaba agostada por la falta de lluvia, Morgase siguió con la mente puesta en lo que buscaba.

Por la experiencia de sus correrías anuales, elegía con cuidado la gente a la que preguntaba. Hombres en su mayoría. Era consciente de su aspecto, incluso con el hollín en el pelo, y algunas mujeres le habrían dado indicaciones equivocadas simplemente por celos. Los hombres, por el contrario, se devanaban los sesos para hacerlo correctamente, para impresionarla. No preguntaba a nadie que tuviera un aspecto demasiado atildado o demasiado rudo. Los primeros a menudo se ofendían porque los parara para preguntarles, como si ellos mismos no fueran a pie; y los otros probablemente pensarían que una mujer que pregunta una dirección tenía algo más en mente.

Un tipo con una barbilla demasiado grande para su cara, que pregonaba los alfileres y agujas que llevaba en una bandeja, le sonrió y comentó:

—¿Alguna vez te han dicho que tienes un cierto parecido con la reina? Aunque nos haya conducido al desastre, es una guapa hembra.

Morgase soltó una escandalosa risa por la que se ganó una mirada severa de su vieja niñera.

—Guarda los halagos para tu mujer. ¿La segunda a la izquierda, dijiste? Gracias. Y también por el piropo.

Mientras continuaba abriéndose paso entre el gentío, su rostro asumió un gesto ceñudo. Ya le habían dicho varias veces lo mismo. No que se pareciera a la reina, sino que Morgase había organizado un desastre. Por lo visto, Gaebril había ordenado una fuerte subida de impuestos para pagar a sus levas, pero la culpa se la echaban a ella, y con razón. La responsabilidad era de la reina. También se habían promulgado otras leyes, leyes que no tenían sentido pero que hacían más difícil la vida de la gente. Oyó también murmullos respecto a que tal vez Andor había tenido reinas demasiado tiempo. Sólo rumores, pero lo que un hombre se atrevía a comentar en voz baja, lo pensaban otros diez. Quizá no le habría resultado tan fácil como había pensado levantar a la plebe contra Gaebril.

Finalmente dio con su meta, una gran posada de piedra cuyo letrero mostraba a un hombre arrodillado ante una mujer de cabello dorado que lucía la Corona de la Rosa y tenía una mano sobre la cabeza del hombre. La Bendición de la Reina. Si se suponía que era ella, no guardaba un gran parecido. Las mejillas eran demasiado rellenas.

Hasta que se paró a la puerta de la posada no advirtió que Lini iba resoplando, falta de aliento. Había impuesto un paso vivo, y la niñera estaba lejos de ser joven.

—Oh, Lini, lo siento. No tendría que haber caminado tan...

—Si no soy capaz de mantener tu paso, pequeña, ¿cómo piensas que voy a poder cuidar de los hijos de Elayne? ¿Es que piensas quedarte plantada aquí fuera? «Los pies que se arrastran nunca terminan el viaje.» Él dijo que estaría en el establo.

La vieja niñera echó a andar, todavía entre resuellos, y Morgase la siguió alrededor de la posada. Antes de entrar en el establo de piedra, se resguardó los ojos para echar un vistazo al sol. Unas dos horas antes de que anocheciera; para entonces, Gaebril empezaría a buscarla, si es que no lo estaba haciendo ya.

Tallanvor no estaba solo en el establo lleno de cuadras. Llevaba una chaqueta de lana verde, con la espada envainada al cinto por encima, y cuando hincó una rodilla en el suelo cubierto de paja, dos hombres y una mujer hicieron lo mismo, aunque un tanto vacilantes, inseguros de que fuera ella. El hombre robusto, de rostro rubicundo y calvo, debía de ser Basel Gill, el posadero. Un viejo jubón de cuero, tachonado con discos metálicos, se ceñía prietamente alrededor de la prominente cintura, y también llevaba una espada al costado.

—Mi reina —dijo Gill—, hace años que no llevo espada, desde la Guerra de Aiel, pero consideraría un honor el que me permitáis seguiros. —Debería haber resultado ridículo, pero no fue así.

Morgase observó a los otros dos: un tipo fornido, vestido con una tosca chaqueta gris, de párpados cargados, nariz rota por varios sitios y la cara surcada de cicatrices; y una mujer baja, bonita, rondando la madurez. Daba la impresión de que estaba con el tipo duro, pero su vestido de lana azul, con cuello alto, parecía demasiado fino para que alguien como él pudiera comprarlo.

El hombre pareció advertir sus dudas, a pesar del aspecto apático que le daban los ojos cargados.

—Soy Lamgwin, majestad, y un buen hombre de la reina. No está bien lo que ha ocurrido y hay que remediarlo. También quiero seguiros. Yo y Breane, nosotros dos.

—Levantaos —les dijo Morgase—. Es posible que tengan que pasar varios días antes de que no haya peligro en que me reconozcáis como vuestra soberana. Me complacerá vuestra compañía, maese Gill. Y la vuestra, maese Lamgwin, pero sería más seguro para vuestra compañera que se quedara en Caemlyn. Nos aguardan días muy duros.

Breane se sacudió las pajas pegadas a la falda y le asestó una mirada áspera, pero no tanto como la que le dedicó Lini.

—He vivido tiempos difíciles —dijo la mujer con acento cairhienino. De noble cuna, si no se equivocaba Morgase; una refugiada probablemente—. Y jamás conocí a un hombre bueno hasta que encontré a Lamgwin. O hasta que él me encontró a mí. La lealtad y el amor que os profesa, se los profeso yo a él pero multiplicados por diez. Él os sigue, pero yo lo sigo a él. No me quedaré atrás.

Morgase inhaló hondo y después asintió con la cabeza. De todos modos, la mujer ya lo daba por hecho. Buenos cimientos para el ejército que precisaba a fin de recuperar el trono: un joven soldado que la miraba ceñudo las más de las veces; un posadero calvo que, por su aspecto, no debía de haber montado a caballo hacía veinte años; un camorrista que tenía pinta de estar medio dormido; y una noble refugiada cairhienina que había dejado muy claro que su lealtad llegaba sólo hasta donde llegara la de su hombre. Y Lini, por supuesto, que la trataba como si todavía estuviera a su cuidado. Oh, sí, unos estupendos cimientos.

—¿Adónde vamos, mi reina? —preguntó Gill mientras conducía a los caballos, ya ensillados, hacia las puertas del establo.

Lamgwin se movió con una rapidez inusitada para ensillar otra montura para la vieja niñera.

Morgase cayó en la cuenta de que no había pensado en esto. «Luz, es posible que Gaebril todavía me tenga ofuscada la mente.» Empero, todavía notaba aquel imperioso impulso de regresar a sus aposentos. No era por él. Había estado concentrada en la idea de salir de palacio y llegar aquí. En otros tiempos habría acudido primero a Ellorien, pero Pelivar o Arathelle servirían. Una vez que hubiera discurrido cómo explicar el haberlos exiliado, se entiende.

Sin embargo, antes de que tuviera tiempo de abrir la boca, Tallanvor dijo:

—Habrá que buscar a Gareth Bryne. Alienta una gran hostilidad hacia vos en las casas poderosas, mi reina; pero, si Bryne os apoya, renovarán su juramento de adhesión, aunque sólo sea porque saben que él ganará todas las batallas.

Morgase apretó los dientes para contener la inmediata negativa que pugnaba por salir de su boca. Gareth Bryne era un traidor, pero también se trataba de uno de los generales vivos más brillantes. Su presencia sería un argumento convincente cuando tuviera que hacer olvidar a Pelivar y a los demás que los había exiliado. De acuerdo. Sin duda estaría más que dispuesto a aprovechar la ocasión de volver a ocupar el puesto de capitán general de la Guardia de la Reina. Y si no, se las arreglaría bien sin él.

Cuando el sol rozó el horizonte, el grupo se encontraba a cinco millas de Caemlyn y cabalgaba a galope tendido hacia Hontanares de Kore.

Era por la noche cuando Padan Fain se sentía más a gusto. Mientras caminaba silenciosamente por los pasillos adornados con tapices de la Torre Blanca sintió como si la oscuridad exterior extendiera una capa que lo ocultara de sus enemigos a despecho de las lámparas de pie, doradas y con espejos, que ardían a lo largo de los corredores. Sabía que era una sensación errónea; sus enemigos eran muchos y estaban en todas partes. Justo en ese momento, como en todas las horas del día, podía percibir a Rand al'Thor. No dónde estaba, pero sí que aún seguía vivo, en alguna parte. Todavía vivo. En Shayol Ghul, en la Fosa de la Perdición, aquella percepción de al'Thor con vida era recibida como un regalo.

Su mente esquivó los recuerdos de lo que le habían hecho en la Fosa. Allí había sido destilado, reconstruido. Pero después, en Aridhol, había renacido. Renacido para castigar a antiguos y nuevos enemigos.

Percibía algo más mientras recorría los vacíos pasillos de la Torre, algo que era suyo, algo que le habían robado. Un deseo más intenso que su anhelo de ver muerto a Rand al'Thor o la destrucción de la Torre o incluso la venganza contra su ancestral enemigo, lo había empujado a este momento: el ansia de estar completo.

La pesada puerta de paneles tenía sólidos goznes y refuerzos de hierro, además de una enorme cerradura negra de hierro. Pocas puertas se cerraban en la Torre, porque ¿quién osaría robar nada estando rodeado de Aes Sedai? Empero, allí se guardaban algunas cosas consideradas demasiado peligrosas para que hubiera un fácil acceso a ellas. Y la más peligrosa de todas la guardaban detrás de esta puerta, custodiada por una sólida cerradura.

Soltó una queda risita mientras sacaba de un bolsillo de la chaqueta un par de ganzúas finas y curvas que introdujo en el mecanismo por el ojo de la cerradura; tanteó, empujó, giró, y, con un seco chasquido, el pestillo se descorrió. Durante unos instantes se quedó recostado contra la puerta, riendo roncamente. Así que custodiada por una sólida cerradura. Rodeada por el poder de las Aes Sedai, y estaba guardada por un simple objeto de metal. Todos, incluso la servidumbre y las novicias, debían de haber terminado sus tareas del día a esa hora, pero aun así cabía la posibilidad de que alguien estuviera despierto y pasara por allí. Alguna que otra carcajada lo siguió sacudiendo de vez en cuando mientras guardaba las ganzúas en el bolsillo y sacaba una gruesa vela, cuyo pabilo encendió en una de las lámparas de pie que había cerca.

Sostuvo en alto la vela mientras cerraba la puerta tras de sí y miraba en derredor. Las paredes estaban cubiertas de estanterías que contenían cajas sencillas y cofres taraceados de diversos tamaños y formas, pequeñas figurillas en hueso o marfil o un material más oscuro, objetos de metal y cristal que centelleaban con la luz. Nada que tuviera aspecto peligroso. El polvo lo cubría todo; incluso las Aes Sedai iban allí en raras ocasiones, y no permitían que entrara nadie más. Lo que buscaba lo atrajo hacia sí.

En una estantería que había a la altura de su cintura se encontraba una oscura caja metálica. La abrió, dejando a la vista las paredes de plomo de dos pulgadas de grosor, con lo que quedaba el espacio justo para una daga curva enfundada en su vaina dorada, con un gran rubí engastado en la empuñadura. Ni el oro ni el rubí, de un reluciente rojo intenso como la sangre, tenían interés para él. Rápidamente, dejó escurrir un poco de cera líquida para sostener la vela junto a la caja y se apoderó de la daga.

Suspiró tan pronto como la tocó y se estiró lánguidamente. De nuevo estaba completo, era uno con lo que lo había atado tanto tiempo atrás, uno con lo que, de un modo muy literal, le había dado vida.

Los goznes de hierro chirriaron débilmente, y Padan corrió hacia la puerta al tiempo que desenvainaba la daga. La pálida joven que abrió la hoja sólo tuvo tiempo de dar un respingo, de intentar recular de un salto, antes de que le hiciera un corte en la mejilla; en el mismo movimiento, dejó caer la funda, la agarró por el brazo y la introdujo de un tirón en el almacén. Asomó la cabeza y escudriñó a un lado y al otro del pasillo. Vacío.

No se apresuró a meter la cabeza y cerrar de nuevo la puerta; sabía lo que encontraría dentro del cuarto.

La joven sufría convulsiones, tirada en el suelo, haciendo vanos esfuerzos por gritar. Sus manos arañaban su cara, ya negra e hinchada hasta ser irreconocible, mientras la oscura tumefacción se extendía hacia los hombros como un espeso aceite. Las blancas faldas, con las bandas de colores en el repulgo, se agitaron cuando sus pies patearon inútilmente. Padan lamió unas gotas de sangre que le habían salpicado en la mano y rió bajito al tiempo que recogía la funda.

—Sois un necio.

Giró velozmente sobre sus talones, asestando una cuchillada al mismo tiempo, pero el aire a su alrededor pareció volverse sólido y lo inmovilizó desde el cuello hasta las plantas de los pies; se quedó petrificado en esa postura, de puntillas, con el brazo extendido para apuñalar, y los ojos prendidos en Alviarin mientras ésta cerraba la puerta tras de sí y se apoyaba en ella para observarlo con atención. Esta vez los goznes no habían chirriado. El suave roce de los escarpines de la moribunda joven contra las baldosas del suelo no podían haber disimulado el ruido. Parpadeó para librarse del sudor que de repente le había brotado y le escocía en los ojos.

—¿De verdad creísteis que no habría salvaguardas en este cuarto? —continuó la Aes Sedai—. ¿Que no estaría vigilado? Se había puesto una salvaguarda en esa cerradura. Esa necia joven tenía esta noche la tarea de detectar su manipulación. De haber hecho lo que se le había ordenado, ahora os encontraríais con una docena de Guardianes y otras tantas Aes Sedai al otro lado de esa puerta. Pero está pagando el precio de su estupidez.

A espaldas del hombre las sacudidas cesaron, y Padan estrechó los párpados. Alviarin no era del Ajah Amarillo, pero aun así podría haber intentado al menos curar a la joven. Tampoco había dado la alarma que debería haber dado la Aceptada, o en caso contrario no estaría allí sola ahora.

—Sois del Ajah Negro —siseó.

—Una acusación peligrosa —repuso sosegadamente. No quedaba claro para cuál de los dos lo era—. Siuan Sanche intentó denunciar que el Ajah Negro existía realmente cuando estaba bajo interrogatorio. Nos suplicó hablarnos de ellas. Elaida no quiso oír nada al respecto y tampoco querrá oírlo ahora. Los cuentos sobre el Ajah Negro son viles calumnias contra la Torre.

—Sois del Ajah Negro —repitió en tono más alto.

—¿Queríais robar eso? —preguntó la mujer como si no lo hubiera oído—. El rubí no lo merece, Fain. O como quiera que os llaméis. La hoja está infectada, de modo que nadie excepto un necio la tocaría salvo con unas tenazas ni estaría cerca de ella más tiempo del estrictamente necesario. Ya habéis visto lo que le hizo a Verine. Así que ¿por qué vinisteis aquí y fuisteis directamente a apoderaros de algo que no deberíais saber que estaba en este lugar? No habéis tenido tiempo para buscarlo.

—Podría deshacerme de Elaida en vuestro favor. Un toque con esto, y ni siquiera la Curación la salvaría. —Trató de gesticular con la daga, pero le resultaba imposible mover ni un dedo; de haber podido, a esas alturas Alviarin estaría muerta—. Podríais ser la primera en la Torre, en lugar de la segunda.

La mujer se rió de él: un sonido frío, cristalino, despectivo.

—¿Creéis que no sería la primera si así lo quisiera? Ser la segunda me conviene. Que Elaida reclame para sí el mérito de lo que ella llama éxito, y que sude por los fracasos también. Sé dónde radica el poder. Y, ahora, responded a mis preguntas o serán dos los cadáveres que se encontrarán aquí por la mañana en lugar de sólo uno.

De todos modos habría dos, aunque le respondiera con las mentiras apropiadas; no tenía intención de dejarlo con vida.

—He visto Thakan'dar. —Decirlo resultaba doloroso; los recuerdos que le traía eran insufribles, pero contuvo los sollozos y se obligó a hablar—. El gran mar de niebla, meciéndose y rompiendo en silencio contra los negros arrecifes. Los fuegos de las forjas brillando enrojecidos, debajo. Y los relámpagos descargándose hacia lo alto, contra un cielo concebido para enloquecer a los hombres. —No quería continuar, pero se obligó a hacerlo—. He recorrido el sendero que baja a las entrañas de Shayol Ghul, un largo camino de descenso, con piedras como colmillos rozándome la cabeza, hasta llegar a la orilla del lago de fuego y roca fundida —«¡No, otra vez no!»—, y que retiene al Gran Señor de la Oscuridad en sus insondables profundidades. El cielo sobre Shayol Ghul está negro al mediodía con su aliento.

Alviarin estaba erguida, con los ojos muy abiertos, pero no de miedo, sino de estupefacción.

—Me han hablado de... —empezó lentamente, pero luego sacudió la cabeza y lo miró de hito en hito, con intensidad—. ¿Quién sois? ¿Por qué estáis aquí? ¿Alguno de los Rene... los Elegidos os envió? ¿Por qué no se me informó?

Padan Fain echó la cabeza hacia atrás y se echó a reír.

—¿Acaso las tareas encargadas a los de mi condición tienen que saberlas los de vuestra condición? —El acento de su nativa Lugard volvía a ser muy fuerte; en cierto modo, era su ciudad natal—. ¿Acaso los Elegidos os lo cuentan todo? —Algo en su interior le decía que éste no era el mejor camino, pero odiaba a las Aes Sedai, y ese algo de su interior también las odiaba—. Tened cuidado, pequeña y bonita Aes Sedai, u os entregarán a un Myrddraal para su entretenimiento.

La mirada de la mujer era como témpanos de hielo clavados en sus ojos.

—Veremos, maese Fain. Me ocuparé de arreglar el desastre que habéis ocasionado, y después veremos cuál de nosotros goza de más consideración con los Elegidos.

Sin apartar los ojos de la daga, salió del cuarto. El aire que inmovilizaba a Fain no perdió rigidez hasta después de haber pasado un minuto desde su partida.

Gruñó para sus adentros. Necio. Entrar en el juego de las Aes Sedai, arrastrándose ante ellas, para después, en un momento de ira, estropearlo todo. Al envainar la daga se hizo un pequeño corte, y se lamió la herida antes de esconder el arma debajo de su chaqueta. No era ni mucho menos lo que esa mujer pensaba. Hubo un tiempo en que había sido Amigo Siniestro, pero ahora estaba más allá de eso. Más allá y por encima. Era algo diferente. Y superior. Si la Aes Sedai conseguía comunicarse con alguno de los Renegados antes de que pudiera deshacerse de ella... No, mejor no intentarlo. No podía perder tiempo ahora en buscar el Cuerno de Valere; tenía seguidores esperándolo fuera de la ciudad. Debían de seguir allí; lo temían lo bastante para obedecer. Confiaba en que algunos humanos estuvieran vivos todavía.

Antes de que el sol saliera, había abandonado la Torre y la isla de Tar Valon. Al'Thor se encontraba ahí fuera, en alguna parte. Y él volvía a estar completo.

20

EL PASO DE JANGAI

Al pie de la imponente Columna del Mundo, Rand guiaba a *Jeade'en* por la empinada y rocosa ladera de las estribaciones en las que daba comienzo el paso de Jangai. La Pared del Dragón traspasaba el cielo, empequeñeciendo todas las otras montañas, y sus picos tornados de nieve desafiaban al abrasador sol de la tarde. Los más altos hendían las nubes que se burlaban del Yermo con promesas de lluvias que jamás llegarían, y se alzaban muy por encima de ellas. Rand era incapaz de imaginar qué inducía a un hombre a escalar una montaña, pero se decía que quienes habían intentado subir a estas elevaciones tenían que regresar atenazados por el miedo y sin poder respirar. No le costaba trabajo creer que un hombre pudiera asustarse tanto que se le cortara la respiración en su intento de escalar a semejante altura.

—... empero, aunque los cairhieninos están tan entregados al Juego de las Casas —estaba diciendo Moraine junto a su hombro—, te seguirán siempre y cuando sepan que eres fuerte. Sé firme con ellos, pero te pediría que también fueras justo. Un dirigente que imparte verdadera justicia...

Procuró no oírla, como tampoco a los otros jinetes ni el rechinar y el traqueteo de las carretas de Kadere, que avanzaban penosamente por la ladera. Atrás habían dejado los quebrados barrancos y cárcavas del Yermo, pero estas escabrosas y empinadas estribaciones, casi o igualmente áridas, no eran un terreno más fácil para los vehículos. Nadie había viajado por este camino desde hacía más de veinte años.

Moraine le estaba hablando así desde el alba hasta el anochecer siempre que la dejaba. Sus charlas podían tratar sobre cosas intrascendentes —como, por ejemplo, los modales cortesanos en Cairhien o Saldaea o alguna otra parte— o trascendentales, como la influencia política de los Capas Blancas o tal vez las repercusiones del comercio que afectaban en la decisión de los dirigentes para ir a la guerra. Era como si quisiera impartirle la educación que tendría, o debería tener, un noble antes de que llegara al otro lado de las montañas. Resultaba sorprendente cuán a menudo lo que decía reflejaba lo que allá, en Campo de Emond, se habría considerado simple sentido común. Y también cuán a menudo no lo hacía.

De vez en cuando salía con algo sorprendente; por ejemplo, que no debería confiar en ninguna mujer de la Torre excepto ella misma, Egwene, Elayne y Nynaeve, o la noticia de que Elaida era ahora la Sede Amyrlin. Ni apelando a su juramento de obedecerlo consiguió que le dijera cómo se había enterado de eso. Adujo que era otra persona quien tendría que decidir si contárselo o no porque era su secreto, y ella no podía usurpar ese derecho. Rand sospechaba que eran las Sabias caminantes de sueños, pero éstas se habían limitado a mirarlo fijamente, rehusando decir ni sí ni no. Le habría gustado hacerles prestar el mismo juramento que a Moraine; no dejaban de interferir entre los jefes y él, como si quisieran obligarlo a pasar primero por ellas para llegar hasta los jefes.

En aquel momento no quería pensar en Elaida ni en las Sabias y tampoco escuchar a Moraine. Quería estudiar el paso que tenían delante, una profunda grieta en las montañas que zigzagueaba como si un hacha embotada hubiera intentado abrirse paso descargándose una y otra vez sin conseguirlo realmente nunca. Unos cuantos minutos de dura cabalgada y podría encontrarse allí.

A un lado de la boca del paso, en la pared de un escarpado risco, habían pulido una franja de unos cien pasos de anchura, y en ella se había tallado una serpiente, desgastada por la erosión del viento, enroscada a un cayado que medía sus buenos trescientos espanes de altura; ya fuera monumento, hito o símbolo de un dirigente, seguramente era obra de alguna nación perdida y databa de tiempos anteriores a Artur Hawkwing o quizás antes incluso de la Guerra de los Trollocs. Ya había visto en otras ocasiones reliquias dejadas por naciones largo tiempo desaparecidas; a menudo ni siquiera Moraine conocía su procedencia.

Al otro lado, a bastante altura, tanto que Rand no estaba seguro de que veía lo que creía, justo debajo de la línea de nieve, había algo aun más extraño. Algo que convertía al otro monumento, con sus miles de años de antigüedad, en una cosa corriente. Rand habría jurado que eran las ruinas de edificios derruidos que brillaban grises contra el fondo más oscuro de la montaña, y, aun más extraño, lo que parecía ser un muelle del mismo material, como para atracar barcos, que se inclinaba sobre la ladera. Si no se lo estaba imaginando, aquello tenía que datar de antes del Desmembramiento. La faz del mundo había sufrido cambios radicales en aquellos años. Esto podría muy bien haber sido el fondo de un océano por aquel entonces. Tendría que preguntarle a Asmodean. Aun en el caso de que hubiera tenido tiempo para ello, dudaba que le apeteciera intentar llegar a aquella altitud para comprobarlo por sí mismo.

Al pie de la enorme serpiente se encontraba Taien, una ciudad amurallada de tamaño moderado, un pálido reflejo de sí misma, de los tiempos en que Cairhien tenía permiso para enviar caravanas a través de la Tierra de los Tres Pliegues y las riquezas habían fluido desde Shara a lo largo de la Ruta de la Seda. Parecía haber pájaros sobrevolando la ciudad y oscuras manchas a intervalos regulares a lo largo de las grises murallas de piedra. Mat se incorporó sobre los estribos de *Puntos,* resguardándose los ojos bajo la ancha ala del sombrero para otear a lo alto, hacia el paso, con el ceño fruncido. El pétreo rostro de Lan permanecía impávido, pero parecía escudriñar el panorama con igual intensidad; una racha de viento, aquí un poco más fresco, sacudió su capa de colores cambiantes a su alrededor y, durante un instante, todo su cuerpo, desde los hombros hasta las botas, pareció confundirse con el fondo rocoso de las colinas y los desperdigados espinos.

—¿Me estás escuchando? —inquirió de repente Moraine, que tiró de las riendas para acercar más a él su yegua blanca—. ¡Tienes que...! —Se interrumpió y aspiró profundamente antes de continuar—. Por favor, Rand. He de explicarte muchas cosas que necesitas saber.

El dejo de súplica que se adivinaba en su tono hizo que Rand volviera la cabeza hacia ella. Todavía recordaba cuando su presencia lo impresionaba. Ahora parecía muy pequeña, a pesar de sus aires regios. Qué tontería que se sintiera protector con ella.

—Disponemos todavía de mucho tiempo, Moraine —respondió con suavidad—. No pretendo saber tanto como tú sobre el mundo, y pienso mantenerte cerca de mí de ahora en adelante. —Apenas si se dio cuenta del gran cambio que esto significaba respecto a cuando era ella quien lo mantenía cerca a él—. Sin embargo, en este momento tengo otra cosa en la cabeza.

—Por supuesto. —Suspiró Moraine—. Como gustes. Todavía tenemos mucho tiempo.

Rand taconeó al semental rodado y lo puso al trote; los demás lo siguieron. También las carretas aceleraron la marcha, bien que no pudieron mantener el paso por la inclinación de la pendiente. La capa de parches de juglar de Asmodean —de Jasin Natael— ondeó tras él como el estandarte que llevaba apoyado en el estribo; un pendón de color rojo intenso, con el antiguo símbolo blanco y negro de los Aes Sedai en el centro. Su semblante mostraba un gesto malhumorado; no le había gustado tener que ser el portaestandarte. Bajo ese emblema vencería, según la Profecía de Rhuidean, y tal vez no causaría tanto espanto al mundo como el emblema del Dragón, la bandera de Lews Therin, que había dejado ondeando sobre la Ciudadela de Tear. Pocos reconocerían este otro símbolo.

Las manchas en las murallas de Taien eran cadáveres, retorcidos en su agonía final, hinchados por el sol y colgados por el cuello en una fila que parecía rodear la ciudad. Las aves eran brillantes cuervos negros y buitres con la cabeza y el cuello embadurnados. Algunos cuervos estaban posados en los cadáveres, dándose un atracón sin preocuparse por los que se acercaban. El asqueroso olor dulzón a podrido impregnaba el aire, así como el hedor acre de cosas calcinadas. Las puertas reforzadas con bandas de hierro estaban abiertas de par en par y mostraban un amasijo de ruinas, casas de piedra manchadas de hollín y techos hundidos. Aparte de las aves no se movía nada.

«Como en Mar Ruois.» Trató de rechazar aquella idea, pero en su imaginación podía ver la gran urbe después de ser reconquistada, con las inmensas torres ennegrecidas y derrumbándose, los restos de grandes hogueras en cada cruce de calles, donde quienes se habían negado a someterse a la Sombra habían sido atados y arrojados vivos a las llamas. Sabía a quién pertenecía este recuerdo, aunque no lo había discutido con Moraine. «Soy Rand al'Thor. Lews Therin Telamon murió hace tres mil años. ¡Yo soy yo!» Ésa era una batalla que estaba dispuesto a ganar. Si tenía que morir en Shayol Ghul, lo haría como él mismo, no como otro nombre. Se obligó a pensar en otra cosa.

Había transcurrido medio mes desde que habían salido de Rhuidean. Media luna, a pesar de que los Aiel habían impuesto un paso desde el alba hasta el ocaso que cansaba a los caballos. Empero, Couladin ya avanzaba por ese camino una semana antes de que él lo supiera; si no habían conseguido acortar las distancias, dispondría de todo ese tiempo para hacer estragos en Cairhien antes de que Rand pudiera llegar. Y, aun más, antes de que pudieran poner a raya a los Shaido. Era una noción poco grata.

—Hay alguien observándonos desde aquellas rocas de la izquierda —informó Lan sin levantar la voz. El Guardián parecía estar absorto en la contemplación de las ruinas de Taien—. No es Aiel, o en otro caso dudo que hubiera atisbado un centelleo.

Rand se alegró de haber ordenado que Egwene y Aviendha se quedaran con las Sabias. La ciudad le daba una razón más para ello, pero el observador encajaba con su plan original, cuando había confiado en que Taien hubiera escapado de la destrucción. Egwene vestía todavía las ropas Aiel, como Aviendha, y los Aiel no habrían sido muy bienvenidos en Taien. Seguramente ahora lo serían menos aun entre los supervivientes.

Miró hacia atrás, a las carretas que se estaban deteniendo a poca distancia, pendiente abajo. Le llegaban los murmullos de los carreteros, que ahora veían bien la ciudad y las colgaduras que adornaban las murallas. Kadere, que de nuevo había cubierto de blanco su corpachón, se enjugó el rostro aguileño con un pañuelo grande; parecía impertérrito, y se limitaba a fruncir los labios en un gesto pensativo.

Rand supuso que Moraine tendría que buscar nuevos conductores una vez que hubieran cruzado el paso, ya que Kadere y sus hombres seguramente huirían tan pronto como se les presentara la ocasión. Y él los dejaría marchar. No estaba bien —no era justo—, pero debía hacerlo para proteger a Asmodean. ¿Cuánto tiempo llevaba haciendo lo que era necesario en lugar de lo que era correcto? En un mundo justo ambas cosas habrían sido lo mismo. Aquello lo hizo reír; fue una risa ronca y jadeante. Qué lejos estaba del muchacho pueblerino que había sido; no obstante, de vez en cuando ese muchacho se colaba de rondón dentro de él y reaparecía. Los otros lo miraron, y tuvo que reprimir el impulso de decirles que todavía no estaba loco.

Pasaron largos minutos antes de que dos hombres sin chaqueta y una mujer emergieran entre las rocas, los tres vestidos con harapos, sucios y descalzos. Se acercaron vacilantes, las cabezas ladeadas con inquietud; pasaron la mirada de jinete a jinete, de éstos a las carretas y de nuevo hacia los primeros, como si fueran a salir corriendo al primer grito. Las mejillas demacradas y los pasos vacilantes revelaban su hambre.

—Gracias a la Luz —dijo finalmente uno de los hombres. Tenía el cabello canoso y el rostro surcado por profundas arrugas. Ninguno de los tres era joven. Sus ojos se detuvieron unos segundos en Asmodean, que lucía chorreras de encaje en cuello y puños, pero el cabecilla de esa caravana no habría ido montado en una mula ni portado un estandarte. Fue al estribo de Rand al que se aferró con ansiedad—. Gracias le sean dadas a la Luz porque habéis salido vivo de esas tierras terribles, mi señor. —Aquello debía de ser por la chaqueta de seda azul de Rand, con bordados dorados en los hombros, o por el estandarte o simplemente una lisonja. Ciertamente el hombre no tenía razón para tomarlos por algo más que unos mercaderes, aunque fueran demasiado bien vestidos para serlo—. Esos salvajes asesinos se han puesto en pie de guerra otra vez. Es otra Guerra de Aiel. Escalaron la muralla durante la noche antes de que alguien lo advirtiera, mataron a todos los que intentaron defenderse y robaron todo lo que no estaba sujeto con mortero al suelo.

—¿Por la noche? —inquirió inesperadamente Mat. Con el sombrero bien calado sobre los ojos, seguía observando atentamente la ciudad en ruinas—. ¿Estaban dormidos vuestros centinelas? Porque imagino que tendríais centinelas, estando tan cerca de vuestros enemigos, ¿no? Hasta a los Aiel les habría costado mucho caer sobre vosotros si hubierais contado con una buena vigilancia.

Lan le lanzó una mirada evaluadora.

—No, mi señor. —El hombre canoso parpadeó al mirar a Mat, y luego dio la respuesta a Rand. La chaqueta verde de Mat era lo bastante buena para cualquier lord, pero iba desabrochada y tan arrugada como si hubiera dormido con ella—. Nosotros... Sólo teníamos un centinela en cada puerta. Hacía mucho tiempo que no habíamos visto un solo salvaje. Pero esta vez... Todo lo que no robaron, lo incendiaron, y nos expulsaron de la ciudad para que muriéramos de hambre. ¡Sucias bestias! Gracias a la Luz que habéis venido a salvarnos, mi señor, o en caso contrario habríamos muerto todos aquí. Me llamo Tel Nethin y soy... era guarnicionero y hacía unas buenas sillas de montar. Ésta es mi hermana, Aril, y su esposo, Ander Corl. Hace botas estupendas.

—También robaron personas, mi señor —intervino la mujer, con voz enronquecida. Algo más joven que su hermano, quizás hubo un tiempo en que había sido guapa, pero las preocupaciones y la zozobra habían dejado huellas en su rostro que Rand imaginó que ya no desaparecerían. Su marido tenía una expresión perdida en los ojos, como si no supiera muy bien dónde estaba—. Se llevaron a mi hija, milord, y a mi hijo. Se llevaron a todos los jóvenes, de dieciséis años para arriba, y algunos con el doble de edad o más. Dijeron que serían «gasan» o algo así; los dejaron completamente desnudos en mitad de la calle y los sacaron de la ciudad conduciéndolos como ganado. Mi señor, ¿podríais...? —Dejó la frase en el aire y apretó los párpados, tambaleándose cuando la imposibilidad de su esperanza caló en su ofuscada mente. No había muchas probabilidades de que volviera a ver a sus hijos.

Moraine bajó de la yegua al instante y llegó al punto junto a Aril. La harapienta mujer dio un respingo tan pronto como las manos de la Aes Sedai la tocaron y tembló de la cabeza a los pies. Su mirada sorprendida se volvió hacia Moraine, interrogante, pero ésta se limitó a sujetarla como si la estuviera sosteniendo.

El esposo de la mujer se quedó boquiabierto de repente, con los ojos prendidos en la hebilla dorada del cinturón de Rand, el regalo hecho por Aviendha.

—Sus brazos estaban marcados con eso. Igual. Enroscados, como la serpiente del risco.

Tel alzó la vista hacia Rand con inseguridad.

—Se refiere al cabecilla de los salvajes, mi señor. Tenía... marcas como ésa en los brazos. Llevaba las mismas ropas extrañas que todos los otros, pero se había cortado las mangas para asegurarse de que todo el mundo las viera.

—Esto es un regalo que me hicieron en el Yermo —dijo Rand. Tuvo buen cuidado en mantener las manos sobre la perilla de la silla; las mangas de la chaqueta ocultaban sus propios dragones, excepto las cabezas, que serían obvias sobre el envés de sus manos para cualquiera que observara con atención. Aril había olvidado por completo su extrañeza por lo que Moraine había hecho, y los tres parecían estar a punto de salir corriendo—. ¿Cuánto hace que se marcharon?

—Seis días, mi señor —respondió, inquieto, Tel—. Hicieron lo que hicieron en una noche y un día, y después se marcharon. También nosotros nos habríamos ido, pero temíamos toparnos con ellos si regresaban. Seguramente los habrán rechazado en Selean.

Selean era la ciudad situada al otro extremo del paso, y Rand dudaba que estuviera en mejores condiciones que Taien a estas alturas.

—¿Cuántos supervivientes más hay aparte de vosotros tres?

—Puede que un centenar, milord. Tal vez más. Nadie los ha contado.

De repente la ira se apoderó de Rand a pesar de que intentó contenerla.

—¿Un centenar, dices? —Su voz sonó dura y fría—. ¿Y hace seis días? Entonces ¿por qué están vuestros muertos abandonados a las aves carroñeras? ¿Por qué los cadáveres ahorcados siguen decorando las murallas de vuestra ciudad? ¡Ésa es vuestra gente, cuya carne putrefacta impregna vuestras narices con su hedor!

Los tres se apiñaron y retrocedieron, apartándose del caballo.

—Teníamos miedo, mi señor —repuso Tel roncamente—. Se marcharon, pero podían regresar. Y él nos dijo... Me refiero al de las marcas en los brazos. Nos dijo que no tocáramos nada.

—Un mensaje —intervino Ander con voz apagada—. Los fue escogiendo al azar para ahorcarlos, hasta que tuvo suficiente para jalonar toda la muralla, hombres, mujeres, le daba igual. —Sus ojos se quedaron prendidos en la hebilla de Rand—. Dijo que era un mensaje para un hombre que vendría siguiéndolo. Dijo que quería que este hombre supiera... lo que iban a hacer al otro lado de la Columna. Dijo... dijo que le haría algo peor a ese hombre.

Los ojos de Aril se desorbitaron de repente, y los tres miraron de hito en hito a espaldas de Rand antes de gritar y dar media vuelta para salir corriendo. Aiel con los rostros velados salieron de las rocas de donde habían venido, de modo que huyeron hacia el lado contrario. Más Aiel velados aparecieron también allí, y los tres cayeron al suelo, sollozando y aferrándose entre sí mientras los rodeaban. El semblante de Moraine se mantenía impasible y frío, pero en sus ojos no había serenidad.

Rand se giró sobre la silla. Rhuarc y Dhearic subían la empinada ladera mientras se quitaban los velos y desenvolvían los *shoufa* que les ceñían la cabeza. Dhearic era más corpulento que Rhuarc, y tenía una nariz prominente y el cabello rubio, con algunos mechones más claros. Había traído a los Reyn como Rhuarc había dicho que haría.

Timolan y sus Miagoma habían mantenido durante tres días una ruta paralela a la suya, al norte, y habían enviado alguno que otro mensaje con sus corredores, pero sin aclarar cuáles eran sus intenciones. Los Codarra, los Shiande y los Daryne se encontraban todavía en alguna parte, al este; iban en pos de ellos, según habían informado Amys y las otras por las conversaciones mantenidas con sus Sabias en los sueños, aunque avanzaban lentamente. Esas Sabias desconocían las intenciones de sus jefes tanto como Rand desconocía las de Timolan.

—¿Era necesario hacer eso? —inquirió cuando los dos jefes estuvieron junto a su caballo. Él los había asustado antes, pero por una razón, y no les había hecho pensar que iban a morir.

Rhuarc se limitó a encogerse de hombros.

—Situamos las lanzas en posición alrededor de este dominio sin ser vistos, como querías —adujo Dhearic—, y no parecía que hubiera motivo para esperar, ya que no quedaba nadie con quien danzar las lanzas. Además, no son más que Asesinos del Árbol.

Rand aspiró hondo. Sabía desde el principio que, a su modo, éste podría ser un problema tan grande como Couladin. Casi quinientos años atrás, los Aiel habían regalado un arbolillo a Cairhien, un vástago de *Avendesora*, y, con él, el derecho de comerciar con Shara a través de la Tierra de los Tres Pliegues, un derecho que no se había otorgado a ninguna otra nación. No habían dado razón para hacerlo —en el mejor de los casos, los Aiel no sentían simpatía por los hombres de las tierras húmedas—, pero se habían visto obligados por el *ji'e'toh*. Durante los largos años de éxodo que los habían llevado al Yermo, sólo un pueblo no los había atacado, sólo uno les había permitido aprovisionarse de agua sin oposición cuando el mundo padeció la gran sequía. Y, finalmente, habían encontrado a los descendientes de ese pueblo: los cairhieninos.

Durante quinientos años las riquezas habían fluido a Cairhien con la seda y el marfil. Quinientos años en los que *Avendoraldera* creció en Cairhien. Y entonces el rey Laman había hecho talar el árbol para construirse un trono. Las naciones sabían por qué los Aiel habían cruzado la Columna Vertebral del Mundo veinte años atrás —el Pecado de Laman, lo llamaban, y la Arrogancia de Laman—, pero pocos sabían que para los Aiel no había sido una guerra. Habían ido cuatro clanes para buscar al quebrantador de juramentos, y, una vez que lo hubieron matado, regresaron a la Tierra de los Tres Pliegues. Pero su desprecio por los Asesinos del Árbol, los quebrantadores de juramentos, jamás se había borrado. El hecho de que Moraine fuera Aes Sedai compensaba el que fuera cairhienina, pero Rand no sabía hasta qué punto.

—Estas personas no quebrantaron ningún juramento —les dijo—. Encontrad a los demás; según el guarnicionero hay alrededor de un centenar. Y sed amables con ellos. Si alguno estaba observando, probablemente a estas alturas huyen a todo correr hacia las montañas. —Los dos jefes Aiel empezaron a dar media vuelta para cumplir las órdenes, pero Rand los detuvo—. ¿Habéis oído lo que me contaron? ¿Qué opináis de lo que Couladin hizo aquí?

—Mataron a más de los necesarios —contestó Dhearic mientras sacudía la cabeza con desaprobación—. Como hurones negros cayendo sobre los nidos de gallinas de roca. —Matar era tan fácil como morir, decían los Aiel; cualquier necio podía hacer lo uno o lo otro.

—¿Y lo demás? Lo de tomar prisioneros. Los *gai'shain.*

Rhuarc y Dhearic intercambiaron una mirada, y este último apretó los labios. Era obvio que lo habían oído, y que les incomodaba. Hacía falta mucho para conseguir que un Aiel se sintiera incómodo.

—Eso es imposible —dijo por último Rhuarc—. Si lo es... Los *gai'shain* son cosa del *ji'e'toh.* Nadie que no siga el *ji'e'toh* puede ser hecho *gai'shain* o, en caso contrario, no es más que un animal humano, como los que tienen los sharaníes.

—Couladin ha abandonado el *ji'e'toh.* —Dhearic habló como si estuviera diciendo que a las piedras les habían crecido alas.

Mat condujo a *Puntos* más cerca del grupo, dirigiéndolo con las rodillas. Nunca había sido más que un jinete pasable, pero a veces, cuando estaba pensando en otra cosa, cabalgaba como si hubiera nacido sobre la grupa de un caballo.

—¿Y eso te sorprende? —dijo—. ¿Después de todo lo que ha hecho ya? Ese hombre sería capaz de hacer trampas con los dados incluso jugando con su propia madre.

Le lanzaron unas miradas impasibles, los azules ojos cual frías lascas de acero. En muchos sentidos, los Aiel eran *ji'e'toh*; y, fuera lo que fuera Couladin, a sus ojos continuaba siendo un Aiel. Septiar antes que clan; clan, antes que forasteros; pero Aiel antes que hombres de tierras húmedas.

Algunas de las Doncellas se les unieron: Enaila, Jolien, Adelin y la nervuda y canosa Sulin, que había sido elegida señora del techo del Techo de las Doncellas en Rhuidean. Les había dicho a las Doncellas que se quedaron allí que escogieran a otra, y ahora dirigía a las Doncellas aquí. Al percibir el ambiente tenso no dijeron nada y se limitaron a apoyar las lanzas en el suelo, pacientemente. Cuando un Aiel quería, podía hacer que las piedras parecieran impetuosas.

—Si Couladin espera que lo sigas —rompió el silencio Lan—, podría haber dejado alguna sorpresa en el paso. Un centenar de hombres no tendría problema para contener a un ejército en una de las angosturas de la garganta. Y un millar...

—Entonces, acampemos aquí esta noche —dijo Rand—, y enviaremos exploradores por delante para asegurarnos de que el camino está expedito. *¿Duadhe Mahdi'in?*

—Buscadores de Agua —asintió, complacido Dhearic. Había pertenecido a esa asociación antes de convertirse en jefe.

Sulin y las otras Doncellas asestaron a Rand unas frías miradas mientras el jefe Reyn se alejaba ladera abajo. Durante los últimos tres días había escogido exploradores de otras asociaciones, cuando empezó a temer lo que podría encontrar allí, y tenía la sensación de que las mujeres sabían que no se estaba limitando a dar el turno a los otros. Procuró hacer caso omiso de las miradas. La de Sulin resultaba especialmente difícil; esa mujer habría podido hincar clavos con aquellos ojos suyos, azul pálido.

—Rhuarc, una vez que se haya localizado a los supervivientes, ocúpate de que se les dé de comer. Y que se los trate bien. Se vendrán con nosotros. —Su mirada fue atraída hacia las altas murallas de la ciudad. Algunos Aiel estaban utilizando los curvados arcos de hueso para abatir cuervos. A veces, los Engendros de la Sombra utilizaban a estas aves y a otros animales carroñeros como espías; los Ojos de la Sombra, los llamaban los Aiel. Estos no interrumpían su frenético festín hasta que caían atravesados por una flecha, pero un hombre avisado no corría riesgos con cuervos o ratas—. Y encárgate de que se entierre a los muertos.

En eso, al menos, lo justo y lo necesario eran una misma cosa.

21

Una espada de regalo

El campamento empezó a levantarse rápidamente junto a la boca del paso de Jangai, aunque apartado de Taien y extendido sobre las estribaciones que rodeaban el arranque de la garganta, entre los dispersos espinos, e incluso en las laderas de las montañas. No era mucho lo que se distinguía excepto lo que estaba dentro del paso; las tiendas Aiel se confundían tan perfectamente con el pedregoso terreno que uno podía pasarlas por alto aun en el caso de que supiera lo que se buscaba y dónde buscarlo. En las estribaciones los Aiel acamparon por clanes, pero los instalados en el paso propiamente dicho se agruparon por asociaciones. En su mayoría eran Doncellas, pero las asociaciones de los hombres también enviaron a sus representantes, unos cincuenta de cada una, de modo que las tiendas se extendieron muy por encima de las ruinas de Taien, en campamentos ligeramente separados. Todo el mundo comprendía, o creía comprender, que las Doncellas guardaban el honor de Rand, pero todas las asociaciones querían custodiar al *Car'a'carn*.

Moraine —y, naturalmente, Lan— fueron a encargarse de la ubicación de las carretas de Kadere, justo al pie de la ciudad; la Aes Sedai hacía tantos aspavientos con respecto a lo que transportaban esos vehícu-

357

los como con Rand. Los carreteros rezongaron y maldijeron por el mal olor que llegaba de la ciudad y evitaron mirar mientras los Aiel cortaban las cuerdas para bajar los cadáveres de la muralla, pero después de los meses que llevaban en el Yermo parecía gustarles estar cerca de unas desoladas ruinas de lo que entendían como civilización.

Los *gai'shain* levantaron las tiendas de las Sabias —las de Amys, Bair y Melaine— al pie de la ciudad, a caballo del borroso sendero que ascendía desde las estribaciones. Rand estaba convencido de que argumentarían que habían elegido el punto adecuado para estar tanto a su disposición como a la de las incontables docenas de Sabias de abajo, pero no creía que fuera coincidencia el hecho de que cualquiera que subiera desde las estribaciones hacia donde estaba él antes tendría que atravesar o rodear su campamento. No lo sorprendió ver a Melaine dirigiendo a las figuras vestidas de blanco. Hacía sólo tres noches que se había casado con Bael en una ceremonia que la convirtió en su esposa y en hermana conyugal de su otra mujer, Dorindha. Esta parte había sido tan importante como la del matrimonio, aparentemente; Aviendha se había mostrado escandalizada por la sorpresa de él, o puede que furiosa.

Cuando Egwene llegó con Aviendha montada a la grupa de la yegua gris, con las amplias faldas remangadas hasta las rodillas y luciendo ambas un brazalete de marfil y un collar, parecían casi la copia una de la otra a pesar de la diferencia de colores y el hecho de que Aviendha era lo bastante alta para mirar por encima del hombro de Egwene sin tener que estirarse.

El trabajo de retirar los cadáveres ahorcados apenas había empezado. La mayoría de los cuervos estaban muertos, apilados en montones de negras plumas que alfombraban el suelo, y el resto había huido, pero los buitres, demasiado pesados por el banquete para levantar el vuelo, se movían a torpes saltos entre las cenizas, detrás de las murallas.

Rand habría querido que hubiera habido algún modo de evitar a las dos mujeres ver el desagradable espectáculo pero, para su sorpresa, ninguna de las dos dio muestras de sentirse enferma y de tener que alejarse para vomitar. Bueno, realmente no había esperado algo así de Aviendha; la joven había visto muertos muy a menudo e incluso había dado muerte, y su semblante permaneció impasible. Pero lo que Rand no esperaba era la profunda piedad con que lo miró Egwene al fijarse en los hinchados cadáveres que estaban bajando de la muralla.

Condujo a *Niebla* junto a *Jeade'en* y luego se inclinó para ponerle una mano sobre el brazo.

—Lo lamento mucho, Rand. No había modo de que impidieras esto.

—Lo sé —respondió.

Ni siquiera sabía que existiera una ciudad allí hasta que Rhuarc lo había mencionado por casualidad cinco días antes —todas sus reuniones con los jefes habían tenido como tema la forma de poder cubrir más distancia en un día y sobre lo que haría Couladin cuando cruzara el Jangai—, y para entonces los Shaido habían llevado a cabo la matanza y se habían marchado. Se había tenido que conformar con maldecirse por su necedad.

—Bien, pero recuérdalo. No fue culpa tuya. —Taconeó a *Niebla* y empezó a hablar con Aviendha antes de estar lo bastante lejos para que Rand no la oyera—. Me alegro de que se lo esté tomando tan bien. Tiene la costumbre de sentirse culpable por cosas que escapan a su control.

—Los hombres siempre creen que tiene bajo su control todo cuanto hay a su alrededor —contestó Aviendha—. Cuando descubren que no es así, piensan que han fracasado, en lugar de aprender una simple verdad que las mujeres saben ya.

Egwene soltó una risita divertida.

—Ésa es la pura verdad. Cuando vi a esa pobre gente, creí que lo encontraríamos vomitando en algún rincón.

—¿Tan poco aguante tiene? Yo...

Sus voces dejaron de oírse al alejarse la yegua. Rand se sentó muy erguido en la silla, colorado hasta la raíz del cabello. Mira que intentar escuchar su conversación a escondidas... Se estaba comportando como un idiota. A pesar de todo, no pudo evitar mirarlas con el ceño fruncido. Sólo se culpaba de lo que era responsable, aunque fuera para sus adentros. Sólo por cosas que podría haber intentado remediar. Y que debería haber tratado de evitar. No le gustaba que hablaran de él; a su espalda o delante de sus narices. Sólo la Luz sabía lo que estarían diciendo.

Desmontó y, conduciendo a *Jeade'en* por las riendas, fue a buscar a Asmodean, que parecía haberse marchado. Después de tantos días en la silla de montar resultaba agradable caminar. A lo largo del paso empezaban a levantarse varios grupos de tiendas; las faldas de las montañas y los riscos constituían una formidable barrera, pero aun así los Aiel se instalaban como si esperaran un ataque. Había intentado caminar con ellos, pero medio día fue suficiente para que regresara a su caballo. Ya resultaba bastante arduo mantener la marcha yendo montado; cuando apretaban el paso podían agotar a los animales.

También Mat había desmontado y estaba en cuclillas, con las riendas en una mano y aquella extraña lanza de mango negro sobre las rodillas, escudriñando las puertas abiertas de la muralla, examinando la ciudad y mascullando entre dientes mientras *Puntos* intentaba ramonear un arbusto espinoso. Mat estaba estudiando la situación, no mirando simplemente. ¿De dónde había sacado aquel comentario sobre los centinelas? Ahora Mat decía cosas raras de vez en cuando, desde la primera visita a Rhuidean. Rand habría querido que su amigo estuviera dispuesto a hablar de lo ocurrido allí, pero seguía negando que hubiera pasado nada, a pesar del medallón con la cabeza de zorro, la lanza y esa cicatriz alrededor de su garganta. Melindhra, la Doncella Shaido con la que Mat mantenía una relación, estaba un poco apartada a un lado, observándolo, hasta que Sulin se le acercó y la ahuyentó con algún encargo. Rand se preguntó si Mat sabía que las Doncellas estaban haciendo apuestas sobre si Melindhra renunciaría a la lanza por él. Y también sobre si le enseñaría a cantar, aunque, cuando Rand les preguntaba qué significaba eso, la única contestación que recibía eran sus risas.

El sonido de la música lo condujo hasta Asmodean, que se encontraba sentado en un afloramiento de granito, con el arpa sobre la rodilla. El estandarte carmesí estaba clavado en el rocoso suelo, y la mula atada a él.

—¿Ves, mi señor Dragón? —dijo con sarcasmo—. Tu portaestandarte cumple fielmente sus obligaciones. —Su voz y su expresión habían cambiado—. Si tienes que llevar esta cosa, ¿por qué no le encargas a Mat que cargue con ella o a Lan? O, puesto ya, a Moraine. Debería estar contenta de portar tu estandarte y limpiar tus botas. Ten cuidado con ella. Es taimada. Cuando una mujer dice que te obedecerá por propia voluntad, es hora de que duermas con un ojo abierto y guardándote la espalda.

—Lo llevas tú porque eres el «elegido», maese Jasin Natael. —Asmodean dio un respingo y miró en derredor, aunque todos los demás estaban demasiado lejos, y demasiado ocupados, para escucharlos. De todos modos, nadie, salvo ellos dos, habría entendido la indirecta—. ¿Qué sabes sobre las ruinas que hay cerca de la línea de nieve? Deben de datar de la Era de Leyenda.

Asmodean no se molestó en mirar a lo alto de la montaña.

—Este mundo es muy distinto del mundo en el que me... quedé dormido. —Parecía cansado y se sacudió con un ligero estremecimiento—. Lo que sé respecto a lo que hay ahí arriba lo he descubierto desde que desperté. —Las cuerdas del arpa desgranaron las fúnebres notas de *La marcha de la Muerte*—. Eso podría ser lo que queda de la ciudad en la que nací, que yo sepa. Shorelle era una ciudad portuaria.

Quedaba al menos una hora para que la Columna Vertebral del Mundo ocultara al sol; tan cerca de la alta cadena montañosa, la noche caía enseguida.

—Estoy demasiado cansado para mantener esta noche una de nuestras conversaciones. —Así era como llamaban en público a las clases de

Asmodean, incluso cuando no había nadie cerca. Junto con las prácticas realizadas con Lan o Rhuarc, esas lecciones casi no le habían dejado tiempo para dormir desde que habían partido de Rhuidean—. Retírate a tu tienda cuando te apetezca. Te veré por la mañana... con el estandarte. —No había nadie más para llevar la maldita bandera. Quizás encontraría a alguien en Cairhien.

Mientras se volvía para marcharse, Asmodean tocó unas notas discordantes.

—¿Nada de redes ardientes alrededor de mi tienda esta noche? ¿Por fin empiezas a confiar en mí? —preguntó.

Rand miró por encima del hombro.

—Confío en ti como en un hermano. Hasta el día en que me traiciones. Te doy un voto de confianza, una libertad condicional, a cambio de tus enseñanzas, y es más de lo que mereces, pero el día que te vuelvas contra mí, romperé el compromiso y lo enterraré contigo. —Asmodean abrió la boca, pero Rand lo atajó—: Soy yo el que te está hablando, Natael. Rand al'Thor. Y a los de Dos Ríos no nos gusta la gente que intenta clavarte un puñal por la espalda.

Malhumorado, tiró de las riendas del rodado y se alejó antes de que el otro hombre tuviera ocasión de decir nada. No sabía a ciencia cierta si Asmodean tenía alguna sospecha de que un hombre muerto intentaba dominarlo, usurpar su personalidad, pero no estaba dispuesto a darle pistas al hombre. Asmodean ya debía de estar convencido de que era una causa perdida; si empezaba a sospechar que no tenía pleno control sobre su mente, que a lo mejor se estaba volviendo loco, el Renegado lo abandonaría en un abrir y cerrar de ojos, y todavía le quedaba mucho que aprender.

Unos *gai'shain* de blancas túnicas estaban levantando su tienda bajo la dirección de Aviendha, pasada la boca de la garganta, con aquella enorme serpiente esculpida elevándose en el risco. Los *gai'shain* tenían sus propias tiendas, pero serían las últimas en instalarse, por supuesto. Adelin y unas diez o doce Doncellas se encontraban en cuclillas a poca distancia, vigilantes, aguardando para velar su sueño. A pesar de tener a un millar de Doncellas acampadas a su alrededor cada noche, seguían haciendo guardia junto a su tienda.

Antes de acercarse, buscó el contacto con el *Saidin* a través del *angreal* que llevaba en la chaqueta, aunque en realidad no le hacía falta rozar la talla del gordo hombrecillo con la espada. La infección y la dulzura lo inundaron a partes iguales, un tumultuoso río de fuego, una arrolladora avalancha de hielo. Encauzó como lo había hecho todas las noches desde que habían salido de Rhuidean y colocó salvaguardas alrededor de todo el campamento, no sólo las tiendas que estaban en el paso, sino también todas las repartidas por las estribaciones, más abajo, y en las laderas de las montañas. Necesitaba el *angreal* para poner salvaguardas tan grandes, pero sólo un mínimo. Antes había pensado que era fuerte, pero las enseñanzas de Asmodean lo estaban haciendo más poderoso. Cualquier persona o animal que cruzara la línea de aquella salvaguarda no notaría nada, pero si algún Engendro de la Sombra la tocaba dispararía una alarma que oiría todo el mundo. Si hubiera tomado esta precaución en Rhuidean, los Sabuesos del Oscuro jamás habrían podido entrar sin que él lo supiera.

Los propios Aiel tendrían que vigilar la aproximación de enemigos humanos. Las salvaguardas eran una compleja urdimbre de flujos, aunque tenue, y si se intentaba que hicieran más de una cosa a la vez se corría el riesgo de que se rompieran y quedaran inutilizadas. Podría haber creado ésta para que matara Engendros de la Sombra en lugar de dar la alarma, pero habría sido como la luz de un faro para cualquier Renegado varón que estuviera buscando, y también para los Myrddraal. No había necesidad de atraer sobre sí a sus enemigos cuando cabía la posibilidad de que no supieran dónde se encontraba. En cambio, ésta no la percibiría ni siquiera un Renegado hasta que estuviera cerca, y un Myrddraal, cuando fuera demasiado tarde.

Cortar el contacto con el *Saidin* precisaba de todo un ejercicio de autocontrol por su parte, a pesar de la repulsiva infección, a pesar del modo en que el Poder trataba de arrastrarlo como la arena del lecho de un río, de abrasarlo, de destruirlo. Flotó en la vasta vacuidad del vacío, si bien podía percibir el leve movimiento del aire contra cada pelo de su cabeza, ver el ondear de las túnicas de los *gai'shain,* oler la cálida fragancia de Aviendha. Quería más. Pero también podía oler las cenizas de Taien, los muertos incinerados, la putrefacción de los que no habían ardido todavía, incluso los que estaba ya enterrados, mezclándose con la seca tierra de sus fosas. Eso lo ayudó. Durante unos minutos, después de que el *Saidin* hubiera desaparecido, se limitó a hacer profundas inhalaciones del caliente y seco aire; comparado con lo anterior, el efluvio a muerte parecía no existir, y el propio aire resultaba puro y maravilloso.

—Mira lo que teníamos justo delante de nosotros —dijo Aviendha mientras Rand entregaba las riendas de *Jeade'en* a una *gai'shain* de rostro sumiso para que se lo llevara. Levantó una serpiente marrón, muerta, tan gruesa como su antebrazo y de más de tres pasos de longitud. La cobra sanguina se llamaba así por el efecto de su mordedura, que convertía la sangre en una espesa gelatina en cuestión de minutos. A menos que Rand se equivocara en su apreciación, la limpia herida que tenía en la base del cráneo era obra del cuchillo de Aviendha. Adelin y otras Doncellas hicieron un gesto aprobador.

—¿Se te ha pasado siquiera por la cabeza que podría haberte mordido? —la reprendió él—. ¿No se te ha ocurrido utilizar el Poder en lugar de usar un jodido cuchillo? ¿Por qué no la besaste antes? Debías de estar lo bastante cerca de ella para poder hacerlo.

La joven se incorporó y sus grandes ojos verdes tendrían que haber adelantado el frío gélido de la noche.

—Las Sabias dicen que no es bueno usar el Poder con excesiva frecuencia. —Las secas palabras eran tan frías como sus ojos—. Afirman que es posible absorber demasiado y autolesionarse. —Frunció levemente el ceño y añadió, más para sí misma que para él—: Aunque nunca he tomado más que un mínimo de todo lo que puedo coger. Estoy segura.

Rand sacudió la cabeza y se metió en su tienda. Esta mujer no atendía a razones.

No bien acabada de acomodarse sobre un cojín de seda, cerca de la lumbre todavía apagada, cuando la joven entró también. Sin la cobra sanguina, gracias le fueran dadas a la Luz, pero sí que llevaba algo largo, envuelto en una gruesa manta de lana de rayas grises.

—Estabas preocupado por mí —dijo con voz inexpresiva, tanto como su rostro.

—Por supuesto que no —mintió. «Muchacha necia. Conseguirá que algo la mate sólo porque no tiene el sentido común de ser precavida cuando hace falta»—. Me habría preocupado igual por cualquiera. No me gustaría que una cobra sanguina mordiera a nadie.

Ella lo observó un momento, con incredulidad, pero después hizo un brusco asentimiento con la cabeza.

—Bien. No admitiría que me trates con presunción. —Soltó el envoltorio a los pies de él y se sentó sobre los talones, al otro lado del agujero de la lumbre—. Como no quisiste aceptar la hebilla para cancelar la deuda que había entre nosotros...

—Aviendha, no hay ninguna deuda. —Creía que ya había olvidado aquel asunto, pero la joven continuó como si no la hubiera interrumpido.

—... quizás esto sí la cancele.

Rand suspiró, resignado, y cogió el bulto de la manta de rayas —con precaución, ya que Aviendha lo había sostenido con mayor cautela que a la cobra; a ésta la había sujetado como si fuera un trapo viejo—, lo desenvolvió y se quedó boquiabierto. Lo que había dentro era una espada, cuya vaina iba tan repleta de rubíes y gotas de luna engarzados que apenas se veía el oro, excepto donde un radiante sol había sido incrustado. La empuñadura de marfil, lo bastante larga para asirla con las dos manos, llevaba otro sol naciente de oro; el pomo estaba cuajado de rubíes y gotas de luna, y también en la cruceta de la guarda. Esta arma no se había hecho para utilizarla, sino para lucirla. Para atraer las miradas.

—Esto tiene que haber costado... Aviendha ¿cómo has podido pagarla?

—No costó mucho —respondió, tan a la defensiva que fue tanto como añadir que estaba mintiendo.

—Una espada. ¿Cómo has conseguido una espada? ¿Cómo la ha conseguido ningún Aiel? No me digas que Kadere llevaba esto escondido en las carretas.

—La he llevado en la manta. —Su tono era aun más quisquilloso ahora que cuando lo del precio—. Hasta Bair me dijo que serviría, siempre y cuando no la tocara. —Se encogió de hombros con desasosiego, colocando y ajustando el chal una y otra vez—. Era la espada del Asesino del Árbol, de Laman. Se le cogió a su cadáver como prueba de que estaba muerto, ya que su cabeza no habría aguantado un viaje tan largo. Desde entonces ha pasado de mano en mano, muchachos jóvenes y estúpidas Doncellas que querían poseer la prueba de su muerte. Sólo que todos acababan por pensar qué era realmente y enseguida la vendían a otro tonto. El precio ha bajado mucho desde que se vendió por primera vez. Ningún Aiel la tocaría ni siquiera para remover las piedras.

—Bueno, es muy hermosa —dijo con todo el tacto de que fue capaz. Sólo un bufón se colgaría a la cadera algo tan ostentoso. Además, esa empuñadura de marfil resbalaría en la mano con un poco de sudor o de sangre—. Pero no puedo permitir que... —Dejó la frase en el aire mientras desenvainaba varias pulgadas de la hoja, a fuerza de costumbre, para examinar el filo. Grabada en el brillante acero había una garza, el símbolo de un maestro de esgrima. Él había llevado una espada marcada igual. De repente estuvo dispuesto a apostar que esta hoja, al igual que la de la lanza de Mat, marcada con los cuervos, era un metal creado con el Poder que jamás se rompería ni necesitaría que lo afilaran. La mayoría de las armas creadas por maestros espaderos eran sólo copias de ésas. Lan podría decírselo con seguridad, pero para sus adentros ya estaba convencido de que era una de ellas.

Sacó la vaina y se inclinó sobre el agujero de la lumbre para ponerla delante de la joven.

—Aceptaré la hoja para cancelar la deuda, Aviendha. —Era larga, ligeramente curva y con un solo filo—. Sólo la hoja. Tú puedes quedarte con la vaina y también con la empuñadura. —Podría encargar otra empuñadura y una funda nueva en Cairhien. Quizás entre los supervivientes de Taien había un buen espadero.

Los ojos desorbitados de la joven Aiel fueron de la vaina a él y de nuevo a la funda; estaba boquiabierta, estupefacta por primera vez, que Rand recordara.

—Pero estas gemas tienen mucho valor, mucho más de lo que... Intentas que vuelva a estar en deuda contigo, Rand al'Thor.

—En absoluto. —Si esta cuchilla había permanecido en su vaina sin que nadie la tocara ni la puliera durante más de veinte años, entonces tenía que ser lo que imaginaba—. En ningún momento he aceptado la funda, de modo que te ha pertenecido desde el principio. —Arrojó al aire uno de los cojines de seda y ejecutó una versión en posición sentada de la maniobra llamada *La brisa levantándose*; cayó una lluvia de plumas cuando el arma cercenó el cojín limpiamente—. Y tampoco acepté la empuñadura, así que también es tuya. Si has sacado provecho, se debe sólo a ti.

En lugar de mostrarse satisfecha por su buena fortuna —Rand sospechaba que había dado cuanto poseía para pagar la espada y que seguramente recuperaría lo pagado multiplicado por cien o más sólo con la vaina—, en lugar de estar contenta o darle las gracias, le asestó una mirada furibunda a través de la lluvia de plumas, tan indignada como una ama de casa de Dos Ríos al ver el suelo lleno de porquería. Con gesto estirado dio unas palmadas y de inmediato apareció una de las *gai'shain*, que al punto se puso de rodillas y empezó a limpiar el desorden.

—Es mi tienda —adujo él intencionadamente. Aviendha resopló en una perfecta imitación de Egwene. Definitivamente, estas dos mujeres estaban pasando juntas demasiado tiempo.

La cena, que le llevaron cuando ya era noche cerrada, consistía en el habitual pan aplastado y pálido, y un sabroso estofado de pimientos secos y judías con trozos de carne casi blanca. Se limitó a sonreírle cuando ella le dijo que era la cobra sanguina; había comido serpiente y cosas peores desde que estaba en el Yermo. El *gara* era lo peor en su opinión, y no por el sabor, que se parecía al del pollo, sino por ser un lagarto y, además, venenoso. En ocasiones tenía la impresión de que había más cosas venenosas —serpientes, lagartos, arañas, plantas— en el Yermo que en todo el mundo en conjunto.

Aviendha pareció decepcionarse al ver que no escupía el estofado con asco, aunque a veces resultaba difícil estar seguro de lo que pensaba o sentía. En ocasiones parecía disfrutar mucho mortificándolo. Si hubiera estado intentando hacerse pasar por Aiel, habríase dicho que ella trataba de demostrar que no lo era.

Cansado y deseoso de dormir, sólo se quitó la chaqueta y las botas antes de meterse entre las mantas, de espaldas a Aviendha. Los hombres y las mujeres Aiel podrían tomar baños de vapor juntos; pero, tras una corta estancia en Shienar, donde hacían algo muy parecido, se había convencido de que él no estaba hecho para ese tipo de cosas; no sin cogerse tal sofoco que casi se moría. Procuró no escuchar los ruidos que hacía la joven mientras se desnudaba debajo de sus propias mantas. Al menos mantenía cierto recato, pero de todos modos él siguió dándole la espalda, por si acaso.

La joven afirmaba que se suponía que tenía que dormir allí para proseguir con las lecciones sobre las costumbres Aiel, puesto que ahora pasaba la mayor parte del día con los jefes. Los dos sabían que era mentira, aunque Rand era incapaz de imaginar qué esperaban descubrir las Sabias con esta artimaña. Aviendha soltó algunos quedos gruñidos mientras tiraba de alguna prenda y rezongó entre dientes.

Para tapar esos ruidos y dejar de imaginar a qué se deberían, comentó:

—La boda de Melaine fue impresionante. ¿De verdad Bael no sabía nada de ello hasta que Melaine y Dorindha se lo dijeron?

—Pues claro que no —repuso ella con desdén. Hizo una pausa para, a entender de Rand, quitarse una de las medias—. ¿Por qué iba a saberlo antes de que Melaine pusiera a sus pies la guirnalda de esponsales y se lo pidiera? —De repente se echó a reír—. Melaine casi se volvió loca y volvió loca a Dorindha para encontrar flores de *segade* para la guirnalda. Apenas crecen estando tan cerca de la Pared del Dragón.

—¿Tienen algún significado especial? Me refiero a las flores de *segade*. —Eran ésas las que él le había mandado sin que la joven se diera por enterada.

—Que su forma de ser es igual de espinosa y que se propone seguir igual. —Hubo otra pausa, rota por rezongos—. Si hubiera utilizado hojas y flores de orozuz significaría que su carácter es dulce. La malva, que sería sumisa, y... Es una lista muy larga. Tardaría varios días en enseñarte todas las combinaciones y a ti no te hace falta saberlas. No tendrás una esposa Aiel. Le perteneces a Elayne.

Estuvo a punto de mirar hacia atrás cuando dijo la palabra «sumisa». No concebía un término que estuviera más lejos de describir a cualquier mujer Aiel. «Seguramente significa que antes de apuñalarte te lo advierte.»

Entre las últimas palabras de la joven se habían intercalado algunos ruidos apagados, y Rand comprendió que se estaba sacando la blusa por la cabeza. Deseó que las lámparas estuvieran apagadas. No, eso lo habría hecho aun peor. Tenía que poner fin a esta situación absurda. De ahora en adelante Aviendha iba a dormir con las Sabias, donde debía estar; aprendería lo que ella pudiera enseñarle cuando tuviera tiempo u ocasión. Eran ya quince las noches que pensaba exactamente lo mismo.

—Esa parte del final —dijo, para ahuyentar imágenes de la cabeza—, después de que pronunciaron los votos.

Tan pronto como media docena de Sabias dieron sus bendiciones, un centenar de parientes de Melaine se había apresurado a rodearla, todos llevando las lanzas. Cien parientes de Bael habían corrido hacia él, y Bael tuvo que abrirse paso a la fuerza para llegar hasta ella. Nadie iba velado, por supuesto, ya que era parte de la costumbre, pero aun así se había derramado sangre en ambos bandos.

—Unos minutos antes —prosiguió Rand—, Melaine juraba que lo amaba; pero, cuando Bael llegó junto a ella, se resistió como un gato salvaje acorralado. —Si Dorindha no le hubiera dado un puñetazo en las costillas, Rand dudaba que Bael hubiera sido capaz de cargársela al hombro para llevársela—. Él todavía cojea de la patada que Melaine le atizó y tiene un ojo negro de un puñetazo.

—¿Crees que tendría que haberse mostrado endeble? —inquirió Aviendha con voz soñolienta—. Bael tenía que saber el valor de lo que se llevaba, que ella no era una baratija cualquiera que pudiera guardarse en el bolsillo. —Bostezó, y Rand la oyó arrebujarse mejor entre las mantas.

—¿Qué significa «enseñar a cantar a un hombre»? —Los varones Aiel no cantaban desde que eran lo bastante mayores para empuñar una lanza, excepto los cantos de batalla y los que entonaban por los muertos.

—¿Estás pensando en Mat Cauthon? —Inopinadamente, se echó a reír—. A veces, un hombre renuncia a la lanza por una Doncella.

—Te lo estás inventando. Nunca he oído nada por el estilo.

—Bueno, no es realmente renunciar a la lanza. —Su voz sonaba adormilada—. A veces un hombre desea a una Doncella que no renunciará a la lanza por él, de modo que arregla las cosas para que ella lo tome como *gai'shain*. El que hace eso es un necio, por supuesto. Ninguna Doncella miraría a un *gai'shain* del modo que él querría. Se lo obliga a trabajar duro y a mantenerse estrictamente en su sitio, y lo primero que se hace es enseñarle a cantar para que entretenga a las hermanas de lanza mientras comen. «Va a enseñarle a cantar» es lo que dicen las Doncellas cuando algún hombre se pone en ridículo por una de sus hermanas de lanza.

Una gente por demás peculiar, desde luego.

—Aviendha... —Había dicho que no volvería a preguntarle esto. Según Lan era artesanía kandori, un diseño llamado copos de nieve. Se-

guramente procedía de algún botín en una incursión al norte—.
¿Quién te regaló ese collar?

—Una persona amiga, Rand al'Thor. Hoy hemos viajado hasta muy
tarde, y mañana querrás que nos pongamos en marcha temprano. Que
duermas bien y despiertes, Rand al'Thor.

Sólo un Aiel le daría las buenas noches a alguien deseando que no
muriera mientras dormía.

Tras poner la salvaguarda, mucho más pequeña pero también mucho más compleja, en torno a sus sueños, encauzó para apagar las lámparas e intentó dormir. Una persona amiga. Los Reyn procedían del
norte. Pero ya llevaba ese collar en Rhuidean. Bueno ¿y a él qué le importaba? La lenta respiración de Aviendha pareció resonar en sus oídos
hasta que se quedó dormido, y entonces tuvo un sueño confuso en el
que Min y Elayne lo ayudaban a cargarse al hombro a Aviendha, que
sólo llevaba puesto aquel collar, mientras ella le golpeaba la cabeza con
una guirnalda de flores de *segade*.

22

TRINOS DE PÁJAROS NOCTURNOS

Tumbado boca abajo en las mantas, con los ojos cerrados, Mat se regodeaba con el placer de sentir los pulgares de Melindhra descendiendo por su columna vertebral y presionando a intervalos regulares. No había nada mejor que un buen masaje después de un largo día a caballo. Bueno, sí que había cosas mejores, pero en ese mismo momento se conformaba de buena gana con los pulgares de la mujer.

—Tienes una musculatura realmente buena para ser un hombre bajo, Matrim Cauthon.

Él abrió un ojo y la miró por el rabillo, ya que estaba a horcajadas sobre él, a la altura de las caderas. Melindhra había encendido un fuego el doble de grande de lo que hacía falta, y el joven vio las gotitas de sudor corriendo por el cuerpo de la mujer. Su fino cabello dorado, corto a excepción de la cola de caballo que los Aiel llevaban en la nuca, estaba pegado al cráneo.

—Si te parezco demasiado bajo, siempre puedes buscarte a otro.

—No eres demasiado bajo para mi gusto —rió ella mientras le revolvía el cabello, que era más largo que el suyo—. Y eres muy mono. Relájate. Esto no funciona si te pones tenso.

Rezongando, Mat volvió a cerrar los ojos. ¿Muy mono? ¡Luz! Y bajo. Sólo los Aiel podían decir que era bajo. En los demás sitios donde había estado era más alto que la mayoría de los hombres, y bastante. Aún se acordaba de un tiempo, cuando había cabalgado contra Artur Hawkwing, en que era muy alto, más que Rand. Y recordaba haber sido un palmo más bajo de lo que era ahora, cuando luchaba junto a Maecine contra los aelgari. Había hablado con Lan comentando que había oído algunos nombres; el Guardián dijo que Maecine había sido un rey de Eharon, una de las Diez Naciones —todo eso lo sabía ya Mat—, unos cuatrocientos o quinientos años antes de la Guerra de los Trollocs. Lan dudaba que ni siquiera el Ajah Marrón supiera mucho más al respecto; se habían perdido muchos conocimientos durante la Guerra de los Trollocs, y más en la Guerra de los Cien Años. Aquéllos eran los primeros y últimos recuerdos que habían implantado en su cabeza. Nada después de Artur Paendrag Tanreall, y nada antes de Maecine de Eharon.

—¿Tienes frío? —preguntó con incredulidad Melindhra—. Te has estremecido. —Se quitó de encima de él y Mat la oyó echar más broza al fuego; allí había suficientes matorrales para quemar. Le dio un buen palmetazo en las nalgas mientras se ponía de nuevo a horcajadas sobre él y musitaba—: Buenos músculos.

—Si sigues diciendo eso —masculló—, voy a pensar que te propones ensartarme en un espetón para zamparme de cena, como un trolloc. —No es que no disfrutara con la compañía de Melindhra, siempre y cuando no hiciera el comentario de que era más alta que él, pero la situación lo hacía sentirse incómodo.

—Nada de espetones para ti, Matrim Cauthon. —Sus pulgares se hundieron con fuerza en un hombro—. Eso es. Relájate.

Mat suponía que algún día se casaría, que sentaría la cabeza. Era lo que hacía todo el mundo: una mujer, una casa, una familia. Encadenado a un único lugar durante el resto de su vida. «No sé de ninguna esposa a la que le guste que su marido se tome unos tragos o que juegue.» Y eso era lo que los tipos al otro lado del umbral, del *ter'angreal,* habían dicho. Que estaba destinado a casarse con «la Hija de las Nueve Lunas». «Bueno, supongo que un hombre se tiene que casar antes o después.» Pero, desde luego, lo que no pensaba hacer era tomar una esposa Aiel. Quería divertirse con tantas mujeres como pudiera mientras pudiera.

—No estás hecho para un espetón, sino para un gran honor, creo —susurró Melindhra suavemente.

—Eso me parece bien. —Sólo que ahora no conseguía que ninguna otra mujer se fijara en él, ni de las Doncellas ni de las otras. Era como si Melindhra le hubiera colgado un letrero en el que se leyera: «PROPIEDAD

DE MELINDHRA, DE LOS JUMAI SHAIDO». Bueno, eso último no lo habría puesto, no allí. Claro que ¿quién sabía lo que podía hacer un Aiel, sobre todo una Doncella Lancera? Las mujeres no pensaban como los hombres, y las Aiel no pensaban como ninguna otra persona en el mundo.

—Es extraño que te anules así.

—¿Que me anule? —masculló. Era muy agradable el tacto de sus manos; notaba cómo se aflojaba el agarrotamiento en zonas que ni siquiera se había dado cuenta de que tenía contraídas—. ¿Cómo? —Se preguntó si tendría que ver con el collar. Melindhra parecía darle mucha importancia; o dársela a que se lo hubiera regalado. Nunca lo llevaba puesto, naturalmente; las Doncellas no se ponían adornos. Sin embargo, lo llevaba en su bolsita y se lo enseñaba a todas las mujeres que se lo pedían. Un montón, al parecer.

—Te pones a la sombra de Rand al'Thor.

—Yo no estoy a la sombra de nadie —repuso, abstraído. No podía ser el collar. Había regalado joyas a otras mujeres, algunas de ellas Doncellas; le gustaba regalar cosas a las mujeres bonitas, incluso si todo lo que recibía a cambio era una sonrisa. Nunca esperaba más. Si una mujer no disfrutaba con un beso y un arrumaco tanto como él, ¿dónde estaba la gracia?

—No niego que no haya cierto honor en estar a la sombra del *Car'-a'carn*. Para estar cerca de los poderosos, hay que estar a su sombra.

—Sí, a su sombra —convino Mat sin prestar atención. A veces las mujeres aceptaban y a veces no, pero ninguna había decidido que le pertenecía. Eso era lo que realmente lo irritaba. No estaba dispuesto a pertenecerle a ninguna mujer por muy bonita que fuera. Y no importaba lo hábiles que tuviera las manos para aflojar músculos agarrotados.

—Tus cicatrices deberían ser marcas de honor, ganadas en tu propio nombre, como un jefe. —Recorrió con un dedo la señal dejada por la cuerda en su cuello—. ¿Te ganaste ésta sirviendo al *Car'a'carn*?

Se sacudió de encima sus manos y se incorporó sobre los codos para volverse a mirarla.

—¿Estás segura de que no significa nada para ti «Hija de las Nueve Lunas»?

—Ya te he dicho que no. Túmbate.

—Si me mientes, juro que te dejaré marcado el trasero de una azotaina.

Puesta en jarras la mujer lo miró con expresión peligrosa.

—¿Acaso crees que puedes darme... una azotaina, Mat Cauthon?

—Al menos pondré todo mi empeño. —Seguramente ella le hincaría una lanza en las costillas—. ¿Juras que nunca has oído lo de Hija de las Nueve Lunas?

—Jamás —repuso lentamente—. ¿Quién es ella? ¿O qué es ello? Túmbate y deja que te...

De repente sonó el canto de un mirlo, dentro y fuera de la tienda, por todas partes, y al cabo de un momento le siguió el trino de un tordo rojo. Pájaros de Dos Ríos. Rand había escogido las salvaguardas de acuerdo con lo que conocía, unas aves que no existían en el Yermo.

Melindhra se levantó de encima de él al instante, se enrolló el *shoufa* a la cabeza y se veló el rostro mientras recogía las lanzas y la adarga. Salió disparada de la tienda de esa guisa.

—¡Rayos y truenos! —maldijo Mat mientras se esforzaba torpemente por meterse las perneras de los pantalones. Un tordo rojo significaba el sur. Melindhra y él habían instalado su tienda en el extremo meridional, con los Chareen, tan lejos de Rand como podían estar sin salirse del campamento. Pero no pensaba meterse entre esos espinos desnudo, como había hecho Melindhra. El mirlo significaba el norte, donde estaban acampados los Shaarad; venían de dos direcciones al mismo tiempo.

Pateó lo mejor que pudo dentro de la tienda para meterse las botas, y echó una ojeada a la cabeza de zorro que había dejado junto a las mantas. Fuera resonaban gritos, el choque de metal contra metal. Al cabo había deducido que ese medallón impedía de algún modo que Moraine lo curara al primer intento. Mientras estuviera en contacto con él, no lo afectaba el encauzamiento de la Aes Sedai. Nunca había oído que los Engendros de la Sombra pudieran encauzar, pero también había que tener en cuenta al Ajah Negro —es lo que Rand decía, y él lo creía— y también existía la posibilidad de que uno de los Renegados se hubiera decidido finalmente a atacar a Rand. Se metió el cordón de cuero por el cuello, de manera que el medallón quedó colgado sobre su pecho, asió la lanza marcada con los cuervos y finalmente se agachó por la solapa para salir a la fría luz de la luna.

No tuvo tiempo para sentir la gélida temperatura nocturna. Antes de que hubiera salido completamente de la tienda, estuvo en un tris de perder la cabeza bajo la hoja curva, semejante a una guadaña, de la espada de un trolloc. El acero le rozó el cabello en el momento en que se zambullía al suelo; rodó sobre sí mismo y se incorporó velozmente, con la lanza ya preparada para atacar.

A primera vista, y en la oscuridad de la noche, el trolloc podía confundirse con un hombre corpulento, aunque dos o tres palmos más alto que cualquier Aiel, y equipado con una cota negra que llevaba pinchos en los codos y los hombros, así como un yelmo con cuernos de carnero. Sólo que estos cuernos crecían en aquella cabeza, terriblemente humana, salvo por el saliente hocico de carnero.

Con un gruñido que mostraba los dientes, el trolloc se abalanzó sobre él al tiempo que aullaba en un lenguaje tan tosco y áspero que no estaba destinado a ser pronunciado por ninguna boca humana. Mat giró la lanza como si fuera un palo de combate, desviando la cuchilla del trolloc hacia un lado, para acto seguido arremeter con la punta del arma contra el estómago de la bestia; la cota se hendió bajo aquel acero, creado por el Poder, con tanta facilidad como la carne que había debajo. El trolloc de hocico de carnero se dobló a la par que soltaba un seco grito, y Mat sacó su arma de un tirón y se echó hacia un lado para que la bestia no le cayera encima.

Todo en derredor los Aiel combatían, algunos desnudos o medio vestidos, pero todos con el rostro velado, contra trollocs con colmillos de jabalí u hocicos de lobo o picos de águila; algunos tenían las cabezas coronadas con cuernos y con plumas, y blandían tanto aquellas particulares espadas de hoja curvada como tridentes, hachas o lanzas. Aquí y allí alguno utilizaba un gran arco que disparaba flechas arponadas del tamaño de lanzas cortas. También había hombres luchando junto con los trollocs, vestidos con toscas ropas, que gritaban desesperadamente mientras morían entre los espinos.

—¡Sammael!

—¡Sammael y los Aguijones Dorados!

Los Amigos Siniestros morían, la mayoría nada más enfrentarse con un Aiel, pero los trollocs no caían tan fácilmente.

—¡No soy un jodido héroe! —gritó Mat a nadie en particular mientras luchaba contra un trolloc con hocico de oso y peludas orejas, el tercero al que se enfrentaba. La criatura iba armada con un hacha de mango largo rematada en media docena de afilados pinchos en un extremo y con una hoja en el otro lo bastante grande para partir un árbol, y la blandía con sus peludas manazas como si fuera un juguete. Estar cerca de Rand era lo que lo metía en estos líos, cuando lo único que quería de la vida era buen vino, un juego de dados y una o dos chicas guapas—. ¡No quiero mezclarme en esto! —Sobre todo si Sammael estaba por allí—. ¿Me oís?

El trolloc se desplomó con la garganta abierta, y Mat se encontró frente a un Myrddraal que acababa de matar a dos Aiel que lo habían atacado a un tiempo. El Semihombre tenía la apariencia de un hombre, pero con la tez lívida, y llevaba una armadura negra de escamas superpuestas, como las de una serpiente. Y también se movía como si lo fuera, con grácil rapidez, como si no tuviera huesos; la negra capa colgaba de sus hombros inmóvil por muy velozmente que se desplazara. Y no tenía ojos, sólo un trozo de piel en el lugar de las cuencas oculares.

Aquella mirada sin ojos se volvió hacia él, y el joven tembló al calarlo el miedo hasta los huesos. «La mirada del Ser de Cuencas Vacías es el terror», decían los habitantes de las Tierras Fronterizas, donde debían de saberlo bien, e incluso los Aiel admitían que la mirada de un Myrddraal provocaba escalofríos en la médula espinal. Tal era la primera arma del ser. El Semihombre se dirigió hacia él en una ágil carrera.

Con un bramido, Mat corrió a su encuentro al tiempo que giraba la lanza como un bastón de combate y lanzaba arremetidas sin hacer pausa. La criatura blandía una espada tan negra como su capa, un arma que procedía de las forjas de Thakan'dar, y si le abría un corte bien podía darse por muerto si Moraine no aparecía de repente para utilizar la Curación. Existía un único modo de acabar con un Fado: un ataque con la máxima fuerza. Había que superarlo antes de que él lo superara a uno, y pensar en una maniobra defensiva era un buen camino hacia la muerte. Ni siquiera podía perder un instante en echar una ojeada a la violenta batalla que lo rodeaba.

La espada del Myrddraal se movió como la lengua de una serpiente y se descargó como un rayo, pero fue para parar el ataque de Mat. Cuando el acero marcado con los cuervos y forjado por el Poder chocó con el metal de Thakan'dar, se produjo un destello azulado alrededor de los dos combatientes, producto del chisporroteante relámpago.

De pronto, el arma de Mat cortó carne. La negra espada, junto con la pálida mano que la empuñaba, volaron por el aire, y el golpe de revés degolló al Myrddraal, pero Mat no se detuvo. Atravesó el corazón y cortó los tendones de las dos corvas, todo ello en una rápida sucesión. Sólo entonces se apartó de la criatura, que seguía sacudiéndose en el suelo, agitando el brazo indemne así como el muñón del otro mientras de las heridas brotaba una sangre negra como tinta. A los Semihombres les costaba mucho tiempo admitir que estaban muertos; en realidad no morían completamente excepto con el sol poniente.

Mat miró en derredor y se dio cuenta de que el ataque había terminado. Si quedaban Amigos Siniestros o trollocs con vida, habían huido; al menos, no veía a nadie de pie salvo los Aiel. También había Aiel en el suelo. Quitó un pañuelo del cuello del cadáver de un Amigo Siniestro para limpiar la negra sangre del Myrddraal que manchaba la punta de su lanza, ya que corroía el metal si se la dejaba demasiado tiempo.

El ataque de aquella noche no tenía sentido. Por los cuerpos caídos que veía a la luz de la luna, de trollocs y de humanos, ninguno había conseguido pasar de la primera línea de tiendas. Y, si no contaban con un número de fuerzas muy superior, no podían esperar conseguir más.

—¿Qué era lo que gritabas? *Carai* no sé qué. ¿Era la Antigua Lengua?

Se volvió hacia Melindhra. La mujer se había bajado el velo, pero seguía sin llevar otra prenda encima que el *shoufa*. Había más Doncellas por las inmediaciones, y también hombres, llevando lo mismo o poco más que ella y con idéntica despreocupación, aunque la mayoría parecía dirigirse de vuelta a sus tiendas sin demorarse. Desconocían la modestia, eso era lo que pasaba. No tenían ni pizca. Melindhra ni siquiera parecía notar el frío, a pesar de que su respiración se condensaba en vaho ante su boca. Mat estaba tan sudoroso como ella y, al no tener ya la mente completamente volcada en la lucha por la supervivencia, comenzaba a helarse.

—Es algo que oí en una ocasión —respondió—. Me gustó cómo sonaba. —*¡Carai an Caldazar!* Por el honor del Águila Roja. Era el grito de guerra de Manetheren. Casi todos sus recuerdos eran de Manetheren. Algunos de ellos los había tenido antes de cruzar el retorcido marco. Moraine decía que era la antigua sangre que emergía impetuosa. Pues bien, que lo hiciera, siempre y cuando no saliera de sus venas.

La mujer le echó un brazo alrededor de los hombros cuando se dirigieron hacia su tienda.

—Te vi luchar con el Jinete de la Noche, Mat Cauthon. —Aquél era uno de los nombres que los Aiel daban a los Myrddraal—. Eres tan alto como es menester en un hombre.

Él sonrió y le rodeó la cintura con el brazo, pero no conseguía quitarse de la cabeza el ataque. Quería hacerlo —sus pensamientos estaban demasiado enmarañados con los recuerdos prestados— pero le resultaba imposible. ¿Por qué había lanzado alguien un ataque tan absurdo, sin la más remota esperanza de victoria? Sólo un necio atacaría a una fuerza mucho más numerosa sin una razón. Ésa era la idea que no podía quitarse de la cabeza. Nadie atacaba sin un motivo.

Los fuertes trinos despertaron de inmediato a Rand y aferró el *Saidin* mientras retiraba bruscamente las mantas y salía corriendo de la tienda, sin chaqueta y sin botas. La noche era fría, bañada por la luna, y los sonidos apagados de lucha subían de las estribaciones al pie del paso. A su alrededor, los Aiel se movían como hormigas, zambulléndose en la noche hacia aquellos puntos por donde el ataque podía llegar hasta el paso. Las salvaguardas darían de nuevo la alarma —en caso de que los Engendros de la Sombra pisaran el paso sonaría el canto de un pinzón— hasta que él las quitara por la mañana, pero no tenía sentido correr riesgos absurdos.

A poco, la tranquilidad reinaba de nuevo en el paso; los *gai'shain* seguían en sus tiendas, ya que ni en estas circunstancias se les permitía empuñar las armas, mientras que los otros Aiel habían partido hacia los lugares que podían necesitar defensa. Incluso Adelin y las otras Doncellas se habían marchado, como si supieran que él les habría impedido ir si esperaban a que apareciera. Le llegaron los murmullos de las carretas, cerca de las murallas de la ciudad, pero ni los conductores ni Kadere asomaron la nariz; tampoco esperaba que lo hicieran. Los lejanos sonidos de la batalla —gritos de furia, de dolor, de agonía— llegaban de dos direcciones distintas. Ambas transcurrían abajo, muy lejos de él. También había gente alrededor de las tiendas de las Sabias; al parecer, mirando hacia el lugar donde se sostenía la lucha.

Un ataque allí abajo no tenía sentido. No eran los Miagoma, a menos que Timolan hubiera admitido Engendros de la Sombra en su clan, y eso era tan poco probable como que los Capas Blancas reclutaran trollocs. Se volvió hacia su tienda y, a pesar de estar envuelto por el vacío, dio un respingo.

Aviendha había salido a la luz de la luna, envuelta en una manta. Justo detrás de ella había un hombre alto, cubierto con una oscura capa; el juego de luces y sombras del satélite revelaba un semblante demasiado pálido, con ojos excesivamente grandes. Sonó un canturreo y la supuesta capa se abrió, convirtiéndose en unas alas correosas como las de los murciélagos. Como si se moviera en sueños, Aviendha se desplazó hacia el mortal abrazo que la aguardaba.

Rand encauzó y un haz de fuego compacto, del grosor de un dedo, pasó silbando junto a la mujer cual una flecha de luz sólida y fue a hincarse en la cabeza del Draghkar. El efecto de aquel chorro fino fue más lento pero no menos contundente que con los Sabuesos del Oscuro. Los colores de la criatura se invirtieron, de negro a blanco, de blanco a negro, y el engendro se deshizo en motitas brillantes que se disiparon en el aire.

Aviendha se estremeció cuando el canturreo cesó, y miró de hito en hito las partículas que se desvanecían; luego se volvió hacia Rand, arrebujándose más en la manta. Entonces alzó una mano y un chorro de fuego, grueso como su cabeza, salió rugiente hacia él.

Sobresaltado aun encontrándose dentro del vacío, sin que se le pasara siquiera por la cabeza el Poder, Rand se zambulló al suelo, por debajo de las rugientes llamas, que se extinguieron instantáneamente.

—¿Qué haces? —espetó, tan furioso, tan conmocionado, que el vacío se resquebrajó y el contacto con el *Saidin* se cortó. Se incorporó y caminó hacia ella—. ¡Esto supera la mayor ingratitud imaginable! —Iba a sacudirla hasta hacer que le castañetearan los dientes—. ¡Acabo de salvarte la vida, por si no te has dado cuenta, y si he roto cualquier jodida costumbre Aiel, me importa un...!

—La próxima vez —le replicó ella con igual dureza—, dejaré que el gran *Car'a'carn* solucione por sí mismo las cosas. —Se ciñó más la manta y se metió en la tienda con actitud estirada.

Por primera vez, Rand miró tras de sí. Otro Draghkar se desplomaba al suelo envuelto en llamas. Se había puesto tan furioso que no había oído el chisporroteo mientras ardía, no había olido la peste a grasa quemada. Ni siquiera había percibido el halo maligno de la criatura. Un Draghkar mataba absorbiendo primero el alma, y después, la vida. Tenía que estar muy cerca, rozando a la persona, pero éste yacía a menos de dos pasos de donde él había estado de pie. Ignoraba hasta qué punto era efectivo el abrazo del Draghkar contra alguien henchido de Poder, pero se alegraba de no haberlo descubierto.

Inhaló profundamente y se arrodilló junto a la solapa de la tienda.

—¡Aviendha! —No podía entrar. Había una lámpara encendida y la joven podía estar sentada allí, desnuda, que él supiera, arrancándole la piel a tiras mentalmente, como se merecía—. Aviendha, lo siento. Te pido disculpas. Fui un necio al hablar como lo hice, sin preguntar por qué. Debería saber que tú no me harías daño, y yo... Yo... Soy un idiota —terminó débilmente.

—No has descubierto nada nuevo, Rand al'Thor. ¡Eres idiota! —sonó apagadamente la respuesta.

¿Cómo se disculpaban los Aiel? Nunca se lo había preguntado. Teniendo en cuenta el *ji'e'toh*, lo de enseñar a cantar a los hombres y las ceremonias matrimoniales, no sabía si se atrevería a hacerlo.

—Sí, lo soy. Y te pido disculpas. —Esta vez no hubo contestación—. ¿Estás metida en las mantas? —Silencio.

Rezongó entre dientes, se puso de pie y empezó a hurgar el suelo helado con los dedos de los pies. Iba a tener que quedarse aquí fuera hasta tener la certeza de que la joven estaba decentemente tapada. Y sin botas ni chaqueta. Volvió a coger el *Saidin,* con infección y todo, sólo para aislarse del gélido frío nocturno dentro del vacío.

Las tres Sabias caminantes de sueños llegaron a todo correr, por supuesto, acompañadas por Egwene, y todas observaron fijamente al Draghkar que consumían las llamas mientras pasaban a su lado y se ajustaban los chales casi al mismo tiempo.

—Sólo uno —dijo Amys—. Gracias le sean dadas a la Luz, pero me sorprende.

—Había dos —le informó Rand—. Yo... destruí el otro. —¿Por qué se mostraba vacilante sólo porque Moraine lo hubiera puesto en guardia contra el fuego compacto? Era una arma como cualquier otra—. Si Aviendha no hubiera matado a éste, seguramente me habría pillado.

—La sensación de encauzar nos atrajo hacia aquí —dijo Egwene mientras lo miraba de arriba abajo. Al principio Rand creyó que comprobaba si estaba herido, pero ella se fijó especialmente en los pies descalzos y luego volvió la vista hacia la tienda, donde una estrecha abertura de la solapa dejaba ver la luz de una lámpara—. La has molestado otra vez, ¿verdad? Te salvó la vida y tú... ¡Hombres! —Sacudió la cabeza con desdén y lo apartó de un empujón para entrar en la tienda.

Rand escuchó murmullos, pero no entendió lo que decían. Melaine se colocó bruscamente el chal.

—Si no nos necesitas, entonces iremos a ver qué está ocurriendo ahí abajo. —Se marchó corriendo, sin esperar a las otras dos.

Bair soltó una aguda risita mientras Amys y ella la seguían.

—¿Quieres apostar algo sobre cuál será el primero que comprueba cómo está? —propuso—. ¿Mi collar de amatista que tanto te gusta contra ese brazalete de zafiros tuyo?

—Hecho. Elijo a Dorindha.

La Sabia de más edad volvió a reír.

—Sus ojos están aún llenos de Bael. Una hermana conyugal es una hermana conyugal, pero un marido nuevo...

Se alejaron donde ya no alcanzó a oírlas, y se inclinó hacia la solapa de la tienda. Seguía sin entender lo que hablaban las dos jóvenes, a no ser que pegara la oreja a la estrecha abertura, y no estaba dispuesto a hacer tal cosa. Seguramente Aviendha se había vestido al estar Egwene dentro. Claro que, del modo como Egwene se había adaptado a las costumbres Aiel, también era posible que se hubiera despojado de su ropa.

El suave roce de unos escarpines anunció la llegada de Moraine y de Lan, de modo que Rand se puso erguido. A pesar de que escuchaba la respiración de ambos, apenas si percibía las pisadas del Guardián. Moraine llevaba el cabello caído sobre la cara, y se ceñía una oscura bata de seda, que brillaba con la luna. Lan iba completamente vestido, calzado y armado, envuelto en aquella capa que lo convertía en parte de la noche. Por supuesto. El estruendo de la batalla estaba llegando a su fin allá abajo, en las estribaciones.

—Me sorprende que no hayas venido antes, Moraine. —Su voz sonó fría, pero mejor eso que ser él el que sintiera frío. Mantuvo el contacto con el *Saidin*, lo combatió, y el gélido ambiente nocturno continuó siendo algo lejano. Aun así, era consciente de ello, de cada pelo de sus brazos erizado por el frío debajo de las mangas de la camisa, pero a él no lo afectaba—. Generalmente vienes a mi lado tan pronto como surgen problemas.

—Nunca he explicado todo lo que hago o lo que no hago. —Su tono seguía siendo tan fríamente misterioso como siempre; empero, a la luz de la luna, Rand estuvo seguro de que la mujer había enrojecido. Lan parecía incómodo, aunque con él era difícil saberlo—. No puedo llevarte de la mano para siempre. Al final, tendrás que caminar tú solo.

—Es lo que hice esta noche, ¿no es así? —La turbación se deslizó a través del vacío; según lo había dicho parecía que él se hubiera ocupado de todo, de modo que añadió—: Aviendha acabó con ése, quitándomelo de la espalda. —Las llamas que consumían al Draghkar ardían bajas ya.

—Entonces, por suerte se encontraba aquí —repuso sosegadamente Moraine—. No me necesitaste.

No había tenido miedo, de eso estaba seguro. La había visto lanzarse contra los Engendros del Mal blandiendo el Poder con la destreza con que Lan manejaba su espada, y había visto lo mismo suficientes veces para saber que no estaba asustada. Entonces, ¿por qué no había acudido cuando percibió la presencia del Draghkar? Podría haberlo hecho, y también Lan; tal era uno de los dones que recibía un Guardián por el vínculo existente entre una Aes Sedai y él. Podía obligarla a decírselo, cogerla entre el juramento que le había hecho y la imposibilidad de mentir directamente. No, no podía. O no debía. No haría algo así a alguien que estaba intentando ayudarlo.

—Al menos ahora sabemos qué propósito tenía el ataque ahí abajo —comentó—. Hacerme pensar que estaba ocurriendo algo importante allí para distraerme mientras los Draghkar se precipitaban sobre mí a hurtadillas. Intentaron lo mismo en el dominio Peñas Frías, y tampoco funcionó. —Sólo que esta vez había faltado poco para que funcionara. Si es que tal era el propósito del ataque—. Habría pensado que intentarían una táctica distinta. —Couladin delante, y los Renegados por todas partes. ¿Por qué no podía enfrentarse a un enemigo por turno?

—No cometas el error de considerar lerdos a los Renegados —dijo Moraine—. Eso podría ser fatal para ti. —Se arrebujó en la bata como si deseara que fuera más gruesa—. Es tarde. Si no me necesitas para nada más...

Los Aiel empezaban a regresar mientras ella y Lan se alejaban. Algunos lanzaron exclamaciones al ver al Draghkar e hicieron que varios *gai'shain* se levantaran para llevarse los restos, pero la mayoría se limitó a echar una ojeada antes de meterse en sus tiendas. Por lo visto esperaban que ocurrieran tales cosas estando él presente.

Cuando Adelin y las Doncellas aparecieron, sus pasos ligeros se tornaron pesados, como si se arrastraran. Contemplaron al Draghkar, al que llevaban a rastras unos hombres vestidos de blanco, e intercambiaron una larga mirada antes de acercarse a Rand.

—No había problemas aquí —adujo lentamente Adelin—. El ataque se llevaba a cabo abajo, con Amigos Siniestros y trollocs.

—Les oí gritar «Sammael y los Aguijones Dorados» —añadió otra. Con el *shoufa* enrollado a la cabeza, Rand no distinguía quién de ellas era. Parecía joven, por la voz; algunas de las Doncellas tenían poco más de dieciséis años.

Tras hacer una profunda inhalación, Adelin le tendió una de las lanzas horizontalmente, ante él, impasible. Las restantes hicieron otro tanto, una lanza por cabeza.

—Hemos... fracasado —dijo Adelin—. Deberíamos haber estado aquí cuando apareció el Draghkar. En cambio, corrimos como chiquillas a danzar las lanzas.

—¿Y qué se supone que he de hacer con éstas? —preguntó Rand.

—Lo que quieras, *Car'a'carn* —respondió Adelin sin vacilar—. Estamos dispuestas, y no nos resistiremos.

Rand sacudió la cabeza. «Condenados Aiel y su condenado *ji'e'toh*.»

—Pues cogedlas y montad de nuevo guardia alrededor de mi tienda. ¿Y bien? Id. —Las mujeres intercambiaron miradas entre sí antes de obedecer la orden, tan de mala gana como se habían acercado a él—. Y una de vosotras que le diga a Aviendha que entraré en la tienda cuando regrese —añadió. No iba a pasarse la noche fuera preguntándose si la iba a sorprender desnuda o no. Echó a andar, sintiendo el duro suelo de roca bajo sus pies.

La tienda de Asmodean no estaba lejos de la suya. No había sonado un solo ruido en su interior. Abrió la solapa y entró. Asmodean estaba sentado en la oscuridad, mordisqueándose el labio inferior. Dio un respingo cuando apareció Rand y se adelantó antes de que el joven tuviera ocasión de decir nada.

—Supongo que no esperarías que te echara una mano, ¿verdad? Noté la presencia de los Draghkar, pero tú podías ocuparte de ellos, y lo hiciste. Nunca me han gustado los Draghkar; jamás tendríamos que haberlos creado. Tienen menos seso que un trolloc. Les das una orden y aun así hay veces que matan a lo que quiera que esté más próximo. Si hubiese salido, si hubiera hecho algo... ¿Y si alguien se hubiera fijado? ¿Y si hubieran comprendido que no podías ser tú el que encauzaba? Yo...

—Mejor para ti que no lo hicieras —lo atajó Rand mientras se sentaba cruzado de piernas en la oscuridad—. Si te hubiera sentido lleno de Poder ahí fuera esta noche, podría haberte matado.

La risa del otro hombre sonó estremecida.

—También pensé en ello.

—Fue Sammael quien envió el ataque de esta noche. A los trollocs y los Amigos Siniestros, al menos.

—No es propio de él desperdiciar hombres —dijo lentamente Asmodean—. Pero sí sacrificaría mil o diez mil si con ello lograra lo que a su modo de pensar mereciese la pena ese precio. Quizás alguno de los otros quería que creyeras que era él. Aunque los Aiel hubieran hecho prisioneros, los trollocs no piensan mucho más allá de matar, y los Amigos Siniestros creen lo que les dicen.

—Era él. En otra ocasión intentó inducirme con el mismo cebo a que lo atacara, en Serendahar.

«¡Oh, Luz! —La noción rozó el borde del vacío—. He dicho "inducirme", a mí.» Ignoraba dónde había estado Serendahar o cualquier otra cosa referente a ese lugar excepto lo que había dicho. Las palabras habían salido de su boca sin más.

Tras un largo silencio, Asmodean musitó:

—No lo sabía.

—Lo que quiero saber es por qué.

Rand escogió con cuidado las palabras, confiando en que todas fueran suyas. Recordaba el rostro de Sammael, un hombre de constitución recia —«No, yo no. No es un recuerdo mío»—, con una corta barba rubia. Asmodean le había hecho una descripción de todos los Renegados, pero sabía que la imagen que había acudido a su mente no era producto de esa descripción. Sammael siempre quiso ser más alto, y estaba resentido porque el Poder no lo hubiera hecho así. Asmodean nunca le había comentado este detalle.

Por lo que me dijiste, no querrá enfrentarse conmigo a menos que esté seguro de alzarse con la victoria y puede que ni siquiera entonces. Dijiste que seguramente dejaría que el Oscuro se encargase de mí, si era factible. De modo que ¿por qué está seguro de que ganará ahora si decido ir tras él?

Lo estuvieron discutiendo durante horas en la oscuridad, sin llegar a ninguna conclusión. Asmodean sostenía la opinión de que había sido uno de los otros, con la esperanza de que Rand persiguiera a Sammael y así librarse de uno de ellos o de ambos. Rand notaba los oscuros ojos de Asmodean clavados en él, pensativos. Aquel desliz había sido demasiado obvio para disimularlo.

Cuando por fin regresó a su tienda, Adelin y una docena de Doncellas se incorporaron como resortes y todas le dijeron a la vez que Egwene se había marchado y que Aviendha llevaba dormida mucho tiempo, y que estaba furiosa con él; que lo estaban las dos. Le dieron tal variedad de consejos para soslayar la ira de las dos jóvenes y todos ofrecidos al mismo tiempo que Rand no consiguió entender ninguno de ellos. Finalmente se callaron, intercambiaron miradas y fue Adelin quien habló:

—Tenemos que discutir lo de esta noche. De lo que hicimos y de lo que dejamos de hacer. Nosotras...

—No tuvo importancia —la atajó—, y si la tuvo, está olvidado y perdonado. Me gustaría dormir unas cuantas horas para variar. Si queréis discutirlo, hablad con Amys o bien con Bair. Estoy seguro de que ellas comprenderán mejor lo que pretendéis.

Aquello, sorprendentemente, las hizo enmudecer, y pudo pasar a la tienda.

Aviendha estaba entre sus mantas; una pierna, delgada y esbelta, salía entre los pliegues. Rand intentó no mirarla, ni a la joven. Había dejado una lámpara encendida. Se metió entre sus propias mantas con satisfacción y, antes de interrumpir el contacto con el *Saidin,* encauzó para apagar la lámpara. Esta vez soñó con Aviendha arrojando fuego, sólo que no lo lanzaba al Draghkar. Y Sammael estaba sentado a su lado, riéndose.

23

CONCESIÓN DEL QUINTO

Egwene tiró de las riendas para guiar a *Niebla* alrededor de una herbosa colina y contempló las interminables columnas de Aiel que bajaban del paso de Jangai. La silla de montar le había subido la falda otra vez por encima de las rodillas, pero ahora apenas lo advirtió. No podía estar ocupándose de bajarla cada dos por tres. Además, llevaba medias, y no era como si fuera con las piernas desnudas.

Las hileras de Aiel pasaban ante ella al trote, agrupados por clanes, septiares y asociaciones. Miles y miles de ellos, con sus mulas y animales de carga, y los *gai'shain* que cuidarían de los campamentos mientras los demás combatían. La fila se extendía más de una milla a lo ancho, y aún quedaban muchos en el paso y muchos otros que ya habían salido de la garganta y se perdían de vista al frente. Incluso sin las familias, parecía una nación en marcha. Por allí había discurrido la Ruta de la Seda, una calzada de cincuenta pasos de anchura pavimentada con grandes piedras blancas, que se extendía recta como una flecha a través de las colinas, hendiendo éstas para mantener un nivel. Sólo de vez en cuando se la veía entre la masa de Aiel, aunque los caminantes parecían preferir avanzar por la hierba; sin embargo, muchas piedras del pavimento se

383

habían levantado por una esquina o se habían hundido por un extremo. Hacía más de veinte años que esta calzada no soportaba más peso que el de los carros de los campesinos de la zona y un puñado de carretas.

Resultaba chocante volver a ver árboles, árboles de verdad; enormes robles y cedros agrupados en sotos en lugar de la forma retorcida de aislados árboles achaparrados, y hierba alta que se mecía con la brisa a través de las colinas. Había un bosque de verdad hacia el norte, y nubes en el cielo, finas y altas, pero nubes al fin y al cabo. Después del Yermo, el aire parecía agradablemente fresco y húmedo, aunque las hojas pardas y grandes franjas amarillentas en la hierba ponían de manifiesto que, en realidad, el tiempo debía de ser más caluroso y seco de lo habitual en esta época del año. Con todo, la campiña de Cairhien era un lujuriante paraíso comparada con lo que había al otro lado de la Pared del Dragón.

Un pequeño arroyo corría, sinuoso, al norte, por debajo de un puente casi plano; las márgenes flanqueadas por el barro denotaban que su cauce habitual era más ancho. El río Gaelin se encontraba a pocas millas de distancia, en esa dirección. Egwene se preguntó qué pensarían los Aiel de aquel río, aunque ya había visto antes a otros Aiel ante una gran corriente. La somera franja de agua marcó una clara ruptura en el constante fluir de gente cuando hombres y Doncellas se detuvieron para contemplar con asombro la corriente antes de salvarla a saltos.

Las carretas de Kadere pasaron entre zarandeos y retumbos por la calzada; los largos tiros de mulas se esforzaron al máximo, pero aun así perdieron terreno con los Aiel. Les había costado cuatro días atravesar los giros y recovecos del paso, y por lo visto Rand se proponía adentrarse en Cairhien todo lo posible en las escasas horas de luz que quedaban. Moraine y Lan cabalgaban junto a las carretas; no a la cabeza de la caravana, ni siquiera con la pequeña casa sobre ruedas que era el carromato de Kadere, sino a la altura del segundo vehículo, donde la forma del marco del *ter'angreal,* que sobresalía por encima del resto de la carga, se marcaba bajo la lona que lo cubría. Parte de la carga iba cuidadosamente envuelta o empaquetada en cajas y barriles que Kadere había llevado al Yermo llenos con sus mercancías, y otra parte simplemente se había metido donde buenamente cabía: diferentes objetos extraños de metal y cristal; una silla de vidrio rojo; dos estatuas del tamaño de un niño que representaban a un hombre y una mujer desnudos; varitas de hueso, marfil y raros materiales negros, de diferentes longitudes y grosores. Había todo tipo de cosas, incluidas algunas que Egwene era incapaz de describir. Moraine había aprovechado hasta la última pulgada de espacio en todas las carretas.

Egwene habría querido saber por qué la Aes Sedai se mostraba particularmente preocupada por esa carreta; quizá nadie más se había fijado en que Moraine le prestaba más atención a ésa que a todas las demás en conjunto, pero ella sí lo había advertido. Pero dudaba mucho que descubriera la razón a corto plazo. Su reciente igualdad con Moraine había resultado efímera, como había comprobado cuando le hizo esa pregunta a mitad de camino del paso, y le respondió que tenía mucha imaginación y que, si disponía de tiempo de sobra para observarla, a lo mejor debería hablar con las Sabias para que intensificaran su adiestramiento. Se había deshecho en disculpas, naturalmente, y sus palabras parecieron surtir efecto. Amys y las otras no ocuparon más horas de su tiempo por las noches de lo que habían hecho antes.

Alrededor de un centenar de *Far Dareis Mai* Taardad trotaban al mismo lado de la calzada que ella, sosteniendo el paso vivo con facilidad, con los velos sueltos sobre el pecho pero listos para cubrirse el rostro en cualquier momento. Las aljabas, repletas de flechas, colgaban de sus caderas; algunas llevaban los curvos arcos de hueso en la mano, con una flecha encajada, mientras que otras lo tenían guardado en el estuche colgado a la espalda, y movían rítmicamente las lanzas y las adargas al ritmo de la marcha. Detrás de ellas, una docena de *gai'shain* con sus túnicas blancas conducían a los animales de carga y se esforzaban por mantener el paso. Una de estas figuras vestía ropas negras, no blancas; Isendre era la que más afán tenía que poner para no quedarse atrás. Egwene localizó a Adelin y a otras dos o tres de las que montaban guardia en la tienda de Rand la noche del ataque. Cada una de ellas llevaba una muñeca además de sus armas; eran muñecas burdas, aunque vestidas con sus faldas y blusas blancas; las Doncellas tenían un aire aun más impertérrito de lo que les era habitual, debido a su afán por simular que no cargaban con semejante cosa.

La joven no tenía una idea clara de a qué venía todo esto. Las Doncellas que montaban guardia esa noche habían acudido en grupo para ver a Bair y a Amys cuando finalizó su turno, y habían pasado largo rato reunidas con las dos Sabias. A la mañana siguiente, mientras todavía se estaba levantando el campamento bajo la gris penumbra que precedía al alba, habían empezado a hacerse esas muñecas. Ni que decir tiene que no pudo hacer preguntas al respecto, pero lo comentó con una de ellas, una Tomanelle pelirroja, del septiar Serai, llamada Maira, quien le dijo que era para recordarle que ya no era una niña. Su tono dejó claro que no deseaba hablar del asunto. Una de las Doncellas que llevaba muñeca debía de tener poco más de dieciséis años, pero Maira era por lo menos de la misma edad que Adelin. Egwene no le encontraba mucho sentido a aquello, además de ser frustrante. Cada vez que la joven creía que, por fin, comprendía la idiosincrasia de los Aiel, ocurría algo que venía a demostrarle cuán equivocada estaba.

A despecho de sí misma, sus ojos fueron hacia la boca del paso. La hilera de estacas todavía era visible desde su posición, extendiéndose desde la escarpada ladera de una montaña a la escarpada ladera de la otra, salvo un tramo en el que los Aiel habían derribado algunas. Couladin había dejado otro mensaje, hombres y mujeres empalados a través de su camino, muertos desde hacía siete días. Las altas murallas grises de Selean se alzaban en las estribaciones a la derecha del paso y no se veía lo que había tras ellas. Moraine dijo que sólo guardaban lo que era la sombra de su pasada gloria, pero aun así había seguido siendo una ciudad de tamaño considerable, mucho mayor que Taien; empero, de ella ya no quedaba nada. Tampoco supervivientes —salvo los que se habían llevado los Shaido— aunque probablemente algunos habrían huido a sitios que creían seguros. En las estribaciones había habido granjas; gran parte del territorio oriental de Cairhien había quedado abandonado después de la Guerra de Aiel, pero una ciudad necesitaba granjas para abastecerse de alimentos. Ahora las chimeneas manchadas de hollín se erguían sobre las ennegrecidas paredes de piedra de las granjas; aquí, unos restos carbonizados de vigas aparecían suspendidos sobre un granero de piedra; allí, tanto la casa como el granero se habían desplomado por el efecto del fuego. La colina desde la que Egwene contemplaba el desolado panorama a lomos de *Niebla* había sido terreno pastos; cerca de la valla del cercado, al pie del altozano, las moscas seguían zumbando sobre los despojos abandonados de la matanza. No quedaba ni un solo animal en los pastizales, ni tampoco se veía una sola gallina en los patios de los graneros. Los campos de cultivo habían sido pasto del fuego.

Couladin y los Shaido eran Aiel, pero también lo eran Aviendha, Bair, Amys, Melaine y Rhuarc, quien solía decirle que le recordaba a una de sus hijas. Les habían asqueado los empalamientos, pero hasta ellos parecían pensar que era sólo un poco más de lo que merecían los Asesinos del Árbol. Quizás el único modo de conocer verdaderamente a los Aiel era nacer Aiel.

Tras echar una última ojeada a la ciudad destruida, Egwene cabalgó despacio colina abajo hacia el tosco cercado y salió por el portón; se inclinó sobre la silla para cerrarlo con la correa de cuero sin curtir, por la fuerza de la costumbre. La ironía era que Moraine había dicho que Selean podría de hecho haber apoyado a Couladin. En las cambiantes corrientes del *Daes Dae'mar*, si se ponía a un lado de la balanza a un invasor Aiel contra un hombre que había enviado tearianos a Cairhien, fuera por la razón que fuera, la decisión podría haberse decantado a cualquiera de los dos lados de haberles dado Couladin la oportunidad de elegir.

Cabalgó por la amplia calzada hasta alcanzar a Rand, hoy vestido con su chaqueta roja, y se reunió con Aviendha, Amys y otras treinta o más Sabias que apenas conocía aparte de las otras dos caminantes de sueños, que avanzaban a corta distancia de Rand. Mat, con su sombrero y su lanza de mango negro, y Jasin Natael, con el arpa guardada en la bolsa de cuero colgada a la espalda y el estandarte carmesí ondeando en la brisa, iban montados, pero los Aiel, sosteniendo un rápido trote, sobrepasaban al grupo por ambos lados, ya que Rand iba a pie, conduciendo a su semental rodado por las riendas, y hablando con los jefes de clan. Con faldas o sin ellas, las Sabias habrían hecho un buen trabajo manteniendo el paso de las columnas en marcha de no haber estado pegadas a Rand como la resina al pino. Apenas dedicaron una ojeada a Egwene, ya que sus ojos y sus oídos estaban pendientes de él y de los seis jefes.

—... y a quienquiera que llegue después de Timolan —decía Rand en tono firme—, habrá de comunicársele lo mismo. —Los Perros de Piedra que habían dejado de guardia en Taien habían llegado para informar que los Miagoma habían entrado en el paso al día siguiente—. He venido a impedir que Couladin destruya y despoje a esta tierra, no a saquearla.

—Un mensaje duro —adujo Bael—, también para nosotros si a lo que te refieres es a que no podemos tomar el quinto. —Han y los demás, incluido Rhuarc, asintieron.

—El quinto, os lo concedo. —Rand no alzó la voz, pero de repente sus palabras eran duras y punzantes—. Pero en ello no entra nada que sea alimentos. Viviremos de los animales salvajes que cacemos o de lo que compremos, si es que queda alguien que pueda vendernos comida, hasta que consiga que los tearianos incrementen lo que traen desde Tear. Si cualquier hombre toma una sola moneda más del quinto o una rebanada de pan sin pagarla, si prende fuego aunque sólo sea una choza porque le pertenece a un Asesino del Árbol o mata a un hombre que no ha intentado matarlo a él, ese hombre será ahorcado, sea quien sea.

—Eso no es fácil de decir a los clanes —replicó Dhearic, casi con tanta dureza—. Vine para seguir a El que Viene con el Alba, no para mimar a unos quebrantadores de juramentos.

Bael y Jhera abrieron la boca como para convenir con él; pero, al fijarse el uno en el otro, las cerraron bruscamente.

—Toma buena nota de lo que voy a decirte, Dhearic —contestó Rand—. Vine para salvar a esta tierra, no para arruinarla todavía más.

Lo que digo vale para todos los clanes, incluidos el Miagoma y cualquier otro que nos siga. Para todos los clanes. ¿He hablado lo bastante claro?

Esta vez nadie dijo una palabra, y Rand montó a *Jeade'en,* al que condujo al paso entre los jefes. Aquellos semblantes Aiel no denotaban expresión alguna.

Egwene respiró hondo. Aquellos hombres eran todos lo bastante mayores para ser su padre y más, líderes de su pueblo como reyes, por mucho que dijeran en contra de ello, cabecillas endurecidos en batallas. Y parecía que sólo había sido ayer cuando Rand era un muchacho y no sólo por su edad, un joven que pedía y confiaba en que atendieran su sugerencia en lugar de ordenar y esperar ser obedecido. Estaba cambiando más deprisa de lo que ella era capaz de asimilar. Sería bueno si impedía que estos hombres hicieran en otras ciudades lo que Couladin había hecho con Taien y con Selean. Se lo repitió para sus adentros. Sólo que habría querido que lo hubiera hecho sin demostrar más arrogancia cada día que pasaba. ¿Cuánto faltaba para que esperara que también ella le obedeciera como hacía Moraine? ¿O que lo obedecieran todas las Aes Sedai? Confiaba en que sólo fuera arrogancia.

Deseosa de hablar del asunto, sacó el pie de un estribo y tendió la mano a Aviendha para que subiera a la grupa, pero la joven Aiel sacudió la cabeza. Realmente no le gustaba ir a caballo, y quizás el que hubiera todas esas Sabias a su alrededor también influía en su negativa. Algunas de ellas no habrían subido a un caballo ni aunque tuvieran rotas las dos piernas. Con un suspiro, Egwene desmontó y condujo a *Niebla* por las riendas mientras se arreglaba las faldas con cierto malhumor. Las suaves botas Aiel, altas hasta las rodillas, que llevaba puestas tenían aspecto de ser cómodas y, efectivamente, lo eran, pero no para caminar durante un largo trecho sobre aquel duro e irregular pavimento.

—Verdaderamente se ha puesto al mando —dijo.

Aviendha apenas si apartó un instante los ojos de la espalda de Rand.

—No lo conozco. No puedo conocerlo. Fíjate en esa cosa que lleva.

Se refería a la espada, por supuesto. No es que Rand la llevara, precisamente; el arma colgaba de la perilla de la silla de montar, enfundada en una vaina corriente de piel de jabalí, con la larga empuñadura, forrada con tiras del mismo cuero, subiendo a la altura de su cintura. Había encargado a un hombre de Taien que le hiciera esa empuñadura y la vaina durante el viaje a través del paso. Egwene se preguntaba por qué, siendo como era capaz de encauzar una espada de fuego o hacer otras cosas que convertían a las espadas normales en simples juguetes.

—Se la regalaste tú, Aviendha.

Su amiga se puso ceñuda.

—Intenta hacerme que acepte también la empuñadura. La utilizó, así que es suya. La usó delante de mí, como para hacerme burla con una espada empuñada en su mano.

—No estás enfadada por la espada. —No creía que fuera por eso; Aviendha no la había mencionado una sola vez aquella noche, cuando se hallaban en la tienda de Rand—. Todavía estás molesta por el modo en que te habló, y lo comprendo. Sé que lo lamenta. A veces habla sin pensar, pero si le dejaras que se disculpara...

—No quiero sus disculpas —masculló Aviendha—. No quiero... No puedo soportar más tiempo esto. Me es imposible seguir durmiendo en su tienda. —De repente cogió a Egwene del brazo, y si ésta no la hubiera conocido tan bien habría pensado que estaba al borde de las lágrimas—. Tienes que interceder ante ellas por mí. Habla con Amys, Bair y Melaine. A ti te escucharán. Eres Aes Sedai. Tienen que dejarme que vuelva a sus tiendas. ¡Tienen que hacerlo!

—¿Quién tiene que hacer qué? —quiso saber Sorilea, que se retrasó del grupo para ponerse a la altura de las dos muchachas. La Sabia del dominio Shende tenía el cabello fino y blanco, y la piel como cuero tensado sobre la estructura ósea del rostro. Y también unos ojos, verde claro, capaces de derribar a un caballo a diez pasos de distancia. Así era como solía mirar a todo el mundo. Cuando Sorilea estaba furiosa, otras Sabias permanecían calladas y los jefes de clan ponían excusas para marcharse.

Melaine y otra Sabia, una canosa Nakai de los Agua Negra, hicieron intención de unirse también a ellas hasta que Sorilea volvió aquellos ojos hacia ellas.

—Si no estuvieras tan ocupada pensando en ese nuevo marido tuyo, Melaine, te habrías dado cuenta de que Amys quiere hablar contigo. Ve. Y lo mismo reza para ti, Aerin. —Melaine se puso roja como la grana y se escabulló de vuelta con el resto del grupo, pero la mujer de más edad lo hizo con más presteza que ella. Sorilea las observó mientras se adelantaban y después puso toda su atención en Aviendha—. Ahora podemos sostener una tranquila charla. Así que no quieres hacer algo. Algo que te mandaron hacer, por supuesto. Y crees que esta niña Aes Sedai puede conseguir librarte de ello.

—Sorilea, yo... —Aviendha no pasó de ahí.

—En mis tiempos, las chicas saltaban cuando una Sabia decía que saltaran, y seguían brincando hasta que les ordenaban que pararan. Como todavía sigo viva, aún nos encontramos en mis tiempos. ¿Hace falta que te lo explique con más claridad?

Aviendha inhaló profundamente.

—No, Sorilea —respondió con mansedumbre.

Los ojos de la Sabia se posaron en Egwene.

—¿Y tú? ¿Crees que porque lo pidas conseguirás librarla de su tarea?

—No, Sorilea. —Egwene tenía la sensación de que debía hacer una reverencia.

—Bien —dijo la Sabia, aunque sin demostrar satisfacción, como si ni siquiera se le hubiera pasado por la cabeza que el resultado sería otro. Y seguramente era así—. Ahora puedo hablarte de lo que realmente me interesa. He oído comentar que el *Car'a'carn* te ha hecho un regalo extraordinario, rubíes y también gotas de luna.

Aviendha dio un brinco, como si un ratón estuviera corriendo por su pierna. Bueno, seguramente no habría reaccionado de ese modo, como habría hecho Egwene de darse esa circunstancia. La joven Aiel explicó lo de la espada de Laman y lo de la vaina con tanta precipitación que las palabras se atropellaban en su boca. Sorilea se ajustó el chal mientras rezongaba sobre chicas que tocaban espadas, aunque estuvieran envueltas en mantas, y sobre una pequeña charla que tendría con la «joven Bair».

—De modo que no ha conseguido despertar tu interés. Una lástima. Eso lo habría vinculado a nosotros; ahora considera como suyas a muchas gentes. —Observó a Aviendha de arriba abajo un momento—. Haré que Feran se fije en ti. Su abuelo es hijo de mi hermana. Tienes otras obligaciones para con tu pueblo aparte de aprender a ser Sabia. Esas caderas están hechas para tener niños.

Aviendha tropezó con una piedra levantada del pavimento y estuvo a punto de irse de bruces al suelo.

—Yo... pensaré en él cuando llegue el momento —dijo, falta de aliento—. Todavía me queda mucho que aprender, y aún falta mucho para que sea Sabia. Feran es *Seia Doon,* y los Ojos Negros han jurado no dormir bajo techo o en tienda hasta que Couladin haya muerto.

Couladin era *Seia Doon.* La Sabia de piel curtida asintió como si el asunto hubiese quedado resuelto y acordado.

—Y tú, joven Aes Sedai. Conoces bien al *Car'a'carn,* según dicen. ¿Llevaría a cabo su amenaza? ¿Haría ahorcar incluso a un jefe de clan?

—Creo que... quizá... lo haría. —Egwene añadió con más firmeza—: Pero estoy segura de que se le puede hacer entrar en razón.

No estaba en absoluto segura de eso ni de que hubiera motivo para hacerlo; lo que Rand había dicho parecía justo, pero ser justo no le haría ningún bien si con ello se encontraba con que los demás se ponían en su contra, como los Shaido.

Sorilea la miró con sorpresa y luego volvió la vista hacia los jefes que rodeaban el caballo de Rand; la mirada que les asestó debería haberlos derribado a todos.

—No me has entendido. Tiene que demostrar a esa manada de lobos sarnosos que él es el lobo dominante. Un jefe debe ser más duro que los otros hombres, joven Aes Sedai, y el *Car'a'carn* ha de serlo aun más que los otros jefes. Cada día que pasa, otros pocos hombres, e incluso Doncellas, sucumben al marasmo, pero ésos sólo son la corteza blanda exterior de la dura madera del carpe. Los restantes son el núcleo duro del árbol, y él ha de ser fuerte para dirigirlos.

A Egwene no le pasó inadvertido que no se incluyera a sí misma o a las otras Sabias entre quienes debían ser dirigidos. Mascullando entre dientes sobre «lobos sarnosos», Sorilea se adelantó y poco después tenía a todas las Sabias escuchando sus palabras mientras caminaban. No alcanzó a escuchar lo que quiera que les estaba diciendo.

—¿Quién es Feran? —preguntó—. Nunca te he oído hablar de él. ¿Qué aspecto tiene?

Sin quitar la ceñuda mirada de la espalda de Sorilea, medio oculta entre las mujeres agrupadas a su alrededor, Aviendha contestó con expresión ausente:

—Se parece mucho a Rhuarc, sólo que es más joven, más alto y más apuesto, con el cabello mucho más rojo. Hace más de un año que intenta despertar el interés de Enaila, pero creo que ella le enseñará a cantar antes que renunciar a la lanza.

—No lo entiendo. ¿Tienes intención de compartirlo con Enaila? —Todavía le resultaba raro hablar con tanta naturalidad de aquello.

Aviendha volvió a tropezar y la miró de hito en hito.

—¿Compartirlo? No lo quiero ni entero ni en parte. Tiene un rostro hermoso, pero su risa parece el relincho de una mula y se hurga las orejas.

—Pero, por el modo en que hablaste con Sorilea, pensé que... te gustaba. ¿Por qué no le dijiste lo que me acabas de decir a mí?

La risa queda de la otra joven sonó dolida.

—Egwene, si Sorilea hubiese pensado que estaba intentando resistirme a su propuesta, habría tejido ella misma la guirnalda de esponsales y nos habría arrastrado a Feran y a mí por el cuello para que nos casaran. ¿Alguna vez has visto a alguien decirle «no» a Sorilea?

Egwene abrió la boca para afirmar que ella lo haría, pero la cerró de inmediato. Conseguir que Nynaeve diera marcha atrás era una cosa, e intentar lo mismo con Sorilea, otra muy distinta. Habría sido como plantarse en el camino de un desprendimiento de tierra y ordenarle que se detuviera.

—Hablaré con Amys y las otras en tu favor —dijo, para cambiar de tema. No es que creyera que su intervención serviría de mucho. Lo mejor habría sido impedirlo antes de que ocurriera. Por lo menos, Aviendha comprendía lo impropio de la situación finalmente. Quizás...—. Si vamos las dos a hablarles, estoy segura de que nos escucharán.

—No, Egwene. Yo he de obedecer a las Sabias. Me obliga el *ji'e'toh*. —Así, como si un momento antes no le hubiera pedido que intercediera por ella. Como si en ningún momento hubiera suplicado a las Sabias que no la hicieran dormir en la tienda de Rand—. Pero ¿por qué mi deber para con mi pueblo nunca es lo que yo deseo? ¿Por qué tiene que ser de tal modo que, si dependiera de mí, antes preferiría morir que hacerlo?

—Aviendha, nadie te va a obligar a casarte o tener niños. Ni siquiera Sorilea. —Egwene habría deseado que su voz sonara más firme, sobre todo en la última frase.

—No lo comprendes —repuso suavemente la otra joven—, y yo no puedo explicártelo.

Se ajustó el chal, sin querer hablar más del asunto. Sí se mostró bien dispuesta en cambio a discutir sobre sus lecciones o si Couladin daría media vuelta y presentaría batalla, sobre cómo había influido en Melaine su matrimonio —la Sabia parecía que ahora tenía que esforzarse para actuar con su habitual talante espinoso— o sobre cualquier otra cosa que no fuera aquello que no podía, o no quería, explicar.

24

El mensaje

El terreno cambió a medida que el sol se metía. Las colinas se volvieron más bajas, y las arboledas, más grandes. A menudo, las vallas de piedra desmoronadas de lo que antaño había sido labrantíos se habían convertido en pequeños montículos con bordes salientes o se extendían a través de bosquecillos de robles, cedros, nogales, pinos y otros árboles desconocidos para Egwene. Las pocas granjas que había no tenían techo, y en su interior crecían árboles de diez o quince pasos de altura como bosques en miniatura encerrados entre paredes, completos con pájaros canores y ardillas de cola negra. La aparición de alguno que otro arroyuelo levantaba tantos comentarios entre los Aiel como los pequeños bosques y la hierba. Habían oído historias sobre las tierras húmedas y las habían leído en libros comprados a mercaderes y buhoneros como Hadnan Kadere, pero pocos las habían visto desde la persecución de Laman. No obstante, se adaptaron enseguida; las tiendas pardas se confundían bien con las hojas muertas debajo de los árboles y con la hierba agostada. El campamento se extendía millas, salpicado por pequeñas lumbres, bajo el dorado ocaso.

Egwene se metió con satisfacción en su tienda una vez que los *gai'-shain* la instalaron. Dentro, las lámparas estaban encendidas y un pequeño fuego ardía en el agujero del hogar. Se desató las suaves botas y se las quitó, así como las medias de lana, tras lo cual se tumbó despatarrada sobre las coloridas alfombras y movió los dedos de los pies. Deseó tener una palangana de agua para meter los pies. No podía pretender ser tan resistente como los Aiel, pero debía de estar ablandándose si unas cuantas horas de caminata conseguían que sintiera los pies como si tuvieran el doble de su tamaño habitual. Claro que allí el agua no sería un problema. No debería serlo —recordaba los menguados arroyos que habían pasado—, pero seguramente podría darse un buen baño otra vez.

Cowinde, sumisa y silenciosa bajo sus blancas ropas, le llevó la cena, un poco de aquel pan aplastado y pálido hecho con harina de *zamai*, y un espeso guiso en un cuenco de rayas rojas, que se tomó de manera automática, aunque se sentía más cansada que hambrienta. Reconoció los pimientos secos y las judías, pero no preguntó de qué era la oscura carne. «Conejo», se dijo firmemente para sus adentros, y confió en que su suposición fuera acertada. Los Aiel comían cosas cuya sola idea hacía que su cabello se le rizara más que el de Elayne. Estaba dispuesta a apostar a que Rand ni siquiera miraba lo que comía. Los hombres eran muy tiquismiquis con la comida.

Cuando terminó el guiso, se tumbó cerca de una ornamentada lámpara de plata que tenía un disco del mismo metal para reflejar e incrementar la intensidad de la luz. Se había sentido un poco culpable cuando supo que la mayoría de los Aiel no tenían luz de noche excepto la de las lumbres; pocos habían llevado consigo lámparas o aceite excepto las Sabias y los jefes de clan y septiar. Pero no tenía sentido sentarse a la mortecina claridad de la lumbre cuando podía disponer de una lámpara. Eso le recordó algo: allí la temperatura por las noches no sufría un descenso tan drástico con respecto a la que hacía durante el día, como ocurría en el Yermo; de hecho, dentro de la tienda empezaba a sentirse un calor incómodo.

Encauzó brevemente flujos de Aire para apagar el fuego, y después buscó en las alforjas el libro, encuadernado con desgastado cuero, que le había prestado Aviendha. Era un volumen pequeño y grueso, con apretadas líneas de pequeñas letras, difícil de leer si no se tenía una buena luz, pero fácil de transportar. *La llama, la espada y el corazón,* se titulaba, una colección de cuentos sobre Birgitte y Gaidal Cain, Anselan y Barashelle, Rogosh Ojo de Águila y Dunsinin y una docena más. Aviendha afirmaba que le gustaba por las aventuras y las batallas, y tal vez fuera así, pero también por todas y cada una de las palabras referentes al amor entre un hombre y una mujer. Egwene no tenía reparo en admitir que eso era lo que a ella le gustaba, esos hilos de un amor eterno, a veces tormentosos y a veces tiernos. Bueno, al menos lo admitía para sus adentros. No era el tipo de entretenimiento que una mujer con pretensiones de cierto sentido común confesaría en público.

En realidad sentía tan pocas ganas de leer como las que tenía de comer —lo que de verdad le apetecía era bañarse y dormir, e incluso podría renunciar al baño—, pero aquella noche Amys y ella tenían que reunirse con Nynaeve en el *Tel'aran'rhiod*. Donde Nynaeve se encontraba, de camino a Ghealdan, no se había hecho de noche todavía, lo que significaba que tendría que quedarse despierta.

Elayne había hecho una descripción muy interesante del espectáculo de animales amaestrados, aunque a Egwene le costaba trabajo comprender que la mera presencia de Galad justificara huir de ese modo. A su modo de ver, lo que ocurría era que a Elayne y a Nynaeve se les había despertado la afición por las aventuras. Lamentaba mucho lo ocurrido a Siuan; necesitaban una mano firme que las metiera en cintura. Qué extraño que pensara así sobre Nynaeve; la antigua Zahorí había sido siempre la de la mano dura. Pero desde aquel episodio en la Torre en el *Tel'aran'rhiod*, había dejado de pensar en Nynaeve como alguien contra quien echar un pulso de voluntades.

Con una sensación de culpabilidad, cayó en la cuenta, mientras pasaba una hoja, de que estaba deseando encontrarse con ella esa noche. No porque fuera una amiga, sino porque quería ver si los efectos duraban todavía. Si Nynaeve se tiraba de la trenza, ella se limitaría a enarcar una ceja, y... «Luz, espero que siga funcionando. Si se le escapa lo de esa visita al *Tel'aran'rhiod*, Amys, Bair y Melaine se turnarán para arrancarme la piel a tiras, si es que no me dicen que me vaya».

Sus ojos no dejaban de intentar cerrarse mientras leía, o más bien, medio soñaba, las historias del libro. Podía ser tan fuerte como cualquiera de estas mujeres; tan fuerte y tan valiente como Dunsinin o Nerein o Melisinde o incluso Birgitte. Tan fuerte como Aviendha. ¿Tendría Nynaeve suficiente sentido común para contener la lengua delante de Amys esa noche? Se le pasó por la cabeza la vaga idea de agarrar a Nynaeve por el cuello y sacudirla. Qué tontería. Nynaeve era varios años mayor que ella. Enarcar una ceja al mirarla. Dunsinin. Birgitte. Tan fuerte y dura como una Doncella Lancera.

La cabeza de la joven se apoyó sobre las páginas, y, cuando su respiración se hizo más lenta y profunda, intentó abrazar el pequeño libro que tenía bajo la mejilla.

Dio un respingo al encontrarse de repente entre las grandes columnas de piedra roja, en el Corazón de la Ciudadela, bajo la extraña luz del

Tel'aran'rhiod, y otro más al darse cuenta de que llevaba puesto el *cadin'-sor*. A Amys no le haría gracia verla vestida con eso; ni pizca de gracia. Cambió su vestimenta rápidamente, y se sorprendió cuando su atuendo pasó alternativamente de la blusa de *algode* y la amplia falda de lana al fino vestido de seda azul brocada, hasta que por fin se detuvo en el atuendo Aiel completo, incluido su brazalete de marfil, con las llamas talladas, y el collar de oro y marfil. Tal indecisión no le ocurría desde hacía algún tiempo.

Durante un instante se planteó el salir del Mundo de los Sueños, pero sospechaba que estaba profundamente dormida, en su tienda. Si lo hacía, lo más probable era que entrara en un sueño propio y todavía no era consciente de estar en ellos; sin ese conocimiento no podía regresar al *Tel'aran'rhiod,* y no estaba dispuesta a dejar a Amys y a Nynaeve solas. ¿Quién sabía lo que diría Nynaeve si la Sabia sacaba a relucir su genio? Cuando la Sabia apareciera, le diría simplemente que también ella acababa de llegar. Anteriormente las Sabias siempre se le habían adelantado o llegaban al mismo tiempo, pero si Amys pensaba que sólo llevaba allí unos segundos seguramente no tendría importancia.

Casi se había acostumbrado a la sensación de percibir unos ojos invisibles en la vasta cámara. «Es por las columnas, las sombras y este gran espacio vacío.» Aun así, confiaba en que Amys y Nynaeve llegaran enseguida. Pero tardarían. El tiempo podía ser tan peculiar en el *Tel'aran'-rhiod* como en cualquier otro sueño, pero debía de faltar por lo menos una hora para el encuentro acordado. Quizá le daría tiempo a...

De repente se dio cuenta de que oía voces, como débiles susurros entre las columnas. Abrazó el *Saidar* y avanzó cautelosamente hacia el sonido, hacia el lugar donde Rand había dejado a *Callandor,* debajo de la gran cúpula. Las Sabias afirmaban que allí el control del *Tel'aran'rhiod* era equiparable a la fuerza del Poder Único, pero Egwene conocía mejor sus facultades con la Fuente Verdadera y, por ende, se fiaba más de ellas. Todavía escondida entre las gruesas columnas de piedra roja, se detuvo y escudriñó en derredor.

No eran un par de hermanas Negras, como había temido, y tampoco Nynaeve, sino Elayne, de pie cerca de la resplandeciente *Callandor,* hincada en el suelo, enfrascada en una queda conversación con una mujer vestida de un modo muy raro. Llevaba una chaqueta corta, de color blanco, de corte peculiar, y unos amplios pantalones amarillos, recogidos en pliegues en los tobillos, por encima de unas botas cortas de tacón. Una compleja trenza de cabello rubio le colgaba por la espalda, y sostenía un arco que brillaba como plata bruñida. También las flechas de la aljaba relucían.

Egwene apretó los párpados. Primero, las dificultades con su vestimenta, y ahora esto. Sólo porque había estado leyendo sobre Birgitte —el arco de plata era el indicativo inequívoco del nombre— no era razón para imaginar que la veía. Birgitte esperaba —en algún lugar— a que el Cuerno de Valere la convocara, como a los otros héroes, a la Última Batalla. Sin embargo, cuando Egwene volvió a abrir los ojos, Elayne y la mujer con la extraña vestimenta seguían allí. No conseguía entender qué era lo que decían, pero ahora sí dio crédito a sus ojos. Estaba a punto de salir a descubierto para anunciar su presencia cuando una voz habló a su espalda:

—¿Decidiste venir antes? ¿Y sola?

Egwene giró rápidamente sobre sus talones y se encontró cara a cara con Amys, cuyo rostro tostado por el sol parecía demasiado joven para el blanco cabello, y con Bair. Ambas tenían los brazos cruzados; hasta el modo en que los chales estaban apretados sobre sus brazos denotaba el desagrado de las dos Sabias.

—Me quedé dormida —repuso la joven.

Era demasiado temprano para que su cuento funcionara. Mientras explicaba con precipitación que la había vencido el sueño y la razón de no haber regresado —salvo la parte referente a no querer que Nynaeve y Amys hablaran solas— la sorprendió sentir un atisbo de vergüenza por plantearse mentirles, así como el alivio por no haberlo hecho. Y no era que decir la verdad fuera a evitarle el castigo. Amys no era tan estricta como Bair —hasta cierto punto—, pero era muy capaz de ponerla a apilar piedras el resto de la noche. Muchas de las Sabias eran fervientes partidarias de los trabajos inútiles como escarmiento; de ese modo era imposible convencerse a uno mismo de que estaba haciendo algo más que cumplir un castigo mientras enterraba cenizas con una cuchara. Eso si no se negaban en redondo a seguir instruyéndola, naturalmente. Lo de las cenizas sería, con mucho, la mejor opción.

En consecuencia, fue incapaz de reprimir un suspiro de alivio cuando Amys asintió y dijo:

—Puede ocurrir. Pero la próxima vez, regresa y entra en tus propios sueños; Nynaeve podría haberme transmitido a mí lo que tuviera que contarnos y yo ponerla al corriente de lo que sabemos. Si Melaine no estuviera con Bael y Dorindha esta noche también habría venido. Le diste un buen susto a Bair. Se siente orgullosa de tus progresos, y si algo te ocurriera...

La expresión de Bair no era la de alguien que se siente orgulloso. En todo caso, su ceño se intensificó cuando Amys hizo una pausa.

—Tienes suerte de que Cowinde te encontrara cuando volvió a retirar el servicio de la cena, y se asustara cuando no pudo despertarte para que te fueras a las mantas. Si sospechara que has estado aquí más de unos pocos minutos... —La penetrante mirada se endureció fugazmente con una amenazadora promesa, y luego su voz se tornó gruñona—. Supongo que ahora tendremos que esperar a que Nynaeve llegue, y sólo para no oírte suplicar que no te mandemos de vuelta. En fin, si hay que hacerlo, se hará, pero aprovecharemos el tiempo. Concentra la mente en...

—No es Nynaeve —se apresuró a decir Egwene. No tenía ningunas ganas de comprobar cómo sería una lección estando Bair de un humor tan pésimo—. Es Elayne, y... —Dejó la frase en el aire cuando, al darse media vuelta, vio a su amiga, ataviada con un vestido de seda verde, adecuado para un baile, paseando arriba y abajo, cerca de *Callandor*. A Birgitte no se la veía por ninguna parte. «Pues yo no me lo he imaginado.»

—¿Ya está aquí? —dijo Amys al tiempo que se acercaba donde podía verla.

—Otra muchacha necia —rezongó Bair—. Las chicas de hoy tienen menos seso y disciplina que las cabras. —Echó a andar delante de Egwene y de Amys, y se plantó al otro lado de la reluciente *Callandor,* puesta en jarras—. No eres mi alumna, Elayne de Andor, aunque nos has sonsacado bastante para no causar tu propia muerte si vas con cuidado; pero, si lo fueras, te daría una buena azotaina y te mandaría de regreso con tu madre hasta que fueras lo bastante mayor para que no hubiera que tenerte vigilada. Sé que has estado entrando en el Mundo de los Sueños sola, y también Nynaeve. La dos sois unas necias por hacerlo.

Elayne había dado un respingo cuando apareció la primera Sabia; pero, a medida que el rapapolvo de Bair le caía encima, adoptó una pose erguida, con la barbilla alzada en un gesto altivo. Su vestido se volvió rojo y el satinado más fino, y aparecieron bordados en las mangas y en el alto corpiño, incluidos leones rampantes sobre lirios blancos y dorados, que era su propia enseña. Una fina diadema de oro sujetaba sus cabellos rubio rojizos, con un león rampante, tachonado de gotas de luna, reposando sobre su frente. Todavía no tenía mucho control sobre estas cosas. Aunque, por supuesto, cabía la posibilidad de que éste fuera exactamente el atuendo que quería llevar.

—Os agradezco vuestra preocupación —repuso con aire regio—. Empero, cierto es que no soy vuestra pupila, Bair de los Haido Shaarad. Tenéis mi agradecimiento por vuestros consejos y enseñanzas, pero he de seguir mi camino, cumplir las tareas encomendadas por la Sede Amyrlin.

—Una mujer muerta —adujo fríamente Bair—. Proclamas obediencia a una mujer que ha muerto.

Egwene casi percibió como algo físico la creciente cólera de Bair; si no hacía algo enseguida, la Sabia podría decidir darle una dolorosa lección a Elayne, y en este momento lo que menos les interesaba era tener esa clase de disputa.

—¿Qué...? ¿Por qué has venido tú en lugar de Nynaeve? —Iba a preguntar qué estaba haciendo allí, pero eso le habría dado a Bair ocasión de meter baza, y tal vez habría parecido que ella estaba de parte de la Sabia. Lo que realmente deseaba saber era qué hacía Elayne hablando con Birgitte. «No lo imaginé.» Quizá se trataba de alguien que soñaba que era Birgitte. Sin embargo, sólo quienes entraban en el *Tel'aran'rhiod* conscientemente permanecían en él más de unos segundos y, por supuesto, Elayne no habría estado hablando con una de esas personas. ¿Dónde esperaban Birgitte y los otros la llamada del Cuerno?

—Nynaeve sufre un fuerte dolor de cabeza. —La diadema se desvaneció y el vestido de Elayne se volvió más sencillo, con sólo unos pocos bordados dorados en el corpiño.

—¿Está enferma? —inquirió Egwene con preocupación.

—Sólo tiene jaqueca y un par de moretones. —Elayne soltó una risita y se encogió al mismo tiempo—. Oh, Egwene, no lo habrías creído. Los cuatro Chavana al completo vinieron a cenar con nosotras. En realidad, vinieron para coquetear con Nynaeve. Trataron de tontear conmigo los primeros días, pero Thom mantuvo una charla con ellos y lo dejaron. Thom no tenía derecho a hacerlo. Y no es que yo quisiera coquetear, por supuesto. En fin, allí estaban, cortejando a Nynaeve o, más bien, intentándolo, porque ella les hacía menos caso que a unos moscones, cuando de pronto apareció Latelle y empezó a golpear a Nynaeve con un palo mientras le decía insultos terribles.

—¿Sufrió heridas? —Egwene no estaba segura de a cuál de las dos se refería, porque si Nynaeve había dado rienda suelta a su genio...

—Ella no. Los Chavana trataron de apartarla de Latelle, y Taeric seguramente irá cojeando varios días, por no mencionar el labio hinchado de Brugh. Petro tuvo que llevar en brazos a Latelle a su carromato, y dudo que asome la nariz fuera durante un tiempo. —Elayne sacudió la cabeza—. Luca no sabía a quién echar la culpa del desastre, con uno de sus acróbatas cojo y la domadora de osos hecha un mar de lágrimas en su cama, así que nos culpó a todos, y temí que Nynaeve iba a soltarle un bofetón también. Por lo menos no encauzó; creí que lo haría en un par de ocasiones, hasta que consiguió derribar a Latelle en el suelo.

Amys y Bair intercambiaron una mirada indescifrable; éste no era, desde luego, el comportamiento que esperaban en unas Aes Sedai.

Egwene estaba un tanto confusa, pero principalmente por el trabajo que le costaba ubicar a tanta gente nueva de la que sólo había oído hablar brevemente. Gente rara, que viajaba con leones, perros y osos. Y una Iluminadora. No creía que el tal Perro fuera realmente tan fuerte como aseguraba Elayne. Claro que Thom tragaba fuego además de hacer juegos malabares, y lo que Elayne y Juilin llevaban a cabo le sonaba igualmente extraño, aunque su amiga hiciera uso del Poder.

Si Nynaeve había estado a punto de encauzar... Elayne debía de haber visto el brillo del *Saidar* envolviéndola. Tuvieran o no una verdadera razón para esconderse, no lo estarían por mucho tiempo si una de ellas encauzaba y dejaba que la gente lo viera. Las informadoras de la Torre no tardarían en enterarse; ésa era la clase de noticias que se propagaba rápidamente, sobre todo si aún no habían salido de Amadicia.

—Dile a Nynaeve de mi parte que más vale que controle su genio o tendré que decirle unas cuantas cosas que no le van a gustar. —Elayne pareció sorprendida; la antigua Zahorí no le había contado lo que había pasado entre ellas, por supuesto—. Si encauza, puede dar por cierto que Elaida lo sabrá tan pronto como una paloma vuele hasta Tar Valon. —No añadiría nada más; lo que había dicho bastó para que Bair y Amys intercambiaran otra mirada. Ignoraba lo que pensaban realmente sobre la división de la Torre y de una Amyrlin que, por lo que sabían, había dado órdenes de que hicieran volver a rastras a la Torre a unas Aes Sedai, porque no habían hecho el menor comentario al respecto. Cuando querían se mostraban tan reservadas que podían hacer parecer a Moraine como la cotilla del pueblo—. De hecho, me gustaría tener unas palabras con vosotras dos a solas. Si estuviéramos en la Torre, en nuestras habitaciones, os diría un par de cosas.

Elayne aspiró por la nariz con gesto estirado, mostrándose tan regia y fría como antes con Bair.

—Puedes decírmelas cuando gustes.

¿La habría entendido? A solas; sin que las Sabias estuvieran presentes. En la Torre. A Egwene sólo le quedaba esperar que su amiga lo hubiera entendido. Lo mejor era cambiar de tema y confiar en que las Sabias no estuvieran sacando conclusiones de sus palabras como Elayne debería estar haciendo.

—¿La pelea con la tal Latelle os acarreará problemas? —¿En qué habría estado pensando Nynaeve? En Dos Ríos habría llevado a cualquier mujer de su edad que hubiera hecho lo mismo ante el Círculo de Mujeres en un abrir y cerrar de ojos—. A estas alturas debéis de estar cerca de Ghealdan.

—Según Luca, dentro de tres días, si tenemos suerte. Un espectáculo con animales amaestrados no avanza muy deprisa.

—Quizás os convendría dejarlos ahora.

—Quizá —repuso lentamente Elayne—. En realidad me gustaría mucho caminar por el cable, aunque sólo fuera una vez, delante de...

—Sacudió la cabeza y echó un vistazo a *Callandor,* el escote del vestido descendió de manera vertiginosa y al momento subió otra vez—. No sé, Egwene. Podríamos viajar más deprisa solos que con la compañía, y todavía no sabemos exactamente adónde vamos. —Eso significaba que Nynaeve todavía no había recordado el nombre del lugar donde las Azules se estaban reuniendo. Eso si es que el informe de Elaida era cierto—. Por no mencionar que Nynaeve estallaría si tuviéramos que abandonar el carromato y comprar caballos u otro carruaje. Además, las dos estamos enterándonos de un montón de cosas sobre los seanchan. Cerandin sirvió como adiestradora de *s'redit* en la Corte de las Nueve Lunas, la sede de gobierno de la emperatriz seanchan. Ayer nos enseñó unas cosas que cogió cuando huyó de Falme. Egwene, tiene un *a'dam.*

Egwene adelantó bruscamente un paso y su falda rozó a *Callandor.* Las trampas de Rand no eran físicas, pensara lo que pensara Nynaeve.

—¿Estás segura de que no era una *sul'dam*? —Su voz temblaba por la rabia.

—Lo estoy —ratificó Elayne en tono tranquilizador—. Me puse el *a'dam* yo misma y no surtió ningún efecto.

Ése era el pequeño secreto que los propios seanchan ignoraban o disimulaban muy bien si lo sabían. Sus *damane* eran mujeres que poseían el don innato, mujeres capaces de encauzar aunque no se las instruyera. Pero las *sul'dam,* que controlaban a las *damane,* eran mujeres a las que era preciso entrenar. Los seanchan pensaban que las mujeres con capacidad de encauzar eran animales peligrosos que había que controlar y, sin embargo, inadvertidamente, otorgaban a muchas de ellas una posición prominente.

—No entiendo ese interés en los seanchan. —Amys pronunció el gentilicio con dificultad; nunca lo había oído hasta que Elayne lo había dicho en su última reunión—. Lo que hacen es terrible, pero se han ido. Rand al'Thor los derrotó y huyeron.

Egwene se dio media vuelta y contempló intensamente las enormes columnas que se perdían en las sombras.

—Que se hayan ido no significa que no vayan a regresar nunca más. —No quería que le vieran la cara; ni siquiera Elayne—. Tenemos que enterarnos de todo lo que sea posible por si acaso vuelven. —Le habían puesto un *a'dam* en Falme, y proyectaban enviarla a través del Océano Aricio a Seanchan para que pasara el resto de su vida como un perro atado a una traílla. La ira la henchía cada vez que pensaba en ellos. Y también el miedo. El temor de que, si volvían, en esta ocasión tuvieran éxito en apresarla y retenerla. Eso era lo que no quería que las otras mujeres vieran: el puro terror que sabía asomaba a sus ojos.

—Estaremos preparadas para hacerles frente si regresan —susurró Elayne mientras le ponía una mano en el brazo—. No volverán a cogernos por sorpresa otra vez.

Egwene le dio unas palmaditas en la mano, aunque lo que en verdad quería era aferrarla con fuerza; Elayne comprendía más de lo que ella habría deseado, pero resultaba reconfortante que supiera verlo.

—Acabemos con lo que hemos venido a hacer —intervino Bair con brusquedad—. Necesitas dormir de verdad, Egwene.

—Hemos hecho que un *gai'shain* te desnude y te meta entre las mantas, así que cuando vuelvas a tu cuerpo podrás dormir hasta por la mañana. —Sorprendentemente, el tono de Amys era tan suave como el de Elayne.

Un suave rubor tiñó las mejillas de Egwene. Considerando los modos Aiel, había tantas probabilidades de que el *gai'shain* hubiera sido un hombre como una mujer. Tendría que hablar con ellas al respecto... con delicadeza, naturalmente; no lo entendían y era un tema que no le resultaba fácil explicar.

Se dio cuenta de que el temor había desaparecido. «Por lo visto le tengo más miedo a sentirme turbada que a los seanchan.» No era cierto, pero se aferró a esa idea.

No tenían mucho que contarle a Elayne. Que por fin habían llegado a Cairhien; que Couladin había devastado Selean y arrasado la campiña circundante; que los Shaido todavía les sacaban varios días de ventaja y que se desplazaban hacia el oeste. Las Sabias sabían más que ella; no se habían metido de inmediato en sus tiendas cuando acamparon. Había habido escaramuzas al anochecer, aunque pocas y sin importancia, contra hombres montados que enseguida huyeron, y otros hombres a caballo que habían visto alejarse sin luchar. No se habían tomado prisioneros. Moraine y Lan parecían pensar que los jinetes podían ser bandidos o partidarios de una u otra casa de las que pretendían el Trono del Sol. En uno u otro caso, todos eran igualmente harapientos. Fueran quienes fueran, la noticia de que había más Aiel en Cairhien se propagaría enseguida.

—Antes o después tenían que enterarse —fue el único comentario de Elayne.

Egwene vio cómo Elayne y las Sabias se desvanecían —ella tuvo la impresión de que su amiga y el Corazón de la Ciudadela se volvían más y más intangibles— pero la rubia heredera del trono no hizo nada que le confirmara si había entendido o no su mensaje.

25

SUEÑOS DE GALAD

En lugar de regresar a su propio cuerpo, Egwene flotó en la oscuridad. Ella misma parecía ser oscuridad, sin sustancia. Si su cuerpo yacía debajo, arriba o a un lado de ella, lo ignoraba —aquí no existía el concepto de dirección— pero sabía que estaba cerca, que podía entrar en él fácilmente. Todo en derredor, en la oscuridad, titilaban lo que parecían luciérnagas, un vasto enjambre que se perdía en una distancia inimaginable. Eran sueños, sueños de los Aiel del campamento, de hombres y mujeres a lo ancho y largo de Cairhien, del mundo, todos reluciendo allí.

Ahora podría escoger alguno de los más próximos y decir quién era el soñador. En un sentido aquellos centelleos eran muy semejantes a las luciérnagas —tal era la razón de que tuviera tantos problemas al principio— pero en otro, de algún modo, ahora parecían tan individuales como rostros. Los sueños de Rand y los de Moraine aparecían opacos, borrosos por las salvaguardas que habían tejido a su alrededor. Los de Amys y Bair eran brillantes y titilaban a un ritmo regular; habían seguido su propio consejo, por lo visto. Si no hubiera visto ésos, habría regresado a su cuerpo de inmediato. Esas dos podían vagar por esta oscuridad con mucha más destreza que ella; no se habría dado cuenta de que estaban allí hasta que hubieran saltado sobre ella. Si alguna vez llegaba a reconocer a Elayne y a Nynaeve del mismo modo, entonces sería capaz de encontrarlas en aquella gran constelación, dondequiera que estuvieran en el mundo. Pero esta noche no tenía intención de observar el sueño de nadie.

Con cuidado, evocó en su mente una imagen muy bien recordada, y regresó al *Tel'aran'rhiod,* dentro del pequeño cuarto sin ventana de la Torre donde había vivido como novicia. Había una cama estrecha pegada a una de las blancas paredes. Enfrente de la puerta se encontraba un palanganero y una banqueta de tres patas, y el vestido de la actual ocupante, así como ropas interiores de lana blanca, colgaban junto con una capa blanca en las perchas. No habría sido extraño que hubiera encontrado desocupada la habitación; la Torre no había conseguido llenar los aposentos de las novicias desde hacía muchos años. El suelo era casi tan blanco como las paredes y las ropas. Todos los días, la novicia que vivía allí fregaría de rodillas ese suelo; Egwene lo había hecho así, y también Elayne, en el cuarto de al lado. Si una reina acudiera a instruirse a la Torre empezaría en una habitación como aquélla y fregando el suelo.

Las ropas estaban colocadas de forma distinta cuando volvió a mirarlas, pero hizo caso omiso de ello. Preparada para abrazar el *Saidar* en un instante, abrió la puerta justo lo suficiente para asomarse al pasillo. Y exhaló con alivio cuando vio la cabeza de Elayne asomando con idéntica lentitud y precaución por la puerta de al lado. Egwene esperaba que su expresión no fuera tan insegura como la de su amiga. La llamó precipitadamente con un gesto, y Elayne corrió hacia ella, vestida con el blanco atuendo de novicia, que se transformó en un vestido de montar de seda gris nada más entrar en el cuarto. Egwene detestaba los vestidos grises; eran los que llevaban las *damane.*

Se quedó un momento más asomada a la puerta, escudriñando las galerías de los aposentos de las novicias. Los pisos subían y subían, y otros tantos bajaban hacia el Patio de las Novicias, allá al fondo. No es que esperara en realidad encontrar a Liandrin o a alguien peor ahí fuera, pero nunca estaba de más ser precavida.

—Supuse que era esto a lo que te referías —dijo Elayne cuando cerró la puerta—. ¿Tienes idea de lo difícil que es recordar qué puedo decir delante de quién? A veces me dan ganas de contarles todo a las Sabias. Que se enteren que sólo somos Aceptadas y así acabaríamos de una vez.

—Tú acabarías de una vez —replicó firmemente Egwene—, pero resulta que duermo a menos de veinte pasos de ellas.

—Esa Bair... —Elayne se estremeció—. Me recuerda a Lini cuando me regañaba por haber roto algo que no debía tocar.

—Pues espera a que te presente a Sorilea. —Elayne la miró con incredulidad; claro que la propia Egwene no hubiera creído cómo era Sorilea hasta que la conoció. No había forma de suavizar lo que tenía que decir, así que se ajustó el chal y fue directa al grano—. Cuéntame lo de los encuentros con Birgitte. Porque era Birgitte, ¿verdad?

Elayne se tambaleó como si hubiera recibido un puñetazo en el estómago. Sus azules ojos se cerraron un instante e hizo una inhalación que debió llenarle de aire hasta los dedos de los pies.

—No puedo hablarte de eso.

—¿Qué quieres decir con que no puedes? Tienes lengua, ¿no? ¿Era Birgitte?

—No puedo, Egwene. Tienes que creerme. Lo haría si pudiera, pero no puedo. Quizás... si pido permiso... —Si Elayne hubiera sido una mujer de las que se retuercen las manos, habría estado haciendo eso en ese momento. Abrió y cerró la boca sin que saliera de ella un solo sonido; sus ojos fueron rápidamente de un lado a otro de la habitación, como si estuviera buscando inspiración o ayuda. Volvió a inhalar hondo y clavó su mirada en Egwene con una expresión de apremio—. Cualquier cosa que diga violaría los secretos que prometí guardar. Incluso esto. Por favor, Egwene, tienes que confiar en mí. Y no debes decirle a nadie lo que... creíste ver.

Egwene se obligó a borrar el gesto ceñudo de su cara.

—Bien, confiaré en ti. —Al menos ahora sabía con certeza que no había estado imaginando cosas. «¿Birgitte? ¡Luz!»—. Espero que algún día confíes en mí lo bastante para contármelo.

—Pues claro que confío en ti, pero... —Elayne sacudió la cabeza y tomó asiento en el borde de la cama perfectamente hecha—. Guardamos secretos con demasiada frecuencia, Egwene, pero a veces es por un motivo.

Un instante después Egwene asintió con la cabeza y se sentó a su lado.

—Bien, cuando puedas —fue todo cuanto dijo, pero su amiga le dio un abrazo, aliviada.

—Me dije que no te preguntaría esto, Egwene. Por una vez no iba a estar pensando sólo en él. —El vestido de montar gris se convirtió en otro de brillante satén verde; imposible que Elayne tuviera conciencia de lo bajo que era el escote—. Pero ¿está bien Rand?

—Está vivo e indemne, si es a eso a lo que te refieres. Creí que era duro en Tear, pero hoy lo oí amenazar con ahorcar hombres si desobedecen sus órdenes. No es que sean unas órdenes malas... No permitirá que nadie coja comida sin pagarla ni que se mate a la gente. Pero, aun así... Fueron los primeros en aclamarlo como El que Viene con el Alba, y abandonaron el Yermo para seguirlo sin vacilar. Y ahora él los amenaza, frío y duro como el acero.

—No son amenazas, Egwene. Él es un rey, por mucho que tú o él o cualquiera diga lo contrario, y un rey o una reina debe impartir justicia sin temer a enemigos ni favorecer a amigos. Cualquiera que haga eso ha de ser duro. Hay veces que madre puede hacer que las murallas de la ciudad parezcan blandas a su lado.

—Pero no tiene que ser tan arrogante —comentó Egwene con voz ecuánime—. Nynaeve dice que debería recordarle que sólo es un hombre, pero todavía no he discurrido cómo hacerlo.

—Pues claro que ha de recordar que sólo es un hombre, pero tiene derecho a esperar que se le obedezca. —Había cierto deje altanero en la voz de Elayne; pero entonces se fijó en el escote de su vestido. Sus mejillas enrojecieron, y el vestido verde de repente tuvo un cuello de encaje alto que le llegaba a la barbilla—. ¿Estás segura de que no has confundido eso con arrogancia? —terminó con voz estrangulada.

—Es tan altanero como un cerdo en un campo de guisantes. —Egwene rebulló en la cama; seguía siendo tan dura como la recordaba, pero la fina colcha tenía un tacto más suave que las mantas en las que dormía en la tienda. No quería hablar más de Rand—. ¿Estás segura de que esa pelea no causará más problemas? —Tener un pleito con la tal Latelle no haría más fácil el viaje, precisamente.

—No lo creo. Lo único que Latelle tenía contra Nynaeve era que todos los hombres sin compromiso de la compañía habían dejado de estar a su disposición exclusivamente para elegir entre ellos. Algunas mujeres son así, supongo. Aludra es muy reservada y no tiene trato con nadie, Cerandin no habría espantado a una mosca hasta que empecé a enseñarle a valerse por sí misma, y Clarine está casada con Petro. Pero Nynaeve ha dejado muy claro que le dará de bofetadas a cualquier hombre al que se le ocurra pensar siquiera que puede coquetear con ella y se disculpó con Latelle, así que espero que eso deje zanjado el problema.

—¿Dices que se disculpó?

Su amiga asintió; en su rostro había una expresión tan divertida como Egwene imaginaba que se reflejaba en el suyo.

—Creí que le daría de golpes a Luca... quien, por cierto, no parece pensar que la advertencia de Nynaeve reza también para él... cuando le dijo que debía disculparse; sin embargo Nynaeve lo hizo, después de estar rezongando una hora, claro. Rezongando sobre ti, de hecho. —Vaciló y miró a Egwene de reojo—. ¿Le dijiste algo la última vez que os reunisteis? Ha estado... diferente desde entonces, y a veces habla consigo misma. Bueno, en realidad discute. Sobre ti, por lo poco que he oído.

—No dije nada que no tuviera que decir. —Así que continuaba, fuera lo que fuera lo que había ocurrido entre ellas. O era eso o Nynaeve estaba acumulando la rabia para la próxima vez que se encontraran. Egwene no estaba dispuesta a soportar más el mal genio de la mujer, especialmente sabiendo que no tenía que hacerlo—. Dile de mi parte que ya es muy mayor para andar rodando por el suelo en una pelea, y que, si se mete en otro lío, le diré algo peor. Díselo así exactamente: que será peor. —Que Nynaeve rumiara aquello hasta la próxima reunión. Una de dos: o se mostraba más suave que una malva... o si no ella tendría que cumplir su amenaza. Nynaeve podía ser más fuerte en el Poder cuando podía encauzar, pero allí, en el *Tel'aran'rhiod,* la fuerte era ella. De un modo u otro, había puesto fin a las rabietas de la antigua Zahorí.

—Se lo diré —contestó Elayne—. También tú has cambiado. Parece haber en ti algo de la actitud de Rand.

A Egwene le costó unos instantes comprender a lo que se refería, aunque ayudó el atisbo de sonrisa divertida que esbozaba la heredera del trono.

—No seas tonta.

Elayne se echó a reír abiertamente y le dio otro abrazo.

—Oh, Egwene, algún día serás la Sede Amyrlin, cuando yo me haya convertido en la reina de Andor.

—Si es que para entonces existe la Torre —adujo con aplastante lógica, y la risa de su amiga se cortó.

—Elaida no puede destruir la Torre Blanca, Egwene. Haga lo que haga, la Torre permanecerá. Quizá no mantenga su puesto de Amyrlin. Una vez que Nynaeve recuerde el nombre de esa ciudad, apostaría a que tendremos una Torre en el exilio, con representación de todos los Ajahs excepto el Rojo.

—Eso espero. —Egwene sabía que se notaba que estaba triste. Quería que las Aes Sedai apoyaran a Rand y se opusieran a Elaida, pero tal cosa significaba la ruptura definitiva de la Torre, quizá para no recuperar la unidad nunca.

—He de regresar —anunció Elayne—. Nynaeve insiste en que, seamos una u otra, la que no entre en el *Tel'aran'rhiod* se quede despierta, y con la jaqueca que sufre lo que necesita es tomarse una de sus infusiones y dormir. No entiendo porqué es tan insistente en eso. La que esté en vela no puede hacer nada para ayudar a la otra, y ahora cualquiera de las dos sabemos lo suficiente para estar perfectamente a salvo aquí. —Su vestido verde se transformó en la chaqueta blanca y los amplios pantalones de Birgitte durante un instante y después volvió a cambiar bruscamente—. Me advirtió que no te lo dijera, pero cree que Moghedien está intentando encontrarnos. A ella y a mí.

Egwene no planteó la pregunta obvia. Estaba claro que era Birgitte quien les había advertido de ello. ¿Por qué se empeñaba Elayne en guardar ese secreto? «Porque lo prometió, y ella no ha roto una promesa en su vida.»

—Dile que tenga cuidado. —Difícilmente Nynaeve se quedaría sentada y esperando si pensaba que una de las Renegadas iba tras ella. Estaría recordando que ya la había vencido en una ocasión, y siempre había tenido más valor que sentido común—. Los Renegados no son un asunto para tomar a la ligera. Ni tampoco los seanchan, aunque supuestamente sólo sean domadores de animales. Dile eso también.

—Supongo que no me harás caso si te aconsejo que tú también tengas cuidado.

—Siempre lo tengo —repuso mientras lanzaba una mirada sorprendida a Elayne—. Lo sabes.

—Por supuesto.

Lo último que Egwene vio de su amiga mientras ésta se desvanecía fue una sonrisa jocosa.

Ella no se marchó. Si Nynaeve no recordaba dónde era el punto de reunión de las Azules, quizá pudiera descubrirlo allí. No era una idea que se le hubiera ocurrido ahora, y éste tampoco era el primer desplazamiento que hacía a la Torre desde su último encuentro con Nynaeve. Adoptó la apariencia de Enaila, con el pelirrojo cabello largo hasta los hombros, y sus ropas se transformaron en el vestido blanco de Aceptada, con las bandas de colores en el repulgo. A continuación evocó la imagen del ornamentado estudio de Elaida.

Seguía como siempre, aunque en cada visita el número de banquetas colocadas en arco delante del ancho escritorio era menor. Las pinturas continuaban colgadas sobre la chimenea. Egwene se dirigió directamente al escritorio y apartó el pesado sillón con apariencia de trono y la Llama de Tar Valon taraceada en el respaldo a fin de llegar hasta la caja lacada que guardaba el correo. Levantó la tapa, llena de halcones luchando ente nubes, y empezó a revisar los papeles tan deprisa como podía. Aun así, algunos desaparecían a media lectura o cambiaban. Era imposible discernir de antemano cuáles eran importantes y cuales no.

La mayoría parecían informes de fracasos en misiones. Todavía se ignoraba adónde había llevado a su ejército el señor de Bashere, y en el escrito se advertía una nota de frustración y preocupación. Aquel nombre seguía cosquilleando en su mente, pero no tenía tiempo que perder, de modo que lo desechó con firmeza y cogió otra hoja. Tampoco había noticias del paradero de Rand, decía un informe que rebosaba pánico. Ésa era una buena noticia que por sí misma hacía que la visita mereciera la pena. Había pasado más de un mes desde las últimas noticias recibidas desde Tanchico de las informadoras de cualquier Ajah, y también otras de Tarabon habían interrumpido la comunicación; la persona que escribía la nota responsabilizaba de ello a la anarquía reinante en esa zona; no podían confirmarse los rumores de que alguien hubiera tomado Tanchico, pero se sugería que el propio Rand estaba implicado en ello. Eso era todavía mejor, porque revelaba que Elaida buscaba a Rand en el lugar equivocado, a mil leguas de distancia. Un informe confuso decía que una hermana Roja de Caemlyn afirmaba haber visto a Morgase en una audiencia pública, pero varias informadoras de Ajahs en Caemlyn manifestaban que la reina había estado recluida varios días. Combates en las Tierras Fronterizas por posibles rebeliones de poca importancia en Shienar y Arafel; el informe desapareció antes de que tuviera tiempo de leer la razón. Pedron Niall estaba convocando a los Capas Blancas a Amadicia, posiblemente para marchar contra Altara. Menos mal que Elayne y Nynaeve habrían salido del país dentro de tres días.

La siguiente hoja era sobre Elayne y Nynaeve. En primer lugar, la persona que lo escribía aconsejaba no castigar a la informadora que las había dejado escapar —Elaida había tachado aquello con firmes trazos y escrito en el margen: «¡Dar un ejemplo!»— y luego, cuando la informadora empezaba a entrar en detalles sobre la búsqueda de las dos jóvenes en Amadicia, la hoja se convirtió en un puñado de pliegos, un fajo de lo que parecían los cálculos de constructores y albañiles para erigir una residencia privada para la Sede Amyrlin en los terrenos de la Torre. Más que residencia, un palacio, a juzgar por el número de páginas.

Las dejó caer, y las hojas desaparecieron antes de que acabaran de esparcirse sobre el escritorio. La caja lacada volvía a estar cerrada. Podía pasarse el resto de su vida allí; siempre habría más documentos en la caja y siempre estarían cambiando. Cuanto más efímero era algo en el mundo de vigilia —una carta, un trozo de paño, un cuenco que podía moverse con frecuencia— menos firme era su reflejo en el *Tel'aran'rhiod*. No podía quedarse mucho tiempo; dormir mientras se estaba en el Mundo de los Sueños no procuraba tanto descanso como en un sueño normal.

Salió presurosa a la antesala y estaba a punto de coger la primera hoja del ordenado montón de pergaminos, algunos de ellos con sello, que había sobre el escritorio de la Guardiana, cuando pareció producirse un destello. Antes de que tuviera tiempo de considerar a qué podría deberse, la puerta se abrió y Galad entró en la antesala, sonriendo, con su chaqueta de brocado azul encuadrando sus hombros a la perfección y unos calzones ajustados que marcaban la forma de sus pantorrillas.

Egwene inhaló profundamente, sintiendo un cosquilleo en el estómago. No era justo que un hombre tuviera un rostro tan hermoso.

Él se acercó, los oscuros ojos chispeantes, y le acarició la mejilla con las puntas de los dedos.

—¿Quieres pasear conmigo por el Jardín Acuático?

—Si tenéis intención de arrullaros —dijo una enérgica voz femenina—, hacedlo en otro sitio.

Egwene giró velozmente sobre sus talones y miró de hito en hito a Leane, que estaba sentada detrás del escritorio, con la estola de Guardiana alrededor de los hombros y una cariñosa sonrisa en su rostro cobrizo. La puerta del estudio de la Amyrlin estaba abierta y, dentro, Siuan se encontraba de pie junto al sobrio y pulido escritorio, leyendo un largo pergamino, con la estola de rayas sobre los hombros. Esto era una locura.

Huyó sin pensar en la imagen que evocaba y se encontró de repente, jadeando, en el Prado de Campo de Emond, rodeada por las casas de techo de bálago y el manantial brotando con fuerza por el afloramiento rocoso en la gran extensión de hierba. Cerca del caudaloso arroyo que se ensanchaba rápidamente, se alzaba la pequeña posada de su padre, con su piso bajo de piedra y el primero, saliente, enjalbegado. «El único techo de su clase en todo Dos Ríos» decía a menudo Bran al'Vere refiriéndose a las tejas rojas. Los grandes cimientos de piedra que había cerca de la Posada del Manantial, en el centro de los cuales se alzaba un enorme roble, eran mucho más antiguos que la posada, pero algunos decían que en tiempos había habido allí alguna especie de hospedería junto al manantial durante más de dos mil años.

«Estúpida.» Después de advertir con tanta firmeza a Nynaeve sobre los sueños en el *Tel'aran'rhiod,* había estado a punto de quedar atrapada en uno propio. Aunque era extraño lo de Galad; a veces soñaba con él. Sus mejillas enrojecieron. Ciertamente no lo amaba; ni siquiera le gustaba mucho, pero era hermoso, y en aquellos sueños él había sido mucho más de lo que Egwene habría deseado. Era con su hermano Gawyn con quien soñaba más a menudo, pero también eso era una estupidez. Dijera lo que dijera Elayne, nunca le había dado a entender que sintiera nada por ella.

Todo era culpa de ese tonto libro con todas esas historias sobre amantes. Tan pronto como se despertara por la mañana iba a devolvérselo a Aviendha. Y le diría que no creía que lo leyera por las aventuras, ni mucho menos.

Sin embargo, era reacia a marcharse. El hogar. Campo de Emond. El último lugar en el que se había sentido realmente a salvo. Había pasado más de año y medio desde que se había marchado de allí y, no obstante, todo seguía igual que lo recordaba. Bueno, no todo. En el Prado se erguían dos altos palos en los que ondeaban unos estandartes, uno de un águila roja y el otro con la cabeza de un lobo, también rojo.

¿Tendría Perrin algo que ver con esto? No imaginaba cómo. Pero su amigo había vuelto a casa, según Rand, y ella había soñado con Perrin y con lobos más de una vez.

Bueno, ya estaba bien de perder el tiempo con tonterías. Era hora de... Destello.

Su madre salió de la posada; llevaba la canosa trenza echada sobre un hombro. Marín al'Vere era una mujer delgada, todavía guapa, y la mejor cocinera de Dos Ríos. Egwene oía a su padre reír en la sala, donde estaba reunido con el resto del Consejo del Pueblo.

—¿Todavía estás aquí, pequeña? —la reprendió suavemente su madre—. Llevas casada tiempo suficiente para saber que no tendrías que dejarle ver a tu marido que su ausencia te entristece. —Sacudió la cabeza y se echó a reír—. Demasiado tarde. Ahí viene.

Egwene se volvió, anhelante, y sus ojos pasaron sobre los niños que jugaban en el Prado. Los maderos del Puente de los Carros resonaron al cruzarlo Gawyn a galope y luego desmontó frente a ella. Alto y erguido en su chaqueta roja bordada, tenía el rizoso cabello del mismo color rubio rojizo que su hermana, y unos maravillosos ojos azul profundo. No era tan apuesto como su hermanastro, desde luego, pero el corazón de la joven latió más deprisa por él de lo que lo había hecho por Galad —«¿Por Galad? ¿Qué?»— y tuvo que apretar las manos sobre el estómago en un vano esfuerzo de cortar el cosquilleo y la sensación de vacío.

—¿Me has echado de menos? —preguntó él, sonriente.

—Un poco. —«¿Por qué pensé en Galad? Como si lo hubiera visto hace sólo un momento»—. A ratos, cuando no había nada interesante en lo que ocupar mi tiempo. Y tú ¿me echaste de menos?

Por toda respuesta, la levantó en vilo y la besó. Egwene no fue consciente de nada más hasta que él la soltó en el suelo, sobre sus temblorosas piernas. Los estandartes habían desaparecido. «¿Qué estandartes?»

—Aquí lo tenéis —dijo su madre, que traía en sus brazos a un bebé envuelto en pañales—. Aquí está vuestro hijo. Es un buen chico. Nunca llora.

Gawyn rió al mirar al pequeño y lo sostuvo en alto.

—Tiene tus ojos, Egwene. Algún día hará estragos entre las chicas.

411

Egwene reculó, apartándose de ellos mientras sacudía la cabeza. Había habido estandartes, un águila roja y la cabeza de un lobo rojo. Había visto a Galad. En la Torre.

—¡Nooo!

Huyó, saltando del *Tel'aran'rhiod* a su propio cuerpo. La conciencia duró justo lo suficiente para que se preguntara cómo podía haber sido tan necia para permitir que sus propias fantasías estuvieran a punto de atraparla, y acto seguido se sumió en su propio y seguro sueño. Gawyn galopaba a través del Puente de los Carros, y desmontó...

Moghedien salió de detrás de una de las casas de techo de bálago y se preguntó ociosamente dónde estaría esta pequeña aldea. No era la clase de sitio en el que esperaría encontrar estandartes ondeando. La chica había sido más fuerte de lo que imaginaba para haber escapado de sus redes del *Tel'aran'rhiod*. Ni siquiera Lanfear podía superar sus habilidades allí, por mucho que lo pretendiera. Aun así, la chica sólo había despertado su interés porque estaba hablando con Elayne Trakand, que podría conducirla a Nynaeve al'Meara. La única razón de atraparla había sido simplemente librar al *Tel'aran'rhiod* de alguien que podía moverse libremente por él. Bastante malo era ya tener que compartirlo con Lanfear.

Pero Nynaeve al'Meara... Se proponía hacer que esa mujer le suplicara estar a su servicio. La apresaría en vida, con su cuerpo, y quizá le pediría al Gran Señor que la concediera la inmortalidad para que de ese modo Nynaeve estuviera lamentando eternamente haberse opuesto a Moghedien. Al parecer ella y Elayne estaban maquinando con Birgitte, ¿no? Ésa era otra que se había hecho merecedora de su castigo. Birgitte ni siquiera sabía quién era Moghedien por aquel entonces, mucho tiempo atrás, en la Era de Leyenda, cuando desbarató su plan cuidadosamente elaborado para hacer morder el polvo a Lews Therin. Pero Moghedien sí sabía quién era ella. Sólo que Birgitte —Teadra en ese tiempo— había muerto antes de que pudiera ocuparse de ella. La muerte no era castigo ni final cuando ello significaba vivir aquí, en el Mundo de los Sueños.

Nynaeve al'Meara, Elayne Trakand y Birgitte. Encontraría a las tres y se ocuparía de ellas. Desde las sombras, para que así no vieran el peligro hasta que fuera demasiado tarde. Las tres, sin excepción.

Se desvaneció, y los estandartes ondearon con la brisa del *Tel'aran'-rhiod*.

26

SALIDAR

El halo de grandeza, azul y dorado, titilaba esporádicamente alrededor de la cabeza de Logain, aunque el hombre cabalgaba encorvado en la silla. Min no comprendía por qué aparecía más a menudo últimamente. Logain ya no se molestaba en levantar los ojos de los hierbajos que crecían delante de su caballo hacia las bajas colinas boscosas que se extendían, ondulantes, todo en derredor.

Las otras dos mujeres cabalgaban juntas un poco más adelante, Siuan con la misma inseguridad que siempre en la peluda *Bela* y Leane guiando diestramente a su yegua gris, más con las rodillas que con las riendas. Sólo una franja extrañamente recta de helechos, sobresaliendo de la capa de hojas secas que cubría el suelo del bosque, apuntaba que allí había habido una calzada. Los delicados helechos estaban agostándose, y la capa de hojas crujía y susurraba bajo los cascos de los caballos. El denso dosel de ramas entrelazadas ofrecía cierto resguardo del sol de mediodía, pero no menguaba el bochorno. A Min le corría el sudor por la cara a pesar de la brisa que soplaba de tanto en tanto a su espalda.

Hacía ya quince días que cabalgaban hacia el suroeste de Lugard, guiados únicamente por la insistencia de Siuan de que sabía adónde se dirigían exactamente. Ni que decir tiene que no compartía esos cono-

413

cimientos con los demás; Siuan y Leane mantenían la boca tan cerrada como cepos de osos después de saltar. Min dudaba incluso de que Leane lo supiera. Quince días, en los que las ciudades y los pueblos se habían ido haciendo paulatinamente más escasos y distanciados entre sí hasta que finalmente no hubo ninguno. De día en día, los hombros de Logain se habían encorvado un poco más, y, también de día en día, el halo aparecía más a menudo. Al principio sólo había rezongado que iban persiguiendo quimeras, pero Siuan había recuperado el liderazgo sin oposición a medida que el hombre se volvía más taciturno y meditabundo. Durante los últimos seis días pareció falto de energía incluso para interesarse hacia dónde se dirigían y si llegarían allí alguna vez.

Siuan y Leane iban hablando en voz abaja ahora. Min sólo alcanzó a oír un apagado murmullo que podría haberse tomado por el del viento entre las hojas. Si intentaba acercarse más a ellas, le dirían que no perdiera de vista a Logain o simplemente la mirarían con fijeza hasta que sólo un tonto sin vista habría seguido metiendo las narices donde no le importaba. Habían hecho ambas cosas con bastante frecuencia. De vez en cuando, sin embargo, Leane se giraba en la silla para mirar a Logain.

Por último, Leane dejó que *Campánula* se retrasara y la puso junto al negro semental del hombre. El calor no parecía molestarla; su rostro cobrizo no tenía el menor rastro de sudor. Min tiró de las riendas de *Galabardera* para dejarle sitio.

—Ya no falta mucho —le dijo Leane a Logain con voz sensual. Él no levantó la vista de los hierbajos del suelo. La mujer se inclinó hacia él y se sujetó a su brazo para mantener el equilibrio. En realidad, se apretaba contra él—. Sólo un poco más, Dalyn. Tendrás tu venganza.

Los ojos apagados del hombre siguieron prendidos en el camino.

—Un muerto te haría más caso —comentó Min y lo decía en serio. Había tomado nota mentalmente de todo lo que Leane hacía y por las noches hablaba con ella, aunque procuraba no dar a entender el motivo. Nunca sería capaz de actuar del mismo modo que Leane («A no ser que esté tan llena de vino que no sepa lo que hago»); sin embargo, unos cuantos consejos podrían venirle bien—. ¿Qué tal si lo besas?

Leane le asestó una mirada que habría congelado un arroyo en su curso, pero Min se limitó a sostenérsela. Nunca había tenido con Leane los problemas habituales con Siuan —bueno, por lo menos no tantos— y esas escasas dificultades habían ido menguando desde que la otra mujer había salido de la Torre. Y menos aun desde que habían empezado a hablar de hombres. ¿Cómo se iba a sentir intimidada por una mujer que le había dicho con total seriedad que hay ciento siete maneras distintas de besar, y noventa y tres formas de tocar la cara de un hombre sin usar la mano? De hecho, Leane parecía creer estas cosas.

El comentario de Min sobre que le diera un beso no llevaba mala intención. Leane lo había arrullado, le había lanzado miradas que tendrían que haberlo derretido, desde el día en que tuvieron que sacarlo a la fuerza de entre las mantas en lugar de ser el primero en levantarse y azuzarlas para que se pusieran en marcha. Min ignoraba si Leane sentía algo realmente por el hombre, aunque le costaba trabajo incluso admitir la posibilidad, o si sólo intentaba animarlo para que no se diera por vencido y languideciera, a fin de mantenerlo con vida para lo que quiera que Siuan hubiera planeado.

Ciertamente, Leane no había dejado de coquetear con otros aparte de él. Por lo visto, ella y Siuan habían resuelto que Siuan se entendería con las mujeres y Leane, con los hombres, y así había sido desde Lugard. En dos ocasiones, sus sonrisas y miradas les habían proporcionado habitaciones donde el posadero había dicho un momento antes que no quedaba ninguna, habían rebajado el importe de la factura en aquellas dos y en tres más, y dos noches durmieron en graneros en lugar de hacerlo bajo los arbustos. También habían conseguido que las persiguiera un ama de casa armada con una horca, y que otra les volcara encima el desayuno de gachas frías, pero a Leane le parecieron divertidos esos incidentes, aunque no a los demás. Los últimos días, no obstante, Logain había dejado de reaccionar como cualquier hombre que la viera durante más de dos minutos. De hecho, ya no reaccionaba con nada.

Siuan hizo volver grupas a *Bela*; su postura era tan rígida, con los codos muy separados, que daba la impresión de que iba a caerse en cualquier momento. Tampoco a ella la afectaba el calor.

—¿Has visto el halo hoy? —Lo preguntó sin apenas mirar de soslayo a Logain.

—Sigue igual —repuso pacientemente Min.

Siuan se negaba a comprender o a creer por mucho que se lo repitiera, e igual le ocurría a Leane. Habría dado lo mismo si no hubiera vuelto a ver el halo desde la primera vez en Tar Valon. De estar Logain tirado en el camino, moribundo, con los últimos estertores, habría apostado todo cuanto tenía y más a que, de algún modo, se produciría una recuperación milagrosa. Aquello que veía era verdad. Siempre ocurría. Lo sabía de la misma manera que supo la primera vez que vio a Rand al'Thor que se enamoraría de él perdida y desesperadamente; del mismo modo que había sabido que tendría que compartirlo con otras dos mujeres. Logain estaba destinado a una gloria tal como pocos hombres habrían soñado alcanzar.

—No adoptes esa actitud conmigo —dijo Siuan, endureciendo la mirada—. Ya tenemos bastante con tener que dar de comer a este enorme congrio peludo si queremos que ingiera algo para que ahora vengas tú y te enfurruñes como una gaviota en invierno. Puede que tenga que aguantarlo a él, muchacha, pero si tú también empiezas a darme problemas no tardarás en lamentarlo. ¿Me he expresado con claridad?

—Sí, Mara. —«Al menos podrías haberle contestado con un poco de sarcasmo», se reprochó para sus adentros. «No tienes que ser mansa como una gallina. Has mandado a paseo a Leane en su cara.» La domani había sugerido que pusiera en práctica con el herrador del último pueblo lo que le había enseñado. Era un hombre alto, apuesto, con manos fuertes y agradable sonrisa, pero aun así...—. Intentaré no enfurruñarme.

Lo peor era darse cuenta de que había intentado que su voz sonara sincera. Siuan producía ese efecto. Min no se imaginaba a Siuan hablando sobre cómo sonreírle a un hombre. Siuan lo miraría a los ojos directamente, le diría lo que tenía que hacer y esperaría que lo realizara de inmediato. Exactamente igual que con cualquier persona. Si actuaba de forma distinta, como con Logain, se debía únicamente a que el asunto no era lo bastante importante para presionar.

—No falta mucho, ¿verdad? —dijo enérgicamente Leane. El otro tono de voz lo reservaba para los hombres—. No me gusta su aspecto, y si tenemos que parar otra vez para hacer noche... En fin, que si tiene menos empuje de lo que tenía esta mañana, no sé si seremos capaces de hacerlo subir a la silla de montar.

—No, no falta mucho, si las últimas indicaciones que me dieron son totalmente correctas.

Siuan parecía irritada. Había preguntado en aquel último pueblo, hacía dos días —sin dejar que Min la oyera, por supuesto; Logain no había mostrado ningún interés— y no le gustaba que se lo recordaran. Min no entendía por qué. Siuan no podía temer que Elaida las estuviera persiguiendo.

En cuanto a ella, esperaba que no estuviera muy lejos. No era fácil calcular cuánto habían bajado hacia el sur desde que habían dejado la calzada a Jehannah. La mayoría de los campesinos sólo tenían una vaga idea de dónde estaban sus pueblos en relación con cualquier lugar excepto las ciudades más próximas, pero cuando cruzaron el Manetherendrelle hacia Altara, justo antes de que Siuan los sacara de la concurrida calzada, el viejo barquero había estado examinando un ajado mapa, un mapa que se extendía hasta las Montañas de la Niebla. A menos que se equivocara en sus cálculos, se encontrarían con otro ancho río en pocas millas: o el Boern, lo que significaba que estarían ya en Ghealdan, don-

416

de se hallaban el Profeta y su multitudinaria chusma de seguidores, o el Eldar, con Amadicia y los Capas Blancas en la orilla opuesta.

Min apostaba por Ghealdan, con Profeta o sin él, e incluso eso era una sorpresa si de verdad estaban cerca. Sólo un necio esperaría encontrar una reunión de Aes Sedai más cerca de Amadicia de lo que tenían que estar ahora, y Siuan no era tonta ni mucho menos. Se encontraran en Ghealdan o en Altara, Amadicia no debía de estar a muchas millas de distancia.

—Las consecuencias del amansamiento deben de haberlo alcanzado ahora —masculló Siuan—. Si pudiera aguantar unos cuantos días más...

Min mantuvo la boca cerrada; si la mujer no quería escuchar no tenía sentido hablar. Siuan sacudió la cabeza y taconeó a *Bela* para situarse de nuevo a la cabeza del grupo, aferrando las riendas como si esperara que la yegua saliera a galope en cualquier momento; por su parte, Leane volvió al tono acariciante con el que engatusaba a Logain. Quizá sentía algo por él; no sería una elección peor que la de la propia Min.

Las colinas boscosas seguían discurriendo en un panorama invariable de árboles, matorrales y zarzas. Los helechos que marcaban la antigua calzada seguían adelante, en línea recta; Leane decía que la tierra era diferente donde había estado el camino, como si Min hubiera tenido que saberlo. Ardillas con mechones de pelo en las puntas de las orejas les lanzaban una parrafada desde las ramas de tanto en tanto, y se oía el trino de pájaros de forma esporádica, aunque Min no supo distinguir de qué tipo eran. Baerlon no se consideraría una urbe comparada con Caemlyn o Illian o Tear, pero ella se tenía por una mujer de ciudad; un pájaro era un pájaro, y le importaba poco en qué tipo de suelo crecía un helecho.

Sus dudas surgieron de nuevo. Las había sentido más de una vez después de Hontanares de Kore, pero entonces le resultó más fácil desecharlas. Luego, desde Lugard, la habían atosigado más a menudo, y se sorprendió a sí misma considerando a Siuan desde una perspectiva que antes jamás se habría atrevido a plantearse. No es que tuviera valor para enfrentarse a ella, por supuesto; le molestaba admitir tal cosa, incluso ante sí misma. Sin embargo, Siuan quizá no sabía hacia dónde se dirigían. Podía mentir, puesto que la neutralización la había liberado de los Tres Juramentos. Tal vez sólo la empujaba la esperanza de que si continuaba adelante daría con algún rastro de lo que tan desesperadamente necesitaba encontrar. De un modo incipiente, y desde luego muy peculiar, Leane había empezado a llevar una vida propia que no estaba ligada a los problemas del poder, la Fuente Verdadera y Rand. No era que los hubiera abandonado completamente, pero en opinión de Min para

Siuan no había nada aparte de esas cosas. La Torre Blanca y el Dragón Renacido eran toda su vida, y se aferraría a ellos aunque tuviera que mentirse incluso a sí misma.

El terreno boscoso dio paso a una villa grande de manera tan repentina que Min dio un respingo. Ocozoles, robles y pinos achaparrados —especies que conocía— llegaban a cincuenta pasos de las casas de techo de bálago, construidas con cantos de río sobre las suaves colinas. Habría apostado que el bosque había ocupado aquel espacio hasta hacía poco, ya que todavía crecían muchos árboles, agrupados en pequeños y alargados sotos, entre las casas, casi pegados a las paredes, y aquí y allí se veían tocones bastante recientes delante de las fachadas. Las calles conservaban el aspecto de tierra recién removida, no la superficie prensada de tierra que se conseguía tras generaciones de pies pisándola. Unos hombres, en mangas de camisa, estaban poniendo bálago nuevo en los techos de tres grandes cuadrados de piedra que debían de haber sido posadas —de hecho, en uno de ellos quedaba un letrero borroso y ajado que colgaba sobre la puerta—, pero no se veía por ningún sitio el bálago viejo. Había demasiadas mujeres yendo de un sitio para otro en comparación con los hombres que se veían, y muy pocos niños jugando considerando el número de mujeres. El aroma de la comida de mediodía que flotaba en el aire era lo único normal en aquel sitio.

Si la primera ojeada sobresaltó a Min, cuando se fijó realmente en lo que había ante ella estuvo a punto de caerse de la yegua. Las mujeres más jóvenes, sacudiendo mantas por alguna ventana o dirigiéndose afanosas a alguna tarea, llevaban sencillos vestidos de lana, pero ningún pueblo más o menos grande contaba con tantas mujeres ataviadas con vestidos de montar, ya fueran de seda o de fina lana, de todos los colores y estilos. Alrededor de esas mujeres y de casi todos los hombres, flotaban halos e imágenes que cambiaban y titilaban ante los ojos de la muchacha; por lo general, pocas personas tenían algo susceptible de ser visto con su talento, pero a las Aes Sedai y a los Guardianes rara vez les faltaban halos durante más de una hora. Los niños debían de ser de los sirvientes de la Torre. Pocas eran las Aes Sedai que se casaban y muy de tarde en tarde; pero, conociéndolas, seguro que habrían hecho todo cuanto estuviera a su alcance para llevarse a sus criados con sus familias, sacándolos de cualquier lugar del que ellas mismas huirían por considerarlo peligroso. Siuan había encontrado la reunión de Aes Sedai.

Se produjo un extraño silencio cuando entraron en el pueblo a caballo. Nadie hablaba. Las Aes Sedai se quedaron inmóviles observándolos, al igual que las mujeres más jóvenes y las chicas que debían de ser Aceptadas o incluso novicias. Hombres que un momento antes se movían

418

con la agilidad de lobos, se quedaron paralizados, con una mano oculta entre el bálago o metida tras un vano, sin duda donde tenían guardadas las armas. Los niños desaparecieron, conducidos apresuradamente por adultos que tenían que ser los sirvientes. Bajo todas aquellas miradas penetrantes, Min sintió que se le erizaba el vello en la nuca.

Leane parecía inquieta y miraba de reojo conforme pasaban entre la gente, pero Siuan mantuvo una expresión sosegada mientras los conducía hacia la posada más grande, la del letrero ilegible; allí desmontó torpemente y ató a *Bela* al aro de hierro de uno de los postes de piedra, que por su aspecto debían de haber colocado hacía muy poco tiempo. Min ayudó a Leane a desmontar a Logain —Siuan nunca echaba una mano para subirlo o bajarlo del caballo—, sin dejar de lanzar ojeadas en derredor. Todo el mundo los observaba, sin moverse.

—No esperaba que se me recibiera como a una hija pródiga —le susurró a la otra mujer—, pero ¿por qué nadie nos saluda al menos?

Antes de que Leane tuviera tiempo de contestar —si es que pensaba hacerlo— Siuan añadió:

—Bueno, no dejéis de remar cuando la costa está tan cerca. Traedlo aquí. —Desapareció en el interior de la posada mientras Min y Leane todavía conducían a Logain hacia la puerta. El hombre caminaba con facilidad, pero cuando dejaron de instarlo a seguir sólo dio un paso antes de detenerse.

La sala no se parecía a ninguna de las que Min había visto hasta entonces. Las grandes chimeneas estaban apagadas, por supuesto, y había huecos allí donde se habían desprendido piedras; el techo de yeso tenía desconchones y agujeros tan grandes como una cabeza, por los que asomaban los palos de la techumbre. Mesas disparejas de todos los tamaños y formas estaban distribuidas sobre un suelo agrietado y deteriorado por el tiempo; varias chicas lo estaban fregando. Sentadas a las mesas, mujeres con rostros intemporales examinaban pergaminos e impartían órdenes a los Guardianes, de los que sólo unos pocos llevaban sus capas de colores cambiantes, o a otras mujeres, algunas de las cuales tenían que ser Aceptadas o novicias. Otras eran demasiado mayores para eso, aproximadamente la mitad de ellas, canosas y con signos claros de su edad, y también había hombres que no eran Guardianes; la mayoría se movían presurosos como si llevaran mensajes o alcanzándoles pergaminos o copas de vino a las Aes Sedai. El bullicio tenía un aire satisfactorio de actividad, de ocupaciones. Los halos y las imágenes titilaban por toda la estancia, coronando cabezas, tan numerosos que Min tuvo que procurar hacer caso omiso de ellos para no agobiarse. No resultó fácil, pero era un truco que había aprendido cuando había a su alrededor varias Aes Sedai a la vez.

Cuatro de ellas se aproximaron hacia los recién llegados, una imagen perfecta de gracilidad y fría calma bajo sus trajes de montar. Para Min, ver sus rostros familiares fue como llegar a casa después de estar perdida.

Los verdes y rasgados ojos de Sheriam se clavaron de inmediato en Min. Unos rayos plateados y azules serpentearon alrededor de su pelo rojo, así como una suave luz dorada; Min ignoraba su significado. Algo metida en carnes bajo el traje de seda azul oscuro, de momento era la viva imagen de la severidad.

—Me alegraría más de verte, muchacha, si supiera cómo descubriste nuestra presencia aquí y si tuviera algún indicio de por qué concebiste la disparatada idea de traer a ese hombre aquí.

Media docena de Guardianes se había acercado; las manos descansaban en la empuñadura de la espada y los ojos estaban clavados en Logain, quien no parecía ver a nadie. Min se quedó boquiabierta. ¿Por qué le preguntaba a ella?

—¿Que cómo concebí la dispara...? —No tuvo ocasión de añadir nada más.

—Habría sido mucho mejor —la interrumpió fríamente Carlinya— que él hubiera muerto como se rumoreaba. —La suya no era una frialdad iracunda, sino de desapasionado razonamiento. Pertenecía al Ajah Blanco. Su vestido marfileño parecía haber tenido mucho uso. Durante un instante, Min vio la imagen de un cuervo flotando junto a su oscuro cabello; más bien era un dibujo del ave que la propia ave. Le pareció como un tatuaje, pero ignoraba su significado. Se concentró en las caras, intentando no ver nada más—. En cualquier caso, parece más muerto que vivo —continuó Carlinya, sin apenas hacer una pausa para respirar—. Fuera cual fuera tu idea, has hecho el esfuerzo en vano. Pero también a mí me gustaría saber cómo llegaste a Salidar.

Siuan y Leane intercambiaron miradas engreídas y zumbonas mientras las críticas llovían sobre Min. Nadie se había fijado en ellas.

Myrelle, con su morena belleza resaltada por el vestido de seda verde, el corpiño bordado con doradas líneas diagonales, por lo general exhibía una sonrisa sagaz que a veces habría podido rivalizar con los nuevos trucos de Leane. Pero ahora no sonreía, y saltó nada más acabar de hablar la hermana Blanca.

—Vamos, Min, di algo, no te quedes ahí boquiabierta, como una idiota. —Era conocida por su vehemencia, incluso entre las Verdes.

—Tienes que decírnoslo —intervino Anaiya en un tono más afable, aunque había en él un deje exasperado. Era una mujer de rasgos francos y aspecto maternal a pesar de la intemporalidad de su rostro; en ese momento se alisaba la falda gris como haría una madre intentando no coger la vara de castigo—. Encontraremos un lugar para ti y para estas otras dos chicas, pero debes decirnos cómo supiste llegar hasta aquí.

Min se sacudió para salir de su estupor y cerró la boca. Naturalmente. Esas otras dos chicas. Se había acostumbrado de tal modo a su nueva imagen que ya no se acordaba del gran cambio que habían sufrido. Suponía que ninguna de estas mujeres las había vuelto a ver desde que las habían arrastrado a las mazmorras de la Torre Blanca. Leane parecía a punto de prorrumpir en carcajadas, y Siuan sacudía la cabeza mirando a las Aes Sedai con gesto disgustado.

—No es conmigo con quien tenéis que hablar —respondió Min a Sheriam. «Dejemos que sean esas "otras" dos chicas» las que aguanten sus miradas»—. Preguntadles a Siuan o a Leane.

Cuatro pares de ojos se volvieron hacia las otras, pero no asomó a ellos el reconocimiento inmediato. Observaron, fruncieron el ceño e intercambiaron miradas. Ninguno de los Guardianes quitó la vista de encima a Logain ni la mano de la empuñadura de la espada.

—La neutralización puede tener ese efecto —murmuró al cabo Myrelle—. He leído informes que dan a entender tal cosa.

—Los rasgos se asemejan, en muchos sentidos —dijo lentamente Sheriam—. Alguien podría haber buscado mujeres que se parecieran a ellas, pero ¿por qué?

El aire de engreimiento había desaparecido en Siuan y en Leane.

—Somos quienes somos —dijo esta última con voz cortante—. Preguntadnos. Una impostora no sabría lo que nosotras sabemos.

—Puede que mi rostro haya cambiado —intervino Siuan, sin esperar a que le preguntaran—, pero al menos sé lo que estoy haciendo y por qué, lo que es más de lo que puede decirse de vosotras, sin duda.

Min gimió al escuchar su tono acerado, pero Myrelle asintió con la cabeza y manifestó:

—Ésa es la voz de Siuan Sanche. Es ella.

—Es posible aprender las inflexiones de una voz —adujo Carlinya sin perder su fría calma.

—¿Y también se pueden aprender los recuerdos? —Anaiya adoptó un gesto severo—. Siuan, si realmente eres quien dices, el día de tu vigésimo segundo cumpleaños tuvimos una discusión. ¿Dónde ocurrió y qué consecuencias tuvo?

Siuan sonrió con seguridad a la otra mujer.

—Fue durante la conferencia que diste a las Aceptadas sobre el motivo de que tantas de las naciones que se repartieron el imperio de Arthur Hawkwing tras su muerte no lograran sobrevivir. Todavía difiero contigo en algunos puntos, por cierto. El resultado fue que me pasé dos meses trabajando tres horas al día en las cocinas. «Con la esperanza de que el calor supere y consuma tu ardor», creo que fueron tus palabras exactas.

Si había pensado que con esa pregunta bastaría, estaba equivocada. Anaiya tenía más para ambas mujeres, y también Carlinya y Sheriam, quienes por lo visto habían sido novicias y Aceptadas al mismo tiempo que ellas. Eran sobre ese tipo de cosas que ninguna impostora habría podido enterarse: líos en los que se habían metido; travesuras que habían tenido o no éxito; opiniones compartidas respecto a diversas profesoras Aes Sedai. Min no podía creer que las mujeres que más tarde se habrían convertido en Sede Amyrlin y Guardiana de las Crónicas se hubieran metido en apuros tantas veces, pero tenía la impresión de que aquello sólo era la punta de una montaña enterrada, y por lo visto Sheriam no les había andado mucho a la zaga. Myrelle, varios años más joven, se limitó a comentarios divertidos, hasta que Siuan dijo algo sobre una trucha metida en el baño de Saroiya Sedai y una novicia a la que se le enseñó a tener mejores modales durante medio año. Y no es que Siuan pudiera echar en cara las trastadas de otras. ¿Lavar la ropa interior de una Aceptada antipática con hierbas urticantes? ¿Escabullirse de la Torre para ir a pescar? Hasta las Aceptadas necesitaban permiso para salir del recinto de la Torre y sólo a ciertas horas. Siuan y Leane, en complicidad, habían enfriado un cubo de agua hasta que estuvo casi congelado y luego lo colocaron de manera que se volcara sobre una Aes Sedai que las había hecho azotar, injustamente a su modo de ver. Por el destello que asomó a los ojos de Anaiya, tuvieron suerte de que no se descubriera la fechoría en aquel momento. Por lo que Min sabía acerca del entrenamiento de novicias, así como de las Aceptadas, estas mujeres habían sido afortunadas de permanecer el tiempo suficiente en la Torre para convertirse en Aes Sedai, y más aun de conservar intacto el pellejo.

—Estoy convencida —dijo finalmente la mujer de aspecto maternal mientras miraba a las otras.

Myrelle asintió después de que lo hiciera Sheriam.

—Todavía queda la cuestión de qué hacer con ellas —dijo sin embargo Carlinya, que miró directamente a Siuan, sin pestañear.

De repente las otras parecieron sentirse incómodas. Myrelle frunció los labios, y Anaiya contempló fijamente el suelo. Sheriam se alisaba la falda y evitaba mirar a ninguno de los recién llegados.

—Seguimos sabiendo lo que sabíamos antes —les dijo Leane, que también había fruncido la frente en un gesto algo preocupado—. Podemos ser de utilidad.

Siuan tenía la expresión sombría. Leane parecía haber disfrutado al evocar sus travesuras de jóvenes y los correspondientes castigos, pero a Siuan no le había hecho ni pizca de gracia. Aun así, y en contraste con su mirada casi furibunda, su voz sólo sonó un poco tirante:

—Queríais saber cómo os encontramos. Entré en contacto con una de mis informadoras que también trabaja para las Azules, y ella mencionó Sally Daer.

Min no entendía nada de lo de Sally Daer —¿quién era?—, pero Sheriam y las otras se miraron y asintieron. Siuan había hecho algo más que explicarles cómo las había encontrado; también les había dado a entender que todavía tenía acceso a las informadoras que habían estado a su servicio como Sede Amyrlin.

—Siéntate allí, Min —le dijo Sheriam mientras señalaba una de las mesas desocupadas, en un rincón—. ¿O sigues siendo Elmindreda? Y que Logain vaya contigo. —Ella y las otras tres condujeron a Siuan y a Leane hacia la parte trasera de la sala. Otras dos mujeres vestidas con traje de montar se les unieron antes de que desaparecieran por una puerta tan nueva que la madera de los tablones estaba verde aún.

Min suspiró y condujo a Logain por el brazo a la mesa, hizo que se sentara en un tosco banco y ella se acomodó en una silla inestable. Dos de los Guardianes se situaron cerca de ellos, apoyados en la pared. No daban la impresión de que estuvieran vigilando a Logain, pero Min conocía a los Gaidin; no se les escapaba un detalle y podían desenvainar las espadas en un visto y no visto hasta estando dormidos.

Así que no iba a ser una calurosa acogida, aun después de admitir la identidad de Siuan y Leane. Bueno ¿y qué otra cosa podía esperarse? Siuan y Leane habían sido las dos mujeres más poderosas de la Torre Blanca, pero ahora ni siquiera eran Aes Sedai. Seguramente las otras ni siquiera sabrían cómo tratarlas. Y además habían aparecido con un falso Dragón amansado. Más valía que Siuan no hubiera mentido y de verdad tuviera un plan para él. Min dudaba que Sheriam y las otras fueran tan pacientes como lo había sido Logain.

Y Sheriam, al menos, la había reconocido a ella. Se puso de pie un momento para asomarse por los vidrios rotos de una ventana que daba a la calle. Sus caballos seguían atados a las pilastras, pero alguno de esos Guardianes que no estaban vigilando la atraparía antes de que tuviera ocasión de desatar las riendas de *Galabardera*. En su última estancia en la Torre, Siuan se había tomado muchas molestias en disfrazarla; por lo visto, sin resultado. No obstante, no creía que ninguna de las otras conociera su don de ver cosas. Siuan y Leane lo habían guardado en secreto, y Min se sentiría muy satisfecha si continuaba igual. Si estas Aes Sedai lo descubrían, la enredarían como había hecho Siuan, y nunca podría reunirse con Rand. No tendría ocasión de poner en práctica lo que había aprendido de Leane si la volvían a tener atada aquí.

Ayudar a Siuan a encontrar a este grupo, contribuir a que las Aes Sedai apoyaran a Rand estaba muy bien y era importante, pero también tenía su propia meta: hacer que un hombre que no se había fijado nunca en ella se enamorara de ella antes de que se volviera loco. Quizás estaba tan loca como él estaba condenado a estarlo.

—Entonces haremos una buena pareja —masculló entre dientes.

Una chica pecosa, de ojos verdes, que debía de ser una novicia, se paró junto a la mesa.

—¿Os apetece comer o beber algo? Hay guisado de venado y peras silvestres. Quizá también quede un poco de queso. —Puso tanto empeño en no mirar a Logain que fue como si lo hubiera observado fijamente.

—Las peras y el queso me parecen bien —contestó Min. Los dos últimos días habían pasado hambre; Siuan había conseguido pescar unos peces en un arroyo, pero era Logain quien se había ocupado de cazar cuando no comían en una posada o una granja. En su opinión, unas judías secas no podían considerarse comida—. Y un poco de vino, si tenéis. Pero primero me gustaría saber en qué país estamos, si esa información no es secreta también aquí. ¿Este pueblo se llama Salidar?

—Estamos en Altara. El Eldar se encuentra a poco más de una milla al oeste. Amadicia está al otro lado. —La chica hizo una pésima imitación de la actitud misteriosa de las Aes Sedai—. ¿Qué mejor escondite para unas Aes Sedai que allí donde nunca se las buscaría?

—No tendríamos que escondernos —espetó una joven de cabello oscuro y rizoso, parándose junto a ellos. Min la reconoció; era una Aceptada llamada Faolain. Por su modo de ser, Min habría esperado que siguiera en la Torre. Que ella supiera, a Faolain nunca le había caído bien nadie ni nada, y a menudo había manifestado su deseo de elegir el Ajah Rojo cuando ascendiera a Aes Sedai. Era la perfecta seguidora de Elaida—. ¿Por qué vinisteis aquí? ¡Y con él! ¿Por qué vino ella? —Min no tuvo duda sobre a quién se refería—. Es culpa suya que tengamos que escondernos. No creí que ayudara a Mazrim Taim a escaparse, pero, si ahora se presenta aquí con él, a lo mejor sí lo hizo.

—Basta ya, Faolain —le dijo a la Aceptada una esbelta mujer con el cabello suelto cayéndole hasta la cintura y vestida con un traje de montar de seda de color dorado oscuro. Min creía conocerla. Edesina. Una Amarilla, si no se equivocaba—. Continúa con tus tareas —ordenó—. Y si tienes intención de traer comida, Tabiya, hazlo.

Edesina no prestó atención a la hosca reverencia de Faolain —la novicia hizo otra mejor y se alejó presurosa— y en cambio puso una mano sobre la cabeza de Logain. Con los ojos fijos en la mesa, el hombre no pareció advertirlo.

De repente Min vio aparecer un collar plateado ciñendo el cuello de la mujer; de forma igualmente repentina, se rompió. Min sufrió un escalofrío. No le gustaban las visiones relacionadas con los seanchan. Al menos Edesina escaparía de algún modo. Aun en el caso de que Min hubiera estado dispuesta a delatar su don, no tenía sentido poner sobre aviso a la mujer; eso no cambiaría las cosas.

—Es el amansamiento —dijo al cabo de un momento la Aes Sedai—. Supongo que ha renunciado a seguir viviendo. No puedo hacer nada por él, aunque tampoco estoy segura de que lo haría si pudiera. —La mirada que asestó a Min antes de alejarse distaba mucho de ser amistosa.

Una elegante y escultural mujer, vestida con un traje de seda de color rojizo, se paró a unos pasos de la mesa y observó fríamente a Logain y a Min, con ojos inexpresivos. Kiruna era una Verde, y, a su modo, su porte era regio; según le habían contado a Min, era hermana del rey de Arafel, pero en la Torre se había mostrado amistosa con ella. Min sonrió, pero aquellos grandes y oscuros ojos pasaron sobre ella sin reconocerla. Kiruna salió de la posada, y cuatro Guardianes, muy dispares entre sí pero todos ellos moviéndose con aquella felina y mortífera gracia, la siguieron de inmediato al exterior.

Mientras esperaba la comida, Min confió en que Siuan y Leane estuvieran teniendo un recibimiento más cálido.

27

LA COSTUMBRE DE LA PUSILANIMIDAD

Vais al pairo, sin timón —les dijo Siuan a las seis mujeres que tenía enfrente, sentadas en seis tipos de sillas distintos.

La propia habitación era una mezcolanza. Sobre dos grandes mesas de cocina, pegadas a una pared, había plumas, tinteros y frascos de arena colocados en ordenadas hileras. Lámparas desparejadas, algunas de barro vidriado y otras doradas, y velas de todos los grosores y longitudes estaban dispuestas para proporcionar luz al caer la noche. Un trozo de alfombra de seda illiana, de fuertes colores azules, rojos y dorados, cubría parte de un suelo de tablones toscos y desgastados. A Leane y a ella las habían sentado al lado opuesto del trozo de alfombra, de manera que ambas eran el foco de todas las miradas. Las ventanas de bisagra, con los vidrios rotos o reemplazados por seda untada de aceite, estaban abiertas para dejar pasar un poco de aire, pero era insuficiente para aliviar el calor. Siuan Sanche se dijo para sus adentros que no envidiaba a estas mujeres por su habilidad para encauzar —lo tenía superado, sin duda— pero sí que envidiaba el que ninguna de ellas transpirara. Notaba que su propia cara estaba húmeda por el sudor.

—Toda esa actividad de ahí fuera es sólo apariencia y exhibición —añadió Siuan—. Puede que os engañéis a vosotras mismas y quizás incluso a los Gaidin, aunque yo en vuestro lugar no lo daría por hecho; sin embargo, a mí no podéis engañarme.

Habría preferido que Morvrin y Beonin no se hubieran sumado al grupo. Morvrin era escéptica en todo a despecho de su apariencia plácida y su expresión a veces ausente; la fornida hermana Marrón, con el cabello surcado de hebras grises, era de las que exigían seis evidencias antes de creer que los peces tenían escamas. Beonin era una bonita hermana Gris, de cabello dorado oscuro y ojos gris azulados tan grandes que le daban una constante apariencia de sobresalto; comparada con ella, Morvrin era una crédula.

—Elaida tiene la Torre en sus manos, y sabéis que manejará mal a Rand al'Thor —manifestó desdeñosamente Siuan—. Será pura suerte si no se deja llevar por el pánico y hace que lo amansen antes del Tarmon Gai'don. Sabéis que, sea cual sea el sentimiento que os inspira un hombre capaz de encauzar, las Rojas lo sienten multiplicado por diez. La Torre Blanca pasa por el momento de mayor debilidad cuando debería estar más fuerte que nunca, y se encuentra en manos de una necia cuando debería estar dirigida sagazmente. —Arrugó la nariz y las fue mirando a los ojos una a una—. Y aquí estáis, sentadas sin hacer nada, a la deriva y con las velas arriadas. ¿O esperáis convencerme de que estáis haciendo algo más que gandulear y soplar pompas de jabón al aire?

—¿Opinas como Siuan, Leane? —preguntó afablemente Anaiya. Siuan nunca había entendido por qué esta mujer le caía bien a Moraine. Intentar que hiciera algo que no quería era como golpear un saco de plumas. Nunca hacía frente a otro ni discutía; sólo se negaba, en silencio, a ceder. Hasta el modo en que se sentaba, con las manos entrelazadas, la hacía parecer más una mujer a punto de hacer la masa del pan que una Aes Sedai.

—En parte, sí —contestó Leane. Siuan le asestó una seca mirada que ella pasó por alto—. En lo que se refiere a Elaida, por supuesto. Elaida manejará tan mal a Rand al'Thor como está haciendo con la Torre. En cuanto al resto, sé que habéis trabajado duro para haber conseguido reunir a tantas hermanas como hay aquí, y espero que estéis trabajando con igual ahínco para hacer algo respecto a Elaida.

Siuan resopló de manera manifiesta. Mientras cruzaba la sala había visto de pasada algunos de aquellos pergaminos examinados con tanto interés: listas de provisiones; reparto de maderas para reconstrucción; asignación de tareas para talar árboles, reparar casas y limpiar pozos. Nada más. Nada que tuviera la menor relación con un informe respecto a las actividades de Elaida. Planeaban pasar el invierno allí, y sólo hacía falta que fuera capturada una Azul que supiera lo de Salidar, que la sometieran a interrogatorio —no aguantaría mucho si Alviarin se encargaba de ello— y Elaida sabría exactamente dónde echarles la red. Y, mientras, se preocupaban de plantar huertos y tener suficiente leña cortada antes de que se produjera la primera helada.

—Entonces sobran los comentarios —replicó fríamente Carlinya—. No parecéis entender que ya no sois la Amyrlin y la Guardiana. Ni siquiera sois Aes Sedai. —Algunas de las mujeres tuvieron la cortesía de sonrojarse; Morvrin y Beonin, no, sino las otras. A ninguna Aes Sedai le gustaba hablar de la neutralización o que se le recordara su existencia, y les parecía una falta de tacto hacerlo delante de ellas dos—. No es mi intención ser cruel al decirlo. No creímos los cargos presentados contra vosotras, a pesar de vuestro compañero de viaje, o en caso contrario no estaríamos aquí, pero no podéis ocupar vuestros antiguos puestos entre nosotras, y eso es un hecho indiscutible.

Siuan recordaba bien a Carlinya como novicia y Aceptada. Una vez al mes había cometido alguna falta leve, algo sin importancia que le reportaba una o dos horas extras de trabajo. Exactamente una vez al mes. Con ello intentó evitar que las demás la consideraran gazmoña. Aquéllas habían sido sus únicas infracciones —jamás rompió otras reglas ni se pasó de la raya; no habría sido lógico—, pero nunca comprendió por qué las otras chicas la consideraron, a pesar de todo, una favorita de las Aes Sedai. Mucha lógica y poco sentido común, así era Carlinya.

—A pesar de que lo que se os hizo se ajusta por pelos a la ley —dijo suavemente Sheriam—, convenimos en que fue malignamente injusto, una distorsión extrema del espíritu de la ley. —El respaldo de la silla, detrás de su pelirrojo cabello, tenía una incongruente talla que parecía un amasijo de serpientes luchando—. Digan lo que digan los rumores, la mayoría de los cargos alegados contra vosotras eran tan poco consistentes que se tendrían que haber desestimado por ridículos.

—Excepto el de que sabían lo de Rand al'Thor y conspiraron para ocultarlo a la Torre —intervino con dureza Carlinya.

—Sí —asintió Sheriam—; pero, aunque tal cosa fuera cierta, no justificaba el castigo impuesto. Ni tampoco se os debió juzgar en secreto, sin daros la oportunidad de defenderos. No temáis que os volvamos la espalda. Nos ocuparemos de que nunca os falte nada.

—Gracias —musitó Leane con voz débil y casi temblorosa.

Siuan torció el gesto.

—Ni siquiera me habéis preguntado sobre las informadoras que puedo utilizar. —Sheriam le había caído bien cuando eran estudiantes, aunque los años y las respectivas posiciones habían abierto una brecha entre ambas. Vaya, así que se ocuparían de que no les faltara nada—.

¿Está Aeldene aquí? —Anaiya empezó a negar con la cabeza antes de darse cuenta de lo que hacía—. Es lo que imaginaba o en caso contrario estaríais más enteradas de lo que ocurre en el mundo. Habéis dejado que sigan enviando sus informes a la Torre. —Poco a poco la noción penetró en el cerebro de las mujeres; ignoraban que Aeldene tuviera a su cargo a las informadoras—. Me encargué de que alguien me sustituyera al mando de la red del Ajah Azul antes de que se me nombrara Amyrlin. —Más sorpresa—. Con muy poco esfuerzo, todas las informadoras Azules y también las que me sirvieron como Amyrlin podrían estar enviándoos los informes siguiendo rutas que no les revelarían su punto de destino final. —Costaría más que un poco de esfuerzo, pero en su cabeza ya estaba todo planeado casi hasta el último detalle, y de momento no era menester revelarles más cosas—. Además, pueden seguir enviando informes a la Torre que contengan lo que... queráis que Elaida crea. —Había estado a punto de decir «queramos»; debía de tener cuidado con sus palabras.

No les hizo gracia, naturalmente. La identidad de las mujeres que se encargaban de las redes informativas sólo la conocían unas pocas, pero todas ellas eran Aes Sedai. Siempre lo habían sido. Empero, ésa era su única palanca para introducirse a la fuerza en los círculos donde se tomaban las decisiones. De otro modo, seguramente las meterían a Leane y a ella en una cabaña con una sirvienta para que las atendiera y quizá alguna que otra visita esporádica de Aes Sedai que quisieran examinar mujeres que habían sido neutralizadas, hasta que murieran. Y, en esas circunstancias, morirían pronto.

«¡Luz, podrían incluso casarnos!» Había quien pensaba que un marido y unos hijos podían ocupar a una mujer lo bastante para reemplazar el Poder Único en su vida. Más de una mujer que se había neutralizado accidentalmente al absorber demasiado *Saidar* o probando el uso de un *ter'angreal,* se había encontrado emparejada con un posible marido. Puesto que esas mujeres que contraían matrimonio siempre ponían la mayor distancia posible entre ellas y la Torre y sus recuerdos, la teoría continuaba sin demostrarse.

—No tendría que entrañar mucha dificultad ponerme en contacto con quienes fueron mis informadoras antes de convertirme en Guardiana —manifestó con inseguridad Leane—. Y, lo que es más importante, con los contactos que tenía en la propia Tar Valon siendo Guardiana de las Crónicas. —La sorpresa hizo que muchos ojos se abrieran de par en par, aunque los de Carlinya se estrecharon. Leane parpadeó, rebulló con nerviosismo, y esbozó una débil sonrisa—. Siempre pensé que era una tontería dar más importancia a la corriente de opinión en Ebou Dar o en Bandar Eban que a la de nuestra propia ciudad. —Tenían que darse cuenta del valor de sus informadoras en Tar Valon.

—Siuan... —Morvrin se inclinó sobre su sillón mientras pronunciaba el nombre firmemente, como para enfatizar que no se había dirigido a ella con el tratamiento de «madre». Aquel semblante redondo manifestaba ahora más obstinación que placidez, y su maciza constitución resultaba un tanto amenazadora. Cuando Siuan era novicia, Morvrin rara vez parecía advertir las travesuras de las muchachas que la rodeaban, pero cuando lo hacía se ocupaba personalmente del asunto y de un modo que conseguía poner a todo el mundo más derecho que una vela durante días—. ¿Por qué íbamos a acceder a lo que quieres? Te han neutralizado, mujer. Fueras quien fueras antes, ya no era Aes Sedai. Si deseamos los nombres de esas informadoras, las dos tendréis que dárnoslos. —En esta última afirmación había una certeza absoluta; se los darían, de uno u otro modo. Lo harían, si estas mujeres los querían de verdad.

Leane se estremeció visiblemente, pero la silla de Siuan crujió cuando la mujer irguió la espalda.

—Sé muy bien que ya no soy la Amyrlin. ¿Creéis que ignoro que he sido neutralizada? Mi rostro ha cambiado, pero no lo que hay dentro de mí. Todo aquello que sabía sigue estando en mi cabeza. ¡Utilizadlo! ¡Por el amor de la Luz, utilizadme! —Inhaló profundamente para tranquilizarse. «¡Así me consuma si permito que me aparten a un lado para que me pudra!»

Myrelle aprovechó su pausa para intervenir.

—El temperamento fogoso de una joven a juego con un rostro joven. —Sonrió y se sentó al borde del sillón que podría haber estado delante de la chimenea de un granjero si a éste no le hubiera importado que el barniz se estuviera descascarillando. Sin embargo, no era su sonrisa habitual, lánguida y enterada por igual, y sus grandes ojos, casi tanto como los de Beonin, rebosaban compasión—. Estoy segura de que ninguna desea que os sintáis inútiles, Siuan. Y también que todas queremos aprovechar al máximo vuestros conocimientos. Lo que sabéis nos será de gran utilidad.

Siuan no quería su compasión.

—Parecéis haber olvidado a Logain y el motivo de que lo haya arrastrado hasta aquí desde Tar Valon. —Su intención no había sido sacar ella misma este tema, pero si iban a dejarlo morir sumido en la miseria...—. ¿Mi «disparatada idea» fueron las palabras que utilizasteis?

—De acuerdo, Siuan —dijo Sheriam—. ¿Por qué?

—Porque el primer paso para derribar a Elaida es que Logain revele a la Torre, y al mundo si es preciso, que el Ajah Rojo lo convirtió en un falso Dragón para así poder derrotarlo. —Ciertamente, ahora tenía toda la atención de las mujeres—. Lo encontraron unas Rojas en Ghealdan al menos un año antes de que se proclamara a sí mismo; pero, en lugar de llevarlo a Tar Valon para ser amansado, le inculcaron la idea de proclamar que era el Dragón Renacido.

—¿Estás segura de eso? —inquirió quedamente Beonin con un fuerte acento tarabonés. Estaba sentada muy quieta en la alta silla de asiento de mimbre, observando con intensidad.

—Ignora quiénes somos Leane y yo. Habló con nosotras varias veces en el camino hacia aquí, a altas horas de la noche, cuando Min estaba dormida y él no conseguía descansar. No lo dijo antes porque cree que toda la Torre estaba metida en la artimaña, pero sabe que fueron hermanas Rojas quienes lo ocultaron y le hablaron del Dragón Renacido.

—¿Por qué? —demandó Morvrin, a lo que Sheriam asintió.

—Sí, ¿por qué? Cualquiera de nosotras se habría desvivido por amansar a un hombre así, pero el Ajah Rojo vive sólo para eso. ¿Por qué iban a crear un falso Dragón?

—Logain no lo sabía —respondió—. Quizá pensaron que ganarían más capturando a un falso Dragón que amansando a un pobre necio que podía aterrorizar a una aldea. Quizá tienen razones para desear que haya más tumultos.

—No sugerimos que tengan algo que ver con Mazrim Taim o cualquiera de los otros —se apresuró a añadir Leane—. Elaida sin duda podrá aclararos lo que queréis saber.

Siuan las observó mientras rumiaban la información en silencio. En ningún momento habían considerado la posibilidad de que estuvieran mintiendo. «Una ventaja de haber sido neutralizada.» Por lo visto no se les había pasado por la cabeza que ser neutralizada podría romper todos los vínculos con los Tres Juramentos. Algunas Aes Sedai estudiaban a mujeres neutralizadas, cierto, pero con precaución y de mala gana. Ninguna quería que se le recordara lo que podría ocurrirle también a ella.

En cuanto a Logain, Siuan no tenía por qué preocuparse. No mientras Min siguiera viendo lo que quiera que viera. El hombre viviría lo suficiente para declarar lo que ella quisiera una vez que hubiera hablado con él. No se atrevió a correr el riesgo de que decidiera dejarlas y marcharse, cosa que tal vez habría hecho si le hubiera revelado sus intenciones antes. Sin embargo, era su única oportunidad de vengarse ahora de quienes lo habían amansado, rodeado como estaba de Aes Sedai. Venganza del Ajah Rojo exclusivamente, cierto, pero tendría que conformarse con eso. Un pez en la barca compensaba un cardumen en el agua.

Echó una ojeada a Leane, que esbozó un levísimo atisbo de sonrisa. Bien. A Leane no le había gustado que no la hiciera partícipe esa misma mañana del plan que tenía para ese hombre, pero Siuan llevaba mucho tiempo rodeada de secretos para desvelar con facilidad más de lo que consideraba preciso, incluso a una amiga. Le pareció que la idea de que el Ajah Rojo estuviera implicado con otros falsos Dragones había sido inculcada con sutil acierto. Las Rojas habían sido las cabecillas del complot para derrocarla. Quizá no habría un Ajah Rojo después de que esto hubiera acabado.

—Esto cambia mucho las cosas —dijo al cabo de un tiempo Sheriam—. De ningún modo podemos seguir a una Amyrlin que hiciera algo así.

—¡Seguirla! —exclamó Siuan, por primera vez sobresaltada de verdad—. ¿Estabais considerando la posibilidad de volver para besar el anillo de Elaida? ¿Sabiendo lo que ha hecho y lo que hará?

Leane temblaba en su silla de rabia, ansiosa por soltar unas cuantas palabras escogidas de su repertorio, pero habían acordado que sería Siuan la que se dejaría llevar por el genio. Sheriam parecía un tanto avergonzada, y en las mejillas de Myrelle aparecieron dos rosetones, pero el resto reaccionó con total tranquilidad.

—La Torre debe ser fuerte —dijo Carlinya en un tono tan duro como una piedra—. El Dragón ha renacido, se aproxima la Última Batalla, y la Torre debe estar unida.

—Sí —asintió Anaiya—. Comprendemos vuestras razones para que Elaida no os guste, incluso para que la odiéis. Lo comprendemos, pero debemos pensar en la Torre y en el mundo. Confieso que a mí también me cae mal Elaida, pero tampoco me gustabas tú, Siuan. No es necesario que la Sede Amyrlin sea de nuestro agrado. Y no es preciso que nos mires de ese modo, Siuan. Siempre has tenido una lengua afilada, desde novicia, y el paso de los años sólo ha conseguido aguzarla más. Y, como Amyrlin, empujabas a las hermanas allí donde querías sin dar explicaciones del porqué. No es una combinación agradable.

—Trataré de... suavizar mi manera de hablar —manifestó Siuan en tono seco. ¿Qué esperaba esta mujer? ¿Que una Sede Amyrlin tratara a todas las hermanas como amigas de la infancia?—. Pero confío en que lo que os he dicho cambie vuestra idea de arrodillaros a los pies de Elaida.

—Si eso es suavizar tu manera de hablar, quizá tenga que ocuparme personalmente de corregir ese fallo, si es que te permitimos ocuparte de las informadoras —comentó Myrelle.

—Ahora no podemos volver a la Torre, por supuesto —dijo Sheriam—. Sabiendo esto, no, de ninguna forma. No volveremos hasta que estemos en disposición de deponer a Elaida.

—Haya hecho lo que haya hecho, las Rojas seguirán apoyándola. —Beonin lo expresó como un hecho, no como objeción. No era ningún secreto que las Rojas estaban resentidas porque no había habido una Amyrlin de su Ajah desde Bonwhin.

—Y también lo harán otras —abundó Morvrin—. Aquellas que han arriesgado demasiado en favor de Elaida para creer que les queda otra opción. Aquellas que apoyen la autoridad, por vil que sea. Y algunas que piensen que estamos dividiendo la Torre cuando tendría que estar unida a toda costa.

—Excepto las Rojas, hay posibilidad de tratar con todas —adujo juiciosamente Beonin—, negociar con ellas. —La mediación y la negociación eran la razón de la existencia de su Ajah.

—Por lo visto disponer de informadoras va a sernos de utilidad, Siuan. —Sheriam miró a las demás—. A menos que alguien piense todavía que deberíamos privarla de ellas.

Morvrin fue la última en negar con la cabeza, pero finalmente lo hizo, tras una larga e intensa mirada que hizo que Siuan se sintiera como si la hubiera troceado, pesado y medido.

No pudo evitar un suspiro de alivio. Nada de una corta vida consumiéndose en una choza, sino una existencia con un propósito. Puede que fuera corta también —nadie sabía cuánto podía vivir una mujer neutralizada teniendo algo que reemplazara el Poder Único—, pero existiendo un propósito, sería suficiente para ella. De modo que Myrelle iba a suavizar su modo de hablar, ¿no? «Yo le enseñaré a esa Verde de ojos de zorra... Bueno, lo que voy a hacer es contener la lengua y darme por satisfecha con que no haga más que mirarme. Sabía cómo iba a ser esto. Así me abrase, pero lo sabía.»

—Gracias, Aes Sedai —contestó en el tono más sumiso que fue capaz de asumir. Llamarlas así le dolía; era otra ruptura, otro recordatorio de lo que ella no era ya—. Intentaré daros un buen servicio.

Myrelle no tendría que haber asentido con una expresión tan satisfecha. Siuan hizo caso omiso de la vocecilla interior que le decía que ella habría hecho lo mismo o más que Myrelle de estar en su lugar.

—Si me permitís una sugerencia —intervino Leane—, no será suficiente con esperar hasta que contéis con bastante apoyo en la Antecámara de la Torre para deponer a Elaida. —Siuan adoptó una expresión interesada, como si fuera la primera vez que oía tal cosa—. Elaida gobierna en Tar Valon, en la Torre Blanca, y para el mundo es la Amyrlin. De momento, no sois más que una congregación de disidentes. Puede acusaros de rebeldes y agitadoras, y, viniendo de la Sede Amyrlin, el mundo lo creerá.

—Difícilmente podemos impedir que sea Amyrlin mientras no se la haya depuesto —contestó Carlinya con un tono de frío menosprecio. De haber llevado puesto el chal de flecos blancos, lo habría ajustado con brusquedad en torno a los hombros.

—Pero sí podéis dar al mundo una verdadera Amyrlin. —Leane no se dirigió a la hermana Blanca, sino a todas en conjunto, mirándolas por turno, asumiendo una expresión en la que se mostraba segura de lo que decía pero al mismo tiempo ofreciendo una sugerencia que casi no esperaba que aceptaran. Fue Siuan la que apuntó la posibilidad de que utilizara los mismos trucos que empleaba con los hombres, sólo que adaptados para las mujeres—. He visto Aes Sedai de todos los Ajahs, excepto el Rojo, en la sala y en las calles. Haced que se instaure aquí una Antecámara, y que las designadas elijan una nueva Amyrlin. Entonces podréis presentaros al mundo como la verdadera Torre Blanca, en el exilio, y a Elaida como una usurpadora. Añadiendo a eso la revelación de Logain, ¿dudáis de a quién aceptarán las naciones como la verdadera Sede Amyrlin?

La idea despertó su interés. Siuan vio que le daban vueltas a esa posibilidad. Pensaran lo que pensaran las otras, sólo Sheriam manifestó algo en contra:

—Ello significaría que la Torre está realmente dividida —musitó tristemente la mujer de ojos verdes.

—Ya lo está —le respondió Siuan con acritud, y al momento deseó no haber hablado, cuando todas la miraron.

Se suponía que esta idea era exclusivamente de Leane. Ella tenía reputación de ser una diestra manipuladora, y podían desconfiar de cualquier cosa que propusiera. Por eso había empezado criticándolas duramente; no le habrían creído si les hubiera hablado con amabilidad. Se presentaría ante ellas como si todavía creyera que era la Sede Amyrlin, y las dejaría que la pusieran en su sitio. En contraste, Leane mostraría un talante más cooperativo, ofreciendo solamente lo poco que estaba en su mano, y estarían más dispuestas a escucharla. Cumplir su parte no resultó difícil... hasta que llegó lo de la súplica; entonces habría querido colgarlas a todas a secar al sol. ¡Sentadas allí, sin hacer nada!

«No tendría que haberte preocupado que recelaran de ti. Te consideran un junco roto.» Si todo iba bien, seguirían pensando igual. Un junco útil pero débil en el que no merecía fijarse más de una vez. Era una aceptación dolorosa, si bien Duranda Tharne le había demostrado en Lugard cuán necesaria era. Sólo la admitirían según sus condiciones, y ella tendría que sacarles el mejor partido.

—Ojalá se me hubiera ocurrido a mí —continuó—. Ahora que lo

he oído, la idea de Leane os proporciona un modo de volver a erigir la Torre sin que antes tengáis que destruirla por completo.

—Pero no tiene por qué gustarme —sentenció Sheriam—. No obstante, se hace lo que tiene que hacerse. La Rueda gira según sus designios, y, si la Luz quiere, sus giros quitarán la estola de los hombros de Elaida.

—Habrá que pactar con las hermanas que siguen en la Torre —musitó Beonin, casi para sí misma—. De modo que la Amyrlin que escojamos habrá de ser una sagaz negociadora, ¿no?

—Será preciso una mente despierta y muy clara —precisó Carlinya—. La nueva Amyrlin tiene que ser una mujer de razonamiento frío y lógico.

El resoplido de Morvrin sonó con fuerza suficiente para que todas brincaran en las sillas.

—Sheriam es la que tiene una posición más alta entre nosotras —dijo la hermana Marrón—, y nos ha mantenido unidas cuando habríamos salido huyendo en diez direcciones diferentes.

Sheriam sacudió la cabeza con energía, pero Myrelle no le dio opción de hablar.

—Sheriam es una elección excelente. Puedo prometer que todas las hermanas Verdes la respaldarán, lo sé.

En el semblante de Anaiya se reflejaba una completa conformidad. Era el momento de detener esto antes de que el asunto se fuera de las manos.

—¿Podría hacer una sugerencia? —Siuan creía que se le daba mejor aparentar timidez que simular modestia. Era un gran esfuerzo, pero se dijo que más le valía aprender a mantener esa actitud. «Myrelle no es la única que intentará meterme en el pantoque si cree que me excedo de los límites de mi posición. Sea cual sea.» Sólo que no se limitarían a intentarlo; lo harían. Las Aes Sedai esperaban o, mejor dicho, exigían respeto de quienes no lo eran—. A mi modo de ver, sea quien sea la que elijáis debería ser alguien que no haya estado en la Torre cuando fui... destituida. ¿No sería mejor que la mujer destinada a unir de nuevo a la Torre fuera una a la que nadie pudiera acusar de haber tomado partido por uno u otro bando aquel día? —Como tuviera que seguir mucho con esta comedia, acabaría reventándole una vena en la cabeza.

—Sí, alguien muy fuerte con el Poder —añadió Leane—. Cuanto más fuerte sea, mejor representará los intereses de la Torre. O los que tendrá una vez que Elaida se haya ido.

Siuan habría querido darle una patada. Se suponía que ese comentario tendría que haber esperado un día entero, para presentarlo cuando

435

hubieran empezado a barajar nombres. Entre las dos, Leane y ella, conocían a todas las hermanas lo suficiente para encontrar un punto débil, alguna duda que insinuar sutilmente en cuanto a la conveniencia de que llevara la estola y el cayado. Siuan preferiría vadear desnuda un agua infestada de cazones antes que estas mujeres comprendieran que estaba intentando manipularlas.

—Una hermana que estuviera fuera de la Torre —repitió Sheriam mientras asentía—. Eso es muy acertado, Siuan. Bien pensado.

Con qué facilidad caían en la tentación de darle palmaditas en la cabeza. Morvrin frunció los labios.

—No será fácil encontrar a quienquiera que elijamos.

—La fuerza en el Poder reduce las posibilidades. —Anaiya miró a las demás—. No sólo la convertirá en un símbolo mejor, al menos para las otras hermanas, sino que la fuerza en el Poder a menudo va acompañada por un carácter firme, y quienquiera que escojamos indudablemente necesitará tenerlo.

Carlinya y Beonin fueron las últimas en dar su conformidad.

Siuan mantuvo el gesto relajado, aunque por dentro sonreía. La ruptura de la Torre había cambiado muchas cosas, muchas maneras de pensar además de la suya. Estas mujeres habían reunido a las hermanas, las habían conducido hasta allí, y ahora estaban discutiendo quién debía ser propuesta a la nueva Antecámara, como si tal cosa no fuera prerrogativa de la propia Antecámara. No resultaría difícil conducirlas, con muchísima suavidad, al convencimiento de que la nueva Amyrlin debería ser alguien a la que ellas pudieran dirigir. Y, sin saberlo, tanto ellas como la Amyrlin que escogiera para reemplazarla estaría guiada por ella misma. Moraine y ella habían trabajado durante mucho tiempo para encontrar a Rand al'Thor y prepararlo, dedicando a ello gran parte de sus vidas, para correr el riesgo de que al final alguien hiciera una chapuza.

—Si se me permite hacer otra sugerencia... —Simplemente, la actitud timorata no formaba parte de su forma de ser; iba a tener que buscar otra clase de actitud. Procurando no rechinar los dientes, esperó a que Sheriam asintiera antes de continuar—. Elaida debe de estar intentando descubrir el paradero de Rand al'Thor; cuanto más al sur llegábamos, más aumentaban los rumores de que había abandonado Tear. Creo que lo ha hecho, y me parece que he llegado a la conclusión lógica de adónde se dirigió.

No fue menester aclarar que tendrían que encontrarlo antes de que lo hiciera Tar Valon. Todas lo dieron por entendido. Elaida no sólo lo utilizaría mal, sino que, si le ponía las manos encima y lograba aislarlo de la Fuente y mantenerlo bajo su control, cualquier esperanza de deponerla habría desaparecido. Los dirigentes de las naciones conocían las Profecías, aunque por regla general sus súbditos no tuvieran ni idea; le perdonarían una docena de falsos Dragones empujados por la necesidad.

—¿Adónde? —inquirió con aspereza Morvrin, adelantándose por poco a Sheriam, Anaiya y Myrelle.

—Al Yermo de Aiel.

Se produjo un breve silencio.

—Eso es ridículo —dijo después Carlinya.

Siuan refrenó una dura réplica y sonrió de un modo que esperaba pareciera de disculpa.

—Tal vez, pero leí algo sobre los Aiel cuando era Aceptada. Gitara Moroso sospechaba que algunas de las Sabias Aiel podían encauzar. —Por aquel entonces, Gitara era la Guardiana—. Uno de los libros que me hizo leer, un antiguo volumen del rincón más polvoriento de la biblioteca, afirmaba que los Aiel se llamaban a sí mismos el Pueblo del Dragón. No lo recordé hasta que intenté discurrir dónde podría haber ido Rand para desaparecer de ese modo. Las Profecías dicen «la Ciudadela de Tear nunca caerá hasta que llegue el Pueblo del Dragón», y había Aiel en la toma de la Ciudadela. En eso coinciden todos los rumores y la historia.

De repente, Morvrin pareció estar viendo otro lugar y otro tiempo.

—Recuerdo ciertas especulaciones sobre las Sabias nada más ser ascendida y recibir el chal. De ser verdad, resultaría fascinante, pero los Aiel no dan a las Aes Sedai una acogida mejor que a cualquier otro que entre en el Yermo, y sus Sabias, por lo que tengo entendido, están sujetas a alguna ley o costumbre que les impide hablar con forasteros, lo que dificulta en extremo acercarse suficientemente a una de ellas para percibir si... —Inopinadamente, se sacudió como si saliera de un trance y miró a Siuan y a Leane como si su lapsus hubiera sido culpa de ellas—. Algo que se recuerda de un libro, seguramente escrito por alguien que nunca vio un Aiel, es una paja muy fina para tejer un cesto.

—Sí, muy fina —convino Carlinya.

—¿Pero no merecerá la pena enviar a alguien al Yermo? —Le costó un gran esfuerzo hacer la pregunta en lugar de exigirlo. Todavía conservaba suficiente dominio sobre sí misma para hacer caso omiso del calor por regla general, pero no mientras intentaba arrastrar a estas mujeres hacia donde quería sin que ellas lo advirtieran—. Dudo que los Aiel intenten hacer daño a una Aes Sedai. —Al menos, Siuan no creía que se lo hicieran si era lo bastante rápida para demostrar su condición de Aes Sedai. Había que correr el riesgo—. Y, si él está en el Yermo, los Aiel lo sabrán. Recordad los Aiel de la Ciudadela.

—Tal vez —dijo lentamente Beonin—. El Yermo es grande. ¿A cuántas tendríamos que mandar?

—Si el Dragón Renacido se encuentra en el Yermo —adujo Anaiya—, los primeros Aiel que se encuentren lo sabrán. Los acontecimientos acompañan al tal Rand al'Thor, según se dice. No caerá al océano sin hacer un chapoteo que se oiga hasta en el último rincón del mundo.

—Debería ser una Verde —opinó Myrelle mientras sonreía por el comentario de Anaiya—. Ninguna de las demás está vinculada con más de un Guardián, y dos o tres Gaidin podrían resultar muy útiles en el Yermo hasta que los Aiel la reconozcan como una Aes Sedai. Siempre he deseado ver a un Aiel. —Era novicia durante la Guerra de Aiel y tenía prohibido salir de la Torre; aunque tampoco ninguna Aes Sedai había participado en el conflicto aparte de curar, naturalmente. Los Tres Juramentos les impedían luchar a menos que Tar Valon o la propia Torre fueran atacadas, y aquella guerra nunca había cruzado los brazos del río.

—Tú no —le dijo Sheriam—. Ni ninguna otra de las que formamos este consejo. Te comprometiste a llevar esto a buen fin cuando aceptaste sentarte con nosotras, y eso no incluye zascandilear por ahí porque estás aburrida. Me temo que, antes de que hayamos acabado, habrá más emociones de lo que a cualquiera de nosotras le gustaría tener. —En otras circunstancias habría resultado una excelente Amyrlin, pero en las actuales simplemente era demasiado firme y segura de sí misma—. Sin embargo, en lo referente a que sean Verdes... Sí, creo que sí. ¿Dos? —Su mirada pasó sobre las otras, consultando—. ¿Para más seguridad?

—¿Qué tal Kiruna Nachiman? —sugirió Anaiya.

—¿Y Bera Harkin? —añadió Beonin.

Las demás asintieron con la cabeza, salvo Myrelle, que se encogió de hombros con un gesto irritado. Las Aes Sedai no se enfurruñaban, pero a ella le faltaba poco.

Siuan soltó su segundo suspiro de alivio. Estaba segura de que su deducción era acertada. Rand había desaparecido en alguna parte, y, si se encontrara en cualquier lugar entre el Océano Aricio y la Columna Vertebral de Mundo, los rumores se habrían propagado rápidamente. Y, dondequiera que estuviera, Moraine se encontraría allí, aferrando el collar del chico. Kiruna y Bera accederían sin duda a llevar una carta a Moraine, y entre ellas tenían siete Guardianes que evitarían que los Aiel las mataran.

—No queremos cansaros a Leane y a ti —continuó Sheriam—. Pediré a una hermana Amarilla que os haga un examen. Quizá pueda ayudaros en algo, para que os sintáis mejor de algún modo. Buscaré unas habitaciones para vosotras, donde podáis descansar.

—Si vas a ser la encargada de las informadoras —agregó, solícita, Myrelle—, debes mantenerte fuerte.

—No soy tan débil como parecéis creer —protestó Siuan—. De otro modo, ¿habría sido capaz de seguiros más de dos mil millas? Cualquier debilidad que padeciera tras ser neutralizada, ha desaparecido, estad seguras. —La verdad era que había encontrado de nuevo un centro de poder y no quería marcharse, pero, obviamente, eso no podía decirlo. Todos aquellos ojos prendidos en Leane y en ella con preocupación; bueno, los de Carlinya no, pero sí los de las demás. «¡Luz! ¡Van a encargar a una novicia que nos meta en la cama y nos arrope para que echemos un sueñecito!»

Sonó una llamada a la puerta y al punto entró Arinvar, el Guardián de Sheriam. Era cairhienino y, por ende, no muy alto, además de tener una constitución esbelta; sin embargo, a pesar de las canas en las sienes, sus rasgos eran duros y él se movía como un leopardo al acecho.

—Hay unos veinte jinetes hacia el este —anunció sin más preámbulo.

—No son Capas Blancas —dijo Carlinya—, o lo habrías indicado.

Sheriam le asestó una mirada seca. Muchas hermanas se volvían quisquillosas cuando alguien se inmiscuía entre ellas y su Gaidin.

—No podemos permitirles que escapen y quizás informen de nuestra presencia. ¿Se los puede capturar, Arinvar? Preferiría eso a tener que matarlos.

—Tanto lo uno como lo otro será difícil —contestó el Guardián—. Machan dice que van armados y que tienen aspecto de veteranos. Valen lo que diez veces su número de hombres más jóvenes.

Morvrin hizo un ruido de fastidio.

—Pues hay que hacer lo uno o lo otro. Discúlpame, Sheriam. Arinvar, ¿podrían los Gaidin conducir a hurtadillas a algunas de las hermanas más ágiles lo bastante cerca de esos hombres para tejer Aire a su alrededor?

El Guardián hizo un leve gesto de negación.

—Según Machan, es probable que hayan localizado a algunos de los Guardianes que están de vigilancia. Sin duda se darían cuenta si intentamos llevar a más de una o dos Aes Sedai cerca de ellos. Aun así, siguen aproximándose.

Siuan y Leane no fueron las únicas que intercambiaron miradas sobresaltadas. Pocos hombres veían a un Guardián que no deseaba ser localizado, incluso sin la capa de Gaidin.

—Entonces, haz lo que consideres mejor —dijo Sheriam—. Capturarlos, si ello es posible, pero ninguno debe escapar para revelar nuestra presencia aquí.

Antes de que Arinvar hubiera terminado de hacer una reverencia, con la mano sobre la empuñadura de la espada, otro hombre llegó junto a él; era corpulento, de piel cetrina, con el cabello largo hasta los hombros y una barba corta que no cubría su labio superior. Los gráciles movimientos de Guardián resultaban chocantes en un hombretón de su tamaño. Hizo un guiño a Myrelle, su Aes Sedai, al tiempo que anunciaba con su fuerte acento illiano:

—Todos los jinetes se han detenido excepto uno, que sigue avanzado solo. Le he echado una ojeada, y aunque mi anciana madre dijera lo contrario, yo seguiría insistiendo en que ese hombre es Gareth Bryne.

Siuan lo miró de hito en hito; de repente las manos y los pies se le habían quedado fríos. Corría el rumor de que Myrelle se había casado con este Guardián, Nuhel, y también con sus otros dos Gaidin, en contra de las costumbres y las leyes de cualquier nación que conocía Siuan. Éste era el tipo de idea que acudía a la mente cuando una gran estupefacción la dejaba aturdida, y, justo en ese momento, Siuan se sintió como si un mástil se hubiera desplomado sobre su cabeza. «¿Bryne aquí? ¡Es imposible! ¡Es absurdo!» Bryne no podía haberlos seguido todo el camino desde... «Oh, sí, podría y lo haría. Ese lo haría.» Mientras viajaban, se había estado repitiendo que sólo era una precaución sensata no dejar rastro tras de sí, que Elaida sabía que no estaban muertas, a pesar de los rumores, y que no dejaría de perseguirlas hasta que las encontrara o fuera destituida. Siuan se había irritado al tener que pedir indicaciones al final, pero la idea que la acosó como un tiburón no fue que Elaida pudiera encontrar de algún modo a un herrero en una pequeña aldea de Altara, sino que el herrero sería como un letrero indicador para Bryne. «Quisiste convencerte de que era absurdo, ¿verdad? Pues aquí está él.»

Recordaba muy bien el enfrentamiento con Bryne, cuando tuvo que doblegarlo a su deseo en aquel asunto de Murandy. Había sido como doblar una gruesa barra de hierro o un gran muelle que volvería a saltar si dejaba de presionar un instante. Tuvo que recurrir a toda su fuerza de voluntad; había tenido que humillarlo en público para asegurarse de que lo tenía doblegado mientras lo necesitara así. No iría en contra de lo que había aceptado de rodillas, pidiéndole perdón, con cincuenta nobles como testigos. La propia Morgase ya le había planteado dificultades, y Siuan no había querido correr el riesgo de que Bryne le diera a la reina una excusa para ir contra sus instrucciones. Qué extraño era pensar que Elaida y ella habían trabajado juntas en aquel asunto, para someter a Morgase.

Tenía que controlarse. Estaba aturdida, pensando en cualquier cosa salvo en lo que necesitaba pensar. «Concéntrate. No es el momento de dejarse dominar por el pánico.»

—Debéis ahuyentarlo o matarlo.

Supo que había cometido un error antes de que las palabras acabaran de salir de su boca, con un tono de apremio. Hasta los Guardianes la miraron; y las Aes Sedai... Hasta ahora no había sabido lo que era para alguien que no poseía Poder tener aquellos ojos clavados sobre uno con toda su fuerza. Se sentía desprotegida, como si su cuerpo y su mente estuvieran desnudos bajo aquel escrutinio. Aun sabiendo que las Aes Sedai no podían leer el pensamiento de otras personas, sintió el impulso de confesar antes de que las mujeres hicieran una relación de sus mentiras y delitos. Al menos confiaba en que su rostro no estuviera como el de Leane, ruborizado y con los ojos desorbitados.

—Sabéis por qué está aquí. —La voz de Sheriam rebosaba una sosegada certeza—. Las dos. Y no queréis enfrentaros a él. Hasta el punto de que nos habríais inducido a matarlo.

—Quedan vivos pocos grandes generales. —Nuhel los fue nombrando mientras contaba con los dedos—. Agelmar Jagad y Davram Bashere no abandonarán La Llaga, a mi entender, y Pedron Niall sin duda no os sería útil. Si Rodel Ituralde sigue vivo, estará enredado en problemas en algún lugar de lo que queda de Aran Doman. —Levantó el grueso pulgar—. Eso nos deja sólo a Gareth Bryne.

—¿Crees, pues, que necesitaremos un gran general? —inquirió con calma Sheriam.

Nuhel y Arinvar no se miraron, pero Siuan tuvo la sensación de que aun así habían intercambiado una ojeada.

—La decisión es vuestra, Sheriam —contestó Arinvar con un tono igualmente sosegado—. Vuestra y de las otras hermanas; pero, si tenéis intención de regresar a la Torre, nos podría ser útil. Si lo que pretendéis es quedaros aquí hasta que Elaida mande alguien a buscaros, entonces no.

Myrelle lanzo una mirada interrogante a Nuhel, que asintió con la cabeza.

—Al parecer estabas en lo cierto, Siuan —espetó secamente Anaiya—. No habíamos engañado a los Gaidin.

—La cuestión es si Bryne accederá a servirnos —dijo Carlinya.

—Sí —convino Morvrin, que añadió—: Tenemos que hacerle ver nuestra causa de tal modo que desee servirnos. No nos favorecería que se supiera que habíamos matado y detenido a un hombre tan notable antes de haber empezado con nuestro plan.

—Cierto —dijo Beonin—, y debemos ofrecerle una recompensa que lo ligue firmemente a nosotras.

Sheriam volvió la vista hacia los dos hombres.

—Cuando lord Bryne llegue al pueblo, no le digáis nada, pero conducidlo ante nosotras. —Tan pronto como la puerta se cerró detrás de los Guardianes, su mirada cobró firmeza. Siuan la reconoció; era la misma mirada intensa que ponía de rodillas a las novicias antes de que hubiera pronunciado una sola palabra—. Bien. Ahora nos explicaréis con todo detalle por qué está aquí Gareth Bryne.

No había otra opción. Si la pillaban aunque sólo fuera en una pequeña mentira, empezarían a cuestionar todo lo demás. Siuan inhaló profundamente.

—Nos refugiamos para pasar la noche en un granero, cerca de Hontanares de Kore, en Andor. Bryne es el señor del lugar, y...

28

ATRAPADOS

U n Guardián se aproximó a Bryne tan pronto como entró
con *Viajero* en las primeras casas del pueblo. Gareth habría reconocido al hombre como un Guardián después de
verlo dar dos zancadas aunque no hubiera habido todos
aquellos rostros Aes Sedai observándolo fijamente en la calle. ¿Qué hacían, en nombre de la Luz, tantas Aes Sedai a un paso de Amadicia?
Los rumores que corrían por los pueblos que había dejado atrás hablaban de que Ailron tenía intención de reclamar para sí esta orilla del río
Eldar, lo que significaba que la reclamaban los Capas Blancas. Las Aes
Sedai sabían defenderse bien, pero si Niall enviaba una legión a través
del Eldar, muchas de estas mujeres morirían. A menos que ya fuera
incapaz de calcular cuánto tiempo hacía que un tocón estaba expuesto
al aire, ese pueblo había surgido en el bosque hacía un par de meses.
¿Cómo había ido a parar Mara a ese lugar? Estaba seguro de que la
encontraría allí. Los lugareños recordaban a tres bonitas jóvenes que
viajaban juntas, especialmente cuando una de ellas había preguntado
cómo llegar a una ciudad abandonada desde la Guerra de los Capas
Blancas.

El Guardián, un hombretón de rostro ancho, un illiano a juzgar por su barba, se plantó en la calle delante del semental bayo de Bryne e hizo una reverencia.

—¿Lord Bryne? Soy Nuhel Dromand. Si sois tan amable de acompañarme, hay alguien que desea hablar con vos.

Bryne desmontó lentamente, se quitó los guanteletes y los metió debajo del talabarte mientras estudiaba la villa. La sencilla chaqueta de ante que llevaba ahora era mucho mejor para un viaje de este tipo que la de seda gris con la que lo había empezado y de la que se había deshecho. Aes Sedai, Guardianes y otras personas lo observaban en silencio, pero incluso los que debían de ser sirvientes no parecían sorprendidos. Y Dromand sabía su nombre. Su cara no era desconocida, pero sospechaba que se trataba de algo más. Si Mara era... si las mujeres eran informadoras de las Aes Sedai, no cambiaba nada el juramento que habían hecho.

—Adelante, Nuhel Gaidin.

Si a Nuhel le sorprendió el tratamiento, no lo dejó entrever.

La posada a la que Dromand lo condujo —o lo que en tiempos había sido una posada— tenía el aspecto de un cuartel general en una campaña, con mucho bullicio de gente yendo y viniendo. Es decir, si las Aes Sedai hubieran dirigido una campaña alguna vez. Localizó a Serenla antes de que la chica lo viera a él, sentada en un rincón con un hombre corpulento que seguramente era Dalyn. Cuando reparó en él, se quedó boquiabierta y luego lo miró con los ojos entrecerrados, como si no diera crédito a lo que veía. Dalyn parecía dormir con los ojos abiertos, mirando al vacío. Ninguna de las Aes Sedai ni ningún Guardián dio señales de reparar en él mientras Dromand lo conducía a través de la sala, pero Bryne habría apostado sus haciendas y su mansión a que cualquiera de ellos había advertido diez veces más detalles que todos los criados juntos que lo observaban de hito en hito. Tendría que haber dado media vuelta y alejarse a galope de allí tan pronto como comprendió quién vivía en este pueblo.

Tomó puntualmente nota de todo mientras saludaba con una inclinación de cabeza a cada una de las seis Aes Sedai sentadas que el Guardián le fue presentando —sólo un necio no llevaría cuidado estando en presencia de Aes Sedai, pero su mente estaba volcada en las dos jóvenes que había de pie junto a la pared, al lado de la chimenea, como si estuvieran castigadas. La esbelta y descarada domani le dedicó una sonrisa trémula más que seductora, para variar. Mara también estaba asustada —aterrada, diría él, pero aquellos azules ojos sostuvieron su mirada con total desafío. La chica tenía tanto coraje como una leona.

—Nos complace saludaros, lord Bryne —dijo la Aes Sedai de cabellos rojos. Tenía los ojos rasgados y, aunque un poco metida en carnes, era lo bastante hermosa para que un hombre la mirara con interés a pesar del anillo de la Gran Serpiente que lucía en el dedo—. ¿Queréis explicarnos qué os trae por aquí?

—Por supuesto, Sheriam Sedai. —Nuhel se había quedado a su lado, pero Bryne no imaginaba que hubiera otra mujer que necesitara menos protección contra un viejo soldado que ella. Estaba seguro de que sabían ya el motivo de su viaje, lo que confirmó observando sus rostros mientras relataba lo ocurrido. Las Aes Sedai no dejaban entrever nada que no quisieran, pero al menos una de ellas tendría que haber parpadeado cuando hizo referencia al juramento si no lo hubieran sabido de antemano.

—Una historia terrible, lord Bryne —dijo la que se llamaba Anaiya; a pesar del rostro intemporal su aspecto era más el de una feliz y próspera granjera que el de una Aes Sedai—. Con todo, me sorprende que hayáis llevado la persecución hasta tan lejos, aunque se tratara de unas personas que han roto un juramento. —Las pálidas mejillas de Mara adquirieron un fuerte color rojo—. Empero, era un juramento muy serio, de los que no deben quebrantarse.

—Por desgracia —intervino Sheriam—, no podemos permitiros que os las llevéis todavía.

De modo que sí eran informadoras de las Aes Sedai.

—¿Decís que es un juramento serio que no debería romperse y aun así tenéis intención de impedir que lo cumplan?

—Lo cumplirán —repuso Myrelle al tiempo que echaba una ojeada a las dos jóvenes plantadas junto a la chimenea que las hizo ponerse aun más derechas—, y podéis estar seguro de que ya lamentan haber escapado después de prestarlo. —Esta vez fue Amaena la que se puso colorada; Mara parecía a punto de empezar a masticar piedras—. Pero no podemos permitir que se vayan todavía.—. No se habían mencionado los Ajahs, pero Bryne pensó que la bonita morena era una Verde, y la robusta, de rostro redondo, llamada Morvrin, una Marrón. Quizá fue por la sonrisa que Myrelle le dedicó a Dromand cuando el Guardián entró en la habitación, y por el aire un tanto despistado de Morvrin, como si estuviera pensando en otra cosa—. A decir verdad, no precisaron cuándo os servirían, y ahora necesitamos de ellas.

Esto era absurdo; tendría que disculparse y largarse de allí. También eso era absurdo. Sabía antes incluso de que Dromand le saliera al paso en la calle que probablemente no abandonaría Salidar con vida. Debía de haber unos cincuenta Guardianes en el bosque alrededor del lugar donde había dejado a sus hombres, si es que no eran un centenar. Joni y los otros venderían caras sus vidas, pero no los había traído tan lejos para que murieran. Con todo, si había sido tan necio para dejarse engatusar por un par de ojos y meterse de cabeza en la trampa, tanto daba si recorría la última milla.

—Incendio premeditado, robo y agresión, Aes Sedai. Ésos fueron los delitos. Fueron juzgadas y sentenciadas y prestaron juramento. Pero no tengo inconveniente en quedarme aquí hasta que hayáis terminado con ellas. Mara podría actuar como mi maritornes cuando no la necesitéis. Anotaré las horas que trabaja para mí y las descontaré de su tiempo de servicio.

Mara abrió la boca con gesto iracundo; pero, como si las mujeres hubieran sabido que intentaría hablar, seis pares de ojos se volvieron a una hacia ella. La joven sacudió los hombros y cerró bruscamente la boca, tras lo cual le asestó una mirada venenosa, con los puños apretados contra los costados. Bryne se alegró de que no tuviera a mano un puñal. Myrelle parecía a punto de prorrumpir en carcajadas.

—Mejor será que elijáis a la otra, lord Bryne. Por el modo en que os mira, encontraréis en ella una... disposición mucho mayor.

Bryne esperaba que Amaena se pusiera colorada, pero no ocurrió así. Además, lo observaba... aprobadoramente. Incluso compartió una sonrisa cómplice con Myrelle. Bueno, después de todo era domani, y mucho más de lo que lo había sido la última vez que la vio.

Carlinya, tan fría que en comparación las demás parecían agradables, se inclinó hacia adelante. Desconfiaba de ella, así como de la de ojos grandes, la tal Beonin, aunque no sabía con certeza el motivo. Excepto por el hecho de que, si el Juego de las Casas funcionara allí, habría dicho que las dos mujeres apestaban a ambición. Quizás eso era exactamente en lo que estaba metido.

—Debéis saber —dijo fríamente Carlinya— que la mujer a quien conocéis como Mara es en realidad Siuan Sanche, la anterior Sede Amyrlin. Y Amaena es realmente Leane Sharif, que fue Guardiana de las Crónicas.

No pudo evitar quedarse boquiabierto como un necio patán. Ahora que lo sabía, advertía en el rostro de Mara —de Siuan— aquel que lo había hecho ceder, sólo que suavizado por la juventud.

—¿Cómo? —fue todo cuanto dijo, porque no habría sido capaz de decir nada más.

—Hay ciertas cosas que es mejor para los hombres no saber —repuso con frialdad Sheriam—, y también para la mayoría de las mujeres.

Mara —no, mejor sería que pensara en ella con su verdadero nombre—, Siuan había sido neutralizada. Eso lo sabía. Su nuevo aspecto debía de tener algo que ver con la neutralización. Si esa esbelta domani había sido la Guardiana, entonces estaba dispuesto a apostar a que también ella había corrido la misma suerte. Empero, hablar de neutralización delante de Aes Sedai era un buen método de descubrir cuán duro era uno. Además, cuando empezaban a actuar con ese aire misterioso, ninguna Aes Sedai daba una respuesta clara y directa aunque uno preguntara si el cielo era azul.

Eran muy buenas, estas Aes Sedai. Lo habían engatusado para después golpear con fuerza cuando tenía bajada la guardia. Tenía la deprimente sensación de saber por qué lo estaban ablandando. Sería interesante comprobar si se hallaba en lo cierto.

—Eso no anula la validez del juramento que prestaron. Aun en el caso de que todavía fueran Amyrlin y Guardiana, seguirían sujetas a ese juramento bajo cualquier ley, incluida la de Tar Valon.

—Puesto que no tenéis objeción a quedaros aquí —dijo Sheriam—, podéis disponer de Siuan como vuestra doncella personal cuando no la necesitemos. Podéis disponer de las tres, si lo deseáis, incluida Min, a quien por lo visto conocéis como Serenla, a tiempo completo. —Por alguna razón aquello pareció irritar a Siuan tanto como lo que se había dicho de ella; masculló entre dientes, lo bastante bajo para que no se entendiera lo que decía—. Y, puesto que no tenéis objeciones, lord Bryne, mientras permanecéis con nosotros hay un servicio que podríais prestarnos.

—La gratitud de las Aes Sedai es considerable —comentó Morvrin.

—Estaréis sirviendo a la Luz y a la justicia al servirnos a nosotras —añadió Carlinya.

—Servisteis a Morgase y a Andor lealmente —manifestó seriamente Beonin tras asentir con un cabeceo—. Servidnos bien y no encontraréis el exilio al final. Nada de lo que os pedimos irá en menoscabo de vuestro honor ni en perjuicio de Andor.

Bryne hizo una mueca. Estaba en el Juego, vaya que sí. A veces había pensado que tenían que haber sido Aes Sedai quienes habían inventado el *Daes Dae'mar,* debían de jugarlo incluso estando dormidas. La batalla era más sangrienta indudablemente, pero también era más franca. Si tenían intención de manejarlo como a una marioneta, tirarían de las cuerdas y lo moverían, de una manera u otra, pero era un buen momento para demostrarles que él no era un títere sin cerebro.

—La Torre Blanca está dividida —dijo en tono impasible. Los ojos de las mujeres se abrieron mucho, pero no les dio ocasión de hablar—. Los Ajahs se han separado. Es la única razón que explique vuestra presencia aquí. Ciertamente no os hacen falta unas cuantas espadas más —miró de soslayo a Dromand que, en respuesta, asintió—, de modo que el único servicio que podéis querer que os preste es dirigir un ejército. Y reunir uno en primer lugar, a menos que existan otros campamentos como éste con muchos más hombres de los que he visto aquí. Y eso significa que os proponéis enfrentaros a Elaida. —Sheriam estaba enojada, Anaiya preocupada, y Carlinya a punto de decir algo, pero Bryne continuó. Que escucharan ahora, ya que sospechaba que tendría que escucharlas muchas veces en los próximos meses—. Muy bien. Nunca me gustó Elaida y no creo que sea una buena Amyrlin, pero lo más importante es que puedo reunir un ejército para tomar Tar Valon. Siempre y cuando seáis conscientes de que esa toma será larga y sangrienta.

»Antes, empero, éstas son mis condiciones. —Todas se pusieron tensas a la par, incluso Siuan y Leane. Los hombres no ponían condiciones a las Aes Sedai—. Primero: el mando es mío. Me diréis lo que hay que hacer, pero seré yo quien decida cómo. Me daréis vuestras órdenes, y yo se las daré a los soldados que estén a mi mando, no vosotras, a menos que antes haya accedido a ello. —Varias bocas se abrieron, las de Carlinya y Beonin las primeras, pero el veterano general prosiguió—. Yo asigno las tareas a los hombres, los asciendo y los castigo, no vosotras. Segundo: si os digo que no puede realizarse algo, tomaréis en consideración mi opinión. No pretendo usurpar vuestra autoridad —había pocas probabilidades de que se lo permitieran, en cualquier caso—, pero no quiero perder hombres porque no sabéis nada sobre la guerra. —Ocurriría, pero no más de una vez si tenía suerte—. Tercero: si empezáis con esto, tendréis que llevarlo hasta sus últimas consecuencias. Tanto yo como todos los hombres que me sigan nos habremos puesto una soga al cuello; y, si dentro de seis meses decidieseis que es preferible Elaida de Amyrlin que la guerra, será como si hubieseis apretado ese nudo corredizo para ahorcarnos a todos los que apresen de nosotros. Puede que las naciones no se impliquen en una guerra civil en la Torre, pero no nos dejarán con vida si nos abandonáis a nuestra suerte. Elaida se ocupará de ello.

»Si no accedéis a estos puntos, entonces no me pondré a vuestro servicio. Tanto si me inmovilizáis con el Poder para que Dromand me degüelle como si acabo detenido y ahorcado, la muerte es el resultado final.

Las Aes Sedai guardaron silencio y se quedaron observándolo intensamente durante largos segundos, hasta que la picazón entre los omóplatos le hizo preguntarse si Nuhel no estaría a punto de hundirle una daga entre ellos. Entonces Sheriam se incorporó y las demás la siguieron hasta una ventana. Bryne veía moverse sus labios, pero no oía nada. Si querían ocultar sus deliberaciones con el Poder Único, que lo hicieran. No estaba seguro de cuánto de lo que les había pedido se lo concede-

448

rían. Todo ello, si eran sensatas; claro que las Aes Sedai podían llegar a la conclusión de que eran lógicas las cosas más extrañas. Decidieran lo que decidieran, tendría que aceptar con toda la cortesía que fuera capaz de demostrar. Era una trampa perfecta la que él mismo se había preparado.

Leane le dedicó una mirada y una sonrisa que le decían con tanta claridad como si lo hubiera hecho con palabras que no sabía lo que se había perdido; imaginó que habría sido una buena cacería, con él agarrado con un aro a la nariz. Las domani nunca prometían ni la mitad de lo que uno pensaba que habían prometido, y sólo daban lo que a ellas les parecía bien, además de ser más inconstantes que una veleta y cambiar de opinión en un abrir y cerrar de ojos.

El cebo que lo había llevado a la trampa lo estaba mirando fijamente; de pronto cruzó la habitación hasta plantarse ante él, de modo que tuvo que doblar el cuello hacia atrás para mirarlo a la cara, y le habló en tono bajo y furioso:

—¿Por qué lo habéis hecho? ¿Por qué nos seguisteis? ¿Por un granero?

—Por un juramento. —Y por un par de ojos azules. Siuan Sanche debía de tener unos diez años menos que él como mucho, pero resultaba muy difícil recordar quién era cuando se estaba contemplando un rostro casi treinta años más joven. Empero, sus ojos eran los mismos, profundamente azules y fuertes—. Un juramento que me hicisteis y que rompisteis. Debería doblar el tiempo estipulado por el incumplimiento.

La mujer agachó los párpados y se cruzó de brazos.

—Eso ya se ha tenido en cuenta —gruñó.

—¿Queréis decir que os han castigado por romper el juramento? Aunque os hubieran azotado el trasero por ello, no sirve de nada si no lo he hecho yo.

La risa de Dromand sonó más que un poco escandalizada —el hombre todavía debía de estar sosteniendo un tira y afloja interno por lo que Siuan Sanche había sido tiempo atrás, y Bryne no estaba muy seguro de que a él no le ocurriera otro tanto—, y el rostro de la mujer se ensombreció hasta que Bryne temió que le diera una apoplejía.

—¡Mi tiempo de servicio ya ha sido doblado, cuando no más, montón de tripas podridas de pescado! ¡Vos y vuestra anotación de horas cumplidas! ¡No se contará ni una sola hora hasta que nos tengáis a las tres de vuelta en vuestra mansión, ni siquiera si hago de vuestra... vuestra... maritornes, lo que quiera que signifique eso, durante veinte años!

De modo que Sheriam y las demás también tenían planeado esto. Echó una ojeada al grupo que conferenciaba junto a la ventana. Parecían divididas en dos bandos opuestos: Sheriam, Anaiya y Myrelle a un lado, y Morvrin y Carlinya al otro, con Beonin en medio. Estaban dispuestas a entregarle a Siuan, a Leane y a... ¿Min?, como una especie de soborno, antes de que entrara en el cuarto. Tenían que estar desesperadas, lo que significaba que él ocupaba la posición más débil, pero quizás estuvieran lo bastante desesperadas para concederle lo que necesitaba para tener alguna probabilidad de alzarse con la victoria.

—Estáis disfrutando con esto, ¿verdad? —dijo ferozmente Siuan en el momento en que volvió los ojos hacia ella—. Majadero. Maldito necio con cerebro de carpa. Ahora que sabéis quién soy, os complace que tenga que haceros reverencias y arrastrarme ante vos. —Por el momento, no parecía que estuviera actuando de ese modo, ni mucho menos—. ¿Por qué? ¿Porque os hice doblegaros en lo de Murandy? ¿Tan mezquino sois, Gareth Bryne?

Estaba intentando enfurecerlo; Siuan comprendió que se había excedido y no quería dejarle tiempo para reflexionar sobre ello. Aunque ya no fuera Aes Sedai, la manipulación era un componente más de su sangre.

—Fuisteis la Sede Amyrlin —repuso él con calma—, y hasta un rey besa el anillo de la Amyrlin. No diré que me gustara el modo en que llevasteis aquel asunto, y tal vez en algún momento mantendremos una tranquila charla respecto a si era necesario hacer lo que hicisteis estando presente media corte, pero recordaréis que seguí hasta aquí a Mara Tomanes y fue por Mara Tomanes por quien pregunté, no por Siuan Sanche. Puesto que seguís preguntando el motivo, dejadme que también yo os pregunte algo. ¿Por qué era tan importante que permitiera que los murandianos hicieran incursiones a través de la frontera?

—Porque vuestra injerencia entonces podría haber echado a perder planes importantes —replicó, casi escupiendo cada palabra—, igual que vuestra injerencia ahora puede tener el mismo resultado. La Torre había identificado a un joven lord de la frontera llamado Dulain como el hombre que algún día podría unificar realmente Murandy con nuestra ayuda. No podía permitir que se corriera el riesgo de que vuestros soldados lo mataran. También aquí tengo un trabajo que hacer, lord Bryne. Dejad que lo lleve a cabo y quizás os alcéis con la victoria. Si os entremetéis por rencor tal vez lo echéis a perder todo.

—Sea cual sea ese trabajo, estoy seguro de que Sheriam y las demás se ocuparán de que lo hagáis. ¿Dulain? No he oído hablar de él, de modo que todavía no debe de haber tenido éxito en su empresa. —A su modo de entender, Murandy continuaría siendo un rompecabezas de lores y ladis independientes enfrentados hasta que la Rueda girara y llegara una nueva Era. Los murandianos se llamaban a sí mismos lugardeños o mindeanos o cualquier otra cosa antes de dar nombre a una na-

450

ción. Si es que se molestaban en hacerlo. Un lord capaz de unirlos y que tenía al cuello la correa de Siuan, podría aportar un número considerable de hombres.

—Él... murió. —Unos fuertes rosetones aparecieron de repente en sus mejillas y la mujer pareció sostener una lucha interior—. Un mes después de marcharme de Caemlyn —murmuró—, un granjero andoreño le clavó una flecha en una incursión para robar ovejas.

Bryne no pudo menos de echarse a reír.

—De modo que era a los granjeros a quienes debisteis obligar a hincar la rodilla, no a mí. En fin, ahora ya no tenéis que preocuparos por esas cosas. —Eso era cierto, indudablemente. Fuera cual fuera la utilidad que pensaran darle las Aes Sedai, ahora ya no le permitirían volver a estar cerca del poder y las decisiones. Bryne sintió lástima por Siuan Sanche. No imaginaba a esta mujer dándose por vencida y dejándose morir, pero había perdido todo lo que podía perderse salvo la vida. Por otro lado, no le gustaba que lo llamara majadero ni lo de montón de tripas podridas de pescado. ¿Qué había sido lo otro? Ah, sí. Necio con cerebro de carpa—. De ahora en adelante, os preocuparéis de mantener mis botas limpias y mi cama hecha.

Los ojos de Siuan se estrecharon hasta hacerse meras rendijas.

—Si es eso lo que queréis, lord Gareth Bryne, deberíais haber escogido a Leane. Ella podría ser así de boba.

Se contuvo por poco de abrir unos ojos corno platos. El modo en que trabajaban las mentes de las mujeres nunca dejaba de sorprenderlo.

—Jurasteis servirme en la forma que decidiera yo. —Se las ingenió para soltar una risita. ¿Por qué estaba actuando así? Sabía quién era ella y lo que era. Empero, aquellos ojos seguían obsesionándolo, con su mirada retadora aun cuando la mujer estuviera convencida de que no había esperanza, exactamente como hacían en ese momento—. Descubriréis la clase de hombre que soy, Siuan. —El comentario llevaba la intención de aplacarla por la chanza que había hecho antes; pero, por el modo en que sus hombros se pusieron tensos, ella pareció interpretarlo como una amenaza.

De repente se dio cuenta de que podía oír a las Aes Sedai, un suave murmullo de voces que callaron de inmediato. Estaban juntas, observándolo fijamente con una expresión inescrutable. No; a quien observaban era a Siuan. Los seis pares de ojos la siguieron mientras ella regresaba al lado de Leane; como si percibiera la intensidad de las miradas en su espalda, cada paso fue más rápido que el anterior. Una mujer extraordinaria. Bryne no estaba seguro de haber sido capaz de hacerlo tan bien si hubiera estado en su lugar.

Las Aes Sedai esperaban que se acercara a ellas.

—Aceptamos vuestras condiciones sin reserva, lord Bryne —anunció Sheriam cuando estuvo ante ellas—, y nos comprometemos a cumplirlas. Son muy razonables.

Al menos Carlinya no parecía pensar que fueran razonables en absoluto, pero a Bryne no le importó. Había estado preparado para renunciar a todas salvo la última, la de que seguirían hasta el final, de haber sido preciso.

Hincó una rodilla en tierra, con el puño apoyado en el fragmento de alfombra, y ellas lo rodearon y le pusiera una mano sobre la cabeza inclinada. No le importaba si estaban utilizando el Poder para vincularlo a su juramento o para comprobar su sinceridad; tampoco estaba seguro de que pudieran hacer algo así, aunque, realmente ¿quién sabía lo que las Aes Sedai eran capaces de realizar? Y, si llevaban otra intención, tampoco había nada que él pudiera hacer al respecto. Atrapado por un par de ojos, como un simplón e ingenuo muchachito de campo. En verdad era un necio con cerebro de carpa.

—Juro que os serviré lealmente hasta que la Torre Blanca sea vuestra... —Su mente estaba ya haciendo planes. Thad, y quizás un Guardián o dos, al otro lado del río para ver qué se traían entre manos los Capas Blancas. Joni, Barim y unos cuantos más, a Ebou Dar; de ese modo evitaría que Joni se tragara la lengua cada vez que mirara a «Mara» y a «Amaena». Además, todos los hombres que enviase sabrían cómo reclutar soldados—, crear y dirigir vuestro ejército poniendo en ello el máximo empeño y toda mi pericia...

Cuando el apagado zumbido de la sala cesó de repente, Min levantó la vista de los dibujos que había estado haciendo sobre la mesa con el índice mojado en vino. Logain también rebulló, cosa sorprendente, pero sólo para observar con fijeza a las personas que había en la sala, o puede que mirando a través de ellas; no era fácil saberlo con seguridad.

Gareth Bryne y el corpulento Guardián illiano fueron las dos primeras personas que salieron de la habitación trasera. En medio del silencio expectante, oyó decir a Bryne:

—Decidles que os envía una camarera de taberna de Ebou Dar u os cortarán la cabeza y la hincarán en una pica.

El illiano estalló en carcajadas.

—Vaya, es realmente una ciudad peligrosa, Ebou Dar. —A continuación cogió los guanteletes de cuero sujetos bajo el talabarte y se los puso mientras salía a la calle.

Las conversaciones se reanudaron de nuevo cuando apareció Siuan. Min no alcanzó a oír lo que Bryne le dijo, pero la mujer salió detrás del Guardián mascullando entre dientes. Min tuvo la descorazonadora sensación de que las Aes Sedai habían decidido que iban a cumplir aquel absurdo juramento que Siuan había hecho con tanto orgullo; y a cumplirlo de inmediato. Si hubiera sido capaz de convencerse de que los dos Guardianes que estaban apostados junto a la pared no se darían cuenta, habría salido por la puerta y se habría subido a lomos de *Galabardera* en un visto y no visto.

Sheriam y las otras Aes Sedai salieron las últimas, con Leane. Myrelle tomó asiento con Leane en una de las mesas y empezaron a discutir algo mientras las restantes se movían por la sala y se detenían para hablar con todas las otras Aes Sedai. Fuera lo que fuera lo que les dijeron, sus reacciones abarcaron desde la franca conmoción hasta la sonrisa complacida a despecho de la legendaria calma Aes Sedai.

—Quédate aquí —le dijo Min a Logain mientras retiraba su desvencijada silla. Confiaba en que el hombre no iniciara un conflicto. Estaba mirando fijamente los rostros de las Aes Sedai, uno por uno, y daba la impresión de ser más consciente de lo que veía que desde hacía días—. Quédate en la mesa hasta que vuelva, Dalyn. —Había perdido la costumbre de estar entre gente que conocía su verdadero nombre—. Por favor.

—Me ha vendido a las Aes Sedai. —Fue conmocionante oírlo hablar después de llevar tanto tiempo callado. El hombre se estremeció y luego asintió con la cabeza—. Esperaré.

Min vaciló, pero, si los dos Guardianes eran incapaces de impedir que hiciera algo estúpido, ciertamente sí lo haría una habitación llena de Aes Sedai. Cuando llegó a la puerta, un hombre con aspecto de caballerizo se llevaba un semental bayo de corta alzada. Supuso que era el caballo de Bryne. «¡Cumpliré el maldito juramento! ¡Lo haré! Pero ahora no pueden retenerme lejos de Rand. He hecho lo que Siuan quería. Tienen que dejarme que vaya con él.» El único problema era que las Aes Sedai generalmente no sólo decían lo que tenían que hacer ellas, sino también otras personas.

Siuan estuvo a punto de derribarla al topar con ella cuando volvía a entrar, ceñuda, llevando un rollo de mantas bajo el brazo y unas alforjas cargadas al hombro.

—Vigila a Logain —siseó en un susurro, sin detenerse—. No dejes que nadie hable con él. —Se dirigió al pie de la escalera, donde una mujer canosa, una criada, conducía a Bryne hacía el piso de arriba, y los siguió a ambos. Por la mirada que clavó en la espalda del hombre, éste debería haber rezado para que no cogiera el puñal que llevaba en el cinturón.

Min sonrió al alto y esbelto Guardián que la había seguido hasta la puerta. Estaba a tres pasos de distancia, sin apenas mirar en su dirección, pero la joven no se hizo ilusiones.

—Ahora somos invitadas. Amigas.

El Guardián no le devolvió la sonrisa. «¡Condenados hombres de rostro pétreo!» ¿Por qué no podían dar por lo menos un ligero indicio de lo que estaban pensando?

Logain seguía observando a las Aes Sedai cuando regresó a la mesa. Buen momento había escogido Siuan para que estuviera callado, justo cuando empezaba a dar señales de que seguía vivo. Tenía que hablar con Siuan.

—Logain —dijo suavemente, esperando que ninguno de los dos Guardianes apostados junto a la pared pudiera oírla. No se habían movido ni para respirar desde que habían tomado su posición, salvo cuando uno de ellos la siguió—. Creo que no deberías decir nada hasta que Mara te explique lo que ha planeado. A nadie.

—¿Mara? —Le dedicó una mueca sarcástica—. ¿Te refieres a Siuan Sanche? —Así que recordaba lo que había oído a pesar de su aturdimiento—. ¿Hay alguien en esta sala que parezca tener deseos de hablar conmigo? —Volvió a sumirse en su ceñudo escrutinio.

No, nadie parecía querer hablar con un falso Dragón amansado. Excepto por los dos Guardianes, ninguno de los presentes parecía prestarles atención. Si no hubiera sabido a qué atenerse, habría pensado que una gran excitación dominaba a las Aes Sedai que estaban en la sala. No es que antes se hubieran mostrado aletargadas precisamente, pero desde luego ahora parecían tener más energía, charlaban en pequeños grupos y daban órdenes concisas a los Guardianes. Los papeles en los que antes estaban tan interesadas habían quedado olvidados por completo. Sheriam y las demás que habían llevado a Siuan a la otra habitación regresaron a ella, pero Leane tenía a dos escribientes en la mesa ahora, y las dos mujeres garabateaban tan deprisa como podían. Una oleada ininterrumpida de Aes Sedai entraba en la posada para desaparecer de inmediato tras la tosca puerta de tablones y no salir. Lo que quiera que hubiera ocurrido allí dentro, fuera lo que fuera lo que les hubiera dicho Siuan, desde luego las había agitado, y de qué manera.

Min habría querido tener a Siuan en la mesa o, mejor aun, en algún lugar donde estuvieran solas, durante cinco minutos. Sin duda ahora estaría atizando a Bryne en la cabeza con las alforjas. No, Siuan no recurriría a eso, por muchas miradas furibundas que le lanzara. Bryne no era como Logain, en ningún sentido, ni en lo físico ni en lo anímico; Logain había conseguido imponerse a Siuan durante un tiempo haciendo valer su inmensa corpulencia. Bryne era tranquilo, reservado, no un hombre de constitución pequeña, desde luego, pero ni mucho menos despótico. No querría tener de enemigo al hombre que recordaba de Hontanares de Kore, pero dudaba que Bryne hubiera resistido mucho contra Siuan. Tal vez creyera que la mujer iba a servirle sumisamente durante el tiempo estipulado, pero a Min no le cabía duda alguna de quién acabaría haciendo lo que quería el otro.

Como si pensar en ella la hubiera hecho aparecer, Siuan bajó la escalera pisando fuerte, con un bulto de ropa blanca debajo del brazo. Para ser más precisa, daba la impresión de querer abrir un agujero en cada escalón al pisar en él; si hubiese tenido cola, la habría ido sacudiendo como un látigo. Se paró un momento para mirar fijamente a Min y a Logain, y después se dirigió hacia la puerta que llevaba a la cocina.

—Quédate aquí —advirtió Min a Logain . Y, por favor, no digas nada hasta que... Siuan pueda hablar contigo. —Iba a tener que acostumbrarse a llamar a la gente por su verdadero nombre otra vez. El ni siquiera la miró.

Alcanzó a Siuan en un pasillo que conducía a la cocina. A través de las grietas abiertas, allí donde los tablones de la puerta se habían secado, llegaba el tintineo y el chapoteo de ollas y platos que se estaban fregando. Siuan abrió los ojos en un gesto de alarma.

—¿Por qué lo has dejado solo? ¿Sigue vivo?

—Vivirá para siempre, por lo que puedo ver. Siuan, nadie quiere hablar con él, pero yo he de hablar contigo. —La mujer le soltó el bulto blanco en los brazos. Camisas—. ¿Qué es esto?

—La maldita ropa sucia del maldito Gareth Bryne —gruñó Sitian— Puesto que también tú eres una de sus criadas, puedes lavarla. Yo he de hablar con Logain antes de que alguien se me anticipe.

Min cogió del brazo a Siuan en el preciso momento en que la mujer intentaba regresar a la sala.

—Puedes perder un minuto para escuchar lo que tengo que decir. Cuando Bryne entró, tuve una visión. Un halo, y un toro desgarrando una guirnalda de rosas que llevaba al cuello, y... Nada de eso importa salvo el halo. No lo entendí del todo, pero sí algo más que el resto.

—¿Y qué fue lo que entendiste?

—Si quieres seguir viva, más vale que permanezcas cerca de él. —A despecho del calor, Min tiritó. Sólo había tenido otra visión con ese condicional «si», y en los dos casos era potencialmente mortífero. Ya era bastante malo saber que ocurriría algo; si empezaba a ver también lo que podría ocurrir...—. Lo único que sé es esto: si él se queda cerca de ti, vivirás. Si se va muy lejos y durante mucho tiempo, vais a morir. Los dos. No sé por qué he tenido que ver algo relativo a ti en su halo, pero parecías formar parte de él.

La sonrisa de Sitian habría podido mondar una pera.

—Antes preferiría navegar en una barca podrida y llena de anguilas pescadas hace un mes.

—Jamás se me pasó por la cabeza que nos seguiría. ¿De verdad nos van a obligar a que regresemos con él?

—Oh, no, Min. Él va a dirigir nuestros ejércitos a la victoria. ¡Y a hacer de mi existencia la Fosa de la Perdición! Así que me va a salvar la vida, ¿no? No sé si merece la pena. —Inhaló profundamente y se alisó la falda—. Cuando tengas eso lavado y planchado, tráemelo. Se lo subiré yo. Y puedes limpiarle las botas antes de irte a dormir esta noche. Tenemos una habitación, un cuchitril, cerca de la de él. ¡Así podremos oírlo si nos llama para que le mullamos sus malditas almohadas!

Se marchó antes de que Min tuviera ocasión de protestar. Bajó la vista hacia las camisas enrolladas que tenía en los brazos. Estaba segura de quién sería la que lavaría toda la ropa de Gareth Bryne, y esa persona no iba a ser Siuan Sanche.

«¡Maldito Rand al'Thor!» Una se enamoraba de un hombre y acababa haciendo la colada, aunque la ropa perteneciera a otro hombre. Cuando entró en la cocina para pedir un barreño de lavar y agua caliente, su gesto furibundo era una copia exacta del de Siuan.

29

RECUERDOS DE SALDAEA

Tumbado en la cama a oscuras, en mangas de camisa, Kadere jugueteaba ociosamente con uno de los pañuelos grandes, haciéndolo girar entre sus manos. Por la ventana abierta del carromato entraba la luz de la luna, pero apenas un soplo de brisa. Al menos en Cairhien hacía más fresco que en el Yermo. Confiaba en que algún día regresaría a Saldaea y pasearía por el jardín en el que su hermana Teodora le había enseñado las primeras letras y números. La echaba de menos tanto como a Saldaea, con sus fríos inviernos, cuando las cortezas de los árboles reventaban al congelarse la savia y el único modo de desplazarse era con raquetas de nieve o con esquís. En estas tierras sureñas la primavera parecía verano, y el estío, la Fosa de la Perdición. Estaba sudando a chorros.

Con un hondo suspiro, metió los dedos por la pequeña brecha existente entre la cama y la pared del carromato; el trozo de papel doblado crujió. Lo dejó en el mismo sitio. Se sabía de memoria cada palabra escrita en esa nota:

No estás solo entre extraños. Se ha elegido un curso para seguir.

457

Nada más; y, naturalmente, sin firma. Alguien lo había metido por debajo de la puerta, y lo encontró cuando se retiró para acostarse. Había una ciudad, Eianrod, a menos de un cuarto de milla de distancia; pero, aun en el improbable caso de que quedara libre alguna blanda cama allí, dudaba mucho que los Aiel le permitieran pasar la noche lejos de las carretas. O que lo permitiera la Aes Sedai. De momento, sus propios planes se acomodaban bastante bien con los de Moraine. A lo mejor volvía a ver Tar Valon. Era un lugar peligroso para los de su clase, pero su labor era siempre importante y estimulante.

Recordó de nuevo la nota, bien que habría deseado poder permitirse el lujo de hacer caso omiso de ella. La palabra «elegido» le revelaba que procedía de otro Amigo Siniestro. Lo sorprendente era haberla recibido ahora, después de haber cruzado casi todo Cairhien. Hacía casi dos meses, justo después de que Jasin Natael se adhiriera a Rand al'Thor —por razones que en ningún momento se dignó explicar— y de que su nueva socia, Keille Shaogi, hubiera desaparecido —sospechaba que estaba enterrada en el Yermo, con una cuchillada asestada por la daga de Natael, y en buena hora—, al poco tiempo recibió la visita de uno de los Elegidos, la mismísima Lanfear, quien le había dado instrucciones.

Con un gesto automático se llevó la mano al pecho y tanteó por debajo de la camisa las cicatrices marcadas en él. Se enjugó el rostro con el pañuelo. Una parte de su mente razonó con frialdad, como lo había hecho al menos una vez al día desde entonces, que era un modo eficaz de demostrarle que no había sido un sueño, una simple pesadilla. Otra parte de su mente casi farfullaba de alivio porque la mujer no hubiera regresado.

Otra sorpresa era la caligrafía de la nota. La había escrito una mujer, a menos que se equivocara mucho, y algunas de las letras estaban trazadas del modo que sabía era peculiar en los Aiel. Natael le había dicho que tenía que haber Amigos Siniestros entre ellos —los había en todos los países, entre cualquier clase de gente—, pero él nunca había intentado encontrar hermanos en el Yermo. Los Aiel eran capaces de matar a alguien con la misma facilidad con que miraban a quien metiera la pata, y, con ellos, uno podía meterla por el simple hecho de respirar.

En resumen, que la nota presagiaba el desastre. Lo más probable era que Natael le hubiera revelado a algún Amigo Siniestro Aiel quién era él. Iracundo, retorció el pañuelo hasta formar un prieto cordel y luego tiró de los extremos repetida y bruscamente, haciendo un ruido seco, como un chasquido. Si el juglar y Keille no hubieran presentado pruebas de que ocupaban un lugar prominente en los consejos de los Amigos Siniestros, los habría matado a ambos antes de llegar cerca del Yermo. La otra posibilidad le provocaba un nudo en el estómago. «Se ha elegido un curso para seguir.» Tal vez era sólo para utilizar la palabra «elegido», o quizá la intención era advertirle que uno de los Elegidos había decidido utilizarlo. La nota no le había llegado de Lanfear; ésta se habría limitado a hablar directamente con él en sus sueños otra vez.

A despecho del calor, se estremeció, aunque también tuvo que enjugarse el sudor de la cara. Tenía la sensación de que Lanfear era un ama celosa a quien servir, pero si otro de los Elegidos quería utilizarlo él no tenía opción. A pesar de las promesas hechas cuando se juramentó siendo aún un muchacho, ahora era un hombre con escasas ilusiones. Atrapado entre dos de los Elegidos, podría acabar aplastado como un gatito bajo la rueda de un carro, y ellos lo notarían tan poco como lo notaría el carro. Ojalá estuviera en casa, en Saldaea. Ojalá pudiera volver a ver a Teodora.

Una leve llamada a la puerta, como si alguien la arañara, lo hizo ponerse de pie; a pesar de su corpulencia, era más ágil de lo que dejaba entrever a la gente. Se enjugó el rostro y el cuello, pasó entre la estufa que, indudablemente, era innecesaria allí, y los armarios con los frentes adornados con tallas y pinturas. Cuando abrió la puerta, una figura esbelta, envuelta en ropajes negros, entró furtiva y rápidamente. Kadere escudriñó rápidamente los alrededores iluminados por la luna para asegurarse de que no había nadie observando —todos los conductores roncaban debajo de las carretas, y los centinelas Aiel nunca se acercaban a los vehículos—, y volvió a cerrar la puerta a toda prisa.

—Debes de estar ardiendo, Isendre —rió—. Quítate esa túnica y ponte cómoda.

—Gracias, pero no —repuso, cortante, desde las sombras de la capucha. Su actitud era estirada, pero de vez en cuando rebullía; la tela de lana debía de picar más de lo habitual aquella noche.

—Como gustes. —Volvió a reír. Sospechaba que debajo de aquella ropa las Doncellas Lanceras todavía no le permitían llevar nada puesto salvo las joyas robadas, como mucho. Desde que estaba al servicio de las Doncellas se había vuelto muy gazmoña. No entendía que hubiera sido tan estúpida como para robar; ni que decir tiene que él no había puesto ninguna objeción cuando se la llevaron del carromato arrastrándola por el pelo y gritando. Podía darse por satisfecho de que no lo hubieran acusado de estar involucrado en el robo. La codicia de la mujer sólo había servido para hacer más difícil su tarea—. ¿Tienes algo nuevo que informar sobre al'Thor o Natael? —Una parte principal de las instrucciones de Lanfear se refería a tener vigilados a esos dos, y él no conocía un medio mejor de tener controlados los movimientos de un hombre que meter a una mujer en su cama. Cualquier varón le contaba a su compañera de lecho cosas que había jurado guardar en secreto, se jactaba de sus planes, y revelaba sus debilidades, incluso si se trataba del Dragón Renacido o el del Alba lo que fuera, como lo llamaban los Aiel. Isendre tembló visiblemente

—Al menos puedo acercarme a Natael. —¿Acercarse a él? Una vez que las Doncellas la sorprendieron escabulléndose en la tienda del hombre, prácticamente habían empezado a meterla a empujones en ella cada noche. Pero siempre enfocaba las cosas por el lado positivo—. Y no es que me cuente nada. Se limita a decirme que hay que esperar, ser pacientes, guardar silencio, y amoldarse a lo que depara el destino, sea lo que sea lo que signifique eso. Es lo que repite cada vez que intento hacerle una pregunta. La mayoría del tiempo lo único que quiere es tocar una música que nunca he oído y hacer el amor. —Nunca tenía otra cosa que contar del juglar. Por centésima vez, Kadere se preguntó por qué quería Lanfear tener vigilado a Natael. Se suponía que ese hombre ocupaba la posición más alta a la que podía llegar un Amigo Siniestro, sólo un escalón por debajo de los propios Elegidos.

—Deduzco que con eso quieres decir que no has conseguido meterte en la cama de al'Thor ¿no? —preguntó mientras pasaba junto a la mujer para sentarse en el lecho.

—No. —Isendre rebulló con nerviosismo.

—Entonces tendrás que intentarlo con más ahínco, ¿no te parece? Estoy cansándome de fracasos, Isendre, y nuestros señores no tienen tanta paciencia como yo. A pesar de los títulos, no es más que un hombre. —A menudo la mujer se había jactado de que podía conseguir a cualquier hombre que quisiera y lograr que hiciera lo que deseara. De hecho, a él le había demostrado personalmente que no se jactaba en vano. No habría tenido necesidad de robar: él le habría comprado todo lo que hubiera querido. En realidad, le había comprado más de lo que podía permitirse—. Las malditas Doncellas no pueden estar vigilándolo cada segundo, y, una vez que te hayas metido en su cama, no permitirá que te hagan daño. —Una sola vez con ella sería suficiente para conseguirlo—. Tengo plena fe y seguridad en tus habilidades.

—No. —El monosílabo era, si cabe, más breve que el anterior.

Kadere enrolló y desenrolló el pañuelo con irritación.

—«No» es una palabra que a nuestros señores no les gusta escuchar, Isendre. —Se refería a los señores entre los Amigos Siniestros, no a lo que se entendía normalmente por lores y ladis (un mozo de cuadra podía dar órdenes a una dama, y un pordiosero a un magistrado), pero sus órdenes eran, como mínimo, tan estrictamente obligatorias como las de cualquier noble y generalmente mucho más—. Una palabra que a nuestra señora no le agradaría oír.

Isendre se estremeció. No había dado crédito a sus palabras hasta que le mostró las quemaduras del pecho, pero desde entonces la sola mención de Lanfear había bastado para reprimir cualquier amago de rebeldía por su parte. Esta vez, se puso a llorar.

—No puedo, Hadnan. Cuando nos detuvimos esta noche, creía que tendría una oportunidad al estar en una ciudad en lugar de en las tiendas, pero me sorprendieron antes de llegar a diez pasos de él. —Se retiró la capucha y Kadere se quedó boquiabierto cuando vio su cabeza afeitada bajo la luz de la luna. Hasta las cejas le habían desaparecido—. Me afeitaron, Hadnan. Adelin, Enaila y Jolien me inmovilizaron y me afeitaron hasta el último pelo. Y me azotaron con ortigas, Hadnan. —Temblaba como un arbolillo bajo un vendaval, y los sollozos escaparon entre las siguientes palabras balbuceantes—. Tengo un horrible picor desde los hombros hasta las rodillas, pero me escuece demasiado para rascarme. Me advirtieron que me harían vestirme con ortigas la próxima vez que se me ocurriera siquiera mirar en su dirección. Hablaban en serio, Hadnan. ¡Completamente en serio! Me amenazaron con entregarme a Aviendha y me explicaron lo que haría conmigo. No puedo, Hadnan. Otra vez no. No puedo.

El hombre la observó fijamente, estupefacto. Había tenido un cabello oscuro tan bonito... Empero, era tan hermosa que hasta el hecho de estar tan rapada como un huevo sólo conseguía darle un aire exótico, y sus lágrimas y su rostro laxo apenas deslucían su aspecto. Si consiguiera meterse en la cama de al'Thor aunque sólo fuera una noche... Pero no iba a ocurrir tal cosa. Las Doncellas la habían quebrantado anímicamente. Él mismo había hecho igual con algunas personas y sabía reconocer los síntomas. La ansiedad de evitar más castigos se convertía en ansiedad por obedecer. La mente jamás deseaba admitir que estaba huyendo de algo, de modo que Isendre no tardaría en convencerse de que realmente deseaba obedecer, que realmente sólo quería complacer a las Doncellas.

—¿Y qué tiene que ver Aviendha en todo esto? —rezongó. ¿Y cuánto faltaba para que Isendre sintiera también la necesidad de confesar sus pecados?

—¡Pues que se ha estado acostando con al'Thor desde Rhuidean, estúpido! Pasa con él todas las noches. Las Doncellas creen que se casará con él. —Incluso entre los sollozos de la mujer Kadere detectó un resentimiento rabioso. A Isendre no le gustaba que otra hubiera tenido éxito donde ella había fracasado. Sin duda era por ello por lo que no se lo había dicho hasta ahora.

Aviendha era una mujer muy hermosa a pesar de sus feroces ojos, con unos grandes senos en comparación con la mayoría de las Doncellas, pero aun así él daría ventaja a Isendre contra ella si lograra... Isendre se derrumbó a la luz de la luna que penetraba por las ventanas, temblando de la cabeza a los pies, sollozando sin rebozo; las lágrimas se deslizaban por las mejillas sin que ella se molestara en enjugarlas. Se arrastraría por el suelo si Aviendha la mirara ceñuda.

—Está bien —dijo suavemente—. Si no puedes, no se hable más. Todavía tienes la posibilidad de sonsacar algo a Natael. Sé que puedes.

La cogió por los hombros para conducirla hacia la puerta, pero ella dio un respingo al sentir su contacto, aunque se volvió hacia la salida.

—Natael no querrá mirarme durante días —dijo, malhumorada, entre hipidos y sorbidos de nariz. Estaba a punto de estallar en sollozos en cualquier momento, pero el tono con que le habló Kadere parecía haberla calmado un poco—. Tengo la piel enrojecida, Hadnan, como si hubiera estado desnuda al sol un día entero. Y mi cabello... Me tardará en crecer toda la vida como lo ten...

Cuando llegaba a la puerta, los ojos prendidos en el picaporte, el pañuelo del hombre, prieto como un cordel, se enroscó alrededor de su cuello. Kadere intentó hacer caso omiso de sus gorgoteos, del frenético arrastrar de sus pies en el suelo. Isendre le clavó las uñas en las manos, pero el hombre mantuvo la mirada fija al frente. Hasta con los ojos abiertos veía a Teodora; siempre la veía cuando mataba a una mujer. Había amado a su hermana, pero ella descubrió lo que era él y jamás habría guardado silencio. Los talones de Isendre golpeaban violentamente, pero, tras lo que al hombre le pareció una eternidad, se movieron con lentitud y finalmente se pararon; la mujer se convirtió en un peso muerto que sostenían sus manos. Mantuvo el pañuelo apretado mientras contaba sesenta antes de desenrollarlo y dejarla caer. Lo siguiente que la mujer habría hecho sería confesarlo todo; confesar que era una Amiga Siniestra y apuntarle con el dedo a él.

Revolvió en los cajones al tacto y sacó un cuchillo de carnicero. Deshacerse de un cadáver iba a ser difícil, pero afortunadamente los muertos no sangraban mucho; la túnica absorbería lo poco que se derramara. A lo mejor conseguía encontrar a la mujer que había dejado la nota por debajo de la puerta. Si no era suficientemente bonita, debía de tener amigas que también fueran Amigas Siniestras. A Natael le daría igual que fuera una Aiel quien lo visitara en la tienda. En lo que a él se refería, antes preferiría meter en su cama a una víbora; las Aiel eran peligrosas. Y tal vez una Aiel tendría más oportunidades contra Aviendha de las que había tenido Isendre. Se arrodilló y, mientras trabajaba, tarareó entre dientes una canción de cuna que Teodora le había enseñado.

30

UNA APUESTA

Una suave brisa sopló a través de la pequeña ciudad de Eian-rod y después se desvaneció. Sentado en el pretil del ancho y llano puente, en el corazón de la villa, Rand imaginó que esa brisa debía de ser caliente, pero a él no se lo parecía después del Yermo. Quizás algo caldeada para ser de noche, pero no lo suficiente para inducirlo a que se desabotonara la chaqueta roja. El río que corría bajo el puente nunca había sido caudaloso, pero ahora su cauce se hallaba reducido a la mitad de lo normal; empero, disfrutaba contemplando el fluir de las aguas hacia el norte, con las luces y las sombras creadas por la luna y las nubes pasajeras sobre la chispeante y oscura superficie. En realidad ésa era la razón de que se encontrara allí fuera, para contemplar el discurrir del agua durante un rato. Ya había instalado las salvaguardas alrededor del campamento Aiel, que a su vez rodeaba la ciudad. Los propios Aiel montaban guardia, de modo que ni siquiera un gorrión habría pasado inadvertido. Así que podía perder una hora relajándose con el sonido del río.

Sin duda eso era mucho mejor que la rutina de todas las noches, de ordenar a Moraine que se marchara para así poder estudiar con Asmodean. La Aes Sedai había llegado incluso a tomar por costumbre llevarle las comidas para hablarle mientras él se las tomaba, como si se propusiera imbuirle en la cabeza todo cuanto sabía antes de que llegaran a la ciudad de Cairhien. No soportaba verla suplicando que la dejara quedarse —¡suplicar!— como había ocurrido la noche anterior. Para alguien como Moraine, ese comportamiento era tan antinatural que se había sentido compelido a acceder con tal de que dejara de hacerlo. Lo que, probablemente, era exactamente lo que buscaba ella actuando de ese modo. Sí, mucho mejor escuchar el murmullo de la corriente del río. Con suerte, habría renunciado a acosarlo esta noche.

La franja de ocho o diez pasos de tierra arcillosa que separaba el agua de los hierbajos en ambas márgenes aparecía reseca y agrietada. Alzó la vista hacia las nubes que cruzaban ante la luna. Podría hacer que aquellas nubes soltaran lluvia. Las dos fuentes de la ciudad estaban secas, y el polvo se acumulaba en un tercio de los pozos donde el atasco no había llegado al punto de no tener remedio. Sin embargo, intentarlo era la cuestión. Había hecho que lloviera en una ocasión; el truco estaba en recordar cómo. Si lo conseguía, entonces esta vez podría tratar de no provocar un diluvio y un vendaval que tronchara los árboles.

Asmodean no podía ayudarlo en esto; no sabía mucho sobre fenómenos atmosféricos, por lo visto. Por cada cosa que ese hombre le enseñaba, había otras dos a las que contestaba o levantando las manos o dando coba y una promesa. Hubo un tiempo en que creía que los Renegados lo sabían todo, que eran omnipotentes; pero, si los demás se parecían a Asmodean, no sólo había temas en los que no eran muy duchos, sino que su ignorancia era total en otros. Incluso podría ocurrir que él supiera más de ciertas cosas que ellos. Al menos, que algunos de ellos. El problema estaba en saber quiénes. Semiraghe era tan ignorante como Asmodean en lo relativo a los fenómenos atmosféricos. Lo sacudió un escalofrío, como si aquélla fuera una noche en la Tierra de los Tres Pliegues. Asmodean nunca le había hecho ningún comentario respecto a esa incapacidad de Semiraghe. ¿Cómo lo sabía él? Mejor sería seguir escuchando el agua y no pensar, si es que quería dormir algo esa noche.

Sulin se acercó, con el *shoufa* alrededor de los hombros de manera que dejaba al descubierto su corto cabello blanco, y se acodó en el pretil. La nervuda Doncella iba armada para la batalla, con arco, flechas, lanzas, cuchillo y adarga. Aquella noche tenía el mando del grupo de su guardia personal. A unos diez pasos de distancia, otras dos docenas más de *Far Dareis Mai* estaban cómodamente acuclilladas en el puente.

—Una noche extraña —dijo la mujer—. Estábamos jugando pero, de repente, todo el mundo empezó a sacar seises solamente.

—Lo lamento —contestó sin pensar, y la Aiel le asestó una mirada rara. Ella lo ignoraba, naturalmente, porque Rand no lo había divulgado. Las ondas que provocaba al ser *ta'veren* se propagaban y provocaban reacciones caprichosas y extrañas. Ni siquiera los Aiel querrían acercarse a menos de diez millas de él si lo supieran.

La tierra se había hundido bajo los pies de tres Perros de Piedra ese día, haciéndolos caer en un nido de víboras, pero ninguna de las docenas de mordeduras que éstas habían descargado encontró otra cosa que ropa. Rand sabía que se debía a él, forzando la suerte. Tel Nethin, el guarnicionero, había sobrevivido a la matanza de Taien para acabar aquel mediodía tropezando con una piedra y rompiéndose el cuello al caer en un suelo herboso y llano. Rand temía que eso también hubiera sido por su causa. Por otro lado, Bael y Jheran habían zanjado el pleito de sangre existente entre los Shaarad y los Goshien mientras se encontraba con ellos tomando en marcha una comida de carne seca. Todavía no se caían bien y no parecían entender muy bien lo que acababan de hacer, pero lo habían hecho, con promesas y juramentos del agua inclusive, mientras cada uno de ellos sostenía la copa para que el otro bebiera. Para los Aiel, el juramento del agua era más fuerte que cualquier otro; podrían pasar generaciones antes de que entre los Shaarad y los Goshien se diera siquiera una incursión para arrebatarse ovejas, cabras o ganado.

Rand se había preguntado si aquellos efectos al azar funcionarían alguna vez en su favor; quizás esto sería lo más cerca que le llegaran. Ignoraba cuántas cosas más ocurridas ese día podían achacársele a él; nunca preguntaba y prefería no enterarse. Sucesos como el habido entre Bael y Jheran sólo compensaban en parte otros como lo de Tal Nethin.

—Hace días que no veo a Enaila y a Adelin —dijo. Era una conversación tan buena como cualquier otra para cambiar de tema. Esas dos mujeres se habían mostrado particularmente celosas de su misión de protegerlo—. ¿Están enfermas?

Como poco, la mirada que le asestó Sulin fue más extraña que la anterior.

—Volverán cuando aprendan a dejar de jugar con muñecas, Rand al'Thor.

Él abrió la boca para decir algo, pero la cerró de inmediato. Los Aiel eran raros —y las lecciones de Aviendha a menudo hacían que lo parecieran aun más, en vez de lograr lo contrario—, pero aquello era ridículo.

—Bueno, pues decidles que ya son mujeres adultas y que deberían actuar como tales.

Incluso con la menguada luz de la luna advirtió que la sonrisa de la Doncella era complacida.

—Se hará como desea el *Car'a'carn*. —¿Y eso qué significaba? Sulin lo miró con los labios fruncidos en un gesto pensativo—. No has cenado nada esta noche. Todavía queda comida bastante para todos, y no saciarás el estómago de nadie pasando hambre tú. Si no te alimentas, la gente se preocupará pensando que estás enfermo. Y te pondrás enfermo.

Rand soltó una risita queda que sonó como un ronco jadeo. En cierto momento era el *Car'a'carn* y al siguiente... Si no comía algo, seguramente la propia Sulin iría a traerle cualquier cosa. E incluso intentaría metérselo a la fuerza en la boca.

—De acuerdo, comeré. Moraine debe de estar acostada a estas horas. —Esta vez, la mirada desconcertada de la Doncella le resultó gratificante; para variar, era él quien había dicho algo que la mujer no entendía.

En el momento en que bajaba del pretil escuchó el trapaleo de unos cascos en la calle que llevaba al puente. Todas las Doncellas se pusieron de pie al instante, los rostros velados y la mitad de ellas con una flecha encajada en el arco, prestas para disparar. En un gesto instintivo, la mano de Rand fue hacia la cintura, pero la espada no estaba allí. Los Aiel se sentían ya bastante incómodos por el hecho de que cuando iba montado a caballo llevara el arma colgada de la perilla de la silla; habría considerado innecesario incomodarlos más llevándola encima. Además, no eran muchos caballos los que se acercaban y venían al paso.

Cuando aparecieron, rodeados por una escolta de cincuenta Aiel, los jinetes no llegaban a veinte e iban encorvados en las sillas, abatidos. La mayoría llevaba casco y chaquetas tearianas con mangas abullonadas y listadas debajo de los petos. Los dos que iban al frente lucían doradas armaduras ornamentadas y largas plumas blancas que salían de la parte delantera de los yelmos, y las franjas de las mangas tenían el brillo del satén a la luz de la luna. En la retaguardia marchaba media docena de hombres, más bajos y ligeros que los tearianos, vestidos con chaquetas oscuras y yelmos con forma de campana que les dejaban el rostro al aire. Dos de ellos portaban pequeños estandartes llamados *con,* que ondeaban en astiles cortos ceñidos a la espalda mediante correajes. Los cairhieninos utilizaban los estandartes para distinguir a los oficiales en la batalla y también para identificar a los asistentes de un lord.

Los tearianos con plumas en el yelmo lo miraron fijamente al reparar en él y después intercambiaron un vistazo sobresaltado, para de inmediato desmontar e hincar la rodilla ante Rand, con el yelmo sujeto debajo del brazo. Eran jóvenes, poco mayores que él, y ambos llevaban la oscura barba recortada en punta al estilo de los nobles tearianos. Sus petos mostraban abolladuras, y el dorado estaba cuarteado; saltaba a la vista que habían sostenido un combate en alguna parte. No dedicaron una sola ojeada a los Aiel que los rodeaban, como si por hacer caso omiso fueran a desaparecer. Las Doncellas se bajaron los velos, aunque no por ello su actitud dejó de ser alerta, listas para atravesar con lanzas o flechas a los hombres arrodillados.

Rhuarc seguía a los tearianos, acompañado por un Aiel más joven, de ojos grises, algo más alto que él, y que se quedó detrás. Mangin pertenecía a los Jindo Taardad, y era uno de los que había ido a la Ciudadela de Tear. Eran Jindo quienes habían conducido a los jinetes hasta allí.

—Mi señor Dragón —empezó el rechoncho y rubicundo noble—, así me abrase, ¿acaso os han tomado prisionero? —Su compañero, orejudo y narizón, con más apariencia de granjero que de noble a despecho de la barba, no dejaba de retirarse con gesto nervioso el lacio cabello que le caía sobre la frente—. Dijeron que nos llevaban ante un tipo no sé qué del Alba. El *Car'a'carn*. Significa algo de jefe, si no recuerdo mal las enseñanzas de mi tutor. Disculpadme, mi señor Dragón. Soy Edorion de la casa Selorna, y éste es Estean de la casa Andiama.

—Soy El que Viene con el Alba —dijo en voz queda Rand—. Y el *Car'a'carn*. —Ahora los recordaba: unos jóvenes nobles que se habían dedicado a matar el tiempo bebiendo, jugando y persiguiendo mujeres cuando estuvo en la Ciudadela. A Estean casi se le salieron los ojos de las órbitas; Edorion pareció sorprendido un momento, pero después asintió lentamente, como si de repente se diera cuenta de que aquello tenía sentido—. Levantaos. ¿Quiénes son vuestros compañeros cairhieninos? —Sería interesante conocer a hombres de Cairhien que no huían de los Shaido ni de otros Aiel que veían. De hecho, al estar con Edorion y Estean podían ser los primeros partidarios que encontraba en esta tierra. Eso contando con que los padres de los dos tearianos hubieran seguido sus órdenes—. Traedlos ante mí.

Estean parpadeó sorprendido mientras se incorporaba, pero Edorion apenas hizo una pausa antes de volverse y gritar:

—¡Meresin! ¡Daricain! ¡Acercaos! —Así, casi como si llamara a unos perros. Los estandartes cairhieninos se mecieron cuando los dos hombres desmontaron lentamente.

—Mi señor Dragón —empezó, vacilante, Estean mientras se lamía los labios como si estuviera sediento—. ¿Habéis...? ¿Habéis enviado a los Aiel contra Cairhien?

—¿Han atacado la ciudad entonces?

Rhuarc asintió.

—Si se da crédito a lo que dicen estos dos, Cairhien resiste todavía. O resistía hace tres días —respondió Mangin. No cabía duda de que pensaba que ya no era así y que le importaba poco una ciudad de los Asesinos del Árbol.

—Yo no los envié, Estean —repuso Rand mientras se unían a ellos los dos cairhieninos, que se arrodillaron mientras se quitaban los yelmos, mostrándose como hombres de la misma edad más o menos que Edorion y Estean; llevaban la cabeza afeitada por delante, en línea con las orejas, y la expresión de sus oscuros ojos era desconfiada—. Los que atacaron la ciudad son mis enemigos, los Shaido. Me propongo salvar Cairhien si ello es posible.

Tuvo que repetir la historia de decir a los dos cairhieninos que se levantaran; el tiempo pasado con los Aiel casi le había hecho olvidar la costumbre que se tenía a este lado de la Columna Vertebral del Mundo de arrodillarse y hacer reverencias cada dos por tres. También tuvo que pedir que se presentaran. Eran el teniente lord Meresin de la casa Daganred —su *con* tenía onduladas líneas verticales, rojas y blancas—, y el teniente lord Daricain de la casa Annallin, cuyo *con* lo conformaban pequeños cuadros rojos y negros. Lo sorprendió que fueran lores. Aunque los nobles mandaban y dirigían soldados en Cairhien, no se afeitaban la cabeza ni se hacían soldados. O no lo hacían antes; por lo visto, habían cambiado muchas cosas.

—Mi señor Dragón... —A Meresin se le trabó un poco la lengua al pronunciar este tratamiento. Daricain y él eran hombres de tez pálida, rostro estrecho, nariz larga, y delgados, aunque él estaba algo más lleno que su compañero. Empero, ninguno de los dos tenía aspecto de haber comido mucho últimamente. Meresin habló deprisa, como si temiera que lo interrumpieran—. Mi señor Dragón, Cairhien puede resistir todavía durante días, quizás hasta diez o doce más, pero debéis venir rápidamente si queréis salvarla.

—Ése es el motivo de que saliéramos —explicó Estean al tiempo que asestaba a Meresin una dura mirada. Los cairhieninos le respondieron con otra igual, bien que su desafío estaba teñido de resignación. Estean se pasó los dedos por el crespo cabello que le caía sobre la frente—. Para pedir ayuda. Se han enviado grupos en todas direcciones, mi señor Dragón. —Sufrió un escalofrío a pesar del sudor que perlaba su frente, y su voz se tornó hueca y distante—. Éramos más cuando partimos. Vi caer a Baran, gritando, con una lanza atravesándole las tripas. Ya no volverá a jugar al tajo. No me vendría mal una copa de brandy fuerte.

—Mi señor Dragón —dijo Edorion mientras daba vueltas al yelmo entre las manos, con el ceño fruncido—, la ciudad puede resistir un poco más; pero, aun en el caso de que estos Aiel luchen contra los otros, la pregunta es si podréis conducirlos hasta allí a tiempo. En mi opinión, esa estimación de diez o doce días es más que generosa. A decir verdad, sólo vine porque consideré que morir atravesado por una lanza era mejor que ser capturado vivo cuando salven la muralla. La ciudad está abarrotada de refugiados que venían huyendo delante de los Aiel; no queda un solo perro ni una paloma en la ciudad, y dudo que quede alguna rata dentro de poco. Lo único bueno es que ahora a nadie parece importarle mucho quién ocupará el Trono del Sol, teniendo a ese tal Couladin al otro lado de las murallas.

—Nos exigió que nos rindiéramos a El que Viene con el Alba al segundo día de asedio —intervino Daricain, con lo que se ganó una mirada cortante de Edorion por interrumpirlo.

—Couladin está divirtiéndose con los prisioneros —informó Estean—. Fuera del alcance de tiro de los arcos, pero lo bastante cerca para que los que están en la muralla puedan verlo. También se los puede oír gritar. Que la Luz consuma mi alma, pero no sé si lo hace para desmoralizarnos o simplemente porque disfruta con ello. A veces dejan que los campesinos corran hacia la ciudad y después les disparan una andanada de flechas cuando casi se han puesto a salvo. Si es que en Cairhien se está a salvo. Lo hacen sólo a campesinos, pero... —Dejó sin acabar la frase y tragó saliva con esfuerzo, como si acabara de acordarse de lo que Rand pensaba de un comentario como el de «sólo a campesinos». Sin embargo, Rand se limitó a mirarlo, pero el joven noble pareció encogerse y masculló entre dientes algo sobre un brandy.

Edorion aprovechó el momentáneo silencio.

—Mi señor Dragón, la cuestión es que la ciudad podrá resistir hasta que lleguéis si os dais prisa. Si logramos rechazar el primer ataque fue porque extramuros se incendió...

—Las llamas casi se propagaron a la ciudad —intervino Estean. Extramuros, una ciudad en sí fuera de las murallas de Cairhien, estaba construida en su mayoría de madera, según recordaba Rand—. Habría sido el desastre si el río no hubiera actuado como una barrera.

—... pero lord Meilan —continuó el otro teariano— tenía bien planeadas las defensas, y los cairhieninos parecieron conservar el coraje y plantar cara a la situación. —Aquello le valió los gestos ceñudos de Meresin y Daricain, que no vio o simuló no ver—. Con suerte, aguantará siete días, ocho como mucho. Si podéis... —Un hondo suspiro pareció desinflar al relleno Edorion—. No he visto ningún caballo —masculló como si hablara para sí mismo—. Los Aiel no cabalgan. No conseguiréis desplazar hombres a pie hasta tan lejos y llegar a tiempo.

—¿Cuánto? —preguntó Rand a Rhuarc.

—Siete días —fue la respuesta. Mangin asintió con la cabeza, y Estean se echó a reír.

—Así me abrase, a nosotros nos ha llevado ese tiempo llegar aquí a caballo. Si creéis que podéis hacer el recorrido de vuelta en el mismo tiempo a pie, debéis de... —Consciente de los ojos Aiel clavados en él, Estean se retiró el cabello de la frente—. ¿Hay algo de brandy en esta ciudad? —rezongó.

—La cuestión no está en cuán rápido podemos llegar nosotros —replicó sosegadamente Rand—, sino cuánto tardaréis vosotros si algunos de vuestros hombres desmontan y los caballos los utilizáis de refresco. Quiero que Meilan y Cairhien sepan que hay ayuda en camino. Pero quienquiera que se comprometa a hacer de correo tiene que tener muy claro que es capaz de mantener la boca cerrada si lo apresan los Shaido. No estoy dispuesto a que Couladin sepa nada que no conozca por sus propios medios.

El semblante de Estean se quedó más lívido que el de los cairhieninos. Meresin y Daricain hincaron la rodilla en el suelo al mismo tiempo y cada uno cogió una mano de Rand para besársela. Rand se lo permitió, aunque para ello tuvo que hacer un gran esfuerzo; uno de los consejos de Moraine, que tenía visos de sensato, era que no ofendiera las costumbres de los pueblos por extrañas o incluso repulsivas que le resultaran, a no ser que no le quedara otro remedio y aun así después de haberlo pensado dos veces.

—Iremos nosotros, mi señor Dragón —manifestó Meresin, emocionado—. Gracias. Juro por la Luz que moriré antes de revelar una palabra de esto excepto a mi padre o al Gran Señor Meilan.

—Bendito seáis, mi señor Dragón —añadió el otro—. Que la gracia os favorezca y la Luz os ilumine siempre. Estoy a vuestro servicio hasta la muerte.

Rand dejó que Meresin dijera también que estaba a su servicio antes de retirar su mano con firmeza y ordenarles que se pusieran de pie. No le gustaba el modo en que lo estaban mirando. Edorion los había llamado al principio como si fueran sabuesos, pero ningún hombre debería mirar a otro como si fuera un perro mirando a su amo.

Edorion inhaló profundamente y soltó el aire con lentitud, hinchando las orondas mejillas.

—Supongo que si he conseguido llegar hasta aquí indemne, también puedo volver en una pieza. Mi señor Dragón, perdonad si mis palabras os ofenden, pero ¿os importaría hacer una apuesta de... digamos mil coronas de oro a que realmente podéis llegar en siete días?

Rand lo miró de hito en hito. Este hombre estaba tan chiflado como Mat.

—No tengo ni cien monedas de plata, cuanto menos un millar de...

—Sí que las tiene, teariano —lo interrumpió Sulin con firmeza—. Aceptará tu apuesta si la subes a diez mil.

470

—Hecho, Aiel —rió Edorion—. Y merecerá la pena cada céntimo si pierdo. Pensándolo bien, si gano no viviré para cobrarla. Vamos, Meresin, Daricain. —Sonó como si estuviera llamando a sus perros fieles—. Emprendemos la marcha.

Rand aguardó hasta que los tres hicieron las correspondientes reverencias y estuvieron a medio camino de los caballos antes de volverse hacia la Doncella de cabello blanco.

—¿Qué quisiste decir con eso de que tengo mil coronas de oro? Ni siquiera he visto esa cantidad en toda mi vida.

Las Doncellas intercambiaron una mirada como si Rand se hubiera vuelto loco; lo mismo hicieron Rhuarc y Mangin.

—Un quinto del tesoro que había en la Ciudadela de Tear pertenece a quienes la tomaron, y se reclamará cuando sea posible transportarlo. —Sulin habló como si lo hiciera con un niño a quien se enseñan las cosas corrientes y diarias—. Como jefe y cabecilla de la batalla allí, un décimo de ese quinto es tuyo. Tear se te rindió como jefe por derecho de victoria, de modo que un décimo de Tear también te pertenece. Y dijiste que podíamos tomar el quinto en este país, un... impuesto, lo llamaste. —Se enredó con la palabra; los Aiel no tenían tributos—. Una décima parte de eso también es tuya, como *Car'a'carn*.

Rand sacudió la cabeza. En todas las conversaciones mantenidas con Aviendha jamás se le había pasado por la cabeza preguntar si lo del quinto también era aplicable para él; *Car'a'carn* o no *Car'a'carn,* no era Aiel, y no le parecía que tuviera nada que ver con él. En fin, puede que no fuera un impuesto, pero podría utilizarlo como hacían los reyes con los tributos. Desgraciadamente, sólo tenía una vaga idea de cómo funcionaba eso. Tendría que preguntarle a Moraine; ése era un tema que la Aes Sedai no había incluido en sus charlas aleccionadoras. Tal vez pensaba que era tan obvio que él debía de saberlo.

Elayne habría sabido para qué se usaban los impuestos; y, desde luego, habría resultado más divertido recibir consejo de ella que de Moraine. Ojalá supiera dónde se encontraba en esos momentos la muchacha. Seguramente seguiría en Tanchico; Egwene le contaba poco más que sus repetidos mensajes amorosos. Ojalá pudiera coger a Elayne y hacer que se sentara para que le explicara lo de esas dos cartas. Doncella Lancera o heredera del trono de Andor, todas las mujeres resultaban ser un poco raras. Excepto, tal vez, Min. La joven se había reído a su costa, pero jamás le había hecho tener la impresión de que estuviera hablando en un idioma desconocido para él. Ahora no se reiría. Si volvía a verla alguna vez, correría durante cien millas sin parar con tal de alejarse del Dragón Renacido.

Edorion hizo que todos sus hombres desmontaran y, cogiendo uno de sus caballos, ató a los demás juntos por las riendas, junto con el de Estean. Sin duda reservaba el suyo para la galopada final a través de los Shaido. Meresin y Daricain hicieron lo mismo con sus hombres, y si bien eso significaba que los cairhieninos contaban únicamente con dos monturas de refresco por cabeza, nadie parecía creer que podrían usar ninguno de los caballos tearianos. Partieron juntos en dirección oeste, a un trote vivo, con una escolta Jindo.

Con cuidado de no mirar a nadie, Estean empezó a desplazarse hacia los soldados que se encontraban de pie al pie del puente, nerviosos, en medio de un círculo de Aiel. Mangin lo agarró por la manga con franjas rojas.

—Podrías contarnos cuáles son las condiciones dentro de Cairhien, hombre de las tierras húmedas.

El noble de rostro vulgar parecía a punto de desmayarse.

—Estoy seguro de que responderá a todas las preguntas que le plantees —manifestó Rand secamente, poniendo el énfasis en la última palabra.

—Sólo se le plantearán —aseveró Rhuarc mientras cogía al teariano por el otro brazo. Daba la impresión de que Mangin y él sostenían en vilo entre los dos al hombre, mucho más bajo que ellos—. Avisar a los defensores de la ciudad está muy bien, Rand al'Thor —continuó Rhuarc—, pero deberíamos enviar exploradores. Corriendo, pueden llegar a Cairhien tan pronto como esos hombres a caballo, y reunirse con nosotros de regreso con información de cómo Couladin ha desplegado a los Shaido.

Rand notaba los ojos de la Doncella clavados en él, pero mantuvo la vista fija en Rhuarc.

—¿Hijos del Relámpago? —sugirió.

—*Sha'mad Conde* —convino Rhuarc.

Mangin y él giraron a Estean —en realidad lo estaban sosteniendo en vilo— y se encaminaron hacia los otros soldados.

—¡Haced preguntas! —gritó Rand a su espalda—. Es vuestro aliado y mi súbdito.

No tenía la menor idea de si Estean era esto último o no —otra cosa que preguntarle a Moraine— y tampoco hasta qué punto era realmente un aliado —su padre, el Gran Señor Torean, había conspirado de sobra contra él— pero no iba a permitir nada parecido a los métodos de Couladin.

Rhuarc volvió la cabeza y asintió

—Cuidas bien de tu gente, Rand al'Thor. —El tono de Sulin era terriblemente impasible.

—Lo intento —respondió. No estaba dispuesto a morder el anzuelo. Fueran quienes fueran los que salieran de exploración para espiar a los Shaido, habría quienes no volverían, y no había vuelta de hoja—. Creo que ahora comeré algo. Y también dormiré un poco.

Como mucho, debía de ser un par de horas después de medianoche, y en esta época del año todavía amanecía temprano. Las Doncellas lo siguieron, escudriñando las sombras con recelo, como si esperaran un ataque, mientras hablaban entre ellas con el lenguaje de las señas. Aunque, a decir verdad, los Aiel siempre parecían estar esperando un ataque.

31

LAS NIEVES LEJANAS

L as calles de Eianrod eran rectas y se cruzaban en ángulos rectos, y allí donde era preciso hendían las colinas que, por lo demás, presentaban unas laderas trazadas con ordenadas terrazas de piedra. Los edificios de piedra y tejados de pizarra tenían un aire anguloso, como si todas sus líneas fueran verticales. Eianrod no había caído en manos de Couladin, porque en ella no había gente cuando los Shaido pasaron por allí. Muchas de las casas no eran más que vigas calcinadas y ruinas, sin embargo, incluidas la mayoría de las grandes construcciones de mármol, con tres pisos y balconadas, que según Moraine habían pertenecido a mercaderes. Mobiliario y ropas destrozados se amontonaban en las calles, junto con platos rotos y fragmentos de cristales de ventana, botas sueltas, herramientas y juguetes.

La destrucción por incendios había ocurrido en diferentes ocasiones —hasta Rand era capaz de darse cuenta de ello por el desgaste de las vigas calcinadas y el olor más o menos fuerte que quedaba a quemado en distintos sitios—, pero Lan había podido trazar el flujo de las batallas por las que la ciudad había sido tomada una y otra vez, seguramente por diferentes casas contendientes por el Trono del Sol; aunque, a juzgar por el aspecto de las calles, los últimos que habían tenido Eianrod en sus manos habían sido bandidos, una de las muchas bandas que merodeaban por Cairhien que no eran leales a nadie y a nada excepto al oro.

Rand se dirigió hacia una de las casas de mercaderes, en la plaza más grande de las dos que tenía la ciudad, un edificio de tres plantas cuadradas de mármol gris y ancha escalera con gruesas balaustradas laterales de piedras angulosas que se asomaban a una fuente silenciosa cuyo pilón redondo estaba lleno de polvo. La oportunidad de volver a dormir en una buena cama había sido demasiado tentadora para pasarla por alto, y Rand albergaba la esperanza de que Aviendha hubiera escogido permanecer en una tienda; fuera en la de él o en la de las Sabias, le daba igual con tal de no tener que intentar quedarse dormido mientras la escuchaba respirar a unos pasos de distancia. Últimamente, había empezado a imaginarse que podía escuchar el latido de su corazón incluso cuando no estaba en contacto con el *Saidin*. De todos modos, por si acaso la joven Aiel había decidido no quedarse en una tienda, él había tomado precauciones.

Las Doncellas se detuvieron al pie de la escalera y algunas trotaron alrededor del edificio para tomar posiciones en todas las fachadas. Rand había temido que intentaran declarar la casa como un Techo de las Doncellas, aunque sólo fuera durante una noche, de modo que tan pronto como eligió el edificio, uno de los pocos de la ciudad que conservaban el techo en buenas condiciones y la mayoría de las ventanas intactas, le había dicho a Sulin que lo declaraba el Techo de los Hermanos del Manantial, y que en él no podía entrar nadie que no hubiera bebido del manantial de Campo de Emond. Por la mirada que le echó, la Doncella comprendía muy bien sus intenciones, pero ninguna lo siguió más allá de las grandes puertas que parecían construidas con estrechos paneles verticales.

Dentro, las amplias estancias estaban vacías, aunque los *gai'shain* habían extendido unas cuantas mantas para sí mismos en el gran vestíbulo de la entrada, con el alto techo de escayola trabajada con un sobrio dibujo de cuadrados. Impedir la entrada a los *gai'shain* estaba más allá de sus posibilidades por más que hubiese querido hacerlo, al igual que impedir el acceso a Moraine si es que la Aes Sedai no iba a dormir en otro sitio. Aunque diera orden de que no lo molestaran, la Aes Sedai siempre encontraba el modo de convencer a las Doncellas de que la dejaran pasar, y también siempre era precisa una orden directa de que se marchara para lograr que se fuera.

Los *gai'shain*, hombres y mujeres, se levantaron con suave agilidad antes de que Rand hubiera cerrado la puerta. No se irían a dormir hasta que lo hiciera él, y algunos harían turnos para estar despiertos por si acaso necesitaba algo por la noche. Rand había intentado convencerlos de que no era menester que estuvieran despiertos, pero decirle a un *gai'shain* que no sirviera según la costumbre era como dar patadas a un fardo de lana: por muy fuerte que se diera el golpe, la marca desaparecía en el momento en que uno retiraba el pie. Los saludó agitando la mano y subió la escalera de mármol. Algunos de esos *gai'shain* habían logrado rescatar unas cuantas piezas sueltas de mobiliario, incluidos una cama y dos colchones de plumas, y Rand estaba deseando asearse y...

Se quedó petrificado en el sitio cuando abrió la puerta del dormitorio. Aviendha no había escogido quedarse en una tienda. La joven estaba de pie delante del palanganero en el que había una jofaina y un cántaro desparejados y desportillados, con un paño en una mano y un trozo de jabón amarillo en la otra. No llevaba nada de ropa encima. La joven pareció quedarse tan estupefacta como él e igualmente incapaz de moverse.

—Yo... —Calló para tragar saliva con esfuerzo, sus enormes ojos verdes prendidos en el rostro de él—. Era imposible preparar una tienda de vapor aquí en esta... ciudad, así que pensé que podía probar vuestra forma de... —Tenía músculos firmes y suaves curvas, y la piel brillaba humedecida de la cabeza a los pies. Rand nunca había imaginado que tuviera unas piernas tan largas—. Creía que te quedarías más rato en el puente. Yo... —El tono de su voz adquirió un timbre agudo, y sus ojos se abrieron mucho en un gesto de pánico—. ¡No lo hice a propósito para que me vieras! Tengo que alejarme de ti. ¡Tanto como me sea posible! ¡He de hacerlo!

De repente, apareció una brillante línea vertical en el aire, cerca de ella. Se ensanchó, como si rotara sobre sí misma, y se convirtió en un acceso. Un viento gélido penetró en la habitación, arrastrando consigo una cortina de nieve.

—¡Tengo que alejarme! —chilló la joven, y se zambulló a través de la ventisca.

De inmediato, el acceso empezó a estrecharse otra vez, girando sobre sí mismo; sin pensar lo que hacía, Rand encauzó y lo dejó atrancado a la mitad de la anchura original. Ignoraba qué había hecho y cómo, pero estaba seguro de que esto era un acceso para Viajar, como aquellos de los que le había hablado Asmodean pero que había sido incapaz de enseñarle a crear. No había tiempo que perder en reflexiones. Fuera donde fuera el lugar al que Aviendha había ido, lo había hecho desnuda en medio de una tormenta invernal. Rand ató los flujos que había tejido mientras quitaba todas las mantas del lecho y las echaba sobre las ropas y el jergón de la muchacha. Agarró mantas, ropas y alfombras en una brazada y se zambulló tras ella unos segundos después.

El gélido viento aullaba en la noche, creando remolinos blancos. Incluso estando aislado en el vacío, Rand sintió cómo temblaba su cuerpo. Distinguió unas formas borrosas y dispersas en medio de las tinieblas, y supuso que eran árboles. No captó más olor que el del frío. Un poco más adelante una figura se movía, imprecisa por la oscuridad y la cellisca. Era Aviendha, que corría tan deprisa como podía. Rand fue en pos de ella, entorpecido por la nieve que le llegaba a las rodillas, con el voluminoso bulto aferrado contra el pecho.

—¡Aviendha! ¡Detente! —Temió que el aullante viento se llevara su grito, pero la joven lo oyó y su reacción fue apresurar más la marcha. Rand se obligó a moverse más deprisa, tambaleándose y tropezando ya que la profunda nieve le sujetaba las botas. Las huellas dejadas por los pies descalzos de la muchacha se rellenaban rápidamente con los copos. Si perdía su rastro en ese lugar...—. ¡Párate de una vez, muchacha estúpida! ¿Es que intentas matarte? —El sonido de su voz pareció actuar como un látigo que la hizo apretar más el paso.

Rand continuó con sombría determinación, tropezando y recuperando el equilibrio de manera alternativa, zarandeado por el aullante viento que amenazaba con derribarlo a cada instante, casi tropezando con los árboles. No podía perderla de vista. Menos mal que el bosque, o lo que quiera que fuese, tenía los árboles muy separados.

Los planes pasaban por el borde del vacío, y él los descartaba. Podía intentar calmar la tormenta... y quizás el resultado convertiría el aire en hielo. Un refugio de Aire para resguardarse de la nieve que caía no conseguiría nada positivo con la que había en el suelo. Podía fundir un paso para sí mismo con Fuego... y se encontraría en cambio con un barrizal. A no ser que...

Encauzó, y delante de él la nieve que caía se derritió en una franja de casi un espán de anchura, una franja que se extendía al frente a medida que él se desplazaba. Se alzó un vapor, y la nieve del suelo se licuó un palmo por encima de un terreno arenoso. Sentía el calor a través de las suelas de las botas. Hasta los tobillos, más o menos, su cuerpo se sacudía estremecido por el gélido frío, en tanto que los pies le sudaban y se alzaban del ardiente suelo con rapidez. No obstante, ahora estaba ganándole terreno a Aviendha. Otros cinco minutos, y...

De pronto, la borrosa figura que había estado siguiendo desapareció como si hubiera caído en un agujero.

Manteniendo fijos los ojos en el punto donde la había visto por última vez, Rand echó a correr tan rápido como las circunstancias se lo permitían. Bruscamente, se encontró chapoteando en agua corriente, fría como el hielo, primero hasta los tobillos y después casi hasta las rodillas.

Al frente, la nieve que se derretía dejó al descubierto algo más: el borde de una capa de hielo que se retiraba lentamente. No salía vapor de las negras aguas. Arroyo o río, era demasiado grande para que la cantidad que estaba encauzando caldeara lo más mínimo su caudaloso curso. Aviendha debía de haber entrado corriendo en el hielo y había caído a través de él, pero no la salvaría intentando meterse en esas aguas. Henchido con el *Saidin* apenas era consciente del frío, pero los dientes le castañeteaban sin control.

Retrocedió hasta la orilla sin apartar los ojos de donde creía que Aviendha se había hundido, y encauzó flujos de Fuego al suelo desnudo, a buena distancia de la corriente, hasta que la arena se derritió, se fundió y se puso al rojo vivo. Aun con la tormenta, aquello permanecería caliente durante un rato. Soltó el bulto de ropas en la nieve, junto a la zona de arena fundida —la vida de la muchacha dependería de volver a encontrar las mantas y las alfombras—, y luego vadeó a través del profundo banco de nieve hacia un lado del camino despejado y se tendió boca abajo. Lentamente se arrastró sobre el hielo cubierto de nieve.

El viento no dejaba de aullar a su alrededor, y era tal el frío que parecía que no llevara puesta la chaqueta. Ahora ya no sentía las manos, y los pies llevaban el mismo camino; había dejado de temblar excepto algún escalofrío esporádico. Envuelto en la fría calma del vacío, Rand supo lo que estaba ocurriendo, ya que en Dos Ríos había ventiscas, puede que incluso tan malas como ésa: su cuerpo empezaba a congelarse. Si no encontraba calor muy pronto, podría contemplar tranquilamente desde el vacío cómo moría. Pero, si moría él, Aviendha también perecería. Si es que no había muerto ya.

Más que oírlo, sintió que el hielo crujía bajo su peso. Sus manos, tanteando al frente, se sumergieron en agua. Ése era el sitio, pero con los remolinos de nieve apenas si alcanzaba a ver nada. Manoteó, buscando al tacto; las entumecidas manos chapotearon en agua hasta que una de ellas topó con algo al borde del hielo. Ordenó a sus dedos que se cerraran, y notó cómo se quebraba el cabello congelado.

«Tienes que sacarla.» Gateó hacia atrás, tirando de ella; la muchacha era un peso muerto que emergía lentamente del agua. «No importa si el hielo la araña. Es mejor eso, y no que se congele o se ahogue.» Un poco más hacia atrás. «No te pares. Si te das por vencido, morirá. ¡Sigue moviéndote, maldita sea!» Continuó arrastrándose, tirando de su peso y del de ella con las piernas, empujándose con una mano. La otra estaba cerrada sobre el cabello de Aviendha, pues no había tiempo para encontrar un agarre mejor; de todos modos, la joven no podía sentirlo. «Te has dejado llevar por lo cómodo durante demasiado tiempo. Lores arrodillándose ante ti y *gai'shain* corriendo para traerte vino y Moraine haciendo lo que le decías.» Un poco más atrás. «Ya es hora de que hagas algo tú mismo, si es que aún puedes. ¡Muévete, condenado chivo bastardo, hijo de una cabra coja! ¡Sigue moviéndote!»

De pronto los pies le dolieron, y el dolor empezó a subirle por las piernas. Tardó un segundo en reaccionar y mirar hacia atrás, y entonces salió rodando sobre sí mismo del humeante parche de arena fundida. El viento se llevó los hilillos de humo que salían de sus calzones, allí donde habían empezado a quemarse. Tanteando torpemente en el bulto que había dejado, envolvió a Aviendha con todas ellas: mantas, alfombrillas, sus ropas. Todo, hasta la última prenda, era vital. La joven tenía cerrados los ojos y no se movía. Rand apartó las ropas lo suficiente para apoyar la oreja sobre su pecho. El corazón le latía tan despacio que no estaba seguro de estar escuchándolo realmente. Ni siquiera cuatro mantas y media docena de alfombrillas bastaban, y él no podía encauzar calor sobre la muchacha del modo que había hecho con el suelo; aun en el caso de disminuir todo lo posible la potencia del flujo, había más probabilidades de matarla que de calentarla. El tejido que había creado para impedir que el acceso se cerrara se hallaba a una milla o quizá dos de distancia a través de la tormenta. Si intentaba llevarla hasta allí, ninguno de los dos sobreviviría. Necesitaban cobijo y lo necesitaban aquí.

Encauzó flujos de Aire y la nieve empezó a moverse sobre el suelo contra el viento, levantándose en un cuadrado de gruesas paredes de tres pasos de largo, con una abertura como puerta; se levantaron más y la nieve se volvió compacta hasta convertirse en hielo reluciente, y se cubrió con un techo lo bastante alto para poder estar de pie dentro. Recogió a Aviendha entre sus brazos y se adelantó, tambaleándose, hacia el oscuro interior mientras tejía y ataba llamas danzantes en los rincones para tener luz, encauzando para acumular nieve y cerrar la puerta.

Solamente con haber dejado fuera el viento se notó más calor, pero todavía no era suficiente. Usando el truco que le había enseñado Asmodean, entretejió Aire y Fuego, de modo que el ambiente alrededor de ambos se caldeó. No se atrevió a atar esos flujos; si se quedaba dormido, podrían aumentar de intensidad y derretir la choza. En realidad, también era peligroso dejar atadas las llamas que daban luz, pero estaba demasiado agotado y helado para mantener más de un tejido sin atar.

Mientras construía el refugio había despejado el suelo, un terreno arenoso con sólo unas cuantas hojas marchitas que no reconoció y algunos matojos de hierbas muertas que le resultaban igualmente desconocidas. Soltó el tejido que caldeaba el aire y calentó el suelo lo bastante para quitarle la frialdad, y después aferró de nuevo el otro tejido. A continuación tendió a Aviendha procurando hacerlo suavemente y no soltarla con brusquedad.

Metió la mano entre las mantas para tocarle la mejilla y el hombro. Unos reguerillos le corrían por la cara a medida que el hielo del cabello se derretía. Él estaba helado, pero la joven era como un témpano. Le hacía falta todo el calor que pudiera proporcionarle, y no se atrevía a aumentar la temperatura del aire. De hecho, el interior de las paredes del refugio presentaban ya una capa brillante de humedad, producto del deshielo. Por muy helado que estuviera, conservaba más calor en su cuerpo que ella.

Se desnudó y se metió entre las mantas que la cubrían, tras poner encima sus propias ropas mojadas, que podían ayudar a mantener el calor corporal. Su sentido del tacto, intensificado por el vacío y el *Saidin,* se vio anegado por el contacto de la mujer. Su piel hacía que la seda pareciera áspera. Comparado con su piel, el satén era... «No pienses.» Fue una seca orden desde el exterior del vacío que lo rodeaba. «Habla.»

Rand intentó hablar de lo primero que le vino a la cabeza —de Elayne y de las dos cartas contradictorias que la joven le había escrito— pero aquello trajo pensamientos de la rubia Elayne a través del vacío, de sus besos en rincones apartados de la Ciudadela. «¡No pienses en besos, estúpido!» Cambió sus ideas hacia Min. Nunca había pensado en ella bajo ese aspecto. Bueno, unos cuantos sueños no contaban. Min lo habría abofeteado si hubiese intentado besarla, o se habría reído de él y lo habría llamado cabeza de chorlito. El problema era que hablar de cualquier mujer le recordaba que tenía entre sus brazos a una, desnuda. Henchido de Poder, olía su aroma, sentía cada pulgada de su cuerpo con tanta claridad como si lo estuviera recorriendo con las manos... El vacío tembló. «¡Luz, sólo estás intentando darle calor! ¡Aleja esos sucios pensamientos, hombre!»

Tratando de rechazarlos, habló de sus esperanzas para Cairhien: llevar la paz al país y acabar con la hambruna, conseguir que las naciones lo siguieran sin que hubiera más derramamiento de sangre. Pero ese tema también tenía vida propia, un curso que llevaba, inevitablemente, a Shayol Ghul, donde tendría que enfrentarse al Oscuro y morir, si lo que decían las Profecías era verdad. Era una cobardía decir que esperaba salir con vida de algún modo de aquello. Los Aiel no conocían la cobardía; el peor de ellos era valiente como un león. «El Desmembramiento del Mundo acabó con los débiles», había oído decir a Bael. Y también: «La Tierra de los Tres Pliegues mata a los cobardes».

Se puso a hablar haciendo cábalas de adónde habrían ido a parar, adónde los había conducido la insensata huida de la joven. Tenía que ser algún lugar lejano y extraño para que hubiera nieve en esa época del año. La huida de Aviendha había sido más que una insensatez: había sido una locura. Pero lo que sí sabía era que la joven había huido de él. De él. Cuánto debía de odiarlo si se había visto impulsada a huir en lugar de limitarse a decirle que se marchara y respetara su intimidad mientras se lavaba.

—Tendría que haber llamado a la puerta. —¿A la puerta de su dormitorio?—. Sé que no quieres estar cerca de mí. Y no tienes que estarlo. Las Sabias pueden decir lo que quieran, pero vas a volver a sus tiendas. No tendrás que volver a soportar mi presencia cerca de ti. De hecho, si lo haces, te... te diré que te vayas. —¿Por qué había vacilado con eso? Lo trataba con ira, con frialdad, con amargura, cuando estaba despierta. Y dormida...—. Fue una locura lo que hiciste. Podrías haberte matado. —De nuevo le estaba acariciando el cabello; parecía ser incapaz de parar—. Si vuelves a hacer algo ni la mitad de absurdo, te romperé el cuello. ¿Tienes idea de lo que echaría de menos oír tu respiración por las noches? —¿Echar de menos? ¡Lo volvía loco con eso! En verdad que estaba chiflado. Tenía que dejar de decir esas cosas—. Te voy a apartar de mí y no hay más que hablar, aunque para ello tenga que mandarte a Rhuidean. Las Sabias no podrán impedirlo si hablo como el *Car'a'carn*. Ya no tendrás que huir más de mí.

La mano con la que acariciaba el cabello de la joven se paralizó al sentir que ésta se movía. Entonces reparó en que el cuerpo de Aviendha estaba cálido. Mucho. Se dijo que debía envolverse en una de las mantas y apartarse de ella. Los ojos de la mujer se abrieron, claros y profundamente verdes, y lo miraron intensa y seriamente a menos de un palmo de distancia. No pareció sorprendida al verlo, y tampoco se retiró.

Deshizo el abrazo con que la ceñía y empezó a apartarse de ella, pero los dedos de la mujer le aferraron un puñado de pelo con tanta fuerza que le hicieron daño. Si se movía, le dejaría una calva. Aviendha no le dio oportunidad de explicar nada.

—Prometí a mi medio hermana que te vigilaría. —Parecía hablar consigo misma tanto como con él en un tono bajo, casi inexpresivo—. Huí de ti con todo mi empeño para proteger mi honor. Y tú me seguiste incluso aquí. Los anillos no mienten, y ya no puedo huir más. —Su voz adquirió una tajante firmeza—. No huiré más.

Rand intentó preguntarle qué quería decir con eso mientras procuraba aflojarle los dedos que le aferraban el pelo, pero ella agarró otro puñado con la mano libre y, atrayéndolo hacia sí, unió sus labios a los de él en un intenso beso. Aquello fue el fin de toda idea racional; el vacío se hizo añicos, y el contacto con el *Saidin* se interrumpió bruscamente.

Rand no creía que hubiera podido detenerse incluso si hubiera querido, pero el hecho era que no quería, y, desde luego, la mujer no parecía que deseara que lo hiciera. El último pensamiento con cierta coherencia que tuvo durante un largo rato fue que dudaba que hubiera podido detenerla a ella.

Al cabo de bastante tiempo —dos o puede que tres horas: era incapaz de calcularlo— Rand, tendido boca arriba sobre las alfombrillas, cubierto con las mantas y con las manos enlazadas debajo de la cabeza, contemplaba a Aviendha, que examinaba las resbaladizas paredes blancas. El refugio había conservado una sorprendente cantidad de calor y no había tenido necesidad de recurrir al *Saidin* para mantener fuera el frío ni para intentar caldear el ambiente. La joven se había limitado a pasarse los dedos por el cabello cuando se levantó y se movía sin denotar el menor atisbo de pudor por su desnudez. Claro que ya era un poco tarde para avergonzarse de algo tan nimio como no llevar nada puesto encima. Rand se había preocupado por si le hacía daño cuando la sacó del agua arrastrándola, pero en realidad ella tenía menos arañazos que él y, de algún modo, esos pocos rasguños no mermaban en absoluto su belleza.

—¿Qué es esto? —preguntó la joven.

—Nieve.

Explicó lo que era lo mejor que supo, pero ella sacudió la cabeza, en parte maravillada y en parte con incredulidad. Para alguien que había vivido en el Yermo, el agua helada cayendo del cielo debía de parecer algo tan imposible como volar. Según los registros, la única vez que había habido una precipitación en el Yermo fue cuando él hizo que lloviera. No pudo evitar soltar un suspiro de pesar cuando Aviendha empezó a meterse la camisa por la cabeza.

—Las Sabias pueden casarnos tan pronto como regresemos —dijo Rand. Todavía percibía su tejido sujetando el acceso abierto.

Aviendha sacó la cabeza, coronada de cabello rojo oscuro, por el cuello de la prenda y lo contempló impasible. No con hostilidad, pero tampoco con afecto.

—¿Qué te hace pensar que un hombre tiene derecho a pedirme eso? Además, tú perteneces a Elayne.

Al cabo de un momento Rand fue capaz de cerrar la boca, que se le había abierto de par en par por la sorpresa.

—Aviendha, acabamos de... Nosotros dos hemos... Luz, ahora tenemos que casarnos. Y no es que lo haga porque tenga que hacerlo —se apresuró a añadir—, sino porque quiero. —En realidad no estaba seguro de eso. Creía que podría amarla, pero también creía que podría amar a Elayne. Y, por alguna razón, Min seguía colándose en su mente. «Eres tan libertino como Mat.» Pero, por una vez, podía hacer lo que debía porque era lo correcto.

Aviendha resopló y tanteó las medias para comprobar si estaban secas; después se sentó y se las puso.

—Egwene me ha hablado de vuestras costumbres en Dos Ríos respecto al matrimonio.

—¿Quieres esperar un año? —inquirió, incrédulo.

—Lo del año, sí, a eso me refiero. —Rand nunca se había percatado hasta ahora lo mucho que una mujer enseñaba las piernas para ponerse una media; qué extraño que ese detalle le resultara tan excitante después de haberla visto desnuda y sudorosa y... Se concentró en escucharla—. Egwene me contó que iba a pedir permiso a su madre en tu nombre; pero, antes de que lo mencionara, su madre le dijo que tendría que esperar otro año a pesar de llevar trenzado el cabello. —Aviendha frunció el entrecejo, la pierna levantada hasta casi tocarse la barbilla con la rodilla—. ¿Es así? Me dijo que una chica no podía trenzarse el pelo hasta ser lo bastante mayor para casarse. ¿Me estás oyendo? Me recuerdas a ese... pez... que Moraine capturó en el río. —En el Yermo no había peces; los Aiel los conocían sólo a través de los libros.

—Por supuesto que te escucho —contestó. Aunque habría dado igual si hubiera sido sordo y ciego porque no entendía nada. Rebulló debajo de las mantas y adoptó un tono de voz tan seguro como fue capaz—. Como poco, las costumbres son... complicadas, y no estoy seguro de a qué parte te refieres.

Ello lo miró un instante con recelo, pero las costumbres Aiel eran tan complejas que lo creyó. En Dos Ríos, una pareja salía durante un año y si la relación funcionaba entonces se comprometía y finalmente se casaba; hasta ahí llegaba la costumbre.

—Me refiero —continuó la joven mientras seguía vistiéndose—, a lo de que la chica pida permiso a su madre y a la Zahorí para tener relaciones durante el año. La verdad es que no lo entiendo. —En ese momento se estaba metiendo la blusa por la cabeza, y la prenda ahogó un poco sus palabras—. Si ella lo desea y si es lo bastante mayor para casarse, ¿por qué necesita permiso? ¿Te das cuenta? Según mis costumbres —su tono de voz dejaba claro que eran las únicas que contaban para ella—, soy yo quien decide si te lo pido, y no voy a hacerlo. Según las tuyas —sacudió la cabeza con desdén mientras se ajustaba el cinturón—, no tenía permiso de mi madre para hacerlo. Y tú necesitarías el de tu padre, imagino. O el de tu padre segundo, puesto que tu padre está muerto, ¿no? No tenemos permiso para esta relación, así que no podemos casarnos. —Empezó a doblar el pañuelo para ceñírselo sobre la rente.

—Entiendo —musitó Rand débilmente. Cualquier chico de Dos Ríos que pidiera permiso a su padre para tener esa clase de relación se estaba buscando unas buenas bofetadas. Cuando pensaba en los muchachos que habían sudado como condenados, preocupados de que alguien, cualquiera, descubriera lo que estaban haciendo con las chicas con quienes pensaban casarse... De hecho, le vino a la cabeza cuando Nynaeve sorprendió a Kimry Lewin y a Bar Dowtry en el pajar del padre de Bar. Hacía cinco años que Kimry se trenzaba el cabello, pero cuando Nynaeve acabó con ella, la reemplazó la señora Lewin. El Círculo de Mujeres casi había despellejado vivo al pobre Bar, y eso no fue nada para lo que le hicieron a Kimry durante el mes que consideraron el plazo decente más corto para esperar a celebrar la boda. Corrió el chascarrillo, en voz baja y sin que llegara a oídos del Círculo de Mujeres, de que ni Bar ni Kimry habían podido sentarse hasta toda una semana después de haberse casado. Seguramente a Kimry se le había pasado por alto pedir permiso—. Pero imagino que Egwene no conocerá todas las costumbres de los hombres, después de todo —continuó—. Las mujeres no lo sabéis todo. Verás, puesto que he provocado la situación, tenemos que casarnos, sin que importen los permisos.

—¿Que tú lo provocaste? —Su resoplido resultó claro y muy significativo. Las mujeres, ya fueran Aiel, andoreñas o de cualquier otra nacionalidad, utilizaban esos ruidos para azuzar y chinchar—. En cualquier caso no importa, puesto que actuaremos según mis costumbres. Esto no volverá a ocurrir, Rand al'Thor. —Lo sorprendió, y lo complació, percibir un timbre de pesar en su voz—. Le perteneces a la medio hermana de mi medio hermana. Ahora estoy en *toh* con Elayne, pero eso no te incumbe. ¿Qué? ¿Piensas quedarte tumbado ahí para siempre? He oído comentar que los hombres se vuelven perezosos después de eso, pero no creo que falte mucho para que los clanes estén listos para emprender la marcha, y tú debes estar allí. —De repente, en su rostro apareció una expresión angustiada, y la joven se dejó caer sobre sus rodillas—. Si es que podemos regresar. No estoy segura de recordar qué fue lo que hice para crear ese agujero, Rand al'Thor. Tendrás que buscar el camino de vuelta.

Él le explicó que había atrancado el acceso para que no se cerrara y que todavía notaba el tejido que lo mantenía abierto. Aviendha pareció aliviada e incluso le sonrió. Sin embargo, mientras se sentaba cruzada de piernas y arreglaba la falda, cada vez estaba más claro que no tenía intención de volverse de espaldas mientras él se vestía.

484

—Lo que es justo es justo —rezongó al cabo de unos instantes, y salió de debajo de las mantas.

Trató de comportarse con la misma naturalidad que había hecho ella, pero no le resultó fácil. Podía sentir su mirada como una caricia incluso cuando se volvió de espaldas. Además, no había motivo para que le dijera que tenía un trasero bonito; al fin y al cabo, él no había comentado lo precioso que lo tenía ella. Sólo lo hizo para que él se pusiera colorado. Las mujeres no miraban a los hombres de ese modo. «¿Y acaso piden permiso a su madre para...?»

Se le ocurrió de repente que la vida con Aviendha a partir de ahora no iba a ser, ni mucho menos, más fácil.

32

UNA LANZA CORTADA

No hubo discusión. Aunque la tormenta siguiera bramando en el exterior podían regresar al acceso utilizando las mantas y las alfombrillas como capas. Aviendha empezó a repartirlas mientras él aferraba el *Saidin*, llenándose de vida y de muerte, de fuego fundido y de hielo líquido. —Divídelas en partes iguales —le dijo a la joven. Sabía que su voz sonaba fría e impasible. Asmodean le había dicho que podía superar eso, pero hasta ahora había sido incapaz de lograrlo.

Aviendha le lanzó una mirada sorprendida, pero se limitó a comentar:

—Tú eres más grande y necesitas más. —Y siguió haciéndolo como antes.

No tenía sentido discutir. Sabía por experiencia, desde Campo de Emond hasta las Doncellas, que si una mujer quería hacer algo por uno, el único modo de impedírselo era atándola, sobre todo si en ello iba implicado un sacrificio por su parte. Lo que lo sorprendió, empero, fue que no lo dijo con acritud, que no había comentado nada respecto a que era un hombre de las tierras húmedas blando. Quizá de todo esto había salido algo más que un recuerdo. «No puede haber dicho en serio lo de nunca más.» Sin embargo, sospechaba que eso era exactamente lo que había querido decir.

Tejió un flujo de Fuego, del grosor de un dedo, y cortó en una de las paredes la silueta de una puerta, ensanchando la grieta en la parte superior. Sorprendentemente, la luz del día brilló a través de ella. Soltó el *Saidin* e intercambió una mirada de estupor con Aviendha. Sabía que había perdido la noción del tiempo —«Has perdido la noción de todo»—, pero era imposible que hubieran permanecido tanto tiempo allí dentro. Dondequiera que estuvieran, se encontraban a mucha distancia de Cairhien.

Empujó el bloque de hielo cortado, pero éste no cedió hasta que apoyó la espalda contra él y, clavando los talones en el suelo, hizo presión con todas sus fuerzas. Justo cuando se le ocurrió que casi con toda seguridad podría haber hecho esto mucho más fácil utilizando el Poder, el bloque se desplomó hacia afuera y Rand salió impulsado tras él a una gélida y transparente luz matinal. Pero el bloque no cayó del todo, sino que se quedó inclinado en ángulo, apoyado contra la nieve que se había amontonado alrededor del refugio. Tendido sobre la espalda, con la cabeza asomando sólo un poco al exterior, alcanzó a ver otros montones de nieve acumulada en torno a unos árboles dispersos y achaparrados que no identificó, y otros montones que quizá cubrían matorrales o peñascos.

Abrió la boca, pero olvidó qué iba a decir cuando algo pasó planeando a unos cincuenta pies sobre él, una forma gris y coriácea, mucho más grande que un caballo, que se desplazaba batiendo suavemente unas enormes alas, con un hocico saliente y correoso, patas rematadas por garras y una cola fina, parecida a la de los lagartos, ondeando suavemente detrás. La cabeza de Rand se giró por voluntad propia para seguir el vuelo de la criatura sobre los árboles. Dos personas iban montadas a su grupa; a pesar de lo que parecían una especie de ropajes con capuchas, resultaba evidente que estaban escudriñando el suelo sobre el que pasaban. Si Rand hubiera estado asomando más de la cabeza y si no se hubiera encontrado justo debajo de la criatura, indudablemente lo habrían visto.

—Olvídate de las mantas —instó mientras se metía dentro otra vez. Le contó lo que había visto—. Puede que sean amistosos y puede que no, pero prefiero no salir de dudas. —En cualquier caso, no estaba seguro de que quisiera conocer a unas personas que montaban un ser como ése. Si es que eran personas—. Vamos a ir hacia el acceso a hurtadillas.

Cosa extraña, la joven no discutió. Cuando Rand lo comentó mientras la ayudaba a trepar por el bloque de hielo inclinado —eso también fue asombroso, ya que aceptó su mano tendida sin asestarle una mirada furiosa—, Aviendha respondió:

—No discuto cuando lo que dices tiene sentido, Rand al'Thor.

No era así, ni mucho menos, como él lo recordaba. El paisaje en derredor estaba cubierto bajo un profundo manto de nieve, pero hacia el oeste se alzaban unas montañas escarpadas, con las cumbres veladas por nubes. Rand no tuvo dificultad en conocer su ubicación en el oeste porque el sol estaba saliendo por el lado opuesto, asomando menos de la mitad de su dorada esfera por encima del océano. Contempló aquello fijamente. El terreno se inclinaba lo suficiente para ver las olas rompiendo violentamente contra un litoral rocoso a menos de media milla de distancia. Un océano al este, extendiéndose en el horizonte hasta donde alcanzaba la vista. Si lo de la nieve no hubiera sido suficiente, aquello le corroboró que se encontraban en una tierra que no conocía.

Aviendha contempló los rompientes y el espumoso oleaje sin salir de su asombro, y después miró a Rand con la frente fruncida al caer en la cuenta de lo que aquello significaba. La joven no habría visto nunca un océano, pero sí había visto mapas.

Ir con falda le dificultaba la marcha a través de la nieve más que a Rand, y él avanzaba torpemente, abriendo un camino más que caminar, a veces hundido casi hasta la cintura. Aviendha dio un respingo cuando él la cogió en brazos, y sus verdes ojos centellearon, furiosos.

—Tenemos que movernos más deprisa de lo que puedes hacerlo tú, arrastrándote con esas faldas —le dijo Rand.

La expresión furibunda se borró en su rostro, pero no le rodeó el cuello con el brazo como él casi esperaba que hiciera. En lugar de ello, entrelazó las manos y adoptó un gesto resignado. Un tanto hosco, eso sí. Fueran cuales fueran los cambios que hubiera provocado en ella lo ocurrido entre los dos, en el fondo no había cambiado gran cosa. Rand no entendió que tal circunstancia le produjera alivio.

Podría haber abierto un paso derritiendo la nieve, como había hecho durante la tormenta; pero, si otra de esas criaturas voladoras aparecía, ese paso la conduciría directamente a ellos. Un zorro pasó saltando sobre la nieve a su derecha, el pelaje completamente blanco salvo por la negra punta de la peluda cola, echándoles ojeadas de vez en cuando, con desconfianza. En algunos sitios había huellas de conejos, borrosas donde habían dado el salto, y en una ocasión Rand vio las de un felino que debía de ser tan grande como un leopardo. Quizás había animales aun más grandes; puede que algún pariente sin alas de aquella criatura de piel correosa. No era la clase de encuentro que querría tener, pero siempre existía la posibilidad de... Criaturas voladoras... Podrían tomar el surco que iba abriendo en la nieve por el rastro de algún animal.

Siguió avanzando de árbol en árbol, deseando que fueran más numerosos y que crecieran más juntos. Claro que, de haber sido así, a lo mejor no habría encontrado a Aviendha en la tormenta —la joven gruñó y lo miró ceñuda cuando estuvo a punto de dejarla caer—, pero desde luego ahora habría sido de gran ayuda un bosque frondoso. Sin embargo, fue gracias a tener que desplazarse de aquel modo cauteloso por lo que vio primero a los otros.

A menos de cincuenta pasos, entre él y el acceso —justo delante del acceso; podía percibir su tejido manteniéndose abierto—, había cuatro personas a caballo y más de veinte a pie. Las que iban montadas eran todas mujeres, abrigadas en largas y gruesas capas forradas de pieles; dos de ellas llevaban un brazalete plateado en la muñeca izquierda, que se conectaba por una larga cadena del mismo material brillante a un collar ceñido prietamente al cuello de otras dos mujeres vestidas de gris y sin capa que iban a pie. Los demás eran hombres vestidos con cuero oscuro y armaduras pintadas en verde y dorado, con las que se protegían el torso, la zona externa de los brazos y la parte delantera de los muslos. Sus lanzas lucían borlas verdes y doradas; los escudos, alargados, iban pintados con los mismos colores; y los yelmos semejaban las cabezas de enormes insectos, con los rostros asomando entre las mandíbulas. Uno de ellos era obviamente un oficial; no llevaba lanza ni escudo, pero sí un espadón curvo, de empuñadura larga para coger con ambas manos, colgado a la espalda. Su armadura lacada iba rematada con plata en los bordes, y unas finas plumas de color verde, cual antenas de insecto, reforzaban la apariencia del yelmo pintado. Rand sabía ahora dónde se encontraban Aviendha y él. Había visto armaduras como ésas anteriormente. Y mujeres con ese tipo de collares.

Soltó a la joven en el suelo, detrás de lo que parecía un pino retorcido por el viento, excepto porque la madera del tronco era suave y gris, con vetas negras; señaló con el dedo y ella asintió en silencio.

—Las dos mujeres encadenadas pueden encauzar —musitó Rand—. ¿Puedes aislarlas? No abraces la Fuente todavía —se apresuró a añadir—. Son prisioneras, pero aun así podrían advertir a los otros, y, aunque no lo hagan, las mujeres de los brazaletes tal vez podrían percibir que las otras te han detectado.

La joven lo miró extrañada, pero no perdió tiempo en hacer preguntas sobre cómo lo sabía; eso vendría después y Rand lo sabía.

—Las mujeres de los brazaletes pueden encauzar también —comentó ella en voz igualmente baja—. Pero es una sensación extraña. Débil. Como si nunca lo hubieran practicado. No entiendo cómo puede ocurrir algo así.

Rand sí lo entendía. Se suponía que eran las *damane* las que podían encauzar. Si las otras dos mujeres habían logrado de algún modo escapar de la red de los seanchan para convertirse en cambio en *sul'dam* —y por lo poco que Rand sabía de ellos tal cosa parecía harto improbable, ya que los seanchan hacían pruebas a todas las mujeres durante los años en que se manifestarían los síntomas de su capacidad para encauzar—, desde luego no se arriesgarían a delatarse.

—¿Puedes aislarlas de la Fuente a las cuatro?

—Por supuesto —respondió con gesto engreído—. Egwene me ha enseñado a manejar varios flujos a la vez. Puedo aislarlas, atar ese tejido, y envolverlas con flujos de Aire antes de que se den cuenta de lo que ha pasado. —La leve sonrisa de suficiencia se borró—. Soy bastante rápida para ocuparme de ellas y de sus caballos, pero eso deja a todos los demás para ti hasta que pueda prestarte ayuda. Si alguno logra escapar... Sin duda pueden arrojar esas lanzas hasta esta distancia, y si alguna te alcanza... —Rezongó entre dientes unos instantes, como si la enfureciera ser incapaz de terminar la frase. Por fin alzó los ojos hacia él; lo miraba con tanta rabia como siempre—. Egwene me ha hablado de la Curación, pero apenas sabe nada de ella, y yo aun menos.

¿A santo de qué venía este repentino enfado? «Mejor intentar entender el sol que a una mujer», pensó con sorna. Eso se lo había dicho Thom Merrilin, y era la pura verdad.

—Tú encárgate de aislar a esas mujeres —contestó—, que yo me ocuparé del resto. Pero no actúes hasta que te toque el brazo.

Se dio cuenta de que la mujer pensaba que estaba alardeando, pero no tendría que utilizar diferentes flujos, sino únicamente tejer un intrincado hilo de Aire con el que inmovilizaría los brazos contra los costados y las piernas, así como las patas de los caballos. Inhaló profundamente, aferró el *Saidin,* tocó el brazo a Aviendha, y encauzó.

Se alzaron gritos de sobresalto entre los seanchan. Rand se dijo que tendría que haber pensado en amordazarlos también, pero podrían cruzar el acceso antes de que alguien más los atacara. Manteniendo el contacto con la Fuente, agarró a la joven por el brazo y medio la arrastró por la nieve, haciendo caso omiso de sus gruñidos y protestas de que podía caminar sola. Por lo menos de este modo le abría un paso, y tenían que moverse con rapidez.

Los seanchan enmudecieron y los contemplaron fijamente mientras Aviendha y él pasaban delante de ellos dando un rodeo. Las dos mujeres que no eran *sul'dam* se habían retirado las capuchas y se debatían contra su tejido de Aire. Rand lo mantuvo en lugar de atarlo; tendría que soltarlo cuando se marcharan por la simple razón de que era incapaz de dejar a nadie, aunque fueran unos seanchan, inmovilizados en la nieve. Si no morían congelados, siempre podía aparecer el gran felino cuyas huellas había visto. Y, donde había uno, tenía que haber más.

El acceso estaba allí, naturalmente, pero en lugar de asomarse a su cuarto en Eianrod lo hacía a un vacío gris. También parecía más estrecho de lo que recordaba. Y, lo que era peor, percibía un tejido en aquel fondo plomizo, un tejido urdido con *Saidin*. Unos pensamientos furiosos se deslizaron al borde del vacío. No sabía qué propósito tenía, pero era harto probable que se tratara de una trampa para quienquiera que lo cruzara, y que fuera obra de uno de los Renegados; Asmodean, probablemente. Si podía entregárselo en bandeja a los otros, tal vez tenía la posibilidad de volver a ocupar su puesto entre ellos. Empero, quedarse aquí estaba descartado. Si Aviendha fuera capaz de recordar cómo había creado el acceso, podría abrir otro, pero puesto que no tenía ni idea no les quedaba más remedio que utilizar éste, con trampa o sin ella.

Una de las amazonas, que llevaba en la pechera de la capa una insignia con un negro cuervo sobre una torre, tenía un rostro severo y unos oscuros ojos que parecían querer taladrarle el cráneo. La otra, más joven, más pálida y más baja, pero con porte más regio, lucía una insignia con la cabeza de un ciervo plateado en la capa verde. Los dedos de los guantes parecían demasiado largos; Rand sabía, por los laterales afeitados de su cabeza, que aquellos dedos de cuero cubrían unas uñas desmesuradamente largas y probablemente lacadas, ambas cosas indicativas de la nobleza seanchan. Los soldados estaban rígidos, tensos los rostros, pero los azules ojos del oficial centelleaban tras las mandíbulas del yelmo con forma de insecto, y sus dedos enguantados se retorcían en un fútil esfuerzo de alcanzar la espada.

A Rand le importaban poco esas personas, pero no quería dejar atrás a las *damane*. Por lo menos podría ofrecerles la oportunidad de escapar. Aunque lo estuvieran mirando como si él fuera una fiera enseñando los dientes, no habían elegido ser prisioneras y ser tratadas poco menos que como animales domésticos. Acercó la mano al collar de la que tenía más cerca y recibió una sacudida tan dolorosa que casi le dejó insensible el brazo; durante un instante el vacío vaciló y el *Saidin* penetró, rugiente, en él a raudales, como la tormenta de nieve multiplicada por mil. El corto cabello rubio de la *damane* se agitó cuando la mujer se sacudió con su tacto y soltó un chillido; la *sul'dam* conectada a ella por el brazalete dio un respingo y se quedó lívida. Las dos se habrían desplomado si no las hubieran sostenido los flujos de Aire.

—Inténtalo tú —le dijo a Aviendha mientras sacudía la mano—. Una mujer tiene que ser capaz de tocar esa cosa sin sufrir daño. No sé cómo se suelta. —Parecía estar hecho de una pieza, unido de algún modo, como la cadena y el brazalete—. Pero si se cerró tiene que abrirse de una forma u otra. —Unos segundos no cambiarían nada en lo que quiera que ocurría en el acceso. ¿Sería Asmodean?

Aviendha sacudió la cabeza, pero empezó a manosear el collar de la otra mujer.

—Estate quieta —gruñó, cuando la *damane*, una muchachita pálida de unos dieciséis o diecisiete años, intentó echarse hacia atrás. Si las dos mujeres encadenadas habían mirado a Rand como a una fiera salvaje, ahora contemplaban a Aviendha como si fuera una pesadilla hecha realidad.

—Es una *marath'damane* —gimió la muchacha—. ¡Salvad a Seri, señora! ¡Por favor, señora! ¡Salvad a Seri!

La otra *damane*, mayor, casi con aspecto de matrona, empezó a sollozar de manera incontrolable. Aviendha, por alguna razón, miraba a Rand casi con tanta intensidad como la muchacha mientras hurgaba el collar, sin dejar de rezongar entre dientes.

—Es él, lady Mersa —dijo de repente la *sul'dam* de la otra *damane* con un suave acento que arrastraba las palabras de un modo que Rand apenas logró entender—. He llevado el brazalete tiempo de sobra y, si la *marath'damane* hubiera hecho algo más que aislar a Jini, lo habría notado.

Mersa no pareció sorprendida. De hecho, en sus azules ojos había un brillo de aterrado reconocimiento cuando miraron a Rand. Sólo cabía una explicación.

—Estabais en Falme —dijo Rand, mientras barajaba posibilidades. Si cruzaba primero el acceso eso significaría dejar atrás a Aviendha aunque sólo fuera un segundo.

—En efecto. —La noble parecía estar a punto de desmayarse, pero su lenta y gangosa voz era fría e imperiosa—. Te vi, y también lo que hiciste.

—Pues tened cuidado no repita lo mismo aquí. No me ocasionéis problemas y os dejaré en paz. —Tampoco podía enviar a Aviendha por delante, hacia la Luz sabía qué. Si no hubiera estado aislado de las emociones por el vacío, habría torcido el gesto del mismo modo que lo estaba haciendo ella al mirar aquel collar. Tenían que cruzar juntos y estar preparados para hacer frente a cualquier cosa.

—Se ha guardado un gran secreto sobre lo que ocurrió en las tierras del gran Hawkwing, lady Mersa —dijo la mujer de rostro severo. Sus oscuros ojos contemplaban a la noble con igual dureza que a Rand—, pero corren rumores de que el Ejército Invencible ha saboreado la hiel de la derrota.

—¿Ahora buscas la verdad en simples rumores, Jalindin? —replicó Mersa en un tono cortante—. Una Buscadora debe saber guardar silencio por encima de todo. La emperatriz en persona ha prohibido hablar del *Corenne* hasta que vuelva a convocarlo. Si tú o yo pronunciamos siquiera el nombre de la ciudad donde desembarcó esa expedición, nos cortarán la lengua. ¿Es que te gustaría encontrarte sin lengua en la Torre de los Cuervos? Ni siquiera los Escuchadores te oirían gritar pidiendo clemencia ni te harían caso.

De esto último, Rand entendió dos de cada tres palabras únicamente, y no se debió al extraño acento. Habría querido tener tiempo para oír más. *Corenne*. El Retorno. Así era como los seanchan llamaban en Falme a su intento de apoderarse de las tierras situadas al otro lado del Océano Aricio —tierras donde él vivía— a las que consideraban su patrimonio legado por herencia. El resto —Buscadora, Escuchadores y la Torre de los Cuervos— era un misterio. No obstante, al parecer el Retorno había sido cancelado, al menos de momento. Ése era un dato muy valioso.

El acceso había encogido; era casi un dedo más estrecho que unos instantes antes. Únicamente su tejido de obstrucción lo mantenía abierto; había empezado a cerrarse en el mismo momento en que Aviendha soltó los flujos y todavía seguía intentándolo.

—Apresúrate —instó a la joven, que le lanzó una mirada sufrida.

—Eso intento, Rand al'Thor —repuso, sin dejar de manipular el collar. Las lágrimas corrían por las mejillas de Seri, de cuya garganta salía un constante gemido, como si la Aiel estuviera tratando de degollarla—. Estuviste a punto de matar a las otras dos y puede que a ti mismo. Noté el caudal de Poder que penetró violentamente en ellas cuando tocaste el otro collar, de modo que deja que me encargue yo, que si puedo, lo haré.

—Mascullando una maldición, la joven lo intentó por un lateral.

Rand pensó en pedir a las *sul'dam* que abrieran los collares —si había alguien que sabía cómo se quitaban, eran ellas— pero por la expresión ceñuda de sus semblantes supo que tendría que obligarlas a hacerlo. Si era incapaz de matar a una mujer, tampoco estaba en disposición de torturar a ninguna.

Soltó un suspiro y escudriñó el gris vacío que se veía en la abertura del acceso. Los flujos parecían estar entretejidos con los suyos; no podía romper unos sin hacer lo mismo con los otros. Tal vez la trampa saltara al cruzarlos, pero hender el tejido de esa cortina plomiza, aun en el caso de que el acto en sí no la pusiera en funcionamiento, sí que podía ocasionar que el acceso se cerrara de golpe, antes de que tuvieran oportunidad de cruzarlo. Tendría que ser un salto a ciegas hacia la Luz sabía qué o dónde.

Mersa había escuchado atentamente cada palabra que Aviendha y él habían intercambiado, y ahora estaba contemplando pensativamente a las dos *sul'dam;* sin embargo, Jalindin no había apartado los ojos un solo momento del semblante de la noble.

—Se han mantenido en secreto muchas cosas que no debieron ocultarse a los Buscadores, lady Mersa —dijo la severa mujer—. Los Buscadores deben saberlo todo.

—Estás excediéndote en tus atribuciones, Jalindin —espetó Mersa, cuyas manos enguantadas se crisparon; de no haber tenido los brazos inmovilizados contra los costados, habría partido las riendas. En su situación, se las ingenió para ladear la cabeza a fin de mirar con arrogancia a la otra mujer—. Te enviaron conmigo porque Sarek se tiene en más de lo que es y abriga planes para Serengada Dai y Tuel, no para que cuestiones lo que la emperatriz ha de...

—Sois vos quien se está excediendo, lady Mersa —la interrumpió con brusquedad Jalindin—, si pensáis que vuestra posición os da inmunidad con los Buscadores de la Verdad. Yo misma he sometido a una hija y un hijo de la emperatriz, que la Luz bendiga, a interrogatorio. Y, como muestra de gratitud por las confesiones que les arranqué, me permitió alzar la cabeza para mirarla. ¿Pensáis que vuestra casa de baja nobleza tiene más peso que los propios hijos de la emperatriz?

Mersa se mantuvo erguida, aunque tampoco tenía otra opción, pero su semblante se tornó ceniciento y tuvo que humedecerse los labios con la lengua.

—La emperatriz, que la Luz ilumine para siempre, ya sabe mucho más de lo que yo pueda contar. Mi intención no era insinuar que...

La Buscadora volvió a interrumpirla al volver la cabeza hacia los soldados, como si la noble no existiera.

—La mujer llamada Mersa está bajo la custodia de los Buscadores de la Verdad. Será sometida a interrogatorio tan pronto como estemos de regreso en Merinloe. Y también las *sul'dam* y las *damane*. Al parecer todas ellas han ocultado lo que no debieron ocultar. —El terror se hizo patente en los rostros de las mujeres nombradas, pero el de Mersa superaba al de todas las otras. Con los ojos desorbitados y ojerosos, se encorvó tanto como se lo permitían las invisibles ataduras, sin pronunciar una sola palabra de protesta. Parecía como si quisiera gritar, y, aun así... acataba. La mirada de Jalindin se volvió hacia Rand—. Te llamó Rand al'Thor. Se te tratará bien si te rindes a mí, Rand al'Thor. Sea como fuere que hayáis venido hasta aquí, no puedes esperar escapar aunque nos mates. Hay un amplio rastreo buscando a una *marath'damane* que encauzó durante la noche. —Sus ojos se clavaron brevemente en Aviendha—. Inevitablemente, también se te encontrará a ti, y podrías morir de manera accidental. Hay sedición en esta comarca. Ignoro qué trato se da a los hombres como tú en tu tierra, pero en Seanchan tus sufrimientos pueden aliviarse. Aquí puedes alcanzar un gran honor utilizando tu poder.

Rand se rió en su cara y la mujer pareció ofenderse.

—No puedo matarte, pero juro que como poco te desollaré por eso.

Desde luego no tendría que preocuparse de que en Seanchan lo amansaran. Aquí se mataba —no ejecutaba— a los hombres que encauzaban. Se les daba caza y se les disparaba en el momento.

El acceso con el fondo plomizo estaba un dedo más estrecho, ahora apenas lo bastante amplio para que los dos lo cruzaran a un tiempo.

—Déjalo, Aviendha. Tenemos que irnos ya.

La joven soltó el collar de Seri y le asestó una mirada exasperada, pero sus ojos fueron más allá de él para escudriñar el acceso; luego se remangó la falda para llegar hasta Rand a través de la nieve al tiempo que rezongaba entre dientes algo sobre agua helada.

—Estáte preparada para cualquier cosa —le advirtió Rand mientras le rodeaba los hombros con un brazo. Se dijo para sus adentros que tenían que estar muy juntos para caber por el acceso, no porque resultara agradable—. No sé qué podrá ser, pero estáte atenta. —Ella asintió con la cabeza, y él gritó—: ¡Salta!

Los dos saltaron juntos hacia la nada gris, y Rand soltó los flujos que inmovilizaban a los seanchan a fin de henchirse de Poder hasta tal punto que creyó que iba a reventar...

... y aparecieron, dando trompicones, en su cuarto de Eianrod, donde lucían las lámparas y la oscuridad reinaba al otro lado de las ventanas. Asmodean estaba sentado junto a la puerta, apoyado en la pared y cruzado de piernas. No estaba abrazando la Fuente, pero aun así Rand creó rápidamente una obstrucción entre el hombre y el *Saidin*. Después giró sobre sus talones, rodeando todavía con el brazo los hombros de Aviendha, y vio que el acceso había desaparecido. No, en realidad no se había desvanecido completamente, ya que todavía quedaba el tejido suyo y el que Rand sabía que tenía que ser obra de Asmodean, pero parecía que en ese punto no hubiera nada en absoluto. Sin hacer una pausa, partió aquel tejido y, de repente, el acceso reapareció permitiendo atisbar una escena que se estrechaba rápidamente: los seanchan, lady Mersa doblada sobre la silla de montar y Jalindin gritando órdenes. Una lanza con borlas verdes y doradas surcó el espacio justo antes de que éste se cerrara bruscamente. De manera instintiva, Rand encauzó Aire para atrapar la lanza corta en el aire, pero el arma se zarandeó bruscamente cuando el acceso se cerró sobre ella y partió el astil a dos pies de la punta. El extremo estaba cortado limpiamente, y Rand se estremeció mientras se felicitaba para sus adentros por no haber intentado quitar la barrera gris —o lo que quiera que fuera— antes de saltar a través de ella.

—Por fortuna ninguna de las *sul'dam* se recuperó a tiempo —comentó a la par que cogía la lanza cortada—, o en caso contrario algo peor que esta arma nos habría seguido a través del acceso. —Observó a Asmodean por el rabillo del ojo, pero el hombre se limitó a permanecer sentado allí, con aspecto de no encontrarse muy bien. Ignoraba si la intención de Rand era atravesarle el cuello con aquella lanza.

El resoplido de Aviendha fue incluso más significativo en esta ocasión.

—¿Es que crees que las solté? —preguntó, acalorada. Le retiró el brazo firmemente, pero Rand sospechaba que su mal humor no era contra él. O, al menos, contra su brazo—. Até los escudos tan fuerte como me fue posible. Son tus enemigas, Rand al'Thor. Incluso las que llamas *damane* no son más que perros fieles que te habrían matado antes que elegir la libertad. Debes ser implacable con tus enemigos, no misericordioso.

Rand pensó que la joven tenía razón mientras sopesaba la lanza. Había dejado atrás enemigos a los que tal vez tendría que enfrentarse algún día. Tenía que volverse más duro o en caso contrario alguien lo haría papilla antes de llegar a Shayol Ghul.

Inesperadamente, Aviendha empezó a alisarse la falda y su voz adquirió un timbre casi intrascendente:

—Me he percatado de que no salvaste a esa Mersa de tez descolorida de la suerte que le aguarda. A juzgar por cómo la mirabas, pensé que te habían llamado la atención esos grandes ojos y ese enorme busto.

Rand la miró de hito en hito, y su asombro rezumó como almíbar por el vacío que lo rodeaba. Por el tono de la mujer, habríase dicho que estaba hablando de lo que había para cenar. Se preguntó cómo se suponía que podría haberse fijado en el busto de Mersa, oculto como estaba bajo una capa forrada de pieles.

—Debí traérmela —dijo—, para interrogarla sobre los seanchan. Me temo que ésta no será la última vez que me plantean problemas.

El brillo malicioso que había aparecido en los ojos de la joven se desvaneció. Abrió la boca para decir algo, pero la cerró de inmediato y echó una ojeada a Asmodean cuando Rand alzó una mano en un gesto de advertencia. Era patente en la mirada de la joven el montón de preguntas que tenía respecto a los seanchan. Si la conocía bien, una vez que hubiera empezado a preguntar no lo dejaría hasta haberle sacado incluso detalles mínimos de los que ni siquiera se acordaba. Cosa que, por otra parte, no estaría mal. Pero en otro momento. Después de que hubiera obtenido algunas respuestas de Asmodean. Aviendha tenía razón. Tenía que ser implacable.

—Muy astuto por tu parte hacer eso —comentó la joven—. Me refiero a lo de ocultar el agujero que hice. Si algún *gai'shain* hubiera entrado aquí, es harto probable que mil hermanas de lanza lo hubieran cruzado para ir en tu busca.

Asmodean carraspeó.

—El caso es que una *gai'shain* vino. Alguien llamado Sulin le encargó que se ocupara de que comieseis algo, mi señor Dragón, así que para impedir que entrara la bandeja aquí y descubriera que no estabais, me tomé la libertad de decirle que vos y la joven no deseabais que se os molestara.

A Rand le llamó la atención el modo casi imperceptible en que los ojos de Asmodean se estrecharon.

—¿Qué?

—Bueno, la verdad es que su reacción fue muy curiosa. Se echó a reír a mandíbula batiente y salió a todo correr. Al cabo de unos minutos, debía de haber al menos una veintena de Doncellas Lanceras debajo de la ventana, gritando como posesas y golpeando las lanzas contra las adargas sin parar durante una hora o más. He de decir, mi señor Dragón, que algunas de las sugerencias que ofrecían a gritos me sobresaltaron incluso a mí.

Rand notó que las mejillas le ardían —¡había ocurrido al otro maldito extremo del mundo y aun así las Doncellas lo sabían!—, pero Aviendha se limitó a estrechar los ojos.

—¿Tenía el cabello y los ojos como yo? —No tuvo que esperar el cabeceo de asentimiento de Asmodean—. Tiene que haber sido mi hermana primera Niella. —Advirtió la expresión de Rand, entre sobresaltada y curiosa, y le respondió antes de que él lo preguntara—: Niella es tejedora, no una Doncella, y la capturaron Doncellas Chareen durante un asalto al dominio Sulara. Intentó convencerme de que no cogiera las lanzas, y siempre deseó que me casara. ¡Voy a mandarla de vuelta con los Chareen con un buen verdugón en el trasero por haber tenido la lengua tan larga y decírselo a tanta gente!

Rand la cogió por el brazo cuando la joven echaba a andar hacia la puerta de la habitación.

—Quiero hablar con Natael. Supongo que no falta mucho para que amanezca...

—Unas dos horas —informó Asmodean.

—... así que no tendré ocasión de dormir mucho. Si tú quieres intentarlo, ¿te importaría prepararte el lecho en otra parte para lo que resta de noche? De todos modos, necesitas mantas nuevas.

Ella asintió con brusquedad antes de soltarse de un tirón, y cerró de un portazo al salir. No podía haberse enfadado por que la hubiera echado, ¿verdad? Por supuesto que no; al fin y al cabo, había dicho que no volvería a ocurrir nada entre ellos. Con todo, Rand se alegraba de no ser Niella. Sopesando la lanza acortada, se volvió hacia Asmodean.

—Un extraño cetro, mi señor Dragón.

—Podría servir como tal. —Principalmente, le haría recordar que los seanchan seguían allí fuera. Por una vez deseó que su voz sonara más fría incluso de lo que la hacían el vacío y el *Saidin*. Tenía que ser implacable—. Antes de decidir si por fin te ensarto en ella como un cordero, contesta: ¿por qué no mencionaste nunca ese truco de hacer algo invisible? Si no hubiera sido capaz de ver los flujos, jamás habría sabido que el acceso continuaba abierto.

Asmodean tragó saliva con esfuerzo y rebulló como si no tuviera muy claro si la amenaza de Rand iba en serio. Tampoco estaba muy seguro el propio Rand.

—Mi señor Dragón, nunca me lo preguntaste. Se trata de doblar la luz. Siempre tienes tantas preguntas que hacerme que resulta difícil encontrar un momento para hablar de cualquier otra cosa. Debes de haberte dado cuenta de que he apostado de lleno por ti. —Se lamió los labios y se incorporó hasta quedar de rodillas. Empezó a balbucir—: Noté tu tejido... Cualquiera lo habría notado a una milla de distancia... Jamás vi nada igual... Ignoraba que nadie, excepto Demandred, pudiera atorar un acceso e impedir que siguiera cerrándose. Puede que también Semirhage... Y Lews Therin... Lo sentí, vine aquí, que mi buen trabajo me costó conseguir pasar entre las Doncellas, y utilicé el mismo truco... Debes de saber que ahora soy tu hombre. Mi señor Dragón, estoy de tu parte.

El hecho de que fuera una repetición de lo que había dicho el cairhienino fue lo que más lo afectó. Gesticulando con la lanza partida, instó duramente:

—Ponte en pie, que no eres un perro. —Empero, mientras Asmodean se levantaba lentamente, Rand apoyó la punta de la lanza en la garganta del hombre. Tenía que ser implacable—. De ahora en adelante, me dirás dos cosas que no sean las que te pregunte cada vez que mantengamos una conversación. Todas las veces, tenlo bien presente. Si sospecho que intentas ocultarme algo, suplicarás que te entregue a Semirhage.

—Lo que tú digas, mi señor Dragón —balbució Asmodean, que parecía a punto de inclinarse y besar la mano a Rand.

Para evitar tal posibilidad, el joven se dirigió al lecho, vacío de mantas, y se sentó en las sábanas de lino y el blando colchón de plumas mientras examinaba la lanza. Era una buena idea guardarla como recordatorio, ya que no como cetro. A pesar de todo lo demás, sería mejor que no olvidara a los seanchan. Ni a las *damane*. Si Aviendha no hubiese estado allí para cortarles el contacto con la Fuente...

—Has intentado enseñarme, sin éxito, cómo aislar a una mujer. Enséñame ahora cómo evitar flujos que no puedo ver y cómo contrarrestar su efecto.

En cierta ocasión, Lanfear había cortado los flujos de su tejido con tanta limpieza y eficacia como si hubiera utilizado un cuchillo.

—No es fácil, mi señor Dragón, sin tener una mujer contra la que practicar.

—Disponemos de dos horas —manifestó fríamente Rand a la par que quitaba el escudo que rodeaba al hombre—. Inténtalo. Inténtalo con todas tus fuerzas.

33

UN VESTIDO CARMESÍ

El cuchillo rozó el cabello de Nynaeve al clavarse en el tablón contra el que la mujer estaba recostada; dio un respingo y apretó los ojos detrás de la venda que se los cubría. Deseó llevarlo peinado en una trenza en lugar de suelto sobre los hombros. Si ese cuchillo le había cortado aunque sólo fuera un pequeño mechón... «Necia —pensó con acritud—. Estúpida mujer.»

Con el pañuelo doblado tapándole los ojos, únicamente veía una fina línea de luz por la parte de abajo, y tras la oscuridad de los pliegues parecía brillante. Tenía que haber claridad de sobra aunque la tarde estuviera avanzada. Desde luego, el hombre no se habría atrevido a lanzar si no tuviera luz suficiente para ver bien. El siguiente cuchillo se clavó al otro lado de su cabeza y lo sintió vibrar. Tenía la sensación de que casi le había tocado la oreja. Iba a matar a Thom Merrilin y a Valan Luca; y puede que a cualquier otro hombre al que pudiera echar mano, aunque sólo fuera por principios.

—Las peras —gritó Luca, como si en lugar de estar a sólo treinta pasos de ella se encontrara mucho más lejos. Debía de pensar que la venda la dejaba sorda, además de ciega.

Tanteó en la bolsita colgada del cinturón, sacó una pera y, con gran cuidado, se la colocó en lo alto de la cabeza. Estaba ciega, desde luego, pero además era una redomada estúpida. Sacó otras dos peras y, con precaución, extendió los brazos a ambos lados, entre los cuchillos que marcaban su silueta, sosteniendo por el rabo una pieza de fruta en cada mano. Hubo una pausa. Abrió la boca para decirle a Thom Merrilin que si le hacía aunque sólo fuese un pequeño rasguño, le...

Hubo una rápida sucesión de tres golpes secos. Los cuchillos se habían clavado con tal celeridad que Nynaeve habría chillado si la garganta no se le hubiera quedado contraída por el susto al oír el primero. En una mano sólo sostenía el tallo de la fruta; en la otra, la pera se mecía levemente con el cuchillo atravesado; y la pera que tenía sobre la cabeza rezumaba jugo sobre su cabello.

Se arrancó el pañuelo de un tirón y se dirigió a zancadas hacia Thom y Luca, quienes sonreían como maníacos. Antes de que tuviera ocasión de pronunciar una de las palabras que pugnaban por escapar de su boca, Luca manifestó con admiración:

—Eres magnífica, Nana. Tu bravura es extraordinaria, pero tú lo eres más. —Hizo una reverencia mientras ondeaba ostentosamente la ridícula capa de seda roja, con una mano sobre el corazón—. Llamaré a este número «La rosa entre espinas». Aunque, para ser sincero, eres más bella que una simple rosa.

—No hace falta mucha valentía para estar plantada tiesa como un palo. —Conque era una rosa, ¿no? Ya le enseñaría las espinas. A los dos—. Escúchame, Valan Luca...

—Qué coraje. Ni un solo respingo. Te aseguro que yo no tendría valor para hacer lo que tú.

Eso era la pura verdad, pensó Nynaeve.

—No he sido más valiente de lo necesario —repuso en un tono más suave. Resultaba difícil gritar a un hombre que insistía en alabar la valentía de una de ese modo. Por supuesto, eso era mucho mejor que las patochadas sobre rosas. Thom se atusó el largo bigote como si viera algo divertido.

—El vestido —dijo Luca, sonriendo de oreja a oreja—. Estarás preciosa con...

—¡No! —espetó. Lo que había ganado con sus halagos acababa de perderlo al sacar de nuevo a colación ese asunto. Clarine había confeccionado el atuendo que Luca quería que llevara Nynaeve, en una seda de un color carmesí más chillón que el de su capa. En opinión de la mujer, había escogido ese tono para disimular la sangre si a Thom se le iba la mano.

—Pero, Nana, una belleza en peligro tiene mucho gancho. —La voz de Luca era tan acariciante como si le estuviera susurrando lindezas al oído—. Tendrás los ojos de todo el mundo pendientes de ti, todos los corazones palpitando con fuerza por tu belleza y tu valentía.

—Pues si tanto te gusta, póntelo tú —replicó firmemente. Aparte del color, no estaba dispuesta a enseñar tan generosamente el busto en público, a pesar de que Clarine opinara que era lo normal. Había visto el traje de actuación de Latelle, todo él de lentejuelas negras y con el cuello alto hasta la barbilla. Podría llevar algo así... Pero ¿qué estaba pensando? No tenía la menor intención de seguir adelante con esto. Sólo había accedido a practicar para que Luca dejara de tocar a la puerta del carromato todas las noches para intentar convencerla.

El hombre no tenía un pelo de tonto y sabía cuándo había llegado el momento de cambiar de tema:

—Oh, vaya, ¿qué te ha pasado? —preguntó, de repente todo mieles y solicitud.

Nynaeve dio un respingo cuando Luca le tocó el ojo hinchado. No estuvo afortunado al elegir aquello para cambiar de conversación. Mejor habría sido que continuara intentando meterla a la fuerza en aquel vestido rojo.

—No me gustó cómo me miraba en el espejo esta mañana, así que le di un mordisco.

Su tono frío y el modo en que enseñaba los dientes consiguieron que Luca retirara la mano con presteza. A juzgar por la mirada cautelosa en sus oscuros ojos, el hombre temía que se repitiera el mordisco. Thom se atusaba el bigote con entusiasmo y tenía el rostro congestionado por el esfuerzo de no estallar en carcajadas. Él sabía lo que había ocurrido, por supuesto. Tenía que saberlo. Y, no bien se hubiera marchado ella, sin duda deleitaría a Luca con su versión de los hechos. Los hombres eran unos cotillas compulsivos, un rasgo innato en ellos, y no había nada que las mujeres pudieran hacer para quitarles esa mala costumbre.

La luz diurna era más débil de lo que había imaginado. El sol era una roja bola sobre los árboles, en el oeste.

—Si vuelves a intentarlo otra vez sin tener mejor luz... —gruñó mientras sacudía el puño en dirección a Thom—. ¡Casi ha anochecido!

—Supongo, entonces, que eso significa que no quieres incluir la parte en la que yo me tapo los ojos, ¿verdad? —dijo él a la par que enarcaba las espesas cejas. Estaba bromeando, por supuesto. Tenía que estar diciéndolo en broma—. Como quieras, Nana. De ahora en adelante, sólo lo haremos cuando la luz sea perfecta.

Hasta que se hubo alejado unos cuantos pasos, sacudiendo furiosamente la falda al caminar, Nynaeve no cayó en la cuenta de que había accedido a hacer ese tonto numerito. Al menos, de manera implícita. Tratarían de obligarla a atenerse a ello, tan seguro como que el sol se pondría esa noche. «¡Tonta, tonta, tonta! ¡Eres tonta!»

El claro donde habían estado practicando —o al menos Thom, ¡así la Luz lo abrasara y a Luca también!— se encontraba a cierta distancia del campamento, un poco más arriba y cerca de la calzada del norte. Seguramente era porque Luca no quería que los animales se alborotaran en caso de que Thom hubiese errado un lanzamiento y le hubiera atravesado el corazón. Probablemente habría aprovechado su cadáver para alimentar a los leones. La única razón por la que quería que luciera aquel vestido era para comerse con los ojos lo que ella no tenía intención de enseñar excepto a Lan; y que la Luz también lo abrasara a él, por ser un estúpido cabezota. Ojalá estuviera allí para poder decírselo. Ojalá estuviera allí porque así sabría que estaba a salvo. Arrancó una cañaheja seca y la utilizó para descargar varazos y arrancar las flores silvestres que asomaban por encima de la hierba.

La noche anterior, según Elayne, Egwene había informado sobre combates en Cairhien y luchas contra bandidos, contra cairhieninos que consideraban enemigos a cualquier Aiel, y contra soldados andoreños que reclamaban el Trono del Sol para Morgase. Lan había tomado parte en esas refriegas; al parecer, cada vez que Moraine le quitaba la vista de encima él se las arreglaba para encontrarse allí donde el combate era más reñido, como si supiera de antemano dónde se desarrollaría. Nynaeve jamás habría imaginado que llegaría un día en que querría que la Aes Sedai tuviera a Lan atado en corto, cerca de ella.

Esa mañana Elayne seguía afectada por la noticia de que los soldados de su madre se encontraban en Cairhien, luchando contra los Aiel de Rand, pero los que preocupaban a Nynaeve eran los bandidos. Según Egwene, si alguien podía identificar pertenencias robadas en posesión de los asaltantes, si alguien juraba haber visto a uno de ellos matar a alguien o quemar aunque sólo fuera un cobertizo, Rand ordenaba que fuera ahorcado. El no tiraba de la cuerda, pero era lo mismo, y Egwene decía que presenciaba todas las ejecuciones con un semblante tan frío y duro como las montañas. No era propio de él hacer algo así. Siempre había sido un muchacho apacible y dulce. Fuera lo que fuera lo que le hubiera ocurrido en el Yermo, había sido para peor.

En fin, Rand estaba muy lejos, y sus propios problemas —los suyos y los de Elayne— no parecía que fueran a solucionarse pronto. El río Eldar se encontraba a menos de una milla al norte, y la corriente se salvaba por un puente de piedra muy alto, construido entre elevados pilares metálicos que brillaban sin un punto de herrumbre. Sin duda era una reliquia de otros tiempos, tal vez incluso de una Era anterior. Nynaeve había ido hasta allí al mediodía, nada más llegar la compañía a este lugar, pero en el río no había un barco que mereciera llevar tal nombre. Botes de remo, pequeñas barcas de pesca que trabajaban entre los cañaverales de las orillas, unas cuantas cosas raras y estrechas que se deslizaban sobre el agua impulsadas por remos manejados por hombres arrodillados, e incluso un lanchón cuadrado que parecía estar atorado en el barro —se veía mucho cieno en ambas orillas, parte de él reseco y agrietado, aunque no era de extrañar con el calor que seguía haciendo en esta época— pero ninguna embarcación que pudiera transportarlos rápidamente río abajo, como ella quería. Aunque tampoco sabía aún dónde tendría que llevarlos.

Por mucho que se devanaba los sesos no conseguía recordar el nombre de la ciudad donde se suponía que las hermanas Azules se encontraban. Asestó un violento varazo a la cabezuela de un diente de león, convertida ya en una bola blanca, y los vilanos se esparcieron en el aire. De todos modos, seguramente ya no seguirían allí, si es que habían estado alguna vez. Pero era la única pista que tenían respecto a un sitio seguro a poca distancia de Tear. Si es que lograba recordarlo.

Lo único bueno de todo el viaje hacia el norte era que Elayne había dejado de coquetear con Thom. Sólo había habido un incidente desde que se habían unido al espectáculo ambulante. Aunque no habría estado mal que Elayne no hubiese decidido simular que no había ocurrido nada. El día anterior, Nynaeve la había felicitado por recobrar el sentido común, y Elayne había replicado fríamente: «¿Tratas de descubrir si me interpondré en tu camino con Thom, Nynaeve? Es bastante mayor para ti, y pensé que habías puesto tu corazón en otra persona, pero eres bastante adulta para tomar tus propias decisiones. Siento aprecio por Thom, como creo que él lo siente por mí. Lo considero como un segundo padre, así que, si quieres coquetear con él, tienes mi permiso. Sin embargo, de verdad creí que eras más constante en el terreno sentimental».

Luca tenía intención de cruzar el río por la mañana, y Samara, la ciudad que había en la otra orilla, en Ghealdan, no era un lugar conveniente en el que quedarse. Luca había pasado en Samara la mayor parte del día desde que llegaron, buscando un buen lugar en el que montar su espectáculo, preocupado sólo de que otros espectáculos ambulantes se le hubieran adelantado, ya que no era el único que llevaba algo más que animales amaestrados. Tal era la razón de que hubiera insistido tanto en que Nynaeve dejara que Thom le lanzara los cuchillos. La mujer pensó que tenía suerte de que no pretendiera que caminara por el cable junto con Elayne. Ese hombre parecía pensar que lo más importante del mundo era que su espectáculo fuera mayor y mejor que todos los demás. Por su parte, lo que más le preocupaba a Nynaeve era el hecho de que el Profeta se encontrara en Samara acompañado por sus seguidores, que abarrotaban la ciudad y se repartían en tiendas, chozas y chabolas, formando otra ciudad que superaba el tamaño, bastante considerable, de la propia Samara. Ésta tenía una muralla alta de piedra, y de piedra eran también la mayoría de los edificios, algunos de ellos de tres pisos, y había más tejados de pizarra y tejas que de bálago.

Esta orilla del Eldar no era mejor. Habían pasado tres campamentos de Capas Blancas antes de llegar al sitio donde se habían parado; eran centenares de tiendas blancas colocadas en ordenadas hileras, y tenía que haber más que no habían visto. Los Capas Blancas a este lado del río, y el Profeta y quizás algún tumulto a punto de estallar en el otro, y ella no tenía ni idea de adónde ir ni medio de transporte que los llevara allí excepto un lento carromato que avanzaba a paso de tortuga. Ojalá no se hubiera dejado convencer por Elayne para que abandonaran el carruaje. Al no ver ninguna planta lo bastante cerca para asestarle un varazo sin tener que desviarse, partió la cañaheja por la mitad una y otra vez, hasta que la hizo trozos pequeños que después tiró. Ojalá pudiera hacer lo mismo con Luca. Y con Galad Damodred, por obligarlas a huir. Y a al'Lan Mandragoran, por no estar allí. Y no es que ella lo necesitara, naturalmente. Pero su presencia habría sido... reconfortante.

El campamento estaba silencioso, con las cenas preparándose sobre pequeñas lumbres, al lado de los carromatos. Petro estaba alimentando a un león de negra melena, metiendo grandes trozos de carne a través de los barrotes con un palo. Las leonas ya daban buena cuenta de sus raciones sociablemente, soltando de vez en cuando un rugido si alguien se acercaba demasiado a la jaula. Nynaeve se paró cerca de la carreta de Aludra; la Iluminadora estaba trabajando con el mortero y el majador de madera sobre una mesa abatible, adosada a un costado del carromato, mascullando entre dientes sobre lo que quiera que estaba combinando. Tres de los Chavana dedicaron una sonrisa seductora a Nynaeve y le hicieron señas para que se reuniera con ellos. Ninguno de ellos era Brugh, que todavía estaba enfadado por lo de su labio, aunque ella le había dado un ungüento para que le bajara la hinchazón. A lo mejor si atizaba a los demás con igual contundencia harían caso a Luca —y, lo más importante, ¡a ella!— y comprenderían que no le gustaban sus sonrisas. Era una lástima que maese Valan Luca no siguiera sus propias recomendaciones. Latelle estaba cerca de la jaula de los osos; se volvió y le dedicó una sonrisa tirante, aunque más bien parecía una mueca de satisfacción. Pero, principalmente, Nynaeve observaba a Cerandin, que estaba limando las romas uñas de uno de los enormes *s'redit* grises con lo que parecía una herramienta adecuada para lijar metales.

—Ésa —dijo Aludra— sabe utilizar las manos y los pies con notable habilidad, ¿no? No me mires así, Nana —añadió mientras se sacudía las manos—. No soy tu enemiga. Toma, tienes que probar estos nuevos fósforos.

Nynaeve cogió cautelosamente la caja de madera de la oscura mano de la otra mujer. Era un pequeño recipiente cuadrado que podía sostener fácilmente con una mano, pero utilizó las dos.

—Creí que los llamabas mixtos.

—Tal vez sí y tal vez no. Fósforos denota que son mucho mejores que mixtos, ¿no te parece? He alisado los pequeños agujeros que sujetan los palitos para que así ya no se prendan en la madera. Una buena idea, ¿no? Y las cabezas son de un nuevo compuesto. ¿Los probarás y me dirás qué te parecen?

—Sí, por supuesto. Gracias.

Nynaeve se alejó deprisa, antes de que la mujer le diera otra caja. Sostenía aquella cosa como si fuera a explotar en cualquier momento, cosa que no estaba segura de que no pudiera ocurrir. Aludra había hecho que todos probaran sus mixtos o fósforos o comoquiera que decidiera llamarlos la próxima vez. Desde luego, encendían un fuego o una lámpara. Y también se prendían si las cabezas azulgrisáceas se frotaban entre sí o contra algo áspero. En lo que a ella concernía, prefería encender con yesquero o con un carbón prendido conservado adecuadamente en una caja de arena. Era mucho más seguro.

Juilin le salió al paso antes de que tuviera ocasión de llegar a la escalera del carromato que compartía con Elayne, y la vista del hombre fue directamente a su ojo hinchado. Nynaeve le asestó una mirada tan cortante que lo hizo retroceder un paso y destocarse rápidamente de aquel ridículo gorro cónico.

—He estado al otro lado del río —informó—. Hay unos cien Capas Blancas en Samara. Se limitan a vigilar con tanto interés a los soldados ghealdanos como éstos los vigilan a ellos. Pero reconocí a uno de ellos. Es el joven que estaba sentado al otro lado de la calle en Sienda, enfrente de La Luz de la Verdad.

Nynaeve sonrió y Juilin retrocedió otro paso, observándola con recelo. Así que Galad estaba en Samara. Era lo único que les faltaba.

—Qué noticias tan buenas traes siempre, Juilin. Deberíamos haberte dejado en Tanchico o, mejor aun, en el puerto de Tear. —Era un comentario muy injusto. Más valía que le hubiera advertido de la presencia de Galad que dejar que se topara con él al volver una esquina—.

Gracias, Juilin. Por lo menos ahora sabemos que tenemos que andar ojo avizor con él.

En opinión de Nynaeve, el brusco asentimiento del hombre no era la respuesta más adecuada a sus palabras de agradecimiento dadas con tanta cortesía. Se marchó presuroso mientras se colocaba el gorro, como si esperara que fuera a golpearlo en cualquier momento. Los hombres no tenían modales.

El interior del carromato estaba mucho más limpio que cuando Thom y Juilin lo habían comprado. Habían rascado toda pintura desconchada —los dos hombres habían rezongado por tener que encargarse de ese trabajo— y a los armarios y la pequeña mesa que iba fija al suelo se les untó aceite y se los frotó hasta que brillaron. El pequeño hogar de ladrillos, con la chimenea metálica, no se había usado —las noches eran cálidas y, si empezaban a cocinar allí, Thom y Juilin volverían a torcer el gesto— pero servía muy bien para guardar sus posesiones de valor, como las bolsas de dinero y los cofrecillos con joyas. Nynaeve había metido la bolsa de gamuza que contenía el sello tan dentro del tubo metálico como pudo y no lo había vuelto a tocar desde entonces.

Elayne estaba sentada en una de las estrechas camas, metiendo algo debajo de las mantas, cuando Nynaeve entró, pero antes de que ésta tuviera tiempo de preguntarle qué hacía, la heredera del trono exclamó:

—¡Tu ojo! ¿Qué te ha pasado? —Su cabello necesitaba un lavado con jenpimienta otra vez; un tenue atisbo de color dorado asomaba en la raíz de los negros mechones. Había que hacerlo cada pocos días.

—Cerandin me dio un golpe cuando no estaba atenta —masculló la antigua Zahorí. El recordado sabor de la agrimonia y las hojas de ricino machacadas hizo que la lengua le salivara. No era ésa la razón de que hubiera dejado que Elayne acudiera también al último encuentro en el *Tel'-aran'rhiod*; no estaba eludiendo a Egwene. Sólo que ella había hecho la mayoría de viajes al Mundo de los Sueños entre una y otra reunión con la muchacha y las Sabias, y era justo que diera a Elayne ocasión para practicar. Era por eso.

Con todo tipo de precauciones, soltó la caja de fósforos dentro de un armario, junto a otras dos. La que se había prendido había sido desechada hacía tiempo.

No sabía por qué estaba ocultando la verdad. Evidentemente, Elayne no había salido del carromato o en caso contrario ya lo sabría. Juilin y ella eran probablemente las únicas personas del campamento que lo ignoraban ahora que Thom le habría contado a Luca hasta el último detalle.

—Le... pregunté a Cerandin sobre las *damane* y las *sul'dam*. Estoy segura de que sabe más de lo que da a entender. —Hizo una pausa para que Elayne expresara en voz alta sus dudas de que hubiera preguntado y no exigido saber y para decir que la seanchan ya les había contado todo lo que sabía, que no había tenido mucho contacto con *damane o sul'dam*. Pero Elayne guardó silencio y Nynaeve comprendió que lo único que estaba haciendo era retrasar el momento de dar explicaciones buscando una discusión—. Se puso de muy mal humor protestando que no sabía nada más, así que la sacudí. Realmente te has excedido dándole confianzas. ¡Se atrevió a agitar el dedo delante de mi nariz! —Elayne siguió mirándola en silencio, sin pestañear. Nynaeve apartó la vista sin poder evitarlo mientras continuaba—: Me... lanzó por encima de su hombro de alguna manera. Me levanté y le di una bofetada, entonces ella me pegó un puñetazo que me tiró. Por eso tengo el ojo así. —Ya puesta, podía contarle el resto; de todos modos, Elayne no tardaría en enterarse, así que sería mejor que oyera su versión, aunque, a decir verdad, habría preferido arrancarse la lengua—. No iba a consentir que me tratara así, de modo que peleamos un poco más. —No hubo mucha pelea por su parte, aunque se negó a darse por vencida. La amarga verdad era que Cerandin sólo dejó de vapulearla y derribarla con estratagemas porque era como maltratar a una cría. Nynaeve había tenido tan pocas oportunidades de defenderse como si lo fuera realmente. Si no hubiera habido nadie observando, habría podido encauzar; en realidad estaba lo bastante furiosa para hacerlo. Pero había espectadores, claro. Ojalá Cerandin le hubiera dado de puñetazos hasta hacerla sangrar.

»Entonces Latelle le dio un palo. Ya sabes las ganas que me tiene Latelle. —Desde luego, no era necesario contar que, para entonces, Cerandin le tenía la cabeza metida debajo del fondo de una carreta. Nadie la había maltratado así desde que arrojó un cubo de agua a Neysa Ayellan, cuando tenía dieciséis años—. En fin, Petro puso fin a la pelea. —Y justo a tiempo. El hombretón las había agarrado a las dos por el cogote como si fueran gatitos—. Cerandin se disculpó y eso es todo. —Petro había hecho que la seanchan se disculpara, cierto, pero también obligó a Nynaeve a hacer lo mismo, sin aflojar los dedos de su cuello hasta que se disculpó. Le había dado puñetazos con todas sus fuerzas, en pleno estómago, pero el hombre ni siquiera se inmutó, y Nynaeve se temía que la mano también se le iba a hinchar—. No pasó gran cosa, realmente, aunque supongo que Latelle intentará contar las cosas a su modo. A ella es a quien debería sacudir. Por lo visto no le aticé tan fuerte como tendría que haberlo hecho.

Se sintió mejor al confesar la verdad, pero en el semblante de Elayne se reflejaba una expresión de duda que la hizo querer cambiar de tema.

—¿Qué estabas escondiendo? —Alargó la mano y retiró la manta, dejando a la vista la cadena plateada del *a'dam* que les había entregado Cerandin—. En nombre de la Luz, ¿para qué quieres mirar esa cosa? ¿Y por qué lo escondiste? Es repulsivo, y no entiendo cómo eres capaz de tocarlo, pero si deseas hacerlo, depende exclusivamente de ti.

—No seas tan gazmoña —contestó Elayne. Esbozó lentamente una sonrisa y un leve rubor de excitación le tiñó las mejillas—. Creo que podría hacer uno.

—¡Hacer uno! —Nynaeve bajó el tono, confiando en que nadie apareciera por allí para ver cuál de las dos estaba matando a la otra, pero no por ello su voz sonó menos dura—. ¡Luz! ¿Por qué? Haz antes un pozo de letrina o un estercolero. Al menos esas cosas tienen una utilidad decente.

—En realidad no tengo intención de hacer un *a'dam.* —Elayne mantenía una postura erguida, con la barbilla levantada con aquel frío estilo tan propio de ella. Parecía ofendida y mostraba una helada calma—. Pero es un *ter'angreal* y he desentrañado cómo funciona. Te vi asistir al menos a una clase sobre la coligación. El *a'dam* vincula a las dos mujeres; ésa es la razón de que la *sul'dam* tenga que ser una mujer que también pueda encauzar. —Frunció el entrecejo levemente—. Sin embargo, es una extraña ligazón. Diferente. En lugar de ser algo compartido por dos o más, con una de guía, en realidad es una quien tiene todo el control. Creo que tal es el motivo de que una *damane* no pueda hacer nada que la *sul'dam* no quiera que haga. No creo que la cadena sea en absoluto necesaria. El collar y el brazalete funcionarían también sin ella, y con los mismos resultados.

—Funcionarían también —repitió con timbre seco Nynaeve—. Has estudiado mucho el tema para no tener intención de construir uno.

—La joven ni siquiera tuvo la decencia de enrojecer—. ¿Y qué uso le darías? No diré que tomaría a mal que pusieras uno alrededor del cuello de Elaida, pero eso no lo hace menos repug...

—¿Es que no lo entiendes? —la interrumpió la heredera del trono, cuya altanería había desaparecido eclipsada por la excitación y el entusiasmo. Se inclinó para poner la mano sobre la rodilla de Nynaeve, y sus ojos resplandecían de lo satisfecha que se sentía de sí misma—. Es un *ter'angreal* y creo que sé cómo hacer uno. —Pronunció cada palabra con una lentitud deliberada, y después se echó a reír y prosiguió, casi atropellándose—: Si soy capaz de hacer éste, también podré hacer otros. Tal vez incluso esté capacitada para hacer *angreal* y *sa'angreal.* ¡Hace miles de años que no ha habido en la Torre nadie capaz de algo así! —Se enderezó, tuvo un escalofrío, y se puso los dedos sobre los labios.

»Jamás imaginé que crearía nada por mí misma. Nada útil. Recuerdo una vez que vi un artesano, un hombre que había fabricado unas sillas para palacio. No llevaban dorados ni estaban muy talladas pues eran para los aposentos de la servidumbre, pero advertí en sus ojos un brillo enorgullecido. Se sentía orgulloso de lo que había hecho, algo bien realizado. Creo que me encantaría tener esa sensación. Oh, si tuviera aunque sólo fuera una parte de los conocimientos que poseen los Renegados... Todos esos conocimientos de la Era de Leyenda en sus cabezas, y los utilizan para servir a la Sombra. Imagina lo que podríamos hacer, lo que podríamos llevar a cabo. —Respiró hondo y dejó caer las manos en el regazo, sin perder el entusiasmo—. En fin, dejando eso a un lado, apuesto a que también podría descifrar cómo se construyó Puente Blanco. Edificios cual encaje de cristal pero más resistente que el acero. Y el *cuendillar*, y...

—Para el carro —dijo Nynaeve—. Puente Blanco está a ochocientos o novecientos kilómetros de aquí, y si piensas que vas a encauzar en el sello, estás equivocada. ¿Quién sabe lo que podría ocurrir? Se queda en su bolsa, en la chimenea, hasta que encontremos un lugar más seguro para guardarlo.

La ansiedad de Elayne resultaba chocante. A Nynaeve no le habría importado, ni mucho menos, poseer un poco de los conocimientos de los Renegados, pero si necesitaba una silla, se la encargaba a un carpintero. Nunca había sentido la necesidad de elaborar nada, aparte de ungüentos y pociones. Cuando tenía doce años, su madre había renunciado a intentar enseñarle a coser después de que resultara evidente que le importaba poco si hacía una costura recta o torcida y que no había forma de convencerla para que le importara. En cuanto a cocinar... De hecho, se consideraba una aceptable cocinera, pero el asunto era que sabía lo que era trascendente. Curar era importante. Cualquier hombre podía construir un puente, y, por ella, que lo hiciera.

—Con todo ese parloteo tuyo sobre el *a'dam* casi me olvido de una cosa —continuó—. Juilin vio a Galad al otro lado del río.

—Maldición —rezongó Elayne, y al ver que Nynaeve enarcaba las cejas, agregó firmemente—: No pienso aguantar un sermón sobre mi forma de hablar, Nynaeve. ¿Qué vamos a hacer?

—Tal y como están las cosas, podemos quedarnos en esta ribera y aguantar la vigilancia de los Capas Blancas, que se preguntarán por qué nos separamos de la compañía, o podemos cruzar el puente y confiar en que el Profeta no provoque un tumulto y que Galad no nos denuncie, o también podemos intentar comprar un bote de remos y huir río abajo. Ninguna de las opciones es muy buena. Además, Luca querrá que le paguemos los cien marcos. De oro. —Procuró no ponerse ceñuda, pero aquello todavía le picaba—. Se lo prometiste, y supongo que no sería honrado escabullirnos sin pagarle. —Lo haría sin dudar si hubiera adónde ir.

—No, por supuesto que no —dijo Elayne, que parecía escandalizada—. Pero no tenemos que preocuparnos por Galad, siempre y cuando no nos alejemos de la compañía. Galad no se acercaría a un espectáculo así. Piensa que enjaular animales es cruel. Y no es que le importe cazarlos ni comerlos, fíjate bien. Sólo enjaularlos. —Nynaeve sacudió la cabeza. La verdad era que Elayne habría encontrado algún modo de retrasar la marcha, aunque sólo fuera por un día, aunque tuvieran medios para irse. Realmente deseaba caminar por el cable delante de otras personas que no fueran los integrantes de la compañía. Y ella seguramente no tendría más remedio que dejar que Thom le lanzara los cuchillos. «¡Pero no pienso ponerme el maldito vestido!»

—Vamos a coger el primer barco lo bastante grande para llevar cuatro pasajeros —dijo—. El comercio por el río no puede haberse interrumpido totalmente.

—Sería de cierta ayuda saber adónde nos dirigimos. —El tono de la joven era demasiado dulce—. Podríamos ir a Tear, ¿sabes? No tenemos que quedarnos con la compañía sólo porque tú... —Dejó inacabada la frase, pero Nynaeve sabía lo que había estado a punto de decir. Sólo porque fuera tan cabezota. Sólo porque estuviera tan furiosa que era incapaz de recordar un simple nombre que estaba empeñada en recordar e ir allí aunque le costara la vida. Bueno, pues nada de eso era cierto. Lo que intentaba era encontrar a esas Aes Sedai que podrían apoyar a Rand y conducirlas hasta él, no llegar a Tear como una pobre refugiada que buscara asilo y seguridad.

—Me acordaré —manifestó con voz impasible. «Acababa en "bar". ¿O era en "dar"? ¿O "lar"?»—. Lo recordaré antes de que te canses de alardear caminando por el cable. —«¡Y no pienso llevar ese vestido!»

34

Una flecha de plata

Le tocaba a Elayne encargarse de cocinar esa noche, lo que significaba que ninguno de los platos sería sencillo a pesar de que tenían que comer en banquetas alrededor de la lumbre, acompañados por el canto de grillos resonando en la fronda, y alguno que otro silbido débil y triste de un pájaro nocturno a medida que anochecía. El primer plato consistió en una crema tría y gelatinosa, con unas hojas de endibia picadas y esparcidas por encima. La Luz sabría dónde las habría conseguido, al igual que las pequeñas cebollas que sirvió con los guisantes. La ternera estaba partida en lonchas lo bastante finas para ver a través de ellas, y envueltas alrededor de una mezcla de zanahorias, judías dulces, cebolletas y queso de cabra; y hasta había de postre un pequeño pastel de miel.

Todo estaba bueno, aunque Elayne se apuró porque según ella nada sabía exactamente como debería; por lo visto pensaba que podía copiar el trabajo de los cocineros del Palacio Real de Caemlyn. Nynaeve estaba segura de que la muchacha no buscaba halagos. Elayne era de las que rechazaba las felicitaciones y decía exactamente lo que no estaba bien. Thom y Juilin rezongaron porque la ternera fuera tan escasa, pero Nynaeve advirtió que no sólo se comieron hasta la última pizca, sino que estaban desilusionados cuando acabaron el último guisante. Cuando cocinaba ella, por alguna razón los dos hombres comían siempre en alguno de los otros carromatos. Por su parte, cuando les tocaba cocinar a ellos, siempre había guisado o carne con judías tan sazonadas con pimienta que la lengua ardía.

Ni que decir tiene que no comieron solos. Luca se ocupó de ello, llevando su propia banqueta, que colocó al lado de la de Nynaeve; se sentó con la roja capa extendida para lucirla lo más posible, y con las largas piernas estiradas de manera que se vieran bien las torneadas pantorrillas por encima de las botas dobladas. Acudía casi todas las noches. Cosa curiosa, las únicas que faltaba eran aquellas en las que le tocaba cocinar a ella.

Le parecía interesante tener los ojos del hombre fijos en ella cuando estaba delante una mujer tan guapa como Elayne, pero Luca tenía sus motivos. Se sentaba demasiado cerca —esa noche Nynaeve había tenido que correr su banqueta tres veces, pero él hizo otro tanto sin la menor señal de vacilación en su conversación ni indicio alguno de haberse dado cuenta— y alternaba el compararla con diferentes flores, para detrimento de éstas, haciendo caso omiso del ojo negro de la mujer que no podía dejar de ver a menos que fuera ciego, y musitando lo hermosa que estaría con aquel vestido rojo mientras intercalaba halagos sobre su coraje. En dos ocasiones dejó caer la sugerencia de que podrían dar un paseo a la luz de la luna, insinuaciones tan veladas que Nynaeve no supo con exactitud que lo eran hasta que las meditó.

—Ese atuendo enmarcará a la perfección tu valor manifiesto —le susurró al oído—, aunque ni una cuarta parte tan bien de como lo haces tú misma, pues los lirios que florecen de noche palidecerían de envidia al verte caminar junto al agua alumbrada por la luna, y yo me convertiría en bardo para cantar tus alabanzas bajo esa misma luminaria.

Nynaeve lo miró, parpadeando en su esfuerzo por dilucidar esto último. Por lo visto, Luca creyó que parpadeaba para coquetear con él; disimuladamente, ella le dio un codazo en las costillas un momento antes de que el hombre le mordisqueara la oreja. O, al menos, ésa parecía ser la intención que llevaba, aunque ahora tosió y afirmó que una miga del pastel se le había ido por mal sitio. Luca era realmente atractivo —«¡Basta de tonterías!»— y tenía unas pantorrillas bien formadas —«¿Pero qué demonios haces, mirándole las piernas?»— aunque debía de considerarla una tonta sin dos dedos de frente. Y todo ello en beneficio de su condenado espectáculo.

Aprovechó para retirar de nuevo su banqueta mientras él intentaba recuperar el aliento; no podía retirarse mucho sin poner de manifiesto que estaba huyendo de él, bien que tenía presto el tenedor por si acaso el hombre la seguía otra vez. Thom no levantaba la vista de su plato, a pesar de que no quedaba nada en él. Juilin se puso a silbar fuera de tono y muy bajito, contemplando fijamente el moribundo fuego. Elayne la miró y sacudió la cabeza.

—Ha sido muy agradable tenerte con nosotros en la cena —dijo Nynaeve mientras se ponía de pie. Luca la imitó de inmediato, con una expresión esperanzada en los ojos, que reflejaban el mortecino brillo de la lumbre. Puso su plato sobre el que sostenía él—. Estoy segura de que Thom y Juilin agradecerán tu ayuda en la limpieza de los platos. —Antes de que la boca de Luca acabara de abrirse con sorpresa, se volvió hacia Elayne—. Es tarde, y supongo que cruzaremos el río a primera hora de la mañana.

—Por supuesto —murmuró Elayne con un atisbo de sonrisa, y puso su plato encima del de Nynaeve antes de seguirla al interior del carromato. Nynaeve habría querido abrazarla. Hasta que la heredera del trono dijo—: De verdad, no deberías animarlo.

Las lámparas montadas en unos soportes de pared se encendieron repentinamente; Nynaeve se puso en jarras.

—¡Animarlo, dices! ¡La única forma de alentarlo menos de lo que lo hago sería pincharlo con un cuchillo! —Resopló para dar énfasis a sus palabras, y miró las lámparas con gesto ceñudo—. La próxima vez, utiliza uno de los fósforos de Aludra. Los fósforos. Algún día vas a olvidarte y encauzarás donde no debes, y entonces ¿en qué situación nos encontraremos? Huyendo a todo correr para salvar la vida, con un centenar de Capas Blancas persiguiéndonos.

Testaruda hasta la exageración, la otra mujer se negó a pasar a otro tema.

—Seré más joven que tú, pero a veces creo que sé más sobre los hombres de lo que tú sabrás nunca. Para alguien como Valan Luca, ese ligero escabullirse con coquetería era una clara invitación a que siguiera persiguiéndote. Si le hubieras atizado un puñetazo en la nariz como hiciste el primer día, a lo mejor se habría dado por vencido. Pero no le dijiste que dejara de hacerlo. ¡Ni siquiera se lo pediste! Seguías sonriéndole, Nynaeve. ¿Qué esperabas que pensara el hombre? ¡En realidad, le has estado sonriendo a todo el mundo desde hace días!

—Intento dominar mi mal genio —rezongó Nynaeve. Todos protestaban por su carácter seco y, ahora que procuraba controlarlo, Elayne protestaba por ello. No actuaba así porque fuera tan estúpida como para dejarse engañar por los halagos de Luca. No lo era, ni mucho menos. Elayne se rió, y ella la miró ceñuda.

—Oh, Nynaeve. «No puedes impedir que el sol salga al amanecer.» Es lo que Lini te habría dicho.

Con gran esfuerzo, la antigua Zahorí consiguió borrar el gesto mohíno. Podía contener el genio. «¿Acaso no lo he demostrado ahí fuera?»

—Dame el anillo —pidió, tendiendo la mano—. Luca querrá cruzar el río a primera hora, de eso no me cabe duda, y quiero disfrutar de un sueño de verdad cuando haya terminado.

—Creí que esta noche me tocaba a mí. —En la voz de Elayne se advertía un tono de preocupación—. Nynaeve, has estado entrando en el *Tel'aran'rhiod* prácticamente todas las noches excepto en los encuentros con Egwene. Esa Bair tiene ganas de ajustar cuentas contigo, por cierto. No me quedó más remedio que decirles por qué no habías acudido a las citas, y me contestó que no tendrías que descansar por muy a menudo que entraras en el Mundo de los Sueños, a menos que estés haciendo algo mal. —La preocupación dio paso a la firmeza, y fue la mujer más joven quien se puso en jarras—. Tuve que aguantar una regañina que era para ti, y no resultó agradable, con Egwene delante asintiendo con la cabeza a cada palabra dicha. En fin, de verdad creo que esta noche debería...

—Por favor, Elayne. —Nynaeve no retiró la mano tendida—. Tengo que hacer unas preguntas a Birgitte, y sus respuestas podrían dar lugar a otras cuestiones. —Las tenía, más o menos; no le sería difícil encontrar preguntas para Birgitte. Su insistencia no tenía nada que ver con evitar a Egwene y a las Sabias. Si visitaba el *Tel'aran'rhiod* tan a menudo que Elayne debía acudir siempre a las citas con Egwene, era porque las cosas salían así, nada más.

Elayne suspiró, pero sacó el anillo de piedra por el escote de su vestido.

—Vuelve a pedirle permiso para contarlo, Nynaeve. Cada vez me resulta más difícil enfrentarme a Egwene. Vio a Birgitte. No dice nada, pero no deja de mirarme fijamente. Y la cosa empeora aun más cuando nos vemos después de haberse ido las Sabias. Entonces podría preguntar, pero no lo hace, y con ello sólo consigue que me sienta peor. —Frunció el entrecejo mientras Nynaeve se colgaba el pequeño *ter'angreal* en el cordón de cuero que llevaba al cuello, con el pesado sello de Lan y el anillo de la Gran Serpiente—. ¿Por qué crees tú que ninguna de las Sabias ha ido nunca con ella allí? No descubrimos gran cosa en el estudio de Elaida, pero lo lógico sería que les gustara conocer la Torre. Egwene ni siquiera desea referirse a ello cuando están ellas. Si cualquier cosa que diga apunta en esa dirección, me asesta una mirada que pensarías que desea golpearme.

—Supongo que querrán evitar la Torre todo lo posible. —Y con ello demostraban ser muy listas. Si no fuera por la Curación, ella eludiría ese lugar, y también a las Aes Sedai. Por supuesto, ella no se estaba convirtiendo en Aes Sedai; sólo lo aguantaba para aprender más sobre la Curación. Y, naturalmente, para ayudar a Rand—. Son mujeres libres, Elayne. Aun en el caso de que la Torre no se encontrara en el caos actual, ¿crees que querrían que las Aes Sedai deambularan por el Yermo para cogerlas y llevarlas a Tar Valon?

—Imagino que ése es el motivo. —Empero, el tono de la joven dejaba muy claro que no lo entendía. Para ella, la Torre era algo maravilloso, y no comprendía que ninguna mujer deseara evitar a las Aes Sedai. Coligada a la Torre Blanca para siempre, decían cuando le ponían a una ese anillo en el dedo. Y lo decían totalmente en serio. Sin embargo, esta estúpida muchacha no lo veía en absoluto tan oneroso.

Elayne la ayudó a desvestirse, y a continuación Nynaeve se tumbó en el estrecho catre, sólo con la camisola, y bostezó. Había sido un día muy largo, y resultaba sorprendente lo agotador que podía ser permanecer plantada, completamente inmóvil, mientras alguien a quien no veías te lanzaba cuchillos. Los ojos se le cerraron y unas ideas extrañas pasaron por su cabeza. Elayne aseguraba que sólo estaba practicando cuando había tonteado con Thom, aunque tampoco el numerito del «querido padre e hija favorita» resultaba menos ridículo que el otro. A lo mejor también ella debería practicar, sólo un poco, con Valan. Vaya, eso sí que era una estupidez. Puede que a los hombres los ojos se les fueran hacia otras mujeres —¡más le valía a Lan que no!—, pero ella sabía ser constante. No pensaba ponerse aquel condenado vestido. Dejaba demasiado al descubierto los senos.

—No olvides pedírselo otra vez —oyó decir vagamente a Elayne.

Se quedó dormida.

Estaba fuera del carromato, en medio de la noche. La luna lucía en lo alto, y unas nubes arrastradas por la brisa arrojaban sombras sobre el campamento. Los grillos cantaban y los pájaros nocturnos emitían sus llamadas. Los ojos de los leones brillaron al observarla desde las jaulas. Los osos de hocico blanco eran oscuros bultos durmientes tras los barrotes de hierro. La larga hilera de estacas donde se ataba a los caballos aparecía vacía, los perros de Clarine no estaban en las correas sujetas en la parte inferior del carromato de la pareja, y el espacio ocupado por los *s'redit* en el mundo de vigilia también se encontraba vacío. Con la práctica había descubierto que sólo los animales salvajes tenían su reflejo allí; pero, dijera lo que dijera la seanchan, costaba creer que esos inmensos animales grises llevaban domesticados tanto tiempo que habían dejado de ser salvajes.

De repente se dio cuenta de que llevaba el maldito vestido, de un intenso color rojo, demasiado ajustado a las caderas para resultar decente, y con un escote cuadrado tan bajo que temió salirse por él. Excepto Berelain, no imaginaba a ninguna mujer que accediera a ponérselo. Bueno, quizás ella lo llevaría para Lan, siempre y cuando estuvieran solos. Cuando se quedó dormida estaba pensando en él. «Sí, claro que pensaba en él, ¿no?»

En cualquier caso, no estaba dispuesta a que Birgitte la viera de esa guisa. La mujer afirmaba ser una guerrera, y cuanto más tiempo pasaba con ella, más se daba cuenta de que algunas de sus actitudes —y opiniones— eran tan malas como las de cualquier hombre. O peor. Una combinación de Berelain y un camorrista de taberna. No siempre hacía ese tipo de comentarios, pero sí cada vez que Nynaeve permitía que una idea peregrina se plasmara en algo tan absurdo como este vestido. Cambió su atuendo a un traje oscuro de buena lana de Dos Ríos, junto con un chal que no necesitaba, y el cabello trenzado de nuevo, como tenía que ser. Abrió la boca para llamar a Birgitte.

—¿Por qué lo cambiaste? —dijo la mujer mientras salía de las sombras y se apoyaba en el arco de plata. La intrincada trenza rubia le colgaba sobre un hombro, y la luz de la luna se reflejaba en el arco y las flechas—. Recuerdo que una vez llevé un vestido que podría pasar por una copia exacta de ése. Fue sólo para atraer la atención de los guardias, cuyos ojos se pusieron tan saltones como los de los sapos, a fin de que Gaidal pudiera escabullirse sin ser visto, pero resultó divertido. Sobre todo cuando más tarde bailé con él llevándolo puesto todavía. Jamás le ha gustado bailar, pero estaba tan decidido a no permitir que otros hombres se acercaran a mí que no dejó de bailar una sola pieza. —Birgitte rió con cariño—. Esa noche le gané cincuenta piezas de oro a la rueda, porque estaba tan absorto contemplándome que no miró sus fichas una sola vez. Los hombres tienen unas reacciones muy peculiares. Cualquiera habría dicho que nunca me había visto sin...

—Eso no importa ahora —la interrumpió Nynaeve con remilgo mientras se ajustaba el chal alrededor de los hombros.

—La he encontrado —anunció Birgitte antes de que tuviera tiempo de hacerle la pregunta.

—¿Dónde? ¿Te vio? ¿Puedes conducirme hasta ella sin que se dé cuenta? —El miedo le hacía un nudo en el estómago (buena opinión tendría Luca de su valor si la viera ahora), pero estaba convencida de que esa sensación sería reemplazada por la ira en el momento en que viera a Moghedien—. Si puedes llevarme cerca... —No terminó la frase al ver que Birgitte levantaba una mano.

—Imagino que no me vio o en caso contrario dudo que estuviese ahora aquí. —La mujer se comportaba con una gran seriedad, y Nynaeve descubrió que se sentía mucho más a gusto con ella cuando actuaba bajo esta faceta de soldado—. Puedo llevarte cerca un momento, si quieres, pero no está sola. Al menos... Ya verás. Tienes que guardar silencio y no debes emprender ninguna acción contra Moghedien. Hay otros Renegados. Tal vez podrías destruirla a ella, pero ¿crees que podrías acabar con cinco?

El desagradable hormigueo del estómago se extendió hasta el pecho de Nynaeve. Y a sus rodillas. Cinco. Debería preguntar a Birgitte qué había visto u oído y dejar el asunto ahí. Después regresaría a su cama y... Pero la mujer la estaba observando. No es que estuviera cuestionando su valor; sólo la miraba. Dispuesta a seguir adelante con esto si ella quería.

—Estaré callada. Y ni siquiera se me pasará por la cabeza la idea de encauzar. —Con cinco Renegados juntos, desde luego que no. Tampoco habría sido capaz de encauzar una pizca de Poder en este momento. Tensó las rodillas para que le dejaran de temblar—. Cuando quieras.

Birgitte alzó su arco y posó una mano sobre el brazo de Nynaeve...

... y la antigua Zahorí se quedó sin respiración. Ambas se encontraban de pie en medio de la nada, rodeadas por una negrura infinita, sin posibilidad de saber si estaban boca arriba o bien boca abajo, aunque en cualquier dirección que cayeran, sería para siempre. Mareada, se esforzó por mirar hacia el lugar donde Birgitte le señalaba.

Debajo de ellas, Moghedien estaba erguida en la oscuridad, vestida con algo casi tan negro como la nada que la rodeaba; se inclinaba ligeramente hacia adelante y escuchaba con atención. Y más abajo de su posición había cuatro enormes sillones de respaldo alto, todos diferentes, colocados sobre una superficie de relucientes baldosas blancas que flotaba en las tinieblas. Cosa extraña, Nynaeve podía oír lo que se hablaba en esos asientos con tanta claridad como si hubiera estado entre ellos.

—... nunca he sido cobarde —estaba diciendo una bonita y rellena mujer de cabello dorado—, de modo que ¿por qué iba a empezar a serlo ahora?

Daba la impresión de ir vestida con niebla gris brillante y resplandecientes joyas, y estaba reclinada en un asiento de marfil que parecía estar hecho con tallas de acróbatas desnudos. Cuatro figuras de hombres lo sostenían en vilo, y los brazos de la Renegada reposaban sobre las espaldas de mujeres arrodilladas; dos hombres y dos mujeres sostenían un cojín blanco de seda detrás de su cabeza, mientras que por encima otras figuras se contorsionaban en unas posturas que Nynaeve dudaba que ningún cuerpo humano pudiera adoptar. Enrojeció cuando cayó en la cuenta de que algunas de las figuras hacían algo más que ejercicios acrobáticos.

Un hombre de complexión compacta y de talla más bien baja, que tenía en el rostro una cicatriz lívida y una barba dorada, se adelantó en el asiento, furioso. Su sillón era de sólida madera tallada en columnas de hombres armados y caballos, y un guantelete de acero, cerrado en un puño, remataba la cúspide del respaldo. Su chaqueta roja compensaba la falta de dorado en el asiento, ya que unos bordados en oro cubrían los hombros y descendían por las mangas.

—Nadie me llama cobarde —espetó duramente—; pero, si continuamos como ahora, vendrá directamente por mí.

—Ése ha sido el plan desde el principio —dijo una melodiosa voz de mujer. Nynaeve no veía a la persona que hablaba, puesto que la ocultaba el alto respaldo de un sillón que parecía hecho de piedra blanca como nieve y de plata.

El segundo hombre era corpulento e inquietantemente atractivo, con las sienes pintadas de canas. Jugueteaba con una copa dorada, recostado en su trono. Tal era el único término adecuado para describir el sillón incrustado con gemas; aquí y allí se apreciaba un atisbo de dorado, pero Nynaeve estaba segura de que había oro macizo debajo de todos aquellos resplandecientes rubíes, esmeraldas y piedras de luna; el hombre daba una sensación de solidez que nada tenía que ver con su corpulencia.

—Se concentrará en ti —dijo con voz profunda—. Si es necesario, alguien cercano a él morirá, obviamente por orden tuya. Así vendrá por ti, y mientras está centrado sólo en tu persona, nosotros tres, coligados, lo cogeremos. ¿Qué ha cambiado para variar nada de eso?

—No ha cambiado nada —replicó el hombre de la cicatriz, sombrío—. Y lo que menos ha cambiado es mi falta de confianza en vosotros. Tomaré parte en la coligación o no sigo adelante con esto.

La mujer rubia echó la cabeza hacia atrás y empezó a reírse.

—Pobre hombre —dijo con sorna mientras agitaba una mano llena de anillos en su dirección—. ¿Acaso crees que no se daría cuenta si estuvieras coligado? Tiene un maestro, no lo olvides. Un mal maestro, pero no un completo necio. Lo siguiente que exigirás será incluir a suficientes de esas pequeñas del Ajah Negro para formar un círculo superior a trece, de modo que Rahvin o tú tengáis el control.

—Si Rahvin confía en nosotros lo bastante para coligarse teniendo que permitir que uno de nosotros nos guíe —intervino la voz melodiosa—, entonces tú deberás demostrar igual confianza. —El hombre corpulento bajó la vista a la copa dorada, y la mujer vestida de niebla esbozó una leve sonrisa—. Si eres incapaz de confiar en que no nos volveremos contra ti —continuó la mujer a la que no se veía—, entonces busca esa confianza en el hecho de que los demás estaremos vigilándonos tan estrechamente que no podremos ocuparnos de ti. Aceptaste el plan, Sammael. ¿Por qué empiezas ahora a poner pegas?

Nynaeve dio un respingo cuando Birgitte le tocó el brazo...

... y se encontraron de vuelta entre los carromatos, con la luna brillando a través de las nubes. Casi parecía normal comparándolo con el lugar donde habían estado.

—¿Por qué...? —empezó, pero tuvo que tragar saliva con esfuerzo—. ¿Por qué nos has traído de vuelta? —Tenía la sensación de que el corazón se le había subido a la garganta—. ¿Es que Moghedien nos vio? —Había estado tan pendiente de los Renegados, en la chocante mezcla de aspecto insólito y corriente de esas personas, que se había olvidado de vigilar a Moghedien. Soltó un profundo suspiro de alivio cuando Birgitte sacudió la cabeza.

—No le quité la vista de encima un solo momento, y no movió ni siquiera un músculo en todo ese tiempo. Pero no me gusta estar en una posición tan vulnerable. Si ella o cualquiera de los otros hubiera mirado hacia arriba...

Nynaeve se ajustó el chal alrededor de los hombros, pero aun así tembló.

—Rahvin y Sammael —musitó. Deseó que su voz no sonara tan ronca—. ¿Reconociste a los otros? —Pues claro que Birgitte los habría reconocido; era un modo absurdo de describirlo, pero estaba estremecida.

—Lanfear era la que estaba tapada por el sillón. La otra era Graendal. No te equivoques y la juzgues estúpida por estar repantigada en un sillón que habría hecho enrojecer a la dueña de un lupanar. Es retorcida, y utiliza a sus «animalitos de compañía» en ritos que harían que el más avezado soldado jurara mantener el celibato.

—Graendal es retorcida —dijo la voz de Moghedien—, pero no lo suficiente.

Birgitte giró veloz sobre sus talones al tiempo que levantaba el plateado arco y cogía una flecha, pero de repente salió lanzada por el aire treinta pasos y fue a estrellarse contra el carromato de Nynaeve con tanta violencia que rebotó otros cinco pasos y quedó tendida en el suelo, hecha un ovillo.

Nynaeve buscó desesperadamente el contacto con el *Saidar*. El miedo se entremezclaba con la ira, pero aun así estaba lo bastante furiosa para conseguirlo. Empero, chocó con un muro invisible que se interponía entre ella y el cálido brillo de la Fuente Verdadera. Casi aulló de desesperación. Algo la agarró por los pies y tiró de ellos hacia atrás y hacia arriba; sus manos se alzaron bruscamente hasta que las muñecas entraron en unas argollas que había por encima de su cabeza. Sus ropas se tornaron polvo que se deslizó sobre su piel, y la trenza tiró hacia atrás de la cabeza hasta que la punta tocó sus nalgas. Frenética, la antigua Zahorín intentó salir del sueño, pero no ocurrió nada. Estaba suspendida en el aire, doblada hacia atrás como una fiera enredada en una red, todos y cada uno de los músculos estirados al límite. Unos temblores le recorrieron el cuerpo; sus dedos se crisparon débilmente al rozar los pies. Pensó que si intentaba mover algo más la espalda se le rompería.

Cosa curiosa, el miedo había desaparecido, ahora que ya era demasiado tarde. Estaba segura de que habría reaccionado con la prontitud necesaria de no ser porque el terror la había paralizado cuando debía actuar. Lo único que deseaba era tener la oportunidad de echarle las manos a la garganta a Moghedien. «¡De mucho te vale eso ahora!» Cada inhalación era un doloroso jadeo.

Moghedien se desplazó hasta donde Nynaeve pudiera verla, entre el tembloroso triangulo de sus brazos. El brillo del *Saidar* rodeaba a la mujer, como una despiadada burla.

—Una parte del sillón de Graendal —dijo la Renegada. Su vestido era de niebla, como el de Graendal, pasando de una bruma negra a otra casi transparente, y de nuevo a la tonalidad pateada. El tejido cambiaba casi constantemente. Nynaeve la había visto llevándolo anteriormente, en Tanchico—. No es algo que se me hubiera ocurrido a mí, pero Graendal puede ser... instructiva. —Nynaeve le asestó una mirada furibunda, pero Moghedien no pareció advertirlo—. Me cuesta creer que tú estuvieras buscándome. ¿De verdad pensabas que porque una vez tuviste la suerte de cogerme por sorpresa eras mi igual? —La risa de la mujer sonó cortante como un cuchillo—. Si supieras el trabajo que me he tomado para encontrarte. Y viniste voluntariamente a mí. —Echó una ojeada a los carromatos, observando los leones y los osos un momento antes de volver los ojos hacia Nynaeve—. Así que en un espectáculo ambulante, ¿no? Eso haría más fácil dar contigo. Si es que ahora me hiciera falta.

—¡Haz lo que se te antoje, maldita seas! —bramó Nynaeve lo mejor que pudo. Doblada como estaba, tuvo que forzar a salir las palabras de una en una. No se atrevía a mirar hacia donde estaba Birgitte, aunque tampoco habría podido volver la cabeza lo suficiente para hacerlo; pero, girando los ojos como en un acceso mezcla de rabia y miedo, consiguió atisbar algo. El estómago se le encogió a pesar de estar tan estirada como la piel de una oveja puesta a secar. Birgitte yacía despatarrada en el suelo, con las flechas plateadas desperdigadas de la aljaba que ceñía a la cintura, y el arco de plata tirado a un par de pasos de su mano inmóvil—. ¿Suerte, dices? Si no te las hubieras ingeniado para escabullirte de mí, te habría arrancado la piel a tiras hasta que te hubieses quedado ronca de chillar. Te habría retorcido el pescuezo como a una gallina. —Si Birgitte estaba muerta, sólo tenía una posibilidad, y no era muy halagüeña: poner tan furiosa a Moghedien que la matara rápidamente en un ataque de rabia. Ojalá hubiera algún modo de advertir a Elayne. Bueno, su muerte sería advertencia suficiente—. ¿Recuerdas cuando me dijiste que me utilizarías como un escabel para subir a tu caballo? ¿Y luego, cuando dije que te haría eso mismo? Eso fue después de que te vapuleara bien, cuando sollozabas y suplicabas por tu vida. Ofreciéndome a cambio cualquier cosa. ¡Eres una cobarde sin redaños! ¡Los detritos de un orinal! ¡Pedazo de...! —Algo grueso entró en su boca, le aplastó la lengua y la obligó a abrir al máximo las mandíbulas.

—Qué simple eres —murmuró Moghedien—. Créeme, ya estoy bastante furiosa contigo. Creo que no te usaré como escabel para subir a caballo. —Su sonrisa hizo que a Nynaeve se le pusiera piel de gallina—. Creo que te convertiré en caballo. Aquí es posible hacerlo. Un caballo, un ratón, una rana... —Hizo una pausa y escuchó—. Un grillo. Y cada vez que aparezcas en el *Tel'aran'rhiod,* serás un caballo, hasta que yo lo cambie. O lo haga algún otro con el conocimiento necesario. —Volvió a hacer una pausa y adoptó una expresión casi compasiva—. No, no querría darte falsas esperanzas. Ahora sólo quedamos nueve que sabemos cómo hacer ese truco, y te gustaría tan poco estar en manos de ninguno de ellos como en las mías. Sí, serás un caballo cada vez que te traiga aquí. Tendrás tu propia silla y arreos. Incluso te trenzaré la crin. —La coleta de Nynaeve tiró hacia atrás como si quisiera arrancarse de raíz—. Recordarás quién eres incluso entonces, por supuesto. Creo que disfrutaré mucho de nuestras cabalgadas, aunque probablemente tú no. —Moghedien hizo una profunda inhalación y su vestido adquirió un tono oscuro que brilló con la pálida luz lunar; Nynaeve no estaba segura, pero le pareció que podía ser el color de sangre húmeda—. Has hecho que me parezca a Semirhage y su forma de actuar. Es hora de que te ponga en tu sitio de una vez y así podré ocuparme de cosas importantes. ¿Está esa mozuela rubia contigo en esta compañía ambulante?

La mordaza desapareció de la boca de Nynaeve.

—Estoy sola, zorra estúp... —Terrible dolor. Como si Moghedien la hubiera apaleado desde los tobillos hasta los hombros, todos los golpes descargándose a la vez. Aulló con todas sus ganas. Otra vez. Intentó apretar los dientes con fuerza, pero su grito interminable le llenó los oídos. Las lágrimas corrían sin rebozo por sus mejillas y los sollozos la sacudían mientras esperaba que se descargara el próximo castigo.

—¿Está contigo? —inquirió pacientemente Moghedien—. No pierdas el tiempo de un modo absurdo intentando hacerme que te mate, porque no lo haré. Vivirás muchos años para servirme. Tus ridículas habilidades podrían serme útiles una vez que las haya adiestrado. Una vez que te haya domado. Pero puedo hacer que lo que acabas de sentir parezca la caricia de un amante si no respondes. Vamos, contéstame.

Nynaeve consiguió reunir aliento suficiente para hablar.

—No —sollozó—. Huyó con un hombre después de marcharnos de Tanchico. Un hombre bastante mayor para ser su abuelo, pero tenía dinero. Oímos lo que ocurrió en la Torre —estaba segura de que Moghedien debía de saber eso—, y le dio miedo volver.

La Renegada se echó a reír.

—Qué historia tan encantadora. Casi puedo entender que Semirhage encuentre placentero quebrantar el espíritu de las personas. Oh, cuánta diversión vas a proporcionarme, Nynaeve al'Meara. Pero antes vas a traerme a esa chica, Elayne. La aislarás de la Fuente y la atarás y me la pondrás a mis pies. ¿Sabes por qué? Porque algunas cosas son, de hecho, más fuertes en el *Tel'aran'rhiod* que en el mundo de vigilia. Por eso serás una hermosa yegua blanca cada vez que te traiga aquí. Y no son sólo las heridas sufridas aquí lo que permanece al despertar. La compulsión es otra de las cosas que persiste allí. Quiero que lo pienses durante unos segundos, antes de que empieces a creer que es tu propia idea. Sospecho que la chica es amiga tuya, pero vas a traérmela como un perrillo fald... —Moghedien gritó cuando la punta de una flecha de plata salió violentamente por debajo de su seno derecho.

Nynaeve cayó al suelo como un saco, y el impacto contra el suelo la dejó sin el poco aire que le quedaba en los pulmones, como si hubiera recibido un mazazo en el estómago. Debatiéndose para recobrar el aliento, se esforzó para obligar a sus músculos a moverse, para conseguir entrar en contacto con el *Saidar* a través del dolor.

Dando traspiés, Birgitte acabó de ponerse de pie al tiempo que tanteaba torpemente para coger otra flecha de la aljaba.

—¡Vete, Nynaeve! —Fue un grito farfullado—. ¡Huye! —Birgitte se tambaleó, y el arco de plata se meció, inestable, cuando lo levantó.

El brillo que rodeaba a Moghedien se intensificó hasta dar la sensación de que un sol cegador la envolvía.

La noche pareció doblarse sobre Birgitte cual una negra marea, envolviéndola en oscuridad. Cuando la ola pasó, el arco cayó sobre unas ropas vacías que se desplomaron en el suelo. El atuendo se desvaneció como una niebla evaporándose, y sólo quedaron el arco y las flechas, reluciendo con la luz de la luna.

Moghedien cayó de rodillas, jadeante, aferrando el astil de la flecha con las dos manos mientras el brillo a su alrededor perdía intensidad y se apagaba. Después la Renegada desapareció, y la flecha de plata cayó en el lugar ocupado antes por la mujer, donde había ahora una oscura mancha de sangre.

Tras lo que le pareció una eternidad, la antigua Zahorín se las arregló para incorporarse a gatas. Sollozando, se arrastró hasta el arco de Birgitte. Esta vez no era el dolor lo que la hacía llorar. Arrodillada, desnuda, y sin que le importara estarlo, aferró el arco.

—Lo siento —musitó entre sollozo y sollozo—. Oh, Birgitte, perdóname. ¡Birgitte!

No hubo respuesta salvo el gemebundo grito de un pájaro nocturno.

Liandrin se puso de pie rápidamente cuando la puerta del dormitorio de Moghedien se abrió con violencia y la Elegida entró en la salita dando traspiés, con las ropas de seda empapadas de sangre. Chesmal y Temaile corrieron hacia la mujer y la cogieron cada una por un brazo para sostenerla en pie, pero Liandrin no dio un paso hacia ellas. Las otras estaban fuera; tal vez en Amador, por lo que Liandrin sabía. Moghedien decía únicamente lo que quería que supiera quien la escuchaba, y castigaba por las preguntas que no le gustaban.

—¿Qué ha ocurrido? —jadeó Temaile.

La breve mirada de Moghedien debería haberla abrasado en el sitio.

—Tienes algunas pequeñas habilidades con la Curación —espetó la Elegida a Chesmal. La sangre teñía sus labios y resbalaba por la comisura de la boca en un reguerillo creciente—. Hazlo. ¡Ya, necia!

La morena ghealdana no vaciló en poner las manos sobre la cabeza de Moghedien. Liandrin observó con desprecio a la hermana Negra cuando el brillo del *Saidar* envolvió a Chesmal; la preocupación se reflejaba en el atractivo rostro de la Curadora, y los delicados rasgos zorrunos de Temaile aparecían crispados en una mueca de miedo e inquietud. Qué leales eran. Qué perrillos falderos tan fieles. Moghedien se irguió sobre las puntas de los pies, con la cabeza echada hacia atrás y los ojos desorbitados; se estremeció mientras la respiración salía de su boca crispada en un brusco jadeo, como si se hubiera sumergido de golpe en agua helada.

En cuestión de segundos, la Curación terminó. El brillo que rodeaba a Chesmal desapareció, y los talones de Moghedien se plantaron de nuevo en la alfombra. Seguramente se habría desplomado si Temaile no hubiera estado sosteniéndola. Sólo una parte del poder de la Curación provenía de la Fuente; el resto se originaba en la propia persona a quien se estaba sanando. Cualquier herida que hubiera provocado aquella hemorragia ya habría desaparecido, pero sin duda Moghedien debía de estar tan débil como si hubiera pasado semanas en cama sin moverse. Cogió el delicado pañuelo de seda, dorado y marfil, que Temaile llevaba como ceñidor, para limpiarse la boca mientras la hermana Negra la ayudaba a regresar hacia la puerta del dormitorio. Débil, y dándole la espalda.

Liandrin atacó con más fuerza que nunca, con todo el ímpetu que le proporcionaba el recuerdo de lo que la mujer le había hecho.

Mientras lo hacía, el *Saidar* pareció henchir a Moghedien como una oleada, y el ataque de Liandrin murió cuando la mujer quedó aislada de la Fuente. Unos flujos de Aire la ataron y la lanzaron contra los paneles de la pared con bastante fuerza para que los dientes chocaran entre sí. Indefensa, puesta en cruz, quedó allí colgada.

Chesmal y Temaile intercambiaron una mirada de desconcierto, como si no entendieran lo que ocurría. Siguieron sujetando a Moghedien cuando la Elegida caminó hacia donde estaba Liandrin inmovilizada y se paró delante, sin dejar de limpiarse la boca con el pañuelo de Temaile. Entonces encauzó, y la sangre de sus ropas se oscureció y cayó en secas escamas al suelo.

—N... no lo entendéis, I... insigne Señora —balbució, aterrada, Liandrin—. Sólo quería ayudaros para que tuvieseis un sueño reparador. —Por una vez en su vida, no le importó lo más mínimo volver al vulgar acento plebeyo de sus orígenes—. Sólo... —Enmudeció con un ruido gorgoteante cuando un flujo de Aire le asió la lengua y tiró de ella entre los dientes. Los azules ojos se desorbitaron. Un poco más de tensión y...

—¿Te la arranco? —Moghedien estudió su semblante, pero habló para sí misma—. No, creo que no. Tienes mala suerte de que esa mujer, al'Meara, me haya hecho probar los métodos de Semirhage. De otro modo, te habría matado rápidamente. —De pronto, ató el escudo e hizo el nudo aun más intrincado, de manera que Liandrin perdió por completo la pista de las vueltas y revueltas—. Ya está —dijo finalmente Moghedien con un timbre satisfecho—. Tendrías que buscar mucho tiempo para encontrar a alguien que sepa cómo desenredar eso. Pero no vas a tener la oportunidad de hacerlo.

Liandrin buscó en el rostro de Chesmal y en el de Temaile alguna señal de compasión, de lástima, de cualquier cosa. La mirada de Chesmal era fría y severa; los ojos de Temaile relucían, y la mujer se rozó los labios con la punta de la lengua y sonrió. Fue una mueca nada amistosa.

—Creías que sabías algo sobre la compulsión —continuó Moghedien—. Voy a enseñarte un poco más. —Liandrin experimentó un instante de puro terror; los ojos de Moghedien ocuparon todo su campo visual, del mismo modo que su voz llenó sus oídos, toda su cabeza—. Vive. —El peculiar instante pasó, y el rostro de Liandrin se cubrió de gotitas de sudor cuando la Elegida le sonrió—. La compulsión tiene límites, pero una orden para hacer lo que alguien desea hacer en lo más profundo de su ser perdura a lo largo de toda la vida. De modo que vivirás, por mucho que pienses que deseas quitarte la vida. Y lo pensarás, no lo dudes. Pasarás llorando muchas noches, deseándolo.

El flujo que sujetaba tirante la lengua de Liandrin desapareció, y la mujer apenas hizo una pausa para tragar saliva.

—Por favor, Insigne Señora, juro que no tenía intención de... —Su cabeza pareció estallar y unas motitas de luz danzaron ante sus ojos a causa de la tremenda bofetada de Moghedien.

—Hay cierto... atractivo en hacer algunas cosas físicamente —musitó la Elegida—. ¿Quieres seguir suplicando?

—Por favor, Insigne Señora... —La segunda bofetada le zarandeó la cabeza con tanta brusquedad que su cabello ondeó.

—¿Más?

—Por favor... —La tercera casi le desencajó la mandíbula. La mejilla le ardía.

—Si no sabes decir algo más original que eso, no te escucharé. Así que serás tú quien me escuche. Creo que lo que he planeado para ti le encantaría a la propia Semirhage. —La sonrisa de Moghedien era casi tan tenebrosa como la de Temaile—. Vivirás, sin ser neutralizada, sino sabiendo que volverías a encauzar si pudieses encontrar a alguien que desatara tu escudo. Empero, ése es sólo el principio. Evon se alegrará de contar con una nueva fregona en la cocina, y estoy segura de que la señora Arene querrá sostener largas charlas contigo sobre su marido. Vaya, seguro que disfrutarán tanto de tu compañía que dudo que salgas de esta casa durante los próximos años. Largos años en los que desearás haberme servido fielmente.

Liandrin sacudió la cabeza mientras articulaba sin ruido «no» y «por favor»; los sollozos le impedían pronunciar aquellas palabras en voz alta. Moghedien se volvió hacia Temaile.

—Prepárala para entregársela a esos dos. Y diles que no deben matarla ni lisiarla. Quiero que siempre piense que puede escapar. Hasta esa esperanza vana la mantendrá con vida para que siga sufriendo.

Dio media vuelta, apoyada en el brazo de Chesmal, y los flujos que sostenían a Liandrin pegada a la pared desaparecieron.

Las piernas se le doblaron como si fueran de paja, y la mujer se desplomó sobre la alfombra. Sólo permanecía el escudo, y Liandrin lo golpeó fútilmente mientras gateaba en pos de Moghedien intentando coger el repulgo de su vestido.

—Por favor, Insigne Señora —balbució, sacudida por sollozos desgarrados.

—Están con una compañía ambulante de titiriteros y animales domados —informó Moghedien a Chesmal—. Todas vosotras buscándolas, y he tenido que encontrarlas yo. Ese tipo de espectáculo no tiene que ser difícil de localizar.

—Os serviré fielmente —lloró Liandrin. El miedo había dejado fláccidos sus miembros y no podía gatear lo bastante deprisa para alcanzarlas. Las otras mujeres ni siquiera se molestaron en mirarla mientras se arrastraba sobre la alfombra detrás de ellas—. Vinculadme, Insigne Señora. Haced cualquier cosa. ¡Seré vuestro perro más fiel!

—Hay muchos espectáculos ambulantes viajando hacia el norte —dijo Chesmal; la ansiedad por borrar su fracaso era patente en la voz—. Hacia Ghealdan, Insigne Señora.

—Entonces tendré que ir allí —manifestó Moghedien—. Ocúpate de conseguir caballos rápidos y poneos...

La puerta del dormitorio se cerró tras ellas y apagó el sonido de las voces.

—Seré un perro fiel —sollozó Liandrin, hecha un ovillo sobre la alfombra. Alzó la cabeza y parpadeó para despejar sus ojos de lágrimas; vio a Temaile observándola mientras se frotaba los brazos y sonreía—. Podríamos dominarla, Temaile. Nosotras tres juntas podríamos...

—¿Nosotras tres? —Temaile se echó a reír—. Tú ni siquiera podrías dominar al gordo Evon. —Sus ojos se estrecharon mientras examinaba el escudo atado alrededor de Liandrin—. Daría igual si te hubiera neutralizado.

—Escúchame, por favor. —Liandrin tragó saliva con esfuerzo, en un intento de aclararse la voz; pero ésta seguía siendo ronca, aunque animada por un tono apremiante, cuando continuó tan deprisa que se atropellaban las palabras—: Hemos hablado de las disensiones que debe de haber entre los Elegidos. Si Moghedien se esconde con tanto empeño, entonces es que tiene que estar ocultándose de los otros Elegidos. Si la atrapamos y se la entregamos, piensa en la posición que ocuparíamos. Estaríamos por encima de reyes y reinas. ¡Nosotras mismas podríamos ser Elegidas!

Por un momento —un bendito y maravilloso momento— la mujer de rostro infantil vaciló. Después sacudió la cabeza.

—Siempre has aspirado a llegar muy alto, demasiado. «Quien busca alcanzar el sol, acaba abrasado.» No, me parece que no me arriesgaré a abrasarme por querer llegar muy alto. Creo que voy a hacer lo que me han mandado, a ablandarte un poco antes de entregarte a Evon. —De repente sonrió y enseñó los dientes, cosa que acentuó su parecido con un zorro—. Qué sorpresa se llevará cuando te arrastres para besarle los pies.

Liandrin se puso a chillar antes incluso de que Temaile empezara el castigo.

35

ERRADICACIÓN

Elayne bostezó sin apartar la vista de Nynaeve, que yacía en la cama con la cabeza apoyada sobre el brazo doblado y el negro cabello desparramado. Era absolutamente ridículo esta insistencia de que la que no entrara en el *Tel'aran'rhiod* permaneciese despierta. Ignoraba el intervalo transcurrido en el Mundo de los Sueños para Nynaeve, pero ella llevaba aquí sus buenas dos horas, sin un libro para leer ni una labor de costura con la que entretenerse ni nada en lo que ocupar el tiempo excepto contemplar a la otra mujer tendida en el estrecho camastro. Estudiar más el *a'dam* no tenía sentido; creía que ya había extraído de él toda la información posible. Incluso había intentado un ligero toque de Curación sobre la dormida mujer, quizá todo lo que conocía sobre ese Talento. Nynaeve no se lo habría consentido nunca estando despierta —no tenía muy buena opinión de la destreza de Elayne en este campo— o tal vez sí, en este caso. Lo cierto era que el moretón del ojo le había desaparecido. A fuer de ser sincera, ésta había sido la Curación más complicada que Elayne había realizado, y, de hecho, había agotado su capacidad curativa. Y sin nada que hacer. Si hubiera tenido un poco de plata, a lo mejor podría haber intentado crear un *a'dam*; la plata no era el único metal que podía utilizarse, pero en cualquier caso habría tenido que fundir monedas para obtenerlo. Eso le habría gustado aun menos a Nynaeve que encontrarse con un segundo *a'dam*. Si la otra mujer hubiera accedido a contarles a Thom y a Juilin todo esto, por lo menos podría haber invitado a Thom para distraerse conversando.

Realmente mantenían unas charlas muy agradables. Como un padre transmitiendo sus conocimientos a una hija. Nunca había sospechado que el Juego de las Casas tuviera tanto arraigo en Andor, aunque afortunadamente no estaba tan enraizado como en otros países. De él sólo escapaban completamente las Tierras Fronterizas, según Thom. Con La Llaga tan próxima en sus fronteras septentrionales y los ataques trollocs convertidos en un hecho cotidiano, no tenían tiempo para intrigas y maquinaciones. Thom y ella disfrutaban de estos ratos de charla ahora que el hombre se había convencido de que ella no iba a intentar acurrucarse en su regazo. Las mejillas le ardieron al recordarlo; realmente se le había pasado tal cosa por la cabeza un par de veces, aunque, gracias a la Luz, en el último momento le había faltado valor para hacerlo.

—«Hasta una reina tropieza con una piedra, pero una mujer juiciosa mira bien por dónde camina» —recitó en voz baja. Lini era una mujer sabia. Elayne creía que no volvería a caer en ese error. Sabía que cometía muchos, pero rara vez el mismo. Quizás algún día conseguiría incurrir en tan pocos errores que sería digna de suceder a su madre en el trono.

De repente se incorporó. De los ojos cerrados de Nynaeve manaban lágrimas que resbalaban por sus mejillas; lo que Elayne había tomado por un suave ronquido —Nynaeve roncaba por mucho que lo negara— era un débil, lastimoso sollozo nacido en lo más profundo de su garganta. Eso era anormal. Si hubiese recibido una herida, la marca habría aparecido aunque ella no la habría sentido hasta estar despierta.

«Quizá debería despertarla.» Pero vaciló, a pesar de que se había acercado a la otra mujer. Despertar a alguien que se encontraba en el *Tel'-aran'rhiod* era harto difícil —ni sacudir a esa persona ni echarle agua fría en la cara funcionaba siempre—, y a Nynaeve no le haría gracia que la despertara a fuerza de zarandeos después de la tunda que le había dado la seanchan. «Me pregunto qué pasó realmente. Tendré que preguntarle a Cerandin.» Fuera lo que fuera lo que estaba ocurriendo ahora, Nynaeve tenía que ser capaz de salir del sueño cuando quisiera. A menos que... Egwene le había contado que las Sabias podían retener a alguien en contra de su voluntad en el *Tel'aran'rhiod*, aunque, si su amiga había aprendido cómo hacerlo, no había compartido ese conocimiento con ellas dos. Si había alguien ahora reteniendo a la fuerza a Nynaeve, haciéndole daño, no podían ser ni Birgitte ni las Sabias. Bueno, a lo mejor las Sabias sí, si la habían pillado deambulando por donde consideraban que no debía estar. Empero, si no eran ellas, no quedaba más que otra posibilidad...

Cogió a Nynaeve por los hombros y la sacudió; si esto no funcionaba, enfriaría el agua de la jofaina o le daría bofetadas. Los ojos de la antigua Zahorí se abrieron bruscamente.

De inmediato, Nynaeve empezó a sollozar con una congoja como Elayne no había oído en su vida.

—La he matado. Oh, Elayne, ha muerto por culpa de mi estúpido orgullo, por pensar que... —Los estremecedores sollozos cortaron sus palabras.

—¿Que has matado a quién? —No podía ser Moghedien; la muerte de la Renegada no habría sido causa de semejante congoja. Estaba a punto de estrechar a Nynaeve entre sus brazos para consolarla cuando sonó una fuerte llamada a la puerta.

—Diles que se vayan —balbució su amiga mientras se hacía un ovillo en la cama, temblando de pies a cabeza.

Dando un suspiro, Elayne fue hacia la puerta y la abrió; pero, antes de que tuviera tiempo de pronunciar una sola palabra, Thom la apartó bruscamente para pasar. El hombre llevaba la arrugada camisa por fuera de los calzones, y cargaba en sus brazos a alguien envuelto en su capa. Sólo se veían los pies descalzos de una mujer.

—Estaba ahí fuera —explicó Juilin, que venía detrás del otro hombre, como si no diera crédito a sus propias palabras. Los dos estaban descalzos, y Juilin iba desnudo de cintura para arriba, dejando a la vista su torso magro y sin rastro de vello—. Me desperté un momento y, de pronto, apareció de pie en medio de la noche, desnuda como su madre la trajo al mundo, y luego se desplomó de repente, como un fardo.

—Está viva —dijo Thom mientras tendía la figura envuelta en la capa sobre el catre de Elayne—, pero sólo apenas. Casi no se percibe el latido de su corazón.

Elayne, con la frente fruncida, retiró la capucha de la capa y se encontró mirando el rostro de Birgitte, pálido como el de un muerto.

Nynaeve bajó con movimientos agarrotados de la otra cama y se arrodilló junto a la mujer inconsciente. Las lágrimas brillaban en sus mejillas, pero había dejado de sollozar.

—Está viva —musitó—. Está viva. —De repente pareció darse cuenta de que llevaba puesta sólo la camisola delante de los hombres, pero apenas si les dedicó una rápida mirada y se limitó a ordenar—: Sácalos de aquí, Elayne. No puedo hacer nada estando ellos plantados en medio como pasmarotes, estorbando.

Thom y Juilin intercambiaron una mirada cuando Elayne hizo un gesto para conducirlos hacia la puerta, sacudieron levemente la cabeza y pusieron los ojos en blanco, pero retrocedieron sin protestar.

—Es... una amiga —les dijo Elayne. Tenía la impresión de estar moviéndose en sueños, flotando, embotadas las sensaciones. ¿Cómo era posible?—. Nos ocuparemos de ella. —¿Cómo podía haber ocurrido algo así?—. Por favor, no digáis una palabra de esto a nadie. —Las miradas que le echaron cuando cerró la puerta casi la hicieron enrojecer. Pues claro que no se lo dirían a nadie. Sin embargo, a veces era preciso recordarles a los hombres hasta las cosas más simples, incluso a Thom—. Nynaeve, en nombre de la Luz, ¿cómo...? —empezó mientras se volvía hacia ella, y enmudeció al advertir el brillo del *Saidar* envolviendo a su amiga.

—¡Así se abrase! —gruñó Nynaeve mientras encauzaba—. ¡Así la Luz la consuma para siempre por hacer esto! —Elayne reconoció los flujos que se tejían para la Curación, pero eso era a lo más que podía llegar—. La encontraré, Birgitte —musitó Nynaeve. Los fluidos de Energía predominaban sobre el resto, pero también los había de Agua y de Aire, e incluso de Tierra y de Fuego. Parecía tan complejo como bordar un vestido con cada mano y otros dos con los pies. Y, además, con una venda sobre los ojos—. Se lo haré pagar. —El brillo que envolvía a Nynaeve cobró más y más intensidad hasta superar el de las lámparas, hasta hacerse doloroso mirarla si no se la observaba a través de los párpados entrecerrados en una mínima rendija—. ¡Lo juro! ¡Por la Luz y mi esperanza de salvación y renacimiento, lo juro! —La ira que teñía su voz cambió, haciéndose aun más intensa si cabe—. No funciona. No sufre ningún daño que precise de la Curación. Está en tan buenas condiciones físicas como cualquiera de nosotras, pero se está muriendo. Oh, Luz, noto cómo se escabulle su fuerza vital. ¡Maldita Moghedien! ¡Maldita sea! ¡Y maldita sea yo también! —A pesar de sus palabras, no se daba por vencida. El proceso continuó, los complejos hilos del Poder tejiéndose dentro de Birgitte; pero la mujer siguió tendida, con la dorada trenza caída a un lado del catre y el movimiento de respiración en su pecho tornándose más y más lento.

—Puedo hacer algo para ayudar —dijo Elayne. Se suponía que tenían que darle permiso para realizar tal cosa, pero no siempre había sido así. Hubo un tiempo en que se había llevado a cabo sin permiso casi con tanta frecuencia como con él. No había razón para que no funcionara con una mujer, sólo que ella no sabía que se hubiera hecho excepto con hombres.

—¿Te refieres a la coligación? —Nynaeve habló sin apartar la vista de la mujer tendida en la cama ni interrumpir su trabajo con el Poder—.

532

Sí. Tendrás que hacerlo, aunque no sé cómo, pero déjame que yo conduzca el proceso. De todo lo que estoy haciendo en este mismo momento ignoro la mitad, pero sé que puedo hacerlo. Tú no serías capaz de curar un moretón.

Elayne apretó los labios, pero dejó pasar el último comentario de Nynaeve.

—No me refería a la coligación. —La cantidad de *Saidar* que Nynaeve había absorbido era impresionante. Si era incapaz de curar a Birgitte con eso, lo que ella pudiera añadir no cambiaría las cosas. Unidas serían más fuertes que por separado, pero no en la misma progresión que si pudieran sumarse la capacidad de cada una de ellas. Además, no estaba segura de que pudiera coligarse. Sólo había estado unida así en una ocasión, y fue una Aes Sedai quien lo ejecutó y lo hizo más para demostrarle la sensación que se tenía que para enseñarle cómo llevarlo a cabo—. Déjalo, Nynaeve. Tú misma has admitido que no servía de nada. Apártate y déjame intentarlo a mí. Si no funciona, puedes...

—¿Podía, qué? Si la Curación funcionaba, funcionaba; y si no... No tenía sentido intentarlo de nuevo si antes había fallado.

—¿Intentar qué? —espetó Nynaeve, aunque se retiró torpemente para dejar que Elayne ocupara su lugar. El tejido de Curación se desvaneció, pero no el halo brillante que la envolvía.

En lugar de responder, la heredera del trono puso una mano sobre la frente de Birgitte. El contacto físico era necesario para esto del mismo modo que para la Curación, y las dos veces que lo había visto llevar a cabo en la Torre, la Aes Sedai había tocado la frente del hombre. Los flujos de Energía que tejió eran complejos, aunque no tan intrincados como los de Nynaeve. Elayne apenas comprendía algo de lo que estaba haciendo y nada de las otras partes del proceso, pero desde su escondite había seguido con mucha atención cómo se llevaba a cabo este tejido. Y lo había observado con tanto interés porque había fantaseado a solas imaginando escenas románticas en situaciones donde no cabía el romanticismo. Al cabo de un momento, se sentó en la otra cama y cortó el contacto con el *Saidar*.

Nynaeve la miró con el entrecejo fruncido y se inclinó sobre Birgitte para examinarla. La inconsciente mujer parecía tener mejor color y respirar con algo más de facilidad.

—¿Qué hiciste, Elayne? —Nynaeve no apartó los ojos de Birgitte, pero el brillo que la envolvía se apagó poco a poco—. No era Curación. Creo que ahora sabría cómo hacerlo yo misma, pero no es Curación.

—¿Vivirá? —preguntó débilmente la joven. No había un vínculo visible entre Birgitte y ella, ningún flujo, pero podía percibir la debilidad de la otra mujer. Una espantosa debilidad. Notaría la muerte de Birgitte en el momento en que se produjera, aunque estuviera durmiendo a cientos de millas de distancia.

—No lo sé. La paulatina debilitación ha cesado, pero ignoro si sobrevivirá. —El agotamiento suavizaba la voz de la antigua Zahorí, y un intenso dolor se percibía en ella, como si compartiera el estado crítico de Birgitte. Apretó los párpados con un gesto de angustia, se levantó y desdobló una manta de rayas rojas, que echó sobre la mujer tendida en la cama—. ¿Qué hiciste?

Elayne permaneció en silencio y dio tiempo a que Nynaeve se sentara junto a ella en el otro catre.

—Vinculación —contestó finalmente—. La... vinculé conmigo, como se hace con un Guardián. —La expresión incrédula plasmada en el semblante de su amiga hizo que continuara muy deprisa, casi atropellándose—. La Curación no estaba consiguiendo nada positivo, así que había que hacer algo. Ya sabes los dones que recibe un Guardián cuando está vinculado. Uno de ellos es fortaleza, energía. Un hombre así es capaz de continuar cuando otros se desplomarían y morirían, de sobrevivir con heridas que matarían a cualquier otra persona. Fue lo único que se me ocurrió.

Nynaeve respiró lenta, profundamente.

—En fin, al menos está funcionando mejor que lo que hice yo. Una mujer Guardián. Me pregunto qué pensará Lan de ello. No hay razón para que no lo sea. Si hay una mujer que pueda serlo, es Birgitte. —Hizo un gesto de dolor y encogió las piernas, recogiéndolas bajo ella; sus ojos iban hacia Birgitte cada dos por tres—. Tendrás que mantener esto en secreto. Si alguien se entera de que una Aceptada ha vinculado a un Guardián, sea por las circunstancias que sea...

—Lo sé. —Elayne se estremeció. No era una falta merecedora de la neutralización, pero cualquier Aes Sedai sin duda la haría desear que le hubieran impuesto ese castigo—. Nynaeve, ¿qué ocurrió?

Durante unos instantes pensó que su amiga iba a empezar a llorar otra vez al ver cómo le temblaban los labios y la barbilla. Cuando Nynaeve empezó finalmente a hablar, su voz era dura como el hierro y en su semblante se plasmaba una expresión mezcla de ira y congoja. Relató escuetamente lo sucedido, casi a grandes rasgos, hasta que llegó al momento de la aparición de Moghedien en medio de los carromatos. Esa parte, con toda su dolorosa experiencia, la contó sin omitir el menor detalle.

—Tendría que estar llena de verdugones desde el cuello hasta los pies —terminó con amargura mientras se pasaba la mano por un brazo, suave y sin marcas. Aun así, se encogió con un gesto de dolor—. No entiendo por qué no lo estoy, pero merecería esas marcas por mi estúpido y absurdo orgullo. Por tener demasiado miedo para hacer lo que debía. Merecería estar colgada como un jamón en un secadero. Si hubiese algo de justicia, todavía seguiría colgada allí y Birgitte no estaría tumbada en esa cama, debatiéndose entre la vida y la muerte. Ojalá supiera más. Ojalá tuviera durante cinco minutos los conocimientos que posee Moghedien y así podría curarla. Estoy segura.

—Si todavía siguieras colgada, a no mucho tardar estarías despertándote y me aislarías con un escudo. Estoy convencida de que Moghedien se habría encargado de enfurecerte lo bastante para que pudieras encauzar. No olvides que nos conoce muy bien. Y dudo mucho que me hubiese percatado de nada hasta que lo hubieras hecho. No me hace ninguna gracia la idea de ser llevada como un fardo ante Moghedien, y me cuesta mucho creer que tal cosa te guste a ti. —Su amiga no la miró—. Tuvo que ser un vínculo semejante al que se establece con un *a'dam*, Nynaeve. De ese modo pudo hacerte daño sin dejar marcas. —La antigua Zahorí continuó sumida en un hosco silencio—. Nynaeve, Birgitte sigue viva. Hiciste todo cuanto estuvo en tu mano para salvarla, y, con la gracia de la Luz, saldrá adelante. Fue Moghedien quien le causó este daño, no tú. Un soldado que se culpa por la muerte de sus compañeros en la batalla es un necio. Tú y yo somos soldados en pie de guerra, pero tú no eres necia, así que deja de comportarte como tal.

Entonces sí que Nynaeve volvió la vista hacia ella; fue una mirada ceñuda que duró sólo un momento antes de que girara de nuevo la cabeza hacia otro lado.

—No lo entiendes. —Su voz era apenas un susurro—. Ella... era uno de los héroes vinculados con la Rueda del Tiempo, estaba destinada a renacer una y otra vez para crear leyendas. Esta vez no ha nacido, Elayne. Fue erradicada del *Tel'aran'rhiod* sin encarnarse en otra persona. ¿Sigue vinculada a la Rueda o también ha sido erradicada de eso? Privada de lo ganado por su coraje, por merecimiento propio, y todo porque yo he sido tan orgullosa, tan cabezota y necia como cualquier hombre, para obligarla a que rastreara a Moghedien.

Elayne había albergado la esperanza de que tales preguntas no se le ocurrieran a Nynaeve todavía, y que no se las planteara hasta que hubiera tenido algo de tiempo para recuperarse.

—¿Sabes la gravedad de la herida de Moghedien? A lo mejor ha muerto.

—Espero que no —replicó su amiga, casi con un gruñido—. Quiero hacerle pagar... —Inhaló profundamente, pero en lugar de reanimarse pareció hundirse más—. Yo no contaría con ello. El disparo de Birgitte no acertó a dar en el corazón. Lo sorprendente es que acertara a darle, tambaleándose como estaba. Yo habría sido incapaz de levantarme si me hubieran lanzado desde esa distancia contra el carromato y con fuerza suficiente para salir rebotada de ese modo. Ni siquiera me podía incorporar después de lo que Moghedien me hizo. No, la Araña sigue viva, y más vale que creamos que puede curarse la herida y estar en condiciones de perseguirnos por la mañana.

—Aun así, necesitará un tiempo de reposo, Nynaeve. Lo sabes tan bien como yo. ¿Sabe acaso dónde nos encontramos? Por lo que contaste, solo tuvo tiempo de ver que estábamos con un espectáculo ambulante.

—¿Y si pudo descubrir algo más? —Nynaeve se frotó las sienes como si le costara trabajo pensar—. ¿Y si sabe exactamente dónde estamos? Podría enviar Amigos Siniestros tras nosotras. O avisar a los que haya en Samara.

—Luca está furioso porque ya hay otros once espectáculos como el nuestro instalados en los aledaños de la ciudad, y tres más que esperan cruzar el puente. Nynaeve, ella tardará días en recobrar las fuerzas tras sufrir una herida como ésa, aun en el caso de que encuentre alguna hermana Negra que la cure o de que lo haga alguno de los otros Renegados. Y necesitará varios días más para buscarnos en quince compañías ambulantes. Eso, si es que no vienen más de camino, siguiéndonos los pasos o procedentes de Altara. Si nos persigue o envía Amigos Siniestros, ya estamos sobre aviso, y disponemos de varios días para encontrar un barco que nos lleve río abajo. —Hizo una pausa mientras meditaba—. ¿Tienes algo para teñirte el pelo en tu bolsa de hierbas? Apostaría cualquier cosa a que llevabas el pelo trenzado en el *Tel'aran'rhiod*. El mío siempre es de mi propio color cuando estoy allí. Si te lo dejas suelto, como lo tienes ahora, y con otro color, dificultará más que nos localicen.

—Hay Capas Blancas por todas partes —suspiró Nynaeve—. Y Galad. Y el Profeta. Y ningún barco. Es como si todo conspirara para retenernos aquí, al alcance de Moghedien. Estoy tan cansada, Elayne. Cansada de temer con quién nos toparemos al girar en la próxima esquina. Cansada de tener miedo de Moghedien. Me siento incapaz de pensar qué hacer a continuación. ¿Mi cabello, dices? No sé si habrá algo que lo cambie de color.

—Necesitas dormir —manifestó firmemente Elayne—. Y sin el anillo. Dámelo. —La otra mujer vaciló, pero la heredera del trono se limitó a mantener extendida la mano hasta que Nynaeve sacó el anillo de piedra del cordón que llevaba al cuello. Elayne lo guardó en una bolsita y continuó—: Ahora túmbate. Yo velaré a Birgitte.

Nynaeve miró a la mujer tendida en la otra cama y después sacudió la cabeza.

—No puedo dormir. Necesito... estar sola. Caminar. —Se puso de pie con una rigidez de movimientos como si realmente la hubieran apaleado, descolgó la oscura capa de la percha y se la echó por encima de la camisola. Hizo una pausa en la puerta—. Si Birgitte quisiera matarme —dijo tristemente—, no sé si haría algo para impedírselo.

Salió a la noche descalza, sumida en la depresión.

Elayne vaciló, sin saber cuál de las dos mujeres la necesitaba más en ese momento, pero después volvió a tomar asiento. Nada de lo que le dijera mejoraría el estado de ánimo de su amiga, pero tenía confianza en la indomable naturaleza de Nynaeve. Un poco de tiempo a solas para reflexionar y asumir los hechos, y acabaría comprendiendo que la culpa de lo ocurrido era de Moghedien, no suya. No podía ser de otra forma.

Un nombre nuevo

Elayne permaneció sentada allí largo rato, vigilando el sueño de Birgitte. Al menos, era lo que parecía que hacía, dormir. Una vez rebulló y musitó con tono desesperado:

—Espérame, Gaidal. Espera. Ya voy, Gaidal. Espérame...

La frase quedó inacabada, dando paso de nuevo a una respiración lenta. ¿Estaría más fuerte? Su aspecto seguía siendo mortalmente pálido; mejor que el que tenía antes, pero aun así demacrado.

Al cabo de, quizás, una hora, Nynaeve regresó. Tenía los pies sucios y el surco de lágrimas recientes brillaba en sus mejillas.

—No podía seguir ahí fuera —dijo mientras colgaba la capa—. Duerme un poco, que yo la cuidaré. He de hacerlo.

Elayne se incorporó lentamente y se alisó los pliegues de la falda. A lo mejor velar un rato a Birgitte ayudaría a solventar el dilema a Nynaeve.

—Tampoco yo tengo ganas de dormir todavía. —Estaba agotada, pero se sentía completamente despejada—. Creo que iré a dar un paseo.

Nynaeve se limitó a asentir con la cabeza mientras ocupaba el lugar de su amiga, sentada en la otra cama, con los polvorientos pies colgando por el borde y los ojos prendidos en Birgitte.

Para sorpresa de Elayne, tampoco Thom y Juilin dormían. Habían hecho una lumbre pequeña junto al carromato y estaban sentados el uno frente al otro, con el fuego en medio, cruzados de piernas y fumando en sus pipas de caña larga. Thom se había metido la camisa por dentro de los calzones, y Juilin llevaba puesta la chaqueta, aunque no la camisa, y se había remangado. La joven miró en derredor antes de unirse a los dos hombres. La quietud reinaba en el campamento y la única luz provenía de la pequeña fogata y del brillo de las lámparas que se colaba a través de las ventanas del carromato.

Ninguno de los dos hombres pronunció una palabra mientras la joven se arreglaba las faldas; entonces Juilin miró a Thom, que asintió en silencio, y el rastreador cogió algo del suelo y lo sostuvo frente a Elayne.

—La encontré justo donde apareció tendida —dijo el hombre de piel oscura—. Como si se le hubiera caído de la mano.

Elayne cogió lentamente la flecha. Incluso las plumas del penacho parecían de plata.

—Distintiva —comentó coloquialmente Thom sin quitarse la pipa de entre los dientes—. Y si a ese detalle se añade el de la trenza... Todos los relatos la mencionan por alguna razón, aunque recuerdo algunos en los que creo que también podría ser ella con otros nombres y sin la trenza. Y otros con diferentes nombres pero con ella.

—A mí los relatos me dan igual —intervino Juilin, que hablaba de un modo tan tranquilo como Thom. Claro que hacía falta mucho para alterar a cualquiera de los dos hombres—. ¿Es ella? Ya resultaría bastante malo que no lo fuera, porque una mujer que aparece desnuda de la nada, así, pero... ¿En qué nos habéis metido Nyna... Nana y tú? —Se notaba que estaba preocupado; Juilin no cometía errores, nunca tenía este tipo de desliz.

Elayne giró la flecha entre las manos, simulando que la examinaba.

—Es una amiga —manifestó finalmente. Hasta que Birgitte la librara de su promesa de guardar el secreto no revelaría su identidad—. No es Aes Sedai, pero nos está ayudando. —Los hombres la miraban, esperando que añadiera algo más—. ¿Por qué no le disteis esto a Nynaeve?

Los dos intercambiaron una de aquellas miradas peculiares —los hombres parecían ser capaces de mantener toda una conversación únicamente a base de miradas, al menos cuando había mujeres delante— que dejaba tan claro como si hubieran pronunciado las palabras lo que pensaban de ella por guardar secretos. Sobre todo en algo que sabían casi con toda certeza. Pero ella había dado su palabra.

—Parecía incómoda —contestó Juilin que, muy juiciosamente, se puso a chupar la pipa con entusiasmo. Thom, por su parte, se quitó la suya de entre los dientes y soltó un resoplido que agitó las puntas del blanco bigote.

—¿Incómoda? Esa mujer salió en camisola, con aire de estar perdida, y cuando le pregunté si podía ayudarla no me arrancó la cabeza de un bofetón. ¡Se puso a llorar sobre mi hombro! —Dio unos tironcitos de su camisa mientras rezongaba algo sobre que estaba mojada—. Elayne, me pidió perdón por cualquier inconveniencia que pudiera haberme dicho, lo que podría resumirse en casi todas las palabras que han salido de su boca hacia mí. Clamaba que merecía una tunda de palos o que había recibido una tunda de palos, no estoy seguro, porque la mitad de las cosas que decía eran incoherencias; que era una cobarde y una estúpida testaruda. No sé qué le ocurre, pero desde luego dista mucho de ser ella misma.

—Una vez conocí a una mujer que actuaba de ese modo —intervino Juilin, con la mirada fija en la lumbre—. Se despertó y encontró a un ladrón en su dormitorio, y le asestó una cuchillada que le atravesó el corazón. Pero, cuando encendió una lámpara, descubrió que era su esposo. Su embarcación había atracado en los muelles muy temprano. La mujer se comportó como Nynaeve durante un par de semanas. —Apretó la boca—. Después se ahorcó.

—Detesto tener que cargarte con esto, pequeña —añadió tiernamente Thom—, pero si alguno de nosotros puede ayudarla, eres tú. Yo sé cómo sacar a un hombre de un mal momento; se le da un buen puntapié o se lo emborracha y se le facilita una pros... —Carraspeó con fuerza tratando de que pareciera un acceso de tos y se atusó el bigote. Lo malo de que la tratara como a una hija era que a veces parecía pensar que tenía doce años—. En fin, el asunto es que no sé cómo solucionar esto. Y aunque a Juilin no le importaría sentarla en las rodillas y hacerla brincar, dudo que ella se lo agradeciese.

—Antes haría brincar en mis rodillas a un tiburón —rezongó el rastreador, pero no con la dureza que lo habría hecho el día anterior. Estaba tan preocupado como Thom, aunque no tan dispuesto como él a admitirlo abiertamente.

—Haré cuanto esté en mi mano —aseguró Elayne mientras volvía a dar vueltas a la flecha. Eran buenos hombres y no le gustaba tener que mentirles ni ocultarles cosas. Sin embargo, ahora no tenía más remedio que hacerlo. Nynaeve afirmaba que una mujer debía manejar a los hombres por su propio bien, pero no había que sobrepasar ciertos límites. No estaba bien conducir a un hombre hacia peligros que desconocía.

De modo que se lo contó. Lo del *Tel'aran'rhiod* y que los Renegados estaban libres y lo de Moghedien. No les dijo todo, por supuesto. Algunas cosas ocurridas en Tanchico le causaban demasiada vergüenza para pensar siquiera en ellas. Mantuvo su promesa de guardar en secreto la identidad de Birgitte y, por supuesto, no era necesario entrar en detalles sobre lo que Moghedien le había hecho a Nynaeve. Todo lo cual le puso bastante difícil explicar los acontecimientos de esta noche, pero se las arregló. Les contó todo lo que consideraba que debían saber, justo lo necesario para que fueran conscientes por primera vez de lo que en realidad se traían entre manos, y no sólo lo relacionado con localizar al Ajah Negro —cosa que los hizo bizquear cuando lo oyeron— sino sobre los Renegados y que Moghedien seguramente iba por Nynaeve y por ella. Además, dejó muy claro que también ellas dos tenían intención de dar caza a la Renegada, y que cualquiera que estuviera cerca se encontraba en peligro al estar entre el cazador y la presa en ambos sentidos.

—Ahora que lo sabéis —terminó—, la elección de quedaros o marcharos es vuestra. —Lo dejó así y puso mucho empeño en no mirar a Thom. Confiaba, casi desesperadamente, en que se quedara, pero no estaba dispuesta a darle a entender que se lo pedía, ni siquiera con una mirada.

—Todavía no te he enseñado ni la mitad de lo que necesitas saber si es que quieres ser tan buena reina como tu madre —manifestó el hombre, procurando dar un tono a su voz un tanto gruñón, pero echó a perder el intento al retirar con dulzura un mechón de cabello teñido que caía sobre la mejilla de la joven—. No vas a librarte de mí tan fácilmente, pequeña. Me propongo convertirte en una maestra del *Daes Dae'mar* aunque para ello tenga que estar pasándote información hasta dejarte sorda. Ni siquiera te he enseñado todavía a manejar un cuchillo. Intenté enseñarle a tu madre, pero siempre rehusó argumentando que podía ordenar a un hombre que lo usara si se hacía necesario utilizar uno. Un modo absurdo de enfocar el asunto.

La joven se inclinó y le besó la ajada mejilla; el hombre parpadeó a la par que las densas cejas se arqueaban bruscamente, y luego sonrió y volvió a meterse la pipa en la boca.

—También puedes besarme a mí —dijo secamente Juilin—. Rand al'Thor utilizará mis entrañas de cebo para peces si no te llevo de vuelta con él sana y salva.

—No admitiré que te quedes por lo que te haya ordenado Rand al'-Thor, Juilin. —Elayne levantó la barbilla en un gesto orgulloso. ¡Vaya! Así que llevársela de vuelta, ¿no?—. Te quedarás sólo si tú quieres. Y no te libero, ni a ti tampoco, Thom —el juglar había sonreído al oír el comentario del rastreador— de vuestra promesa de hacer lo que os mandemos. —La expresión estupefacta de Thom le resultó gratificante. La joven se volvió hacia Juilin—. Me seguiréis a mí, y a Nynaeve, por supuesto, plenamente conscientes de los enemigos a los que nos enfrentamos, o ya podéis preparar vuestro hato y cabalgar en *Furtivo* a donde os plazca. Os lo regalaré.

Juilin se sentó tan tieso como un poste, y su atezado rostro se tornó sombrío.

—Jamás he abandonado a una mujer en peligro. —Señaló a la joven con la larga caña de la pipa como si fuera un arma—. Como me mandes que me vaya, os seguiré como un halcón al acecho de la presa.

No era exactamente la respuesta que Elayne esperaba, pero tendría que conformarse.

—Entonces, de acuerdo. —Se levantó, sosteniendo la flecha a un costado y manteniendo un cierto aire frío. Creía que por fin los dos se habían dado cuenta de quién estaba al mando—. No falta mucho para que amanezca. —¿De verdad habría tenido Rand la desfachatez de decirle a Juilin que se «la trajera de vuelta»? Thom tendría que aguantar junto con el otro hombre un trato distante durante un tiempo, y se lo merecía por haber esbozado esa sonrisita burlona—. Apagad la lumbre e idos a dormir. Ahora, y sin excusas, Thom. No estaréis en condiciones de ser útiles para nada por la mañana si no descansáis.

Los dos hombres empezaron a echar tierra al fuego con las botas, obedientemente, pero cuando Elayne llegó a la escalerilla del carromato oyó que Thom rezongaba:

—A veces parece su madre.

—Entonces me alegro de no haber conocido nunca a esa mujer —refunfuñó Juilin—. ¿Echamos a suertes quién hace la primera guardia?

Thom aceptó. Faltó poco para que Elayne volviera junto a ellos, pero, en cambio, se sorprendió a sí misma al sonreír. «¡Hombres!» Lo pensó con cariño. El agradable estado de ánimo le duró hasta que entró en el carromato.

Nynaeve estaba sentada al borde la de cama, sosteniéndose con las dos manos, luchando por mantener abiertos los ojos para seguir vigilando a Birgitte. Todavía tenía sucios los pies.

Elayne soltó la flecha en uno de los armarios, detrás de unos sacos de guisante secos. Afortunadamente, su amiga ni siquiera la miró. Suponía que ver la flecha de plata no era precisamente lo que necesitaba Nynaeve en ese momento. Aunque no imaginaba qué podía convenirle en realidad ahora.

—Nynaeve, es hora de que te laves los pies y te vayas a dormir.

La antigua Zahorí giró la cabeza hacia ella y parpadeó como adormilada.

—¿Los pies? ¿Qué? Tengo que cuidarla.

—Tus pies, Nynaeve. Están sucios. —Tendría que ir paso a paso—. Lávatelos.

Con el entrecejo fruncido, Nynaeve bajó la vista a los pies llenos de polvo y luego asintió. Echó agua en la palangana, y derramó bastante mientras se lavaba; después de secarse los pies, volvió a tomar asiento en el mismo sitio.

—Tengo que velarla por si acaso... Gritó una vez. Llamó a Gaidal.

—Necesitas dormir, Nynaeve. —Elayne intentó empujarla para que se tumbara—. No puedes mantener abiertos los ojos.

—Claro que puedo —masculló mientras se resistía contra las manos de su amiga—. He de vigilarla, Elayne. Tengo que hacerlo.

Con su actitud, Nynaeve hacía que los dos hombres parecieran razonables y sumisos. Aunque Elayne hubiese querido seguir las pautas de Thom, no había modo de emborracharla ni buscarle un... chico guapo, de modo que sólo le quedaba la otra alternativa: un puntapié. Desde luego, ni el razonamiento ni el trato afable habían servido de nada.

—Ya estoy harta de tanto enfurruñamiento y autocompasión, Nynaeve —replicó firmemente—. Vas a dormirte ahora y por la mañana no quiero oír una sola palabra de lo despreciable y vil que eres, o, si no, le pediré a Cerandin que te ponga morados los dos ojos a cambio del que te curé. Ni siquiera me has dado las gracias por ello. ¡Y ahora, vete a dormir!

Los ojos de la antigua Zahorí se abrieron desmesuradamente en un gesto de indignación —al menos no parecía a punto de echarse a llorar—, pero Elayne le cerró los párpados con los dedos. No le costó el menor esfuerzo, y, a despecho de las quedas protestas, Nynaeve no tardó en quedarse dormida.

Elayne le dio unas palmaditas en el hombro antes de incorporarse. Confiaba en que tuviera un sueño tranquilo, con Lan; pero, en cualquier caso, que durmiera era mejor que nada. Contuvo un bostezo y se inclinó sobre Birgitte. No vio diferencia en el color del semblante de la mujer ni en su respiración, pero lo único que quedaba hacer era esperar y mantener la esperanza.

Se sentó en el suelo, entre los dos catres, y como la luz de las lámparas no parecía molestar a las dos mujeres las dejó encendidas; la ayudarían a mantenerse despierta, aunque tampoco veía razón para ello, realmente. Había hecho todo cuanto estaba en su mano, al igual que Nynaeve. Sin ser consciente de ello, la joven se recostó en la pared y la barbilla se inclinó lentamente sobre el pecho.

Tuvo un sueño agradable, aunque extraño. Rand estaba arrodillado a sus pies y ella le ponía una mano en la cabeza y lo vinculaba como su Guardián, uno de sus Guardianes. Tendría que elegir el Ajah Verde ahora, después de lo de Birgitte. Había más mujeres en el sueño, rostros que cambiaban de un momento a otro: Nynaeve, Min, Moraine, Aviendha, Berelain, Amathera, Liandrin, y otras a las que no conocía. Fueran quienes fueran, sabía que tenía que compartirlo con ellas porque en el sueño estaba convencida de que ésa era la visión que Min había tenido. No estaba segura de los sentimientos que le inspiraba tal cosa —habría querido arañar algunos de aquellos rostros— pero, si estaba marcado en el Entramado, así debería ser. Empero, tendría en común con él algo que no tendría ninguna de las otras: el vínculo entre Guardián y Aes Sedai.

—¿Qué es este sitio? —inquirió Berelain, con su cabello negro como ala de cuervo y tan hermosa que Elayne habría querido enseñarle los dientes. La mujer llevaba el vestido rojo de escote bajo que Luca quería que Nynaeve se pusiera. Esta mujer siempre llevaba ropa muy reveladora—. Despierta. Esto no es el *Tel'aran'rhiod.*

Elayne despertó sobresaltada y se encontró con Birgitte recostada de lado en la cama, agarrándole el brazo débilmente. Tenía la tez demasiado pálida, y estaba sudorosa, como si tuviera fiebre, pero la mirada de sus azules ojos seguía siendo penetrante y alerta, clavada en el rostro de Elayne.

—Esto no es el *Tel'aran'rhiod.* —No era una pregunta, pero Elayne asintió con la cabeza y Birgitte se tendió pesadamente en la cama al tiempo que soltaba un profundo suspiro—. Lo recuerdo todo —musitó—. Estoy aquí tal como soy, y lo recuerdo. Todo ha cambiado. Gaidal está ahí fuera, en alguna parte, como un niño o tal vez como un muchachito. Pero si alguna vez llego a encontrarlo, ¿qué pensará de una mujer lo bastante mayor para ser su madre? —Se frotó los ojos con rabia—. Yo no lloro. Nunca lloro. Eso también lo recuerdo, que la Luz me ayude. Nunca lloro.

Elayne se incorporó sobre las rodillas, junto al catre de la mujer.

—Lo encontrarás, Birgitte. —Mantuvo el tono bajo. Nynaeve parecía dormida, ya que emitía un quedo ronquido de vez en cuando, pero necesitaba descansar, no afrontar esta situación de nuevo, tan pronto—. Lo encontrarás de algún modo. Y él te amará. Sé que lo hará.

—¿Crees que es eso lo que importa? Podría soportar que no me amara. —El brillo de sus ojos puso en evidencia la mentira—. Pero me necesitará, Elayne, y no estaré allí. Siempre ha tenido más valor de lo que le conviene; siempre tuve que proporcionarle la precaución que le faltaba. Lo que es peor, deambulará por ahí, buscándome, sin saber qué es lo que quiere encontrar, sin entender por qué se siente incompleto.

—Las lágrimas llenaron sus ojos y se deslizaron por las mejillas—. Moghedien dijo que me haría llorar para siempre, y ella... —De repente su cara se contrajo, y unos sollozos, quedos y desgarradores, salieron de su garganta con una violencia inusitada.

Elayne abrazó a la mujer mientras musitaba palabras de consuelo que sabía no servirían de nada. ¿Cómo se sentiría ella si le quitaran a Rand? La mera idea bastó para que estuviera a punto de agachar la cabeza y unirse a Birgitte en el llanto.

No supo cuánto tiempo pasó hasta que cesaron los sollozos de Birgitte, pero finalmente la mujer la apartó y se echó hacia atrás a la par que se limpiaba las mejillas.

—Nunca había hecho esto excepto siendo una niña. Jamás. —Giró la cabeza y frunció la frente al reparar en Nynaeve, todavía dormida en la otra cama—. ¿La hirió gravemente Moghedien? No había visto a nadie retorcido de ese modo desde que Tourag apresó a Mareesh. —Elayne debió de poner un gesto de extrañeza, ya que Birgitte añadió—: En otra Era. —¿Está herida?

—No de gravedad. Más que nada ha sido anímicamente. Lo que hiciste sirvió para que escapara, pero sólo después de... —Elayne fue incapaz de decirlo. Demasiadas heridas estaban aún muy recientes—. Se culpa de lo ocurrido. Cree que... todo es por su culpa, por pedirte que nos ayudaras.

—Si no lo hubiera pedido, ahora Moghedien estaría enseñándole a suplicar. Es tan temeraria como Gaidal. —El timbre seco de Birgitte contrastaba fuertemente con sus mejillas húmedas—. No me metió en esto arrastrándome por el pelo. Si se hace responsable de las consecuencias, entonces se hace responsable de mis actos. —Como poco, su tono era furioso—. Soy una mujer libre, y tomo mis propias decisiones. Ella no ha decidido por mí.

—He de admitir que te estás tomando todo esto mejor... de lo que yo lo haría. —Fue incapaz de decir «mejor que Nynaeve». Tal cosa era cierta, pero también lo era lo otro.

—Yo siempre digo que, si uno tiene que subir al cadalso, ha de hacerlo gastando una chanza con la multitud, dando una moneda al verdugo y sonriendo cuando llegue el tirón de la cuerda. —La sonrisa de Birgitte era sombría—. Moghedien abrió la trampilla, pero mi cuello no se ha roto todavía. A lo mejor le doy una sorpresa antes de que esto haya acabado. —La mueca se borró para dar paso a un gesto ceñudo mientras contemplaba a Elayne—. Puedo... sentirte. Creo que sería capaz de cerrar los ojos y señalar tu paradero a más de una milla de distancia.

Elayne inhaló profundamente.

—Te vinculé a mí como un Guardián —dijo con precipitación—. Estabas muriéndote, y la Curación no servía de nada, y... —La mujer la miraba de hito en hito. Ya no estaba ceñuda, pero sus ojos resultaban incómodamente penetrantes—. No había otra opción, Birgitte. De otro modo, habrías muerto.

—Un Guardián —musitó lentamente Birgitte—. Creo recordar una historia relativa a una mujer Guardián, pero fue en una vida tan lejana que sólo me acuerdo de eso.

Elayne tuvo que respirar hondo otra vez, y en esta ocasión hubo de obligarse a pronunciar las palabras.

—Hay algo que debes saber. Lo descubrirás antes o después, y he decidido no ocultar nada a personas que tienen derecho a estar enteradas, a menos que me vea irremediablemente obligada a hacerlo. —Hubo una tercera inhalación profunda—. No soy Aes Sedai, sino una simple Aceptada.

Durante unos segundos muy largos la mujer rubia la miró con fijeza, y luego sacudió lentamente la cabeza.

—Una Aceptada. En la Guerra de los Trollocs conocí a una Aceptada que vinculó a un tipo. Barashelle iba a ser sometida a la prueba para ascender a Aes Sedai al día siguiente, y era seguro que conseguiría el chal, pero tenía miedo de que otra mujer que pasaba la prueba ese mismo día lo cogiera antes. En la Guerra de los Trollocs, la Torre intentaba ascender a las mujeres a Aes Sedai tan pronto como era posible, por pura necesidad.

—¿Y qué ocurrió? —inquirió Elayne sin poder evitarlo. ¿Barashelle? Ese nombre le resultaba familiar.

Birgitte entrelazó los dedos de las manos sobre la manta que le cubría el torso, movió la cabeza en la almohada y adoptó una expresión de fingida compasión.

—Ni que decir tiene que no le permitieron someterse a la prueba cuando la descubrieron. Por grande que fuera la necesidad, no bastó para que se pasara por alto tal infracción. La obligaron a pasar el vínculo del pobre tipo a otra, y para enseñarle a tener paciencia la destinaron a las cocinas, con los pinches y las fregonas. Me contaron que pasó allí tres años, y cuando por fin recibió el chal, la Sede Amyrlin en persona le escogió el Guardián, un hombre con la tez como cuero seco y de carácter obstinado, llamado Anselan. Los vi unos cuantos años después, y no supe discernir cuál de los dos era quien daba las órdenes. Tampoco creo que Barashelle lo tuviera muy claro.

—Qué desagradable —rezongó Elayne. Tres años en las... Un momento. ¿Barashelle y Anselan? No podía tratarse de la misma pareja; ese

546

relato no mencionaba nada sobre que Barashelle fuera Aes Sedai. Sin embargo, había leído dos versiones distintas, y a Thom le había oído recitar otra, pero en todas ellas Barashelle tenía que llevar a cabo algún largo y arduo trabajo para ganar el amor de Anselan. Dos mil años podían cambiar mucho el contenido de una historia.

—Sí, muy desagradable —se mostró de acuerdo Birgitte, y de repente sus ojos parecieron demasiado grandes e inocentes en su pálido semblante—. Supongo, puesto que quieres que te guarde tu terrible secreto, que no me tratarás con la dureza que tratan algunas Aes Sedai a sus Guardianes. No sería conveniente que me forzaras a contarlo con tal de escapar de ti.

—Eso casi suena como una amenaza. —Elayne alzó la barbilla de manera inconsciente—. Y no me gustan las amenazas, tanto si vienen de ti como de cualquier otra persona. Si crees que...

La mujer reclinada le aferró el brazo; se notaba que había recuperado mucho las fuerzas.

—Por favor —se disculpó—, no lo dije con esa intención. Gaidal afirma que mi sentido del humor tiene tan poca gracia como una piedra arrojada a un círculo de *shoja*. —Su expresión se oscureció levemente al mencionar aquel nombre, pero enseguida pasó—. Me salvaste la vida, Elayne. Guardaré tu secreto y te serviré como Guardián. Y seré tu amiga, si me aceptas como tal.

—Me sentiré orgullosa de contarte como amiga —¿En qué consistiría un círculo de *shoja*? Le preguntaría en otro momento. Puede que Birgitte estuviera más fuerte, pero necesitaba descansar, no que le hicieran preguntas—. Y también de tenerte como Guardián. —Por lo visto sí que iba a tener que escoger el Ajah Verde; aparte de todo lo demás, ése era el único modo en que podría vincular a Rand. El sueño seguía claro en su mente, y se proponía convencerlo para que aceptara su idea de un modo u otro—. A lo mejor podrías tratar de... moderar tu sentido del humor.

—Lo intentaré. —Sonó como si Birgitte dijera que intentaría levantar una montaña—. Pero si voy a ser tu Guardián, aunque sea en secreto, entonces habré de serlo con todas las consecuencias. Casi no puedes mantener abiertos los ojos, así que es hora de que duermas un poco. —Las cejas y la barbilla de Elayne se alzaron a la par, pero la otra mujer no le dio ocasión de hablar—. Entre otras cosas, es deber de un Guardián decirle a su Aes Sedai si se está forzando demasiado. Y también meterle un poco de sentido común en la cabeza cuando cree que puede entrar alegremente en la Fosa de la Perdición. Y mantenerla con vida para que así pueda llevar a cabo su misión. Haré todo eso por ti. No tendrás que preocuparte de guardarte la espalda cuando yo esté cerca, Elayne.

En fin, suponía que necesitaba descansar, pero a Birgitte le hacía aun más falta. Elayne bajó la luz de las lámparas y se ocupó de que la mujer estuviera cómoda en el catre, pero no hasta que Birgitte vio que ponía una almohada y unas mantas en el suelo, entre las dos camas. Hubo una pequeña discusión respecto a quién de ellas tenía que dormir en el suelo, pero Birgitte estaba todavía lo bastante débil para que a Elayne no le supusiera esfuerzo alguno obligarla a quedarse en la cama. Bueno, al menos no demasiado esfuerzo. Menos mal que los suaves ronquidos de Nynaeve no cesaron en ningún momento.

A pesar de lo que le había dicho a Birgitte, Elayne no se durmió de inmediato. La mujer no podía asomar la nariz fuera del carromato hasta que tuviera algo que ponerse, y era más alta que Nynaeve y que ella. Se sentó entre las dos camas y empezó a soltar el bajo de su traje de montar de seda gris oscuro. Por la mañana no habría tiempo para nada más que una rápida prueba y coser el bajo a la altura adecuada. El sueño la venció cuando no había deshecho más que la mitad del dobladillo.

Volvió a tener el sueño de que vinculaba a Rand, y se repitió en más de una ocasión. A veces él se arrodillaba voluntariamente, y otras veces ella tenía que hacer lo mismo que con Birgitte, incluso lo de colarse en su dormitorio mientras él dormía. Birgitte era ahora una de las otras mujeres. A Elayne eso no le importó demasiado. Ni ella ni Min ni Egwene ni Aviendha ni Nynaeve, aunque no podía imaginar lo que opinaría Rand al respecto. Pero otras... Acababa de ordenar a Birgitte, que vestía una de esas capas de colores cambiantes de los Guardianes, que llevara a rastras a Berelain y a Elaida a las cocinas durante tres años, cuando de repente las dos mujeres empezaron a apalearla. Se despertó y se encontró con Nynaeve pisoteándola para poder llegar hasta Birgitte y comprobar el estado de la mujer. La luz grisácea que precede al alba penetraba por las pequeñas ventanas.

Birgitte se despertó y manifestó que estaba más fuerte que nunca, además de tener un hambre de lobo. Elayne no estaba segura de si Nynaeve había superado su sentimiento de culpabilidad. No se retorcía las manos ni hizo mención alguna de lo sucedido; pero, mientras Elayne se lavaba la cara y las manos y explicaba lo del espectáculo ambulante y la razón por la que tenían que seguir allí un poco más, Nynaeve se dedicó a pelar unas peras y unas manzanas y a cortar queso, y se lo tendió todo a Birgitte en un plato, junto con una copa de vino rebajado con agua y aromatizado con miel y especias. Si Birgitte le hubiera dejado hacerlo, le habría dado de comer también. Nynaeve lavó el cabello a Birgitte con jenpimienta hasta que estuvo tan negro como el de Elayne —la heredera del trono se lo lavó ella misma, por supuesto—, le regaló sus mejores medias y ropa interior, y pareció contrariada cuando un par de escarpines de Elayne le encajaron mejor que los suyos. Insistió en ayudar a Birgitte a ponerse el vestido de seda gris tan pronto como tuvo seco el cabello y trenzado de nuevo —también había que sacar las costuras en la parte del pecho y de las caderas, pero eso tendría que esperar— e incluso quiso coser el bajo, hasta que la expresión incrédula de Elayne le hizo recoger velas y dedicarse a sus propias abluciones matinales, bien que, mientras se frotaba la cara, no dejó de rezongar que ella sabía coser tan bien como cualquiera. Cuando quería, claro.

Finalmente salieron al exterior, donde el brillante y dorado filo del sol empezaba a asomar sobre los árboles por el este. A esa hora temprana, el día parecía engañosamente agradable. El cielo estaba totalmente despejado, y al mediodía el ambiente sería caluroso y el aire estaría cargado de polvo.

Thom y Juilin se ocupaban de enganchar el tiro a la carreta, y todo el campamento bullía de actividad con los preparativos para la marcha. *Furtivo* ya estaba ensillado, y Elayne tomó nota para sus adentros respecto a manifestar que hoy cabalgaría ella antes de que cualquiera de los dos hombres se apropiara de la montura. Sin embargo, si Thom o Juilin se le adelantaban, tampoco se sentiría muy desilusionada. Esa misma tarde caminaría por el cable delante del público por primera vez. El vestido que le había enseñado Luca la ponía un poco nerviosa, pero por lo menos no protestaba con gazmoñería por ello como hacía Nynaeve.

Luca cruzó el campamento a largas zancadas en su dirección, con la roja capa ondeando tras él, e impartiendo a voces instrucciones que no eran necesarias a la par que caminaba:

—¡Latelle, despierta a esos osos! Los quiero de pie y gruñendo cuando crucemos por Samara. Clarine, esta vez ten bien vigilados a esos perros. Si alguno de ellos vuelve a perseguir a un gato... Brugh, tú y tus hermanos iréis ejecutando vuestras volteretas justo delante de mi carromato. Justo delante, tenlo presente. ¡Se supone que esto tiene que ser un desfile majestuoso, no una competición para ver cuál de vosotros hace los volantines más deprisa! Cerandin, controla a esos mastodontes. ¡Quiero que la gente abra la boca con pasmo por la sorpresa, no que grite de terror!

Se detuvo junto al carromato y les asestó una mirada furibunda que repartió entre Nynaeve y Elayne, dejando un poco para Birgitte.

—Qué amable de vuestra parte decidir que venís con el resto de nosotros, señora Nana y «lady» Morelin. Creí que habíais decidido dormir hasta las doce. —Hizo un gesto con la cabeza en dirección a Birgitte—. Habéis sostenido una pequeña charla con alguien del otro lado del río,

¿no? Bueno, pues no tenemos tiempo para visitas. Me propongo que estemos instalados y actuando al mediodía.

Nynaeve pareció momentáneamente desconcertada por la parrafada, pero al final de la segunda frase ya le sostenía la mirada con igual ferocidad que él. Tal vez con Birgitte actuaba casi con cortedad, pero ello no implicaba que no sacara a relucir su temperamento en lo que a otros se refería.

—Estaremos preparadas para partir al mismo tiempo que el resto, y tú lo sabes, Valan Luca. Además, una hora o dos no representarán ninguna diferencia. Hay suficiente gente reunida al otro lado del río, y si acuden cien personas a la representación serán más de las que nunca soñaste tener. Si decidimos disfrutar sin prisas de un buen desayuno, puedes empezar a girar los pulgares y esperar. No conseguirás lo que quieres si nos dejas atrás.

Fue un modo grosero de recordarle que todavía no había recibido los cien marcos de oro prometidos, pero, por una vez, no bastó para frenar al hombre.

—¿Suficiente gente? ¡Suficiente gente! A la gente hay que atraerla, mujer. Chin Akima lleva aquí tres días, y tiene a un tipo que hace juegos malabares con hachas y espadas. Y nueve acróbatas. ¡Nueve! Otra mujer de la que nunca había oído hablar cuenta con dos mujeres acróbatas cuyos ejercicios en una cuerda floja harían que a los Chavana se les salieran los ojos de las órbitas. No imaginas lo que atrae a la multitud. Sillia Cerano tiene hombres con las caras pintadas como los bufones de la corte que se echan baldes de agua unos a otros y se atizan en la cabeza con vejigas hinchadas. ¡Y la gente paga un céntimo de plata más sólo para verlos! —De repente sus ojos se estrecharon al observar a Birgitte—. ¿Accederías a pintarte la cara? Sillia no tiene ninguna mujer entre sus bufones. Algunos de los encargados de los caballos estarían dispuestos a hacerlo. No duele recibir golpes con una vejiga hinchada, y te pagaré... —Dejó sin terminar la frase para hacer cálculos, ya que le gustaba tan poco como a Nynaeve desprenderse de dinero, y Birgitte aprovechó la pausa para hablar:

—No soy un bufón y no pienso serlo. Soy arquera.

—Arquera —rezongó Luca mientras contemplaba la compleja trenza negra que le caía sobre el hombro a la mujer—. Y supongo que te llamas Birgitte. ¿Quién eres? ¿Uno de esos necios que van a la caza del Cuerno de Valere? Aunque esa cosa existiera, ¿qué oportunidades hay de que cualquiera de vosotros lo encuentre en lugar de otro? Estaba en Illian cuando los cazadores prestaron el juramento, y los había a miles en la Gran Plaza de Tammaz. Salvo por la gloria que podrías obtener, no hay nada que eclipse al aplauso de...

—Soy arquera, tipo guapo —lo interrumpió firmemente Birgitte—. Proporcióname un arco y te venceré a ti o a cualquier otro que elijas. Te apuesto cien coronas de oro contra una tuya.

Elayne esperaba oír el chillido de Nynaeve —serían ellas quienes tendrían que cubrir la apuesta de Birgitte si perdía y, por mucho que la mujer dijera lo contrario, Elayne no creía que estuviera completamente recuperada—, pero la antigua Zahorí se limitó a cerrar los ojos y a inhalar profunda y lentamente.

—¡Mujeres! —gruñó Luca. Thom y Juilin no tendrían que haber mostrado aquella expresión, como si coincidieran con el comentario del otro hombre—. Eres un buen complemento para «lady» Morelin y Nana o comoquiera que se llamen realmente. —Hizo un amplio gesto, extendiendo la roja capa, con el que señalaba al conjunto de hombres y caballos que tenían alrededor—. A lo mejor te ha pasado por alto, mi avispada «Birgitte», pero aquí tengo un espectáculo que poner en marcha, y mis competidores ya están aligerando de monedas a Samara, como buenos estafadores que son.

Birgitte esbozó una leve sonrisa que curvó las comisuras de sus labios.

—¿Acaso tienes miedo, tipo guapo? Si quieres, dejamos tu parte de la apuesta en un céntimo de plata.

A juzgar por la congestión del rostro de Luca, Elayne temió que le diera un ataque de apoplejía en cualquier momento. De repente daba la sensación de que su garganta era demasiado ancha para el cuello de la camisa.

—Iré a coger mi arco —replicó casi con un siseo—. ¡Por lo que a mí respecta, podrás saldar tu deuda de cien coronas de oro actuando con la cara pintada o limpiando jaulas!

—¿Estás segura de que te encuentras bastante recuperada? —le preguntó Elayne a Birgitte mientras el hombre se alejaba mascullando entre dientes. La única palabra que la joven alcanzó a entender fue «¡mujeres!». Por su parte, Nynaeve observaba a la arquera como si quisiera que el suelo se abriera y se la tragara; a ella, no a Birgitte. Varios encargados de los caballos se habían reunido alrededor de Thom y Juilin por alguna razón.

—Tiene unas piernas bonitas —dijo Birgitte—, pero nunca me han gustado los hombres altos. Si a eso le añades una cara atractiva, siempre son unos tipos insufribles.

Petro se había unido al grupo de hombres, y doblaba a cualquiera de ellos en el tamaño. Dijo algo y después Thom y él se estrecharon la mano. Los Chavana también estaban allí. Y Latelle, hablando seriamente con Thom mientras lanzaba miradas sombrías a Nynaeve y a las dos mujeres que la acompañaban. Para cuando Luca regresó con un arco con la cuerda sin tensar y una aljaba de flechas, todo el mundo había dejado de hacer preparativos. Las carretas, los caballos y las jaulas —hasta los mastodontes atados— habían quedado abandonados, y toda la gente se apelotonaba alrededor de Thom y del rastreador. Siguieron a Luca, que se dirigió fuera del campamento, a corta distancia.

—Se me considera un buen arquero —dijo mientras trazaba una cruz en el tronco de un roble, a la altura de su torso. Había recuperado parte de su garbo, y se retiró cincuenta pasos pavoneándose al caminar—. Dispararé primero, así podrás ver a lo que te enfrentas.

Birgitte le quitó el arco de la mano y se apartó otros cincuenta pasos, seguida por la mirada de Luca. La mujer sacudió la cabeza al fijarse en el arco, pero lo sujetó entre los pies y lo encordó en un fluido movimiento antes de que Luca llegara junto a ella, Elayne y Nynaeve. Birgitte sacó una flecha de la aljaba que sostenía el hombre, la examinó un momento y después la tiró a un lado como si fuera un desecho. Luca frunció el ceño y abrió la boca para decir algo, pero la arquera ya había descartado un segundo proyectil. Los tres siguientes también fueron a parar al suelo alfombrado de hojas; clavó la sexta flecha en el suelo. De veintiuna que había en la aljaba, sólo se quedó con cuatro.

—Puede hacerlo —susurró Elayne, que procuró dar un tono de seguridad a su voz. Nynaeve asintió como abstraída; si tenían que pagar cien coronas de oro, a no tardar se verían obligadas a vender las joyas que Amathera les había regalado. No podían utilizar las cartas de valores, como le había explicado a Nynaeve; si las usaban, ello le revelaría a Elaida dónde habían estado aunque se hubieran marchado de allí. «Si hubiese reaccionado antes, podría haber impedido esto. Como mi Guardián, tiene que hacer lo que yo le diga, ¿no?» Hasta ahora, y por los indicios, la obediencia no era parte del vínculo. ¿Las Aes Sedai a las que había espiado habrían obligado a los hombres a prestar también juramento? Ahora que lo pensaba, creía que uno de ellos sí lo había hecho.

Birgitte encajó una flecha, levantó el arco y disparó sin hacer aparentemente una pausa para apuntar. Elayne cerró los ojos, pero la punta de acero se clavó en el centro exacto de la cruz marcada en el tronco. Antes de que hubiese dejado de cimbrearse, la segunda le pasó rozando y se hincó a su lado. Birgitte espero un instante entonces, pero sólo para que las dos flechas se quedaran inmóviles. Una ahogada exclamación de asombro se alzó entre los espectadores cuando un tercer proyectil dividió en dos el primero, pero la siguiente reacción de los presentes fue un profundo silencio de pasmo cuando la cuarta flecha partió a su vez la anterior, con idéntica limpieza, por el centro del astil. Una vez podría achacarse a la suerte. Dos veces...

El estupor de Luca era tal que sus ojos parecían a punto de salírsele de las órbitas. Miró, boquiabierto, el árbol, y después a Birgitte; de nuevo volvió la vista al tronco y luego, otra vez, a la mujer. Esta le tendió el arco, y Luca sacudió lentamente la cabeza, como aturdido.

De repente, lanzó el arco a un lado y extendió los brazos a la par que gritaba con entusiasmo:

—¡Nada de cuchillos! ¡Flechas! ¡Y desde un centenar de pasos!

Nynaeve tuvo que apoyarse en Elayne cuando el hombre explicó lo que quería, pero no protestó. Thom y Juilin estaban recogiendo dinero; la mayoría les daba las monedas con un suspiro o con una risa, pero Juilin tuvo que agarrar del brazo a Latelle cuando la mujer intentó escabullirse, y dirigirle unas cuantas palabras iracundas antes de que ella sacara el dinero de la bolsita. Así que eso era lo que se habían traído entre manos. Tendría que hablarles seriamente. Pero después.

—Nana, no tienes que acceder a esto —dijo Elayne a su amiga, pero la otra mujer no respondió y siguió mirando a Birgitte, el rostro demacrado.

—¿Y nuestra apuesta? —exigió la arquera cuando Luca se calló, falto de aliento. El hombre hizo una mueca y después tanteó lentamente en su bolsita del dinero y sacó una moneda, que lanzó por el aire a Birgirte. Elayne atisbó el brillo del oro al sol mientras Birgitte la examinaba para, de inmediato, lanzársela de nuevo a Luca—. La apuesta era un céntimo de plata por tu parte.

Los ojos del hombre se abrieron por la sorpresa, pero al instante se echaba a reír.

—Te la has ganado con creces —dijo, devolviéndole la moneda a la mujer—. Bien, ¿qué respondes? Vaya, pero si es posible que hasta la reina de Ghealdan en persona venga a ver una actuación como la tuya. Birgitte y sus flechas. ¡Las pintaremos de plata! ¡Y el arco también!

Elayne deseó desesperadamente que Birgitte la mirase. Si hacían lo que el hombre sugería sería tanto como poner un cartel indicando su posición a Moghedien.

Sin embargo, Birgitte se limitó a hacer saltar la moneda en la palma de su mano mientras sonreía.

—La pintura echaría a perder un espectáculo ya de por sí vulgar —dijo finalmente—. Y llámame Merian. Es un nombre por el que se me conoció en cierta ocasión. —Se apoyó en el arco y su sonrisa se ensanchó—. ¿Puedo tener también un vestido rojo?

Elayne soltó un suspiro de profundo alivio. Nynaeve parecía estar a punto de vomitar.

37

REPRESENTACIONES EN SAMARA

P or lo que le pareció centésima vez, Nynaeve sostuvo un mechón de su largo cabello para mirarlo y luego suspiró. El fuerte murmullo de charlas y risas que eran emitidas por centenares, si no miles, de gargantas, que casi ahogaba el sonido de música lejana, se colaba a través de las paredes del carromato. No le había importado lo más mínimo quedarse dentro del vehículo con Elayne mientras durara el desfile a través de las calles de Samara —alguna ojeada que otra por las ventanas fue suficiente para convencerla de que era mejor no estar fuera, entre aquella abigarrada muchedumbre que gritaba y apenas dejaba paso para los carromatos—, pero cada vez que miraba su cabello, de un llamativo tono cobrizo, la hacía desear haber dado volantines con los Chavana antes que teñírselo.

Poniendo un gran empeño en no mirarse, se envolvió en su sencillo chal de color gris oscuro, giró sobre sus talones, y dio un respingo al encontrar a Birgitte plantada en la puerta. La mujer había ido en el carromato de Clarine y Petro durante el desfile, mientras Clarine hacía arreglos a un vestido rojo igual al que había estado cosiendo para Nynaeve siguiendo instrucciones de Luca, que se las había dado antes incluso de que la antigua Zahorí hubiese accedido a actuar. Birgitte lo llevaba puesto ahora; el cabello de la mujer, teñido de negro, iba peinado en una trenza y echado sobre el hombro, de modo que descansaba entre sus senos. Birgitte no parecía darse cuenta de lo bajo que era el escote cuadrado. El simple hecho de mirarla indujo a Nynaeve a ajustarse más el chal de manera inconsciente; Birgitte no podía enseñar ni una pulgada más del pálido busto y mantener el más leve atisbo de decencia. Tal y como era, recurrir a tal descripción casi resultaba risible. Mirar a la mujer hizo que a Nynaeve se le encogiera el estómago, y no por nada relacionado con el atuendo.

—Si vas a llevar el vestido, ¿por qué te tapas? —Birgitte entró en el carromato y cerró la puerta tras ella—. Eres una mujer. ¿Por qué no sentirte orgullosa de ello?

—Si crees que debería hacerlo —contestó, vacilante, mientras dejaba resbalar lentamente el chal hasta el doblez de los brazos, descubriendo un atuendo exactamente igual al de la otra mujer. Tenía la sensación de ir desnuda—. Sólo pensé que... que... —Aferró con fuerza la falda de seda para mantener las manos caídas a los costados y alzó los ojos hacia Birgitte. El simple hecho de saber que iba vestida igual se lo hacía más fácil. Birgitte hizo una mueca.

—¿Y si quiero que bajes el escote un par de dedos? —preguntó la arquera.

Nynaeve abrió la boca, con las mejillas tan rojas como el vestido, pero no emitió ningún sonido de momento. Cuando por fin consiguió hablar, su voz sonaba estrangulada:

—No quedan dos dedos de tela para bajarlo. Fíjate en el tuyo. ¡Apenas queda nada!

Ceñuda, Birgitte salvó la distancia que las separaba en tres zancadas rápidas y se inclinó ligeramente para mirar cara a cara a la otra mujer.

—¿Y si aun así te pido que lo bajes? —espetó, furiosa—. ¿Y si quiero que te pintes la cara, para que así Luca pueda tener su bufón? ¿Y si incluso te dejo completamente desnuda y te pinto de la cabeza a los pies? Resultarías una diana estupenda. Todos los hombres que hay en un radio de cincuenta millas vendrían a verte.

Nynaeve abrió y cerró la boca, pero en esta ocasión no salió ningún sonido entre sus labios. Deseaba con todas sus fuerzas cerrar los ojos; a lo mejor, cuando volviese a abrirlos, nada de esto estaría sucediendo.

Birgitte sacudió la cabeza con expresión disgustada y tomó asiento en una de las camas, con el codo apoyado en la rodilla y una mirada penetrante en sus azules ojos.

—Esto tiene que acabar. Cuando te miro, das un respingo. Vas detrás de mí a la expectativa, como un perro fiel. Si busco una banqueta, corres a traerme una. Si me paso la lengua por los labios, me has puesto una copa de vino en las manos antes de que me haya percatado siquiera de que tengo sed. Me enjabonarías la espalda y me pondrías los escarpines si te dejara. No soy ni un monstruo ni una inválida ni una niña, Nynaeve.

—Sólo intento compensarte por... —empezó tímidamente, y dio un brinco cuando la otra mujer bramó:

—¿Compensarme? ¡Lo que haces es rebajarme!

—No, no, de verdad que no es eso. Tengo la culpa de...

—Te haces responsable de mis actos —la interrumpió Birgitte con ferocidad—. Yo decidí hablar contigo en el *Tel'aran'rhiod*. Yo decidí ayudarte. Yo decidí rastrear a Moghedien. Yo decidí llevarte a verla. ¡Yo! ¡No tú, Nynaeve, yo! No fui tu marioneta ni tu sabueso entonces y tampoco lo seré ahora.

Nynaeve tragó saliva con esfuerzo y apretó más los dedos en los pliegues de la falda. No tenía derecho a enfadarse con esta mujer. Ningún derecho. Por el contrario, Birgitte sí lo tenía.

—Hiciste lo que te pedí. Es culpa mía que... que estés aquí. ¡Es por mi culpa!

—¿He mencionado acaso nada sobre culpas? A mi modo de ver, nadie es culpable, y tú tampoco.

—Fue mi estúpido orgullo el que me hizo creer que podría vencerla otra vez, y fue mi cobardía la que permitió que... que te... Si no hubiese estado tan asustada a lo mejor podría haber hecho algo a tiempo.

—¿Cobardía? —Birgitte abrió mucho los ojos, con incredulidad, y su voz cobró un leve timbre de sorna—. ¿Cobarde tú? Pensé que eras lo bastante inteligente para no confundir el miedo con la cobardía. Podrías haber huido del *Tel'aran'rhiod* cuando Moghedien te soltó, pero te quedaste para luchar. No te eches la culpa por que te fuera imposible hacerlo. —Inhaló profundamente y se frotó la frente un momento; después volvió a inclinarse hacia la otra mujer—. Escúchame bien, Nynaeve. Yo no me culpo por lo que te pasó a ti. Lo vi, pero no podía mover ni un músculo en ese momento. Si Moghedien te hubiese hecho un nudo o te hubiera abierto en canal, seguiría sin sentirme culpable. Hice lo que pude y cuando pude. Y tú, igual.

—No es lo mismo. —Nynaeve procuró hablar sin acalorarse—. Fue culpa mía que estuvieras allí. Y también que estés aquí ahora. Si... —Hizo una pausa para tragar saliva otra vez—. Si fallas... cuando dispares hoy, quiero que sepas que lo entenderé.

—Siempre doy en el blanco —repuso fríamente Birgitte—, y no será a ti a quien apunte. —Empezó a coger cosas de uno de los armarios y las fue dejando encima de la pequeña mesa: flechas a medio terminar; astiles lijados; puntas de acero; un bote con pegamento; cordón fino; plumas de ganso gris para los penachos. Había dicho que también se haría un arco en la primera ocasión que se le presentara. El de Luca lo definía como «una rama nudosa arrancada de un árbol con las fibras sesgadas por un estúpido ciego en mitad de la noche»—. Me caías bien, Nynaeve —dijo mientras iba soltando las cosas—. Con espinas, púas y todo lo demás. Pero ya no, tal como eres ahora...

—No tienes razón para apreciarme ahora —musitó la otra mujer con tristeza, pero la arquera siguió hablando, apagando sus palabras, sin levantar la vista de lo que estaba haciendo.

—... y no voy a permitirte que me rebajes, que hagas de menos mis propias decisiones al querer hacerte responsable por ellas. He tenido pocas amigas, pero casi todas poseían el mismo temperamento que un espectro de nieve.

—Ojalá volvieras a ser mi amiga. —¿Qué demonios sería un espectro de nieve? Algo de otra Era, sin duda—. Jamás fue mi intención rebajarte, Birgitte. Sólo...

Birgitte no prestaba atención a sus palabras, salvo para alzar más la voz. Aparentemente estaba absorta en los astiles de flecha.

—Me gustaría sentir aprecio por ti otra vez, tanto si fuera correspondido como si no, pero me es imposible mientras no seas tú misma. Admitiría convivir con una infeliz llorona y empalagosa si fuera ésa tu forma de ser. Acepto a la gente como es, no como me gustaría a mí que fuera, o si no, las dejo. Pero tú no eres de ese modo, y no admitiré tus razones para comportarte de otra forma. Bien. Clarine me contó tu pelea con Cerandin, así que ahora sabré qué hacer la próxima vez que te empeñes en reclamar como tuyas mis propias decisiones. —Sacudió enérgicamente en el aire un trozo de madera de fresno—. Seguro que a Latelle le encantaría facilitarme la vara.

Nynaeve se obligó a aflojar la tensión de las mandíbulas y adoptar un tono de voz lo más suave posible:

—Tienes perfecto derecho a hacer conmigo lo que quieras. —Los puños apretados sobre la falda le temblaron más que la voz.

—Vaya, ¿es eso un atisbo de genio? ¿Una chispa de rabia? —Birgitte le sonrió con un gesto entre divertido y alarmantemente fiero—. ¿Cuánto falta para que estalle en llamas? Estoy dispuesta a dar tantos azotazos como sean necesarios. —La mueca burlona dio paso a una expresión seria—. Una de dos: o te hago comprender la realidad de lo que ocurre o te obligaré a marcharte. No hay otra alternativa. No puedo, ni quiero, abandonar a Elayne. Ese vínculo me honra y yo haré honor a él, y también a ella. No consentiré que creas que tomas las decisiones por mí ni que las tomaste en algún momento. Soy una persona, no un apéndice tuyo. Y ahora, puedes irte. He de terminar estas flechas si quiero disponer al menos de unas cuantas que sigan un curso exacto en el aire. No tengo intención de matarte, y no me gustaría que ocurriera por accidente. —Destapó el bote de pegamento y se inclinó sobre la mesa—. No te olvides de hacer una reverencia como una buena chica antes de salir.

Nynaeve llegó hasta el pie de la escalerilla y entonces se golpeó el muslo con el puño cerrado, furiosa. ¿Cómo se atrevía esa mujer? ¿Es que creía que podía tratarla como...? ¿Pensaba que ella iba a aguantar...? «Creías que podía hacer lo que le diera la gana contigo», le susurró una vocecilla dentro de la cabeza. «Dije que podía matarme si quería —replicó, rabiosa—. ¡No humillarme!» ¡A no mucho tardar, todo el mundo estaría amenazándola con esa maldita seanchan!

No había nadie en los carromatos, excepto unos pocos encargados de los caballos que hacían guardia, cerca de la alta valla de lona que había sido levantada alrededor del recinto donde se ofrecería el espectáculo. Desde la gran pradera de hierba agostada, a casi media milla de Samara, la gris muralla de piedra de la ciudad se veía con claridad, con los cuadrados torreones de las puertas y los tejados de bálago o tejas de unos pocos edificios altos asomando por encima. Fuera de la muralla, varios poblados de chozas y toscas chabolas crecían como hongos en todas direcciones, abarrotados por los seguidores del Profeta, que habían esquilmado de árboles varias millas a la redonda ya fuera para construir o bien para hacer lumbres.

La entrada al recinto del espectáculo para los espectadores estaba en el lado opuesto, pero dos de los mozos, armados con sólidos garrotes, se hallaban apostados al otro lado para disuadir a cualquiera que pretendiera colarse sin pagar por el acceso que utilizaban los miembros de la compañía. Nynaeve había llegado casi ante ellos, caminando con largas zancadas mientras mascullaba entre dientes, enrabietada, cuando sus estúpidas sonrisas la hicieron caer en la cuenta de que todavía llevaba el chal sujeto en el doblez de los brazos. La mirada que les asestó les borró la sonrisita de golpe. Sólo entonces se cubrió con el chal, sin apresuramientos; no estaba dispuesta a que esos patanes creyeran que sus muecas la obligarían a chillar y a brincar del susto. El delgaducho, que tenía una nariz que le ocupaba la mitad de la cara, sostuvo abierta la entrada de la lona y Nynaeve pasó y se sumergió en un pandemónium.

La gente se amontonaba por doquier en ruidosos apiñamientos de hombres, mujeres y niños cual ríos parlanchines que se desplazaban de una atracción a la siguiente. Todas las actuaciones, excepto los *s'redit*, se llevaban a cabo sobre plataformas que Luca había mandado hacer. Los mastodontes de Cerandin acaparaban el mayor número de espectadores; los inmensos animales grises estaban haciendo equilibrios sobre las patas delanteras, incluso la cría, con los largos apéndices nasales levantados sinuosamente, en tanto que los perros de Clarine contaban con el grupo más reducido de asistentes a pesar de las piruetas hacia atrás y los saltos que daban unos por encima de los otros. Mucha gente se detenía a contemplar los leones y los peludos *caparis* en sus jaulas, los venados de extrañas cuernas procedentes de Arafel, Saldaea y Arad Doman, y las aves de coloridos plumajes originarias de la Luz sabía dónde, así como unas criaturas de andares bamboleantes, cubiertas de un pelaje marrón, con grandes ojos y redondas orejas que estaban sentadas comiendo plácidamente las hojas de ramas que aferraban entre las patas delanteras. Luca situaba la procedencia de estos animales en diferentes lugares —seguramente porque la ignoraba— y todavía no había encontrado un nombre para designarlos que le complaciera. Una serpiente enorme, de la zona pantanosa de Illian, tan larga como la altura sumada de cuatro hombres, provocaba casi tantos respingos como los propios *s'redit* a pesar de que se limitaba a estar tumbada, aparentemente dormida; para Nynaeve fue una satisfacción comprobar que los osos de Latelle, que en ese momento estaban encaramados a unas grandes bolas de madera roja, haciéndolas girar con las patas traseras, atraían casi tan poco público como los perros. Esta gente podía ver osos en sus propios bosques, aunque éstos tuvieran el careto blanco.

El vestido de lentejuelas negras de Latelle resplandecía con la luz del sol vespertino. El verde de Cerandin y el azul de Clarine brillaban igualmente, aunque ninguno de los dos tenía tantas lentejuelas como el de Latelle; sin embargo, todos ellos tenían un cuello alto hasta la barbilla. Por supuesto, Petro y los Chavana actuaban vestidos sólo con calzones ajustados de un fuerte color azul, aunque era para que se vieran sus músculos. Era comprensible. Los acróbatas estaban encaramados unos sobre los hombros de los otros, formando una torre de cuatro. No muy lejos, el hombre forzudo cogió una barra larga, rematada a cada extremo por una bola de hierro —habían hecho falta dos hombres para llevar el artilugio a la plataforma— y de inmediato se puso a girarlo entre las gruesas manos, incluso dándole vueltas alrededor del cuello y sobre la espalda.

Thom hacía juegos malabares con fuego, y también se lo tragaba. Ocho bastones prendidos formaban un círculo perfecto en el aire; luego, de repente, el juglar tenía cuatro en cada mano, con uno sobresaliendo en cada grupo. Dirigiendo diestramente hacia su boca cada punta prendida, una por una, daba la impresión de tragarse las llamas y poco después sacaba el bastón apagado, con una expresión de satisfacción como si acabara de comer algo sabroso. Nynaeve no lograba imaginar cómo conseguía que el bigote no se le quemara, por no mencionar la boca. Un giro de muñecas, y los bastones apagados volvieron a prenderse en un abanico. Un instante después, formaban dos círculos interconectados por encima de su cabeza. Llevaba la misma capa marrón de siempre, aunque Luca le había dado una roja con lentejuelas. Por el modo en que Thom enarcó las cejas al verla pasar, no entendía por qué lo miraba con irritación. ¡Así que llevaba su propia capa!

Nynaeve se dirigió presurosa hacia la impaciente muchedumbre apiñada alrededor de dos altos postes unidos en lo alto por un cable tenso. Tuvo que hacer uso de los codos para lograr ponerse en primera fila, aunque hubo dos mujeres que le asestaron una mirada furibunda mientras apartaban de ella a sus hombres de un brusco tirón cuando el chal se escurrió hombros abajo. Les habría devuelto la mirada si no hubiese estado tan ocupada tapándose y poniéndose colorada. Luca estaba allí, con el entrecejo fruncido y un gesto de ansiedad semejante al de un marido esperando junto a la puerta del cuarto donde su mujer está dando a luz. A su lado había un tipo corpulento que llevaba la cabeza afeitada salvo un copete de pelo canoso. Nynaeve se situó al otro costado de Luca. El hombre del cráneo afeitado tenía mala catadura; una larga cicatriz le surcaba la mejilla izquierda, y un parche que le tapaba el ojo de ese lado iba pintado con un torpe simulacro de ojo ceñudo y enrojecido. Pocos hombres de los que había visto allí llevaban más armas que un simple cuchillo al cinturón, pero éste portaba una espada a la espalda, con la larga empuñadura asomando por encima del hombro derecho. Le resultaba vagamente familiar por alguna razón, pero Nynaeve estaba pendiente del cable en lo alto. Luca frunció el entrecejo al fijarse en el chal, le sonrió e intentó rodearle la cintura con el brazo.

Cuando el hombre todavía trataba de recobrar la respiración tras el codazo recibido y ella seguía colocándose bien el chal, Juilin salió de entre la multitud dando traspiés, con el gorro cónico ladeado, la chaqueta medio descolgada de un hombro, y una jarra de madera en la mano, que rebosaba por el borde. Caminando con los pasos excesivamente cautelosos del hombre que ha bebido más de la cuenta, se acercó a la escala de cuerda que conducía a una de las altas plataformas, y la miró de hito en hito.

—¡Vamos! —gritó alguien—. ¡Rómpete tu estúpido cuello!

—Espera, amigo —llamó Luca, que echó a andar repartiendo sonrisas y haciendo ondear la capa—. Ese no es lugar para un hombre con el estómago lleno de...

El rastreador soltó la jarra en el suelo, trepó por la escala de cuerda y se encaramó, inestable, en la plataforma. Nynaeve contuvo el aliento. El hombre estaba acostumbrado a las alturas, cosa lógica después de pasarse la vida persiguiendo ladrones por los tejados de Tear, pero aun así...

Juilin dio media vuelta como si estuviera perdido; parecía encontrarse demasiado ebrio para ver o recordar la escala. Fijó la mirada en el cable tenso. Vacilante, puso un pie en él y al punto retrocedió. Echó hacia atrás el gorro para rascarse la cabeza, observó atentamente el cable tendido y, de repente, la comprensión pareció iluminar su semblante. Muy despacio, se puso a gatas y empezó a desplazarse por el cable en medio de bamboleos. Luca le gritó que bajara, y la multitud estalló en carcajadas.

A mitad de camino entre una y otra plataforma, el rastreador se detuvo, miró hacia atrás y sus ojos se prendieron en la jarra que había dejado en el suelo. Era obvio que se estaba planteando cómo regresar por ella. Lentamente, con infinito cuidado, se puso de pie, de cara hacia la dirección por la que había venido y tambaleándose a uno y otro lado. Hubo un respingo general cuando un pie le resbaló y el hombre perdió el equilibrio. Mientras caía, de algún modo se las ingenió para sujetarse con una mano y engancharse por una pierna al cable. Luca recogió el gorro tarabonés antes de que llegara al suelo y gritó a todo el mundo que el hombre estaba loco y que no era responsabilidad suya lo que quiera que le ocurriese. Nynaeve ciñó las manos con fuerza sobre su estómago; se imaginaba a sí misma allí arriba y la mera idea le provocaba náuseas. Ese hombre era un estúpido. ¡Un completo necio sin pizca de cerebro!

Con un esfuerzo evidente, Juilin se las ingenió para agarrarse a la cuerda con la otra mano y se desplazó a pulso, palmo a palmo, a la plataforma más alejada. Una vez allí, se encaramó a ella, falto de equilibrio, se sacudió la chaqueta e intentó ponérsela derecha, aunque lo único que consiguió fue que le colgara por el hombro contrario. Entonces vio la jarra en el suelo, al pie de la otra plataforma. La señaló con alegría y volvió a posar un pie sobre el cable.

Esta vez, la mitad de los espectadores le gritó que volviera, que había una escala a su espalda; la otra mitad rió con todas sus ganas, sin duda esperando que se rompiera el cuello. Recorrió el cable ágilmente, se deslizó por la escala con las manos y los pies por la parte exterior, y recogió la jarra para echar un buen trago. Hasta que Luca le puso el gorro y los dos hombres saludaron con una reverencia —Luca ondeando la capa de tal modo que Juilin quedó tapado por ella la mitad del tiempo— los espectadores no comprendieron que todo había sido parte del espectáculo. Hubo un instante de silencio, e inmediatamente después estalló un gran aplauso coreado por aclamaciones y risas. Nynaeve había temido que el público reaccionara mal al darse cuenta de que lo habían engañado. El tipo del mechón de pelo en cola de caballo seguía teniendo un aspecto peligroso incluso sacudido por la risa.

Luca dejó a Juilin junto a la escala y volvió a situarse entre Nynaeve y el hombre del mechón de pelo.

—Me pareció que eso funcionaría. —Parecía inmensamente satisfecho consigo mismo e hizo más reverencias a la multitud como si hubiese sido él quien hubiera caminado por el cable.

Nynaeve le dedicó una mirada severa, pero no tuvo tiempo de soltar el agrio comentario que pensaba hacer porque en ese momento apareció Elayne abriéndose paso entre la multitud y se situó al lado de Juilin, con los brazos levantados y una rodilla ligeramente doblada.

Nynaeve apretó los labios y se ajustó el chal con irritación. Por mala que fuera la opinión que tenía del vestido rojo que había acabado por llevar puesto sin saber realmente cómo, dudaba mucho que el atuendo de Elayne fuera mejor. La heredera del trono de Andor iba completamente de blanco, con lentejuelas del mismo color brillando en la chaqueta corta y en los ajustados calzones. Nynaeve no había creído realmente que su amiga apareciera en público con esa ropa, pero había estado demasiado preocupada por su propio atuendo para darle su opinión. La chaqueta y los calzones le recordaban a Min. Nunca había aprobado que Min vistiera ropa de chico, pero el color y las lentejuelas hacían que ésta fuera aun más... escandalosa.

Juilin mantuvo tensa la escala de cuerda para que Elayne pudiera trepar por ella, aunque no era necesario. La joven subió con tanta agilidad como podría haberlo hecho él. El rastreador se perdió en la multitud tan pronto como Elayne llegó a la plataforma, donde la joven adoptó de nuevo la misma postura para saludar al público, y su rostro se iluminó al oír el clamoroso aplauso como si estuviera recibiendo la adulación de sus súbditos. Cuando plantó el pie en el cable tenso —que parecía aun más fino que cuando Juilin había caminado sobre él— Nynaeve contuvo la respiración y se olvidó por completo de la ropa que lucía Elayne e incluso de su propio vestido.

La muchacha dio los primeros pasos por la cuerda con los brazos extendidos; no estaba encauzando el tejido de un paso de Aire. Lentamente, avanzó palmo a palmo, sin la menor vacilación, sostenida únicamente por el cable. Encauzar sería demasiado peligroso si Moghedien tenía la más ligera sospecha de dónde se encontraban; la Renegada o las hermanas Negras podían estar en Samara, y percibirían el uso del *Saidar*. Además, si no estaban ya en Samara no tardarían en aparecer por allí. En la otra plataforma Elayne tuvo que hacer una pausa para recibir un aplauso considerablemente más largo que el dado a Juilin —Nynaeve no lo entendía— e inició el camino de vuelta. Casi al final, giró sobre sí misma suavemente, regresó al centro del cable, y volvió a girar. Se tambaleó y recobró el equilibrio a duras penas. Nynaeve se sentía como si una mano le estuviera apretando la garganta con fuerza. A un paso lento y seguro, Elayne caminó hacia la plataforma y de nuevo adoptó la postura de saludo mientras los aplausos y las aclamaciones resonaban.

Nynaeve tragó saliva y volvió a respirar, pero sabía que el número no había terminado.

Elayne levantó las manos por encima de la cabeza y, de repente, empezó a dar volteretas laterales a lo largo de la cuerda, el negro cabello sacudiéndose, las piernas enfundadas en los blancos calzones centelleando al sol. Nynaeve chilló y agarró el brazo de Luca mientras su amiga llegaba a la otra plataforma, se tambaleaba al plantar los pies en ella, y recuperaba el equilibrio, a punto de caer por el borde.

—¿Qué te ocurre? —murmuró Luca, su susurro apagado por la ahogada exclamación de la multitud—. La has visto hacer esto todas las tardes desde Sienda. Y apuesto que también en muchos otros sitios.

—Por supuesto —repuso débilmente. Pendiente de Elayne, apenas si notó que el hombre le rodeaba los hombros con su brazo, de modo que no reaccionó como lo habría hecho en cualquier otro momento. Había intentado convencer a la joven para que simulara haberse torcido un tobillo, pero Elayne insistió en que después de practicar tanto con el Poder ahora ya no le hacía falta para realizar el número. Puede que a Juilin no le hiciera falta, ésa era la impresión que daba, pero Elayne nunca había gateado por los tejados de noche.

Las volteretas de regreso fueron perfectas, así como también el último salto para plantar los pies en la plataforma, pero Nynaeve no apartó los ojos ni aflojó los dedos aferrados a la manga de Luca. Después de lo que parecía la inevitable pausa para los aplausos, Elayne regresó a la cuerda para hacer más giros sobre un solo pie y con la otra pierna levantada y moviéndola arriba y abajo tan rápidamente que daba la sensación de que la tuviera extendida todo el tiempo; a continuación dio un salto mortal muy lento que la dejó recta como una daga, con los dedos de los pies apuntando al cielo. Y luego una voltereta hacia atrás que provocó el respingo de la multitud al verla balancearse a uno y otro lado, sosteniéndose en equilibrio a duras penas. Thom Merrilin le había enseñado esto y también el salto mortal.

Nynaeve vio a Thom de reojo, a un lado, separado de ella por otras dos personas; el hombre no quitaba los ojos de Elayne y estaba casi de puntillas. Parecía estar tan orgulloso como un pavo real; también parecía presto para salir corriendo y coger a la muchacha si caía; si sucedía tal cosa, al menos en parte sería culpa de él. ¡Nunca debería haberle enseñado esos ejercicios!

Una última pasada de volteretas laterales, las piernas enfundadas en los blancos calzones relampagueando al sol, más deprisa que antes. ¡Una última pasada de la que nadie le había hablado! Lo habría desollado a Luca con unas frases cortantes si el hombre no hubiese rezongado en voz baja, furioso, que el hecho de alargar el número sólo para ganarse más aplausos era un buen modo de que Elayne se rompiera el cuello. Hubo una pausa final para recibir esos aplausos, y por fin la joven descendió por la escala.

La multitud se abalanzó sobre ella mientras clamaba enardecida. Luca y cuatro de los mozos, armados con aquellos sólidos garrotes, aparecieron a su alrededor como por arte de magia, pero a pesar de su rapidez Thom se les adelantó, con cojera o sin ella.

Nynaeve brincó tal alto como pudo, aunque sólo consiguió atisbar a Elayne por encima de las cabezas de la gente. La joven no parecía estar asustada, ni siquiera impresionada, por tantas manos que intentaban tocarla extendiéndose entre el círculo de hombres que la protegían. Con la cabeza alta, y a pesar de tener las mejillas sonrojadas por el esfuerzo, se las arregló para mantener aquel aire frío y regio mientras la escoltaban entre la muchedumbre. Nynaeve no entendía cómo era capaz de tal cosa yendo vestida de ese modo.

—Como una condenada reina —masculló entre dientes el hombre tuerto. No había corrido con los demás hacia la joven, sino que se limitó a verlos pasar. Iba vestido con una sencilla chaqueta de lana gris oscura, y por su corpulencia no debía de temer ser arrollado por la muchedumbre. Por su aspecto se adivinaba que sabía cómo manejar aquella espada—. Así me abrase y me convierta en un campesino cagón, pero esa chica tiene suficientes redaños para ser una jodida reina.

Nynaeve lo miró boquiabierta mientras el hombre se alejaba entre la multitud, y su sorpresa no se debía a su tosco lenguaje. O, mejor dicho, en parte sí. Ahora recordaba dónde lo había visto: un hombre tuerto, con la cabeza afeitada salvo un mechón de pelo y que era incapaz de pronunciar dos frases seguidas sin intercalar las palabrotas más soeces.

Se olvidó de Elayne —la joven estaba a salvo— y empezó a abrirse camino entre la muchedumbre, en pos del hombre.

38

UN VIEJO CONOCIDO

Con tanta gente apiñada, a Nynaeve le costó un rato alcanzar al hombre, sin dejar de rezongar cada vez que la empujaba un hombre que lo miraba todo boquiabierto o una mujer que iba tirando de un niño de cada mano mientras los pequeños se empeñaban en arrastrar a la madre hacia lugares distintos al mismo tiempo. El hombre tuerto apenas se detuvo para mirar nada excepto la gran serpiente y los leones, hasta que llegó a los mastodontes. Tenía que haberlos visto antes, ya que los animales estaban situados cerca de la entrada del público. Cada vez que los *s'redit* se levantaban sobre sus patas traseras, como ocurría en este momento, las grandes cabezas con colmillos de los adultos podían verse desde el otro lado de la cerca de lona, y la gente que estaba fuera arreciaba los empujones para entrar.

Debajo del ancho letrero en rojo en el que se leía el nombre de «Valan Luca» por ambos lados, escrito con letras doradas, había dos mozos que controlaban el acceso de la gente por un estrecho pasillo entre dos gruesas cuerdas y recogían el dinero en unos recipientes de cristal tosco y con defectos —Luca no soltaría un céntimo más para tener otros mejores—, de modo que podían ver que las monedas pagadas eran las correctas sin necesidad de tocarlas. Después vaciaban el dinero directamente de los recipientes a través de un agujero abierto en la tapa de una caja reforzada con bandas de hierro, envuelta y sujeta con una cadena que Petro había colocado antes de que cayera dentro el primer céntimo de plata. Otros dos mozos —anchos de hombros y con las narices rotas y los nudillos hundidos, propio de camorristas habituales— se encontraban apostados cerca, equipados con garrotes, para asegurarse de que la multitud se mantuviera en orden. Y para vigilar a los hombres que cogían el dinero, sospechó Nynaeve. Luca no era de los que se fiaba, sobre todo en lo tocante al dinero. De hecho, era más agarrado que la piel de una almendra. Nynaeve no había topado nunca con alguien tan tacaño.

Se fue acercando poco a poco al hombre del mechón de pelo canoso. Ni que decir tiene que a él no le había costado trabajo colocarse en primera fila para ver a los *s'redit;* la cicatriz y el parche del ojo pintado se habrían encargado de ello incluso sin la espada sujeta a la espalda. En aquel momento contemplaba a los enormes animales grises con una sonrisa y lo que Nynaeve supuso era una expresión de maravilla en un semblante pétreo como el suyo.

—¿Ino? —Creía que ése era su nombre.

El hombre giró la cabeza y la miró fijamente. Una vez que Nynaeve se hubo colocado como era debido el chal, él alzó la vista hacia su rostro, pero en el oscuro ojo no hubo señal de que la reconociera. El otro, el ceñudo y pintado en rojo, le revolvía un poco el estómago.

Cerandin agitó el aguijón al tiempo que gritaba algo que resultó ininteligible, y los *s'redit* se volvieron; *Sanit,* la hembra, apoyó las patas en la inmensa y redondeada espalda del macho, *Mer,* que se mantenía erguido. *Nerin,* la cría, se puso de patas en la parte baja de la grupa de *Sanit.*

—Os vi en Fal Dara —dijo Nynaeve—. Y después en Punta de Toman, brevemente. Después de Falme. Estabais con... —No sabía cuánto podía decir teniendo a tanta gente pegada codo con codo a su alrededor; los rumores sobre el Dragón Renacido se habían propagado por toda Amadicia y en algunos incluso se decía el nombre correcto—. Con Rand.

El ojo de Ino se estrechó; la mujer procuró no fijarse en el otro y al cabo de un momento asintió con la cabeza.

—Recuerdo el rostro. Jamás olvido una cara tan condenadamente bonita. Pero el pelo era muy diferente, maldición. ¿Nyna?

—Nynaeve —respondió con brusquedad.

El hombre sacudió la cabeza mientras la miraba de arriba abajo y, antes de que ella pudiera añadir una palabra más, la agarró del brazo y la llevó casi a rastras hacia la salida. Los mozos que estaban allí la reconocieron, por supuesto, y los tipos con la nariz rota empezaron a adelantarse al tiempo que enarbolaban los garrotes. Nynaeve los despidió con un gesto furibundo mientras trataba de soltarse el brazo dando tirones; le costó tres intentonas, y aun entonces lo logró más bien porque Ino aflojó su presa. Sus dedos eran como un cepo. Los hombres de los garrotes vacilaron, pero después regresaron a sus puestos cuando vieron que Ino la soltaba. Por lo visto sabían bien lo que Valan Luca prefería que vigilaran y guardaran.

—¿Qué demonios pretendéis? —demandó la mujer, pero Ino se limitó a indicarle por señas que lo siguiera y, sin apenas aflojar el paso a través del gentío que esperaba apiñado para entrar, comprobó si Nynaeve hacía caso. El hombre era un poco patizambo, y se movía como quien está más acostumbrado a desplazarse sobre la grupa de un caballo que sobre sus propias piernas. Rezongando para sus adentros, Nynaeve se recogió la falda y fue en pos de él en dirección a la ciudad.

Otros dos espectáculos estaban instalados dentro de unas cercas de lona marrón, a corta distancia, y detrás había más, esparcidos entre los abarrotados poblados de chabolas, pero ninguno de ellos muy cerca de las murallas de la ciudad. Aparentemente, la gobernadora, como llamaban a la mujer que Nynaeve habría denominado alcaldesa —aunque no conocía ningún caso de una mujer que ostentara ese cargo— había decretado una distancia mínima de separación de media milla, a fin de proteger la ciudad en caso de que cualquiera de los animales se escapara.

En el cartel colocado sobre la entrada al espectáculo más cercano ponía «Mairin Gome» en una florida caligrafía en verde y dorado. Se veía claramente a dos mujeres por encima del letrero, aferradas a una cuerda que colgaba de un alto armazón de postes que no estaba allí cuando se había instalado la valla de lona de Luca. Al parecer, el que los mastodontes se irguieran sobre las patas traseras de modo que se los viera desde el exterior estaba surtiendo efecto. Las mujeres se contorsionaban en unas posturas que a Nynaeve le recordaban desagradablemente lo que le había hecho Moghedien, y se las ingeniaban incluso para mantenerse en una perfecta horizontal a cada extremo de la cuerda. La multitud que aguardaba impacientemente para entrar al espectáculo de la señora Gome era casi tan numerosa como la que esperaba frente al acceso del de Luca. Ninguno de los otros espectáculos tenían nada visible desde el exterior, de modo que la cantidad de gente agrupada a sus puertas era mucho más reducida.

Ino se negó a contestar las preguntas de la mujer ni a decir una palabra ni a hacer otra cosa que asestarle miradas ceñudas hasta que estuvieron lejos del bullicio, en un camino de carros.

—Lo que pretendo, maldita sea —gruñó entonces—, es llevaros donde podamos hablar sin que un condenado gentío os haga pedazos al intentar besar el repulgo de vuestra maldita falda cuando descubra que conocéis al jodido lord Dragón. —No había nadie a menos de treinta pasos de distancia, pero aun así Ino siguió echando ojeadas en derredor por si alguien estaba escuchando—. ¡Trueno, rayos y centellas, mujer! ¿Es que no sabéis cómo son estos cabezas de chivo? ¡La mitad están convencidos de que el Creador charla con ellos todas las malditas noches mientras cenan, y la otra mitad piensa que es el jodido Creador!

—Os agradecería que moderarais vuestro lenguaje, maese Ino. Y también que aminoraseis el paso. No estamos disputando una carrera. ¿Adónde vais y por qué he de seguiros?

El hombre puso el ojo en blanco y soltó una seca risita.

—Ahora os recuerdo bien, vaya que sí. Sois la de la lengua conde... La lengua afilada. Ragan opinaba que con ella podríais desollar y trocear a un jod... un toro a diez pasos de distancia. Chaena y Nangu decían que a cincuenta.

Al menos había aflojado el paso, pero aun así Nynaeve se paró en seco.

—¿Adónde vamos? —inquirió.

—Al interior de la ciudad. —El hombre no se detuvo. Continuó caminando a la par que le hacía señas para que lo siguiera—. No sé qué demonios estáis haciendo aquí, pero, así me abrase, recuerdo que estabais enredada con la «mujer de azul».

Mascullando entre dientes, Nynaeve se remangó la falda y echó a andar tras él apresuradamente; era la única forma de oír lo que decía. Ino siguió hablando como si la mujer no se hubiera apartado de él ni un momento:

—Este jod... lugar no es seguro para vos. Creo que puedo reunir el cond... suficiente dinero para enviaros a Tear. Según los rumores es allí donde se encuentra el lord Dragón. —De nuevo echó una mirada suspicaz en derredor—. A menos que queráis dirigiros a la isla. —Debía de referirse a Tar Valon—. Hay también unos jod... extraños rumores respecto a ese sitio. ¡Paz, vaya si los hay! —Era oriundo de una tierra que no había conocido la paz en tres mil años; los shienarianos usaban la palabra como un talismán al igual que como un juramento—. Se dice que la antigua Amyrlin ha sido depuesta, y tal vez ejecutada. Algunos afirman que hubo lucha y que prendieron fuego a toda la mald... —Hizo una pausa, respiró hondo e hizo una horrible mueca—. A toda la ciudad.

Sin dejar de caminar, Nynaeve lo observaba con sorpresa. Hacía casi un año que no lo veía y apenas si había cruzado más de dos palabras con él, y sin embargo... ¿Por qué pensarían todos los hombres que una mujer necesitaba la protección varonil? ¡Ellos eran incapaces de atarse siquiera los lazos de sus camisas sin la ayuda de una mujer!

—Nos las estamos arreglando bien por ahora, gracias. A no ser que sepáis de algún comerciante fluvial cuyo barco vaya a atracar para hacer una escala en su viaje río abajo.

—¿Nos? ¿Es que la mujer de azul está con vos? ¿O la de marrón?

Ahora debía de referirse a Moraine y a Verin. Desde luego, era muy prudente.

—No. ¿Os acordáis de Elayne? —El hizo un brusco asentimiento con la cabeza, y Nynaeve sintió la imperiosa necesidad de darle una lección; nada parecía desconcertar al hombre, y saltaba a la vista que sólo esperaba encargarse de su bienestar—. Pues acabáis de verla otra vez. Dijisteis que tenía —aquí adoptó un tono ronco para imitar la voz de Ino— «suficientes redaños para ser una jodida reina».

Tuvo la satisfacción de verle dar un respingo; el hombre echó una mirada a su alrededor tan furibunda que hasta dos Capas Blancas que venían a caballo dieron un rodeo para no pasar cerca de él, aunque disimularon que no lo hacían por ese motivo, naturalmente.

—¿Ella? —gruñó con incredulidad—. Pero si su jodido cabello es negro como ala de cuervo... —Entonces miró el de Nynaeve, y un instante después echaba a andar de nuevo por el camino de carros al tiempo que mascullaba entre dientes—: ¡La condenada muchacha es hija de una reina! ¡De una jodida reina! Y enseña las condenadas piernas de ese modo. —Nynaeve asintió, de acuerdo con el comentario, pero entonces Ino añadió—: ¡Vosotros, los malditos sureños, sois gente muy rara! ¡Sin una pizca de jodida decencia!

No era el más indicado para hablar así, pensó Nynaeve. Puede que los shienarianos vistieran apropiadamente, pero todavía se ponía colorada al recordar que en ese país los hombres y las mujeres se bañaban juntos cada dos por tres, sin darle importancia, con tanta naturalidad como si estuvieran compartiendo una comida.

—¿Es que vuestra madre no os enseñó nunca a hablar bien, hombre? —El ojo de Ino se estrechó y le asestó una mirada tan funesta como la del ojo falso, y se encogió de hombros. En Fal Dara tanto él como todos los demás la habían tratado como a una noble. Por supuesto, resultaba difícil hacerse pasar por una dama con este vestido y con el cabello de un color que no podía ser jamás natural. Se ajustó el chal y cruzó los brazos para sujetarlo bien. La lana gris resultaba muy incómoda con este calor tan seco, si bien ella estaba empapada; no sabía de nadie que hubiese muerto por sudar demasiado, pero pensó que quizás ella podría ser la primera—. ¿Qué hacéis aquí, Ino?

El soldado miró en derredor antes de responder. No era una precaución necesaria, ya que apenas había gente ni vehículos transitando por el camino —alguno que otro carro de bueyes, unas cuantas personas con ropas de campesinos o incluso más bastas, y un jinete aquí y allí— y ninguno de ellos parecía deseoso de acercarse más de lo estrictamente necesario a Ino. Parecía la clase de hombre capaz de cortarle el cuello a uno por capricho.

—La mujer de azul nos dio un nombre de mujer en Jehannah, y nos dijo que esperáramos allí hasta que enviara instrucciones, pero la mujer de Jehannah estaba muerta y enterrada cuando llegamos. Era vieja. Murió mientras dormía, y ninguno de sus familiares había oído nunca el nombre de la mujer de azul. Entonces Masema empezó a hablarle a la gente, y... En fin, no tenía sentido quedarse allí aguardando órdenes que nunca recibiríamos aun en el caso de que llegaran. Nos hemos quedado cerca de Masema porque nos pasa dinero suficiente para ir tirando, aunque ninguno de nosotros, excepto Bartu y Nengar, hace caso a sus tonterías. —El mechón canoso se meció al sacudir la cabeza con irritación.

De repente Nynaeve se dio cuenta de que no había introducido en toda la parrafada ni una sola palabra malsonante. El soldado parecía a punto de tragarse la lengua.

—Bueno, quizá no me importaría mucho si fueseis capaz de maldecir sólo de vez en cuando. —Nynaeve suspiró—. Digamos una cada dos frases, ¿os parece? —Ino le sonrió con tanto agradecimiento que tuvo que contenerse para no levantar las manos en un gesto exasperado—. ¿Cómo es que Masema dispone de dinero y el resto de vosotros no? —Recordaba a Masema: un hombre sombrío y seco a quien no le gustaba nada ni nadie.

—¡Vaya, porque es el jodido Profeta al que viene a oír hablar todo el mundo! —Daba la impresión de que estaba contando las frases. Nynaeve respiró profundamente; el hombre iba a seguir su recomendación al pie de la letra—. Puede que os consiga un maldito barco, si queréis uno. En Ghealdan, lo que el Profeta quiere por lo general lo tiene. No, siempre lo consigue al final, de un modo u otro, maldición. Ese hombre era un buen soldado, pero ¿quién habría imaginado que se iba a convertir en lo que es? —Su mirada ceñuda abarcó todos los toscos poblados y la gente, incluso los espectáculos y la ciudad.

Nynaeve vaciló. ¿De modo que el Profeta que provocaba desórdenes y levantaba a la chusma era Masema? Empero, predicaba la llegada del Dragón Renacido. Casi habían llegado a las puertas de la ciudad y todavía disponía de un rato antes de quedarse quieta como un poste y dejar que Birgitte le disparara flechas. Luca se había disgustado mucho cuando la arquera insistió en que se la llamara Merian. Si Masema pudiera

570

encontrar un barco que se dirigiera río abajo... Ese mismo día, tal vez. Por otro lado, estaban los disturbios. Si, como solía ocurrir, los rumores exageraban, entonces sólo habían muerto unos centenares de personas en las villas y ciudades más al norte. Sólo unos centenares.

—Pero no le recordéis que tenéis algo que ver con esa puñetera isla —continuó Ino mientras la miraba, caviloso. Ahora que lo pensaba, Nynaeve cayó en la cuenta de que probablemente él no sabía cuál era en realidad la relación que tenía con Tar Valon. Después de todo, las mujeres iban allí en busca de ayuda o consejos, no sólo para convertirse en Aes Sedai. El hombre era consciente de que estaba involucrada de algún modo, pero nada más—. No es mucho más amistoso con las mujeres de allí de lo que lo son los condenados Capas Blancas. Si mantenéis la boca cerrada respecto a eso, a buen seguro lo pasará por alto. Para alguien que es del mismo pueblo que el lord Dragón, Masema es muy capaz de hacer construir un jodido barco.

La gente era más numerosa en las puertas de la ciudad, a las que flanqueaban unos achaparrados torreones grises, y por ellas salían y entraban montones de hombres y mujeres, ya fuera a pie o a caballo, con todo tipo de atuendos, desde harapos a chaquetas y vestidos de seda repujada. Las propias puertas, gruesas y reforzadas con bandas de hierro, estaban abiertas y vigiladas por una docena de piqueros que lucían túnicas de láminas superpuestas como escamas y se tocaban con cascos de acero de ala plana. De hecho, los guardias estaban más pendientes de los seis Capas Blancas que deambulaban ociosamente por los alrededores que de cualquier otra cosa. Eran los hombres de níveas capas y bruñidos petos quienes vigilaban a la gente que iba y venía.

—¿Os han causado muchos problemas los Capas Blancas? —preguntó la mujer en voz baja.

Ino frunció los labios como si fuera a escupir, pero al mirarla cambió de idea.

—¿Y dónde no los causan esos bastardos? Había una mujer en uno de esos espectáculos ambulantes que hacía trucos, juegos de mano. Hace cuatro días, una condenada turba de palominos sin redaños, cabezas de chivo, arrasaron el espectáculo. —¡Valan Luca no había hecho la menor mención de ese suceso!—. ¡Paz! Querían a la mujer. Se la acusó de ser —asestó una mirada furibunda a la gente que pasaba ante ellos y bajó la voz— una Aes Sedai. Y una Amiga Siniestra. Le rompieron el jodido cuello mientras le llevaban a la horca, según oí contar, pero de todos modos colgaron su cadáver. Masema hizo decapitar a los cabecillas, pero fueron los Capas Blancas los que incitaron a la condenada turba.

—Su gesto ceñudo encajaba perfectamente con el ojo pintado en el parche—. Ha habido demasiados ahorcamientos y decapitaciones, si queréis mi opinión. El maldito Masema es tan jodidamente fanático como los puñeteros Capas Blancas en lo tocante a encontrar Amigos Siniestros hasta debajo de las piedras.

—Una cada dos frases —lo reprendió, y el hombre se puso colorado.

—¡En qué estaré pensando! —rezongó a la par que se detenía—. No puedo conduciros ahí dentro. Hay un ambiente mezcla de fiesta y de algarada, con un cortabolsas cada dos pasos, y es peligroso para una mujer salir a la calle después de oscurecer. —Parecía más escandalizado por eso que por el resto; en Shienar, una mujer estaba segura en cualquier lugar a cualquier hora (sin contar a los trollocs y los Myrddraal, claro) y cualquier hombre moriría para que fuera así—. No, no es seguro. Os llevaré de vuelta. Cuando encuentre un modo de hacerlo, iré a buscaros.

Eso fue lo que colmó su paciencia y lo que la decidió. Tirando del brazo para soltarse antes de que el hombre se lo agarrara con fuerza, apretó el paso hacia las puertas.

—Vamos, Ino, y no te retrases. Si te quedas rezagado, no te esperaré.

El hombre la alcanzó en dos zancadas al tiempo que mascullaba entre dientes sobre la terquedad de las mujeres. Una vez que Nynaeve comprobó que ése era el tema de sus rezongos y que, aparentemente, Ino no creía que su admonición contra las palabras malsonantes fuera aplicable cuando hablaba consigo mismo, dejó de prestar atención.

39

ENCUENTROS EN SAMARA

Los Capas Blancas que estaban en las puertas no prestaron más atención a Ino y a Nynaeve que al resto de la multitud que iba y venía, lo que significaba una penetrante mirada, fría, desconfiada e inquisitoria, pero rápida. Tanta gente hacía imposible cualquier otro tipo de control, y tal vez también tenían que ver en ello los guardias con armadura de láminas imbricadas.

Los soldados tampoco les prestaron mucha atención; Nynaeve se había arreglado el chal adecuadamente. El gesto ceñudo de Ino habría contribuido a que los ojos de los guardias se volvieran hacia los Capas Blancas, pero el hombre no tenía derecho a ponerse ceñudo, para empezar. Sólo le concernía a ella.

Ajustando de nuevo el chal de lana gris, Nynaeve se ató a la cintura las puntas de la prenda. Así, le marcaba el busto más de lo que ella hubiese deseado y todavía dejaba a la vista el inicio del escote, pero era mucho más recatado que el vestido. Al menos, de este modo no tendría que preocuparse más de que el chal le resbalara de los hombros. Ojalá no diera tanto calor. El tiempo tendría que sufrir un cambio a no tardar. Tampoco estaban tan al sur de Dos Ríos.

Para variar, Ino la esperó pacientemente, si bien Nynaeve no tenía muy claro si lo había hecho por simple cortesía —su semblante surcado por la cicatriz exhibía una·expresión demasiado paciente—, pero finalmente entraron juntos a Samara. Al caos.

Reinaba una constante algarabía en la que se mezclaban los ruidos sin que se distinguiera un sonido de otro. La gente atestaba las calles toscamente pavimentadas con piedras, casi hombro con hombro, desde las tabernas con tejados de pizarra hasta los establos con techos de bálago, desde las bullangueras posadas con sencillos carteles pintados, como la de El Toro Azul o El Ganso Danzarín, a comercios donde los letreros no llevaban nada escrito, sólo el dibujo de un cuchillo y unas tijeras aquí, un rollo de tela allí, la balanza de un orfebre o la navaja de un barbero, una olla o una lámpara o una bota. Nynaeve vio rostros con la piel tan blanca como cualquier andoreño, y tan oscura como cualquiera de los Marinos, algunos limpios y otros sucios, y chaquetas con cuellos altos, bajos o sin ellos, de colores apagados y fuertes, sencillas y recamadas, raídas o recién hechas, de estilos raros o corrientes. Un tipo con la oscura barba partida en dos lucía cadenas plateadas a través de la pechera de la chaqueta azul lisa, y otros dos que llevaban el cabello recogido en trenzas —¡hombres, con una coleta negra colgando sobre cada oreja hasta más abajo de los hombros!— tenían campanillas de cobre cosidas a las mangas de las chaquetas rojas, así como en las vueltas de las botas, altas hasta los muslos. De dondequiera que procediesen esos dos, no eran unos necios; sus oscuros ojos eran tan duros e inquisitivos como los de Ino, y a la espalda, sujetas con correajes, llevaban espadas de hoja curvada. Un hombre con el torso descubierto, un llamativo fajín amarillo ceñido a la cintura, la piel de un color tan tostado como una madera envejecida y unos complejos tatuajes en las manos, debía de ser un Marinero, aunque no llevaba pendientes ni anillo en la nariz.

El aspecto de las mujeres era igualmente variopinto, con toda la gama de colores en el cabello, desde el negro intenso hasta un rubio tan pálido que casi era blanco, y peinado con trenzas o recogido o suelto, y muy corto o hasta los hombros o hasta la cintura, los vestidos de lana desgastada o de buen lino o de brillante seda, con cuellos que rozaban la barbilla, de puntilla o bordados, y escotes algunos tan bajos como el que ella misma ocultaba bajo el chal. Incluso vio a una domani de tez cobriza luciendo un atuendo rojo casi transparente que le llegaba hasta el cuello ¡pero que apenas ocultaba nada! Nynaeve se preguntó lo segura que podría estar esa mujer después de oscurecer. O, ya puestos, a plena luz del día.

Los escasos Capas Blancas y soldados que había entre la muchedumbre parecían agobiados y tenían que poner tanto empeño como cualquiera en abrirse paso. Carros de bueyes y carretas tiradas por caballos avanzaban a paso de tortuga por la maraña de calles trazadas al buen tuntún; los portadores de sillas de mano progresaban a trancas y barrancas entre la muchedumbre; y, de tanto en tanto, un carruaje lacado con un tiro de cuatro o seis caballos se abría paso con mucho trabajo, precedido de lacayos con librea y guardias con casco que se esforzaban vanamente en despejar el paso. Había músicos con flautas, cítaras o bandolinas tocando en cada esquina que no estaba ocupada por un juglar o un acróbata —la destreza de ninguno de ellos tenía que preocupar a Thom ni a los Chavana—, acompañados siempre por otro hombre o mujer que sostenían un gorro para las monedas. Abundaban los mendigos harapientos que tiraban de la manga a los paseantes y tendían las pedigüeñas y mugrientas manos. Los vendedores ambulantes pululaban por doquier con bandejas de todo, desde alfileres y cintas hasta peras, y los gritos con que pregonaban las mercancías se perdían en la algarabía general.

La cabeza le daba vueltas a la antigua Zahorí para cuando Ino la condujo hacia una calle más estrecha, donde parecía que la muchedumbre no era tan numerosa, al menos en comparación con lo otro. Nynaeve se detuvo para arreglarse la ropa, que estaba retorcida por las apreturas, antes de ir en pos de él. También el ruido era menor aquí. No había artistas callejeros y pocos vendedores ambulantes y mendigos. Estos últimos mantenían las distancias con Ino, incluso después de que el soldado echara unas cuantas monedas de cobre a una pandilla de golfillos. Nynaeve no los culpaba por ello; el aspecto de Ino no era... caritativo.

Los edificios se alzaban de manera agobiante en estas callejuelas, a las que dejaban sumidas en sombras a pesar de tener sólo dos o tres pisos. Pero en el cielo había buena luz; aún faltaban horas para que anocheciera. Todavía había tiempo de sobra para regresar al espectáculo. Si es que tenía que hacerlo. Con suerte, a lo mejor estaban todos a bordo de un barco fluvial a la caída del sol.

Nynaeve dio un respingo cuando otro shienariano se les unió de manera repentina, con la espada sujeta a la espalda y la cabeza afeitada salvo el mechón de pelo en la coronilla; era un hombre de cabello oscuro y pocos años mayor que ella. Ino hizo las presentaciones de manera somera y dio explicaciones sin dejar de andar ni aminorar el paso.

—Que la Paz os favorezca, Nynaeve —saludó Ragan; la curtida piel de la mejilla se fruncía alrededor de una cicatriz triangular. Ni siquiera la sonrisa suavizaba los duros rasgos. Nynaeve no conocía a ningún shienariano pusilánime. Esa clase de hombres no sobrevivía mucho a lo largo de La Llaga, ni tampoco las mujeres que fueran débiles—. Os recuerdo, pero vuestro cabello es diferente, ¿no? Da igual. No temáis. Os llevaremos sana y salva a Masema y adondequiera que deseéis ir después. Únicamente guardaos de mencionarle Tar Valon. —Nadie les prestaba atención, pero en cualquier caso Ragan bajó la voz—. Masema cree que la Torre intentará controlar al lord Dragón.

Nynaeve sacudió la cabeza. Otro estúpido hombre que iba a ocuparse de ella. Por lo menos no intentó darle conversación; con su estado de ánimo actual, le habría enseñado lo cáustica que podía ser aunque sólo hubiera hecho un comentario sobre el calor que hacía. En realidad su cara estaba húmeda de sudor, cosa nada extraña considerando que llevaba puesto un chal de lana con ese bochorno. De repente se acordó del comentario hecho por Ino respecto a la opinión que tenía Ragan sobre su afilada lengua. No creía haberle hecho nada más que lanzarle una mirada, pero Ragan se desplazó al otro costado de Ino como buscando refugio y luego la observó de reojo, con cautela. ¡Hombres!

Las calles se fueron estrechando aun más, y aunque los edificios de piedra que las jalonaban mantuvieron la misma altura, las más de las veces era la parte posterior de las casas lo que veían y burdas vallas grises que sólo debían de rodear pequeños patios. Finalmente, giraron por un callejón apenas lo suficientemente ancho para que los tres caminaran juntos. Al fondo de la calleja había un carruaje lacado y dorado al que rodeaban soldados con armaduras. Un poco más cerca, a mitad de camino entre ellos y el carruaje, unos tipos deambulaban a ambos lados del callejón. Casi todos iban armados con clavas o lanzas o espadas tan distintas unas de las otras como sus abigarradas chaquetas. Se los podría haber tomado por una cuadrilla de rufianes, pero ninguno de los dos shienarianos aminoró el paso, y ella tampoco.

—La calle a la que da la fachada estará repleta de imbéciles que esperan atisbar a Masema tras una puñetera ventana. —Ino mantenía un tono lo bastante bajo para que sólo lo oyera Nynaeve—. La única forma de entrar es por la parte posterior. —Guardó silencio cuando estuvieron bastante cerca para que los hombres armados pudiesen escucharlo.

Dos de ellos eran soldados con yelmos y armaduras de láminas imbricadas, con espadas a la cintura y lanzas en la mano, pero fueron los otros quienes observaron de hito en hito a los tres recién llegados mientras toqueteaban sus armas. Sus ojos eran inquietantes, demasiado penetrantes, casi febriles. Por una vez, a Nynaeve le habría gustado ver una mirada libidinosa. A estos hombres les daba igual si era una mujer o un caballo.

Sin pronunciar palabra, Ino y Ragan desabrocharon los correajes que sujetaban sus espadas a la espalda y le tendieron las armas, así como las dagas, a un hombre de mejillas orondas que podría haber sido antaño un tendero a juzgar por su traje azul de lana. Las limpias ropas habían sido de calidad, pero estaban muy desgastadas, y arrugadas como si hubiera dormido con ellas durante un mes seguido. Saltaba a la vista que conocía a los shienarianos, y aunque miró con el ceño fruncido a Nynaeve, en especial a su cuchillo del cinturón, señaló con la cabeza, sin decir palabra, una estrecha puerta de madera que había en el muro de piedra. Aquello era quizá lo más chocante de todo, que ninguno de ellos pronunciaba una sola palabra.

Al otro lado del muro había un pequeño patio donde las malas hierbas crecían entre los adoquines. La alta casa de piedra —tres amplios pisos de un color gris pálido, con anchas ventanas, aleros y gabletes tallados en volutas y tejado de tejas rojo oscuro— debía de haber sido una de las mejores de Samara. Una vez que el portón se cerró tras ellos, Ragan dijo quedamente:

—Ha habido intentos de asesinar al Profeta.

Nynaeve tardó unos segundos en comprender que le estaba explicando la razón de que les hubieran retirado las armas.

—Pero vosotros sois sus amigos —protestó—. Todos seguisteis a Rand hasta Falme. —No le daba la gana llamarlo lord Dragón.

—Por eso nos permiten entrar, maldita sea —replicó con tono seco Ino—. Os dije que no vemos todas las cosas del mismo modo que... el Profeta. —La ligera pausa y la rápida ojeada hacia el portón para comprobar si había alguien escuchando fueron muy reveladoras. Hasta entonces lo había llamado Masema, y, a todas luces, Ino no era de los que refrenaban la lengua fácilmente.

—Por una vez, tened cuidado con lo que decís —le advirtió Ragan a la mujer—, y a buen seguro tendréis la ayuda que queréis.

Nynaeve asintió con tanta avenencia como podría desear cualquiera —sabía reconocer lo que era de sentido común cuando se lo decían aunque no hubiera pedido opinión— pero Ragan e Ino intercambiaron una mirada de incertidumbre. Como siguieran así, los iba a meter en el mismo saco con Thom y Juilin y a cortar todo lo que sobresaliera.

Por buena que fuera la casa, la cocina estaba polvorienta y desierta salvo por una mujer huesuda de cabello canoso, cuyo sencillo vestido gris y blanco delantal eran lo único limpio que se veía mientras cruzaron la estancia. La anciana apenas si levantó la vista del cazo de sopa que cocía sobre una pequeña lumbre en uno de los anchos fogones de piedra para verlos pasar. Dos cazuelas abolladas colgaban de ganchos donde podría haber habido veinte, y sobre la amplia mesa había una bandeja lacada en azul, con un descascarillado cuenco de loza.

Más allá de la cocina, unas colgaduras moderadamente elegantes decoraban las paredes. Nynaeve había desarrollado ciertos conocimientos durante el último año, y esas escenas de banquetes y cacerías de venados, osos y jabalíes sólo podían calificarse de buenas, no de excelentes. Sillas, mesas y arcones se alineaban en las paredes; los muebles estaban lacados en oscuro, con marmoleado rojo e incrustaciones de nácar. También las colgaduras y el mobiliario tenían polvo, y el suelo de baldosas rojas y blancas sólo había recibido una ligera pasada con bayeta. Las telarañas decoraban los rincones y las cornisas de los altos techos de escayola.

No vieron a ningún otro sirviente —ni a nadie— hasta que toparon con un tipo flaco que estaba sentado en el suelo, al lado de una puerta abierta; la mugrienta chaqueta de seda roja era demasiado grande para él y no encajaba con la sucia camisa y los raídos calzones de lana. El cuero de las botas estaba agrietado, y una de las suelas tenía un buen agujero; por la puntera de la otra asomaba el dedo gordo del hombre. Al verlos, levantó una mano y susurró:

—¿La Luz os ilumine y que el nombre del lord Dragón sea alabado? —Dio una entonación interrogante a la frase mientras torcía quejosamente la cara, tan sucia como la camisa, aunque por lo visto era su forma de hablar—. ¿No se puede molestar al Profeta ahora? ¿Está ocupado? ¿Tendréis que esperar un poco?

Ino asintió pacientemente y Ragan se recostó contra la pared; obviamente ya habían pasado por lo mismo antes. Nynaeve ignoraba qué había esperado del Profeta, ni siquiera ahora que sabía quién era, pero, desde luego, no suciedad. Esa sopa le había olido a repollo y patatas, ni mucho menos la comida de un hombre que tenía a toda una ciudad bailando a su son. Y únicamente dos criados, los cuales podrían haber salido de las chozas más pobres que había en las afueras de la ciudad.

El flaco guardia, si es que era tal —no tenía armas; quizá no se fiaban de que las llevara—, no hizo objeción cuando Nynaeve se movió hasta donde podía ver a través de la puerta. El hombre y la mujer que estaban dentro no podían ser más distintos. Masema se había afeitado la cabeza del todo, incluso el mechón de la coronilla, y su chaqueta era de sencilla lana marrón, muy arrugada pero limpia, aunque el cuero de las botas de caña alta estaba arañado. Los hundidos ojos le otorgaban una expresión ceñuda a su mirada, permanentemente áspera, y una cicatriz trazaba un pálido triángulo en la curtida mejilla, casi un calco de la Ragan, sólo que más desdibujada por la edad y por estar un pelo más cerca del ojo. La mujer, con un elegante vestido de seda azul bordado en oro, debía de rondar la madurez y era bastante atractiva a pesar de la nariz, quizás un poco larga para considerarla una belleza. Un sencillo casquete azul le sujetaba el cabello oscuro, largo hasta la cintura, pero lucía un ancho collar de oro y gotas de fuego —unas piedras preciosas muy raras y valiosas—, con una pulsera a juego, así como anillos con gemas en casi todos los dedos. Mientras que Masema parecía listo para abalanzarse sobre algo, enseñando los dientes, ella hacía gala de una gracia y una reserva majestuosas.

—... tantos os siguen dondequiera que vais —estaba diciendo la mujer—, que el orden se fue al garete cuando llegasteis. La gente ya no está a salvo ni tampoco sus propiedades...

—El lord Dragón ha roto todas las leyes establecidas, todas las obligaciones estipuladas por los mortales. —La voz de Masema sonaba acalorada, pero debido a la intensidad, no a la ira—. Las Profecías dicen que el lord Dragón romperá todos los vínculos que atan, y así es. El resplandor del lord Dragón nos protegerá contra la Sombra.

—No es la Sombra la que amenaza aquí, sino los cortabolsas, los rateros y los atracadores. Algunos de vuestros seguidores, muchos, creen que pueden coger lo que quieren de quienquiera que lo tenga, sin pagar y sin permiso.

—Hay justicia en el más allá, donde volvemos a nacer. Preocuparse por las cosas de este mundo es inútil. Pero, de acuerdo. Si deseáis justicia terrenal —frunció los labios en un gesto despectivo—, que así sea. De ahora en adelante, al hombre que robe se le cortará la mano derecha, y el que se meta con una mujer u ofenda su honor o cometa asesinato, será colgado. A una mujer que robe o asesine se la flagelará. El castigo se impondrá si el acusador encuentra doce personas que están de acuerdo. Que así sea.

—Se hará como decís, por supuesto —murmuró la mujer. Su semblante mantuvo la circunspecta elegancia, pero en su voz se advertía que estaba impresionada. Nynaeve ignoraba cómo se establecían las leyes en Ghealdan, pero dudaba que se impartieran con esa despreocupación. La mujer respiró profundamente—. Queda todavía el tema de la comida. Resulta difícil alimentar a tantas personas.

—Todo hombre, mujer y niño que siga a lord Dragón debe tener el estómago lleno. ¡No puede ser de otro modo! Donde puede encontrarse oro, también puede encontrarse comida, y en el mundo hay mucho oro. Y demasiada preocupación por él. —Masema sacudió la cabeza con ira. No contra ella, sino en general. Era como si buscara a los que se interesaban tanto por el oro para desatar su cólera sobre ellos—. El lord Dragón ha renacido. La Sombra se cierne sobre el mundo, y sólo él puede salvarnos. Sólo la fe en el lord Dragón, la sumisión y la obediencia a la palabra del lord Dragón. Todo lo demás es inútil, aunque no pueda tildarse de blasfemia.

—Bendito sea el nombre del lord Dragón en la Luz. —Sonó como una contestación aprendida de memoria—. Ha dejado de ser un simple asunto de oro, mi señor Profeta. Encontrar y transportar la comida en suficientes cantidades...

—No soy ningún señor —la volvió a interrumpir, y ahora sí que estaba enfadado. Se inclinó lacia la mujer, los labios casi espumeando, y, aunque el semblante de la mujer no se alteró, sus manos se crisparon como si quisieran apuñar el vestido—. No hay más señor que el lord Dragón, en quien la Luz habita, y yo sólo soy un humilde heraldo suyo. ¡Recordadlo! ¡Nobles o plebeyos, los blasfemos se hacen merecedores de la flagelación!

—Perdonadme —murmuró la enjoyada dama mientras hacía una reverencia adecuada para la corte de una reina—. Es como decís, por supuesto. No hay más señor que el lord Dragón, bendito sea su nombre, y yo no soy más que una humilde seguidora suya que acude para oír la sabia guía del Profeta.

Masema se limpió las comisuras de los labios con el dorso de la mano; de repente, su actitud era fría.

—Lleváis demasiado oro encima. No dejéis que las posesiones terrenales os seduzcan. El oro es escoria. El lord Dragón lo es todo.

De inmediato, la mujer empezó a quitarse anillos de los dedos y, antes de que hubiera sacado el segundo, el tipo flaco llegó rápidamente a su lado, sacó una bolsita de la chaqueta y la sostuvo abierta para que la mujer echara las joyas dentro. A los anillos les siguieron el brazalete y el collar.

Nynaeve miró a Ino y enarcó una ceja.

—Todo, hasta el último céntimo, se destina a los pobres —dijo el soldado en voz tan baja que le costó trabajo escucharlo—, o a alguien que lo necesite. Si una maldita mercader no le hubiera dado su casa, él estaría viviendo en un jodido establo o en una de esas chozas, fuera de la ciudad.

—Hasta su comida procede de donaciones —añadió Ragan en un tono igualmente bajo—. Antes solían traerle viandas dignas de un rey, hasta que se enteraron de que lo daba todo excepto un trozo de pan y un poco de sopa o de guiso. Ahora casi ni prueba el vino.

Nynaeve sacudió la cabeza. Supuso que era un modo como otro cualquiera de obtener dinero para los pobres: simplemente quitárselo a cualquiera que no fuera indigente. Naturalmente, con ese método al final acabarían todos siendo pobres, pero podría funcionar durante un tiempo. Se preguntó si Ino y Ragan estarían al tanto de todo, de la gente que afirmaba estar recogiendo dinero para ayudara otros y que a menudo encontraba el modo de que se quedara en sus bolsillos una buena tajada, o que le gustaba el poder que le proporcionaba el ir repartiéndolo; y le gustaba en exceso. Tenía mejor opinión de la persona que daba voluntariamente un céntimo de su propio bolsillo que del tipo que entregaba una corona de oro que había sacado a la fuerza del bolsillo de otro. Y la tenía incluso peor de los necios que abandonaban sus granjas y tiendas para seguir a este... «Profeta», sin tener la menor idea de dónde sacarían su próxima comida.

Dentro de la habitación, la mujer hizo una reverencia a Masema, ésta aun más pronunciada que la anterior, extendiendo los vuelos de la falda e inclinando la calza.

—Hasta que vuelva a tener el honor de oír las palabras y el consejo del Profeta —se despidió—. Que el nombre del lord Dragón sea bendito en la Luz.

Masema hizo distraídamente un ademán despidiéndola, olvidado ya de la mujer. Los había visto en el pasillo esperando y los observaba con una expresión lo más parecida a la complacencia que su severo rostro era capaz de transmitir, es decir, que apenas guardaba semejanza con tal emoción. La mujer salió del cuarto sin dar señales de ver a Nynaeve ni a los dos hombres. La antigua Zahorí resopló mientras el tipo delgaducho de la chaqueta roja les hacía una seña para que entraran. Para ser alguien a quien acababan de despojar de sus joyas, esa mujer se daba tantos aires como una reina.

El tipo delgado regresó a su sitio junto a la puerta mientras los tres hombres se estrechaban la mano al estilo de la Tierras Fronterizas, agarrándose por el antebrazo.

—Que la Paz propicie el uso de tu espada —dijo Ino, haciéndose eco del saludo de Ragan.

—Que la Paz sea con el lord Dragón —fue la respuesta de Masema—, y que su Luz nos ilumine a todos.

Nynaeve contuvo la respiración. No cabía otra interpretación a esa frase; significaba que el lord Dragón era la fuente de la Luz. ¡Y encima tenía el descaro de acusar de blasfemia a otros!

—¿Habéis visto por fin la Luz? —preguntó Masema.

—Caminamos bajo ella —repuso con tiento Ragan—. Como siempre.

Ino siguió callado y mantuvo inexpresivo el semblante. Por el contrario, una expresión de cansada paciencia se reflejó de manera extraña en los severos rasgos de Masema.

—No hay otro camino hacia la Luz que a través del lord Dragón. Al final veréis el camino y la verdad, porque lo habéis visto a él, y sólo aquellos cuyas almas han sido consumidas por la Sombra pueden ver y no creer. Vosotros no sois de ésos. Alcanzaréis la fe.

A despecho del calor y del chal de lana, Nynaeve sintió que se le ponía carne de gallina. La voz del hombre rebosaba una absoluta convicción, y, a tan corta distancia de él, atisbó un brillo en sus negros ojos que rayaba en la demencia. Aquellos ojos se volvieron hacia ella, y Nynaeve tensó las rodillas de manera instintiva. Este hombre hacía que el Capa Blanca más fanático pareciera transigente. Aquellos tipos del callejón eran sólo una pálida imitación de su amo.

—¿Y tú, mujer? ¿Estás dispuesta a abrazar la Luz del lord Dragón abandonando el pecado y la carne?

—Yo camino en la Luz lo mejor que puedo. —Se irritó consigo misma al darse cuenta de que escogía las palabras con tanto cuidado como Ragan. ¿Pecado? ¿Quién se creía que era?

—Estás demasiado preocupada por la carne. —La mirada de Masema resultó abrasadora al pasar por su cabeza, el vestido rojo y el ajustado chal de lana.

—¿Qué queréis decir con eso? —replicó. El único ojo de Ino se desorbitó en un gesto de sobresalto, y Ragan le hizo una leve seña para que se callara, pero ya no había modo de parar a Nynaeve—. ¿Os creéis con derecho a decirme cómo he de vestir? —Antes de darse cuenta de lo que hacía, desató el chal y lo dejó deslizarse sobre los hombros; de todas maneras, hacía mucho calor—. ¡Ningún hombre tiene ese derecho ni sobre mí ni sobre cualquier otra mujer! ¡Si decido ir desnuda no es asunto de vuestra incumbencia!

Masema contempló su busto un momento, aunque no hubo en sus ojos hundidos el menor atisbo de admiración, sino un profundo desprecio, y después alzó la vista hacia su rostro. El ojo sano de Ino encajaba a la perfección con el pintado, mirando sañudamente al vacío, y Ragan se encogió mientras, a buen seguro, rezongaba para sus adentros.

Nynaeve tragó saliva con esfuerzo. Adiós a su pretendido control del mal genio. Tal vez por primera vez en su vida, lamentó sinceramente decir lo que pensaba sin reflexionar antes. Si este hombre podía ordenar que cortaran la mano a cualquiera y que ahorcaran a otros con sólo la parodia de un juicio, ¿de qué no sería capaz? Juzgó que estaba lo bastante furiosa para encauzar.

Sin embargo, si lo hacía... Si Moghedien o cualquiera de las hermanas Negras se encontraban en Samara... «Pero ¿y si no lo hago...?» Habría querido ajustarse el chal otra vez, subirlo hasta la barbilla, pero se negaba a claudicar estando él mirándola. Una vocecilla en su cabeza le gritó que no fuera tan estúpida, que sólo los hombres anteponían el orgullo al sentido común, pero le sostuvo la mirada a Masema con actitud desafiante, a pesar de que tuvo que hacer un gran esfuerzo para no tragar saliva de nuevo. El hombre frunció los labios en un gesto despectivo.

—Este tipo de ropas se lleva para tentar a los hombres, nada más. —Nynaeve no entendía cómo era posible que la voz de Masema fuera tan ferviente y tan fría al mismo tiempo—. Los pensamientos sobre la carne apartan la mente del lord Dragón y de la Luz. Me he planteado la posibilidad de prohibir vestidos que distraigan las miradas y la mente de los hombres. Que las mujeres que pierden el tiempo atrayendo a los hombres, y los hombres que atraen a las Mujeres, sean azotados hasta que entiendan que sólo en la perfecta contemplación del lord Dragón y de la Luz puede encontrarse el gozo. —Realmente ya no la estaba mirando. Los ardientes ojos negros parecían mirar a través de ella algo distante—. Que las tabernas y establecimientos donde se venden bebidas fuertes, y todos los lugares que aparten la mente de las personas de esa perfecta contemplación, se cierren y se quemen hasta los cimientos. Yo frecuentaba sitios así en mis años de pecador, pero ahora lo lamento profundamente, como todo el mundo debería lamentar sus transgresiones. ¡Sólo existen el lord Dragón y la Luz! ¡Todo lo demás es ilusión, una trampa puesta por la Sombra!

—Ésta es Nynaeve al'Meara —se apresuró a decir Ino a la primera pausa que hizo Masema para respirar—. De Campo de Emond, en Dos Ríos, de donde procede el lord Dragón. —La cabeza de Masema se giró lentamente hacia el soldado tuerto, y la mujer aprovechó para ajustarse rápidamente el chal como lo llevaba antes—. Estaba en Fal Dara con el lord Dragón, y en Falme. El lord Dragón la rescató allí. El lord Dragón la aprecia como a una madre.

En cualquier otro momento Nynaeve le habría soltado unas cuantas frescas e incluso le habría dado una buena bofetada. Rand no la había rescatado —o no exactamente—, y sólo tenía cinco años más que él. Conque una madre, ¿no? ¡Y unas narices!

Masema volvió la mirada hacia ella. El anterior brillo fervoroso de sus ojos no era nada comparado con el de ahora. Parecían a punto de irradiar llamas.

—Nynaeve. Sí. —Su voz cobró entusiasmo—. ¡Sí! Recuerdo vuestro nombre, y vuestro rostro. Bendita sois entre las mujeres, Nynaeve al'Meara, más que ninguna salvo la propia madre del lord Dragón, ya que lo cuidasteis de niño. —La aferró de los brazos con tanta fuerza que sus dedos se le clavaron en la carne, pero el hombre no pareció advertirlo—. Hablaréis a la multitud sobre la infancia del lord Dragón, de sus primeras palabras de sabiduría, de los milagros que lo acompañaron. La Luz os ha enviado para servir al lord Dragón.

Nynaeve no sabía qué decir. Nunca había habido milagros relacionados con Rand que ella supiera. Había oído ciertos rumores en Tear, pero no podían describirse realmente como milagros las cosas que provocaba un *ta'veren*. Hasta lo ocurrido en Falme tenía una explicación racional; bueno, más o menos. En cuanto a palabras de sabiduría, la primera frase sensata que había salido de su boca había sido la ferviente promesa de que jamás volvería a tirar una piedra a nadie, y la había dicho después de que ella le hubiera dado una buena tunda en el tierno trasero por ello. No creía que hubiera oído ninguna otra palabra sensata después de eso. De todos modos, aun en el caso de que Rand hubiera dado sabios consejos desde la cuna, aunque hubiera habido cometas en la noche y apariciones en el cielo de día, no se habría quedado con este demente.

—Tengo que viajar río abajo —manifestó cautelosamente—. Para reunirme con él. Con el lord Dragón. —Pronunciar el título fue como tragarse las bilis, sobre todo habiendo pasado tan poco tiempo desde que se hiciera a sí misma la promesa de no llamarlo más que por su nombre, pero, por lo visto, en presencia del Profeta uno no se refería a Rand simplemente como «él». «Sólo estoy comportándome con sensatez, eso es todo.» Según el viejo dicho «El hombre es un roble, y la mujer, un sauce». El roble se resistía al viento y acababa rompiéndose, mientras que el sauce se doblaba cuando era preciso y sobrevivía. Eso no quería decir que tuviera que gustarle doblegarse—. Él... el lord Dragón... está en Tear y me ha mandado llamar.

—En Tear. —Masema retiró las manos, y Nynaeve se frotó los brazos con disimulo. Y no era porque quisiera ocultarlo, claro. El hombre volvía a tener la mirada perdida en el vacío—. Sí, lo he oído. —Como si hablara con alguien que no estaba allí o consigo mismo—. Cuando Amadicia haya aceptado al lord Dragón como ha hecho Ghealdan, conduciré a la gente a Tear para gozar del esplendor del lord Dragón. Enviaré discípulos para difundir la nueva del lord Dragón por todo Tarabon y Arad Doman, en Saldaea, en Kandor, en las Tierras Fronterizas y en Andor, y conduciré a la gente para que se postre a sus pies.

—Un excelente plan... eh... oh, Profeta del lord Dragón. —Un plan estúpido donde los hubiera, pensó Nynaeve. Eso no quería decir que no funcionara. Los planes absurdos solían salir bien a menudo por alguna razón, cuando los hacían hombres. A lo mejor a Rand le gustaba incluso tener a toda esa gente de rodillas ante él si es que era la mitad de arrogante de lo que decía Egwene—. Pero nosotros... no podemos esperar. Se me ha hecho llamar, y cuando el lord Dragón manda llamar a alguien, los simples mortales obedecen. —¡Algún día tendría la ocasión de soltarle una buena bofetada a Rand por verse obligada a hacer esto!—. Tengo que encontrar un barco que me lleve río abajo.

Masema la contempló fijamente durante tanto tiempo que la mujer empezó a ponerse nerviosa. Notaba cómo le corría el sudor por la espalda y entre los senos, y ello sólo se debía en parte al calor. Aquella mirada habría hecho sudar a Moghedien.

Finalmente Masema asintió, y la expresión ferviente se disipó para dejar paso al habitual gesto severo.

—Sí —musitó—. Si se os ha llamado debéis ir. Que la Luz os acompañe y os guíe. Vestíos con más recato, porque quienes han estado cerca del lord Dragón deben ser más virtuosos que los demás, y meditad sobre el lord Dragón y su Luz.

—¿Qué me decís del barco fluvial? —insistió Nynaeve—. Debéis de estar enterado de la llegada de una embarcación a Samara o a cualquier pueblo a lo largo del río. Si tuvieseis a bien informarme dónde puedo encontrar un barco, ello contribuiría a hacer mi viaje más... rápido. —Había estado a punto de decir «más fácil», pero dudaba que facilitar las tareas le importase ni poco ni mucho a Masema.

—No me preocupo por ese tipo de cosas —repuso él, malhumorado—, Pero tenéis razón. Cuando el lord Dragón ordena, se debe obedecer prestamente. Haré indagaciones, y si hay un barco, alguien acabará informándome. —Sus ojos se volvieron hacia los otros dos hombres—. Debéis ocuparos de que esté a salvo hasta entonces. Si insiste en vestirse así, atraerá a hombres con mentes perversas. Hay que protegerla, como a una chiquilla díscola, hasta que se reúna con el lord Dragón.

Nynaeve tuvo que morderse la lengua. Un sauce, no un roble, cuando era necesario doblegarse. Se las ingenió para disimular su irritación tras una sonrisa que debía de expresar toda la gratitud que cualquier estúpido hombre pudiese desear. Aunque un estúpido peligroso. Tenía que recordarlo.

Ino y Ragan se despidieron rápidamente con el mismo tipo de saludo que al entrar, y la sacaron casi en volandas, uno de cada brazo, como si por alguna razón creyeran necesario alejarla cuanto antes de Masema. Éste parecía haberse olvidado de ellos antes de que llegaran a la puerta; ahora miraba, ceñudo, al hombre flaco, que aguardaba al lado de un tipo de aspecto rústico que vestía ropas de granjero y que estrujaba el gorro entre las gruesas manos, con una expresión de sobrecogimiento pintada en su ancho rostro.

Nynaeve no pronunció una sola palabra mientras volvían sobre sus pasos a través de la cocina, donde la mujer canosa seguía revolviendo la sopa, como si no se hubiese movido en todo el rato. Nynaeve también contuvo la lengua mientras recobraban sus armas, y siguió haciéndolo hasta que salieron del callejón a otro pasaje cuya anchura lo hacía casi merecedor de llamarse calle. Entonces se volvió hacia los dos hombres y empezó a sacudir el dedo delante de la nariz de ambos de manera alternativa.

—¿Cómo os atrevisteis a sacarme de la casa a rastras? —La gente que pasaba cerca sonrió; los hombres, de mala gana y las mujeres con aprobación, aunque nadie tenía la menor idea de por qué les estaba echando un rapapolvo—. ¡Cinco minutos más, y habría conseguido que encontrara un barco hoy! ¡Si volvéis a ponerme las manos encima...! —El sonoro resoplido de Ino la hizo enmudecer bruscamente.

—Otros cinco malditos minutos y habría sido Masema el que os hubiera puesto la mano encima. O, más bien, habría mandado que os la pusiera algún otro, ¡y entonces tened por seguro que alguien lo habría hecho, maldita sea! ¡Cuando dice que hay que hacer algo, siempre hay cincuenta puñeteras manos, o un centenar, o un condenado millar si es preciso, prestas a hacerlo!

Echó a andar calle abajo, con Ragan a su lado, y Nynaeve tuvo que seguirlos o se habría quedado sola. Ino caminaba como si supiera que iría tras ellos. Faltó poco para que la antigua Zahorí diera media vuelta y se marchara en dirección contraria sólo para demostrarle que estaba equivocado. Seguirlos no tenía nada que ver con tener miedo o perderse en aquel laberinto de calles. Habría sabido encontrar la salida. Antes o después.

—Hizo que flagelaran, ¡que flagelaran!, a un jodido lord consejero de la Cámara Alta de la Corona sólo por hablarle en un tono ni la mitad de brusco que el que habéis empleado vos —rezongó Ino—. Desprecio por la palabra del lord Dragón, lo llamó. ¡Paz! ¡Replicarle que qué puñetero derecho tenía de criticar vuestra condenada vestimenta! Durante unos minutos lo hicisteis bastante bien, pero vi la expresión de vuestro semblante al final. Estabais a punto de atizarlo otra vez con vuestra afilada lengua, condenación. Lo único que os faltó hacer para empeorar la situación fue que nombraseis al lord Dragón. A eso lo llama blasfemia. Igual que nombrar al jodido Oscuro.

El mechón de la coronilla de Ragan se meció cuando el soldado asintió.

—Te acuerdas de lady Baelome, ¿no? Justo después de que llegaran los primeros rumores de Tear con el nombre del lord Dragón, Nynaeve, esa mujer hizo un comentario diciendo «ese tal Rand al'Thor» en presencia de Masema, y éste hizo traer un hacha y un tajo de inmediato.

—¿Hizo que la decapitaran por eso? —inquirió con incredulidad.

—No —masculló Ino, indignado—. Pero sólo porque la dama se arrastró como un condenado gusano ante él cuando comprendió que la cosa iba en serio. La sacaron a rastras y la colgaron por las jodidas muñecas a la parte trasera de su propio carruaje, y después la azotaron a todo lo largo del maldito pueblo dondequiera que fuera que estábamos entonces. Sus propios guardias se quedaron quietos como un puñado de campesinos caguetas y presenciaron los hechos sin mover un dedo.

—Cuando todo hubo acabado —añadió Ragan—, la dama le dio las gracias a Masema por su clemencia, igual que hizo lord Aleshin. —Su tono era demasiado enfático para el gusto de Nynaeve; era una moraleja e intentaba que ella lo comprendiera—. Tenían razones para hacerlo, Nynaeve. Las suyas no habrían sido las primeras cabezas que habría mandado clavar en unos postes. La vuestra podría haber sido la última. Y las nuestras de paso, si hubiésemos intentado ayudaros. Masema no hace distinciones.

Nynaeve inhaló profundamente. ¿Cómo poseía Masema tanto poder? Y no sólo entre sus seguidores, aparentemente. Claro que no había ninguna razón para que los lores y las damas no fueran tan necios como cualquier granjero; a su modo de ver, muchos de ellos lo eran incluso más. Aquella estúpida mujer de los anillos a buen seguro había sido una noble; ningún mercader llevaba gotas de fuego. Empero, Ghealdan debía de tener leyes, tribunales y jueces. ¿Dónde estaba el rey, o la reina? No recordaba cuál de las dos cosas tenía Ghealdan. En Dos Ríos nadie había tenido mucho que ver nunca con reyes y reinas, pero para eso estaban, ¿no?; ellos y los lores y ladis eran los que tenían que ocuparse de que se impartiera justicia. Sin embargo, lo que Masema hiciera no era asunto suyo. Tenían problemas más importante de los que preocuparse que de un hato de imbéciles que permitían que un loco los pisoteara.

Aun así, la curiosidad la indujo a preguntar:

—¿Acaso se propone impedir que los hombres y las mujeres se miren? ¿Qué cree que pasará si no hay matrimonios ni nacen niños? ¿Lo siguiente que prohibirá será que la gente labre los campos o teja o haga zapatos para que así se dediquen a pensar en Rand al'Thor? —pronunció el nombre a propósito. Estos dos iban por ahí llamándolo «el lord Dragón» casi con tanto fervor como Masema—. Os diré algo. Si intenta decirles a las mujeres cómo deben vestir, provocará un tumulto. Contra él, claro.

Samara debía de tener una institución parecida al Círculo de Mujeres —casi todos los sitios la tenían, aunque lo llamaran de otra manera, aunque no se tratara de una agrupación establecida oficialmente; había ciertas cosas de las que los hombres no podían ocuparse porque carecían del sentido común necesario— y sin duda podían, y lo hacían, llamar al orden a una mujer por llevar atuendos inapropiados, pero no era lo mismo que un hombre metiera las narices en ello. Las mujeres no se inmiscuían en los asuntos de hombres —bueno, sólo lo necesario— y ellos no deberían inmiscuirse en los que atañían a las mujeres.

—Y espero que los hombres reaccionen igual de mal si intenta cerrar tabernas y similares —añadió Nynaeve—. No he conocido a ningún hombre que no se ponga a llorar hasta quedarse dormido si no puede tomarse una copa de vez en cuando.

—Tal vez lo ordene o tal vez no —dijo Ragan—. A veces manda hacer cosas y a veces se le olvida o lo deja a un lado porque surge algo más importante. Os sorprenderíais —añadió con tono seco— de lo que sus seguidores aceptan de él sin soltar un gemido.

Nynaeve cayó en la cuenta de que Ino y él la iban flanqueando y vigilaban con desconfianza a los tipos de la calle. Hasta para ella era evidente que los dos daban la impresión de estar prestos para desenvainar las espadas en un visto y no visto. Si de verdad estaban pensando en cumplir las instrucciones de Masema, no tardarían en descubrir que se habían equivocado.

—No está en contra del puñetero matrimonio —gruñó Ino mientras asestaba una mirada tan dura a un vendedor ambulante con empanadas de carne en una bandeja, que el hombre dio media vuelta y echó a correr sin coger el dinero de dos mujeres que sostenían empanadas en sus manos—. Tenéis suerte de que no recordara que no estáis casada, porque podría haberos enviado con el lord Dragón junto con un marido. A veces escoge a trescientos o cuatrocientos hombres solteros y a otras tantas mujeres, ¡y que me condene si no los casa! La mayoría ni siquiera se han visto antes de ese día. Si esos caguetas destripaterrones no protestan por algo así, ¿pensáis acaso que van a abrir sus jodidas bocas por no poder beber cerveza?

Ragan masculló algo entre dientes, pero Nynaeve captó lo suficiente para fruncir el ceño. «Hay un hombre que no sabe la suerte que tiene» era lo que había dicho. El soldado ni siquiera se dio cuenta de la mirada furibunda que le lanzó. Estaba demasiado ocupado vigilando la calle, atento a cualquiera que pudiera intentar fugarse con ella como si se llevara un cerdo metido en un saco. Nynaeve estuvo tentada de quitarse el chal y arrojarlo a un lado. Ragan tampoco pareció oír su resoplido. Los hombres podían ser insufriblemente ciegos y sordos cuando querían.

—Por lo menos no intentó quitarme mis joyas —dijo—. ¿Quién era esa estúpida mujer que le entregó las suyas? —No debía de tener mucho cacumen si se contaba entre los seguidores de Masema.

—Ésa —respondió Ino— era Alliandre, por la Gracia de la Luz reina de Ghealdan. Y una docena más de esos jodidos títulos que a vosotros, los sureños, tanto os gusta amontonar.

Nynaeve tropezó con un adoquín y faltó poco para que se fuera de bruces al suelo.

—De modo que es así como lo consigue —exclamó mientras apartaba bruscamente las manos de los hombres que intentaban ayudarla—. Si la propia reina es tan necia que le hace caso, no es de extrañar que Masema haga su santa voluntad.

—De necia nada —replicó, cortante, Ino, que le echó una rápida ojeada ceñuda antes de volver a observar la calle—. Es una mujer lista. Cuando uno se encuentra a lomos de un caballo salvaje, más le vale seguirle la corriente y cabalgar como impone el animal si es lo bastante avispado para sacar la mayor ventaja de la situación. ¿La consideráis estúpida porque Masema le quitó las joyas? Pues yo os digo que es lo suficientemente lista para saber que él podría exigirle más si dejara de llevarlas puestas cuando acude a verlo. La primera vez fue a verla él, y desde entonces ha sido al contrario, y entonces sí que le quitó los malditos anillos de los dedos. Llevaba sartas de perlas en el cabello, y Masema las rompió de un tirón. Todas sus damas de compañía se pusieron de rodillas para recoger las puñeteras perlas del suelo. La propia Alliandre recogió unas cuantas.

—Pues eso no me parece que sea el comportamiento de alguien muy listo —repuso resueltamente Nynaeve—. Más bien me suena a cobardía. —«¿Y a quién le temblaban las rodillas sólo porque ese hombre la estaba mirando?», preguntó la vocecilla de su cabeza. «¿Quién sudaba como una condenada?» Por lo menos le había plantado cara. Sí que lo hizo. Doblegarse como un sauce no era lo mismo que acobardarse como un ratón—. ¿Es o no es la reina?

Los dos hombres intercambiaron una de aquellas irritantes miradas.

—No lo entendéis, Nynaeve —dijo quedamente Ragan—. Alliandre es la cuarta que se sienta en el Trono Bendito de la Luz desde que llegamos a Ghealdan, y de eso apenas hace medio año. Johanin llevaba la corona cuando Masema empezó a atraer a pequeñas multitudes, pero lo tomó por un loco inofensivo y no hizo nada ni siquiera cuando el número de seguidores aumentó y sus nobles le aconsejaron que debía poner fin al asunto. Johanin murió en un accidente de caza...

—¡Un accidente de caza! —lo interrumpió Ino con sorna. Un vendedor ambulante que dio la casualidad de estar mirándolo en ese momento, dejó caer la bandeja con alfileres y agujas—. Difícilmente, a menos que no supiera distinguir un puñetero extremo de la jabalina del otro. ¡Condenados sureños con su condenado Juego de las Casas!

—Le sucedió Ellizelle —tomó el hilo Ragan—. Hizo que el ejército dispersara a las multitudes hasta que finalmente se produjo una batalla campal y fue el ejército el que tuvo que salir por pies.

—Valiente mierda de soldados eran ésos —rezongó Ino.

Nynaeve iba a tener que hablar otra vez con él respecto a su lenguaje. Ragan se mostró de acuerdo con un vigoroso cabeceo, pero continuó con lo que estaba contando:

—Se dijo que Ellizelle se tomó veneno después de ese fracaso, pero, muriera como muriera, le sucedió Teresia, que duró diez días en el trono tras su coronación, justo hasta que tuvo la oportunidad de mandar a dos mil soldados contra las diez mil personas que se habían reunido para escuchar a Masema a las afueras de Jehannah. Después de que los soldados sufrieran una completa derrota, Teresia abdicó para contraer matrimonio con un rico mercader. —Nynaeve lo miró con incredulidad, e Ino resopló—. Es lo que se dice —insistió el otro hombre—. En este país, casarse con un plebeyo significa renunciar al trono para siempre, y fuera cual fuera la opinión que tuviera Beron Goraed sobre tener una bonita y joven esposa de sangre real, he oído comentar que lo sacaron a rastras de su cama varios guardias de Alliandre y lo llevaron a la fuerza al palacio de Jheda para que se celebrara la boda a altas horas de la noche. Teresia se marchó para instalarse en la nueva finca de campo de su esposo mientras que Alliandre era coronada, todo ello antes de que saliera el sol, y la nueva reina mandó llamar a Masema al palacio para comunicarle que no se lo volvería a molestar. Antes de que hubiesen transcurrido dos semanas, era ella la que acudía a la llamada de él. Ignoro si realmente cree lo que predica Masema, pero sí sé que subió al trono de un país al borde de una guerra civil, con los Capas Blancas dispuestos a entrar en él, y lo impidió del único modo que podía. Ésa es una reina inteligente, y cualquier hombre se sentiría orgulloso de servirla aunque sea una sureña.

Nynaeve abrió la boca para replicar, pero olvidó lo que iba a decir cuando Ino manifestó en un tono coloquial:

—Hay un jodido Capa Blanca siguiéndonos. No miréis atrás, mujer. No sois tan tonta como para hacer eso.

La mujer sintió que la nuca se le ponía rígida por el esfuerzo de mantener los ojos fijos al frente; un escalofrío le recorrió la columna vertebral.

—Gira en la próxima esquina, Ino —ordenó.

—Eso nos alejaría de las calles principales y de las malditas puertas. Podríamos despistar al puñetero tipo entre la multitud.

—¡He dicho que gires! —Inhaló lentamente y consiguió que el tono de su voz no sonara tan chillón—. Tengo que echarle una ojeada.

Ino puso un gesto tan feroz que la gente se apartó de su camino a diez pasos de distancia, pero torcieron en el siguiente cruce hacia una calle estrecha. Nynaeve volvió la cabeza un poco mientras giraban, justo lo suficiente para mirar por el rabillo del ojo antes de que la esquina de una pequeña taberna de piedra le tapara el campo visual. La nívea capa con el radiante sol se encontraba entre los transeúntes. El apuesto semblante era inconfundible, el que Nynaeve había esperado ver. Ningún Capa Blanca excepto Galad tenía razón para seguirla, y menos para seguir a Ino o a Ragan.

40

La Rueda gira

Tan pronto como el edificio ocultó a Galad, los ojos de Nynaeve se volvieron rápidamente hacia el fondo de la callejuela. La rabia hervía dentro de la mujer, tanto contra sí misma como contra Galadedrid Damodred. «¡Pedazo de tonta, cabeza de chorlito!» La calleja era tan estrecha como el resto, pavimentada con piedras redondas, jalonada por tiendas, casas y tabernas y transitada por un número reducido de personas. «¡Si no hubieses venido a la ciudad nunca os habría encontrado!» Demasiada poca gente para despistarlo. «¡Pero tenías que ir a ver al Profeta! ¡Tenías que engañarte pensando que el dichoso Profeta os sacaría inmediatamente de aquí, antes de que Moghedien apareciese! ¿Cuándo vas a aprender a no depender de nadie salvo de ti misma?» Al momento tomaba una decisión. Cuando Galad girara en esa esquina y no los viera, empezaría a buscar en tiendas y quizá también en tabernas.

—Por aquí. —Se recogió las faldas y corrió hacia el callejón más cercano, donde se apoyó de espaldas contra la pared. Nadie les prestó atención a pesar de su actitud furtiva; ni siquiera quiso plantearse lo que tal hecho significaba sobre cómo iban las cosas en Samara. Ino y Ragan se encontraron junto a ella antes de que Nynaeve hubiera tenido tiempo de plantar los pies, y la llevaron más al fondo del polvoriento callejón, pasando delante de un viejo y astillado cubo y de un barril de agua de lluvia, tan seco que estaba a punto de desmoronarse dentro de los flejes. Por lo menos iban hacia donde ella quería. Por decirlo de algún modo. Con las manos tensas sobre las empuñaduras de las espadas que asomaban por encima de sus hombros, los dos soldados estaban dispuestos a protegerla tanto si quería como si no. «¡Pues déjalos, tonta! ¿Acaso crees que puedes protegerte a ti misma?»

Desde luego, estaba suficientemente furiosa para hacerlo. ¡Tenía que ser Galad, precisamente! ¡Nunca debió salir del recinto del espectáculo! Un capricho estúpido que podía mandar al traste todo. Aquí, al igual que en la casa de Masema, era peligroso que encauzara. La mera posibilidad de que Moghedien o las hermanas Negras se encontraran en Samara la obligaba a depender de los dos hombres para su seguridad. Aquello bastaba para colmarla de ira; habría sido capaz de arrancar de un bocado un trozo de la pared de piedra que tenía detrás. Sabía el motivo de que las Aes Sedai tuvieran Guardianes; bueno, excepto las Rojas. Era una idea racional que su cerebro admitía, pero emocionalmente sentía ganas de bramar de rabia.

Galad apareció caminando lentamente entre la gente calle adelante, escudriñando aquí y allí. Lo lógico habría sido que continuara calle abajo, pero casi de inmediato su mirada se posó en el callejón. En ellos. Ni siquiera tuvo la decencia de mostrarse complacido o sorprendido.

Ino y Ragan se movieron a una en el momento en que Galad giró hacia el callejón. El hombre tuerto tenía la espada desenvainada en un abrir y cerrar de ojos, y Ragan se retrasó un par de segundos porque la empujó un poco más hacia el fondo del estrecho pasaje. Se colocaron uno detrás del otro; si Galad sobrepasaba a Ino, todavía tendría que enfrentarse a Ragan.

Nynaeve rechinó los dientes. Podía hacer que todas esas espadas fueran innecesarias, inútiles; percibía la Fuente Verdadera como una luz entrevista por encima del hombro, esperando que la abrazara. Podía hacerlo. Si se atreviese.

Galad se detuvo en la entrada del callejón, con la capa echada hacia atrás y una mano apoyada al desgaire sobre la empuñadura de su espada, la viva imagen de la flexible firmeza de un muelle listo para saltar en cualquier momento, aunque a la par con una gracia elegante que, de no ser por el bruñido peto, habríase dicho que estaba en un baile.

—No quiero mataros, shienarianos —dijo sosegadamente a Ino. Nynaeve había oído hablar a Elayne y a Gawyn de la destreza de Galad con la espada, pero por primera vez fue consciente de que realmente podía ser tan bueno como decían. Al menos, él pensaba que lo era. Ante sí tenía a dos expertos soldados con las armas desnudas, y los miraba como haría un mastín con un par de chuchos callejeros, sin buscar pelea pero con la absoluta certeza de que podía vencerlos a ambos. Sin quitar ojo de los dos hombres, se dirigió a ella—. Cualquier otra persona habría entrado en una tienda o una posada, pero tú nunca haces lo que sería de esperar. ¿Me dejarás hablar contigo? No hay necesidad de obligarme a matar a estos hombres.

Ninguno de los transeúntes se había parado; pero, a pesar de que los tres hombres le tapaban el campo visual, la mujer alcanzaba a ver que algunas cabezas se giraban para echar un vistazo a lo que había atraído a un Capa Blanca. Y por fuerza tenían que fijarse en las espadas desenvainadas. Los comentarios bullirían en esas cabezas y se convertirían en rumores que se propagarían con tanta rapidez que harían parecer lentos a los vencejos en vuelo.

—Dejadlo pasar —dijo. Al ver que Ino y Ragan no se movían, repitió la orden con más firmeza. Entonces se movieron, lentamente, tanto como se lo permitía el angosto callejón; y, aunque ninguno de los dos dijo una palabra, era como si estuvieran mascullando entre sí. Galad avanzó sin brusquedad, con pasos sosegados, como si se hubiera olvidado de los shienarianos. Nynaeve imaginaba que dar tal cosa por hecho sería una equivocación; obviamente, los dos hombres del mechón en la coronilla no cayeron en ese error.

Aparte de uno de los Renegados, a Nynaeve no se le ocurría ningún otro hombre a quien le hubiera gustado menos ver en ese momento, pero cuando tuvo delante aquel hermoso rostro fue muy consciente del cambio de ritmo de su respiración y del acelerado palpitar de su corazón. Era ridículo. ¿Por qué demonios no era feo? O, al menos, corriente.

—Sabías que me había dando cuenta de que nos seguías. —El tono de acusación era palpable en su voz, bien que no estaba segura de qué lo acusaba. De que no hiciera lo que ella esperaba y quería, admitió de mala gana.

—Lo di por hecho tan pronto como te reconocí, Nynaeve. Recordé que siempre ves más de lo que das a entender.

No iba a dejar que la despistara con cumplidos. Mira adónde la había llevado eso con Valan Luca.

—¿Qué haces en Ghealdan? Creía que ibas de camino a Altara.

Durante un instante, aquellos oscuros y hermosos ojos la contemplaron fijamente, y después el joven rompió a reír.

—A nadie más que a ti, Nynaeve, se le ocurriría hacerme la pregunta que yo te iba a plantear. De acuerdo, te responderé, aunque tendría que ser al contrario. Tenía orden de ir a Salidar, en Altara, pero todo cambió cuando ese tipo, el Profeta... ¿Qué te ocurre? ¿No te sientes bien?

Nynaeve se obligó a recobrar la compostura.

—Por supuesto que sí —replicó, irritada—. Mi salud es excelente, muchas gracias por tu amable interés. —¡Salidar! ¡Por supuesto! El nombre fue como uno de los fósforos de Aludra encendiéndose en su cabeza. Tanto devanarse los sesos y aparecía Galad y le recordaba de un modo tan absurdo lo que ella no había podido recordar. Ahora sólo hacía falta que Masema encontrara rápidamente un barco. Si es que era capaz de convencer a Galad de que no las denunciara. Y de impedir que Ino y Ragan lo mataran, por supuesto. Dijera lo que dijera Elayne, Nynaeve no podía creer que a la muchacha le hiciera gracia que su hermanastro acabara hecho rodajas. Dudaba mucho que Galad se tragara el cuento de que Elayne no estaba con ella—. Es sólo que todavía no me he recuperado de la sorpresa de encontrarte aquí.

—No tiene comparación con la que me llevé yo cuando me enteré de que os habíais escabullido de Sienda. —La severidad ensombreció su atractivo rostro, pero el timbre de su voz contrarrestó el efecto... en cierto modo. Era como si estuviese regañando a una niña que había salido de casa a escondidas por la noche para trepar a los árboles—. Estaba muerto de preocupación. En nombre de la Luz, ¿cómo hicisteis semejante locura? ¿Tienes idea de los riesgos que habéis corrido? Y además, os venís aquí, el peor lugar que podíais escoger. Elayne es de las que elegiría montar un caballo salvaje, pero creía que tú tenías más sentido común. Ese autoproclamado Profeta...

Enmudeció de repente y echó una ojeada a los otros dos hombres. Ino tenía la espada con la punta apoyada en el suelo y las manos, llenas de cicatrices, enlazadas en el pomo de la empuñadura. Ragan parecía absorto en examinar el filo de la hoja de su arma, como si fuera lo único que le interesaba.

—Ha llegado a mis oídos el rumor de que es shienariano —continuó lentamente Galad—. No puedo creer que hayáis sido tan tontas como para mezclaros con él.

En su tono había mucho de pregunta para el gusto de Nynaeve.

—Ninguno de los dos es el Profeta, Galad —replicó, cortante—. Los conozco desde hace un tiempo, y puedo asegurártelo. Ino, Ragan —llamó—, a menos que tengáis intención de cortaros las uñas de los pies con ellas, guardad esas espadas. ¿Y bien? —Los hombres vacilaron antes de hacer lo que les había mandado; Ino rezongó entre dientes y lanzó miradas furibundas, pero finalmente ambos obedecieron. Generalmente los hombres respondían a una voz firme. La mayoría. Bueno, a veces.

—Ni siquiera se me pasó por la cabeza, Nynaeve. —El tono de Galad, aun más seco que el de ella, la encrespó; pero, cuando siguió hablando, resultó evidente que más que ser de superioridad era de enfado. Y de preocupación. Cosa que la encrespó mucho más, naturalmente. Él le provocaba palpitaciones y encima tenía el descaro de estar preocupado—. No sé en qué os habréis metido Elayne y tú aquí, y no me importa, siempre y cuando pueda sacaros de ello antes de que acabéis heridas. Apenas hay comercio por el río, pero algún tipo de barco adecuado tendrá que hacer escala en los próximos días. Dime dónde puedo encontrados, y os conseguiré pasaje para algún punto en Altara. Desde allí, podréis llegar a Caemlyn.

Nynaeve se quedó boquiabierta muy a pesar suyo.

—¿Quieres decir que nos buscarás un barco?

—Ahora es todo lo que puedo hacer. —Su tono era de disculpa, y sacudió la cabeza como si discutiera para sus adentros consigo mismo—. Me es imposible escoltaros a un sitio seguro. Mi deber me exige permanecer aquí.

—No querríamos apartarte de tu deber —contestó ella, un tanto falta de aliento. Si Galad quería interpretarlo mal, que lo hiciera. Lo más que había esperado de él era que las dejara en paz.

—No es muy seguro mandaros solas, pero un barco os llevará lejos antes de que la situación en la frontera estalle. —Parecía tener la necesidad de defender su postura—. Cosa que ocurrirá, antes o después; sólo hace falta una chispa, y a buen seguro que el Profeta la prenderá si no lo hace otro. Tienes que ocuparte de que lleguéis a Caemlyn, tú y Elayne. Lo único que te pido es que me prometas que iréis allí. La Torre no es lugar para ninguna de las dos. Ni para... —Cerró la boca con tanta brusquedad que sus dientes sonaron, pero habría sido igual si hubiera seguido hablando y nombrado a Egwene.

No vendría mal que Galad se ocupara también de buscarles un barco. Si Masema era capaz de olvidar su propósito de cerrar las tabernas, también podía olvidarse de encargar a alguien que encontrara un barco fluvial. Sobre todo si le parecía conveniente tener un pequeño olvido para así obligarla a quedarse en esta ciudad a fin de que secundara sus planes. No vendría mal... si pudiera confiar en Galad. Si no, entonces tendría que confiar en que no era tan bueno con esa espada como él creía. Una idea cruel y drástica, pero no tanto como lo que podría ocurrirles —lo que les ocurriría— si resultaba no ser digno de confianza.

—Soy lo que soy, Galad, y lo mismo te digo de Elayne. —Doblegarse ante Masema le había dejado un regusto amargo en la boca, de modo que recurrir al estilo de la Torre esquivando una respuesta directa era lo más que se sentía capaz de hacer ahora—. Y tú eres lo que eres. —Enarcó las cejas significativamente al mirar la blanca capa—. Esa gente odia a la Torre y también a las mujeres que pueden encauzar. Ahora que eres uno de ellos, ¿por qué no voy a sospechar que habrá cincuenta de vosotros persiguiéndome dentro de una hora e intentando clavarme una flecha en la espalda si no les es posible meterme en una celda? A mí, y también a Elayne.

Galad sacudió la cabeza con irritación. O tal vez se sentía ofendido.

—¿Cuántas veces tengo que decírtelo? Jamás permitiría que le ocurriera nada malo a mi hermana. Ni a ti.

En verdad que era irritante darse cuenta de que le molestaba el que hubiera hecho una pausa con la que quedaba claro que ella estaba en un segundo plano. No era una chiquilla estúpida para que se quedara entontecida porque un hombre tuviera unos ojos que, de algún modo, daban la impresión de ser dulces e increíblemente penetrantes al mismo tiempo.

—Si tú lo dices —repuso, y él volvió a sacudir la cabeza.

—Dime dónde os alojáis e iré a avisaros u os mandaré recado en cuanto localice una embarcación adecuada.

Si Elayne tenía razón, para Galad era tan imposible decir una mentira como para una Aes Sedai que hubiera prestado los Tres Juramentos; aun así, vaciló. Un error en esto y sería el último que cometería. Tenía derecho a correr riesgos consigo misma, pero éste afectaba también a Elayne. Y a Thom y a Juilin, por supuesto; era responsable de ellos, por mucho que quisieran pensar lo contrario. Ahora estaba allí y la decisión era suya; aunque, francamente, no podía ser de otro modo.

—Por la Luz, mujer, ¿qué más quieres de mí? —gruñó Galad, que hizo intención de levantar las manos, como si fuera a cogerla por los hombros. La espada de Ino se interpuso entre ambos en un movimiento relampagueante, pero el hermano de Elayne la apartó con la despreocupación de quien retira una ramita—. No es mi intención perjudicaros, ni ahora ni nunca; lo juro por el nombre de mi padre. Dijiste que eras lo que eras, ¿no? Bueno, pues yo sé lo que eres. Y lo que no. Quizás una de las razones principales de que lleve esto —tocó el borde de la nívea capa—, es porque la Torre os envió fuera, a ti, a Elayne y a Egwene, por sabe la Luz qué motivos, cuando sois lo que sois. Fue como mandar a la guerra a un chiquillo que acaba de aprender a sostener la espada, y nunca los perdonaré por ello. Todavía estáis a tiempo las dos de dar media vuelta; no tenéis que cargar con esa espada. La Torre es demasiado peligrosa para ti y para mi hermana, especialmente ahora. ¡Medio mundo se está volviendo demasiado peligroso para vosotras! Déjame que os ayude a conduciros a un lugar seguro. —La tensión de su voz desapareció, aunque fue sustituida por un timbre áspero—. Te lo suplico, Nynaeve. Si le ocurre algo a Elayne... Casi desearía que Egwene estuviera con vosotras, porque así podría... —Se pasó los dedos por el cabello y miró a derecha e izquierda, como si buscara el modo de convencerla. Ino y Ragan sostenían sus armas prestas para asestarle una estocada, pero el joven no pareció reparar en ellos—. En nombre de la Luz, Nynaeve, te pido por favor que me permitas hacer lo que está en mi mano.

Fue un detalle muy simple lo que finalmente la hizo decidirse. Se encontraban en Ghealdan. Amadicia era el único país que contemplaba como un delito el que una mujer encauzara, y estaban al otro lado del río. Aquello reducía la lucha interna de Galad y sus juramentos como Hijo de la Luz a anteponer la seguridad de Elayne a su deber. A su entender, la sangre tenía más peso en esa pugna y llevaba las de ganar. Además, era demasiado hermoso para dejar que Ino y Ragan lo mataran. Aunque tal cosa no había influido en su decisión, por supuesto.

—Estamos con la compañía de Valan Luca —dijo al cabo.

—¿Valan Luca...? —Galad parpadeó y frunció el ceño—. ¿Te refieres a uno de los espectáculos ambulantes? —En su voz se había hecho patente la incredulidad y el desagrado—. En nombre de la Luz, ¿se puede saber qué demonios hacéis con ese tipo de gente? Los que forman parte de ese tipo de espectáculos no son mejores que... Da igual. Si necesitáis dinero, puedo daros algo. Lo suficiente para que estéis en una posada decente.

Su tono exteriorizaba su convencimiento de que harían lo que quería él. Nada de «¿puedo ayudaros con unas cuantas coronas?» ni «¿quieres que os busque una habitación?». Pensaba que debían estar en una posada, así que irían a una. Puede que el hombre fuera lo bastante observador para saber que se metería en un callejón, pero por lo visto no la conocía en absoluto. Además, había otras razones para quedarse con Luca.

—¿Es que crees que hay una habitación o incluso un pajar en toda Samara que no esté ocupado? —preguntó con un timbre más cáustico de lo que era su intención.

—Estoy convencido de que puedo encontrar...

—En el último sitio en que se le ocurriría a alguien buscarnos sería en los espectáculos —lo interrumpió. Nadie las buscaría allí excepto Moghedien, claro—. Estarás de acuerdo en que cuanto menos a la vista estemos, mejor, ¿no? Aun en el caso de que encontrases una habitación, es más que probable que tuvieras que echar a alguien de ella. ¿Un Hijo de la Luz proporcionando alojamiento a dos mujeres? Eso daría que hablar y atraería las miradas como atrae un montón de basura a las moscas.

No le hizo ninguna gracia, y su gesto crispado lo puso de manifiesto, así como la mirada furibunda que asestó a Ino y a Ragan como si la culpa fuera de ellos, pero era lo bastante sensato para admitir que tenía sentido su razonamiento.

—No es sitio adecuado para ninguna de las dos, pero probablemente sea más seguro que cualquier otro lugar dentro de la ciudad. Puesto que al menos has accedido a ir a Caemlyn, no insistiré más.

Nynaeve no alteró su gesto relajado y dejó que creyera lo que quisiera. Si daba por sentado que le había prometido algo cuando no lo había hecho, era su problema. Sin embargo, tenía que mantenerlo lejos del espectáculo lo más posible. Si veía a su hermana con aquellas calzas ajustadas y con lentejuelas, el escándalo que organizaría dejaría pequeña cualquier algarada que Masema pudiera ocasionar.

—Tendrás que permanecer apartado del espectáculo, tenlo presente. Al menos, hasta que encuentres un barco. Entonces ve a los carromatos de los artistas a la caída de la noche y pregunta por Nana. —Eso le gustó aun menos, si tal cosa era posible, pero Nynaeve se adelantó a cualquier protesta—: No he visto a un solo Hijo de la Luz cerca de ninguno de los espectáculos. Si visitas uno de ellos, ¿no crees que la gente se dará cuenta y se preguntará el porqué?

La sonrisa de Galad seguía siendo arrebatadora, pero enseñaba demasiado los dientes.

—Por lo visto tienes respuesta para todo. ¿Me permites al menos que te escolte de vuelta hasta allí o hay alguna objeción?

—Pues claro que la hay. Bastantes rumores va a levantar el que estemos hablando aquí, donde nos deben haber visto más de cien personas. —Ya no veía la calle porque los tres hombres se la tapaban, pero no le cabía duda de que los viandantes seguían echando ojeadas al callejón, e Ino y Ragan no habían envainado sus espadas—. Pero si me acompañas, ese centenar que nos ha visto se multiplicará por diez.

La mueca del hombre fue entre lastimosa y jovial.

—Respuesta para todo —murmuró—. Pero tienes razón. —Saltaba a la vista que habría deseado que no fuera así—. Escuchadme, shienarianos —dijo mientras volvía la cabeza, y de repente su voz se tornó acerada—. Soy Galadedrid Damodred, y esta mujer está bajo mi protección. En cuanto a su compañera, considero una minucia morir con tal de evitarle el menor daño. Si permitís que les ocurra lo más mínimo a cualquiera de las dos, os encontraré y os mataré. —Haciendo tan poco caso de la peligrosa expresión que apareció de repente en los rostros impasibles de los dos soldados como había hecho antes de sus espadas, volvió los ojos hacia Nynaeve—. Supongo que sigues sin querer decirme dónde está Egwene.

—Lo único que necesitas saber es que está lejos de aquí. —Se cruzó de brazos, y notó palpitar su corazón contra las costillas. ¿No estaría cometiendo un terrible error por una cara guapa?—. Y más segura de lo que cualquier intervención tuya podría conseguir.

No pareció creerle, pero no insistió en el asunto.

—Con suerte, habré encontrado una embarcación en uno o dos días. Hasta entonces, no os mováis del... espectáculo de Valan Luca. Y procurad no llamar la atención. Al menos, todo cuanto sea posible con ese color de cabello que llevas. Y dile a Elayne que no vuelva a huir de mí. La Luz ha tenido que brillar sobre vosotras para que haya logrado encontraros en una pieza, y tendría que resplandecer con el doble de intensidad para que no os acaeciera ningún mal si cometéis la insensatez de intentar huir a través de Ghealdan. Los rufianes blasfemos de este Profeta están por todas partes, actuando sin respeto a las leyes ni a las personas, aparte de los bandidos que campan por sus respetos aprovechando el caos. La propia Samara es un avispero, pero si actúas con discreción, y de paso convences a mi testaruda hermana de que haga lo mismo, hallaré el modo de sacaros de aquí antes de que os hayan picado.

Le costó un arduo esfuerzo mantener la boca cerrada. ¡Mira que aprovecharse de lo que le había dicho para utilizarlo como una orden expresa! ¡Lo siguiente que querría sería envolverlas en algodón y ponerlas en una estantería! «¿Y no convendría que alguien lo hiciera? —preguntó aquella vocecilla en su cabeza—. ¿Es que aún no has causado bastantes problemas por querer hacer las cosas a tu modo?» Ordenó a la cargante voz que se callara, pero ésta no le hizo caso y empezó a enumerar los desastres y casi desastres surgidos por su propia obstinación.

Tomando, al parecer, por aquiescencia su silencio, Galad se dio media vuelta... y se detuvo. Ragan e Ino habían tomado posiciones para cerrarle el paso a la calle y la miraban a ella con aquella extraña y engañosa calma que tan a menudo adoptaban los hombres cuando estaban a punto de dar rienda suelta a la violencia. El aire pareció cargarse de chispas, hasta que Nynaeve hizo un ademán apresuradamente. Los shienarianos bajaron las armas y se apartaron, y Galad retiró las manos de su espada, pasó entre ellos empujándolos, y se perdió entre la multitud sin volver la vista atrás una sola vez.

Nynaeve asestó a Ino y a Ragan una mirada furibunda antes de echar a andar en la dirección contraria a la tomada por Galad. Tanto esfuerzo para arreglar la situación, y ellos habían estado a punto de echarlo todo a rodar. Los hombres parecían pensar que con violencia podía solucionarse cualquier asunto. Si hubiese tenido a mano un buen palo, les habría dado de golpes a los tres hasta hacerlos entrar en razón.

Los shienarianos parecían comprenderlo ahora; la alcanzaron, de nuevo con las espadas envainadas a la espalda, y la siguieron sin decir palabra, incluso cuando se equivocó dos veces al tomar un desvío y tuvieron que volver sobre sus pasos. Más les valía guardar silencio, porque ya estaba harta de contener la lengua. Primero, Masema, y después, Galad. Sólo esperaba la menor excusa para decirle a quien fuera lo que pensaba. Sobre todo cuando la dichosa vocecilla de su cabeza no dejaba de importunarla, reducida ahora a un molesto zumbido pero negándose a callar.

Para cuando hubieron salido de Samara y echaron a andar por el camino de tierra para carros, apenas sin tránsito, la vocecilla rehusó a que hiciera caso omiso de ella por más tiempo. Le preocupaba la arrogancia de Rand, pero la suya los había conducido, tanto a ella como a los demás, si no al desastre total, casi. Quizás en el caso de Birgitte había sobrepasado la línea, a pesar de que estuviera viva. Lo mejor que podía hacer era no volver a hacerles frente, ni al Ajah Negro ni a Moghedien, hasta que alguien que supiera lo que se traían entre manos pudiera decidir cuál era el mejor curso de acción. Una reacción de protesta pugnó por imponerse dentro de ella, pero Nynaeve la pisoteó con tanta firmeza como la que solía emplear con Thom o Juilin. Viajaría a Salidar y pondría el asunto en manos de las Azules. Eso sería lo que haría. Estaba decidida.

—¿Habéis comido algo agrio? —inquirió Ragan—. Tenéis un gesto en la boca como si hubieseis masticado un trozo de limón.

Nynaeve le asestó tal mirada que el hombre cerró la boca bruscamente y siguió caminando. Los shienarianos marchaban uno a cada lado de la mujer.

¿Qué iba a hacer con ellos? Que debía sacar provecho de su presencia era indudable; su aparición resultaba demasiado providencial para desperdiciarla. Para empezar, otros dos pares de ojos —bueno, un par y medio; iba a acostumbrarse a mirar aquel parche sin tragar saliva con esfuerzo por mucho que le costara— dedicados a buscar una embarcación podría significar encontrarla antes. Le parecía muy bien que Masema o Galad les proporcionaran un barco, pero no quería que ninguno de los dos estuviera enterado de sus movimientos más de lo estrictamente necesario. Cualquiera sabía lo que eran capaces de hacer.

—¿Me seguís porque Masema os ordenó que me cuidaseis o porque lo dijo Galad? —inquirió.

—¿Qué puñetera diferencia hay? —rezongó Ino—. Si el lord Dragón os ha mandado llamar, maldito si... —Enmudeció, fruncida la frente, cuando la mujer levantó un dedo. Ragan lo miraba como si fuera un arma.

601

—¿Os proponéis ayudarnos a Elayne y a mí a reunirnos con Rand?

—No tenemos nada mejor que hacer —repuso secamente Ragan—. Tal y como están las cosas, no volveremos a ver Shienar hasta que estemos canos y desdentados, así que tanto da si cabalgamos con vos hasta Tear o dondequiera que esté él.

Nynaeve no se lo había planteado así, pero tenía sentido. Dos más para ayudar a Thom y a Juilin con las tareas cotidianas y las guardias. No era menester aclararles que alcanzar su punto de destino podría tardar mucho tiempo o cuántas paradas o desvíos podían encontrar en el camino. Podría ocurrir que las Azules agrupadas en Salidar no les permitieran continuar el viaje a ninguno de ellos. Una vez que se encontraran con las Aes Sedai, volverían a ser únicamente Aceptadas. «¡No le des más vueltas al asunto! ¡Vas a hacerlo!»

La multitud apiñada delante del chillón letrero de Luca no parecía ser menos numerosa que antes. Un río de gente seguía llegando a la pradera para sumarse a la multitud, mientras que otro serpenteaba en sentido contrario lanzando exclamaciones sobre lo que había visto. De vez en cuando los «mastodontes paquidercus» surgían a la vista por encima de la valla de lona al levantarse de patas, lo cual provocaba un coro de exclamaciones maravilladas entre los que esperaban para entrar. Cerandin los estaba poniendo a prueba otra vez. La seanchan se ocupaba siempre de que los *s'redit* tuvieran mucho descanso. En esto se mostraba muy firme, ni que quisiera Luca ni que no. Los hombres hacían lo que se les decía cuando una dejaba muy claro que no quedaba otra alternativa. Bueno, generalmente lo hacían.

Tras haber caminado un trecho sobre la pisoteada hierba marchita, Nynaeve hizo un alto y se volvió hacia los dos shienarianos. Mantuvo una expresión tranquila, si bien la de ellos era satisfactoriamente recelosa, aunque en el caso de Ino, por desgracia, significaba que no dejaba de toquetearse el parche del ojo de un modo que daba grima. La gente que entraba o salía del espectáculo no les prestaba atención.

—Entonces no será por lo que os dijeron Masema ni Galad —manifestó firmemente—. Si vais a viajar conmigo, haréis lo que yo os diga, o podéis seguir vuestro camino porque no os quiero a mi lado.

Ni que decir tiene que, antes de aceptar con un cabeceo, los dos hombres tuvieron que intercambiar una mirada.

—Si ha de ser así —gruñó Ino—, entonces de acuerdo, maldita sea. Si no tenéis a nadie que se ocupe de vos como es debido, nunca llegaréis viva a presencia del lord Dragón, me apuesto mi jodida cabeza. Cualquier granjero cagueta os abriría en canal y os merendaría por culpa de vuestra puñetera lengua. —Ragan le lanzó una mirada cautelosa que denotaba que estaba completamente de acuerdo con él pero que albergaba serias dudas sobre la sensatez de Ino por manifestarlo en voz alta. Al parecer, Ragan no tenía un pelo de tonto.

En cualquier caso, si aceptaban sus condiciones no importaba realmente por qué motivo. De momento. Habría tiempo de sobra para ponerlos en su sitio.

—Estoy seguro de que los otros también aceptarán —comentó Ragan.

—¿Los otros? —repitió ella mientras parpadeaba, desconcertada—. ¿Quieres decir que no sois sólo vosotros dos? ¿Cuántos hay?

—Ahora sólo somos quince en total. Dudo que Bartu o Nengar vengan.

—Están como tontos con el puñetero Profeta. —Ino volvió la cabeza y escupió para dejar claro lo que opinaba de eso—. Sólo quince. Sar se despeñó por aquel jodido precipicio en las montañas, y el imbécil de Mendao tuvo que enzarzarse en un maldito duelo con tres cazadores del Cuerno, y...

Nynaeve estaba demasiado ocupada procurando no quedarse boquiabierta para prestarle atención. ¡Quince! No paraba de echar cuentas para sus adentros sobre lo que costaría alimentar a quince hombres. Aunque no tuvieran mucha hambre, Thom y Juilin comían, cada uno de ellos, el doble de lo que consumían Elayne y ella juntas. ¡Luz!

Por otro lado, con quince soldados shienarianos no hacía falta esperar a que hubiera una embarcación. Sin duda un barco fluvial era el medio de transporte más rápido para llegar a su destino —ahora recordaba haber oído hablar sobre Salidar; era una villa ribereña o a corta distancia del río, así que un barco podría llevarlos directamente allí—, pero con una escolta de shienarianos el carromato resultaría igualmente seguro, tanto de los Capas Blancas como de los bandidos o los seguidores del Profeta. Aunque, eso sí, sería mucho más lento. Además, un único carromato saliendo de Samara con semejante escolta, a buen seguro llamaría mucho la atención. Sería como poner un poste indicativo para Moghedien o el Ajah Negro. «¡Dejaré que sean las Azules quienes se ocupen de ellas, y no hay más que hablar!»

—¿Pasa algo? —preguntó Ragan.

—No debería haber contado cómo murió Sakaru —añadió Ino con un tono de disculpa. ¿Sakaru? se extrañó Nynaeve. Debía de haberse referido a ése después de que dejara de prestarle atención—. No suelo pasar mucho tiempo cerca de las puñe... Cerca de las damas. Olvidé que se les revuelven las trip... Eh, quiero decir que son sensibles.

Como no dejara de darse tirones a aquel horrible parche, se iba a enterar lo sensible que tenía el estómago, desde luego.

603

¿Qué más daba si eran más hombres? Si dos shienarianos venían bien, quince sería fabuloso. Su propio ejército privado. Se habían acabado las preocupaciones sobre los Capas Blancas o los bandidos o los disturbios o si había cometido un error al juzgar a Galad. ¿Cuántos jamones se comerían quince hombres en un día? Una voz firme, eso era lo que hacía falta ahora.

—Bien, de acuerdo. Todas las noches, justo después de oscurecer, uno de vosotros, repito ¡uno!, vendrá y preguntará por Nana. Es el nombre por el que me conocen aquí. —No tenía motivo para dar esa orden, excepto irlos acostumbrando a que hicieran lo que les mandara—. Elayne utiliza el nombre de Morelin, pero preguntad por Nana. Si necesitáis dinero, acudid a mí, no a Masema. —Tuvo que refrenar una mueca cuando pronunció esas palabras. Todavía quedaba oro en la chimenea del carromato, pero Luca no había exigido aún el pago de sus cien coronas, y lo haría. No obstante, podían recurrir a las joyas si era preciso. Tenía que asegurarse de que perdieran la costumbre de recurrir a Masema—. Aparte de esos contactos, ninguno de vosotros debe acercarse a mí ni al espectáculo. —Sin esta advertencia, a buen seguro que montarían guardia o cualquier otra estupidez por el estilo—. A no ser que llegue un barco fluvial. En tal caso, venid de inmediato a avisarme. ¿Habéis comprendido?

—No —murmuró Ino—. ¿Por qué puñetas tenemos que mantenernos alejados de...? —Echó bruscamente la cabeza hacia atrás cuando el dedo admonitorio de la antigua Zahorí se levantó y casi le tocó la nariz.

—¿Has olvidado lo que te dije acerca de ese sucio lenguaje? —Tuvo que obligarse a mirarlo directamente a la cara; aquel ojo ceñudo y rojo del parche conseguía que el estómago se le subiera a la boca—. Si no consigues recordarlo, vas a enterarte de por qué los hombres de Dos Ríos hablan de un modo correcto.

Vio que reflexionaba sobre aquello. Ino no sabía qué relación tenía con la Torre, únicamente que existía una. Podría ser una informadora o estar estudiando allí o incluso ser una Aes Sedai, aunque en este caso una que no llevaba el chal hacía mucho. Y la amenaza era lo bastante vaga para que él mismo le diera la peor interpretación que pudiera imaginar. Nynaeve conocía esta táctica mucho antes de que Juilin se la mencionara a Elayne.

Cuando, aparentemente, la idea quedó asimilada —y antes de darle tiempo para hacer preguntas— bajó la mano.

—No os acercaréis aquí por la misma razón que no lo hará Galad: para no llamar la atención. En cuanto a lo demás, lo haréis porque yo lo digo. Si tengo que daros explicaciones de cada decisión que tome no me quedará tiempo para hacer nada más, de modo que sacad el mejor partido de ello.

Era un comentario muy propio de una Aes Sedai. Además, no tenían otra opción si se proponían ayudarla a llegar junto a Rand, como ellos creían, lo que significaba que no podían hacer otra cosa. En resumen, Nynaeve se sentía muy satisfecha de sí misma cuando los despachó con un ademán para que regresaran a Samara y pasó ente la multitud bajo el letrero con el nombre de Valan Luca.

Para su sorpresa, había una atracción más. En una plataforma nueva, cerca de la entrada, una mujer vestida con pantalones de un fuerte color amarillo hacía equilibrios sobre la cabeza, con los brazos extendidos a ambos lados y una paloma blanca en cada mano. Al fijarse mejor vio que no se sostenía sobre la cabeza; la mujer se sujetaba a una especie de armazón de madera con los dientes y guardaba equilibrio en ese punto. Mientras Nynaeve contemplaba, pasmada, a la peculiar acróbata, ésta bajó las manos hacia la plataforma un momento mientras se doblaba por la mitad hasta dar la impresión de estar sentada boca abajo. Pero eso no era todo. Dobló las piernas por delante y después, increíblemente, hacia atrás por debajo de los brazos, después de lo cual cambió a las palomas de sus manos a las plantas de los pies vueltos, que ahora eran la parte más alta del retorcido nudo que había hecho de su cuerpo. Los espectadores exhalaron con asombro y aplaudieron, pero la imagen de la mujer hizo temblar a Nynaeve. Resultaba un recordatorio bastante exacto de lo que Moghedien le había hecho a ella.

«Por eso quiero que se encarguen de ella las Azules —se dijo—. Simplemente no quiero provocar más calamidades.» Tal cosa era verdad, pero también le daba miedo que la próxima vez no pudiera escapar tan fácilmente y con tan pocas consecuencias. Pero eso no lo admitiría ante nadie. No le gustaba admitirlo ni siquiera para sus adentros.

Tras echar una última mirada estupefacta a la contorsionista —no habría sabido dilucidar en qué forma acababa de retorcerse en ese momento— giró sobre sus talones. Y dio un respingo cuando Elayne y Birgitte aparecieron de repente a su lado, saliendo de entre la multitud apiñada. La heredera del trono se cubría con una capa el indecente atuendo blanco; por su parte, Birgitte casi hacía alarde del escotado vestido rojo. No, nada de casi. Iba aun más erguida que nunca y se había echado la coleta hacia atrás para que nada le tapara lo más mínimo. Nynaeve manoseó con nerviosismo el nudo del chal en su cintura, deseando que todas y cada una de las apreciativas miradas dirigidas a la otra mujer no le recordaran lo mucho que ella misma estaría enseñando una vez que se quitara la prenda de lana. Birgitte llevaba la aljaba colgada del cinturón y sostenía en la mano el arco que Luca le había encontrado. Seguramente la tarde ya estaba demasiado avanzada para hacer el número disparando las flechas.

Una rápida ojeada al cielo le hizo comprender que había calculado mal. A pesar de todo lo ocurrido, el sol se encontraba todavía muy por encima del horizonte. Las sombras eran alargadas, pero se temió que no lo bastante para disuadir a Birgitte.

En un intento de disimular su ojeada al sol, señaló con un gesto de la cabeza a la mujer de los pantalones chillones, que ahora empezaba a retorcerse en una postura que Nynaeve no habría creído posible. Y todo ello manteniéndose en equilibrio con los dientes.

—¿De dónde ha salido?

—Luca la contrató —respondió sosegadamente Birgitte—. También trajo unos leopardos. Se llama Muelin.

Si la arquera era la personificación de la fría serenidad, Elayne casi temblaba de emoción.

—¿Que de dónde ha salido? —balbució—. ¡De un espectáculo que la multitud casi destruyó!

—He oído algo sobre eso —repuso Nynaeve—, pero no es lo que importa. Yo...

—¡Que no importa! —Elayne alzó los ojos al cielo como pidiendo paciencia—. ¿Has oído también el motivo? No sé si serían los Capas Blancas o ese Profeta, pero alguien azuzó a la muchedumbre porque pensaba que... —Echó un vistazo en derredor y bajó el tono de voz; no había nadie parado cerca de ellas, pero todos los que pasaban a su lado las miraban con interés al advertir que eran dos de las artistas—, que una mujer del espectáculo podía llevar un chal... de siete colores. —Puso énfasis en las últimas palabras con clara intención—. Una estupidez imaginar que estaría en un espectáculo ambulante. Claro que ése es nuestro caso. Y tú vas y te marchas a la ciudad sin decir una palabra a nadie. Hemos oído diferentes versiones, desde que un hombre calvo te llevaba sobre el hombro hasta que besaste a un shienariano y luego te marchaste con él agarrada de su brazo.

Nynaeve seguía pasmada cuando Birgitte añadió:

—Luca estaba furioso, fuera cual fuera la versión. Dijo... —Se aclaró la garganta y adoptó un timbre más grave—: «Conque le gustan los tipos duros, ¿no? ¡Bien, pues yo puedo ser tan duro como un trozo de granito!». Y salió a buscarte acompañado por dos tipos con los hombros como picapedreros de s'Gandin. Thom Merrilin y Juilin Sandar también se marcharon, y no de mucho mejor humor. Eso no contribuyó a mejorar el de Luca, pero estaban tan furiosos contigo que no les quedaba más ira para enojarse entre ellos.

Por un instante Nynaeve se quedó estupefacta. ¿Que le gustaban los hombres duros? ¿Qué demonios querría decir con ese comentario? Entonces lo comprendió de golpe.

—Oh, no —gimió—. Era lo único que nos faltaba.

Y Thom y Juilin recorriendo las calles de Samara. ¡La Luz sabía en qué líos podían meterse!

—Todavía quiero saber qué demonios estuviste haciendo —insistió Elayne—, pero aquí estamos perdiendo el tiempo.

Nynaeve dejó que la condujeran lejos de la multitud, una a cada lado, pero a pesar de las noticias sobre Luca y los otros se sentía satisfecha con los logros del día.

—Con suerte, habremos salido de esta ciudad dentro de un día o dos. Si Galad no nos encuentra un barco, lo hará Masema. Resulta que el Profeta es él. ¿Te acuerdas de Masema, Elayne? Aquel shienariano de gesto agrio que vimos en... —Reparó en que la heredera del trono se había parado, de modo que se detuvo para que la alcanzara.

—¿Galad? —inquirió con incredulidad la joven, tan sorprendida que olvidó mantener cerrada la capa—. ¿Viste... hablaste con Galad? ¿Y con el Profeta? Tienes que haberlo hecho o, de otro modo, ¿por qué iban a estar buscándonos un barco? ¿Tomaste el té con ellos o simplemente os reunisteis en la sala de una taberna? Seguro que fue a donde te condujo el hombre calvo. ¿Estaba también el rey de Ghealdan? ¿Te importaría decirme algo que me convenza de que sólo estoy soñando para saber que puedo despertar?

—Contrólate —espetó firmemente Nynaeve—. Ahora es una reina lo que hay en Ghealdan, no un rey, y sí, sí que estaba. Y no era calvo; tenía un mechón de pelo en lo alto de la cabeza. Me refiero al shienariano, no al Profeta. Él sí que lleva toda la cabeza afeitada... —Lanzó una mirada furibunda a Birgitte hasta que la risita de la mujer cesó. El gesto ceñudo se suavizó un tanto cuando Nynaeve recordó a quién estaba mirando así y lo que le había hecho, pero si Birgitte no hubiese contenido su regocijo habrían descubierto si el genio de la antigua Zahorí se imponía finalmente para soltarle un bofetón que la dejara bizca. Echaron a andar otra vez, y añadió con toda la calma de que fue capaz—: Esto es lo que ha ocurrido. Vi a Ino, uno de los shienarianos que estuvo en Falme, presenciando tu número en la cuerda, Elayne. Por cierto, no tiene mejor opinión que yo sobre el hecho de que la heredera del trono de Andor enseñe las piernas así. Sea como sea, el caso es que Moraine les mandó venir aquí después de Falme, pero...

607

Les contó todo rápidamente mientras caminaban entre la muchedumbre, haciendo caso omiso de las exclamaciones cada vez más pasmadas de Elayne, que no daba crédito a sus oídos, y respondiendo a las preguntas de las dos mujeres del modo más sucinto posible. Aparte de un fugaz interés por los cambios habidos en el trono de Ghealdan, Elayne se centró en lo que Galad había dicho exactamente y por qué Nynaeve había sido tan necia como para acercarse al Profeta, quienquiera que fuese. Aquel apelativo —necia— salió a relucir con la frecuencia suficiente para que Nynaeve tuviera que hacer un gran esfuerzo para controlar su genio. Tal vez no se sintiera capaz de abofetear a Birgitte, pero con Elayne no tenía ese problema, ni que fuera la heredera del trono ni que no. Unas cuantas repeticiones más de la dichosa palabra y la chica lo iba a descubrir. Birgitte se mostró más interesada en las intenciones de Masema por un lado, y en los shienarianos por el otro. Por lo visto había conocido hombres de las Tierras Fronterizas en vidas anteriores, aunque los nombres de las naciones eran otros por aquel entonces, y en términos generales tenía buena opinión de ellos. Realmente no fue muy locuaz al respecto, pero daba la impresión de que aprobaba el compromiso arrancado a los shienarianos.

Nynaeve había esperado que la noticia sobre Salidar las sorprendiera o las animara o cualquier cosa excepto la reacción que tuvieron. Birgitte se lo tomó con tanta indiferencia como si le hubiese dicho que iban a cenar con Thom y Juilin esa noche. Era obvio que se disponía a ir a donde fuera Elayne, y todo lo demás importaba poco. Por su parte, Elayne se mostró dubitativa. ¡Dubitativa!

—¿Estás segura? Has intentado recordarlo con tanto empeño sin... En fin, que me parece chocante que Galad lo mencionara por casualidad.

—Por supuesto que estoy segura —repuso, ceñuda, la otra mujer—. A veces ocurren esas casualidades. La Rueda gira según sus designios, como ya habrás oído decir. Ahora recuerdo que también lo mencionó en Sienda, pero estaba tan preocupada por el desasosiego que te causaba su presencia que no... —Enmudeció de repente.

Habían llegado a una zona estrecha y larga, al norte de la valla, marcada con cuerdas. A un extremo se alzaba algo parecido a un trozo de valla de madera, de dos pasos de ancho y dos de alto. La gente se alineaba a lo largo de las cuerdas en filas de a cuatro, con los niños sentados delante en cuclillas, agarrados a la pierna del padre o a las faldas de la madre. Se alzó un murmullo al aparecer las mujeres. Nynaeve se habría quedado plantada en el sitio, negándose a dar un paso, pero Birgitte la agarró por el brazo y sólo tuvo dos opciones: o caminar o ser llevada a rastras.

—Creí que íbamos al carromato —dijo débilmente. Absorta en la conversación, no había prestado atención hacia dónde se encaminaban.

—No a menos que quieras que dispare estando oscuro —contestó Birgitte. Hablaba con demasiada decisión para hacer siquiera el menor intento de disuadirla.

Nynaeve habría deseado hacer algo más que soltar un chillido. El trozo de valla ocupó todo su campo visual a medida que avanzaban hacia el hueco despejado, con exclusión de los espectadores. Hasta el creciente murmullo le sonaba lejano. Y la valla parecía estar a una milla del punto en el que Birgitte se situaría.

—¿Seguro que lo juró por... nuestro padre? —demandó con acritud Elayne. Admitir que Galad era su hermano incluso de un modo tan indirecto le resultaba desagradable.

—¿Qué? Sí. Ya te lo expliqué, ¿no? Escucha, si Luca está en la ciudad, no sabrá si hicimos esto o no hasta que sea demasiado tarde para... —Nynaeve comprendió que estaba balbuceando, pero parecía incapaz de controlar su lengua. De algún modo nunca había sido plenamente consciente de cuán largo era un tramo de cien pasos. En Dos Ríos, los hombres siempre disparaban a dianas situadas al doble de esa distancia. Claro que ella no había sido nunca una de aquellas dianas—. Quiero decir que ya se ha hecho muy tarde. Las sombras... el deslumbramiento del sol bajo... De verdad creo que deberíamos hacerlo por la mañana, cuando la luz es...

—Si lo juró por él —manifestó Elayne como si no la hubiera escuchado—, entonces lo mantendrá por encima de todo. Antes rompería un juramento por su esperanza de salvación y renacimiento. Creo... No, sé que podemos confiar en él. —Sin embargo, no parecía hacerle mucha gracia.

—La luz es perfecta —repuso Birgitte con un dejo divertido en su voz sosegada—. Podría intentarlo con los ojos vendados. Creo que a esta pandilla le gustaría que fuera más difícil todavía.

Nynaeve abrió la boca, pero no emitió ningún sonido. Esta vez se habría conformado con un chillido. Birgitte sólo estaba bromeando. Tenía que ser una broma.

La pusieron con la espalda pegada contra la áspera valla de madera, y Elayne empezó a soltar el nudo del chal mientras Birgitte regresaba por donde habían venido al tiempo que sacaba una flecha de la aljaba.

—Esta vez realmente hiciste una estupidez —murmuró Elayne—. Podemos confiar en el juramento de Galad, estoy segura, pero no podías saber de antemano lo que iba a hacer. ¡Mira que entrevistarte con el Profeta! —Quitó el chal de los hombros de Nynaeve de un seco tirón—. No tenías la más remota idea de cuál sería su reacción. ¡Preocupaste a todo el mundo y lo arriesgaste todo!

—Lo sé —consiguió articular Nynaeve. El sol le daba en los ojos; ya no veía a Birgitte. Pero Birgitte podía verla a ella. Pues claro que sí. Eso era lo importante.

—¿Que lo sabes? —Elayne la observó con desconfianza.

—Sé que lo arriesgué todo. Debería haber hablado contigo antes, pedir tu opinión. Sé que he sido una estúpida. No debería dejársenme salir sin un guardián. —Las palabras salieron en un precipitado susurro. Birgitte tenía que verla a la fuerza.

—¿Te encuentras bien? —La desconfianza de Elayne había dado paso a la preocupación—. Si realmente no quieres hacer esto...

La muchacha creía que tenía miedo. Y ella no podía, no debía permitir que pensara tal cosa. Se obligó a sonreír, confiando en no tener demasiado desorbitados los ojos. Notaba el rostro tenso.

—Por supuesto que quiero. De hecho, lo estoy deseando.

Elayne la observó con la frente fruncida, el gesto dudoso, pero finalmente hizo un gesto de asentimiento.

—¿Estás segura de lo de Salidar?

No esperó a que le respondiera, sino que se retiró rápidamente a un lado mientras doblaba el chal. Por alguna razón, Nynaeve no lograba indignarse por la pregunta ni porque Elayne no hubiera esperado a que la contestara. Su respiración era tan acelerada que fue vagamente consciente de que podía salirse por el bajo escote del vestido, aunque ni siquiera esa idea cobró trascendencia en su cerebro. El sol la cegaba; si hubiera entrecerrado los ojos, quizás habría podido vislumbrar a Birgitte al cabo de un tiempo, pero sus ojos tenían voluntad propia y seguían abriéndose más y más. No había nada que ella pudiera hacer ahora. Era un castigo por correr riesgos estúpidos. Sólo consiguió sentir un minúsculo atisbo de enojo por que se la castigara después de haber solucionado las cosas tan bien. ¡Y Elayne ni siquiera creía lo de Salidar! Tendría que aceptarlo con estoicismo. Tendría...

Saliendo aparentemente de la nada, una flecha se clavó con un seco golpe en la madera y se cimbreó junto a su muñeca derecha. Una segunda flecha rozó la otra muñeca, provocando que su chillido sonara con un timbre más agudo. Era tan incapaz de detener sus gritos como los disparos de Birgitte. Flecha tras flecha, los chillidos subieron de intensidad, al igual que las aclamaciones y los aplausos. Para cuando su silueta quedó perfilada desde la cabeza a las rodillas, los aplausos eran atronadores. En honor a la verdad, sintió cierta irritación al final, cuando la multitud corrió a apiñarse alrededor de Birgitte, dejándola a ella plantada allí, mirando de hito en hito las flechas que la rodeaban. Algunas todavía se cimbreaban. Y ella todavía temblaba.

Se retiró del trozo de valla de madera y se escabulló hacia los carromatos tan deprisa como pudo antes de que alguien advirtiera cómo le temblaban las piernas. A decir verdad, nadie le prestaba la menor atención. Lo único que había hecho ella era estar de pie allí, rezando para que Birgitte no estornudara o le entrara algún picor. Y mañana tendría que volver a pasar por lo mismo. O el mal trago o dejar que Elayne —y, lo que era peor, Birgitte— comprendieran que era incapaz de afrontarlo.

Cuando Ino acudió esa noche preguntando por Nana, le dijo, en unos términos que no dejaban lugar a duda, que metiera prisa a Masema hasta donde se atreviera y que buscara a Galad y le dijera que tenía que encontrar un barco rápidamente, por los medios que fuera. Después se marchó a la cama sin cenar e intentó convencerse de que podría persuadir a Elayne y a Birgitte de que estaba demasiado indispuesta para sostenerse de pie contra la valla. Sólo que estaba completamente segura de que las dos mujeres sabrían exactamente cuál era la clase de indisposición que sufría. El hecho de que Birgitte seguramente se mostrara toda compasión hacia ella sólo conseguía que se sintiera peor. ¡Uno de esos estúpidos hombres tenía que encontrar un barco fluvial cuanto antes!

41

LA ARTESANÍA DE KIN TOVERE

Con una mano sobre la empuñadura de la espada y sosteniendo en la otra el fragmento de lanza seanchan, rematado por el penacho verde y blanco, Rand hizo caso omiso, momentáneamente, de los otros que estaban en la cumbre de la colina poco poblada de árboles mientras observaba los tres campamentos que se extendían allá abajo, a la luz del sol de media mañana. Tres campamentos perfectamente delimitados, y ésa era la dificultad. Eran todas las fuerzas cairhieninas y tearianas que tenía a su disposición. El resto de los hombres capaces de blandir una espada o una lanza estaban atrincherados en la ciudad o la Luz sabía dónde.

Los Aiel habían ido rodeando y agrupando hordas enteras de refugiados desde el paso de Jangai hasta aquí, y unos cuantos incluso se habían agregado por propia iniciativa, atraídos por los rumores de que estos Aiel al menos no mataban a todo el que veían, o por estar tan desalentados que había dejado de importarles nada mientras disfrutaran de una comida antes de morir. Eran muchos, demasiados, los que creían que iban a morir, ya fuera a manos de los Aiel o a las del Dragón Renacido o en la Última Batalla, la cual parecían pensar que tendría lugar cualquier día de aquéllos. En conjunto su número era considerable, pero en su mayoría eran granjeros, artesanos o tenderos. Algunos sabían cómo usar un arco o una honda para abatir un conejo, pero no había un solo soldado entre ellos ni tiempo para entrenarlos. La propia ciudad de Cairhien se encontraba unas cinco millas al oeste, y algunas de sus legendarias Torres Infinitas se divisaban por encima de las frondas que había entremedias. La urbe se extendía sobre los cerros, junto al río Alguenya, y estaba cercada por los Shaido de Couladin y aquellos que se les habían unido.

En un campamento de lumbres y tiendas distribuidas al azar por el largo y poco profundo valle que había a los pies de Rand, se encontraban unos ochocientos tearianos, armados y con corazas. Casi la mitad eran Defensores de la Ciudadela, con sus bruñidos petos y yelmos, y las mangas de los jubones acuchilladas en negro y oro. El resto eran levas de un puñado de lores cuyos estandartes e insignias formaban un círculo en el centro del campamento, alrededor de la plateada enseña de la Media Luna y Estrellas del Gran Señor Weiramon. Una nutrida guardia vigilaba las hileras de caballos atados, como si esperaran un ataque contra los animales en cualquier momento.

A trescientos pasos de distancia, un segundo campamento vigilaba sus monturas tan estrechamente como ellos. Los animales formaban un grupo variado en el que muy pocos de ellos se aproximaban a la excelente calidad de la yeguada teariana ya que la mayoría había salido de las labores del campo, si Rand no se equivocaba en su apreciación. Los cairhieninos superaban en un centenar más o menos a los tearianos, pero el número de sus tiendas era inferior y gran parte de ellas tenían parches; los estandartes y los *con* representaban a unos setenta lores. Eran contados los nobles cairhieninos que todavía tenían muchos hombres de armas a su servicio, mientras que el ejército se había desbaratado a poco de empezar la guerra civil.

El tercer campamento se alzaba otros quinientos pasos más allá, ocupado por cairhieninos en su mayor parte, pero clara y tajantemente separado del anterior por algo más que la mera distancia material. Mayor que los otros dos campamentos juntos, éste apenas si tenía tiendas y caballos. No ondeaban en él banderas, y sólo los oficiales portaban *con*, si bien los pequeños estandartes de fuertes colores tenían como fin que sus hombres pudieran localizarlos, más que representar una de las casas. La infantería podría ser necesaria, pero raro era el lord de Tear o de Cairhien, tanto daba, que lo admitiría. Ni que decir tiene que ninguno de ellos accedería a dirigir una de esas unidades. Empero, de los tres campamentos era el instalado con más orden, con las lumbres colocadas en hileras, las largas picas puestas verticales, donde se las podía coger en un momento, y montones de arqueros o ballesteros apostados a lo largo de las líneas. Según Lan, la disciplina mantenía vivos a los hombres en la batalla, pero a buen seguro que la infantería lo sabía y lo creía más que la caballería.

Se suponía que los tres campamentos estaban juntos, bajo el mismo mando —el Gran Señor Weiramon los había conducido hasta allí el día anterior, procedentes del sur— pero los dos agrupamientos de caballería se observaban entre sí casi con tanta desconfianza como a los Aiel acampados en las colinas circundantes; los tearianos mostraban cierta dosis de desprecio que los cairhieninos emulaban haciendo caso omiso del tercer grupo, que a su vez observaba hoscamente a los dos primeros. Eran los seguidores de Rand, sus aliados, y se mostraban tan dispuestos a combatir entre sí como contra el enemigo común.

Todavía fingiendo que estudiaba los campamentos, Rand observó a Weiramon, que estaba cerca, destocado de yelmo y con la espalda tan derecha como si se hubiera tragado un palo. Dos hombres más jóvenes, nobles tearianos de segunda fila, permanecían pegados a los talones del Gran Señor, con sus oscuras barbas recortadas y untadas en una fiel imitación de la de Weiramon, salvo porque la de éste tenía hebras canosas. Sus bruñidos petos, puestos sobre las chaquetas rayadas de llamativos colores, estaban adornados con filigranas doradas sólo ligeramente más sencillas que las de él. Apartados, sin mezclarse con los demás que se encontraban en lo alto de la colina, pero cerca de Rand, por su actitud habríase dicho que esperaban algún tipo de ceremonia marcial en una corte real, excepto porque el sudor les corría por la cara. No obstante, también hacían caso omiso de ese detalle.

A la insignia del Gran Señor sólo le faltaban unas pocas estrellas para ser la copia exacta de la de Lanfear, si bien el narigudo noble —con el cabello, casi canoso del todo, untado al igual que la barba y peinado en un vano intento de disimular su escasez— no era la Renegada bajo un disfraz. Iba de camino al norte con tropas de refuerzo desde Tear cuando supo que los Aiel estaban atacando la capital, y, en lugar de dar media vuelta o quedarse a la expectativa, continuó hacia el norte a un paso tan rápido como podían aguantar los caballos y reuniendo las tropas que encontraron en el camino.

Ésa era la parte buena de Weiramon. La mala era que tenía el convencimiento de poder dispersar a los Shaido que rodeaban Cairhien con las fuerzas que traía —aún lo pensaba—, y no le hizo mucha gracia que Rand no le permitiera llevar a cabo su propósito ni el hecho de estar rodeado por otros Aiel. Para Weiramon, todos los Aiel eran iguales. A decir verdad, ésa era la opinión generalizada. Uno de los jóvenes nobles tenía por costumbre olisquear ostentosamente un pañuelo de seda perfumado cada vez que miraba a un Aiel. Rand se preguntaba cuánto iba a durar vivo el tipo. Y qué tendría que hacer él cuando el petimetre muriera.

Weiramon advirtió el escrutinio de Rand y carraspeó.

—Mi señor Dragón —empezó en un tono seco y grave—, si lanzáramos una buena carga los dispersaríamos como a codornices. —Se golpeó sonoramente la palma de la mano con los guanteletes—. La infantería nunca ha conseguido resistir a la caballería. Enviaré a los cairhieninos para levantarlos como piezas de caza, y a continuación atacaré con mi...

Rand lo atajó. ¿Es que el hombre no sabía contar? ¿Acaso el número de Aiel que se veía desde allí no le daba una pista de los que tenía que haber en total alrededor de la ciudad? En cualquier caso, a Rand le daba igual; ya estaba muy harto de oír la misma canción y no lo aguantaba más.

—¿Estáis seguro de las noticias que traíais de Tear?

—¿Noticias, mi señor Dragón? —Weiramon parpadeó—. ¿Qué...? ¡Ah, eso! Así se abrase mi alma, no hay de qué preocuparse. Los piratas illianos a menudo intentan atacar a lo largo de la costa.

Por lo que había dicho a su llegada, era algo más que intentos.

—¿Y los ataques a los llanos de Maredo? ¿También son cosa habitual?

—Rayos y truenos, ésos sólo eran unos bandidos. —Más que protesta, lo dijo como un hecho probado—. Quizá ni siquiera fueran illianos, y, desde luego, no eran soldados. Con su costumbre de embrollar las cosas, quién sabe si es el rey o la Corporación o el Consejo de los Nueve quien tiene la sartén por el mango de un día para otro. Pero, si se deciden a hacer algún movimiento, enviarán ejércitos contra Tear bajo el mando de los Aguijones Dorados, no unos simples salteadores que prenden fuego a las carretas de mercaderes o a las granjas fronterizas, eso os lo puedo asegurar.

—Si vos lo decís —contestó Rand con la mayor cortesía posible. Fuera cual fuera el poder que ostentara la Corporación o el Consejo de los Nueve o Mattin Stepaneos den Balgar, sería el que Sammael les dejara tener. Pero eran relativamente pocos los que estaban enterados de que los Renegados ya andaban libres por el mundo. Algunos que deberían saberlo se negaban a creerlo o no hacían caso, como si así los Renegados fueran a desaparecer, o parecían pensar que si tal cosa había de ocurrir sería en un impreciso, y preferiblemente lejano, futuro. No tenía sentido convencer de ello a Weiramon, estuviera entre los primeros o los segundos. El que este hombre le creyera o no carecía de importancia.

El Gran Señor contempló con gesto ceñudo el valle entre las colinas; más concretamente, los dos campamentos cairhieninos.

—Sin tener todavía un mando adecuado aquí, quién sabe qué gentuza se ha desplazado hacia el sur. —Torció el gesto al tiempo que volvía a golpearse la palma con los guanteletes, esta vez con más fuerza que antes, y se giró hacia Rand—. En fin, pronto los meteremos en cintura para vos, mi señor Dragón. Si quisierais dar la orden, podría conducir a...

Rand pasó junto al hombre sin prestar atención a sus palabras, aunque Weiramon fue tras él todavía pidiendo permiso para atacar, y con los dos lechuguinos siguiéndolo como perros fieles. Este hombre era un completo necio.

No estaban ellos solos, naturalmente. La cumbre de la colina se encontraba abarrotada, a decir verdad. Para empezar, Sulin tenía a un centenar de *Far Dareis Mai* apostadas alrededor de la cima, todas ellas aparentemente más dispuestas a cubrirse con los velos de lo que siempre lo estaban los Aiel. No era únicamente la proximidad de los Shaido lo que tenía a Sulin con los nervios de punta. Para escarnio del desprecio que despertaba en Rand la desconfianza entre los campamentos de allí abajo, Enaila y otras dos Doncellas nunca estaban lejos de Weiramon y sus lechuguinos, y cuanto más se acercaban los tres hombres a Rand, más dispuestas parecían las tres mujeres a velarse el rostro.

A corta distancia, Aviendha hablaba con una docena o más de Sabias, todas ellas con los chales echados por el doblez de los brazos y, salvo la joven, engalanadas con montones de brazaletes y collares. Sorprendentemente, era una mujer descarnada y con el pelo cano, más vieja incluso que Bair, quien parecía llevar la batuta. Rand habría esperado que fueran Amys o Bair, pero hasta ellas dos cerraban el pico en cuanto Sorilea hablaba. Melaine estaba con Bael, a mitad de camino entre las otras Sabias y los demás jefes de clan. La mujer no dejaba de arreglarle la chaqueta del *cadin'sor,* como si no supiera vestirse solo; Bael tenía el aire sufrido del hombre que está recordándose todas y cada una de las razones por las que se casó. Tal vez fuera impresión suya, pero Rand tenía la sensación de que las Sabias estaban intentando de nuevo influir sobre los jefes de clan. Si tal era el caso, no tardaría en enterarse de los detalles.

No obstante, era Aviendha de quien Rand estaba pendiente. La joven le sonrió brevemente antes de prestar atención de nuevo a lo que decía Sorilea. Una sonrisa amistosa, nada más. En fin, al menos era algo. No había vuelto a lanzarle invectivas desde lo ocurrido entre ambos, y si la muchacha hacía un comentario mordaz alguna vez, no era más áspero de lo que cabría esperar por parte de Egwene. Excepto en una ocasión en la que él volvió a mencionar el tema del matrimonio; entonces sí que le había calentado las orejas de tal modo que a partir de ese momento dio por terminado el asunto. Sin embargo, a pesar de que a todo lo más que llegaba su relación era un trato amistoso, a veces la joven se desnudaba despreocupadamente delante de él por las noches; porque seguía insistiendo en dormir, como mucho, a tres pasos de él.

En cualquier caso, las Doncellas parecían estar seguras de que había mucho menos distancia entre las mantas de ambos, y Rand seguía esperando que esa opinión se difundiera, pero hasta ahora no había ocurrido así. Egwene se le habría echado encima como un árbol talado si tuviera la más remota sospecha de algo así. Para ella era muy fácil hablar de Elayne, pero Rand no quería pensar cómo reaccionaría con lo de Aviendha, y ésta se encontraba aquí, a un paso de él. Total, que estaba más tenso que nunca cuando miraba a la Aiel, pero ella parecía más sosegada de lo que jamás la había visto. De un modo u otro, tal actitud parecía justo la contraria a la que sería normal. Con esta mujer todo parecía ser al contrario. Claro que, pensándolo bien, Min era la única fémina que no le había hecho tener la impresión de estar cabeza abajo la mitad del tiempo.

Soltó un suspiro y siguió caminando, todavía sin prestar atención a Weiramon. Algún día conseguiría entender a las mujeres. Cuando tuviera tiempo para dedicarse a ello. Empero, sospechaba que toda una vida no sería suficiente.

Los jefes de clan tenían su propia reunión con jefes de septiar y representantes de las asociaciones. Rand reconoció a algunos de ellos; el sombrío Heirn, jefe de los Jindo Taardad; Mangin, que le hizo un amistoso gesto con la cabeza, mientras que a los tearianos les dedicaba una mueca desdeñosa; Juranai, esbelto como una lanza, cabecilla en esta expedición de los *Aethan Dor*, los Escudos Rojos, a pesar de que algunos mechones blancos surcaban su cabello castaño claro; y Roidan, ancho de hombros y entrecano, que dirigía a los *Sha'mad Conde*, los Hijos del Relámpago. Desde que habían dejado atrás el paso de Jangai, estos cuatro se habían sumado algunas veces a los entrenamientos de la lucha Aiel sin armas que Rand practicaba.

—¿Quieres ir de caza hoy? —le preguntó Mangin cuando Rand pasó junto a él, y el joven lo miró sorprendido.

—¿De caza?

—No hay mucho donde escoger, pero podríamos intentar atrapar ovejas en un saco. —La sesgada mirada que Mangin dirigió a los tearianos no dejaba lugar a dudas de a qué «ovejas» se refería, aunque Weiramon y los otros no lo entendieron. O fingieron no entenderlo. El lechuguino del pañuelo perfumado lo olisqueó otra vez.

—Quizás en otro momento —contestó Rand mientras sacudía la cabeza. Creía que podría haberse hecho amigo de cualquiera de los cuatro, pero en especial de Mangin, quien tenía un sentido del humor muy parecido al de Mat. Sin embargo, si no tenía tiempo para dedicarse a estudiar el carácter femenino, tampoco lo tenía para hacer nuevos amigos. En realidad, ni siquiera lo tenía para los viejos amigos. Mat lo preocupaba.

En la parte más alta de la colina, una pesada torre de tablones asomaba por encima de las copas de los árboles, con la ancha plataforma que la remataba elevándose veinte espanes o más sobre el suelo. Los Aiel no sabían cómo trabajar la madera a semejante escala, pero entre los refugiados cairhieninos había gente de sobra familiarizada en la materia.

Moraine esperaba al pie de la primera escala inclinada, acompañada por Lan y por Egwene. Ésta había tomado mucho el sol y de hecho podría haber pasado por una Aiel de no ser por el color oscuro de sus ojos. Rand escudriñó rápidamente su rostro, pero no advirtió en él nada excepto cansancio. Amys y las otras Sabias debían de haberla hecho trabajar de firme en su entrenamiento. Empero, a joven no le agradecería su intercesión.

—¿Te has decidido ya? —preguntó Rand, deteniéndose ante ella. Por fin Weiramon interrumpió su parloteo.

Egwene vaciló, pero Rand advirtió que la muchacha no miró a Moraine antes de asentir con la cabeza.

—Haré lo que esté en mi mano.

Su renuencia le molestaba. No se lo había pedido a Moraine, quien no podía utilizar el Poder Único como arma contra los Shaido a menos que la amenazaran o si Rand la convencía de que todos eran Amigos Siniestros, pero Egwene no había prestado los Tres Juramentos y dio por sentado que la joven comprendería la necesidad de actuar así. En cambio, se había quedado pálida cuando se lo sugirió y lo estaba esquivando desde hacía tres días. Por lo menos había accedido. Cualquier cosa que acortara la lucha contra los Shaido sería para bien de todos.

El gesto de Moraine no cambió en ningún momento, aunque Rand sabía con seguridad lo que opinaba al respecto. Aquellos rasgos tersos de Aes Sedai, aquellos ojos, eran muy capaces de exteriorizar una fría desaprobación sin alterarse un ápice.

Metió el trozo de lanza por debajo del cinturón, plantó el pie en el primer travesaño...

—¿Por qué vuelves a llevar una espada? —inquirió Moraine.

Era lo último que esperaba que le preguntara.

—¿Y por qué no iba a llevarla? —rezongó, para de inmediato empezar a trepar rápidamente por la escala. No era una buena contestación, pero lo había cogido desprevenido.

La herida a medio curar de su costado le tiró mientras ascendía; no es que le doliera, pero aun así daba la impresión de que podía abrirse en cualquier momento. No hizo caso; a menudo le ocurría esto cuando hacía un gran esfuerzo físico.

Rhuarc y los demás jefes de clan fueron en pos de él —Bael fue el último, tras apartarse de Melaine—, pero afortunadamente Weiramon y sus dos lameculos se quedaron abajo. El Gran Señor sabía ya la tarea que tenía encomendada; ni necesitaba ni quería más información. Sintiendo los ojos de Moraine prendidos en él, Rand miró hacia abajo. No era Moraine, sino Egwene la que lo seguía con la mirada mientras subía; la expresión del rostro era tan semejante a la de una Aes Sedai que habría sido imposible hacer pasar un cabello por la diferencia. Moraine tenía la cabeza muy cerca de la de Lan. Rand confió en que Egwene no cambiara de parecer.

En la amplia plataforma de lo alto, dos jóvenes bajos y sudorosos, en mangas de camisa, estaban instalando un tubo de madera forrado de bronce, de tres pasos de longitud y con un diámetro superior al de los brazos de cualquiera de los dos, sobre un soporte giratorio que se había fijado a la baranda. Había otro tubo idéntico ya instalado a unos cuantos pasos de distancia, donde había estado casi desde que se había terminado la torre el día anterior. Un tercer hombre sin chaqueta se enjugaba la calva cabeza con un pañuelo de rayas sin quitarles ojo a los otros dos.

—Con mucho cuidado. ¡He dicho con cuidado! Como desviéis las lentes, pedazos de comadrejas sin madre, os romperé el cuello. Átalo bien fuerte, Jol. ¡Fuerte! Si se cae mientras el lord Dragón está mirando a través de él, más os vale a los dos que saltéis detrás. Y no sólo por él. Echad a perder mi trabajo y desearéis que os hubiera roto la crisma.

Jol y el otro tipo, Cail, siguieron trabajando a buen ritmo pero, al menos en apariencia, nada preocupados. Llevaban suficientes años con Kin Tovere para haberse acostumbrado a su forma de hablar. Encontrar a un artesano que fabricaba lentes y visores —y a sus dos aprendices— entre los refugiados fue lo que le dio a Rand la idea de construir esa torre.

Al principio ninguno de los tres advirtió que ya no estaban solos. Los jefes de clan trepaban sin hacer ruido, y la perorata de Tovere bastó para encubrir el ruido de las botas de Rand. El propio Rand se sobresaltó cuando Lan asomó la cabeza por la trampilla abierta, detrás de Bael; a pesar de calzar botas, el Guardián era tan silencioso como un Aiel. Incluso Han, con ser el más bajo del grupo, era un palmo más alto que los cairhieninos.

Cuando por fin advirtieron la presencia de los recién llegados, los dos aprendices dieron un respingo, los ojos desorbitados, como si fuera la primera vez que veían a un Aiel, y después hicieron una reverencia a Rand y se quedaron así, doblados por la cintura. El artesano reaccionó casi con tanto sobresalto como sus aprendices a la vista de los Aiel, pero su reverencia fue más comedida, y aprovechó mientras tanto para enjugarse de nuevo el sudor de la cabeza.

—Os dije que tendría terminado el segundo hoy, mi señor Dragón. —Tovere se las ingenió para dar un timbre respetuoso a su voz sin perder por ello su tono gruñón—. Una idea genial, la de esta torre. Jamás se me habría ocurrido, pero una vez que empezasteis a preguntar hasta dónde se alcanzaba a ver con un visor de lentes... Dadme tiempo y os proporcionaré uno con el que podréis ver Caemlyn desde aquí. Si la torre se ha construido lo bastante alta, claro —añadió juiciosamente—. Siempre hay límites.

—Lo que habéis hecho es más que suficiente, maese Tovere. —Más de lo que Rand había esperado, indudablemente. Ya había echado un vistazo por el primer visor de lentes.

Jol y Cail seguían doblados en ángulo recto, las cabezas gachas.

—Quizá sería mejor que llevaseis a vuestros aprendices abajo —sugirió Rand—. Así no estaremos apiñados.

Había espacio de sobra para cuatro veces los que estaban, pero Tovere azuzó de inmediato a Cail en el hombro con su grueso índice.

—Vamos, ignorantes mozos de cuadra. Estamos estorbando al lord Dragón.

Los aprendices apenas se irguieron lo suficiente para ir tras él mientras echaban ojeadas furtivas, con los ojos muy abiertos, a Rand más incluso que a los Aiel conforme desaparecían por la escala. Cail era un año mayor que Rand, y Jol, dos. Ambos habían nacido en ciudades más grandes de lo que él había imaginado que existían antes de salir de Dos Ríos, habían visitado Cairhien y habían visto al rey y a la Sede Amyrlin, aunque fuera desde lejos, mientras él todavía se ocupaba de las ovejas. Probablemente, aun hoy sabían más del mundo que él en ciertos aspectos. Sacudió la cabeza y se inclinó para mirar por el nuevo visor.

Cairhien pareció agigantarse de repente. Los bosques, no muy frondosos para alguien nacido en Dos Ríos, se interrumpían brusca y totalmente a corta distancia de la urbe, por supuesto. Las murallas, altas y grises, jalonadas por torreones, trazaban un cuadrado perfecto en marcado contraste con el sinuoso cauce del río y las suaves curvas de los cerros. En el interior, más torres se elevaban en un preciso diseño, marcando los puntos de una cuadrícula, unas veinte veces más altas que la muralla, pero aun así rodeadas de andamios. Las legendarias torres inacabadas todavía se estaban reconstruyendo después de haber ardido en la Guerra de Aiel.

La última vez que Rand había visto Cairhien, otra ciudad la rodeaba de una margen a otra del río: extramuros, una madriguera construida con madera toda ella, tan ruidosa y tosca como solemne era Cairhien. Ahora sólo una ancha franja de ceniza y vigas carbonizadas bordeaba las murallas. Rand no alcanzaba a entender cómo se había conseguido frenar un incendio de tales proporciones para que no se propagara a la ciudad propiamente dicha.

Los estandartes ondeaban en todas las torres de la urbe, demasiado lejanos para divisarlos con claridad, pero los exploradores se los habían descrito. La mitad de ellos llevaban las Tres Lunas Crecientes de Tear; la otra mitad, algo quizá no tan sorprendente, eran un duplicado de la enseña del Dragón que Rand había dejado ondeando sobre la Ciudadela de Tear. Ninguna lucía el Sol Naciente de Cairhien.

Desplazó sólo un poco el visor y perdió de vista la ciudad. En la orilla más alejada del río todavía se alzaban las ennegrecidas ruinas de los graneros de piedra. Algunos de los cairhieninos con los que Rand había hablado aseguraban que el incendio de los graneros había provocado disturbios y posteriormente la muerte del rey Galldrian, lo que desembocó finalmente en la guerra civil. Otros decían que el asesinato de Galldrian era lo que había ocasionado las algaradas y los incendios. Rand dudaba mucho que alguna vez llegara a descubrir cuál de las dos versiones era la verdadera o si lo era alguna de ellas.

Un número indeterminado de masas carbonizadas salpicaba ambas márgenes del río, pero ninguna de ellas estaba cerca de la ciudad. Los Aiel sentían inquietud —el término «miedo» habría sido demasiado fuerte— hacia cualquier extensión de agua que no pudiera cruzarse a pie o vadeando, pero Couladin se las había ingeniado para situar barreras de troncos flotantes a través del Alguenya, tanto en el tramo más arriba de Cairhien como en el de más abajo, junto con suficientes hombres para asegurarse de que no las atravesaran. Las flechas incendiarias habían hecho el resto. Nada ni nadie, excepto las ratas y los pájaros, podían entrar o salir de Cairhien sin permiso de Couladin.

En las colinas circundantes apenas había señales del ejército sitiador. Aquí y allí los buitres aleteaban pesadamente, a buen seguro dándose un festín con los restos de algún intento fallido de escapar al cerco, pero no se veía a un solo Shaido. Los Aiel rara vez resultaban visibles a menos que lo quisieran ellos.

Esperando. Rand movió el visor de lentes hacia la cima pelada de un cerro situado a menos de una milla de las murallas de la ciudad, de vuelta a un agrupamiento de hombres. No distinguía sus rostros ni gran cosa más aparte del hecho de que todos vestían el *cadin'sor*. Y otra cosa más: uno de aquellos hombres iba con los brazos al aire. Couladin. Rand estaba seguro de que tenía que ser imaginación suya, pero le pareció que cuando Couladin se movía podía distinguir la luz del sol reflejándose en las escamas metálicas que rodeaban los antebrazos del hombre, a semejanza de las suyas. Asmodean era el responsable de que el Aiel las tuviera. Sólo había sido un intento de desviar la atención de Rand hacia otro, de tenerlo ocupado mientras él ponía en marcha sus propios planes, pero sin eso ¿cuántas cosas habrían sido diferentes? Desde luego, ahora no estaría en esta torre observando una ciudad sitiada y esperando una batalla.

De repente, algo centelleante surcó el aire en aquella distante colina, un manchón alargado, y dos de los hombres que estaban allí se desplomaron en medio de sacudidas. Con la mirada prendida en los hombres caídos, los dos aparentemente traspasados por la misma lanza, Couladin y los demás parecían tan estupefactos como Rand. Este movió el visor de lentes, buscando al hombre que había lanzado con una fuerza tan impresionante. Tenía que ser un valiente —y un necio— para encontrarse tan cerca. La búsqueda de Rand se extendió por el horizonte, más allá de cualquier posible alcance de tiro que podría conseguir un brazo humano. Empezaba a plantearse la posibilidad de un tirador Ogier —no era muy probable, ya que hacía falta mucho para empujar a la violencia a un miembro de esta raza— cuando otro relampagueante manchón atrajo su mirada.

Sobresaltado, se incorporó a medias con un respingo antes de volver a acercar el ojo al visor y enfocar éste rápidamente en las murallas de Cairhien. La lanza —o lo que quiera que fuese— había salido de allí. Ahora estaba seguro de ello. El cómo ya era otro asunto completamente distinto. A esa distancia lo único que lograba distinguir era algún movimiento esporádico en las murallas o en lo alto de una torre.

Levantó la cabeza y vio que Rhuarc se apartaba del otro visor de lentes para dejar el sitio a Han. Aquélla era la única razón para la torre y las lentes. Los exploradores les llevaban la información que podían respecto al despliegue de los Shaido, pero de este modo los jefes podían ver por sí mismos el terreno en el que se disputaría la batalla. Ya habían trazado un plan entre todos, pero echar otro vistazo al panorama no estaba de más. Rand sabía poca cosa sobre batallas, pero Lan opinaba que el plan era bueno. Es decir, Rand no sabía mucho conscientemente, pero a veces se colaban en su mente ciertos recuerdos y entonces parecía saber más de lo que habría deseado.

—¿Viste eso? ¿Esas... lanzas?

Aparentemente, Rhuarc estaba tan desconcertado como Rand imaginaba que debía de parecerlo él, pero el Aiel asintió.

—La última alcanzó a otro Shaido, pero no lo mató porque se apartó gateando. Lástima que no fuera Couladin. —Señaló el visor de lentes y Rand le dejó sitio.

¿Realmente podría considerarse eso mala suerte? La muerte de Couladin no pondría fin a la amenaza cernida sobre Cairhien o cualquier otro sitio. Ahora que se encontraban a este lado de la Pared del Dragón los Shaido no darían media vuelta con las orejas gachas sólo porque el hombre que creían el *Car'a'carn* muriese. Sería un golpe para ellos, cierto, pero no tan fuerte como para hacerlos regresar. Y, después de lo que había visto, Rand no creía que Couladin mereciera una salida tan fácil.

«Puedo ser tan duro como me lo exijan las circunstancias. Por él, sí puedo serlo», pensó mientras acariciaba la empuñadura de la espada.

42

ANTES DE LA FLECHA

El techo de la tienda por dentro debía de ser la vista más aburrida del mundo, pero Mat permanecía tumbado boca arriba, en mangas de camisa, sobre los cojines escarlatas y con borlas que Melindhra había adquirido, observando fijamente la tela de color pardo. O, más bien, miraba más allá de ella, al vacío. Con un brazo doblado debajo de la cabeza, movió una copa de plata batida con la otra mano, haciendo dar vueltas al contenido, un buen vino procedente del sur de Cairhien. El pequeño barril le había costado el equivalente al precio de dos buenos caballos —es decir, lo que habrían costado dos caballos si el mundo y todo lo demás no estuvieran patas arriba— pero lo consideraba un precio pequeño por algo decente. De vez en cuando, y debido al movimiento giratorio, rebosaban una o dos gotas que le caían en la mano, pero ni siquiera lo advertía y tampoco tomó un solo sorbo.

Desde su punto de vista, hacía mucho que las cosas habían sobrepasado con creces el adjetivo de ser simplemente serias. Así podían calificarse el estar atascado en el Yermo sin tener idea de cómo salir de él, los ataques de trollocs por la noche, la aparición de los Myrddraal que helaban la sangre en las venas con su mirada sin ojos. Ése era el tipo de cosas que ocurrían de manera repentina y que por lo general acababan sin que uno tuviera tiempo para pensar. No es que uno lo buscara a propósito, por supuesto, pero sí que acababa acostumbrándose si lograba sobrevivir a ello. Empero, hacía días que sabía adónde iban y por qué. Nada de repentino en ello. Días para pensarlo.

«No soy un jodido héroe ni un jodido soldado», rezongó para sus adentros. Enfurecido, relegó al rincón más hondo de su mente un recuerdo de ir caminando por las murallas de una fortaleza mientras daba órdenes a sus últimos subordinados de acudir al lugar, donde otro montón de escalas de asalto de los trollocs acababan de aparecer. «¡Ese no era yo, así la Luz consuma a quienquiera que fuese! Yo soy...» No sabía quién era —un amargo pensamiento—, pero en cualquier caso su vida se componía de tabernas, juego, mujeres y baile. De eso no le cabía duda alguna. Y también un buen caballo y todas las calzadas del mundo para elegir, no quedarse sentado y esperando que alguien le disparara flechas e intentara clavarle una espada o una lanza en las costillas. Lo contrario sería actuar como un necio, y él no estaba dispuesto a ser tal cosa, ni por Rand ni por Moraine ni por ningún otro.

Se sentó y el medallón de la cabeza de zorro plateada, colgado del cordón de cuero, se salió por el escote desanudado de la camisa. Volvió a meterlo debajo de la prenda antes de echar un buen trago de vino. El medallón lo mantenía a salvo de Moraine o de cualquier otra Aes Sedai mientras que no se lo quitaran —a buen seguro que alguna lo intentaría antes o después— pero únicamente su caletre lo mantenía a salvo de que cualquier necio lo matara junto con otros cuantos miles de idiotas. O de Rand; o de ser *ta'veren*.

Un hombre debía de ser capaz de sacar provecho de algo así, de que los acontecimientos giraran en torno a él. Desde luego, Rand lo había hecho en cierto modo. En lo tocante a él, nunca había notado que nada girase en torno a él a no ser los dados. No les daría la espalda a algunas de las cosas que les sucedían a los *ta'veren* en los relatos. La riqueza y la fama entraban a raudales en sus bolsillos como caídas del cielo; los hombres que querían matarlos acababan por seguirlos, y las mujeres en cuyos ojos había hielo acababan dejando que éste se derritiera.

En realidad no protestaba por la parte que le había tocado en suerte, y, desde luego, no envidiaba la que le había tocado a Rand; ése era un precio muy alto para participar en el juego. El problema estaba en que parecía sufrir todos los inconvenientes de ser *ta'veren* sin disfrutar de ninguna de las ventajas.

—Es hora de largarse —dijo a la vacía tienda, tras lo cual se quedó pensativo y bebió un sorbo de vino—. Es hora de montar a *Puntos* y cabalgar. A Caemlyn, por ejemplo. —Era una ciudad que no estaba mal siempre y cuando evitara el Palacio Real—. O a Lugard. —Había oído rumores sobre esa urbe. Un sitio estupendo para gente como él—. Es hora de que deje a Rand tras el polvo del camino. Tiene a todo un puñetero ejército Aiel y a más Doncellas de las que puede contar para ocuparse de él y protegerlo. Ya no me necesita.

Eso último no era estrictamente cierto. Por alguna extraña razón, estaba vinculado al éxito o al fracaso de Rand en el Tarmon Gai'don, y Perrin también. Tres ta'veren enredados entre sí. Seguramente los relatos mencionarían sólo a Rand; había pocas probabilidades de que Perrin o él encontraran un lugar en esas historias. Y luego estaba el Cuerno de Valere, en el que no quería pensar ni pensaría. No hasta que tuviera que hacerlo. Puede que todavía hubiera algún modo de escabullirse de ese cisco en particular. Lo mirara como lo mirara, el Cuerno era un problema para otro día. Un día lejano. Con suerte, todos esos pagarés vencerían a muy, muy largo plazo. Sólo que para que ocurriera tal cosa a lo mejor hacía falta más suerte de la que tenía.

El asunto ahora era que había dicho todo eso sobre marcharse y no había sentido apenas remordimiento. Poco tiempo atrás, ni siquiera era capaz de hablar de marcharse; cuando en alguna ocasión se había alejado demasiado de Rand, había sido arrastrado de vuelta a él como un pez enganchado en el anzuelo y a un sedal invisible. Después fue capaz de decirlo, incluso de hacer planes, pero cualquier menudencia lo distraía, lo hacía dejar de lado sus proyectos para escabullirse. Incluso en Rhuidean, cuando le dijo a Rand que se iba, había tenido la certeza de que ocurriría algo que se lo impediría. Y, en cierto modo, había ocurrido; se había marchado del Yermo, pero no estaba ni un paso más lejos de Rand que antes. Esta vez, no creía que pasara nada que lo desviara de su propósito.

—No es como si lo abandonara —murmuró—. Si ahora es incapaz de cuidar de sí mismo, nunca lo será. No soy su jodida niñera.

Apuró la copa, se metió la chaqueta verde, colocó los cuchillos en sus escondites, anudó el pañuelo de seda amarillo oscuro para taparse la cicatriz del cuello y después cogió el sombrero y salió de la tienda.

El calor fue como una bofetada en comparación con la relativa frescura del interior de la tienda. No sabía cómo eran los cambios de estación allí, pero el verano duraba ya demasiado para su gusto. Una de las cosas que lo habían hecho desear salir del Yermo era la llegada del otoño. Un poco de fresco. Allí, desde luego, no iba a tener esa suerte. Por lo menos la ancha ala del sombrero lo protegía del sol.

Los bosques montañosos de Cairhien eran ridículos, con más claros que árboles, la mitad de ellos con las hojas marchitas por la sequía. En conjunto, no cubrirían ni una mínima parte del Bosque del Oeste, allí en casa. Las bajas tiendas Aiel se alzaban por doquier, bien que desde la distancia semejaban montones de hojas secas sobre un promontorio pelado, a no ser que tuvieran los laterales levantados, e incluso entonces no eran fáciles de distinguir. Los Aiel con los que se cruzó siguieron con sus ocupaciones sin apenas prestarle atención.

Mientras cruzaba el campamento, desde lo alto de una cresta divisó las carretas de Kadere, colocadas en círculo, con los conductores tendidos a la sombra debajo de los vehículos, pero al buhonero no se lo veía por ninguna parte. Kadere se quedaba cada vez más tiempo metido en su carromato, asomando la nariz rara vez salvo cuando Moraine se acercaba para inspeccionar la carga. Los Aiel apostados alrededor de las carretas en pequeños grupos, armados con lanzas y rodelas, arcos y aljabas, no simulaban que estaban allí de guardia. Moraine debía de pensar que Kadere o alguno de sus hombres podrían intentar marcharse con lo que ella había sacado de Rhuidean. Mat se preguntó si Rand se daría cuenta de que le estaba dando a Moraine todo cuanto le pedía. Durante un tiempo Mat había creído que su amigo le había ganado por la mano a la Aes Sedai, pero ya no estaba tan seguro aunque a Moraine sólo le faltara hacerle reverencias y alcanzarle la pipa.

La tienda de Rand estaba en lo alto del cerro, sola, naturalmente, con aquel estandarte rojo plantado en el astil en la parte delantera. Ondeaba con una ligera brisa, y a veces se extendía lo suficiente para mostrar el disco blanco y negro. Este emblema le ponía la piel de gallina a Mat tanto como le había ocurrido con el del dragón. Si un hombre quería evitar enredarse con las Aes Sedai, como cualquiera salvo un idiota haría, lo último que se le ocurriría sería utilizar ese símbolo.

Las laderas del cerro estaban peladas, pero las tiendas de las Doncellas rodeaban la base y se extendían entre los árboles por las cuestas de las colinas circundantes. También eso era lo normal, así como que el campamento de las Sabias estuviera dentro del de las *Far Dareis Mai*: varias docenas de tiendas bajas instaladas a tiro de piedra del cerro de Rand, con los *gai'shain* vestidos de blanco yendo y viniendo en sus tareas.

Sólo se veía a unas pocas Sabias, pero compensaron su escaso número con las penetrantes miradas con que siguieron su paso. Mat no tenía idea de cuántas de ellas eran capaces de encauzar, pero ninguna se quedaba atrás respecto a las Aes Sedai a la hora de sopesar y medir a uno con la mirada. Apretó el paso al tiempo que se obligaba a no encoger los hombros con inquietud; notaba aquellos ojos clavados en su espalda como si lo estuvieran azuzando con un palo. Y todavía le faltaba pasar

627

por lo mismo a la vuelta. En fin, unas cuantas palabras con Rand y sería la última vez que tendría que aguantarlo.

Sólo que cuando se agachó y entró en la tienda de Rand el único que estaba dentro era Natael, tendido sobre los cojines, con su dorada arpa en forma de dragón apoyada contra la rodilla y una copa de oro en la mano.

Mat torció el gesto y masculló un juramento entre dientes. Tendría que haberlo adivinado. Si Rand hubiese estado allí él tendría que haber pasado a través del anillo de Doncellas que habría rodeado la tienda. Seguramente Rand se encontraría en la torre recién construida. Ésa había sido una buena idea. Reconocer el terreno. Tal era la segunda regla, a continuación de «conoce a tu enemigo», y siempre sin descuidar la una por la otra.

El razonamiento provocó un rictus amargo en su boca. Esas reglas provenían de los recuerdos de otro hombre; las únicas que él quería recordar eran: «nunca beses a una chica cuyo hermano tiene cicatrices de cuchilladas» y «nunca juegues sin antes saber dónde está la salida de atrás». Casi deseó que aquellos recuerdos de otros hombres siguieran siendo amasijos aislados en su cerebro en lugar de infiltrarse en su mente cuando menos se lo esperaba.

—¿Problemas de bilis en el estómago? —inquirió perezosamente Natael—. Quizás alguna de la Sabias tenga cierta raíz para curarlo. O también puedes intentarlo con Moraine.

A Mat no le caía bien el hombre; era como si en todo momento estuviera pensando en una broma que no compartía con nadie. Y también daba la impresión de que dispusiera de tres sirvientes para que cuidaran de sus ropas. Todas esas puntillas níveas en los cuellos y los puños que siempre parecían estar recién lavadas. Y el tipo tampoco parecía sudar nunca. Para él era un misterio el motivo de que Rand quisiera tenerlo a su lado. Casi nunca tocaba una melodía alegre con su arpa.

—¿Va a volver pronto?

—Cuando lo decida —repuso Natael mientras se encogía de hombros—. Tal vez pronto o tal vez tarde. Ningún hombre controla el tiempo del lord Dragón. Y muy pocas mujeres. —De nuevo surgió aquella sonrisa burlona, reservada, esta vez un tanto triste.

—Esperaré. —Estaba dispuesto a no retrasarlo más. Eran demasiadas las veces que había aplazado la marcha.

Natael bebió un sorbo de vino mientras lo observaba por encima del borde de la copa.

Bastante incómodo había sido que Moraine y las Sabias lo miraran de ese modo escrutador, en silencio —a veces también Egwene lo hacía;

la chica había cambiado, desde luego, y ahora era una mezcla de Sabia y de Aes Sedai—, pero que además lo hiciera el juglar de Rand bastaba para que le diera dentera. Lo mejor de marcharse sería que ya no habría nadie que lo mirara como si supiera lo que estaba pensando e incluso si se había cambiado de ropa interior.

Cerca del agujero de la lumbre había dos mapas extendidos. Uno de ellos, una copia detallada de otro muy estropeado que había sido encontrado en una ciudad medio quemada, comprendía la zona septentrional de Cairhien desde el oeste del Alguenya hasta la mitad de camino a la Columna Vertebral del Mundo, mientras que el otro, recién trazado y sólo en bosquejo, mostraba el área alrededor de la ciudad. Sobre los mapas aparecían varias tiras de pergamino sujetas con piedrecillas. Puesto que se iba a quedar a esperar, y si quería hacer caso omiso de la mirada inquisitiva de Natael, lo único que podía hacer era estudiar los mapas.

Con la puntera de la bota movió unas cuantas piedrecillas del de la ciudad para así ver qué había escrito en los fragmentos de papel. A despecho de sí mismo, se encogió. Si se daba crédito a los exploradores Aiel, Couladin contaba con cerca de ciento sesenta mil lanzas, tanto de los Shaido como de los que supuestamente se había unido con sus asociaciones entre este clan. Un hueso duro de roer; y de tragar. A este lado de la Columna Vertebral del Mundo no se había visto un ejército así desde la época de Artur Hawkwing.

El segundo mapa mostraba las posiciones de los otros clanes que habían cruzado la Pared del Dragón. Todos lo habían hecho a estas alturas, ya fuera para unirse a una fuerza o a la otra; tras desfilar por el paso de Jangai, se habían distribuido sobre el terreno, pero demasiado próximos para que Mat se sintiera cómodo. Los Shiande, los Codarra, los Daryne y los Miagoma. Entre todos, aparentemente tenían al menos tantas lanzas como Couladin; si tal cosa era cierta, no habían dejado atrás a muchos. Los siete clanes que estaban con Rand casi duplicaban esa cifra, suficientes para hacer frente a Couladin o a los cuatro clanes. A unos o a otros, pero no a ambos y no a la vez. Empero, tal vez era a los dos al mismo tiempo a lo que Rand tendría que enfrentarse.

Lo que los Aiel llamaban marasmo debía de afectar también a esos clanes —todavía había hombres que a diario tiraban sus armas y desaparecían—, pero sólo un necio pensaría que reducía su número más de lo que lo hacía en las tropas de Rand. Y siempre cabía la posibilidad de que algunos de ésos se fueran con Couladin. Los Aiel no hablaban de ello mucho ni abiertamente, y enmascaraban la verdad hablando de unirse a las asociaciones, pero incluso a estas alturas había hombres y Doncellas que decidían que no podían aceptar a Rand o lo que éste les había dicho sobre sus orígenes. Todas las mañanas faltaban algunos, y no todos ellos dejaban atrás sus lanzas.

—Una bonita situación, ¿no te parece?

Mat alzó bruscamente la cabeza al oír la voz de Lan, pero el Guardián había entrado en la tienda solo.

—Sólo me entretenía mirándolo mientras espero. ¿Viene Rand hacia aquí?

—Enseguida se reunirá con nosotros. —Lan, con los pulgares metidos en el talabarte, se puso al lado de Mat y miró el mapa. Su rostro traslucía tanto como el de una estatua—. Mañana tendrá lugar la batalla más grande desde los tiempos de Artur Hawkwing.

—No me digas. —¿Dónde se había metido Rand? Probablemente seguiría en lo alto de la torre. Quizá debería ir a buscarlo allí. No, o acabaría recorriéndose todo el campamento, llegando siempre tarde donde Rand acabara de marcharse un momento antes. Antes o después terminaría por regresar allí. Quería hablar de otra cosa que no fuera Couladin. «Ésta no es mi batalla. No estoy huyendo de nada que me concierna ni poco ni mucho»—. ¿Y qué pasa con ellos? —Señaló las tiras de papel que representaban a los Miagoma y a los otros—. ¿Alguna noticia sobre que tengan intención de unirse a Rand o es que piensan limitarse a quedarse ahí observando?

—¿Quién sabe? Respecto a eso, Rhuarc sabe tan poco como yo, y si las Sabias están enteradas de algo no lo dicen. Lo único seguro es que Couladin no va a ninguna parte.

Otra vez Couladin. Mat rebulló con nerviosismo y hasta dio un paso hacia la entrada. No. Iba a esperar. Centrando la mirada en los mapas, fingió estudiarlos con más detalle. A lo mejor Lan se callaba y lo dejaba en paz. Lo único que quería era decirle a Rand lo que tenía que decirle y largarse de allí.

Pero, por lo visto, el Guardián tenía ganas de charlar.

—¿Qué opináis vos, maese juglar? ¿Deberíamos lanzarnos mañana contra Couladin con todos nuestros efectivos y aplastarlo?

—A mí me parece tan buen plan como cualquier otro —contestó con gesto hosco Natael, que se echó al coleto la copa de vino, la soltó en la alfombra y cogió el arpa para empezar a pulsar una melodía fúnebre—. Yo no dirijo ejércitos, Guardián. Sólo mando sobre mí mismo, y a veces ni siquiera eso.

Mat gruñó y Lan le echó una rápida ojeada antes de volver a estudiar los mapas.

—¿No te parece un buen plan? ¿Por qué no?

Hizo el comentario con un tono tan despreocupado, tan coloquial, que Mat respondió sin pensarlo:

—Por dos razones. Si rodeáis a Couladin, atrapándolo entre vosotros y la ciudad, quizá lo aplastéis contra las murallas. —¿Cuánto más iba a tardar Rand?—. Pero también podríais empujarlos por encima de ellas. Por lo que he oído comentar, ya han estado a punto de conseguirlo dos veces, incluso sin zapadores ni máquinas de asalto, y la defensa de la ciudad pende de un hilo. La idea es salvarla, no terminar de destruirla. —Aquellos trozos de papel extendidos en los mapas, los propios mapas, lo dejaban muy claro. Con el entrecejo fruncido, se puso en cuclillas, con los codos apoyados en las rodillas. Lan se agachó junto a él, pero Mat apenas se percató. Un problema peliagudo. Y fascinante.

»Sería mejor que intentaseis empujarlos a campo abierto. Lanzando el ataque desde el sur principalmente. —Señaló el río Gaelin, que se unía al Alguenya varias millas al norte de la ciudad—. Hay puentes ahí arriba. Dejad un paso abierto a Couladin en esa dirección. Dejad siempre una salida a menos que queráis descubrir hasta qué punto puede luchar un hombre cuando no tiene nada que perder. —Su dedo se deslizó hacia el este, una zona que, aparentemente, era en su mayoría colinas boscosas, probablemente un terreno muy semejante a aquel donde se encontraban ahora—. Una fuerza aquí, para cerrar este lado del río, asegurará que se dirijan hacia los puentes, si es lo bastante numerosa y está bien situada. Una vez en movimiento, Couladin no querrá enzarzarse en un combate con tropas al frente mientras lo estáis acosando por la retaguardia. —Sí, era casi igual que en Jenje.

»No lo hará a menos que sea un redomado idiota. Así podrían retirarse hacia el río con orden, aunque en esos puentes se atascarán. No imagino nadando a los Aiel; ni siquiera los veo buscando vados, a decir verdad. Mantened la presión para empujarlos a cruzar. Con suerte, estaréis en condiciones de azuzarlos todo el camino hasta las montañas. —También era como en los vados de Cuaindaigh, en las postrimerías de la Guerra de los Trollocs, y más o menos a la misma escala. Tampoco se diferenciaba mucho de Tora Shan. Ni del desfiladero de Sulmein, antes de que Hawkwing se lo tomara con calma. Los nombres acudían a su mente como fugaces destellos, así como imágenes de batallas olvidadas incluso por los historiadores. Absorto como estaba en los mapas, no los identificó como otra cosa que no fueran sus propios recuerdos—. Lástima que no tengáis más caballería. La caballería ligera es mejor para hostigar a tropas en retirada. Ataques rápidos por los flancos, forzándolos a mantener la carrera y sin darles un momento de respiro para que paren a luchar. Aunque los Aiel podrían hacerlo casi tan bien.

—¿Y la otra razón? —preguntó Lan en voz queda.

A estas alturas Mat estaba enfrascado en ello, volcado por completo en los planes de batalla. Su afición por el juego era mucho más que un simple pasatiempo; en realidad lo apasionaba. Y batallar era un juego que convertía las partidas de dados en las tabernas en una cosa de niños y de viejos inválidos y desdentados. Aquí eran vidas lo que estaba en juego, tanto la de uno mismo como las de otros hombres, unos hombres que ni siquiera se encontraban allí. Si uno metía la pata, si hacía una tonta apuesta, se perdían ciudades o naciones enteras. La tétrica música de Natael constituía un acompañamiento muy adecuado. Al mismo tiempo, éste era un juego que encendía la sangre.

—Lo sabes tan bien como yo —resopló, sin alzar la vista del mapa—. Si uno solo de esos cuatro clanes decide ponerse de parte de Couladin, os atacarán por detrás cuando todavía estéis de Shaido hasta las cejas. Couladin será el yunque, y ellos, el martillo, con vosotros haciendo de nuez entremedias. Lanzad sólo la mitad de vuestras tropas contra Couladin. Con eso las fuerzas están equilibradas, pero tendréis que conformaros. —En la guerra no había lugar para la honorabilidad. Uno se lanzaba contra el enemigo por la retaguardia cuando éste menos se lo esperaba, en el momento y el lugar en que era más débil—. Todavía tenéis una ventaja, y es que él tiene que preocuparse de una posible salida de tropas de la ciudad. La otra mitad de vuestros efectivos, habréis de dividirla en tres unidades: una para crear un pasillo que conduzca a Couladin hacia el río, y las otras dos situadas a unas cuantas millas de distancia, entre la ciudad y los cuatro clanes.

—Muy ingenioso —opinó Lan mientras asentía con la cabeza. La expresión del pétreo semblante no varió un solo momento, pero, aunque leve, en su voz se advertía un timbre de aprobación—. Ningún clan sacaría nada en limpio atacando a cualquiera de esas fuerzas, sobre todo existiendo la posibilidad de que la otra podría lanzarse contra su retaguardia. Y ninguno intentaría interferir en lo que ocurra alrededor de la ciudad por la misma razón. Claro que cabe la posibilidad de que se unieran los cuatro clanes. Si aún no han aunado fuerzas, no parece probable, pero si lo hacen todo cambiaría.

—Todas las cosas cambian siempre —rió Mat de buena gana—. Incluso el mejor plan dura únicamente hasta que la primera flecha sale volando del arco. Esto sería coser y cantar, fácil hasta para que un niño pudiera dirigirlo si no fuera porque Indirian y los demás aún no tienen claro qué van a hacer. Si al final deciden apoyar a Couladin, entonces tirad los dados y cruzad los dedos, porque podéis dar por seguro que el propio Oscuro ha entrado en el juego. Por lo menos contaréis con bastantes tropas situadas lejos de la ciudad para estar casi a la par con ellos. Suficientes para contenerlos el tiempo que os haga falta. Olvidad la idea de perseguir a Couladin y volved todas las tropas en su dirección tan pronto como tengáis la certeza de que los Shaido están cruzando el Gaelin. Sin embargo, yo apostaría a que los cuatro clanes se quedarán a la expectativa y se unirán a vosotros una vez que Couladin haya sido derrotado. La victoria aclara ideas y borra muchas indecisiones en la mente de la mayoría de los hombres.

La música se había parado. Mat miró de soslayo a Natael y se encontró con que el hombre sostenía el arpa en una postura rígida mientras lo observaba con más intensidad que nunca, mirándolo de hito en hito como si no lo hubiese visto jamás, como si no supiera quién era. Los ojos del juglar semejaban dos oscuros cristales pulidos, y sus nudillos estaban blancos por la fuerza con que apretaba la dorada madera del instrumento.

Aquello bastó para que Mat fuera consciente de todo, de cuanto había dicho, de todos los recuerdos que había estado evocando. «¡Así me abrase la Luz por ser un idiota que no sabe mantener la boca cerrada!» ¿Por qué había tenido Lan que llevar la conversación hacia esos derroteros? ¿Por qué no se había limitado a charlar sobre caballos o el tiempo que hacía o simplemente quedarse calladito? El Guardián nunca se había mostrado tan deseoso de hablar. Claro que también él debería haber tenido la cabeza en lo que debía y no ponerse a divagar, además de mantener quietecita la lengua. Por lo menos no había estado chapurreando en la Antigua Lengua. «¡Rayos y truenos, espero no haberlo hecho!»

Se incorporó de un salto y giró sobre sus talones, dispuesto a marcharse; se dio de cara con Rand, que estaba plantado justo en la entrada mientras hacía girar entre sus dedos aquel raro fragmento de lanza con penacho, el gesto abstraído, como si no se percatara de estar haciéndolo. ¿Cuánto tiempo llevaba ahí? Bah, daba igual. Mat soltó de corrido todo lo que tenía pensado decir:

—Me marcho, Rand. Mañana, con las primeras luces del alba, estaré en mi caballo y de camino. Me iría ahora mismo si pudiera llegar lo bastante lejos en medio día para que me apeteciera detenerme. Me propongo poner tantas millas entre los Aiel, cualquier Aiel, y yo como *Puntos* sea capaz de cubrir antes de tener que acampar. —No tenía sentido meterse en el petate si se encontraba lo bastante cerca para que los exploradores de unos u otros le echaran el guante y lo pusieran a secar colgado como un jamón; Couladin también debía de tener sus propias patrullas e incluso cabía la posibilidad de que los de este bando no lo reconocieran antes de que una lanza le hubiera atravesado el hígado.

—Lamentaré verte partir —musitó Rand.

—No intentes convencerme para que no... —Mat parpadeó—. ¿Eso es todo? ¿Que lamentarás verme partir?

—Nunca traté de retenerte, Mat. Perrin se marchó cuando tuvo que hacerlo, y lo mismo reza para ti.

Mat abrió la boca y luego volvió a cerrarla. Rand no había intentado nunca retenerlo, cierto. Sólo lo había hecho sin intentarlo. No obstante, ahora no había ni el más ligero atisbo del tirón del *ta'veren,* ninguna sensación de que estuviera haciendo algo indebido. Su propósito era firme y claro.

—¿Adónde irás?

—Al sur. —Tampoco es que tuviera muchas opciones sobre qué dirección tomar. Las otras conducían al Gaelin, al norte del cual no había nada que le interesara, o a los Aiel, uno de cuyos grupos estaba dispuesto a matarlo y el otro, a lo mejor sí o a lo mejor no, dependiendo de lo cerca que estuviera Rand y de lo que hubieran tomado de cena la noche anterior. A su modo de ver, la apuesta era poco favorable—. Al menos de momento. Después, a algún sitio donde haya una taberna y algunas mujeres que no lleven lanzas. —Melindhra. A lo mejor le planteaba algún problema. Tenía la impresión de que era el tipo de hembra que no renunciaría a una relación hasta que ella quisiera romperla. En fin, de un modo u otro, se las apañaría. Tal vez se limitaría a largarse antes de que la mujer se enterara.

»Esto no es para mí, Rand. No sé nada sobre batallas y tampoco quiero saberlo. —Evitó mirar a Lan y a Natael. Si cualquiera de los dos hacía la más mínima intención de abrir la boca, se la cerraría de un puñetazo. Incluso al Guardián—. Lo comprendes, ¿verdad?

El gesto de asentimiento de Rand podía ser de afirmación. A lo mejor lo era.

—Yo que tú no me despediría de Egwene. Ya no estoy seguro de cuánto de lo que le digo es como si se lo estuviera contando a Moraine o a las Sabias o tanto a una como a las otras.

—Yo llegué a esa conclusión hace mucho tiempo. Ha dejado atrás Campo de Emond mucho más que cualquiera de nosotros. Y lo lamenta menos.

—Es posible —convino tristemente Rand—. Que la Luz te acompañe, Mat —añadió mientras le tendía la mano—, y que te lleve por caminos fáciles, con buen tiempo y agradable compañía hasta que volvamos a vernos.

Tal cosa no ocurriría pronto, si Mat se salía con la suya. Aquello le hizo sentir un poco de pena, y que era idiota por sentirse triste, pero un hombre debía mirar por sus propios intereses. Y eso lo resumió todo.

El apretón de Rand resultó más fuerte que nunca —tanta práctica con la espada le había hecho nuevos callos encima de los que tenía antes por el tiro con arco—, pero el relieve de la marca de la garza en la palma resultó obvio contra la de Mat. Un pequeño recordatorio, por si había olvidado esas otras ocultas bajo las mangas de la chaqueta o las cosas aun más raras que había dentro de su cabeza y que le permitían encauzar. Si podía olvidar que Rand encauzaba —y no había pensado en ello hacía días; ¡días!— entonces es que era hora más que de sobra de que se largara.

Dijo unas cuantas palabras más, torpemente, plantado allí como un pasmarote; Lan pareció no oírlas, cruzado de brazos mientras estudiaba en silencio los mapas, en tanto que Natael había empezado a tocar ociosamente las cuerdas del arpa. Mat tenía buen oído para la música, y a su modo de entender esa melodía tenía mucho de irónica; se preguntó por qué el tipo habría elegido algo así. Unos instantes más y el propio Rand, dando un paso hacia un lado, puso fin al asunto y Mat se encontró fuera de la tienda. Había una multitud allí: su buen centenar de Doncellas diseminadas alrededor de la cumbre y caminando de puntillas como si en cualquier momento fueran a atravesar a alguien con sus lanzas; los siete jefes de clan al completo, aguardando pacientemente y tan inmóviles como si fueran de piedra; tres lores tearianos disimulando que no estaban sudando y que los Aiel no existían.

Se había enterado de la llegada de los nobles e incluso había ido a echar un vistazo a su campamento —o sus campamentos—, pero no vio a nadie conocido ni que estuviera dispuesto a echar una partida de dados o de cartas. Estos tres lo observaron de arriba abajo, fruncieron el entrecejo con desdén y, aparentemente, decidieron que no era mucho mejor que un Aiel, lo que significaba que no era merecedor de ser visto por ellos.

Mat se puso el sombrero y se caló el ala casi hasta los ojos, observando a su vez fríamente a los tearianos un instante. Antes de echar a andar cuesta abajo, tuvo la satisfacción de ver que los dos más jóvenes, al menos, se ponían nerviosos bajo su escrutinio. El de la barba canosa seguía mostrando una mal disimulada impaciencia por entrar en la tienda de Rand, pero en realidad nada de ello importaba. Nunca los volvería a ver a ninguno de ellos.

En realidad no sabía por qué no se había limitado a hacer caso omiso de ellos. Excepto que ahora sus pasos eran más ligeros y estaba de un humor avinagrado. No era de extrañar considerando que por fin se marchaba mañana. Los dados parecían rodar en su cabeza y resultaba imposible saber qué puntos habría cuando se detuvieran. Aquello era raro. Tenía que deberse a Melindhra, que le preocupaba. Sí. Definitivamente saldría temprano y más sigiloso que un ratón caminando sobre plumas.

Se puso a silbar y se encaminó hacia su tienda. ¿Qué melodía era? Ah, sí. *Bailar con la Dama de las Sombras*. No tenía la menor intención de bailar con la muerte, pero la melodía tenía un aire animado, por lo que continuó silbándola mientras intentaba planear la ruta para alejarse de Cairhien.

Rand siguió con la mirada prendida por donde Mat se había ido aun mucho después de que desapareciera tras la solapa de la tienda.

—Sólo escuché un poco al final —dijo al cabo—. ¿Fue todo igual?

—Casi —contestó Lan—. Después de estudiar los mapas sólo unos minutos, expuso un plan de batalla muy semejante al presentado por Rhuarc y los otros. Vio las dificultades y los peligros, y cómo salirles al paso. Sabe de minadores y de máquinas de asalto, y de utilizar caballería ligera para hostigar a un enemigo vencido.

Rand lo miró. El Guardián no denotaba la menor señal de sorpresa, ni siquiera un leve pestañeo. Claro que había sido él quien había comentado que Mat parecía tener unos increíbles conocimientos de temas militares. Y Lan tampoco iba a hacer la pregunta obvia, cosa que era de agradecer. Rand no tenía derecho a darle la respuesta que tenía, a pesar de lo escueta e insuficiente que fuera.

Él mismo habría hecho gustoso unas cuantas, como por ejemplo, qué tenían que ver los minadores con las batallas. O puede que sólo fuera con los asedios. En cualquier caso, la mina más cercana estaba en la Daga del Dragón, y desde luego ya no había nadie allí extrayendo mineral. En fin, esta batalla se llevaría a cabo sin minadores. Lo importante era que sabía que Mat había sacado algo más del otro lado del umbral *ter'angreal* que una tendencia a parlotear en la Antigua Lengua cuando estaba absorto. Y, sabiéndolo, sin duda habría hecho uso de ello.

«No tienes que volverte más duro aun», pensó con amargura. Había visto a Mat subiendo hacia su tienda y no vaciló en enviar a Lan para que descubriera qué podía salir a relucir en una ociosa conversación, a solas con él. Había sido algo deliberado. El resto podía serlo o no, pero ocurriría. Esperaba que Mat se divirtiera mientras estuviera libre. Confiaba en que Perrin estuviera disfrutando en Dos Ríos, presentando a Faile a sus padres y hermanas y tal vez casándose con ella. Lo esperaba porque sabía que volvería a atraerlos hacia él, *ta'veren* tirando de *ta'veren*, y él era el más fuerte. Moraine había dicho que no era una coincidencia que hubiera tres de ellos criados en el mismo pueblo, todos casi de la misma edad; la Rueda tejía las casualidades y las coincidencias en el Entramado, pero no colocaba a tres personas como ellos juntos sin una razón. Al final acabaría atrayendo hacia sí a sus amigos, por muy lejos que éstos se marcharan, y cuando acudieran los utilizaría como mejor conviniera. Del modo que tuviera que hacerlo. Porque no había otro remedio. Porque, dijera lo que dijera la Profecía del Dragón, estaba seguro de que la única oportunidad que tenía de vencer en el Tarmon Gai'don era estando los tres juntos de nuevo. No, no hacía falta que se volviese más duro. «¡Ya eres lo bastante hipócrita y vil para hacer escupir a un seanchan!»

—Toca *La marcha de la Muerte* —ordenó con un tono más seco de lo que era su intención, y Natael lo miró desconcertado un instante. El hombre había escuchado todo; tendría preguntas que hacer, pero no hallaría respuestas. Si no podía contarle a Lan los secretos de Mat, no iba a pregonarlos ante uno de los Renegados por muy sometido que pareciera estar. Esta vez dio un timbre deliberadamente duro a su voz y señaló al hombre con el fragmento de la lanza—. Tócala, a no ser que conozcas otra más triste. Toca algo que haga llorar a tu alma. Si es que todavía tienes una.

Natael le dedicó una sonrisa aduladora y una inclinación de cabeza, pero sus ojos estaban tan desorbitados que el blanco rodeó completamente los iris. Fue, efectivamente, *La marcha de la Muerte* lo que empezó a tocar, bien que la melodía tenía un toque más punzante que en otras ocasiones, un filo aguzado como el de una daga que sin duda haría llorar a cualquier alma. No apartó la vista de Rand, como si esperara atisbar alguna reacción en él.

Rand se dio media vuelta y se acomodó en las alfombras, enfrascado en los mapas, con el codo apoyado en un cojín rojo y dorado.

—Lan, ¿querrás decirles a los otros que entren ahora?

El Guardián hizo una reverencia antes de salir. Era la primera vez que hacía algo así, pero Rand sólo reparó a medias en el detalle.

La batalla tendría lugar al día siguiente. Era una maniobra ficticia y política el que él ayudara a Rhuarc y a los demás a hacer planes. Era lo bastante listo para darse cuenta de que no sabía y, a despecho de todas las conversaciones con Lan y Rhuarc, era consciente de que no estaba preparado. «¿Cómo que no? He planeado cientos de batallas de este calibre o de mayor envergadura y he dado órdenes para dirigir a un número de hombres diez veces superior al de ahora.» No era un pensamiento suyo. Lews Therin sabía de guerras —había sabido de guerras— pero no Rand al'Thor, y ése era él. Escuchaba, hacía preguntas y asentía como si entendiera cuando los jefes decían que una cosa tenía que hacerse así o asá. A veces sí que lo entendía y en esas ocasiones habría querido no entenderlo, porque sabía de dónde le venía tal conocimiento. Su única contribución real había sido decir que a Couladin había que derrotarlo sin destruir la ciudad. En cualquier caso, como mucho esta reunión sólo añadiría algunos toques a lo ya estipulado. Mat habría resultado muy útil con sus recién adquiridos conocimientos.

No. No pensaría en sus amigos ni en lo que haría con ellos antes de que todo esto hubiese acabado. Incluso dejando la batalla a un lado, había mucho de lo que ocuparse, sobre lo que podía hacer algo. La ausencia de banderas cairhieninas ondeando sobre la ciudad apuntaba un problema importante, así como las continuas escaramuzas con los andoreños. Y lo que Sammael se traería entre manos, y...

Los jefes entraron sin seguir ningún orden en particular. Esta vez fue Dhearic el primero en pasar, con Rhuarc y Erim cerrando el grupo, junto con Lan. Bruan y Jheran tomaron asiento a ambos lados de Rand. A ellos no les preocupaban las preferencias, y al *Aan'allein* podía decirse que lo consideraban como uno más de ellos.

Weiramon fue el último en entrar, con los lechuguinos pisándole los talones, y los labios apretados en una fina línea. A éste, desde luego, sí que le importaban las preferencias. Mascullando entre su untada barba, rodeó el agujero de la lumbre y se colocó detrás de Rand. Finalmente, las frías e intensas miradas de los jefes consiguieron hacer mella en él. Entre los Aiel, sólo un familiar cercano o un hermano de asociación podía ocupar esa posición, por la posibilidad siempre existente de que un cuchillo se clavara en la espalda. Empero, el teariano miró ceñudo a Jheran y a Dhearic, como si esperara que cualquiera de ellos le hiciese un hueco.

Por último Bael le señaló un sitio a su lado, enfrente de Rand y, tras una pausa, Weiramon caminó hacia allí para sentarse cruzado de piernas, muy tieso, mirando fijamente al frente con la actitud del hombre que se ha tragado una ciruela verde. Los tearianos más jóvenes se pusieron detrás de él, casi igual de tiesos, aunque uno de ellos tuvo la decencia de mostrarse avergonzado.

Rand reparó en el detalle pero no dijo una palabra, limitándose a apretar con el pulgar el tabaco que llenaba la cazoleta de su pipa y aferrar el *Saidin* justo lo suficiente para encenderlo. Tenía que hacer algo respecto a Weiramon; el hombre exacerbaba viejos problemas y provocaba otros nuevos. En las facciones de Rhuarc no hubo el más leve gesto, pero las expresiones de los otros jefes iban desde el agrio desagrado de Han a la obvia disposición reflejada en la fría mirada de Erim de danzar las lanzas en ese mismo instante. Quizá sería un modo de conseguir al mismo tiempo que Rand se librara del problema de Weiramon y comenzara otra de sus preocupaciones. Siguiendo su ejemplo, Lan y los jefes empezaron a llenar sus pipas.

—Sólo veo necesarios unos pequeños cambios —dijo Bael mientras chupaba la pipa para encenderla, y ganándose una mirada furibunda de Han, como era habitual.

—¿Esos pequeños cambios conciernen a los Goshien o quizás a algún otro clan?

Rand alejó el asunto de Weiramon de su mente y se dispuso a prestar atención a las variaciones que se requerían tras su reciente observación del terreno. De vez en cuando, uno de los Aiel echaba una ojeada a Natael, y una fugaz tensión en sus ojos o en sus labios sugería que la fúnebre melodía le tocaba alguna fibra. Incluso los tearianos esbozaban una triste mueca. Las notas, sin embargo, pasaban sobre Rand sin causar efecto alguno. Las lágrimas eran un lujo que ya no podía permitirse, ni siquiera por dentro.

43

En ese lugar, ese día

A la mañana siguiente Rand se levantó y se vistió bastante antes del alba. A decir verdad, no durmió y no fue porque Aviendha lo mantuviera despierto, ni siquiera después de que empezara a desnudarse antes de que él hubiese apagado, las lámparas y de que la joven volviera a encender una encauzando tan pronto como él las hubo apagado al tiempo que comentaba con sorna que era incapaz de ver en la oscuridad aunque él sí pudiera. Rand no contestó y horas más tarde apenas si notó cuando ella se levantó, por lo menos una hora antes que él, se vistió y se marchó. Ni siquiera se preguntó adónde iría.

Las ideas que lo habían tenido en vela a lo largo de la noche todavía bullían en su cabeza. Ese día morirían hombres. Muchos, aun en el caso de que todo saliera perfectamente. Ahora no había nada que él pudiera hacer para cambiarlo; el día transcurriría conforme a lo dispuesto por el Entramado. Empero, reflexionó una y otra vez sobre las decisiones que había tomado desde que había entrado en el Yermo. ¿Podría haber actuado de manera diferente, haber hecho algo que hubiese evitado ese día y ese lugar? Quizá la próxima vez. El fragmento de lanza con borlas yacía sobre el talabarte y la vaina de la espada, junto a las mantas. Habría una próxima vez, y otra más, y otra.

Cuando todavía estaba oscuro, los jefes entraron en grupo para un último cambio de impresiones y para informar que sus hombres ya estaban en sus puestos y preparados. Nadie habría esperado lo contrario. A pesar de los pétreos rostros, se advertían ciertas emociones en ellos, una extraña mezcla, un atisbo de entusiasmo sobreponiéndose a una taciturna seriedad. De hecho, Erim esbozaba una leve sonrisa.

—Un buen día para ver el fin de los Shaido —dijo finalmente. Parecía ir caminando de puntillas.

—Si la Luz lo quiere —añadió Bael, cuya cabeza rozaba el techo de la tienda—, habremos lavado las lanzas con la sangre de Couladin antes de la puesta de sol.

—Hablar de ello traerá mala suerte —murmuró Han. La capa de entusiasmo en él era muy superficial, por supuesto—. El destino decidirá.

—Quiera la Luz que no mueran muchos de los nuestros —dijo Rand mientras asentía con la cabeza. Deseó que su preocupación se debiera únicamente a que unos cuantos hombres fueran a morir porque la vida no debería arrebatársele a nadie, pero todavía estaban por llegar muchos otros días. Necesitaría todas las lanzas para imponer el orden a este lado de la Pared del Dragón. Esto era una cuenta pendiente entre Couladin y él aparte de todo lo demás.

—La vida es un sueño —comentó Rhuarc, y Han y los demás asintieron en conformidad con sus palabras. La vida sólo era un sueño y todos los sueños tenían que terminar. Los Aiel no buscaban la muerte, pero tampoco la esquivaban.

Cuando se marchaban, Bael hizo una pausa.

—¿Estás seguro de lo que quieres que hagan las Doncellas? Sulin ha estado hablando con las Sabias.

Así que esto era sobre lo que Melaine había hablado con Bael. A juzgar por el modo en que Rhuarc se paró para escuchar, también él había tenido que oír lo mismo por parte de Amys.

—Todos los demás están haciendo lo que se les ha indicado sin protestar, Bael. —No era justo, pero lo que tenían ante ellos no era un juego—. Si las Doncellas quieren un trato especial, Sulin puede acudir a mí, no ir corriendo a las Sabias.

Si estos hombres no hubiesen sido Aiel, Rhuarc y Bael habrían salido de la tienda sacudiendo la cabeza. Rand imaginó que los dos recibirían sendos tirones de orejas por parte de sus esposas, pero tendrían que resignarse. Si las *Far Dareis Mai* defendían su honor, esta vez tendrían que hacerlo allí donde él deseaba.

Para sorpresa de Rand, Lan apareció justo en el momento en que él se disponía a salir. La capa del Guardián colgaba por su espalda, alterando la visión al ondear con sus movimientos.

—¿Está Moraine contigo? —preguntó Rand, que esperaba que el hombre estuviera pegado a la Aes Sedai como con goma.

—Está en su tienda, preocupada. Es de todo punto imposible que cure ni siquiera todas las heridas graves que habrá hoy. —Tal era el modo que había elegido de ayudar ese día; no podía utilizar el Poder como arma, pero sí podía curar—. El despilfarro de vidas siempre la encoleriza.

—Nos encoleriza a todos —espetó Rand. El hecho de que él hubiese recurrido a Egwene seguramente también la irritaba. Que él supiera, Egwene no era muy buena en la Curación, pero podría haber ayudado a Moraine. En fin, necesitaba que la joven mantuviera su promesa—. Dile a Moraine que si necesita ayuda se la pida a algunas de las Sabias capaces de encauzar. —Eran contadas las Sabias que tenían algún conocimiento de la Curación—. Puede coligarse con ellas y utilizar su fuerza. —Vaciló. ¿Le había mencionado Moraine alguna vez el coligarse?—. No has venido para decirme que Moraine está preocupada —añadió, irritado. A veces era muy difícil distinguir de quién había cogido una idea, si de ella o de Asmodean o si era algo que emergía de Lews Therin.

—Vine para preguntarte por qué vuelves a llevar espada.

—Eso ya me lo preguntó Moraine. ¿Te envió para...?

La expresión de Lan no cambió, pero lo interrumpió bruscamente:

—Quiero saberlo. Puedes crear una espada de Poder o matar sin una, pero de repente vuelves a llevar una hoja de acero a la cadera. ¿Por qué?

De manera inconsciente Rand se llevó la mano a la larga empuñadura del arma que llevaba al costado.

—No es justo utilizar el Poder de ese modo. Sobre todo contra alguien que no puede encauzar. Sería como si luchara contra un niño.

El Guardián permaneció callado largos instantes mientras lo observaba.

—Te propones matar personalmente a Couladin —dijo al cabo con voz inexpresiva—. Esa espada contra sus lanzas.

—No voy a buscarlo a propósito, pero ¿quién sabe lo que puede pasar? —Rand se encogió de hombros con desasosiego. No pensaba rastrear al hombre, pero si la suerte estaba de su parte lo pondría frente a frente con Couladin—. Además, no descarto que sea él quien me busque a mí. Las amenazas que hizo fueron personales, Lan. —Levantó un brazo de manera que la manga de la chaqueta carmesí se retiró lo suficiente para dejar a la vista la parte delantera de un dragón de crines doradas—. Couladin no descansará mientras yo siga vivo, mientras ambos llevemos esto.

A decir verdad, tampoco él descansaría hasta que quedara vivo sólo un hombre con la marca de los dragones. En justicia debería acabar también con Asmodean, ya que había sido éste el que había marcado al Shaido. Pero había sido la ambición sin límites de Couladin la que lo había hecho posible; su ambición y su negativa a cumplir la ley y las costumbres Aiel los habían llevado inevitablemente a ese lugar, a ese día. Aparte del marasmo y la guerra entre Aiel, Couladin era responsable de la matanza de Taien, de Selean y de docenas de villas y pueblos destruidos desde entonces, así como cientos y cientos de granjas incendiadas. Hombres, mujeres y niños sin enterrar habían sido el banquete de los buitres. Si él era el Dragón Renacido, si es que lo asistía algún derecho a exigir que cualquier nación lo siguiera, y la que menos Cairhien, entonces lo mínimo que les debía era justicia.

—En ese caso, ordena que lo decapiten cuando se lo prenda —adujo duramente Lan—. Asigna a un centenar de hombres, o a un millar, a la única tarea de encontrarlo y prenderlo. ¡Pero no cometas la insensatez de luchar con él! Ahora eres bueno con una espada, muy bueno, pero los Aiel es como si hubieran nacido con las lanzas y la adarga en las manos. Una lanza en tu corazón y todo esto no habrá servido de nada.

—Entonces ¿habré de eludir la lucha? ¿Lo harías tú si Moraine no tuviera ascendiente sobre ti? ¿Lo haría Rhuarc, o Bael o cualquiera de ellos?

—Yo no soy el Dragón Renacido. El destino del mundo no depende de mí. —A pesar de sus palabras, en su voz ya no había el timbre encolerizado de antes. Sin Moraine, el Guardián habría estado allí donde la lucha fuera más encarnizada. Incluso parecía lamentar las increpaciones que le había hecho.

—No correré riesgos inútiles, Lan, pero me es imposible eludirlos todos. —El trozo de lanza seanchan se quedaría hoy en la tienda; lo único que haría sería estorbarle si topaba con Couladin—. Vamos, o los Aiel pondrán fin a la batalla sin nosotros si nos quedamos más tiempo aquí.

Cuando salió al exterior en el cielo sólo quedaban unas pocas estrellas, y un estrecho filo luminoso perfilaba marcadamente el horizonte oriental. Pero no fue por eso por lo que se paró, y Lan con él. La Doncellas habían formado un cerco alrededor de la tienda, hombro contra hombro y mirando hacia adentro. Eran un grueso cerco que se extendía por las oscuras cuestas, cubriéndolas; las mujeres ataviadas con el *cadin'-sor* estaban tan apiñadas que ni siquiera un ratón habría podido traspasar sus filas. A *Jeade'en* no se lo veía por ningún sitio, aunque un *gai'-shain* había recibido la orden de tenerlo ensillado y listo.

No sólo había Doncellas. En primera fila había dos mujeres vestidas con amplias faldas y blusas claras, el cabello sujeto con pañuelos doblados. Todavía estaba demasiado oscuro para distinguir los rasgos con certeza, pero había algo en las figuras de esas dos mujeres, en su modo de tener cruzados los brazos, que las señalaba como Egwene y Aviendha.

Sulin se adelantó antes de que Rand pudiera abrir la boca para preguntar qué se proponían.

—Venimos a escoltar al *Car'a'carn* hasta la torre con Egwene Sedai y con Aviendha.

—¿Quién os ha inducido a esto? —demandó Rand. Una rápida ojeada a Lan le confirmó que no había sido él. Incluso en la oscuridad resultaba patente que el Guardián estaba asombrado, aunque sólo fue un instante, un breve gesto brusco con la cabeza; nada sorprendía a Lan mucho tiempo—. Se supone que Egwene debería estar de camino a la torre, y las Doncellas se suponía que debían estar con ella para protegerla. Lo que tiene que hacer hoy es muy importante, de modo que hay que protegerla mientras lo lleva a cabo.

—La protegeremos. —La voz de Sulin sonaba impasible—. Y al *Car'-a'carn*, que entregó su honor a las *Far Dareis Mai* para que lo guardaran. —Un murmullo de aprobación se alzó entre las Doncellas.

—Es de sentido común, Rand —dijo Egwene desde su posición—. Si una persona utilizando el Poder como arma acortará la batalla, tres la harán aun más breve. Y tú eres más fuerte que Aviendha y yo juntas. —No parecía que le hubiera gustado decir esto último. Aviendha no pronunció ni una palabra, pero su actitud era elocuente.

—Esto es ridículo —protestó, iracundo, Rand—. Dejadme pasar e id a la posición que se os ha asignado.

Sulin no cedió un ápice.

—Las *Far Dareis Mai* defienden el honor del *Car'a'carn* —dijo sosegadamente, y su frase fue coreada. No alzaron el tono, pero las voces de tantas mujeres al unísono hicieron que sonara como un estruendo:

—Las *Far Dareis Mai* defienden el honor del *Car'a'carn*. Las *Far Dareis Mai* defienden el honor del *Car'a'carn*. Las *Far Dareis Mai* defienden el honor del *Car'a'carn*.

—He dicho que me dejéis pasar —exigió cuando el sonido cesó. Como si les hubiera dicho que empezaran de nuevo, la situación se repitió:

—Las *Far Dareis Mai* defienden el honor del *Car'a'carn*. Las *Far Dareis Mai* defienden el honor del *Car'a'carn*. Las *Far Dareis Mai* defienden el honor del *Car'a'carn*.

Sulin se limitó a quedarse allí plantada, mirándolo, mientras continuaba la cantilena. Al cabo de un momento, Lan se inclinó para hablarle al oído con un seco murmullo:

—Una mujer no deja de ser mujer porque lleve una lanza. ¿Conoces a alguna a la que se pueda apartar de algo que realmente quiere? Date por vencido o nos quedaremos plantados aquí todo el día, tú discutiendo en vano y ellas coreando el mismo grito. —El Guardián vaciló antes de añadir—: Además, lo que pretenden tiene sentido.

Egwene abrió la boca cuando la letanía cesó de nuevo, pero Aviendha le puso la mano en el brazo mientras le susurraba unas palabras, y la otra joven no dijo nada. Rand sabía lo que Egwene había estado a punto de decir: que era un estúpido cabezota o que tenía menos seso que un mosquito o algo por el estilo.

El problema era que empezaba a sentirse como si lo fuera. Lo de ir a la torre tenía sentido. No había nada que pudiera hacer en otra parte —la batalla estaba ahora en manos de los jefes y del destino—, y él sería de más utilidad encauzando que cabalgando de aquí para allí con la esperanza de topar con Couladin. Si ser *ta'veren* podía atraer a Couladin hacia sí, podría llevarlo hacia la torre igual que hacia cualquier otro sitio. Empero, así no tendría mucha oportunidad de verlo después de haber ordenado a todas las Doncellas que defendieran la torre.

Sin embargo, ¿cómo podía ceder y seguir conservando un mínimo de dignidad después de bramar a diestro y siniestro?

—He decidido que puedo hacer más desde la torre —anunció a la par que enrojecía violentamente.

—Como ordene el *Car'a'carn* —respondió Sulin sin el menor atisbo de burla en el tono, sino como si la idea hubiese sido de él desde el principio. Lan asintió y después se marchó por el estrecho paso que abrieron las Doncellas.

La brecha se cerró inmediatamente detrás del Guardián, y cuando las mujeres empezaron a moverse a Rand no le quedó más remedio que ir con ellas. Podría haber encauzado, naturalmente, arrojar Fuego y derribarlas con Aire, pero no era el modo de tratar a quienes estaban de su parte, y menos aun a unas mujeres. Además, no estaba seguro de lograr librarse de ellas a no ser matándolas, y puede que ni aun entonces. En cualquier caso, había decidido que sería más útil en la torre, después de todo.

Egwene y Aviendha permanecieron tan calladas como Sulin mientras caminaban, cosa que Rand agradeció. Por supuesto que, al menos en parte, su silencio se debía a tener que subir y bajar cuestas en la oscuridad sin romperse el cuello. Aviendha mascullaba algo de vez en cuando, pero Rand sólo consiguió captar algo sobre tener que caminar con faldas. Pero ninguna de las dos se mofaba de él por haber dado marcha atrás de un modo tan notorio. Aunque eso podía muy bien venir después. A las mujeres parecía divertirles pinchar a uno y hurgar con la aguja cuando uno creía que el peligro había pasado.

El cielo empezó a ponerse de color gris, y cuando la torre de troncos surgió a la vista, por encima de los árboles, fue él quien rompió el silencio:

—No esperaba que tomaras parte en esto, Aviendha. Creí oírte decir que las Sabias no participaban en las batallas. —Estaba seguro de que lo había dicho. Una Sabia podía caminar en medio de una batalla sin que le tocaran un solo cabello o entrar en cualquier dominio o septiar de un clan que tuviera un pleito de sangre con el suyo, pero no participaba en la lucha y menos aún encauzando. Hasta que él llegó al Yermo la gran mayoría de los Aiel ignoraba que algunas Sabias podían encauzar, bien que corrían rumores de ciertas habilidades extrañas y a veces algo que los Aiel consideraban muy parecido a encauzar.

—Todavía no soy una Sabia —contestó ella con voz grata mientras se colocaba el chal—. Si una Aes Sedai como Egwene puede hacer esto, entonces yo también puedo. Lo arreglé esta mañana, mientras todavía dormías, pero lo había estado pensando desde que se lo pediste a Egwene por primera vez.

Ahora había luz suficiente para que Rand advirtiera el repentino sofoco de Egwene. Cuando la joven advirtió que la estaba mirando, dio un traspié aunque no tropezó con nada, y Rand tuvo que sujetarla del brazo para evitar que cayera de bruces al suelo. Eludiendo su mirada, Egwene se soltó de un tirón. A lo mejor no tendría que preocuparse de las pullas de la joven después. Empezaron a remontar la cuesta entre los escasos árboles en dirección a la torre.

—¿Y no intentaron impedírtelo? Me refiero a Amys, a Bair y a Melaine. —Sabía que no, porque si lo hubieran hecho Aviendha no estaría ahora allí.

La joven Aiel sacudió la cabeza y frunció el entrecejo en un gesto meditabundo.

—Hablaron largo rato con Sorilea y después me dijeron que hiciera lo que pensaba que debía hacer. Por lo general son ellas las que me dicen lo que «consideran» que debo hacer. —Lo miró de reojo y añadió—: Le oí comentar a Melaine que traías el cambio a todo.

—Y lo hago —repuso mientras ponía un pie en el primer travesaño de la escala—. La Luz me asista, pero lo hago.

El panorama desde la plataforma era magnífico incluso a simple vista, con la tierra extendiéndose hasta el horizonte en boscosas colinas. La fronda era lo bastante densa para ocultar a los Aiel que se dirigían hacia

Cairhien —de hecho la mayoría debía de estar ya en posición—, pero el amanecer arrojaba una luz dorada sobre la propia ciudad. Una rápida ojeada con uno de los visores de lentes le mostró los pelados cerros que rodeaban el río tranquilos y aparentemente desiertos. Pronto cambiarían. Los Shaido estaban allí, aunque ocultos en este momento. No seguirían escondidos cuando él empezara a... ¿Qué? Desde luego, nada de lanzar fuego compacto. Hiciera lo que hiciera, tenía que acobardar lo más posible a los Shaido antes de que sus Aiel atacaran.

Egwene y Aviendha se habían estado turnando para mirar por el otro tubo largo, con cortas pausas entremedias para cambiar impresiones en voz baja, pero ahora se limitaban a charlar en voz baja. Finalmente intercambiaron sendos asentimientos de cabeza, se acercaron a la barandilla y se quedaron con las manos apoyadas en el tosco palo mientras contemplaban fijamente la ciudad. De repente Rand sintió que se le ponía piel de gallina. Una de ellas estaba encauzando, o tal vez las dos.

Lo primero que notó fue el viento, soplando hacia la ciudad. No una simple brisa, sino viento de verdad, el primero que sentía en ese país. Y se empezaban a formar nubes sobre Cairhien, más espesas por el sur, que se iba tornando más cerradas y más negras mientras las miraba. Sólo allí, encima de Cairhien y de los Shaido; en el resto, hasta donde alcanzaba a ver, el cielo seguía despejado y azul, con sólo alguno que otro jirón fino y blanco. Empero, se oyó el largo y contundente retumbar de un trueno, y de repente se descargó un rayo, un trazo irregular y plateado que cayó en lo alto de un cerro próximo a la ciudad. Antes de que el estampido del primer relámpago llegara a la torre, otros dos más chisporrotearon casi al mismo tiempo sobre la tierra. Las chispas eléctricas surcaban el cielo, pero aquellas lanzas cegadoramente blancas siguieron descargándose con la regularidad de los latidos de un corazón. De pronto, el suelo explotó allí donde no había caído ningún rayo; la tierra y las piedras se alzaron de golpe quince pasos en el aire, y a continuación en otro sitio, y en otro más.

Rand no tenía ni idea de cuál de las dos mujeres provocaba aquello, pero desde luego las explosiones parecían destinadas a hacer perder los nervios a los Shaido. Le tocaba a él hacer su parte, o de lo contrario sólo sería un espectador más. Buscó el contacto con el *Saidin* y lo aferró. Un fuego helado rozó el exterior del vacío que rodeaba a lo que era Rand al'Thor. Fríamente, hizo caso omiso de la untuosa contaminación que penetraba en él junto con los torrentes de Poder que amenazaban con arrastrarlo.

A esa distancia, existían límites para lo que podía hacer. De hecho, era casi el máximo de distancia a la que era capaz de hacer algo sin un *angreal* o *sa'angreal*. Probablemente era la razón de que las dos mujeres estuvieran encauzando los rayos uno por uno, así como las explosiones; si él estaba al límite, ellas debían de estar sobrepasándolo.

Un recuerdo se filtró a través del vacío, pero no era suyo, sino de Lews Therin. Por una vez, no le importó. Un instante después encauzaba y una bola de fuego envolvía la cumbre de un cerro situado a unas cinco millas, una hirviente masa de llamas casi blancas. Cuando se consumió, Rand vio sin necesidad de utilizar el visor de lentes que el cerro era ahora más bajo y que estaba negro en la parte superior, como si se hubiese fundido. Entre ellos tres, puede que no hiciera falta que los clanes lucharan contra Couladin ni poco ni mucho.

«¡Ilyena, amor mío, perdóname!»

El vacío tembló; por un instante, Rand se tambaleó al borde de la destrucción. Oleadas de Poder Único rompieron contra él entre espuma de miedo; la contaminación pareció formar una capa sólida alrededor de su corazón, cual una piedra calcinada.

Apretó la barandilla hasta que los nudillos le dolieron y se obligó a recobrar la calma, a mantener la impasibilidad del vacío. De ahí en adelante rehusó escuchar los pensamientos que surgían en su mente, y en lugar de ello se concentró totalmente en encauzar, en devastar un cerro tras otro de manera metódica.

Manteniéndose bastante detrás de la línea de árboles que había en la cumbre, Mat sujetó el hocico de *Puntos* para evitar que el castrado relinchara mientras veía cómo un millar más o menos de Aiel descendía por las colinas en su dirección, procedente del sur. El sol acababa de asomar por el horizonte, proyectando largas sombras a un lado de la masa de guerreros al trote. La calidez nocturna empezaba a dar paso al calor del día; la temperatura sería sofocante en cuanto el sol estuviera un poco más alto. De hecho, él había empezado a sudar.

Los Aiel no lo habían visto todavía, pero si seguía allí parado acabarían descubriéndolo sin ningún género de dudas. No tenía mucha importancia que casi con toda seguridad fueran hombres de Rand —si Couladin tenía hombres al sur, el día iba a ponerse muy interesante para aquellos tan estúpidos como para encontrarse en el medio de la batalla— y no importaba porque él no iba a correr el riesgo de dejarse ver. Ya le había pasado demasiado cerca una flecha esa mañana para actuar con tanta imprudencia. Con gesto mecánico se tanteó el limpio rasgón que tenía la hombrera de la chaqueta. Buen disparo, considerando que se había hecho sobre una diana móvil apenas entrevista entre los árboles. Habría admirado más la destreza del arquero si la diana no hubiese sido él.

Sin quitar los ojos de los Aiel que se aproximaban, hizo retroceder con gran cuidado a *Puntos* más adentro de la rala fronda; si lo veían y aceleraban el paso, quería saberlo. La gente decía que los Aiel eran capaces de superar por agotamiento a un hombre a caballo, y se proponía contar con una gran ventaja si lo intentaban.

Hasta que los perdió de vista tras los árboles, Mat no apresuró su propio paso y condujo a *Puntos* por las riendas hasta la ladera contraria antes de montar y virar hacia el oeste. Todas las precauciones eran pocas si quería seguir vivo en ese día y en ese lugar. Masculló para sus adentros mientras cabalgaba, con el sombrero bien calado y la lanza de mango negro cruzada sobre la perilla de la silla. Al oeste otra vez.

El día había empezado muy bien, un par de horas antes del alba, cuando Melindhra abandonó la tienda para alguna reunión de las Doncellas. Creyéndolo dormido, ni siquiera lo miró al salir mientras rezongaba entre dientes algo sobre Rand al'Thor, y el honor y «*Far Dareis Mai* por encima de todo». Era como si discutiera consigo misma, pero, francamente, a él le importaba poco si lo que la mujer quería era hacer picadillo a Rand y preparar un guiso con él. No había pasado un minuto desde la marcha de Melindhra cuando Mat ya estaba llenando a reventar las alforjas. Nadie le había prestado atención cuando ensilló a *Puntos* y se escabulló como una sombra hacia el sur. Un buen comienzo. Sólo que no había contado con las columnas de Taardad y Tomanelle y de todos los otros malditos clanes dando un rodeo por el sur. No lo consoló el hecho de que la maniobra fuera muy semejante a la que le había expuesto a Lan en su parloteo. Quería ir al sur, y aquellos Aiel lo habían obligado a dirigirse hacia el Alguenya. Hacia donde estaría la lucha.

Al cabo de una o dos millas, hizo que *Puntos* remontara la ladera con gran precaución y se detuvo al resguardo de los árboles de la cumbre. Era una de las colinas más altas de la zona, y desde allí disfrutaba de una buena vista. Esta vez no divisó Aiel, pero la columna que serpenteaba a lo largo del sinuoso valle entre cerros era casi igual de peligrosa. Tearianos montados iban a la cabeza, detrás de un puñado de enseñas de lores de variados colores. Una brecha separaba la caballería de un bosque de afiladas picas: los soldados de a pie, que avanzaban en apretadas filas tras el polvo levantado por los tearianos; a continuación otro cuerpo de caballería, éste cairhienino, con multitud de estandartes, banderas y *con*. Los cairhieninos no mantenían orden ninguno, y se movían atrás o adelante conforme lo hacían sus lores para conversar entre sí, pero al menos llevaban flanqueadores a ambos lados. Fuera como fuese, tan pronto como hubiesen pasado él dispondría de una clara ruta hacia el sur. «¡Y no pararé hasta estar a mitad de camino del puñetero Erinin!»

Un leve movimiento atrajo su atención, bastante delante de la columna que marchaba allá abajo. No lo habría advertido de no haberse encontrado a tanta altura. Desde luego, ninguno de los jinetes podía haberlo visto. Sacó el pequeño visor de lentes de sus alforjas —a Kin Tovere le gustaba jugar a los dados— y escudriñó en la dirección que había atisbado el movimiento. Soltó un quedo silbido entre dientes. Aiel, al menos tantos como los hombres que avanzaban por el valle, y si no eran de Couladin, entonces es que pensaban darles una sorpresa de cumpleaños, porque estaban agazapados entre los agostados arbustos y las hojas muertas.

Tamborileó los dedos un momento sobre su muslo; a no mucho tardar, ahí abajo iba a haber algunos cadáveres. Y no precisamente de Aiel. «No es asunto mío. Estoy fuera de esto, de aquí, y me dirijo al sur.» Esperaría un poco y después se alejaría mientras estuvieran demasiado ocupados para reparar en él.

El tal Weiramon —ayer había oído el nombre del tipo de barba canosa— era un completo necio. «Ni patrullas ni exploradores, o de otro modo sabría lo que le espera.» Pensándolo bien, con la configuración del terreno, el modo en que estaban las colinas y en que el valle se retorcía, tampoco los Aiel podían ver a la columna, sólo la nubecilla de polvo que levantaba. Desde luego ellos sí habían tenido exploradores para estar apostados donde se encontraban; era imposible que se hubiesen quedado esperando allí por pura casualidad.

Mientras silbaba despreocupadamente *Bailar con la Dama de las Sombras*, se llevó de nuevo el visor de lentes al ojo y estudió las cumbres de las colinas. Sí. El comandante de los Aiel había apostado unos cuantos hombres en puntos desde los que podrían dar una señal justo antes de que la columna entrara en el terreno escogido para la masacre, aunque ni siquiera ellos podían ver nada todavía. Dentro de unos minutos los primeros tearianos aparecerían a la vista, pero hasta entonces...

Casi le dio un patatús cuando, inconscientemente, taloneó a *Puntos* lanzándolo a galope colina abajo. «En nombre de la Luz, ¿qué demonios estoy haciendo?» Bueno, tampoco podía quedarse mirando cómo se dirigían hacia su muerte como gansos al cuchillo del carnicero. Los alertaría. Nada más. Les diría lo que tenían delante y luego se marcharía.

Los primeros jinetes cairhieninos lo vieron antes de que llegara al final de la cuesta, cosa lógica considerando que *Puntos* bajaba a todo galope. Dos o tres inclinaron las lanzas; a Mat no le hacía maldita la gracia tener dos palmos de acero apuntándolo, y menos aun si eso se multiplicaba por tres, pero obviamente un jinete solo no era una amenaza, aunque cabalgara como un poseso, ya que lo dejaron pasar. Hizo un quiebro cerca ya de los lores cairhieninos que marchaban a la cabeza de la unidad de caballería y frenó un momento, justo lo suficiente para gritar:

—¡Alto, deteneos! ¡En nombre del lord Dragón! ¡Parad o encauzará para meteros la cabeza en las tripas y os hará merendaros vuestros propios pies!

Hincó los talones en los ijares de *Puntos* y salió de nuevo a galope hacia adelante. Sólo echó un vistazo por encima del hombro a fin de comprobar que obedecían su orden —cosa que hacían, bien que con evidente desconcierto; las colinas todavía los ocultaban de los Aiel y, una vez que se posara la nube de polvo que levantaban, los Aiel no tendrían modo de saber dónde se encontraban—, y acto seguido se pegó contra el cuello del castrado al tiempo que azuzaba a *Puntos* con el sombrero y pasaba a galope tendido junto a la unidad de infantería.

«Si espero a que Weiramon dé las órdenes, será demasiado tarde, pero no pienso hacer nada más.» Daría la alerta y luego se marcharía.

Los soldados de a pie marchaban en batallones de unos doscientos piqueros, con un oficial montado delante de cada uno y unos cincuenta arqueros o ballesteros en la retaguardia. La mayoría lo observó con curiosidad mientras pasaba a lomos de *Puntos,* cuyos cascos levantaban pegotes de tierra, pero ninguno de ellos dejó de marcar el paso. Algunas de las monturas de los oficiales cabriolaron como si sus jinetes quisieran seguirlo para ver qué motivaba su prisa, pero tampoco ninguno de ellos dejó su puesto ni cambió el paso. Buena disciplina. Iban a necesitarla.

La columna de tearianos la cerraban Defensores de la Ciudadela, con sus petos y sus chaquetas de mangas acuchilladas en negro y oro; penachos de distintos colores coronaban los yelmos de oficiales y suboficiales. El resto iba equipado igual, sólo que lucían los colores de diferentes nobles en las mangas. Los propios lores, con sus chaquetas de seda y sus ornamentados petos y grandes penachos, marchaban delante seguidos por los estandartes que ondeaban con la brisa que empezaba a soplar. Mat sofrenó a *Puntos* al tiempo que giraba para ponerse delante de ellos y su maniobra fue tan brusca que el castrado corcovó.

—¡Alto, en nombre del lord Dragón! —gritó.

Parecía el método más rápido de detenerlos, pero por un instante temió que iban a pasar sobre él. Casi en el último momento un joven noble al que Mat recordaba haber visto fuera de la tienda de Rand levantó una mano y a continuación todos tiraron de las riendas mientras la orden de detenerse pasaba rápidamente de fila en fila hasta el final de la columna. Weiramon no estaba allí, y ninguno de los lores presentes era ni diez años mayor que Mat.

—¿Qué significa esto? —demandó el tipo que había levantado la mano. Los oscuros ojos miraban con arrogancia sobre una afilada nariz, y la barbilla se levantaba de tal modo que la puntiaguda barba parecía a punto de asestar un golpe. El sudor que le resbalaba por el rostro echaba a perder el efecto sólo un poco—. El propio lord Dragón me ordenó esto. ¿Quién eres para...?

Se interrumpió cuando otro hombre al que Mat también reconoció lo cogió por la manga y le susurró algo apresuradamente. El rostro de Estean, tan semejante a una patata, aparecía demacrado bajo el yelmo —los Aiel le habían arrancado a la fuerza las condiciones concernientes a la ciudad, según había oído comentar Mat—; pero también había jugado a las cartas con él y sabía exactamente quién era. Sólo el peto de Estean mostraba mellas en los dorados adornos; ninguno de los otros había hecho otra cosa que lucirse a caballo y presumir. Todavía.

La barbilla del de la nariz afilada bajó mientras escuchaba, y cuando Estean le soltó el brazo habló con un tono más moderado.

—No os quise ofender... eh... lord Mat. Soy Melanril, de la casa Asegora. ¿Cómo puedo servir al lord Dragón? —Al final de la frase, la moderación había dado paso a la incertidumbre.

—¿Por qué hemos de parar? —intervino Estean con nerviosismo—. Sé que el lord Dragón nos dijo que nos quedáramos en posición hasta nueva orden, pero, así se abrase mi alma. No hay honor en esperar sentados y dejar que los Aiel sean los únicos que luchen. ¿Por qué vamos a conformarnos con perseguirlos después de que estén derrotados? Además, mi padre está en la ciudad, y... —Enmudeció ante la severa mirada de Mat.

Éste sacudió la cabeza mientras se abanicaba con el sombrero. Los muy necios ni siquiera estaban donde se les había ordenado. Y tampoco había posibilidad de hacerles dar media vuelta. Aun en el caso de que Melanril diera la orden de regresar —y sólo con mirarlo Mat no las tenía todas consigo de que accediera a hacerlo, ni que fueran supuestas órdenes del lord Dragón ni que no— seguía sin ser posible. Estaba parado a plena vista de los centinelas Aiel; si la columna empezaba a dar media vuelta, comprenderían que habían sido descubiertos y probablemente lanzaran su ataque mientras tearianos y cairhieninos estaban enredados unos con otros. Sería una carnicería tan definitiva como si hubiesen seguido adelante sin esperar la emboscada.

—¿Dónde está Weiramon?

—El lord Dragón lo envió de regreso a Tear —informó lentamente

Melanril—, para ocuparse de los piratas illianos y de los bandidos de los llanos de Maredo. Era reacio a marcharse, naturalmente, a pesar de haberle sido encomendada una misión de tanta responsabilidad, pero... Disculpad, lord Mat, pero si el lord Dragón os envió, ¿cómo es que no sabíais...?

—No soy ningún lord —lo cortó secamente—. Y si quieres cuestionar lo que Rand dice y no dice a la gente, pregúntaselo a él. —Aquello bastó para que el tipo recogiera velas; no parecía muy dispuesto a hacerle ningún tipo de preguntas al puñetero lord Dragón. Weiramon era un necio, pero al menos tenía edad suficiente para haber participado en batallas. A excepción de Estean, que parecía un saco de nabos atado al caballo, toda la experiencia en la lucha de esta pandilla se reducía a una o dos peleas de taberna y quizás alguno que otro duelo. De mucho les iba a servir eso—. Y ahora, escuchadme bien. Cuando paséis por la quebrada que hay más adelante, entre las dos siguientes colinas, los Aiel van a caer sobre vosotros como una avalancha.

La reacción fue como si les hubiera dicho a estos lechuguinos que iba a haber un baile con mujeres cantando para recibirlos. Unas sonrisas ansiosas asomaron a sus rostros y empezaron a hacer cabriolear a sus caballos mientras se palmeaban los hombros unos a otros y hacían alarde de cuántos matarían. Estean fue el único que no mostró el menor entusiasmo y se limitó a suspirar y a probar si su espada salía suavemente de la vaina.

—¡No miréis hacia arriba! —espetó Mat. ¡Los muy necios! ¡Eran muy capaces de dar la orden de ataque en cualquier momento!—. Mantened los ojos fijos en mí. ¡En mí!

Sólo el hecho de ser amigo de quien era logró tranquilizarlos. Melanril y los demás, con sus bonitas e intactas armaduras, fruncieron el entrecejo en un gesto impaciente, sin comprender por qué no quería que se pusieran a matar salvajes Aiel. Si no hubiese sido amigo de Rand, probablemente los habrían arrollado a él y a *Puntos*.

Podía dejar que salieran a la carga; lo harían fragmentando la unidad, dejando a los piqueros y a los cairhieninos detrás, aunque éstos tal vez se sumaran al ataque cuando se dieran cuenta de lo que pasaba. Y todos morirían. Si fuese listo les permitiría salirse con la suya mientras que él se marchaba en dirección contraria. El problema era que después de que estos idiotas actuaran de modo que los Aiel comprendieran que su emboscada había sido descubierta, éstos podrían muy bien decidir hacer algo inesperado, como dar un rodeo para atacar por los flancos la columna estirada de estos estúpidos. Si tal cosa ocurría, ya no estaría segura su escapada.

—Lo que el lord Dragón quiere que hagáis —empezó— es continuar adelante al paso, como si no hubiese un solo Aiel en cien millas a la redonda. Tan pronto como los piqueros entren en la quebrada, formarán un cuadro hueco y os meteréis dentro a paso redoblado.

—¡Dentro! —protestó Melanril. Unos murmullos iracundos se alzaron entre los otros jóvenes nobles, excepto Estean, que parecía pensativo—. ¡No es honroso esconderse tras unos apestosos...!

—¡Lo haréis, maldita sea! —bramó Mat, que condujo a *Puntos* cerca del caballo del teariano—. ¡Y si los Aiel no os matan, lo hará Rand, y si se deja alguno yo mismo lo trocearé para hacer salchichas! —Esto se estaba alargando demasiado; a estas alturas los Aiel tenían que estar preguntándose de qué hablaban—. Con un poco de suerte, estaréis colocados antes de que los Aiel se os echen encima. Si lleváis arcos cortos, utilizadlos, y si no, mantened vuestra posición. ¡Tendréis vuestra jodida carga y se os dirá cuándo, pero si os movéis demasiado pronto...! —Casi podía sentir cómo pasaban los segundos.

Apoyó el extremo de su peculiar arma en el estribo como si fuera una lanza y taloneó a *Puntos,* dirigiéndolo a lo largo de la columna. Cuando miró hacia atrás, Melanril y los otros hablaban entre sí y le echaban ojeadas. Por lo menos no se habían lanzado a galope valle adelante.

El comandante de los piqueros resultó ser un cairhienino delgado, de tez pálida, media cabeza más bajo que Mat, que iba montado en un castrado gris con aspecto de haber pasado de sobra la edad de que lo jubilaran. Empero, Daerid tenía una mirada dura, la nariz rota por varios sitios, y tres cicatrices blancas marcándole la cara, una de ellas bastante reciente. Se despojó del yelmo con forma de campana mientras hablaba con Mat; llevaba la parte delantera de la cabeza afeitada, lo que indicaba que no era un lord. Quizás había pertenecido al ejército antes de que estallara la guerra civil. Sí, sus hombres sabían cómo formar un erizo. En respuesta a sus preguntas, contestó que no había luchado contra Aiel, pero sí que se había enfrentado a bandas de asaltantes y a la caballería andoreña; también dio a entender que había combatido contra otros cairhieninos al servicio de una casa que aspiraba al trono. Daerid no se mostraba ansioso ni renuente, sino como un hombre que tiene que realizar una tarea que es su oficio.

La columna reanudó la marcha a paso más rápido mientras Mat taconeaba a *Puntos* en dirección contraria. Avanzaban a un paso regular, y una rápida ojeada más allá le reveló a Mat que los tearianos mantenían el mismo ritmo pausado.

Dejó que *Puntos* trotara un poco más deprisa, pero no demasiado. Tenía la sensación de notar los ojos Aiel clavados en la espalda, y que se estaban preguntando qué habría dicho a las tropas y adónde iba ahora y por qué. «Un simple mensajero que entrega los comunicados y se marcha. Nada de que preocuparse.» Sinceramente confiaba en que fuera eso lo que los Aiel pensaban, pero sus hombros no soltaron la tensión hasta que estuvo seguro de que ya no lo veían.

Los cairhieninos seguían esperando donde los había dejado, y también mantenían a los flanqueadores en sus posiciones. Los estandartes y los *con* estaban apiñados donde los lores se habían reunido, uno o más por cada diez soldados. La mayoría llevaba petos sencillos, y en el que había adornos dorados o plateados, éstos aparecían abollados como si un herrero borracho se hubiera ocupado de ellos. Algunas de las monturas hacían que la de Daerid pareciese el caballo de guerra de Lan. ¿Podrían hacer la parte que les iba a encomendar? Con todo, los rostros que se volvieron hacia él eran duros, y las miradas, incluso más.

Mat había llegado a una zona que estaba fuera del alcance de la vista de los Aiel, de modo que podría seguir camino; bueno, después de decirles a éstos lo que esperaba de ellos. Había mandado a los otros a la trampa de los Aiel, y no podía abandonarlos, sencillamente.

Talmanes de la casa Delovinde, cuyo *con* mostraba tres estrellas amarillas sobre fondo azul y su estandarte un zorro negro, era aun más bajo que Daerid y tenía como mucho tres años más que Mat, pero dirigía a estos cairhieninos aunque eran hombres mayores que él y algunos ya peinaban canas. Sus ojos traslucían tan poca expresión como los de Daerid, y él en sí parecía un látigo enroscado. Su armadura y su espada eran tremendamente sencillas; una vez que le dijo su nombre a Mat, se limitó a escuchar en silencio mientras éste exponía su plan, un poco ladeado en la silla para trazar líneas en el suelo con la punta de la afilada hoja de la lanza.

Los otros lores cairhieninos se situaron alrededor de ellos con los caballos, observando, pero ninguno con tanta intensidad como Talmanes, quien estudió el mapa que ya conocía y lo estudió a él desde las botas hasta el sombrero, pasando por la extraña lanza. Cuando Mat hubo acabado, el tipo siguió sin hablar.

—¿Y bien? —espetó Mat—. Me importa poco si lo tomas o lo dejas, pero tus amigos estarán metidos hasta el cuello con los Aiel a no mucho tardar.

—Los tearianos no son mis amigos. Y Daerid es... útil, pero, desde luego, no un amigo. —Unas risas secas se alzaron entre los lores que observaban—. Pero me ocuparé de dirigir a la mitad si tú diriges a la otra.

Talmanes se quitó uno de los guanteletes reforzados con acero en el dorso y le tendió la mano. Mat se quedó mirándola fijamente. ¿Dirigir?

¿Él? «Soy un jugador, no un soldado. Un mujeriego.» Recuerdos de batallas libradas largo tiempo atrás bulleron en su mente, pero se obligó a rechazarlos. Lo único que tenía que hacer era marcharse a galope; claro que entonces Talmanes dejaría a Estean, Daerid y los demás en la estacada, para que se asaran bien en el espetón donde él los había colgado. Se sorprendió a sí mismo al estrechar la mano tendida del noble.

—Cuento con que estarás allí cuando llegue el momento —dijo.

Por toda respuesta, Talmanes empezó a llamar por los nombres a los cairhieninos, y los lores y nobles nombrados condujeron sus monturas hacia Mat, cada uno de ellos seguido por un portaestandarte y alrededor de una docena de soldados, hasta que tuvo a su mando unos cuatrocientos hombres. Talmanes poco tuvo que decir después de aquello, de modo que condujo a los demás al trote, dejando tras de sí una nube de polvo.

—Manteneos juntos —ordenó Mat a su tropa—. Cargad cuando yo diga que carguéis, corred cuando yo diga que corráis y no hagáis ningún ruido que no sea necesario.

Hubo crujidos de sillas de montar y el trapaleo de cascos cuando lo siguieron, claro está, pero al menos no hablaron ni preguntaron.

Una última ojeada al otro grupo de estandartes y *con*, y a continuación el otro grupo se perdió de vista en un recodo del camino. ¿Cómo se había metido en esto? Todo había empezado de una forma sencilla, sólo dar la alarma y marcharse. Todos los pasos posteriores habían parecido tan lógicos, tan necesarios, y ahora estaba metido hasta el cuello en barro sin más opción que seguir adelante. Confiaba en que Talmanes apareciera como había dicho. El hombre ni siquiera le había preguntado quién era.

El sinuoso valle entre colinas giraba y se bifurcaba hacia el norte, pero Mat tenía un buen sentido de la orientación. Por ejemplo, sabía con exactitud hacia dónde quedaba el sur y la seguridad, y no era hacia allí donde se dirigía. Unos nubarrones negros se estaban formando encima de la ciudad, los primeros tan densos que Mat había visto desde hacía mucho tiempo. La lluvia acabaría con la sequía —buena cosa para los granjeros, si es que quedaba alguno— y posaría el polvo, lo que convenía a los jinetes, porque de ese modo no anunciarían su presencia demasiado pronto. Si llovía a lo mejor los Aiel se darían por vencidos y volverían a casa. También empezaba a soplar el viento, trayendo un poco de frescor al ambiente, para variar.

El sonido de lucha llegó por encima de las cumbres de los cerros, de gritos de hombres, de alaridos. Había empezado.

Mat hizo girar a *Puntos*, levantó la lanza y la movió a derecha e izquierda. Casi se sorprendió cuando los cairhieninos formaron en una larga hilera a ambos lados de él, de cara a la empinada ladera. El gesto había sido instintivo, de otro tiempo y otro lugar, pero estos hombres habían presenciado batallas. Azuzó a *Puntos* cuesta arriba, entre los escasos árboles, a paso lento, y avanzaron entre el apagado sonido metálico de las bridas.

La primera reacción de Mat al llegar a la cima del cerro fue de alivio al divisar a Talmanes y a sus hombres remontando la cima que había enfrente. La segunda fue soltar una imprecación.

Daerid había formado un erizo, las densas hileras de picas en cuatro filas de fondo, intercaladas con arqueros, para hacer un gran cuadrado. Las largas picas dificultaban el avance de los Shaido, pero aun así los Aiel se habían lanzado a la carga, y los arqueros y ballesteros intercambiaban disparos sin cesar con ellos. Los hombres caían en ambos bandos, pero los piqueros se limitaban a cerrar el hueco cuando uno de ellos era abatido, cerrando más el cuadro. Ni que decir tiene que los Shaido no daban señales de aflojar en su ataque.

Los Defensores estaban desmontados en el centro, y quizá la mitad de los lores tearianos con sus soldados. La mitad. Por eso había soltado una maldición. Los demás corrían de aquí para allá entre los Aiel, asestando golpes y estocadas con lanzas y espadas, en grupos de cinco o diez o solos. Docenas de caballos sin jinete ponían de manifiesto lo bien que lo estaban haciendo. Melanril estaba allí fuera, sólo con su portaestandarte, asestando estocadas a diestro y siniestro. Dos Aiel se acercaron velozmente y desjarretaron limpiamente al caballo del pisaverde; el animal cayó sacudiendo la cabeza —Mat estaba seguro de que relinchó, pero el estruendo ahogó el sonido— y entonces Melanril desapareció detrás de figuras vestidas con *cadin'sor* que arremetían con sus lanzas. El portaestandarte duró unos segundos más.

«Vete con viento fresco» pensó, sombrío, Mat. Se incorporó sobre los estribos, levantó su singular lanza y después la movió hacia adelante al tiempo que gritaba:

—¡Los! ¡Los *caba'drin*!

Se habría tragado las palabras de haber podido, y no porque fueran en la Antigua Lengua; allá abajo, en el valle, era un caldero hirviendo. Pero, hubiera o no entendido algún cairhienino la orden de «jinetes al ataque» en la Antigua Lengua, sí que comprendieron el gesto, sobre todo cuando él se sentó de nuevo y clavó los talones en los ijares de su caballo. No es que deseara hacerlo, pero ahora no tenía otra opción; él había metido a esos hombres ahí abajo —algunos podrían haber escapado si les hubiera ordenado dar media vuelta y huir— y no le quedaba más remedio.

657

Con los estandartes y los *con* ondeando al aire, los cairhieninos cargaron ladera abajo tras él a la par que lanzaban gritos de guerra. Imitándolo a él, sin duda, aunque lo que Mat aullaba a pleno pulmón era «¡Rayos y truenos!». En la colina al otro lado del valle Talmanes descendía también a galope tendido.

Convencidos de que tenían atrapados a todos los hombres de las tierras húmedas, los Shaido no vieron a los otros hasta que se les echaron encima por ambos lados. Fue entonces cuando los rayos empezaron a descargarse. Y, después de eso, las cosas se pusieron verdaderamente espeluznantes.

44

LA TRISTEZA MENOR

Rand tenía pegada la camisa con el sudor debido al esfuerzo, pero no se quitó la chaqueta para protegerse del viento que aullaba hacia Cairhien. Todavía faltaba una hora para que el sol alcanzara su cenit, pero él se sentía como si hubiese estado corriendo toda la mañana y al final lo hubieran breado a garrotazos. Envuelto en el vacío, sólo era vagamente consciente de su agotamiento, de los fuertes pinchazos en sus brazos y en sus hombros, del insoportable dolor de riñones, de las punzadas alrededor de la tierna herida del costado. El hecho de que lo notara hablaba por sí mismo. Henchido de Poder, era capaz de distinguir cada hoja de los árboles a un centenar de pasos, pero lo que quiera que le estuviese ocurriendo a él físicamente tendría que haber sido como si le pasara a otra persona.

Hacía mucho tiempo que había empezado a absorber el *Saidin* a través del *angreal* que llevaba en el bolsillo, la figurilla de piedra del hombrecillo gordo. Aun así, trabajar con el Poder a una distancia de millas era una dura prueba, pero sólo la sensación putrefacta de la contaminación lo frenaba de absorber más y más, de intentar asimilarlo todo dentro de sí. Tal era la dulzura del Poder, con contaminación o sin ella. Después de encauzar sin pausa durante horas, estaba así de cansado;

pero, al mismo tiempo, tenía que luchar con el propio *Saidin* con mayor empeño, emplear más de su energía en impedir que lo abrasara hasta convertirlo en cenizas allí mismo, de destruir su mente en una llamarada. Jamás fue tan difícil frenar la destrucción del *Saidin,* de resistir el deseo de absorber más, de manejar lo que absorbía. Una desagradable espiral descendente, y aún faltaban horas para que se decidiera el final de la batalla.

Se enjugó el sudor de los ojos y apretó entre los dedos la burda barandilla de madera. Casi había llegado al límite, pero era más fuerte que Egwene o Aviendha. La joven Aiel estaba de pie, escudriñando Cairhien y las nubes tormentosas, agachándose de vez en cuando para mirar por el visor de lentes; Egwene se había sentado cruzada de piernas, apoyada contra un montante que todavía conservaba la corteza gris, y tenía los ojos cerrados. El aspecto de ambas era de estar tan agotadas como se sentía él.

Antes de que tuviera ocasión de hacer nada —y no es que supiera qué, ya que no tenía habilidad para la Curación— Egwene abrió los ojos y se puso de pie; intercambió unas cuantas palabras con Aviendha en un tono tan bajo que el viento se las llevó sin que él consiguiera captarlas, a pesar de tener el sentido del oído aguzado por el *Saidin.* Entonces Aviendha se sentó en el sitio ocupado antes por Egwene y recostó la cabeza en el montante. Los nubarrones negros que cubrían la ciudad siguieron descargando relámpagos, pero ahora eran trazos zigzagueantes y bifurcados más que rayos individuales.

De modo que estaban haciendo turnos para darse un descanso. Habría sido agradable contar con alguien que hiciera lo mismo con él, pero no lamentaba haber ordenado a Asmodean que permaneciera en la tienda. Jamás se fiaría de él para dejarlo encauzar. Sobre todo ahora. ¿Quién sabe lo que habría hecho al verlo tan debilitado como estaba?

Con un leve tambaleo, Rand giró su visor de lentes para escudriñar las colinas que rodeaban la ciudad. Ahora sí que era evidente que había vida y movimiento en ellas. Y también muerte. Dondequiera que mirase se sostenían combates, Aiel contra Aiel, un millar aquí, cinco mil allí, hormigueando sobre los cerros pelados y demasiado entremezclados para que él pudiese hacer nada. No consiguió localizar la columna de caballería y piqueros.

Los había visto tres veces, una luchando contra un número de Aiel que duplicaba sus fuerzas. Estaba seguro de que seguían ahí fuera. No albergaba muchas esperanzas de que Melanril hubiese obedecido sus órdenes en este momento tardío. Elegir al joven noble porque hubiese tenido la decencia de avergonzarse por el comportamiento de Weiramon había sido una equivocación, pero tampoco quedaba mucho tiempo para hacer una elección y no tenía más remedio que librarse del Gran Señor teariano. Ahora ya no podía hacerse nada al respecto. Tal vez pudiera ponerse al mando a un cairhienino, si es que siquiera una orden directa suya conseguía que los tearianos siguieran a un cairhienino.

Una multitud que se hallaba apiñada justo al pie de la gris muralla de la ciudad atrajo su mirada. Los altos portones reforzados con hierro estaban abiertos y los Aiel combatían contra jinetes y piqueros casi a las mismas puertas mientras que otros hombres intentaban cerrarlas y fracasaban debido a la presión de los cuerpos. Caballos sin jinetes y hombres de armadura tendidos inmóviles en el suelo a menos de media milla de los portones señalaban el punto donde habían rechazado el ataque del interior. Las flechas llovían desde la muralla, así como pedruscos grandes del tamaño de una cabeza —incluso alguna que otra lanza arrojada con bastante fuerza para ensartar a dos o tres hombres, aunque todavía no había conseguido ver desde dónde partían— pero los Aiel pasaban por encima de sus muertos, cada vez más cerca, para forzar la entrada. Una rápida ojeada por los alrededores le descubrió otras dos columnas Aiel trotando hacia las puertas, quizás unos tres mil hombres en total. No dudó ni por un instante que también eran tropas de Couladin.

Fue consciente de que estaba rechinando los dientes. Si los Shaido entraban en Cairhien jamás lograría empujarlos hacia el norte, tendría que sacarlos calle por calle; el coste en vidas haría que en comparación pareciese pequeño el de los que habían muerto ya, y la ciudad en sí acabaría en ruinas como Eianrod, si no como Taien. Cairhieninos y Shaido estaban mezclados como hormigas en un cuenco, pero él tenía que hacer algo.

Inhalando profundamente, encauzó. Las dos mujeres habían establecido las condiciones al haber creado las nubes de tormenta; no necesitaba ver los flujos para poder sacar provecho de ellos. Unos imponentes rayos azulplateados se descargaron sobre los Aiel una vez, y otra, y otra, tan deprisa como un hombre podía dar palmas.

Rand levantó bruscamente la cabeza y parpadeó para librarse de las cegadoras líneas que todavía parecían grabadas en sus retinas, y cuando volvió a mirar a través del largo tubo los Shaido yacían cual cebada segada todo en derredor de la zona donde habían caído los rayos. Hombres y caballos también se sacudían en el suelo más cerca de las puertas, y algunos no se movían en absoluto; sin embargo, los que estaban ilesos arrastraban a los heridos hacia los portones, que empezaban a cerrarse.

«¿Cuántos no podrán regresar al interior? ¿Cuántos de los míos habré matado?» La fría verdad era que no importaba. Tenía que hacerse y se había hecho.

Por suerte. Vagamente, sintió que las rodillas le fallaban. Tendría que evitar prodigarse en exceso si quería aguantar el resto del día. No podía seguir volcándose al máximo en todas partes; tenía que localizar allí donde su ayuda era realmente necesaria, donde pudiera hacer...

Las nubes tormentosas estaban apiñadas sólo sobre la ciudad y los cerros del sur, pero eso no impidió que un rayo se descargara del cielo despejado y azul que había encima de la torre y cayera entre las agrupadas Doncellas que había abajo, en medio de un estallido ensordecedor.

Con el cabello erizado por la electricidad que cargaba el aire, Rand miró de hito en hito. Podía sentir ese rayo de manera distinta, notar el tejido del *Saidin* que lo había creado. «De modo que Asmodean no aguantó la tentación incluso quedándose en las tiendas.»

No había tiempo para pensar, sin embargo. Como una rápida secuencia de golpes en un tambor gigantesco, se descargaron rayo tras rayo sobre las Doncellas hasta que el último alcanzó la base de la torre e hizo saltar por el aire fragmentos astillados del tamaño de brazos y piernas.

Mientras la torre empezaba a inclinarse lentamente, Rand se abalanzó sobre Egwene y Aviendha y de algún modo consiguió rodearlas a ambas jóvenes con uno de sus brazos mientras que enlazaba el otro en torno al montante del lado de la plataforma que estaba más alto ahora. Las jóvenes lo miraron con los ojos desorbitados y abrieron la boca, pero tampoco había tiempo para hablar. La tronchada torre se desplomó sobre las copas de los árboles en medio de los chasquidos de las ramas partiéndose. Durante un instante Rand creyó que amortiguarían la caída.

Con un seco chasquido, el montante al que se agarraba se partió, el suelo pareció salir a su encuentro y el impacto lo dejó sin aliento un instante antes de que las dos mujeres le cayeran encima. La oscuridad lo envolvió.

Recobró el sentido lentamente, y el oído fue lo primero que recuperó.

—... nos has extraído de la tierra como un peñasco y nos has echado a rodar ladera abajo en medio de la noche. —Era la voz de Aviendha, muy queda, como si hablara para sí misma. Notaba algo moviéndose sobre su cara—. Nos has quitado lo que somos, lo que éramos, así que tienes que darnos algo a cambio, algo que ser. Te necesitamos. —La cosa que se movía lo hizo más despacio, con mayor suavidad—. Te necesito. No para mí, tienes que entenderlo, sino para Elayne. Lo que hay entre ella y yo ahora es sólo entre nosotras, pero te entregaré a ella. Lo haré. ¡Si mueres, le llevaré tu cadáver! ¡Si mueres...!

Rand abrió los ojos de golpe y por un momento los dos se miraron casi rozando nariz con nariz. El cabello de la joven estaba completamente despeinado, sin el pañuelo doblado que lo sujetaba a las sienes, y una contusión purpúrea le desfiguraba la mejilla. Ella se enderezó bruscamente mientras doblaba un trapo manchado de sangre y empezaba a enjugarle con él la frente con bastante más fuerza que antes.

—No tengo intención de morir —le dijo él, aunque en honor a la verdad no estaba seguro de ello ni mucho menos. El vacío y el *Saidin* habían desaparecido, por supuesto. La mera idea de cómo los había perdido lo hizo temblar; era pura suerte que el *Saidin* no le hubiera destruido la mente en aquel último instante. Sólo pensar en aferrar la Fuente otra vez lo hizo gemir. Sin el aislamiento del vacío sentía cada pinchazo, cada contusión y cada arañazo al máximo. Estaba tan exhausto que podría haberse quedado dormido de golpe si no hubiera estado tan dolorido. Entonces, menos mal que le dolía todo, porque desde luego no podía dormirse; ni podría hacerlo en mucho tiempo.

Metió una mano por debajo de la chaqueta para tocarse el costado y luego se limpió subrepticiamente los dedos manchados de sangre en la camisa antes de volver a sacar la mano. No era de extrañar que una caída así le hubiera abierto de nuevo la herida que nunca se había llegado a curar. No parecía que estuviera sangrando demasiado; pero, si las Doncellas o Egwene o incluso Aviendha lo veían, seguramente tendría que enfrentarse a ellas para impedir que lo llevaran a rastras ante Moraine para que lo curara. Todavía le quedaba mucho que hacer antes —pasar por la Curación encima de todo lo demás sería como recibir un garrotazo en la sien— y además la Aes Sedai debía de tener que atender a mucha gente con peores heridas que la de él.

Haciendo una mueca de dolor y reprimiendo otro gemido, se puso de pie con sólo un poco de ayuda de Aviendha. Al instante se olvidó de sus heridas.

Sulin estaba sentada a corta distancia, y Egwene le vendaba una brecha sangrante en el cuero cabelludo mientras mascullaba ferozmente entre dientes porque no sabía cómo curar, pero la Doncella de pelo blanco no era la única herida ni la que estaba en peores condiciones. Mujeres vestidas con el *cadin'sor* cubrían con mantas los cadáveres por doquier y atendían a las que simplemente estaban quemadas, si es que podía utilizarse el término «simplemente» para quemaduras de un rayo. Salvo por los rezongos de Egwene, la cumbre de la colina estaba sumida casi por completo en el silencio, ni siquiera roto por las mujeres heridas a excepción de sus trabajosas respiraciones.

La torre de troncos, irreconocible ahora, había ocasionado numerosas bajas entre las Doncellas al desplomarse, rompiendo brazos y piernas, abriendo desgarrones impresionantes. Contempló cómo se cubría con una manta a una Doncella de cabello rubio rojizo, de un tono muy

663

parecido al de Elayne, con la cabeza doblada en un ángulo forzado y los ojos vidriosos muy abiertos, sin vida. Era Jolien, una de los primeros que habían cruzado la Pared del Dragón en busca de El que Viene con el Alba. Había ido a la Ciudadela de Tear por él, y ahora estaba muerta. Por él. «Qué bien te has ocupado de apartar del peligro a las Doncellas —pensó amargamente—. ¡Oh, sí, lo has hecho muy bien!»

Todavía podía percibir los rayos o, más bien, los residuos de su elaboración. Casi como la imagen grabada en sus retinas un rato antes, era capaz de rastrear el tejido aunque éste empezaba a desvanecerse. Para su sorpresa, apuntaba hacia el oeste, no hacia las tiendas. Entonces no había sido Asmodean.

«Sammael.» Estaba seguro de ello. El Renegado había lanzado el ataque en el Jangai, estaba detrás de los ataques de los piratas y las incursiones en Tear, y había sido el autor de esto. Hizo una mueca, como un gruñido silencioso, que dejó a la vista sus dientes.

—¡Sammael! —Su voz fue un áspero susurro. Rand no se percató de que había dado un paso hasta que Aviendha lo agarró del brazo.

Un instante después, Egwene lo cogía del otro; las dos mujeres se aferraron a él como si se propusieran inmovilizarlo en el sitio.

—No seas un completo cabeza hueca —dijo Egwene, que dio un respingo ante la feroz mirada que le asestó, pero no le soltó el brazo. La joven se había puesto de nuevo el pañuelo ceñido a la frente, pero pasarse los dedos por el cabello no había servido para peinarlo, y el polvo todavía le cubría la blusa y la falda—. Quienquiera que hiciese esto ¿por qué crees que esperó tanto, hasta que estuvieras cansado? Porque si su intento de matarte fracasaba, si lo perseguías, serías un bocado fácil de tragar. ¡Apenas puedes tenerte en pie!

Tampoco Aviendha parecía dispuesta a soltarlo y le sostuvo la mirada con otra igualmente desafiante.

—Haces falta aquí, Rand al'Thor. Aquí, *Car'a'carn*. ¿Es que tu honor está en matar a ese hombre o está aquí, con aquellos que trajiste a esta tierra?

Un joven Aiel subió corriendo entre las Doncellas, con el *shoufa* alrededor de los hombros y sosteniendo las lanzas y la adarga con grácil facilidad. Si le pareció extraño encontrar a dos mujeres sosteniendo a Rand no lo dio a entender. Observó los restos destrozados de la torre, los muertos y los heridos con ligera curiosidad, como preguntándose cómo habría ocurrido y dónde estarían los enemigos muertos. Bajó las puntas de las lanzas ante Rand y se presentó:

—Soy Seirin, del septiar Shorara de los Tomanelle.

—Te veo, Seirin —saludó Rand del mismo modo ceremonioso,

cosa nada fácil considerando que dos mujeres lo sujetaban como si temieran que fuese a echar a correr.

—Han de los Tomanelle envía un mensaje al *Car'a'carn*. Los clanes del este se mueven unos hacia otros. Los cuatro. Han se propone unirse con Dhearic, y ha mandado llamar a Erim para que se reúna con ellos.

Rand respiró con cuidado y confió en que las mujeres creyeran que su mueca se debía a las noticias que habían recibido; el costado le ardía y sentía cómo la sangre se extendía poco a poco en su camisa. Así que no habría ninguna fuerza que obligara a Couladin a dirigirse hacia el norte cuando los Shaido huyeran. Si es que huían; que él hubiese visto, hasta el momento no habían dado señales de ello. ¿Por qué se estaban reuniendo los Miagoma y los otros? Si se disponían a ir contra él, entonces habían delatado sus intenciones; empero, si lo que se proponían era atacarlos, Han, Dhearic y Erim estarían en desventaja numérica, y si los Shaido aguantaban lo suficiente y los otros cuatro clanes conseguían abrir brecha... Por encima de las colinas boscosas pudo ver que había empezado a llover sobre la ciudad ahora que Egwene y Avienta no estaban controlando las nubes. Eso estorbaría a ambos bandos; pero, a menos que las dos mujeres estuvieran en mejores condiciones de lo que aparentaban, seguramente serían incapaces de recobrar el control desde esta distancia.

—Dile a Han que haga lo que sea preciso para impedir que se pongan a nuestra espalda.

A pesar de su juventud —aunque en realidad debía de tener más o menos la misma edad que Rand— Seirin enarcó una ceja en un gesto de sorpresa. Claro. Han no habría actuado de otra manera y Seirin lo sabía. El Aiel sólo esperó el tiempo suficiente para estar seguro de que Rand no tenía más mensajes que transmitir y luego se marchó corriendo colina abajo, tan deprisa como había llegado. A buen seguro esperaba estar de regreso sin haberse perdido ni un minuto más de lo necesario de la lucha, la cual muy bien podía haber dado ya comienzo, allí en el este.

—Necesito que alguien me traiga a *Jeade'en* —manifestó Rand tan pronto como Seirin se hubo marchado a todo correr. Las dos jóvenes no se parecían mucho físicamente, pero aun así se las arreglaron para poner una expresión desconfiada que eran calcos la una de la otra; ese modo de fruncir el ceño debía de ser una de las cosas que todas las madres enseñaban a sus hijas—. No voy tras Sammael. —Todavía no—. Pero he de acercarme más a la ciudad —explicó mientras señalaba la torre desplomada con la barbilla, el único gesto que podía hacer teniéndolas colgadas a él como las tenía. A lo mejor maese Tovere podía salvar las lentes de los visores, pero no quedaba un solo tronco de la torre entero; se había acabado observar todo desde una posición alta por ese día.

Egwene no parecía convencida en absoluto, pero Aviendha apenas vaciló antes de pedir a una joven Doncella que fuera donde los *gai'shain* para que trajeran a *Jeade'en*... y también a *Niebla*, algo con lo que Rand no había contado. Egwene empezó a sacudirse el polvo de la ropa mientras rezongaba entre dientes, y Aviendha consiguió un peine de marfil y otro pañuelo en alguna parte. A pesar de la caída, las dos muchachas tenían un aspecto mucho menos desaliñado que el de él. El cansancio todavía se marcaba en sus semblantes, pero mientras fueran capaces de encauzar resultarían útiles.

Aquello lo hizo pensar. ¿Es que ahora nunca pensaba en nadie salvo para plantearse lo útiles que podían ser? Debería ocuparse de mantenerlas tan seguras como lo habían estado en lo alto de la torre, aunque, al final, resultó que la torre no era tan segura. Pero esta vez arreglaría mejor las cosas.

Sulin se puso de pie al verlo acercarse; un pálido vendaje de *algode* le cubría la cabeza como un gorro bajo el cual asomaba su blanco cabello.

—Me traslado más cerca de la ciudad —le dijo—, donde pueda ver lo que está ocurriendo y tal vez hacer algo al respecto. Todos los heridos tienen que permanecer aquí junto con las personas suficientes para protegerlos si es preciso. Organiza una guardia fuerte, Sulin; yo sólo necesito que me acompañe un puñado, y sería una pobre recompensa por el honor que las Doncellas me han demostrado si dejo a las que están heridas sin protección para que puedan masacrarlas. —Eso dejaría a la gran mayoría apartadas de la lucha. Él mismo tendría que mantenerse lejos para que las restantes no se vieran involucradas; pero, teniendo en cuenta cómo se sentía, no le costaría mucho esfuerzo hacerlo—. Quiero que te quedes aquí, y...

—Yo no soy una de las heridas —adujo la mujer con gesto estirado, y Rand vaciló y después asintió lentamente.

—De acuerdo. —No le cabía duda de que su herida era grave, pero tampoco la tenía respecto a lo dura que era la mujer. Si se quedaba, él podría encontrarse con alguien como Enaila dirigiendo su guardia, y si ser tratado como un hermano resultaba molesto, no tenía ni punto de comparación con ser tratado como un hijo. No estaba de humor para aguantar esto último—. Pero confío en que te ocupes de que no venga nadie que esté herido, Sulin. Tendré que desplazarme constantemente, y no puedo permitirme llevar a nadie que me retrase o a quien tenga que dejar atrás.

La mujer asintió con tanta prontitud que Rand tuvo la seguridad de que obligaría a quedarse a cualquier Doncella que tuviera un simple arañazo. Excepto ella misma, naturalmente. Esta era una de las contadas ocasiones en las que Rand no se sentía culpable de utilizar a una persona. Las Doncellas habían elegido llevar la lanza, pero también habían escogido seguirlo. Bueno, tal vez el término «seguirlo» no era el más adecuado si se tenían en cuenta algunas de las cosas que hacían, pero eso no cambiaba nada su modo de ver. El no podía, no quería, enviar a una mujer a la muerte, y no había más que hablar. En honor a la verdad, había esperado algún tipo de protesta u oposición, y agradecía que no hubiese ocurrido así. «Debo de ser más sutil de lo que creía.»

Dos *gai'shain* llegaron llevando a *Jeade'en* y a *Niebla* por las riendas; los seguían muchos más cargados con vendajes, ungüentos y odres de agua bajo la dirección de Sorilea y una docena más de Sabias. Rand pensó que como mucho se sabía los nombres de la mitad.

Saltaba a la vista que Sorilea estaba al mando y a no tardar tenía a los *gai'sbain* y a otras Sabias por igual moviéndose entre las Doncellas para ocuparse de las heridas. La mujer los miró a Egwene, Aviendha y él con el entrecejo fruncido y prietos los finos labios, obviamente pensando que por su aspecto los tres necesitaban sus cuidados. Aquella mirada bastó para que Egwene montara en la yegua gris con una sonrisa, y la anciana Sabia asintió con la cabeza. Si los Aiel hubiesen estado más familiarizados con cabalgar, Sorilea se habría dado cuenta de que los movimientos torpes y envarados de la muchacha no eran normales. Y un buen indicador de las condiciones en las que se encontraba Aviendha fue que permitiera que Egwene la ayudara a subir a la silla sin proferir la menor protesta. También ella le sonrió a Sorilea.

Rand apretó los dientes y montó con un único y ágil movimiento. La protesta de los doloridos músculos quedó ahogada por el intensísimo dolor en el costado, como si se lo hubiesen traspasado de nuevo, y tuvo que pasar un minuto para que pudiera volver a respirar, pero no dejó que nada de ello se reflejara en su semblante.

Egwene condujo a *Niebla* cerca de *Jeade'en,* lo bastante para susurrar:

—Si eso es lo mejor que puedes montar a caballo, Rand al'Thor, quizá deberías renunciar a cabalgar durante un tiempo.

Aviendha exhibía una de aquellas expresiones impertérritas propia de los Aiel, pero sus ojos lo observaban con intensidad.

—También yo me fijé cómo montabas tú —repuso él en voz queda—. A lo mejor deberías quedarte y ayudar a Sorilea hasta que te sientas mejor.

Aquello la hizo callar, bien que apretó los labios con un gesto agrio. Aviendha sonrió de nuevo a la anciana Sabia, que seguía observándolos.

Rand taloneó al rodado y empezó a descender por la ladera al trote; cada paso le producía una dolorosa punzada en el costado que lo obligaba a respirar entre los dientes, pero tenía que cubrir unas millas y se sabía incapaz de hacerlo a pie. Además, la mirada de Sorilea había empezado a ponerle los nervios de punta.

Niebla alcanzó a *Jeade'en* antes de que el caballo hubiera bajado cincuenta pasos por la inclinada ladera, y al cabo de otros cincuenta se les unieron Sulin y una columna de Doncellas, algunas de las cuales apretaron el paso para situarse por delante. Eran más de las que Rand esperaba ver, pero eso no importaba. Lo que tenía que hacer no implicaba llegar muy cerca de la contienda, y ellas podrían quedarse a esa distancia segura con él.

Aferrar el *Saidin* resultó un esfuerzo en sí mismo, incluso a través del *angreal,* y el empuje de su ímpetu sobre él pareció más aplastante que nunca y la contaminación más fuerte. Por lo menos el vacío lo escudaba de su propio dolor; en cierta medida, para ser sincero. Y si Sammael intentaba más jueguecitos con él...

Hizo que *Jeade'en* apretara el paso. Hiciera lo que hiciera Sammael, él todavía tenía trabajo pendiente.

La lluvia resbalaba por el ala del sombrero de Mat y de vez en cuando el joven tenía que bajar el visor de lente para limpiar el extremo del tubo. El aguacero había amainado en la última hora, pero el escaso ramaje no ofrecía cobijo alguno. Hacía mucho que su chaqueta estaba empapada, y *Puntos* llevaba gachas las orejas; el caballo se había plantado como si no tuviera la menor intención de dar un paso por mucho que Mat le diera taconazos.

El joven no sabía a ciencia cierta qué hora era; sobre media tarde, más o menos, calculó, aunque los oscuros nubarrones no habían disminuido con la lluvia y ocultaban el sol donde se encontraba él. Por otro lado, tenía la sensación de que hubiesen pasados tres o cuatro días desde que había cabalgado colina abajo para advertir a los tearianos. Todavía ignoraba por qué había hecho aquello.

Era al sur hacia donde oteaba, y una ruta para escapar lo que buscaba. Una salida para tres mil hombres; ésos eran los que todavía sobrevivían, aunque no tenían ni idea de qué era lo que se proponía. Creían que buscaba otra batalla para ellos, pero las tres sostenidas hasta el momento ya eran tres más de las que tenía apuntadas en su agenda. Solo habría podido huir, siempre y cuando mantuviera los ojos bien abiertos y las ideas claras. No obstante, tres mil hombres llamaban la atención por dondequiera que fueran, y no se movían con rapidez teniendo en cuenta que más de la mitad iban a pie. Por eso era por lo que estaba en lo alto de esta colina olvidada de la Luz y por lo que los tearianos y los cairhieninos se apiñaban en la larga y angosta cañada que discurría entre ese cerro y el siguiente. ¿Y si se limitaba simplemente a intentar la evasión?

Volvió a llevarse al ojo el visor de lentes y escudriñó hacia el sur, donde se encontraban las colinas apenas arboladas. Aquí y allí había agrupaciones de árboles, algunas bastante extensas, pero la mayor parte del terreno estaba cubierta de matorrales y hierba. Había puesto rumbo de nuevo hacia el este, aprovechando cada pliegue del terreno que pudiera ocultar a un ratón, conduciendo a la columna fuera de la zona arbolada hacia cualquier cobertura visible, lejos de aquellos malditos rayos y bolas de fuego; no estaba seguro de cuál de las dos cosas era peor, si cuando les caían encima o cuando la tierra explotaba inesperadamente con un estruendo horrible por ninguna razón aparente. Tanto esfuerzo, y resultó que la batalla se desplazaba en la misma dirección; parecía incapaz de salirse del centro mismo del conflicto.

«¿Dónde demonios está mi jodida suerte ahora que la necesito?» Era un completo necio por quedarse; sólo porque se las hubiera arreglado para mantener con vida a los otros durante todo este tiempo no significaba que pudiera seguir haciéndolo. Tarde o temprano saldría la tirada de los dados los «Ojos del Oscuro». «Ellos son los puñeteros soldados. Debería dejar que se las arreglaran solos y largarme.»

Pero siguió buscando, escudriñando las cimas boscosas y los riscos. Proporcionaban cobertura a los Aiel de Couladin tanto como a él, pero aquí y allí conseguía atisbarlos. No todos estaban enzarzados en batallas campales, pero hasta el último de esos grupos era más numeroso que el suyo, y todos ellos se interponían entre él y la seguridad del sur, y no había forma de saber quién era quién hasta que quizá fuera demasiado tarde. Los propios Aiel parecían saberlo con un rápido vistazo, pero eso no le servía de mucho a él.

Una milla más allá, unos pocos centenares de figuras vestidas con *cadin'sor*, que corrían en filas de ocho de frente en dirección este, coronaron un altozano donde media docena de cedros imitaban una raquítica arboleda. Antes de que los corredores del frente empezaran a descender por la otra ladera, un rayo cayó en medio de la tropa y lanzó por el aire hombres y tierra como haría una piedra al caer en un estanque. *Puntos* no se amilanó cuando la onda expansiva alcanzó a Mat; el castrado estaba acostumbrado a impactos más próximos que ése.

Algunos de los caídos se incorporaron y se unieron, cojeando, a los que habían mantenido el equilibrio, para hacer una rápida inspección de los que seguían tirados. Sólo una docena más o menos fueron cargados a hombros antes de que el grupo descendiera a toda prisa el cerro, de vuelta por donde había venido. Ninguno se paró para mirar el cráter abierto. Mat los había visto aprender esa lección; detenerse era como una invitación a que cayera otra de aquellas plateadas lanzas desde las nubes. En cuestión de segundos habían desaparecido todos; excepto los muertos.

Giró el visor de lentes hacia el este; en aquella dirección se veía brillar la luz del sol. La torre de troncos debería divisarse, asomando por encima de los árboles, pero hacía tiempo que no lograba localizarla. Quizás estaba mirando en los sitios equivocados. Daba igual. Los rayos tenían que ser obra de Rand, y todo lo demás también. «Si pudiera alejarme en esa dirección... »

Entonces estaría exactamente donde había empezado. Aunque no se tratara del tirón del *ta'veren* haciéndolo regresar, iba a tener difícil volver a marcharse si Moraine lo descubría. Y además no tenía que olvidarse de Melindhra. No sabía de ninguna mujer que no se tomara a la tremenda el que un hombre intentara salir de su vida sin decírselo.

Mientras movía lentamente el visor de lentes buscando la torre, un cerro salpicado de árboles estalló repentinamente en llamas, cada árbol convertido en una antorcha de manera instantánea.

Bajó lentamente el tubo forrado de latón; no lo necesitaba para ver claramente el fuego ni la espesa columna de humo gris que se elevaba en el cielo. No necesitaba señales para reconocer el encauzamiento cuando lo veía, y menos de ese estilo. ¿Es que Rand había sobrepasado finalmente el borde de la locura? Quizás era que Aviendha había llegado al límite de aguantar que la obligaran a estar cerca de él. Nunca se debía encolerizar a una mujer capaz de encauzar; ésa era una regla que Mat casi nunca era capaz de seguir, a pesar de que lo intentaba.

«Ahórrate la labia para otro que no seas tú», se increpó con aspereza. Lo que ocurría era que estaba tratando de no pensar en la tercera alternativa. Si Rand no se había vuelto loco y Aviendha o Egwene o una de las Sabias no habían decidido librarse de él, entonces es que había alguien más metiendo baza en los acontecimientos de ese día. Sabía sumar dos y dos sin que el resultado fuera cinco. «Sammael.» Podía despedirse de buscar una salida, porque no la había. «¡Rayos y centellas! ¿Qué ha sido de mi...?»

Una rama chascó debajo del pie de alguien a su espalda, y Mat reaccionó sin pensar, valiéndose más de las rodillas que de las riendas para hacer que *Puntos* girara en un círculo cerrado al tiempo que la lanza de cuchilla se volvía velozmente sobre la perilla de la silla.

Estean casi dejó caer el yelmo y sus ojos se desorbitaron cuando la corta cuchilla se detuvo a un dedo de su cabeza. La lluvia le había pegado el cabello en la cara. También a pie, Nalesean sonrió, en parte sobresaltado y en parte divertido por el susto que se había llevado el otro joven teariano. De rostro cuadrado y constitución robusta, Nalesean era el segundo de Melanril al frente de la caballería teariana. Talmanes y Daerid también estaban allí, un paso más atrás, como siempre, y los rostros inexpresivos bajo sus yelmos con forma de campana, también como siempre. Los cuatro habían dejado sus caballos más atrás, entre los árboles.

—Unos Aiel vienen directamente hacia nosotros, Mat —informó Nalesean mientras Mat enderezaba la lanza con las marcas de los cuervos—. Que la Luz abrase mi alma si son sólo uno menos de cinco mil. —También sonrió tras ese comentario—. No creo que sepan que estamos aquí esperándolos.

Estean asintió una vez para mostrar su conformidad con esa opinión.

—Avanzan por los valles y las cañadas, ocultándose de... —Echó una rápida ojeada a las nubes y se estremeció. Por lo visto, Mat no era el único que se preocupaba por lo que podría venir del cielo; los otros tres también miraron hacia arriba—. En fin, que es obvio que piensan pasar por donde están los hombres de Daerid. —En su voz hubo un atisbo de respeto al mencionar a los piqueros. A regañadientes, cierto, y no muy fuerte, pero resultaba difícil mirar por encima del hombro a alguien que le ha salvado a uno el cuello varias veces—. Estarán encima de nosotros antes de que nos hayan visto.

—Fantástico —musitó Mat—. Eso es jodidamente fantástico.

Lo dijo con sarcasmo, pero Nalesean y Estean no captaron el tono, por supuesto. Saltaba a la vista que estaban ansiosos, pero el rostro surcado de cicatrices de Daerid traslucía tanta emoción como un pedazo de piedra, y Talmanes enarcó una ceja durante una fracción de segundo al mirar a Mat y sacudió la cabeza tan levemente que apenas se notó. Esos dos sabían lo que era un combate.

El primer encuentro con los Shaido había sido un toma y daca en el mejor de los casos, una apuesta que Mat jamás habría aceptado de poder elegir. El hecho de que todos aquellos rayos hubiesen alarmado a los Aiel lo bastante para que se convirtiera en una completa derrota no cambiaba nada. Más tarde, ese mismo día, habían tenido acción otras dos veces más, cuando Mat se encontró en la disyuntiva de atacar o ser atacado, y ninguna de ellas había salido ni con mucho tan bien como los tearianos pensaban. Una había quedado en tablas, pero sólo porque Mat había podido despistar a los Shaido cuando éstos retrocedieron para reagruparse. Al menos no habían atacado otra vez mientras sacaba a todo el mundo de allí por los sinuosos valles entre colinas; imaginaba que los Aiel habían encontrado otra cosa de la que ocuparse, quizá más rayos o bolas de fuego o la Luz sabía qué. Sabía muy bien lo que les había permitido salir de la última refriega sin perder el pellejo: otro grupo Aiel atacando por la retaguardia a los que luchaban contra ellos, justo a tiempo de impedir que los piqueros fueran arrollados. Los Shaido habían decidido retirarse hacia el norte, y los otros —Mat todavía no sabían quiénes eran— se habían desplazado hacia el oeste dejándolos en posesión de la zona. Nalesean y Estean lo consideraron una clara victoria, pero Daerid y Talmanes sabían a qué atenerse y no compartían esa opinión.

—¿De cuánto tiempo disponemos? —preguntó Mat.

—Media hora. —Fue Talmanes quien contestó—. Puede que un poco más si la suerte nos sonríe.

Los tearianos no parecían muy convencidos; por lo visto aún no eran conscientes de lo deprisa que podían moverse los Aiel.

Mat no se hacía ilusiones. Ya había estudiado el terreno, pero volvió a mirar en derredor y suspiró. Había una buena vista desde aquella colina, y se encontraban justo en la única arboleda medianamente decente que había en media milla a la redonda. El resto sólo eran arbustos que llegaban como mucho a la cintura y alguno que otro cedro o roble. Esos Aiel sin duda enviarían exploradores allí arriba para echar un vistazo al panorama, y no había la menor posibilidad de alejarse y alcanzar un sitio cubierto antes de que llegaran; ni siquiera la caballería lo conseguiría, y los piqueros estarían en mitad de campo abierto. Sabía lo que había que nacer —otra vez era atacar o ser atacado— pero no por ello tenía que gustarle.

Echó un vistazo en derredor, pero antes de que pudiera abrir la boca se le adelantó Daerid:

—Mis exploradores me han informado que el propio Couladin está con este grupo. Al menos, el que los dirige lleva los brazos al aire y luce unas marcas iguales a las que según se cuenta tiene el lord Dragón.

Mat gruñó. Couladin, y dirigiéndose hacia el este. Si hubiese algún modo de quitarse de en medio, el tipo iría de cabeza directamente contra Rand. Puede que fuera eso precisamente lo que se proponía. Mat se dio cuenta de que estaba furioso y que no se debía a que Couladin quisiera matar a Rand. Tal vez el jefe Shaido, o lo que quiera que fuese ese hombre, lo recordara como alguien que andaba siempre cerca de Rand, pero ante todo Couladin era la razón de que él estuviera atascado allí en medio de una batalla, procurando salir con vida, preguntándose si en cualquier momento todo aquello iba a desembocar en una lucha personal entre Rand y Sammael, una contienda que podía acabar con absolutamente todo cuanto hubiera en un radio de dos o tres millas. «Eso si antes no me encuentro con una lanza clavada en las tripas.» Y sin tener más oportunidad de evitarlo que la que tenía un ganso colgado por las patas en la puerta de la cocina. Nada de aquello estaría pasando si no fuese por Couladin.

Lástima que nadie lo hubiera matado hacía años, y no porque no hubiese dado motivos de sobra. Los Aiel rara vez demostraban su cólera, y cuando lo hacían era de un modo frío y controlado. Por el contrario, Couladin aparentemente estallaba dos o tres veces al día y perdía la cabeza con un ataque de abrasadora furia tan rápida y fácilmente como quien parte una paja. Era un milagro que todavía siguiera vivo, y la mismísima suerte del Oscuro.

—Nalesean, da con tus tearianos un amplio rodeo hacia el norte y ataca a esos tipos por la retaguardia —ordenó, iracundo—. Nosotros los mantendremos ocupados, así que cabalgad a galope tendido y caed sobre ellos como un edificio desplomándose. —«Así que tiene la suerte del Oscuro, ¿no? Rayos y centellas, espero que la mía haya vuelto»—. Talmanes, vosotros haced lo mismo por el sur, Moveos, los dos. Apenas tenemos tiempo y lo estamos perdiendo.

Los dos tearianos hicieron una precipitada reverencia y corrieron hacia sus caballos mientras se encasquetaban los yelmos. La reverencia de Talmanes fue más ceremoniosa.

—Que la gracia favorezca tu espada, Mat. O tal vez debería decir tu lanza. —Dicho esto también se marchó.

Cuando los tres desaparecieron colina abajo, Daerid alzó la vista hacia Mat mientras se limpiaba la lluvia de los ojos con un dedo.

—Así que esta vez os quedáis con los piqueros. No debéis dejar que os domine la cólera contra ese tal Couladin. Una batalla no es el lugar propicio para dirimir un duelo.

Mat reprimió a duras penas el impulso de quedarse boquiabierto. ¿Un duelo? ¿Él? ¿Y con Couladin? ¿Por eso pensaba Daerid que se quedaba con la infantería? Lo había decidido porque era más seguro estar detrás de las picas, ésa era la razón, la única razón.

—No te preocupes, soy una persona que sabe refrenarse. —Y él que había pensado que Daerid era el más sensato de esta pandilla.

El cairhienino se limitó a asentir con la cabeza.

—Eso me pareció —dijo—. Juraría que habéis visto un erizo de picas con anterioridad y habéis afrontado una o dos cargas. Talmanes es de los que harán un elogio cuando haya dos lunas en el cielo, pero sin embargo le he oído decir en voz alta que os seguiría dondequiera que nos condujeseis. Algún día me gustaría oír vuestra historia, andoreño; pero sois joven, aunque la Luz sabe que no es mi intención mostrarme irrespetuoso, y los jóvenes tienen caliente la sangre.

—La lluvia la mantendrá fría si no lo hacen otras cosas. —¡Rayos y centellas! ¿Es que estaban todos locos? ¿Que Talmanes lo elogiaba? Se preguntó qué dirían si descubrieran que sólo era un jugador que se dejaba guiar por recuerdos fragmentados de hombres muertos hacía mil años o más. Echarían a suertes cuál de ellos lo ensartaba como a un cerdo en la primera oportunidad que se les presentara, en especial los lores. A nadie le gustaba que lo hicieran parecer un necio, pero a los nobles les hacía menos gracia que a nadie, quizá porque ellos mismos se las arreglaban para quedar como idiotas tantas veces. En fin, de un modo u otro, estaba dispuesto a encontrarse a muchas millas de distancia cuando eso se supiera. «Maldito Couladin. ¡Me gustaría atravesarle la garganta con esta lanza!» Taloneó a *Puntos* y se dirigió hacia la ladera opuesta, al pie de la cual aguardaba la infantería.

Daerid montó en su caballo y se situó al lado de Mat; fue asintiendo con la cabeza a medida que el joven exponía su plan: los arqueros en las laderas, desde donde podían cubrir los flancos, pero a cubierto, escondidos tras los arbustos hasta el último momento; un hombre en la cumbre para hacer una señal cuando los Aiel estuvieran a la vista; y los piqueros preparados para ponerse en movimiento y marchar directamente hacia el enemigo tan pronto como llegara esa señal.

—No bien nosotros divisemos a los Shaido, iniciaremos la retirada tan deprisa como sea posible hasta llegar casi a la quebrada que hay entre estas dos colinas, y después nos volveremos para hacerles frente.

—Creerán que intentamos huir, se darán cuenta de que no podemos y supondrán que nos revolvemos como lo haría un oso acosado por una jauría de sabuesos. Al ver que somos menos de la mitad que ellos y que luchamos sólo porque no tenemos otro remedio, lo lógico es que decidan abalanzarse sobre nosotros. Los mantendremos ocupados hasta que la caballería se les eche encima por la retaguardia... —El cairhienino esbozó una mueca—. Es utilizar las tácticas de los Aiel contra ellos.

—Más vale que los mantengamos ocupados. —El tono de Mat era tan seco como empapado estaba él—. Para estar seguro de que no nos... Para asegurarnos de que ellos no empiezan a dar rodeos para sorprendernos por los flancos, quiero que se alce un grito cuando interrumpáis la retirada: «Proteged al lord Dragón».

Esta vez Daerid rió de buena gana. Eso haría que los Shaido se lanzaran al ataque directamente, sobre todo si Couladin iba a la cabeza. Si tal era el caso, si el jefe Shaido pensaba que Rand estaba con los piqueros, si los piqueros no resistían hasta que la caballería llegase... Demasiados «síes» condicionales. Mat oía de nuevo los dados rodando en su cabeza. Aquélla era la partida más importante y la mayor apuesta de su vida. Se preguntó cuánto faltaba para oscurecer; un hombre solo tendría oportunidad de escapar en medio de la noche. Ojalá esos dados desaparecieran de su cabeza o, si no, que pararan de una vez y así podría ver qué tirada salía. Ceñudo, empapado por la lluvia, taconeó a *Puntos* y descendió colina abajo.

Jeade'en se detuvo en una cima en la que una docena de árboles conformaba un ralo penacho, y Rand se encorvó ligeramente para aguantar el dolor del costado. La luna en su cuarto creciente, cada vez más alta en el cielo, arrojaba una pálida luz, pero incluso para su vista aguzada por el *Saidin* todo lo que había a más de cien pasos de distancia no eran más que sombras informes. La noche se tragaba las colinas de los alrededores, y Rand sólo era consciente de vez en cuando de la presencia de Sulin cerca de él y de las Doncellas rodeándolo. Claro que él sólo era capaz de mantener los ojos entreabiertos; los sentía irritados, como si le hubiera entrado arenilla. Seguramente lo único que lo mantenía despierto era el mordiente dolor del costado. No pensaba en él a menudo; pensar no sólo era algo distante ahora, sino un proceso lento.

¿Eran dos las veces que Sammael había atentado contra su vida ese día o eran tres? ¿O más? Debería ser capaz de recordar en cuántas ocasiones alguien había intentado matarlo. No, matarlo no. Hostigarlo, atraerlo con un señuelo. «¿Tanta es tu envidia todavía, Tel Janin? ¿Alguna vez te hice un desaire o no reconocí tus méritos como correspondía?»

Rand se tambaleó ligeramente y se pasó los dedos por el cabello. Había habido algo extraño en ese último pensamiento, pero no recordaba qué. Sammael... No. Se ocuparía de él cuando... si... Bah, daba igual. En otra oportunidad. Por el momento, Sammael sólo era una distracción que lo apartaba de lo realmente importante. Puede que incluso se hubiese marchado.

Tenía la vaga sensación de que no había habido ataques después de... ¿De qué? Recordaba haber respondido al último movimiento de Sammael con algo particularmente desagradable, pero era incapaz de acordarse exactamente qué. Nada de fuego compacto. «No debe utilizarse eso. Pone en peligro el tejido del Entramado. ¿Ni siquiera por Ilyena? Oh, prendería fuego al mundo entero y utilizaría mi alma como yesca con tal de oírla reír otra vez.»

Otra vez su mente iba a la deriva, alejándose de lo que era importante.

Hiciera mucho o poco que el sol se había metido, lo había hecho con la lucha en pleno apogeo; las sombras se habían ido alargando gradualmente y devorando la luz dorada rojiza, mientras los hombres mataban y morían. Ahora, el viento racheado y errabundo traía todavía el lejano sonido de gritos y alaridos. Por culpa de Couladin, cierto; pero, en el fondo, por culpa suya.

Durante un instante no logró recordar su nombre.

—Rand al'Thor —dijo en voz alta, y entonces se estremeció a pesar de que tenía la chaqueta empapada de sudor, porque durante un fugaz momento el nombre que había pronunciado le había sonado extraño—. Soy Rand al'Thor, y necesito... necesito ver.

No había comido nada desde por la mañana, si bien la contaminación del *Saidin* ahuyentaba toda sensación de hambre. El vacío vacilaba de manera constante y él se aferraba a la Fuente Verdadera con uñas y dientes. Era como cabalgar sobre un toro enloquecido tras tragarse una cerecilla o como nadar desnudo en un río de fuego con espumantes rápidos entre afilados peñascos de hielo. Con todo, cuando no estaba al borde de ser corneado, reventado o ahogado, el *Saidin* parecía ser la única energía que quedaba dentro de él. El *Saidin* estaba allí, hinchiéndolo hasta casi rebosar, tratando de erosionar o corroer su mente, pero listo para ser utilizado.

Con un brusco cabeceo, Rand encauzó y algo ardió muy alto en el cielo. Algo. Una bola de burbujeantes llamas azules que ahuyentaron las sombras con un fuerte resplandor.

Las colinas se alzaban todo en derredor, con los árboles cual siluetas negras en contraste con la fuerte luminosidad. No se movía nada. Una ráfaga de viento le llevó un débil sonido; aclamaciones quizá, o cánticos. O puede que sólo se lo hubiera imaginado, ya que fue algo muy débil y tan fugaz que se perdió con el viento.

De repente fue consciente de las Doncellas que lo rodeaban, a cientos. Algunas, incluida Sulin, lo miraban fijamente, pero muchas tenían cerrados prietamente los ojos; sólo tardó un segundo en comprender que las mujeres intentaban mantener intacta la visión nocturna. Frunció el entrecejo al tiempo que recorría con la mirada el entorno. Egwene y Aviendha ya no estaban allí; tuvo que pasar otro largo instante para que se acordara de soltar el tejido del encauzamiento y dejar que la oscuridad reclamara la noche. Para sus ojos fue como si hubiese caído un manto profundamente negro.

—¿Dónde están? —Se sintió vagamente irritado cuando tuvo que aclarar a quiénes se refería, e igualmente vaga fue la sensación de comprender que no tenía razón para irritarse.

—Se marcharon con Moraine Sedai y con las Sabias al oscurecer, *Car'a'carn* —contestó Sulin, que se acercó a *Jeade'en. Su* corto cabello blanco resaltaba con la luz de la luna. No; llevaba vendada la cabeza. ¿Cómo podía haberlo olvidado?—. Hace sus buenas dos horas de eso. Saben que un cuerpo no es de piedra. Hasta las piernas más resistentes sólo pueden correr hasta cierto límite.

Rand frunció el entrecejo. ¿Piernas? Las dos muchachas habían ido montadas en *Niebla.* Lo que decía esta mujer no tenía sentido.

—He de ir en su busca.

—Están con Moraine Sedai y con las Sabias, *Car'a'carn* —repitió lentamente. A Rand le pareció que también tenía fruncido el entrecejo, pero resultaba difícil saberlo con seguridad.

—No me refiero a ellas —masculló—. Tengo que encontrar a los míos. Todavía están ahí fuera, Sulin. —¿Por qué no se movía el caballo?—. ¿No los oyes? Ahí fuera, en medio de la noche, luchando todavía. He de ayudarlos. —Por supuesto; tenía que talonear en los ijares del rodado. Sin embargo, cuando lo hizo, *Jeade'en* sólo se desplazó de lado, con Sulin agarrada a la brida. No recordaba que la mujer hubiera estado sujeta a las bridas.

—Las Sabias tienen que hablar contigo ahora, Rand al'Thor. —Su voz había cambiado, pero estaba demasiado exhausto para precisar en qué sentido.

—¿No pueden esperar? —Debía de haber pasado por alto al corredor que había llevado el mensaje—. He de encontrarlos, Sulin.

Enaila pareció surgir de repente al otro lado de la cabeza del semental.

—Ya has encontrado a los tuyos, Rand al'Thor.

—Las Sabias te están esperando —añadió Sulin. Enaila y ella hicieron volver grupas a *Jeade'en* sin esperar a que él diera su consentimiento. Por alguna razón, las Doncellas se apiñaron a su alrededor mientras emprendían la marcha colina abajo, descendiendo en zigzag. La luna se reflejaba en sus rostros cuando éstos se alzaban hacia él, tan cerca que sus hombros rozaban los flancos del caballo.

—Sea lo que sea lo que quieren —rezongó—, tendrá que ser una reunión rápida. —No era necesario que las mujeres condujeran al rodado, pero para él era un esfuerzo excesivo empezar a discutir con ellas por ese motivo. Se giró para mirar hacia atrás, y el dolor que sintió en el costado le hizo soltar un gruñido; la cima ya había sido engullida por la noche—. Todavía tengo mucho que hacer. He de encontrar... —Couladin. Sammael. Los hombres que estaban luchando y muriendo por él—. Tengo que encontrarlos. —Qué cansado estaba; pero todavía no podía ir a dormir.

Las lámparas colgadas en postes alumbraban el campamento de las Sabias, así como las pequeñas lumbres donde hombres y mujeres vestidos de blanco retiraban las ollas con agua y las sustituían inmediatamente por otras en cuanto empezaban a hervir. Los *gai'shain* iban y venían apresuradamente de aquí para allí, al igual que las Sabias, atendiendo a los heridos que abarrotaban el campamento y que seguían llegando. Moraine se movía lentamente a lo largo de las largas filas de los que no podían estar de pie, sólo deteniéndose muy de vez en cuando para poner las manos sobre un Aiel que de inmediato se sacudía con los efectos de la Curación. Cada vez que se incorporaba, la Aes Sedai se tambaleaba, y Lan iba pisándole los talones como si quisiera sostenerla o esperara tener que hacerlo en cualquier momento. Sulin intercambió unas palabras con Adelin y Enaila en un tono tan bajo que Rand no entendió qué decían, y la mujer más joven corrió hacia la Aes Sedai.

A pesar del gran número de heridos, no todas las Sabias estaban atendiéndolos; dentro del pabellón levantado a un lado, había unas veinte sentadas en círculo escuchando lo que decía una que estaba de pie en el centro. Cuando ésta tomó asiento, otra ocupó su lugar. Varios *gai'shain* permanecían arrodillados fuera, alrededor del pabellón, pero ninguna de las Sabias parecía estar interesada en el vino ni en ninguna otra cosa excepto en la conversación que se mantenía. A Rand le pareció ver que la que hablaba en ese momento era Amys.

Para su sorpresa, Asmodean también estaba ayudando con los heridos; llevaba un odre de agua colgado de cada hombro, cosa que resultaba muy chocante con su chaqueta de terciopelo y puntillas blancas. Al levantarse después de dar de beber a un hombre al que de cintura para arriba sólo lo cubrían los vendajes, vio a Rand y vaciló.

Un instante después le entregó los odres a uno de los *gai'shain* y se abrió paso entre las Doncellas en dirección a Rand. Las mujeres no le hicieron caso alguno —todas parecían pendientes de Adelin y Enaila, que hablaban con Moraine, o del propio Rand— y su semblante estaba tenso para cuando tuvo que detenerse ante el cerrado círculo que rodeaba a *Jeade'en*. Las Doncellas abrieron un hueco lentamente, y sólo lo suficiente para dejarlo pasar hasta el estribo del caballo.

—Estaba seguro de que estabais a salvo. Estaba seguro. —A juzgar por el tono de su voz, aquello no era cierto. Al no recibir respuesta de Rand, Asmodean se encogió de hombros con inquietud—. Moraine insistió en que repartiera agua. Una mujer de mucho carácter, demasiado para permitir siquiera que el bardo del lord Dragón se... —Dejó la frase en el aire y se lamió los labios—. ¿Qué ocurrió?

—Sammael —dijo Rand, pero no como respuesta; simplemente manifestaba en voz alta los pensamientos que se colaban en el vacío—. Recuerdo cuando por primera vez se lo llamó Destructor de la Esperanza. Fue después de su traición en Puertas de Hevan y de que condujera a la Sombra hacia Rorn M'doi y al corazón de Satelle. La esperanza pareció morir aquel día. Culan Cuhan lloró. ¿Qué ocurre? —El rostro de Asmodean se había tornado tan blanco como el vendaje de Sulin, pero el hombre se limitó a sacudir lentamente la cabeza, en silencio. Rand miró hacia el pabellón. No conocía a la Sabia que había tomado la palabra—. ¿Es allí donde me están esperando? Entonces creo que debería reunirme con ellas.

—Todavía no te recibirán —dijo Lan apareciendo de repente al lado de Asmodean, que dio un brinco—, ni a ningún hombre. —Tampoco Rand había oído acercarse al Guardián, pero sólo volvió la cabeza hacia él. Hasta ese simple gesto le costó un esfuerzo ímprobo, y tuvo la sensación de que la cabeza era de otra persona—. Están reunidas con las Sabias de los Miagoma, los Codarra, los Shiande y los Daryne.

—Los clanes vienen a mí —proclamó, impasible, Rand. Pero habían esperado demasiado; lo bastante para que ese día hubiera sido más sangriento. En los relatos estas cosas no pasaban nunca.

—Eso parece. Pero los cuatro jefes no se reunirán contigo hasta que las Sabias hayan hecho todos los arreglos —agregó Lan en tono seco—. Ven, Moraine podrá explicártelo mucho mejor que yo.

—Lo hecho, hecho está. —Rand sacudió la cabeza—. Puedo enterarme de los detalles después. Si ya no es necesario que Han los tenga vigilados para que no nos ataquen por la espalda, entonces quiero verlo. Sulin, envía a un corredor. Han...

—Ha acabado, Rand —lo atajó el Guardián firmemente—. Todo. Sólo quedan unos pocos Shaido al sur de la ciudad. Se han hecho miles de prisioneros, y casi todos los restantes están cruzando el Gaelin. Se te habría informado hace una hora si alguien hubiese sabido dónde encontrarte. No has dejado de moverte de un sitio para otro. Ven y deja que Moraine te lo cuente todo.

—¿Se ha acabado? ¿Hemos vencido?

—Has vencido. Completamente.

Rand miró a los hombres a los que estaban vendando heridas, a los que esperaban pacientemente en largas filas a que pudieran ocuparse de ellos y a los que se marchaban una vez que se los había curado. Las filas casi no avanzaban. Moraine seguía haciendo su lento recorrido ante los cuerpos tendidos, deteniéndose, inestable, aquí y allí para curar. Sólo unos pocos de los heridos debían de estar allí, por supuesto. Habrían estado llegando como buenamente pudieran a lo largo del día y se habrían ido marchando una vez estuvieran en condiciones de hacerlo. Si es que podían. Los muertos no estaban allí. «Sólo una batalla perdida es más triste que una batalla ganada.» Creyó recordar haber dicho eso mucho tiempo atrás. A lo mejor lo había leído.

No. Había demasiadas personas vivas que eran su responsabilidad para preocuparse por los que estaban muertos. «Pero ¿cuántos rostros muertos me serán familiares, como el de Jolien? ¡Jamás podré olvidar a Ilyena ni aunque el mundo entero se abrase!»

Con el ceño fruncido, se llevó la mano a la cabeza. Aquellos pensamientos parecían haber venido apelotonados, desde lugares diferentes; estaba tan cansado que casi no podía pensar, pero tenía que hacerlo, tenía que discurrir ideas que no se escabulleran y quedaran fuera de su alcance. Soltó la Fuente y el vacío, y un espasmo lo sacudió violentamente cuando el *Saidin* estuvo a punto de arrastrarlo con su fuerza en aquel instante de retirada. Apenas si tuvo tiempo para darse cuenta de su error. Desconectado del Poder, el agotamiento y el dolor cayeron sobre él como una losa.

Fue consciente de los rostros alzados hacia él mientras se desplomaba de la silla, de bocas moviéndose, de manos tendidas para agarrarlo, para frenar su caída.

—¡Moraine! —gritó Lan, cuya voz sonó hueca en los oídos de Rand—. ¡Está sangrando mucho!

Sulin le acunaba la cabeza en sus brazos.

—Aguanta, Rand al'Thor —instó con voz apremiante—. Aguanta.

Asmodean no dijo nada, pero su expresión era desolada, y Rand sintió un chorrillo de *Saidin* fluyendo desde el hombre a él. La oscuridad lo envolvió.

45

DESPUÉS DE LA TORMENTA

Sentado en un pequeño peñasco que afloraba al pie de la vertiente, Mat hizo un gesto de dolor al calarse el sombrero para protegerse del sol de media mañana, en parte para resguardarse los ojos del resplandor del sol, pero también porque había algo más que no deseaba ver, si bien los cortes y contusiones se lo recordaban, en especial el tajo abierto por una flecha en la sien, y que ahora apretaba el borde del sombrero. Un ungüento que Daerid llevaba en las alforjas había detenido la hemorragia, en esa herida y en otras, pero todas le seguían doliendo, y la mayoría escocían. Esto último empeoraría. El calor del día sólo estaba empezando, pero el sudor le perlaba la cara y ya sentía húmedas la ropa interior y la camisa. Se preguntó si el otoño llegaría alguna vez en Cairhien. Por lo menos, el malestar hacía que se olvidara de lo cansado que estaba; a despecho de haber pasado la noche en vela habría sido incapaz de conciliar el sueño en un colchón de plumas, cuanto menos tendido entre mantas sobre el duro suelo. De todos modos no quería estar más cerca de su tienda.

«Menudo panorama. Casi me han matado, estoy sudando como un cerdo, no encuentro un sitio cómodo donde tumbarme y no me atrevo a emborracharme. ¡Rayos, truenos y centellas!» Dejó de toquetear un corte que tenía la pechera de la chaqueta —por dos dedos aquella lanza no le había atravesado el corazón; ¡Luz, qué diestro había sido aquel hombre!— y desechó esa idea de su cabeza. No es que resultara fácil hacerlo con todo lo que estaba ocurriendo a su alrededor.

Por una vez, a los tearianos y los cairhieninos no parecía importarles ver tiendas Aiel por doquier. Había Aiel incluso en el campamento y, lo que era casi igualmente milagroso, los tearianos compartían con los cairhieninos las humeantes lumbres. Y no es que alguien estuviera comiendo; los cazos de calentar agua no se habían puesto sobre el fuego, aunque sí se olía carne asándose en alguna parte. Sin embargo, la mayoría estaban tan borrachos como habían podido conseguir a base de vino, brandy o el *oosquai* Aiel; todo eran risas y celebraciones. No muy lejos de donde se encontraba sentado él, una docena de Defensores de la Ciudadela, sudorosos y en mangas de camisa, bailaban acompañados por las palmas de un centenar o más de espectadores, cerca de un poste de tres pies de altura que estaba hincado en el suelo —Mat apartó rápidamente los ojos de él— donde otros tantos Aiel también brincaban y pateaban. Mat suponía que era alguna clase de danza; otro Aiel tocaba la zampoña para acompañarlos. Los bailarines saltaban tan alto como podían, levantaban más aun uno de los pies, y después caían sobre ese mismo pie para de inmediato saltar otra vez, más y más deprisa, a veces girando como trompos horizontales en la cúspide del salto o dando volantines o piruetas. Siete u ocho tearianos y cairhieninos estaban sentados tras haberse roto algún hueso por intentar emularlos, pero seguían jaleando y riendo como dementes mientras se iban pasando una escudilla de piedra con algún tipo de bebida. Había más grupos de hombres bailando y puede que cantando, pero con la algarabía reinante resultaba difícil asegurarlo. Desde su posición, sin girarse, podía contar diez zampoñas, por no mencionar el doble de silbatos metálicos, y un instrumento de viento que tenía un aspecto entre flauta y cuerno que un cairhienino delgaducho, vestido con una chaqueta andrajosa, soplaba con entusiasmo. Y los tambores eran incontables, aunque la mayoría no eran otra cosa que pucheros que golpeaban con cucharas.

A no tardar, el campamento era una casa de locos y los bailes se fusionaron en una sola celebración. A Mat le resultaba familiar, principalmente por los recuerdos que todavía podía asignar a otros hombres si se concentraba lo suficiente: era la celebración por seguir vivos. Una vez más se habían paseado ante las narices del Oscuro y habían sobrevivido para contarlo. Una vez más la danza al filo de la cuchilla había terminado. Casi muertos ayer, tal vez muertos mañana, pero vivos, gloriosamente vivos, hoy. A Mat no le parecía que hubiese nada que celebrar.

¿De qué servía estar vivo si ello significaba encontrarse encerrado en una jaula?

Sacudió la cabeza al ver pasar a Daerid, Estean y a un fornido y pelirrojo Aiel a quien no conocía tambaleándose y agarrándose unos a los otros. Apenas perceptible por el ensordecedor jolgorio, Mat oyó que Daerid y Estean intentaban enseñar al tipo más alto que iba entre los dos la letra de *Bailar con la Dama de las Sombras*:

> *Cantando toda la noche y todo el día bebiendo,*
> *con las chicas guapas nuestra paga gastaremos,*
> *y cuando hayamos gastado hasta el último céntimo*
> *a bailar con la Dama de las Sombras nos iremos.*

El atezado Aiel no mostraba interés alguno en aprender, por supuesto —y no lo haría a no ser que lo convencieran de que era un himno guerrero en toda regla—, pero escuchaba la letra, y no era el único. Para cuando los tres se hubieron perdido entre la muchedumbre, los seguían otros veinte hombres que llevaban el ritmo con las abolladas jarras de peltre o las deterioradas tazas de cuero, todos ellos berreando a voz en grito la canción.

> *Para mí es un placer tomar cerveza y vino,*
> *y disfruto con las chicas de tobillo fino,*
> *pero mi mayor deleite es y siempre ha sido*
> *bailar con la Dama de las Sombras a capricho.*

Mat hubiese querido no haberle enseñado la canción a ninguno de ellos. Sólo lo había hecho para tener la mente ocupada mientras Daerid le paraba la hemorragia que lo estaba desangrando; aquel ungüento escocía tanto como las propias heridas, y Daerid jamás se ganaría la vida como sastre considerando la «delicadeza» con que utilizaba la aguja y el hilo para coser. El problema era que la canción se había popularizado con la rapidez con que se propaga un incendio en la pradera. Tearianos y cairhieninos, de caballería o infantería, todos la cantaban cuando regresaron al amanecer.

Cuando regresaron. De vuelta al valle entre colinas donde habían empezado a luchar, al pie de la derruida torre de troncos, sin que le dieran la oportunidad de largarse. Se había ofrecido a cabalgar por delante de las tropas, y Talmanes y Nalesean casi habían llegado a las manos por ser el uno o el otro quien le proporcionara la escolta. No todos se habían convertido en amigos del alma. Lo único que le faltaba ahora era que

Moraine apareciera para preguntarle dónde había estado y por qué, y que le diera la charla sobre *ta'veren* y el deber, sobre el Entramado y Tarmon Gai'don, hasta conseguir marearlo. A buen seguro estaría con Rand ahora, pero antes o después iría a buscarlo.

Alzó la vista hacia la cumbre de la colina y al amasijo de troncos astillados entre árboles rotos. Ese tipo cairhienino que había construido los visores de lentes para Rand estaba allí arriba con sus aprendices, revolviendo entre los restos de la destrozada torre. Los Aiel se habían mostrado muy ufanos de lo ocurrido allí. Definitivamente había llegado de sobra el momento de marcharse. El medallón de la cabeza de zorro lo protegía de mujeres que encauzaban, pero había visto y oído a Rand lo suficiente para comprender que el encauzamiento de un hombre era diferente, y no tenía el menor interés en descubrir si el colgante lo protegía también de Sammael y los de su clase.

Torciendo el gesto por las dolorosas punzadas de las heridas, se valió de la lanza de mango negro para ponerse de pie. A su alrededor la celebración continuaba; si se dirigía como quien no quiere la cosa hacia donde los caballos estaban atados en hileras... La verdad era que no tenía pizca de ganas de ponerse a ensillar a *Puntos*.

—El héroe no debería estar sin beber.

Giró rápidamente sobre sus talones, sobresaltado, gruñendo por las punzadas de las heridas, y se encontró con Melindhra. La mujer tenía una enorme jarra de loza en la mano, no llevaba lanzas y su rostro no estaba velado, pero sus ojos parecían estar sopesándolo.

—Escucha, Melindhra, puedo explicarlo todo.

—¿Qué hay que explicar? —preguntó mientras le echaba el brazo libre por los hombros. A pesar del intenso dolor que le causaba hacerlo, Mat se irguió cuanto pudo; no estaba acostumbrado a tener que levantar los ojos para mirar a una mujer—. Sabía que buscarías tu propio honor. El *Car'a'carn* arroja una gran sombra, pero ningún hombre querría pasarse la vida bajo ella.

Tragándose lo que iba a decir, Mat cerró la boca de golpe.

—Claro —logró farfullar. La mujer no iba a intentar matarlo—. Eso es exactamente. —Tan grande era su alivio que cogió la jarra a la Aiel, pero el trago que se echó a la boca salió despedido violentamente. Era el brandy más fuerte y abrasador que había probado en toda su vida.

Melindhra recuperó la jarra para dar un sorbo, después suspiró con deleite y se la devolvió a Mat.

—Era un hombre de mucho honor, Mat Cauthon. Habría sido mejor que lo hubieses capturado, pero incluso matarlo te ha proporcionado mucho *ji*. Estuviste acertado al buscarlo.

684

A despecho de sí mismo, los ojos de Mat se dirigieron hacia aquello que había estado intentando no mirar. Una correa de cuero atada en el corto cabello pelirrojo sostenía la cabeza de Couladin en lo alto del poste de diez pies, cerca de donde danzaban los Aiel. El despojo parecía estar sonriendo. Sonriéndole a él.

¿Buscar a Couladin? ¡Pero si había hecho todo lo posible para poner cuantas más picas mejor entre él y cualquier Shaido! Sin embargo, aquella flecha le había abierto un corte a un lado de la cabeza, y antes de que supiera lo que pasaba estaba tendido en el suelo y esforzándose para ponerse de pie, con lo más encarnizado de la lucha a su alrededor, moviendo la lanza con la marca de los cuervos a uno y otro lado mientras procuraba regresar donde estaba *Puntos*. Y entonces Couladin había aparecido como materializándose en el aire, con el rostro velado para matar; pero los brazos desnudos borraron toda duda sobre su identidad, con aquellos relucientes dragones dorados y rojos como enroscados en ellos. El hombre se había abierto paso entre los piqueros con sus lanzas como hace un segador en el trigo, y mientras tanto no dejaba de gritar que Rand diera la cara y que el *Car'a'carn* era él. Quizás a esas alturas ya se lo creía realmente. Mat no sabía si Couladin lo había reconocido o no, pero tampoco importaba gran cosa ese detalle cuando el tipo estaba decidido incluso a abrir un agujero a través de él con tal de llegar hasta Rand. Y tampoco sabía quién le había cortado la cabeza a Couladin posteriormente.

«Estaba demasiado ocupado en seguir con vida para fijarme», pensó con acritud. Y en no desangrarse hasta morir. Allá, en Dos Ríos, había sido tan bueno como cualquiera con la vara de combate, y ese tipo de arma no era tan diferente de la lanza que manejaba ahora, pero podía decirse que Couladin había nacido con ellas en las manos. Claro que toda esa destreza no le había servido de mucho al final. «A lo mejor todavía me queda un poquito de suerte. ¡Luz, por favor, que se me muestre propicia ahora!»

Estaba pensando cómo librarse de Melindhra para ponerse a ensillar a *Puntos* cuando Talmanes se presentó e hizo una reverencia ceremoniosa, con la mano sobre el corazón, al estilo de Cairhien.

—La gracia te sea propicia, Mat.

—Y a ti —respondió el joven con aire ausente. La Aiel no se iba a marchar porque se lo pidiera él. Y pedírselo sería como meter un zorro en un gallinero. A lo mejor podía decirle que le apetecía cabalgar un rato. Claro que los Aiel eran capaces de aguantar corriendo más que un caballo.

—Anoche vino una delegación de la ciudad, y habrá un desfile triunfal para el lord Dragón como agradecimiento de Cairhien.

—No me digas. —Melindhra debía de tener servicios asignados como las demás Doncellas, que siempre andaban apiñadas alrededor de Rand; quizá tuviera que irse para hacer su turno. No obstante, tras echarle una ojeada a la mujer, Mat pensó que lo mejor era no hacerse ilusiones al respecto. Su amplia sonrisa traslucía... un aire posesivo.

—La delegación la envió el Gran Señor Meilan —informó Nalesean, que se reunió con ellos. Su reverencia fue tan formal con la del cairhienino, pero más precipitada—. Es él quien ofrece el desfile al lord Dragón.

—Lord Dobraine, lord Maringil y lady Colavaere, entre otros, también se presentaron ante el lord Dragón.

Mat se obligó a prestar atención al momento presente. Estos dos estaban intentando hacer como si el otro no existiera —ambos mirándolo directamente sin dirigirse entre sí ni un vistazo de reojo— pero el gesto de sus semblantes era tenso como sus palabras por el esfuerzo de disimular, y sus nudillos estaban blancos de tanto apretar las manos sobre las empuñaduras de las espadas. Sólo faltaba que estos dos llegaran a las manos para poner la guinda en el pastel y que él acabara atravesado accidentalmente por la espada de cualquiera de ellos mientras intentaba quitarse de en medio renqueando.

—¿Y qué importancia tiene quién envió la delegación mientras que Rand tenga su desfile?

—La importancia de que debes pedirle que, por derecho, hemos de ser nosotros quienes lo encabecemos —se apresuró a responder Talmanes—. Mataste a Couladin y ello nos otorga ese derecho.

Nalesean cerró la boca y frunció el ceño; evidentemente, había estado a punto de decir lo mismo.

—Pedídselo vosotros —repuso Mat—. A mí no me concierne. —Sintió que la mano de Melindhra se tensaba sobre la parte posterior de su cuello, pero no le importó. A buen seguro, Moraine no estaría lejos de Rand, y no estaba dispuesto a meter la cabeza en un segundo cepo cuando todavía intentaba encontrar el modo de escaparse del primero.

Talmanes y Nalesean lo miraron boquiabiertos, como si se hubiese vuelto loco.

—Eres nuestro cabecilla de la batalla —protestó Nalesean—. Nuestro general.

—Mi asistente te limpiará las botas —intervino Talmanes con una sonrisilla que puso buen cuidado en no dirigir al irritado teariano—, y te cepillará y remendará las ropas. Ofrecerás tu mejor aspecto.

Nalesean se dio un tirón de la puntiaguda barba; sus ojos se desviaron fugazmente hacia el otro hombre antes de que pudiera contener el gesto.

—Si me lo permites, te ofrezco una buena chaqueta que creo que es de tu talla. Es de satén dorado y carmesí.

Ahora le tocó al cairhienino torcer el gesto.

—¡General! —exclamó Mat, ayudándose de la lanza para erguirse—. ¡Yo no soy ningún jodido...! Quiero decir, que no deseo usurpar el puesto que le corresponde a otro. —Que dilucidaran ellos a cuál de los dos se refería.

—Así se abrase mi alma —dijo Nalesean—, fue tu diestra dirección en la batalla la que nos hizo vencer y nos mantuvo con vida. Por no mencionar tu suerte. Me he enterado de que siempre sacas la mejor carta, pero es algo más que eso. Te seguiría aunque no conocieses al lord Dragón.

—Eres nuestro líder —se apresuró a intervenir Talmanes con un tono de voz más sobrio aunque igualmente convencido—. Hasta ayer seguí a hombres de otras tierras porque debía hacerlo. A ti te seguiré porque quiero. Puede que no seas un lord en Andor, pero aquí, yo afirmo que lo eres y me tienes a tus órdenes.

Cairhienino y teariano se contemplaron como sorprendidos de haber manifestado en voz alta el mismo sentimiento, y luego, lentamente y de mala gana, intercambiaron unos breves cabeceos de conformidad. Aunque no se tragaran —y de eso se daba cuenta hasta el más necio— en esto estaban de acuerdo. Hasta cierto punto.

—Te enviaré a mi mozo de cuadra para que almohace tu caballo para el desfile —dijo Talmanes y apenas frunció el ceño cuando Nalesean añadió:

—El mío compartirá esa tarea. Tu montura debe tener un aspecto que nos haga enorgullecernos. Y, así me abrase, necesitamos un estandarte. Tu estandarte.

El cairhienino mostró su conformidad a esto último con un rotundo cabeceo.

Mat no sabía si reírse como un loco o sentarse y ponerse a llorar. Aquellos malditos recuerdos. De no ser por ellos, habría seguido su camino, como estaba planeado. De no ser por Rand, nunca habrían entrado en su cabeza. Podía seguirlos paso a paso, cada uno necesario en ese preciso momento y con un propósito en sí mismo, todos ellos conduciendo, inevitablemente, al siguiente. Al principio de todo ello estaba Rand. Y los puñeteros *ta'veren*. No lograba entender cómo el hecho de hacer algo que parecía absolutamente necesario y poniendo el máximo empeño para que resultara casi inofensivo siempre parecía conducirlo más dentro del cenagal. Melindhra había empezado a acariciarle la nuca en lugar de apretársela. Sólo le faltaba que...

Alzó la vista a la colina y allí estaba. Moraine, en su montura de elegante paso, con Lan a su lado, empequeñeciéndola sobre su negro corcel. El Guardián se inclinó hacia ella como para escuchar y pareció que surgía una pequeña discusión entre ambos, una protesta violenta por parte de él, pero al cabo de un momento la Aes Sedai hizo que *Aldieb* volviera grupas y se perdió de vista por la otra ladera. Lan se quedó donde estaba, sobre *Mandarb,* observando el campamento que había al pie de la colina. Vigilando a Mat.

El joven se estremeció. De verdad que la cabeza de Couladin parecía estar sonriéndole directamente a él. Casi podía oír hablar al hombre. *Me habrás matado, pero has metido el pie justo en el cepo. Yo estoy muerto, pero tú nunca estarás libre.*

—Genial. Condenadamente genial —rezongó, y echó un trago del fuerte brandy que le cortó la respiración. Talmanes y Nalesean parecían creer que lo había dicho en serio, y Melindhra rió con complacencia.

Se habían reunido unos cincuenta tearianos y cairhieninos para presenciar la conversación entre los dos lores y él, y su gesto de beber fue como una señal para que empezaran a darle una serenata con una estrofa de su propia cosecha:

> *Tiraremos los dados y que caigan como caigan,*
> *achucharemos a las chicas ya sean bajas o altas,*
> *y luego seguiremos al joven Mat, vaya donde vaya,*
> *a bailar con la Dama de las Sombras que nos aguarda.*

Con una risa resollante e incontenible, Mat se volvió a sentar en el peñasco y se dispuso a vaciar la jarra. Tenía que haber algún modo de escapar de esto. Tenía que haberlo.

Rand abrió los ojos muy despacio y contempló el techo de su tienda. Estaba desnudo bajo la manta. La ausencia de dolor casi fue alarmante, pero se sentía más cansado de lo que recordaba haberlo estado jamás. Y recordaba. Había dicho cosas, pensado cosas que... Se quedó helado. «No puedo dejar que él tome el control. ¡Yo soy yo! ¡Yo!» Tanteó torpemente debajo de la manta y encontró la suave cicatriz redonda en su costado, todavía tierna pero cerrada.

—Moraine Sedai te curó —dijo Aviendha, y Rand se llevó un buen susto.

No la había visto, sentada con las piernas cruzadas sobre las alfombrillas que había junto al hoyo de la lumbre, bebiendo en una copa de plata con leopardos cincelados. Asmodean estaba tendido boca abajo en los cojines, con la barbilla apoyada en los brazos. Ninguno de los dos parecía haber dormido, pues tenían marcadas unas oscuras ojeras.

—No habría tenido que hacerlo —continuó Aviendha con tono frío. Cansada o no, estaba perfectamente peinada y sus ropas aseadas marcaban un brusco contraste con el arrugado atuendo de oscuro terciopelo de Asmodean. De vez en cuando la Aiel daba vueltas al brazalete de marfil con las rosas y espinas talladas que él le había regalado, como si no se diera cuenta de lo que hacía. También lucía el collar de plata de copos de nieve; todavía no le había dicho quién se lo había dado, y cuando comprendió que realmente él quería saberlo pareció hacerle gracia. Desde luego, su expresión ahora no era nada divertida—. Moraine Sedai estaba casi agotada por el esfuerzo de curar a los heridos. *Aan'allein* tuvo que llevarla en brazos a su tienda. Y todo por tu culpa Rand al'Thor, porque curarte acabó con la escasa energía que le quedaba y se desplomó.

—La Aes Sedai ya está de pie —intervino Asmodean mientras reprimía un bostezo. Hizo caso omiso de la acerada mirada que le dirigió la joven Aiel—. Ha venido dos veces desde que salió el sol, aunque dijo que te recuperarías. Me parece que no lo tenía tan claro anoche. Y tampoco yo. —Cogió el arpa y la puso ante sí, pulsó ociosamente las cuerdas y habló con tono indiferente—. Hice cuanto pude por ti, desde luego, ya que mi vida y mi fortuna van unidas a tu persona, pero mis talentos no tienen nada que ver con la Curación, ya me entiendes. —Pulsó unas notas como para ratificar su afirmación—. Tengo entendido que un hombre puede matarse o amansarse haciendo lo que hiciste tú. Ser fuerte en el Poder no sirve de nada si el cuerpo está agotado, y el *Saidin* puede matar fácilmente cuando se está en esas condiciones físicas. O eso es lo que tengo entendido.

—¿Has acabado de compartir tus conocimientos, Jasin Natael? —El tono de Aviendha era aun más frío que antes, y la joven no esperó repuesta antes de volver aquella gélida mirada azul hacia Rand. Por lo visto, la interrupción era también culpa suya—. Un hombre puede actuar como un necio a veces, pero cuanto menos, mejor, y un jefe debe hacerlo incluso menos que un hombre corriente, y un jefe de jefes, menos todavía. No tenías derecho a forzar tu resistencia hasta el borde de la muerte. Egwene y yo intentamos hacer que regresaras con nosotras cuando nos sentimos demasiado exhaustas para continuar, pero no quisiste atender a razones. Puede que seas más fuerte que las dos como Egwene afirma, pero aun así eres de carne y hueso. Y eres el *Car'a'carn*, no un nuevo *Seia Doon* que busca el honor. Tienes *toh,* un deber, para con

689

los Aiel, Rand al'Thor, y no podrás cumplirlo si mueres. No puedes hacerlo todo tú solo.

Durante unos instantes sólo fue capaz de mirarla boquiabierto. ¡Pero si apenas había hecho nada, si había dejado la batalla en manos de otros a todos los efectos mientras que él iba de aquí para allí tratando de ser útil en algo! Ni siquiera había sido capaz de impedir que Sammael atacara donde y como le dio la gana. ¿Y ahora le echaba un rapapolvo porque había hecho demasiado?

—Intentaré recordarlo —dijo al cabo. Aun así, la joven parecía dispuesta a proseguir con la regañina—. ¿Qué noticias hay de los Miagoma y los otros tres clanes? —preguntó, tanto para distraerla hacia otros asuntos como porque tenía interés en saberlo. Rara vez las mujeres se mostraban dispuestas a dejar de machacarlo a uno hasta que lo tenían clavado en el suelo, a no ser que se las distrajera.

Funcionó. Aviendha siempre presumía de lo que sabía, naturalmente, y ponía tanto entusiasmo en instruir como en reprender. La suave melodía de Asmodean —para variar algo agradable, incluso bucólico— puso un extraño fondo a sus palabras.

Los Miagoma, los Shiande, los Daryne y los Codarra estaban acampados a la vista unos de los otros, a unas pocas millas al este. Había un continuo reguero de hombres y Doncellas yendo y viniendo entre los distintos campamentos, incluido el de Rand, pero sólo entre sociedades, e Indirian y los otros jefes no se movían. Sin duda al final se unirían a Rand, pero no hasta que las Sabias hubieran acabado sus conversaciones.

—¿Todavía están hablando? —preguntó Rand—. En nombre de la Luz, ¿qué es lo que tienen que discutir para que les lleve tanto tiempo? Los jefes vienen para seguirme a mí, no a ellas.

La joven le lanzó una de aquellas miradas impasibles que no tenían nada que envidiar a las de Moraine.

—Lo que hablen las Sabias sólo les incumbe a ellas, Rand al'Thor. —Como si hiciera una concesión añadió, vacilante—: Egwene podría contarte algo, pero cuando hayan terminado. —Su tono daba a entender que Egwene muy bien podría no decírselo tampoco.

Se resistió a los intentos de Rand de que le contara algo más y él acabó dándose por vencido. Había tantas posibilidades de que lo descubriera antes de que lo mordiera como que no, pero en cualquier caso no iba a sacarle una sola palabra que ella no quisiera decir. Las Sabias no se quedaban atrás con respecto a las Aes Sedai en cuanto a guardar secretos y rodearse de misterio. Aviendha estaba aprendiendo muy bien esa lección en particular.

La presencia de Egwene en la reunión de las Sabias lo sorprendió, como también la ausencia de Moraine —Rand habría esperado que la Aes Sedai estuviera metida en el ajo, tirando de las cuerdas a favor de sus planes—, pero resultó que lo uno estaba relacionado con lo otro. Las Sabias recién llegadas habían querido hablar con una de las Aes Sedai que seguían al *Car'a'carn*, y aunque Moraine ya estaba en pie y recuperada de la Curación que le había practicado, adujo que no disponía de tiempo, de modo que habían sacado de sus mantas a Egwene para que la reemplazara.

Aquello hizo que Aviendha se riera. La joven Aiel estaba fuera cuando Sorilea y Bair sacaron prácticamente a rastras a Egwene de la tienda, intentando vestirla mientras la llevaban casi en volandas.

—Le grité que esta vez tendría que excavar agujeros con los dientes si la habían pillado en algún renuncio, y estaba tan adormilada que me creyó. Empezó a protestar con tanto ardor que no pensaba hacerlo que Sorilea empezó a preguntarle qué era lo que había hecho para pensar que merecía el castigo. Tendrías que haber visto la cara de Egwene. —Se echó a reír con tantas ganas que casi se cae.

De hecho, Asmodean la miró con prevención aunque, considerando quién y qué era él, Rand no entendía por qué lo hacía; sin embargo, Rand se limitó a esperara que remitiera su estallido de jolgorio y recobrara el aliento. Teniendo en cuenta el humor Aiel, no era una broma pesada. Más bien era de la clase que podría esperarse de Mat, no de una mujer; pero, aun así, seguía siendo ligera. Cuando por fin la muchacha se irguió, enjugándose los ojos, Rand preguntó:

—¿Qué pasa con los Shaido? ¿O también están sus Sabias en el cónclave?

Aviendha le contestó todavía entre risitas contenidas y sorbiendo vino; consideraba acabados a los Shaido, ni siquiera merecedores de ser tenidos en cuenta. Se habían hecho miles de prisioneros, y aún seguían llegando más en número reducido; la batalla había cesado excepto en alguna pequeña escaramuza que otra. Empero, cuanta más información le daba, menos le parecía a Rand que el clan estuviera acabado. Debido a que los otros cuatro clanes habían tenido ocupado a Han, el grueso de las fuerzas de Couladin había cruzado el Gaelin de manera ordenada, incluso llevándose consigo a los prisioneros cairhieninos que habían capturado. Y, lo que era peor, habían destruido los puentes de piedra una vez que los cruzaron.

Aquello no le concernía a Aviendha, pero sí a él. Diez mil Shaido al norte del río, sin modo de llegar a ellos hasta que se reemplazaran los puentes, e incluso construir unas pasarelas de madera llevaría bastante tiempo. Un tiempo del que no disponía.

Al final, cuando parecía que ya estaba dicho todo sobre los Shaido, la Aiel le habló de algo que le hizo olvidar sus preocupaciones por este clan y los problemas que pudiera ocasionar. Aviendha lo dejó caer, como si se hubiese olvidado de mencionarlo.

—¿Que Mat mató a Couladin? —repitió Rand con incredulidad—. ¿Mat?

—¿No es lo que acabo de decirte? —Su tono era cortante, pero falto de entusiasmo. Por su forma de mirarlo por encima del borde de la copa habríase dicho que estaba más interesada en cómo tomaría él la noticia que en si ponía en duda sus palabras.

Asmodean tocó unas cuantas notas marciales; el arpa parecía el eco de tambores y trompetas.

—En ciertos aspectos, es un joven que guarda tantas sorpresas como tú —comentó—. De verdad que estoy deseando conocer al tercero del grupo, al tal Perrin.

Rand sacudió la cabeza. Así que Mat no había escapado del tirón de *ta'veren* a *t'averen* después de todo. O quizás era que el Entramado lo había atrapado en sus hilos por ser él mismo *ta'veren*. Se debiera a lo uno o a lo otro, Rand sospechaba que su amigo no debía de sentirse muy feliz en este momento. Mat no había aprendido la lección que él sabía tan bien: intenta huir, y el Entramado te hará volver, a menudo con pocas contemplaciones; muévete en la dirección en que la Rueda te teje, y a veces te las arreglas para tener un poco de control sobre tu propia vida. A veces. Con suerte, tal vez más de las que nadie esperaría, al menos en lo referente a largo trecho. Empero había cosas más urgentes de las que ocuparse que Mat o los Shaido.

Una ojeada a la entrada le mostró que el sol había salido hacía muchas horas, aunque lo único que alcanzaba a ver eran dos Doncellas sentadas en cuclillas, con las lanzas cruzadas sobre las rodillas. Había estado inconsciente toda una noche y gran parte de la mañana, pero o Sammael no había intentado encontrarlo o había fracasado en su propósito.

Debía tener cuidado con utilizar ese nombre, incluso para sus adentros, aunque ahora había otro que flotaba en el límite de su mente: Tel Janin Aellinsar. Ningún relato de la historia mencionaba ese nombre ni había referencia en la biblioteca de Tar Valon; Moraine le había contado todo lo que las Aes Sedai sabían sobre los Renegados, y era poco más que lo que se relataba en los cuentos de los pueblos. Incluso Asmodean le había llamado siempre Sammael, aunque por razones diferentes. Mucho antes de que acabara la Guerra de la Sombra, los Renegados habían adoptado los nombres que los hombres les habían puesto, como símbolos de su renacimiento en la Sombra. El verdadero de Asmodean —Joar

Addam Nessosin— hacía que el hombre se encogiera, y afirmaba que había olvidado los de los otros en el transcurso de tres milenios.

Quizá no había una verdadera razón para ocultar lo que rumiaba para sus adentros —tal vez no era más que un deseo de no querer ver la realidad— pero Sammael, el hombre, permanecería. Y como Sammael pagaría con creces por cada Doncella que había matado. Las que él había sido incapaz de mantener a salvo.

Incluso cuando todavía tomaba esta resolución, hizo una mueca. Él había dado pie a aquello al enviar a Weiramon de regreso a Tear —hasta el momento, sólo Weiramon y él, la Luz lo quisiera, sabían la importancia de esta decisión—, pero no podía perseguir a Sammael por mucho que lo deseara y a pesar de lo que urase. Todavía no. Había asuntos de los que ocuparse primero aquí, en Cairhien. Puede que Aviendha creyese que él no entendía de ji e'toh, y tal vez tuviera razón, pero sí entendía de deber y tenía uno con Cairhien. Además, había formas de ir tras Weiramon para reforzar su misión.

Se sentó, procurando no poner de manifiesto lo mucho que le costaba, se tapó tan decentemente como se lo permitía la manta y se preguntó dónde estarían sus ropas; sólo veía las botas, detrás de Aviendha. Probablemente ella lo sabía. Posiblemente habían sido gai'shain quienes lo habían desnudado, pero también podía haberlo hecho ella misma.

—Tengo que ir a la ciudad. Natael, haz que ensillen a Jeade'en y lo traigan aquí.

—Quizá mañana —le dijo firmemente Aviendha mientras agarraba a Asmodean por la manga cuando éste empezaba a levantarse—. Moraine Sedai dijo que te hacía falta descansar durante...

—Hoy, Aviendha. Ahora. Ignoro por qué no está Meilan aquí, si es que sigue vivo, pero me propongo averiguarlo. Natael, mi caballo.

La joven adoptó una expresión obstinada, pero Asmodean se soltó de un tirón.

—Meilan estuvo aquí —informó mientras se alisaba la manga de terciopelo—, con otros.

—No había que contarle que... —empezó, furiosa, Aviendha, que luego apretó los labios antes de acabar—. Necesita descansar.

Así que las Sabias pensaban que podían ocultarle ciertas cosas. Bueno, pues no estaba tan débil como se imaginaban. Intentó ponerse de pie, manteniendo ceñida la manta, pero en lugar de ello rebulló en el sitio cuando las piernas se negaron a obedecerlo. Quizá sí que estaba tan débil como pensaban. Pero no iba a permitir que tal cosa lo detuviera.

—Ya descansaré cuando esté muerto —manifestó, y al momento deseó no haberlo dicho cuando la vio encogerse como si la hubiese abofeteado. No, Aviendha no se habría encogido por un golpe. El que conservara la vida era importante para ella por el bien de los Aiel, y cualquier cosa que significara una amenaza para tal fin le haría más daño que un puñetazo—. Cuéntame qué quería Meilan, Natael.

Aviendha se sumió en un obstinado silencio, aunque, si las miradas surtieran efecto, Asmodean se habría quedado mudo.

Un jinete había llegado durante la noche, enviado por Meilan como portador de alabanzas y afirmaciones de eterna lealtad. Al amanecer, el propio Meilan apareció en el campamento con otros seis Grandes Señores de Tear que estaban en la ciudad, así como una pequeña hueste de soldados tearianos que toqueteaban las empuñaduras de sus espadas y aferraban las astas de sus lanzas como si esperaran tener que luchar en cualquier momento contra los Aiel que habían presenciado en silencio su entrada en el campamento.

—Y faltó poco —comentó Asmodean—. El tal Meilan no es de los que admiten bien que se les lleve la contraria, a mi modo de ver, y los otros no le andan muy a la zaga. En especial el de facciones toscas como un terrón reseco... ¿Torean? y el tal Simaan. Ése tiene unos ojos tan afilados como su nariz. Sabes que estoy acostumbrado a compañías peligrosas, pero, a su modo, estos hombres lo son tanto como cualquiera de los que conozco.

Aviendha aspiró ruidosamente el aire por la nariz.

—Estén acostumbrados a lo que estén, no tenían la menor oportunidad con Sorilea, Amys, Bair y Melaine por un lado, y Sulin con un millar de *Far Dareis Mai* por el otro. Y también había algunos Perros de Piedra —admitió—, y unos cuantos Buscadores de Agua y también unos pocos Escudos Rojos. Si de verdad sirves al *Car'a'carn* como afirmas, Jasin Natael, deberías velar por su descanso como lo hacen ellos.

—Es al Dragón Renacido a quien sirvo, jovencita. El *Car'a'carn* os lo dejo a vosotros.

—Vamos, Natael, continúa —instó Rand con impaciencia, por lo que se ganó otro resoplido de la Aiel.

Aviendha estaba en lo cierto en cuanto a que los tearianos no habrían tenido la menor oportunidad en un enfrentamiento con los Aiel, aunque probablemente el que las Doncellas y otros toquetearan sus velos debió de impresionarlos más que la presencia de las Sabias. Sea como fuere, incluso Aracome, un hombre canoso y esbelto con un temperamento flemático, estaba a punto de estallar en cólera cuando hicieron volver grupas a sus corceles, y Gueyam, calvo como un canto de río y corpulento como un herrero, estaba lívido de rabia. Asmodean no sabía de seguro si había sido la certeza de saberse superados por los Aiel lo que los había hecho desistir de desenvainar las espadas o el ser conscientes de que, si de algún modo conseguían abrirse paso hasta Rand, era improbable que éste les diera la bienvenida llevando las armas tintas con la sangre de sus aliados.

—A Meilan los ojos se le salían de las órbitas —terminó Asmodean—. Pero antes de marcharse manifestó a voz en grito su lealtad y fidelidad hacia ti. Tal vez pensó que podrías oírlo. Los otros se hicieron eco de sus palabras de inmediato, aunque Meilan añadió algo que hizo que lo miraran de hito en hito: «Entrego Cairhien al lord Dragón como un presente», manifestó. Luego anunció que prepararía una ceremonia triunfal para cuando estuvieses en condiciones de entrar en la ciudad.

—Hay un dicho en Dos Ríos —comentó secamente Rand—: «Cuanto más alta sea la voz de un hombre proclamando su honradez, más fuerte debes sujetar tu bolsa de dinero». Y hay otro que dice: «A menudo el zorro ofrece darles a los patos su propio estanque». —Cairhien era suyo sin que Meilan se lo regalara.

Sabía muy bien hasta dónde llegaba la lealtad del hombre: duraría mientras Meilan creyera que pagaría las consecuencias si lo sorprendían traicionándolo. Si lo sorprendían; ése era el quid. Aquellos siete Grandes Señores que estaban en Cairhien habían sido los que con más asiduidad habían intentado asesinarlo en Tear. Tal era la razón por la que los había enviado allí. Si hubiese ejecutado a todos los nobles tearianos que conspiraban contra él, probablemente no habría quedado ninguno vivo. En aquel momento, encomendarles la tarea de ocuparse de la anarquía, la hambruna y una guerra civil localizadas a mil millas de Tear le pareció un buen modo de poner trabas a sus intrigas al tiempo que llevaban a cabo algo positivo allí donde hacía falta. Claro que por aquel entonces ignoraba la existencia de Couladin y que éste lo conduciría a Cairhien.

«Esto sería más fácil si fuese un relato épico», pensó. En los relatos sólo había tantos imprevistos cuando el héroe sabía cuanto era necesario; él, por el contrario, únicamente parecía saber una cuarta parte de todo.

Asmodean vaciló —el viejo dicho de hombres clamando a voces su lealtad podía aplicársele a él también, y sin duda era consciente de ello— pero, al ver que Rand no decía nada, añadió:

—Creo que desea proclamarse rey de Cairhien. Supeditado a ti, por supuesto.

—Y preferiblemente teniéndome muy lejos. —A buen seguro que Meilan esperaba que él regresase a Tear, y a *Callandor*. Ciertamente al Gran Señor no le asustaría nunca tener mucho poder.

—En efecto. —El tono de Asmodean sonó incluso más seco que el de Rand—. Hubo otra visita entre esas dos. —Había acudido una docena de lores y ladis cairhieninos, sin escoltas, cubiertos con capas y embozos a pesar del calor reinante. Saltaba a la vista que sabían que los Aiel despreciaban a Cairhien, sentimiento que era correspondido al ciento por ciento, pero los ponía tan nerviosos el que Meilan descubriese que habían venido como que los Aiel decidiesen matarlos—. Cuando me vieron —dijo, torciendo el gesto—, la mitad de ellos parecieron dispuestos a matarme por miedo de que fuese teariano. Tienes que agradecer a las *Far Dareis Mai* el que todavía cuentes con un bardo.

A pesar de los pocos que eran, había costado más trabajo hacerles dar media vuelta a los cairhieninos que a Meilan; y, aunque sudaban más copiosamente y se ponían más lívidos de minuto en minuto, insistieron obstinadamente en que querían ver al lord Dragón. La medida de su ansiedad la dieron cuando finalmente se rebajaron a suplicar sin rebozo. Asmodean podría pensar que los Aiel tenían un sentido del humor extraño o rudo, pero no pudo evitar reírse a costa de los nobles, con sus chaquetas de seda y sus vestidos de amazonas intentando pasar inadvertidos mientras se arrodillaban para coger las faldas de lana de las Sabias.

—Sorilea los amenazó con hacerlos regresar a la ciudad desnudos y azotados. —Su queda risita se tornó en un gesto de incredulidad—. Incluso lo discutieron entre ellos. Creo que si tal cosa hubiese sido la condición para poder llegar hasta ti, algunos lo habrían aceptado.

—Sorilea tendría que haberlo hecho —convino sorprendentemente Aviendha—. Los quebrantadores de juramentos no tienen honor. Al menos Melaine y las Doncellas los echaron en las sillas de los caballos como si fueran sacos y azuzaron a los animales, que salieron a galope del campamento, con los quebrantadores de juramentos sujetándose como buenamente podían.

—Sí —asintió Asmodean—. Pero, antes, dos de ellos, lord Dobraine y lady Colavaere, hablaron conmigo una vez que estuvieron seguros de que no era un espía teariano. Disimularon el sentido de sus palabras bajo tantas insinuaciones e indirectas que no estoy seguro de lo que querían exactamente, pero no me sorprendería que su intención fuese ofrecerte el Trono del Sol. Son tan sibilinos que podrían sostener una conversación con... ciertas personas con las que solía relacionarme.

Rand soltó una risotada.

—Y tal vez lo hagan, si ven posibilidad de alcanzar el trato en los mismos términos que Meilan. —No era necesario que Moraine le dijese que los cairhieninos practicaban el Juego de las Casas hasta en sueños ni que Asmodean apuntara que lo intentarían con los Renegados. Los

Grandes Señores a la izquierda y los cairhieninos a la derecha. Una batalla recién terminada y otra, de un tipo diferente pero no por ello menos peligrosa, que empezaba.

»En cualquier caso, tengo intención de poner en el Trono del Sol a alguien que tenga derecho a él. —Pasó por alto la expresión especulativa que traslucía el semblante de Asmodean; a lo mejor el hombre lo había ayudado anoche y a lo mejor, no, pero no se fiaba de él lo bastante para hacerlo participe de sus planes. Por mucho que el futuro de Asmodean estuviese unido al suyo, su lealtad estaba basada en una necesidad perentoria, y seguía siendo el mismo hombre que antaño había elegido entregar su alma a la Sombra.

»Así que Meilan se propone ofrecerme una entrada triunfal cuando esté listo, no? Entonces tanto mejor si me presento allí antes de lo que espera para descubrir cómo están las cosas realmente. —De pronto se le ocurrió la razón de que Aviendha se estuviese mostrando tan agradable y tan bien dispuesta a ayudar a que la conversación prosiguiera. Mientras continuara allí, sentado y hablando, estaba haciendo exactamente lo que ella pretendía—. ¿Vas a buscarme el caballo, Natael, o tendré que ir yo personalmente?

La reverencia de Asmodean fue marcada, ceremoniosa y, en apariencia al menos, sincera.

—Estoy al servicio del lord Dragón.

697

46

OTRAS BATALLAS, OTRAS ARMAS

Rand, ceñudo, siguió con la mirada a Asmodean mientras se preguntaba hasta dónde podía confiar en ese hombre; estaba tan absorto que se sobresaltó cuando Aviendha soltó la copa bruscamente, derramando el vino en las alfombrillas. Los Aiel no desperdiciaban ningún líquido que pudiera beberse, no sólo el agua.

La joven miró la mancha del vino derramado, al parecer tan sobresaltada como él; pero fue una reacción momentánea, ya que un instante después se ponía en jarras, a pesar de estar sentada, y le asestaba una mirada iracunda.

—Así que el *Car'a'carn* entrará en la ciudad cuando apenas se sostiene sentado, ¿no? Dije que el *Car'a'carn* debía ser más que un hombre corriente, pero ignoraba que fuera más que un simple mortal.

—¿Dónde están mis ropas, Aviendha?

—¡Eres de carne y hueso, no de hierro!

—¿Y mis ropas?

—No olvides tu deber, Rand al'Thor. Si yo puedo recordar el *ji'e'-toh,* tú también puedes. —Aquello sonaba extraño; el sol saldría a medianoche antes que la Aiel olvidara el menor retazo del *ji'e'toh.*

—Si no cambias de actitud, empezaré a pensar que te preocupas por mí —apuntó él con una sonrisa.

Lo dijo como una broma —sólo había dos modos de tratar con ella, o bromeando o simplemente no haciéndole caso; discutir era un error fatal—, y además era suave si se tenía en cuenta que habían pasado una noche el uno en los brazos del otro, pero los ojos de la Aiel se abrieron mucho en un gesto ultrajado y se tiró del brazalete de marfil como si fuera a quitárselo y a arrojárselo.

—El *Car'a'carn* está tan por encima de los pobres mortales que no necesita ropas —escupió—. ¡Si el *Car'a'carn* desea marcharse, que lo haga desnudo! ¿Es que tengo que traer a Sorilea y a Bair? ¿O tal vez a Enaila y a Somara y a Lamelle?

Rand se puso envarado. De todas las Doncellas que lo habían tratado como a un hijo de diez años perdido hacía mucho tiempo, Aviendha había nombrado a las tres peores. Lamelle incluso le llevaba sopa; la mujer no tenía ni puñetera idea de cocinar, ¡pero se empeñaba en prepararle sopa!

—Trae a quien quieras —le respondió en un tono impasible y tenso—, pero soy el *Car'a'carn*, y voy a ir a la ciudad. —Con suerte, encontraría sus ropas antes de que hubiese regresado. Somara era casi tan alta como él y, en ese momento, seguramente más fuerte. El Poder Único no contaba, ya que sería incapaz de abrazar el *Saidin* aunque el propio Sammael apareciese ante él, cuanto menos mantenerlo aferrado y utilizarlo.

La joven le sostuvo la mirada unos largos segundos y después recogió bruscamente la copa con las tallas de leopardos y volvió a llenarla con una jarra de plata batida.

—Si eres capaz de encontrar tus ropas y ponértelas sin desplomarte, puedes irte —manifestó calmosamente—. Pero te acompañaré, y, si te sientes demasiado débil para seguir adelante, regresarás aquí aunque para ello Somara tenga que cogerte en brazos.

Rand la observó mientras se recostaba sobre un codo, se arreglaba las faldas con todo cuidado y empezaba a beber vino. Si le mencionara otra vez lo de casarse, a buen seguro que le soltaría otro tremendo bofetón, pero en ciertos aspectos se comportaba como si estuviesen casados. En la parte peor de un matrimonio, al menos. En la que, a su modo de ver, no se diferenciaba ni el canto de un céntimo con el trato que le daban Enaila o Lamelle en sus peores momentos.

Mascullando entre dientes, se ciñó la manta y se arrastró entre la joven y el hoyo de la lumbre para coger sus botas. Dentro había unos calcetines limpios doblados, pero eso era todo. Podría llamar a los *gai'-shain*. Sí, y de ese modo todo el campamento estaría al tanto de lo que pasaba. Por no mencionar la posibilidad de que las Doncellas tomasen cartas en el asunto después de todo; entonces la cuestión se ceñiría a si él era el *Car'a'carn,* al que había que obedecer, o simplemente Rand al'-Thor, un hombre más a sus ojos. Una alfombrilla enrollada al fondo de la tienda atrajo su mirada; las alfombrillas siempre estaban extendidas. Dentro encontró su espada, con el cinturón de la hebilla del dragón envuelto en la vaina.

Musitando para sí, con los ojos entrecerrados, como si estuviese medio dormida, Aviendha lo observó mientras buscaba.

—Ya no necesitas... eso. —Pronunció la palabra con tanto desprecio que nadie habría dicho que la espada se la había regalado ella.

—¿A qué te refieres? —En la tienda sólo había unos pocos arcones de latón o taraceados con nácar o, en un único caso, forrado con pan de oro. Los Aiel preferían guardar las cosas en bultos. En ninguno de ellos estaban sus ropas. El arcón dorado, con dibujos de animales desconocidos, contenía bolsas de cuero cerradas prietamente que desprendieron olor a especias cuando levantó la tapa.

—Couladin está muerto, Rand al'Thor.

Se detuvo, sobresaltado, y la miró de hito en hito.

—¿De qué hablas? —¿Se lo habría contado Lan? Nadie más lo sabía. Pero ¿por qué?

—No me lo dijo nadie, si es eso lo que estás pensando. Ahora te conozco, Rand al'Thor. Y te conozco un poco más cada día.

—Ni siquiera se me pasó por la cabeza —gruñó—. Nadie puede haberte dicho nada porque no hay nada que decir. —Irritado, aferró bruscamente la espada envainada y la llevó con torpeza debajo del brazo mientras seguía buscando. Aviendha continuó dando sorbitos al vino, y Rand sospechó que lo hacía para ocultar una sonrisa.

Fantástico. Los Grandes Señores de Tear sudaban cuando Rand al'-Thor los miraba, y los cairhieninos quizá le ofrecieran el trono. El mayor ejército Aiel que jamás viera el mundo había cruzado la Pared del Dragón al mando del *Car'a'carn,* el jefe de jefes. Las naciones temblaban al oír mencionar al Dragón Renacido. ¡Las naciones! Y ahora resultaba que si no encontraba sus ropas tendría que quedarse sentado hasta que un montón de mujeres, que creían que sabían más de todo que él, le dieran permiso para salir de una tienda.

Por fin las encontró cuando reparó en un puño de manga, bordado en oro, que asomaba por debajo de Aviendha. ¡Había estado sentada encima todo el tiempo! La joven gruñó cuando le dijo que se moviera, pero se quitó. Después de insistirle.

Como era habitual, lo observó mientras se afeitaba y se vestía, y encauzó para calentarle el agua sin hacer ningún comentario —y sin que él

se lo hubiese pedido— después de que se hubiese cortado por tercera vez al tiempo que rezongaba algo sobre el agua fría. A decir verdad,
esta vez su incomodidad por sentirse observado se debía tanto a que la
joven podría advertir su inestabilidad como a otros motivos. «Uno acaba acostumbrándose a todo si dura mucho», pensó con ironía.

—A Elayne no le importará si te miro, Rand al'Thor —dijo ella, in-
terpretando mal su gesto de sacudir la cabeza.

Dejó de abrocharse las lazadas del cuello de la camisa y la miró fijamente.

—¿De verdad lo crees?

—Por supuesto. Tú le perteneces, pero no posee la exclusiva de mi-
rarte.

Riendo para sus adentros, Rand continuó anudando las lazadas. Estaba bien que se le recordara que su recién desvelado misterio ocultaba
más ignorancia que ninguna otra cosa. No pudo menos que sonreír con
engreimiento mientras acababa de vestirse, abrochar el cinturón de la espada y coger el fragmento de lanza seanchan. Esto último hizo que su
sonrisa se tornara lúgubre. Al principio la llevaba simplemente como un
recordatorio de que los seanchan estaban en el mundo, pero ahora le servía para recordarle todas las cosas con las que tenía que habérselas y hacer
juegos malabares con ellas: cairhieninos y tearianos; Sammael y los demás Renegados; los Shaido y las naciones que todavía no lo conocían,
pero que tendrían que conocerlo antes del Tarmon Gai'don. Entendérselas con Aviendha resultaba realmente sencillo comparado con eso.

Las Doncellas se incorporaron de un brinco cuando salió de la tienda rápidamente para ocultar la inestabilidad de sus piernas. No las tenía
todas consigo de si sería capaz de salir airoso de la prueba. Aviendha se
mantuvo a su lado no sólo como si fuera a sujetarlo si se desplomaba,
sino como si estuviese convencida de que le iba a ocurrir tal cosa. No
ayudó precisamente a mejorar su humor el hecho de que Sulin, que todavía llevaba el vendaje en la cabeza, le dirigiese una mirada interrogante a Aviendha —¡a Aviendha, no a él!— y esperara a que la muchacha
asintiera antes de ordenar a las Doncellas que se prepararan para ponerse en marcha.

Asmodean llegó trotando cuesta arriba en su mula y conduciendo
por las riendas a *Jeade'en*. De algún modo se las había ingeniado para
encontrar tiempo de ponerse ropas limpias, todas de seda en color verde
oscuro; y con montones de puntillas, naturalmente. El arpa dorada colgaba a su espalda, pero ya había renunciado a la capa de juglar, y tampoco llevaba el estandarte carmesí con el ancestral símbolo de los Aes
Sedai. Esa función recaía ahora en un refugiado cairhienino llamado

Pevin, un tipo de gesto impasible vestido con una chaqueta de campesino remendada y hecha de un basto paño de lana de color gris oscuro, que venía montado en una mula castaña a la que debían de haber cogido en un pastizal donde descansaba después de muchos años de tirar de algún carro. Una larga cicatriz, todavía roja, le surcaba un lado del estrecho rostro, desde el nacimiento del cabello, que empezaba a escasear, hasta la mandíbula.

Pevin había perdido a su esposa y a su hermana por causa de la hambruna, y a su hermano y a un hijo por la guerra civil. No tenía idea de a qué casa pertenecían los hombres que los mataron o a quién apoyaban ellos para el Trono del Sol. Huir hacia Andor le había costado otro hijo a manos de soldados andoreños y un segundo hermano a manos de los bandidos, y regresar le había costado el último hijo, muerto por una lanza de los Shaido, y también su hija, a quien se la llevaron mientras que a Pevin lo dejaban dándolo por muerto. El hombre rara vez hablaba, pero, por lo que Rand podía sacar en conclusión, sus convicciones habían sido aventadas como el trigo y se habían reducido a tres: el Dragón había renacido, la Última Batalla se aproximaba, y, si se quedaba cerca de Rand al'Thor, se ocuparía de vengar a su familia antes de que el mundo fuera destruido. El mundo acabaría, sí, pero no importaba; nada importaba mientras él viera cumplida su venganza. Hizo una reverencia a Rand en silencio desde lo alto de la mula cuando ésta coronó la pendiente. Su rostro era totalmente inexpresivo, pero mantenía el estandarte recto y firme.

Rand montó a *Jeade'en* y aupó a Aviendha para montarla detrás de él, sin dejar que se apoyara en el estribo sólo para demostrarle que podía hacerlo, y taloneó al rodado para que emprendiera la marcha antes de que la joven se hubiese acomodado en la grupa. Aviendha ciñó los brazos en torno a su cintura rápidamente y rezongó algo sin bajar demasiado la voz, de modo que él oyó unas cuantas puntadas más sobre la opinión que tenía de Rand al'Thor y también del *Car'a'carn*. Empero, no hizo intención de soltarse, cosa que él agradeció. No sólo era agradable tenerla apretada contra la espalda, sino que también era bienvenido el punto de apoyo que le daba. Cuando la tenía aupada a mitad de camino de la silla, no estuvo seguro de si conseguiría subirla del todo o sería él el que acabaría cayendo. Confiaba en que ella no lo hubiese notado. Y confiaba en que no fuera ésa la razón por la que lo sujetaba tan prietamente.

El estandarte carmesí con el gran símbolo blanco y negro ondeaba tras Pevin mientras bajaban la colina en zigzag y avanzaban por los sinuosos valles. Como siempre, los Aiel apenas prestaron atención al grupo mientras pasaba, aunque el estandarte señalaba su presencia tanto como el anillo de escolta de varios centenares de *Far Dareis Mai,* que mantenían fácilmente el paso de *Jeade'en* y las mulas. Los Aiel continuaron con sus ocupaciones entre las tiendas que cubrían las laderas, como mucho levantando brevemente la vista al oír el ruido de los cascos.

Lo había sorprendido la noticia de que se habían tomado casi veinte mil prisioneros entre los seguidores de Couladin —hasta que salió de Dos Ríos nunca había creído que hubiese tanta gente en un solo sitio—, pero verlos fue un impacto mucho mayor. En grupos de cuarenta o cincuenta, salpicaban las laderas de las colinas como una plantación de coles, sentados en el suelo, desnudos hombres y mujeres por igual, cada grupo sólo bajo la vigilancia de un *gai'shain* si es que había alguien. Ciertamente, nadie les prestaba mucha atención, aunque de vez en cuando un hombre o una mujer vestido con *cadin'sor* se acercaba a uno de los grupos y enviaba a un hombre o a una mujer con algún encargo. Quienquiera que fuese elegido salía corriendo, sin vigilantes, y Rand vio a varios que regresaban para ocupar de nuevo su sitio. En cuanto al resto, se limitaban a permanecer sentados en silencio, casi con aire aburrido, como si no tuviesen razón para estar en cualquier otra parte ni deseos de estarlo.

En estas circunstancias habrían podido ponerse las ropas de *gai'shain*. No obstante, Rand no pudo evitar recordar la facilidad con que esta misma gente había violado ya sus propias costumbres y leyes. Era Couladin quien había empezado a violarlas u ordenarles que lo hicieran, pero ellos lo habían seguido y obedecido.

Frunció el entrecejo al observar a los prisioneros —veinte mil y aún faltaban por llegar más; desde luego él jamás se fiaría de que ninguno de ellos cumpliera con el compromiso como *gai'shain*— y le costó unos segundos reparar en algo chocante en los otros Aiel. Las Doncellas y los guerreros que manejaban las lanzas nunca llevaban en la cabeza nada excepto el *shoufa,* y jamás de un color que no se confundiera con el entorno, pero ahora veía hombres con estrechas cintas escarlatas ceñidas a la frente. Calculó que uno de cada cuatro o cinco llevaba esa cinta de tela ceñida a las sienes, con un disco bordado o pintado encima del entrecejo en el que se unían dos lágrimas, negra y blanca. Y tal vez lo más raro de todo era que los *gai'shain* también la llevaban; la mayoría iba con la capucha echada, pero todos los que tenían la cabeza descubierta llevaban puesta una. Y los *algai'd'siswai,* vestidos con el *cadin'sor,* veían tal cosa y no hacían nada al respecto, llevaran o no la banda. Los *gai'shain* jamás podían ponerse nada que formara parte del atuendo de los que podían tocar las armas. Nunca.

—No lo sé —fue la escueta respuesta de Aviendha cuando le preguntó qué significaba aquello. Rand trató de sentarse más erguido; en verdad parecía estar sujetándolo más estrechamente de lo necesario—. Bair me amenazó con darme una buena tunda si volvía a mencionarlo, y Sorilea me atizó un golpe en los hombros con un palo, pero creo que son los que dicen llamarse *siswai'aman*.

Rand abrió la boca para inquirir cuál era el significado de ese término —sabía unas cuantas palabras de la Antigua Lengua, nada más— cuando la interpretación afloró a su mente por sí misma. *Siswai'aman*, literalmente, «la lanza del Dragón».

—A veces —rió Asmodean— es difícil apreciar la diferencia entre uno mismo y el enemigo. Ellos quieren poseer el mundo, pero por lo visto tú ya posees tu propio pueblo.

Rand volvió la cabeza hacia él y lo miró fijamente hasta que se borró todo rastro de alborozo en el hombre, quien se encogió de hombros con nerviosismo y dejó que su mula se quedara más atrás, junto a Pevin y el estandarte. El problema radicaba en que el significado apuntaba —más que apuntar— posesión; eso también procedía de los recuerdos de Therin. Parecía algo imposible poseer personas; pero, si era posible, él no quería ser su dueño. «Lo único que quiero es utilizarlos», pensó con amargo sarcasmo.

—Por lo que veo tú no lo crees —dijo por encima del hombro a Aviendha. Ninguna de las Doncellas se había puesto la condenada cinta.

La joven vaciló antes de responder.

—No sé qué creer. —Habló tan bajo como antes, pero a pesar de ello su tono sonaba irritado e inseguro—. Hay muchas creencias, y las Sabias guardan silencio a menudo, como si ignorasen la verdad. Algunos afirman que siguiéndote expiamos el pecado de nuestros antepasados por... por fallarles a las Aes Sedai.

Su voz entrecortada lo impresionó; nunca se había planteado que a Aviendha le preocupara tanto como a cualquier otro Aiel lo que les había revelado sobre su pasado. Avergonzar sería un término más adecuado que preocupar; la vergüenza era una parte importante del *ji'e'toh*. Se avergonzaban de lo que habían sido —seguidores de la Filosofía de la Hoja— y al mismo tiempo se avergonzaban de haber abandonado su compromiso con ella.

—A estas alturas hay demasiados que han oído versiones de una parte de la Profecía de Rhuidean —continuó la joven con un timbre más controlado, como si ella no hubiese ignorado por completo la existencia de la dichosa profecía antes de iniciar su preparación para convertirse en Sabia—, pero están tergiversadas. Saben que nos destruirás... —Su supuesto control flaqueó lo que tardó en hacer una profunda inhalación—. Pero muchos creen que nos matarás a todos en interminables danzas con las lanzas, como un sacrificio para expiar el pecado. Otros creen que el marasmo en sí es una prueba, una criba para apartar a todos los que no sean lo bastante duros antes de la Última Batalla. Incluso he oído decir a algunos que los Aiel son ahora tu sueño, y que cuando despiertes de esta vida dejaremos de existir.

Una sombría serie de creencias, aquélla. Mal asunto haberles revelado un pasado que veían vergonzante. Era un milagro que no lo hubiesen abandonado todos. O que no se hubieran vuelto locos.

—¿Y qué es lo que piensan la Sabias? —preguntó en un tono tan quedo como el de ella.

—Que lo que ha de ser, será. Salvaremos lo que pueda salvarse, Rand al'Thor. No esperamos hacer nada más.

Esperamos. Se incluía entre las Sabias, igual que Egwene y Elayne se incluían entre las Aes Sedai.

—Bien —repuso con tono ligero—, imagino que Sorilea cree que como poco habría que darme de bofetadas. Y probablemente Bair lo piensa también. Y ni que decir tiene que Melaine.

—Entre otras cosas —masculló. Con gran decepción de Rand la muchacha se separó de él, aunque se mantuvo agarrada a la chaqueta—. Piensan muchas cosas que me gustaría que no pensaran.

Rand sonrió a despecho de sí mismo. Así que Aviendha no creía que necesitara unos buenos bofetones. La primera cosa agradable desde que se había despertado.

Las carretas de Hadnan Kadere se encontraban a una milla de su tienda, colocadas en un círculo en una amplia depresión entre dos colinas, donde los Perros de Piedra montaban guardia. El Amigo Siniestro llevaba una chaqueta de color cremoso, y alzó la vista mientras se enjugaba el sudor con el inevitable pañuelo grande cuando Rand pasó por allí con su estandarte y su escolta de corredoras. Moraine estaba con él, examinando la carreta donde el umbral *ter'angreal* iba atado y cubierto con lonas detrás del pescante. Ni siquiera volvió la vista hasta que Kadere le dijo algo; era obvio que éste le estaba sugiriendo que quizá quisiera acompañar a Rand. De hecho, parecía ansioso por que la Aes Sedai se marchara. Ciertamente tendría que felicitarse por haber conseguido ocultar durante tanto tiempo su condición de Amigo Siniestro, pero cuanto más tiempo pasara cerca de una Aes Sedai más probabilidades había de que lo descubrieran.

Realmente fue una sorpresa para Rand ver que el hombre seguía allí. Al menos la mitad de los carreteros que habían entrado en el Yermo con él se habían escabullido después de cruzar la Pared del Dragón, y hubo que reemplazarlos por refugiados cairhieninos elegidos por el propio Rand a fin de asegurarse de que no fueran de la calaña de Kadere. Todas las mañanas esperaba encontrarse con que el buhonero se había marchado, y más desde que Isendre había escapado. Las Doncellas casi habían desmontado las carretas para dar con ella, mientras Kadere empapaba tres pañuelos con sudor. Rand no lamentaría si el tipo se las ingeniaba para escabullirse una noche. Los centinelas Aiel tenían la orden de dejarlo marchar siempre y cuando no intentara llevarse los preciados carromatos de Moraine. Cada día se hacía más evidente que aquella carga era un tesoro para la Aes Sedai, y Rand estaba dispuesto a impedir que la perdiera.

Echó una ojeada por encima del hombro, pero Asmodean tenía la vista fija al frente, haciendo caso omiso de las carretas. El Renegado afirmaba no haber tenido contacto con Kadere desde que Rand lo había capturado, y éste era de la opinión que tal cosa podía ser verdad. Ciertamente el buhonero nunca se alejaba de la caravana y estaba a la vista de los centinelas en todo momento, salvo cuando se metía en su propio carromato.

Al otro lado de la caravana Rand casi sofrenó su caballo de manera inconsciente. Era muy probable que Moraine quisiera acompañarlo a Cairhien; le había llenado la cabeza de datos, pero siempre parecía que hubiese algo más que deseaba transmitirle, y esta vez precisamente a Rand le vendría bien contar con su presencia y su consejo. Sin embargo, la Aes Sedai se limitó a mirarlo durante unos instantes interminables y después se volvió hacia la carreta.

Fruncido el entrecejo, Rand taconeó al rodado para que continuara. No era mala cosa recordar que Moraine tenía otras ovejas que trasquilar aparte de las que él sabía. Se había vuelto muy confiado. Más le valía ser tan cauteloso con ella como lo era con Asmodean.

«No confíes en nadie», se exhortó amargamente para sus adentros. Por un instante no supo si la idea era suya o de Lews Therin, pero finalmente decidió que tanto daba. Todo el mundo tenía sus propias metas, sus propios deseos. Lo mejor era no confiar plenamente en nadie salvo en sí mismo. Empero, se preguntó hasta qué punto podía fiarse de sí mismo, con la presencia de otro hombre insinuándose en lo más recóndito de su mente.

Los buitres cubrían el cielo por encima de Cairhien en espirales superpuestas de negras alas. En el suelo aleteaban entre nubes de moscas, graznando roncamente a los relucientes cuervos que intentaban usurpar sus derechos sobre los cadáveres. Allí donde los Aiel recorrían los pelados cerros para recoger los cuerpos de sus muertos, las aves levantaban pesadamente el vuelo a la par que gritaban en protesta y después volvían a posarse en el suelo tan pronto como los humanos vivos se alejaban unos cuantos pasos. Buitres, cuervos y moscas juntos realmente no podrían ensombrecer la luz del día, pero ésa era la impresión que daba.

Sintiendo revuelto el estómago y procurando no mirar, Rand taloneó a *Jeade'en* para que trotara más deprisa hasta que Aviendha tuvo que pegarse de nuevo contra su espalda y las Doncellas acelerar el trote y convertirlo en carrera. Nadie protestó, y Rand no creía que se debiese únicamente a que los Aiel eran capaces de mantener esa velocidad durante horas. Incluso Asmodean parecía haber palidecido. La expresión de Pevin no varió, bien que el brillante estandarte que ondeaba tras él parecía una burla sórdida en ese lugar.

Lo que había más adelante no era mucho mejor. Rand recordaba extramuros como una bulliciosa colmena, un laberinto de callejas llenas de ruido y color. Ahora era una franja de cenizas amontonadas y silenciosas que rodeaba las murallas de Cairhien por tres de los cuatro lados. Vigas carbonizadas yacían al buen tuntún sobre los cimientos de piedra, y aquí y allí todavía se alzaba alguna chimenea, negra de hollín, que en ocasiones mantenía un precario equilibrio de puro ladeada que estaba. En algunos sitios aparecía una silla intacta tirada en la calle de tierra, o un hatillo que alguien había dejado caer en su precipitada huida, o una muñeca de trapo; todo ello hacía resaltar aun más la desolación.

La brisa agitaba los estandartes de las torres de la ciudad y a lo largo de las murallas: un dragón rojo y dorado sobre fondo blanco en unos sitios, y las Tres Lunas Crecientes de Tear, blancas sobre campo rojo y oro, en otros. El par central de las puertas de Jangai estaba abierto; el acceso era un conjunto de tres altos arcos cuadrados en la piedra gris guardados por soldados tearianos con sus característicos yelmos. Algunos montaban caballos, pero la mayoría estaban a pie, y las amplias mangas acuchilladas en diversos colores ponían de manifiesto que pertenecían a la guardia de varios lores.

Lo que quiera que se supiera en la ciudad respecto a haber ganado la batalla y a la llegada de Aiel en su ayuda, la visión de medio millar de *Far Dareis Mai* causó una pequeña conmoción. Las manos fueron con incertidumbre hacia las empuñaduras de las espadas o a las picas y los largos escudos o a las lanzas. Algunos de los soldados hicieron amago de querer cerrar las puertas mientras miraban a su oficial, que lucía tres plumas en el yelmo. Éste vaciló al tiempo que se erguía sobre los estribos y hacía visera con la mano para resguardar los ojos de la luz del sol a fin de examinar el estandarte carmesí. Y sobre todo a Rand.

707

De repente el oficial se sentó de nuevo mientras decía algo, con el resultado de que los otros dos tearianos montados regresaron a galope a través de las puertas. Casi de inmediato, el oficial hacía señas a los otros hombres para que se apartaran a la par que gritaba:

—¡Dejad paso al lord Dragón Rand al'Thor! ¡Que la Luz ilumine al lord Dragón! ¡Toda la gloria para el Dragón Renacido!

Los soldados parecían seguir inquietos por la presencia de las Doncellas, pero formaron en línea a ambos lados de las puertas e hicieron una profunda reverencia cuando Rand pasó ante ellos. Aviendha soltó un sonoro resoplido a su espalda, y otro más cuando él se echó a reír. La joven no entendía su regocijo, y Rand no tenía la menor intención de explicárselo. Lo que lo hacía reír era la convicción de que por mucho que los tearianos, los cairhieninos o cualesquiera otros hicieran para adularlo e hinchar su orgullo, él podía confiar al menos en Aviendha y en las Doncellas para que le bajasen los humos. Y en Egwene. Y en Moraine. Y en Elayne y Nynaeve, ya puestos, si es que volvía a verlas alguna vez. La verdad era que, pensándolo bien, todas ellas parecían haber hecho de eso una de las principales tareas de su vida.

La vista de la ciudad al otro lado de las puertas acalló su risa.

Las calles estaban pavimentadas, algunas lo bastante anchas para que cupieran doce o más carretas grandes en fondo; todas eran rectas como tajos de cuchillo y se cruzaban en ángulo recto. Los cerros que se alzaban fuera de las murallas estaban cortados y esculpidos en terrazas, con las laderas revestidas con piedra; por su aspecto habríase dicho que eran creaciones salidas de la mano del hombre tanto como los edificios con sus severas líneas rectas y sus ángulos, o las grandes torres con sus cúspides sin terminar y rodeadas de andamios. La gente abarrotaba avenidas y callejas, gentes con los ojos sin brillo y las mejillas hundidas, acurrucadas debajo de improvisadas chabolas o andrajosas mantas colocadas a modo de tiendas o simplemente apelotonadas a cielo raso, con las oscuras ropas preferidas por los cairhieninos habitantes de la ciudad o los llamativos colores de los que vivían en extramuros o atuendos de granjeros y pueblerinos. Hasta los andamios estaban ocupados, desde el primer nivel hasta el último, allí donde la altura empequeñecía a las personas. Sólo permaneció despejado el centro de las calles, por donde Rand y las Doncellas avanzaban, y eso únicamente hasta que la multitud lo vio y se acercó en tropel para arracimarse a su alrededor.

Fue la gente la que truncó su jovialidad. Aun estando mal nutrida, agotada, harapienta, apiñada como ovejas en un redil demasiado pequeño, lo aclamaba. Rand no tenía ni idea de cómo sabían quién era, a menos, claro está, que los gritos del oficial de las puertas se hubiesen oído, pero un clamor se levantaba más adelante a medida que avanzaba por las calles mientras las Doncellas le abrían paso entre la apiñada multitud. El vocerío ahogaba cualquier palabra excepto alguno que otro «lord Dragón» cuando eran muchos los que lo gritaban a la par, pero el significado era claro en los hombres y mujeres que sostenían niños en alto para que lo vieran pasar, en los pañuelos y trozos de tela agitándose en todas las ventanas, en las personas que intentaban colarse entre las Doncellas con las manos extendidas hacia él.

Ciertamente no temían a las Aiel ni los amedrentaba la oportunidad de poner aunque sólo fuera un dedo en las botas de Rand, y eran tan numerosos y tanta la presión ejercida por centenares de cuerpos que empujaban hacia adelante, que algunos conseguían abrirse paso hasta ellos. De hecho, muchos tocaron a Asmodean en lugar de a Rand —realmente tenía aspecto de lord con todas aquellas chorreras de encaje, y quizá pensaban que el lord Dragón tenía que ser un hombre de más edad que el joven de la chaqueta roja— pero eso no suponía ninguna diferencia. La alegría traslucía en el rostro de todo aquel que se las ingeniaba para poner la mano sobre la bota o el estribo de cualquiera de ellos, incluso de Pevin, y pronunciaba «lord Dragón» en medio del ensordecedor clamor aun cuando las Doncellas lo obligaban a retroceder con las adargas.

Entre las aclamaciones y los jinetes enviados por el oficial de las puertas, no fue una sorpresa cuando Meilan apareció con una escolta de una docena de nobles tearianos de menor raigambre, así como cincuenta Defensores de la Ciudadela que abrían paso usando el extremo romo de sus lanzas a diestro y siniestro. Con el canoso cabello, el porte esbelto realzado por la excelente chaqueta de seda con rayas y puños de satén verde, el Gran Señor montaba con la fácil apostura de quien ha aprendido a cabalgar y dominar un corcel casi antes de saber caminar. Hacía caso omiso del sudor que le humedecía el rostro tanto como de la posibilidad de que su escolta arrollara a alguien bajo los cascos de sus caballos. Lo uno y lo otro sólo constituían meros inconvenientes, y, probablemente, el más molesto de los dos era la transpiración.

Edorion, el joven noble de mejillas sonrosadas que había venido a Eianrod, se encontraba entre ellos, no tan relleno como estaba antes, de modo que la chaqueta de rayas rojas le colgaba floja. Rand sólo reconoció a otro más, un tipo de hombros anchos con el atuendo en tonalidades verdes; si no recordaba mal, Reimon había jugado a las cartas con Mat en la Ciudadela. Los demás eran hombres maduros en su mayor parte, y ninguno de ellos mostró más consideración por la multitud que Meilan mientras avanzaban hacia él. En el grupo no había un solo cairhienino.

Las Doncellas dejaron que Meilan pasara cuando Rand asintió con la cabeza, pero enseguida volvieron a cerrar filas para dejar fuera a los demás, algo que el Gran Señor no advirtió al principio. Cuando lo hizo, sus oscuros ojos centellearon iracundos. Meilan estaba casi siempre furioso, desde que Rand había pisado por primera vez la Ciudadela de Tear.

El clamor empezó a disminuir con la llegada de los tearianos hasta quedar reducido a un apagado murmullo para cuando Meilan hizo una rígida reverencia a Rand desde su caballo. Su mirada se desvió fugazmente hacia Aviendha antes de decidir pasarla por alto como si no existiese, del mismo modo que hacía con las Doncellas.

—Que la Luz os ilumine, mi señor Dragón. Sed bienvenido a Cairhien. He de disculparme por los campesinos, pero ignoraba que tuvieseis intención de entrar en la ciudad ahora. De haberlo sabido, se habrían despejado las calles de esta chusma. Me proponía daros una grandiosa bienvenida, como corresponde al Dragón Renacido.

—La he tenido —repuso Rand, y el otro hombre pestañeó.

—Como vos digáis, mi señor Dragón —manifestó al cabo de un momento, pero su tono traslucía que no lo había entendido—. Si gustáis acompañarme al Palacio Real, os he preparado una pequeña recepción. Muy pequeña, me temo, puesto que no estaba enterado de vuestra llegada, aunque para esta noche me ocuparé de...

—Lo que quiera que hayáis preparado para ahora será suficiente —lo interrumpió Rand, y por respuesta obtuvo otra reverencia y una fina y untuosa sonrisa.

Ahora el tipo era todo servilismo, y dentro de una hora le estaría hablando como si fuera una persona de cortos alcances que no entendía los hechos que tenía ante sus narices, pero bajo todo ello yacía un desprecio y un odio que él creía que Rand no advertía a pesar de reflejarse claramente en sus ojos. Desprecio porque Rand no era un lord —realmente no, a entender de Meilan, porque no lo era de nacimiento— y odio porque en sus manos había tenido poder sobre la vida y la muerte antes de que Rand llegara. Creer que las Profecías del Dragón se cumplirían algún día era una cosa, y otra muy distinta que el propio poder se viera menguado por tal motivo.

Se produjo un momento de confusión antes de que Rand indicase a Sulin que permitiera a los otros lores tearianos pasar con sus caballos y situarse detrás de Asmodean y del estandarte enarbolado por Pevin. De ser por Meilan habría utilizado otra vez a los Defensores de la Ciudadela para despejar el camino, pero Rand ordenó, categórico, que se integraran en el cortejo detrás de las Doncellas. Los soldados obedecieron, los rostros impasibles bajo las viseras de los yelmos, aunque el oficial sacudió la cabeza y el Gran Señor sonrió con aire prepotente. Aquella sonrisa se desvaneció cuando se hizo evidente que la muchedumbre se apartaba fácilmente al paso de las Doncellas, quienes no tenían que repartir golpes para abrirse camino; el teariano lo atribuyó a la reputación de salvajismo que tenían los Aiel, y frunció el ceño cuando Rand no respondió a su comentario. Hubo algo de lo que sí tomó nota Rand: ahora que los tearianos iban con él, no volvieron a lanzarse aclamaciones.

El Palacio Real de Cairhien ocupaba completamente el cerro más alto de la ciudad, situado en su mismo centro; era una construcción cuadrada, oscura e imponente. A decir verdad, con todos esos niveles y cortes en terrazas revestidas de piedra resultaba difícil distinguir que hubiese en realidad un cerro. Arcadas elevadas y ventanales altos y estrechos, muy por encima del suelo, hacían tan poco para aliviar la rigidez de líneas como las grises torres escalonadas levantadas con precisión en cuadrados concéntricos de creciente altura. La calle daba paso a una larga y ancha rampa que conducía a unas grandes puertas de bronce y a un enorme patio cuadrado que había detrás, en el que filas de soldados tearianos en formación aguardaban firmes como estatuas, con las picas inclinadas. Había más en las balconadas de piedra que se asomaban al patio.

Un murmullo pasó por las filas de soldados al aparecer las Doncellas, pero quedó ahogado enseguida con los gritos entonados de «¡Gloria al Dragón Renacido! ¡Gloria al lord Dragón y a Tear! ¡Gloria al lord Dragón y al Gran Señor Meilan!». Por la expresión de este último, habríase dicho que todo aquello era espontáneo.

Sirvientes con uniformes oscuros, los primeros cairhieninos que Rand veía dentro de palacio, salieron apresuradamente con palanganas doradas y blancas toallas de lino mientras Rand pasaba la pierna por encima de la alta perilla del fuste de la silla y desmontaba. Otros sirvientes acudieron a encargarse de las riendas. Se valió de la excusa de lavarse la cara y las manos con agua fresca para dejar que Aviendha desmontara por sí misma. Intentar ayudarla a bajar podría muy bien haber acabado con los dos despatarrados en el empedrado del suelo.

Sin necesitar que se lo ordenara, Sulin eligió a veinte Doncellas además de ella para acompañarlo al interior. Por un lado, Rand se alegró de que la Aiel no intentara mantener hasta la última lanza a su alrededor. Por otro lado, deseó que Enaila, Lamelle y Somara no hubiesen estado entre las veinte escogidas. Las atentas miradas que le dedicaban —sobre todo Lamelle, una mujer delgada, de mandíbula firme, con el cabello rojo oscuro y casi veinte años mayor que él— le hicieron rechinar los dientes. De algún modo Aviendha tenía que habérselas arreglado para hablar con ellas y con Sulin a su espalda. «Tal vez no pueda hacer nada respecto a las Doncellas —pensó, sombrío, mientras echaba la toalla de lino a uno de los sirvientes—, ¡pero que me abrase si queda una sola Aiel a la que no deje bien claro que soy el *Car'a'carn*!»

Los otros Grandes Señores lo recibieron al pie de la amplia escalinata gris que subía desde el patio, todos ellos ataviados con chaquetas de seda en fuertes colores, con franjas satinadas y botas trabajadas con adornos de plata. Saltaba a la vista que ninguno de ellos sabía que Meilan había salido a buscarlo hasta que ya estaba todo hecho. Torean, con su basta cara de patata y un extraño aire lánguido en un hombre de aspecto tan tosco, aspiró con nerviosismo el pañuelo perfumado. Gueyam, la barba ungida con aceites que hacía resaltar más aun su calvicie, apretaba los puños, del tamaño de jamones pequeños, y asestaba una mirada furibunda a Meilan incluso mientras hacía una reverencia a Rand. La afilada nariz de Simaan temblaba de indignación; Maraconn, cuyos ojos de color azul eran poco corrientes en Tear, tenía los finos labios tan apretados que casi le habían desaparecido; y, aunque la estrecha cara de Hearne era toda sonrisas, el hombre se daba tirones inconscientemente del lóbulo de una oreja, gesto habitual en él cuando estaba furioso. Sólo Aracome, esbelto como un sable, no traslucía emoción alguna; claro que este hombre sabía disimular la ira hasta que estaba a punto de estallar.

Era una oportunidad demasiado buena para desaprovecharla. Agradeciendo para sus adentros a Moraine todo lo que le había enseñado —era más fácil hacer tropezar a un necio que derribarlo de un golpe, decía la Aes Sedai— Rand estrechó afectuosamente la regordeta mano de Torean, palmeó a Gueyam en el fornido hombro, devolvió la sonrisa a Hearne con otra tan cálida como si se la dedicara a un amigo íntimo, y saludó con un breve cabeceo a Aracome a la par que le lanzaba una intensa y, aparentemente, significativa mirada. A Simaan y Maraconn no les hizo más caso que una breve e impasible ojeada a cada uno, tan fría como un estanque en pleno invierno.

De momento no hacía falta más, aparte de observar cómo movían los ojos y los rostros se ponían tensos mientras le daban vueltas al asunto. Habían participado en el *Daes Dae'mar*, el Juego de las Casas, a lo largo de toda su vida, y el estar entre cairhieninos, que hacían mil cábalas por el simple gesto de enarcar una ceja o de toser, había agudizado su susceptibilidad. Cada uno de ellos sabía que Rand no tenía motivo para mostrarse amistoso con él, pero cada cual se estaría preguntando si no lo habría saludado así a él para ocultar algo real con cualquier otro. Los que parecían más preocupados eran Simaan y Maraconn, pero los restantes observaban a esos dos quizás abrigando más sospechas que con los demás. Tal vez la frialdad demostrada había sido la verdadera tapadera. O quizás era eso precisamente lo que se intentaba que pensaran.

Rand se dijo que Moraine se sentiría orgullosa de él, y también Thom Merrilin. Aun en el caso de que ninguno de estos siete estuviera tramando nada contra él en la actualidad —cosa que jamás creería aunque Mat apostara por ello— los hombres de su posición podían hacer mucho para echar a perder sus planes sin verse implicados, y lo harían aunque sólo fuese por la fuerza de la costumbre aunque no hubiese otra razón. O lo habrían hecho. Ahora los había cogido por sorpresa y los tenía desconcertados. Si era capaz de mantenerlos en ese estado, estarían demasiado ocupados vigilándose entre sí para crearle problemas a él. Puede que incluso obedecieran, para variar, sin encontrar cien razones para que las cosas se hiciesen de un modo distinto del que él quería. En fin, eso sería mucho pedir.

Su satisfacción se desvaneció al advertir la mueca sarcástica de Asmodean. Y peor fue la interrogante mirada de Aviendha. Ella había estado en la Ciudadela de Tear, sabía quiénes eran estos hombres y por qué los había mandado allí. «Hago lo que debo», pensó amargamente, y habría deseado que no sonara como si quisiera disculparse.

—Entremos —dijo con un timbre más cortante de lo que pretendía, y los siete Grandes Señores dieron un brinco como si de repente hubiesen recordado quién y qué era él.

Trataron de arremolinarse a su alrededor mientras remontaba la escalinata, pero salvo Meilan, que le indicaba el camino, las Doncellas simplemente formaron un sólido cerco en torno a Rand, y los Grandes Señores tuvieron que ponerse detrás con Asmodean y los nobles de segunda fila. Aviendha se mantuvo cerca, por supuesto, y Sulin iba al otro lado, con Somara, Lamelle y Enaila pisándole los talones. Sólo con alzar el brazo habrían podido tocarle la espalda, sin necesidad de estirarlo. Rand asestó a Aviendha una mirada acusadora, y la joven enarcó las cejas en una expresión tan interrogante que él casi creyó que no tenía nada que ver. Sólo casi.

Los pasillos del palacio estaban desiertos a excepción de los uniformados sirvientes que hacían exageradas reverencias a su paso, pero cuando entró en el Gran Salón del Sol comprobó que la nobleza cairhienina no había sido excluida completamente de la corte.

—Llega el Dragón Renacido —anunció un hombre de cabello blanco que se encontraba al otro lado de las enormes puertas doradas con el Sol Naciente cincelado en ellas. Su chaqueta roja con las estrellas de seis puntas bordadas en azul, que le quedaba un poco grande tras su estancia en Cairhien, lo señalaba como un sirviente de alto rango de la casa de

Meilan—. ¡Salve, lord Dragón Rand al'Thor! ¡Honor y gloria al lord Dragón!

Se alzó un clamor en la cámara que resonó en la bóveda en ángulo del techo, cincuenta pasos más arriba:

—¡Salve, lord Dragón Rand al'Thor! ¡Honor y gloria al lord Dragón!

En comparación, el silencio que siguió pareció mucho más intenso. Entre las inmensas columnas cuadradas de mármol, veteadas en un tono azul tan oscuro que casi parecía negro, había muchos más tearianos de lo que Rand esperaba, filas de Señores y Señoras de la Tierra ataviados con sus mejores atuendos: sombreros picudos de terciopelo y chaquetas de mangas abullonadas y rayadas ellos; vestidos de vivos colores con gorgueras de encaje y minúsculos casquetes trabajados con complejos bordados o recamados de perlas o pequeñas gemas ellas.

Detrás de los tearianos estaban los cairhieninos, vestidos en tonos oscuros excepto por los acuchillados de color que cruzaban la pechera de los vestidos o de las largas casacas. Cuantos más acuchillados con los colores de las casas, más alto el rango de quien los llevaba, pero tanto hombres como mujeres que lucían franjas desde el cuello hasta la cintura o más abajo estaban detrás de tearianos que claramente pertenecían a casas de segunda fila, con bordados en hilo dorado en vez de hilo de oro, y paño de lana en lugar de seda. No eran pocos los hombres cairhieninos que se habían afeitado y empolvado la parte delantera de la cabeza; todos los jóvenes la llevaban de tal guisa.

Los tearianos se mostraban expectantes aunque intranquilos; los rostros cairhieninos parecían estar tallados en hielo. Imposible saber quiénes habían aclamado y quiénes no, pero Rand sospechaba que la mayoría de las salutaciones se habían producido en las filas delanteras.

—Son muchos los que desean serviros aquí —murmuró Meilan mientras cruzaban por el suelo de baldosas azules con el gran mosaico del Sol Naciente. Las reverencias e inclinaciones de cabezas se sucedieron a su paso.

Rand se limitó a responder con un gruñido. ¿Que deseaban servirle? No necesitaba a Moraine para saber que estos nobles de segunda fila confiaban en hacerse más grandes merced a los predios y feudos desgajados de Cairhien. Sin duda Meilan y los otros seis Grandes Señores ya habían insinuado, si no prometido, qué tierras pertenecerían a quién.

Al otro extremo del Gran Salón, el Trono del Sol se alzaba en el centro de una amplia plataforma en gradas de mármol azul oscuro. Incluso aquí la sobriedad cairhienina se mantenía, considerando que era un trono. El gran sillón de robustos reposabrazos relucía con dorados y seda, pero de algún modo daba la impresión de ser todo él simples líneas verticales, a excepción del radiante Sol Naciente que quedaría sobre la cabeza de quienquiera que se sentara en él.

Y ese quién se suponía que era él, comprendió Rand mucho antes de llegar a los siete peldaños que conducían a lo alto de la plataforma. Aviendha los subió con él, y Asmodean, en su condición de bardo del lord Dragón, también los remontó, pero Sulin se apresuró a situar a las otras Doncellas alrededor de la base de la plataforma, quienes sostuvieron las lanzas de manera que cortaron el paso a Meilan y al resto de los Grandes Señores. La frustración se pintó en aquellos semblantes tearianos. El silencio reinante en el Gran Salón era tan profundo que Rand podía oír su propia respiración.

—Esto pertenece a otra persona —dijo finalmente—. Además, he pasado demasiado tiempo sobre la silla de montar para sentirme a gusto en un asiento tan duro. Traedme algo más cómodo.

Hubo un momento de estupefacto silencio antes de que un murmullo recorriera la cámara. La expresión de Meilan se tornó de repente tan calculadora —aunque rápidamente la ocultó— que Rand estuvo a punto de reír. Era muy probable que Asmodean tuviera razón respecto a este hombre. El propio Renegado observaba a Rand con un gesto insinuante apenas velado.

Pasaron varios minutos antes de que el tipo de la chaqueta con estrellas bordadas regresara, jadeante, y subiera a la plataforma seguido de dos sirvientes cairhieninos uniformados que cargaban con un sillón de respaldo alto, con montones de mullidos cojines de seda, y les indicara dónde colocarlo mientras lanzaba constantes ojeadas inquietas a Rand. Unas líneas verticales doradas recorrían las sólidas patas y el respaldo del sillón, pero su aspecto resultaba insignificante junto al Trono del Sol.

Mientras los tres sirvientes se retiraban haciendo reverencias sin parar, doblándose por la cintura a cada paso, Rand tiró a un lado la mayor parte de los cojines y se sentó agradecido; colocó sobre sus rodillas el fragmento de lanza seanchan, pero tuvo buen cuidado de no suspirar. Aviendha lo estaba observando atentamente por si advertía en él algún gesto de debilidad, y el modo en que los ojos de Somara iban de la joven a él alternativamente confirmó sus sospechas.

Sin embargo, fueran cuales fueran los problemas que tenía con Aviendha y las *Far Dareis Mai*, los presentes en la sala aguardaban sus palabras con ansiedad e inquietud a partes iguales. «Al menos saltarán si digo "rana"», pensó. Puede que no les gustase, pero lo harían.

Con la ayuda de Moraine había urdido lo que debía hacer allí. Algunas cosas sabía de antemano que eran correctas sin que ella se las sugiriese, pero habría sido conveniente tenerla a su lado para que le aconsejara

715

al oído cuando fuera necesario, en vez de tener a Aviendha dispuesta a hacer una seña a Somara, pero no tenía sentido alargar más el momento. A buen seguro que toda la nobleza teariana y cairhienina instalada en la ciudad se encontraba presente en la sala.

—¿Por qué se han quedado detrás los cairhieninos? —inquirió en voz alta, y la multitud de nobles rebulló al tiempo que se intercambiaban miradas desconcertadas—. Los tearianos vinieron para prestar ayuda, pero eso no es razón para que los cairhieninos se queden relegados en las filas posteriores. Que todos los presentes se coloquen conforme al rango. Todos.

Habría resultado difícil decir cuál de los dos grupos, tearianos y cairhieninos, estaba más estupefacto, si bien Meilan parecía a punto de tragarse la lengua, y los otros seis Grandes Señores no le andaban muy a la zaga. Incluso el flemático Aracome se había quedado pálido. En medio de mucho arrastrar de pies y apartar a un lado las faldas y numerosas miradas gélidas por parte de ambos grupos, los asistentes se colocaron como Rand había requerido, hasta que en primera fila sólo hubo hombres y mujeres con franjas de colores a través de las pecheras, y en la segunda, sólo unos pocos tearianos entre cairhieninos. A Meilan y sus iguales se les habían unido al pie de la plataforma lores y ladis cairhieninos en un número que duplicaba el suyo, la mayoría de los cuales peinaban canas, y todos lucían franjas de colores desde el cuello hasta casi las rodillas; aunque el término «unírseles» no era el apropiado. Formaban dos grupos separados por un trecho de tres pasos, y evitaban mirarse entre sí con tal empeño que tanto habría dado si hubiese agitado los puños y la hubiesen emprendido a gritos. Todas las miradas estaban prendidas en Rand, y si las de los tearianos traslucían cólera, las de los cairhieninos seguían siendo gélidas, con sólo atisbos de deshielo en el modo conjeturador con que lo estudiaban.

—Me he fijado en los estandartes que ondean sobre Cairhien —prosiguió cuando dejaron de moverse—. Está bien que flameen tantas Lunas Crecientes de Tear. Sin el grano teariano, la gente de esta ciudad no habría vivido para izar ninguna bandera. Y, sin las espadas tearianas, la gente de esta ciudad que hubiese sobrevivido hasta hoy, tanto nobles como plebeyos, estaría aprendiendo a obedecer a los Shaido. Tear es digna de elogio. —Aquello hizo que los tearianos se hincharan de orgullo, naturalmente, y provocó feroces cabeceos de asentimiento y aun más feroces sonrisas, aunque ciertamente pareció desconcertar a los Grandes Señores. En realidad, los cairhieninos que estaban al pie de la plataforma se miraban entre sí con incertidumbre—. Pero yo no necesito tantos estandartes en mi honor. Dejad una sola enseña del Dragón en

716

la torre más alta de la ciudad para que así todos cuantos se aproximen la vean, pero quitad las demás y reemplazadlas por las de Cairhien. Estamos en Cairhien, y el Sol Naciente debe ondear, y ondeará, orgullosamente. Cairhien tiene su propio honor, y lo conservará.

La sala estalló en un clamor tan repentino que las Doncellas enarbolaron las lanzas, un clamor que reverberó en paredes y techo. Un instante después Sulin se dirigía a las Doncellas con el rápido lenguaje de señas, y los velos a medio alzar se dejaron caer de nuevo. Los nobles cairhieninos aclamaban con tanto entusiasmo como lo había hecho el pueblo llano en las calles, brincando y agitando los brazos como cualquier habitante de extramuros en plena fiesta. En medio del pandemónium les llegó el turno a los tearianos de intercambiar miradas silenciosas. No parecían enfadados. Incluso Meilan tenía un aire inseguro más que cualquier otra cosa, aunque, al igual que Torean y los demás, contemplaba con estupefacción a los lores y ladis de alto rango que había a su alrededor, tan fríos y dignos unos segundos antes, y ahora danzando y aclamando al lord Dragón.

Rand ignoraba cómo había interpretado cualquiera de ellos sus palabras. Ciertamente había esperado que leyesen entre líneas lo que había dicho, en especial los cairhieninos, y tal vez incluso que algunos comprenderían lo que realmente quería dar a entender, pero no estaba preparado para tal despliegue de entusiasmo. El carácter reservado cairhienino era un rasgo peculiar —¡si lo sabría él!—, que a veces se mezclaba con una obstinación inesperada. Moraine se había mostrado reticente en ese tema a pesar de su insistencia en tratar de enseñarle cuanto pudiera; todo lo más que había llegado a comentar fue que si esa circunspección se rompía quizá lo hiciera hasta un grado sorprendente. Y tanto que sí.

Cuando cesaron finalmente las aclamaciones, empezaron los juramentos de lealtad. Meilan fue el primero en hincar la rodilla en el suelo, el semblante tenso mientras juraba por la Luz y su esperanza de salvación y renacimiento servir fielmente y obedecer; era una antigua fórmula, y Rand confió en que obligara a algunos aguardar el juramento. Después de que Meilan hubo besado la punta del fragmento de lanza seanchan, tratando de disimular una mueca amarga atusándose la barba, ocupó su lugar lady Colavaere. Era una mujer madura muy hermosa, con los puños de oscuras puntillas cayendo sobre las manos que colocó entre las de Rand, y franjas horizontales de colores desde la gola de encaje hasta las rodillas; prestó juramento con una voz clara y firme y aquel timbre musical al que Rand estaba acostumbrado a fuerza de oírlo en Moraine. También en sus oscuros ojos había algo de esa mirada evaluativa de la Aes Sedai, en especial cuando la volvió hacia Aviendha mientras hacía una reverencia y descendía las gradas de la plataforma. Torean la reemplazó, sudando a mares conforme prestaba juramento, y a él lo reemplazó lord Dobraine, con una mirada penetrante en sus ojos hundidos, uno de los pocos hombres mayores que se había afeitado la parte delantera de su largo y muy canoso cabello; después fue el turno de Aracome; y luego...

Rand notó crecer su impaciencia a medida que el desfile de nobles se sucedía y se presentaban de uno en uno para arrodillarse ante él, un cairhienino a continuación de un teariano, que a su vez había reemplazado a otro cairhienino, tal como lo había ordenado. Todo esto era necesario, a decir de Moraine —y así lo confirmó una voz dentro de su cabeza que sabía era la de Lews Therin—, pero para él sólo significaba más retraso. Debía tener su lealtad, aunque sólo fuera en apariencia, a fin de empezar a consolidar su posición en Cairhien, y al menos ese comienzo debía llevarlo a cabo antes de ocuparse de Sammael. «¡Y me ocuparé de él! ¡Todavía me queda mucho por hacer para dejarle que siga pinchándome los talones desde los matorrales! ¡Va a enterarse de lo que implica provocar al Dragón!»

No comprendía por qué los que se arrodillaban ante él empezaban a sudar y a lamerse los labios mientras pronunciaban, entre balbuceos, las palabras del juramento de lealtad. Claro que él no veía la fría luz que ardía en sus propios ojos.

47

EL PRECIO DE UN BARCO

Acabadas las abluciones matinales, Nynaeve se secó con la toalla y, de mala gana, se puso una camisola limpia de seda. La seda no era tan fresca como el lino, y, aunque el sol acababa de salir, el calor dentro del carromato presagiaba que tendrían otro día sofocante. Además de lo cual, la prenda estaba cortada del tal modo que la mujer temía que se le deslizara y cayera alrededor de los tobillos si respiraba mal. Al menos no estaba húmeda con la transpiración de la noche, como lo estaba la que había desechado.

Unos sueños inquietantes no la habían dejado descansar, sueños de Moghedien de los que despertaba tan sobresaltada que se incorporaba en la cama bruscamente. Y ésos no eran tan malos como aquellos en los que no se despertaba: sueños de Birgitte disparándole flechas, pero a ella, no al tablón, sin fallar; sueños de los seguidores del Profeta entrando a saco en el recinto del espectáculo; de quedarse atascadas en Samara para siempre porque no llegaba ninguna embarcación; de llegar a Salidar y encontrar que Elaida estaba al mando. O de nuevo Moghedien, que estaba allí también. De este último había despertado sollozando.

Todo, naturalmente, se debía a las preocupaciones y era lógico. Tres noches acampados allí sin que apareciera un barco; tres días sofocantes de estar plantada de pie, con los ojos vendados, contra el condenado tablón. Eso solo bastaba para ponerle los nervios de punta a cualquiera aun sin contar con la inquietud de no saber si Moghedien se dirigía o no hacia allí. Claro que el que la mujer supiera que viajaban con un espectáculo ambulante no significaba que las buscara precisamente en Samara. Había más espectáculos ambulantes en el mundo aparte de los que se habían reunido en esa ciudad. Sin embargo, buscar razones para no estar preocupada era más fácil que no preocuparse.

«Pero, ¿por qué estoy inquieta por Egwene?» Sumergió una ramita machacada en un pequeño plato con sal y soda que había en el lavabo y empezó a frotarse enérgicamente los dientes. Egwene había aparecido de repente en casi todos sus sueños, gritándole y regañándola, pero no entendía cómo encajaba la muchacha en ellos.

A decir verdad, la ansiedad y la falta de sueño sólo eran responsables en parte del pésimo humor que tenía aquella mañana. Los otros motivos eran minucias, pero muy reales. Una china en el zapato no era apenas nada si se comparaba con que a uno le cortasen la cabeza, pero si la incordiante china sí estaba en el zapato y el tajo del verdugo sólo era una remota probabilidad...

Era imposible no mirar su propia imagen y su cabello suelto sobre los hombros en lugar de estar decentemente trenzado. Por mucho que se lo cepillase el descarado tono pelirrojo no desaparecería. Y sabía de sobra que había un vestido azul sobre la cama, a su espalda, de un azul tan chillón que haría pestañear incluso a una gitana, y con un escote tan exagerado como el del primer atuendo rojo que estaba colgado en una clavija. Ésa era la razón de que llevase puesta esta camisola que se sostenía tan precariamente. Un vestido así no era bastante, al menos en opinión de Valan Luca, de modo que Clarine trabajaba a marchas forzadas en otro par a juego de un color amarillo rabioso, y se había comentado algo sobre rayas. Nynaeve no quería saber nada de rayas.

«Al menos ese hombre podría dejarme elegir los colores», pensó mientras frotaba enérgicamente con la ramita machacada. O Clarine. Pero no, Luca tenía sus ideas y nunca consultaba. En ocasiones su elección de colores la hacía olvidar la línea de los escotes. «¡Debería tirárselo a la cara!» Pero sabía que no lo haría. Por otro lado, Birgitte se exhibía con aquellos vestidos sin el menor sonrojo. ¡Desde luego, la mujer no se parecía en nada a la heroína de las historias! Y no es que fuera a ponerse estos vestidos sin protestar sólo porque Birgitte lo hiciera. No competía con ella en ningún sentido. Sólo que...

—Si tienes que hacer algo, más te vale hacerte a la idea —gruñó sin sacarse la ramita de la boca.

—¿Qué has dicho? —preguntó Elayne—. Si vas a decir algo, por favor quítate eso de la boca. De otro modo el ruido es asqueroso.

Nynaeve se enjugó la barbilla y luego lanzó una mirada furibunda sobre el hombro. Elayne estaba sentada en su estrecho catre, con las piernas dobladas hacia un lado, y se trenzaba el cabello teñido de negro. Ya se había puesto las ajustadas calzas repletas de lentejuelas así como una camisa nívea de seda, con vuelos en el escote, que era excesivamente transparente. La blanca capa, también adornada con lentejuelas, descansaba a su lado. Blanca. También ella tenía dos trajes para actuar y un tercero estaba en confección, todos ellos blancos, aunque no exactamente lisos.

—Si vas a vestirte de ese modo, Elayne, no deberías sentarte así. Es indecente.

La joven se puso ceñuda, pero bajó los pies al suelo. Y alzó la barbilla con aquel aire altanero tan propio de ella.

—Creo que daré un paseo por la ciudad esta mañana —anunció fríamente, todavía trenzándose el cabello—. Me siento... encerrada en este carromato.

Nynaeve se aclaró la boca y escupió el agua en la palangana. Haciendo mucho ruido. Ciertamente el carromato daba la impresión de hacerse más y más pequeño con el paso de los días. A lo mejor no era necesario que estuvieran recluidas para dejarse ver lo menos posible —la idea había sido suya, y empezaba a lamentarlo— pero esto ya era ridículo. Tres días encerrada con Elayne salvo cuando tenían que actuar empezaban a parecerle tres semanas. O tres meses. Hasta ahora no se había dado cuenta de la lengua tan corrosiva que tenía Elayne. Tenía que llegar un barco. Cualquier clase de embarcación. Habría dado hasta la última moneda escondida en la chimenea de ladrillos, hasta la última joya, cualquier cosa, por disponer de un barco ese mismo día.

—Bueno, un paseo no llamará la atención, ¿verdad? Sin duda el ejercicio te vendrá bien. O tal vez sólo se deba a que esas calzas te aprietan demasiado las caderas.

Los azules ojos centellearon, pero la barbilla de Elayne permaneció erguida y su tono siguió siendo frío.

—Soñé con Egwene anoche, y durante la charla sobre Rand y Cairhien, porque a mí me preocupa lo que esté ocurriendo allí aunque a ti no, me comentó que te estabas volviendo una verdulera chillona. No es que opine igual, necesariamente. Yo habría utilizado el término «rabanera».

—¡Escúchame bien, pequeña marisabidilla maleducada! ¡Como no te...! —Todavía ceñuda, Nynaeve cerró la boca bruscamente y luego respiró lenta y profundamente. Con un gran esfuerzo consiguió que su voz sonara calmada cuando volvió a hablar—. ¿Que has soñado con Egwene? —Elayne asintió con un seco cabeceo—. ¿Y habló de Rand y de Cairhien?

La mujer más joven puso los ojos en blanco con exagerada exasperación y continuó haciéndose la trenza. Nynaeve se obligó a soltar el puñado de cabello rojo que apretaba entre sus dedos y rechazó la idea de enseñar a la heredera del trono de Andor una pequeña lección de modales. Como no apareciese pronto un barco...

—Si eres capaz de pensar en otra cosa que no sea cómo enseñar más las piernas de lo que ya lo estás haciendo ahora —continuó Nynaeve—, tal vez te interese saber que también estuvo en mis sueños. Dijo que Rand había logrado una gran victoria en Cairhien ayer.

—Puede que yo enseñe las piernas —bramó Elayne, con los pómulos enrojeciéndose de rabia—, pero al menos no llevo al aire los... ¿Que también has soñado con ella?

No tardaron mucho en cotejar notas, aunque Elayne siguió haciendo alarde de una lengua viperina. No era raro que soñaran con lo mismo; Nynaeve tenía buenas razones para gritar a Egwene, y Elayne seguramente había soñado con desfilar ante Rand con aquel traje de lentejuelas, si no con menos ropa; decírselo fue un simple acto de sinceridad, nada más. Aun así, enseguida se hizo patente que Egwene les había dicho lo mismo en ambos sueños, y aquello no dejaba lugar a la menor duda.

—No paraba de repetir que estaba realmente allí —murmuró la antigua Zahorí—, pero pensé que era parte del sueño. —Egwene les había comentado muy a menudo que tal cosa era posible, hablar con alguien en sus propios sueños, pero jamás insinuó que ella fuese capaz de hacerlo—. ¿Por qué iba a creerlo? Me refiero a que también dijo que finalmente había reconocido un trozo de lanza, que últimamente Rand lleva a todos sitios, como de procedencia seanchan, y eso es ridículo.

—Oh, sí, claro. —Elayne enarcó una ceja de un modo irritante—. Tan ridículo como toparnos con Cerandin y sus *s'redit*. Tiene que haber más refugiados seanchan, Nynaeve, y probablemente las lanzas sean lo menos importante que dejaron tras de sí.

¿Es que esta mujer no podía hablar sin soltar un aguijonazo?

—Ya me he dado cuenta de que tú comprendiste enseguida que no era un simple sueño —replicó con sorna.

Elayne se echó la coleta ya trenzada hacia atrás, por encima del hombro, y después sacudió subrepticiamente la cabeza otra vez, para calcular bien el movimiento.

—Espero que Rand se encuentre bien —dijo, y Nynaeve resopló; Egwene había dicho que el muchacho necesitaría varios días de descanso antes de poder levantarse, pero Moraine lo había curado. La otra mujer continuó—: Nadie le ha advertido que no debe prolongar en exceso el tiempo de contacto con el *Saidin*. ¿Es que ignora que el Poder podría matarlo si absorbe demasiado o lo maneja estando cansado? En ese aspecto, para él es igual que para nosotras.

De modo que su intención era cambiar de tema, ¿no?

—A lo mejor no lo sabe —respondió dulcemente Nynaeve—, puesto que no existe una Torre Blanca para hombres. —Aquello la hizo pensar en otra cosa—. ¿De verdad crees que fue Sammael?

Cogida por sorpresa con una réplica en la punta de la lengua, Elayne la miró, furibunda, por el rabillo del ojo y después soltó un suspiro malhumorado.

—Eso no nos concierne directamente, ¿verdad? En lo que sí tendríamos que estar pensando es en utilizar el anillo otra vez. Y para algo más que reunirnos con Egwene. ¡Queda tanto que aprender! Cuanto más aprendo, más cuenta me doy de lo mucho que ignoro todavía.

—No. —Nynaeve no esperaba que la joven sacara el anillo *ter'angreal* en ese mismo momento, pero dio un paso hacia la chimenea de ladrillos de manera instintiva—. Se acabaron las excursiones al *Tel'aran'rhiod* para cualquiera de nosotras dos, excepto para encontrarnos con ella.

—No necesitamos encauzar para hacerlo —prosiguió Elayne como si no la hubiese oído—. De ese modo no nos delatamos. —No miró a Nynaeve, pero en su voz había una nota mordaz. Sostenía que podían utilizar el Poder si actuaban con discreción, y Nynaeve sospechaba que eso era exactamente lo que la muchacha estaba haciendo a su espalda—. Apostaría a que si una de nosotras visitase el Corazón de la Ciudadela esta noche encontraría a Egwene esperando allí. Imagina, si pudiésemos hablar con ella en sus sueños ya no tendríamos que preocuparnos de un encuentro con Moghedien en el *Tel'aran'rhiod*.

—¿Es que crees que es tan fácil? —replicó secamente la antigua Zahorí—. Si tal fuese el caso, ¿piensas que no nos habría enseñado ya? ¿Y por qué no lo ha hecho hasta ahora?

Sus objeciones, empero, carecían de convicción. Era a ella a quien le preocupaba Moghedien. Elayne sabía que la mujer era peligrosa, pero era como saber que una víbora lo era; Elayne lo sabía, pero a ella la había mordido. Y poder comunicarse sin entrar en el Mundo de los Sueños sería muy ventajoso aparte de evitar a Moghedien. De todos modos, Elayne seguía sin prestarle atención.

—Me pregunto por qué insistiría tanto en que no se lo contáramos a nadie. No tiene sentido. —Se mordisqueó el labio inferior—. Hay otra razón para hablar con ella cuanto antes. En ese momento no le di importancia, pero la última vez que hablé con ella desapareció en mitad de una frase. Lo que he recordado ahora es que antes de desvanecerse de repente pareció sorprendida y asustada.

Nynaeve hizo una profunda respiración y se apretó el estómago con las manos en un vano intento de calmar el repentino nerviosismo que la atenazaba. No obstante, consiguió mantener la voz impasible.

—¿Moghedien?

—¡Luz, qué pensamientos tan agradables tienes! No. Si Moghedien pudiese entrar en nuestros sueños creo que a estas alturas lo sabríamos de sobra. —Elayne sufrió un escalofrío; sí que tenía una idea de lo peligrosa que era la Renegada—. En fin, o era esa clase de expresión. Estaba asustada, pero no tanto como para que se debiese a eso.

—Entonces, tal vez no estaba en peligro. Quizá... —Nynaeve se obligó a bajar las manos a los costados y apretó los labios con rabia. Sólo que no sabía con quién estaba enfadada.

Guardar el anillo para utilizarlo únicamente en las entrevistas con Egwene había sido una buena idea. Indudablemente. Aventurarse en el Mundo de los Sueños podía desembocar en un encuentro con Moghedien, y mantenerse alejadas de ella no sólo era una idea buena, sino excelente. Ella ya sabía que la superaba, y saberlo la sacaba de quicio, más cada vez que lo pensaba, pero era la pura verdad.

Empero, ahora existía la posibilidad de que Egwene necesitara ayuda. Una probabilidad muy remota. Sólo porque se mostrara debidamente cautelosa respecto a Moghedien no significaba que subestimara dicha posibilidad. Y podría ser que Rand tuviese a uno de los Renegados acosándolo personalmente como Moghedien estaba tras Elayne y ella. La información dada por Egwene sobre lo ocurrido en las montañas y en Cairhien tenía todos los visos de ser la provocación de un hombre con ganas de pelea a otro por un quítame allá esas pajas, pero hacer algo al respecto no estaba en sus manos. Sin embargo, Egwene...

A veces Nynaeve tenía la sensación de que había olvidado la razón por la que había salido de Dos Ríos: proteger a unos jóvenes de su pueblo que habían caído en las redes de las Aes Sedai. No eran mucho más jóvenes que ella misma —sólo unos pocos años—, pero la diferencia parecía mucho mayor cuando se era la Zahorí del pueblo. Ni que decir tiene que el Círculo de Mujeres habría escogido otra Zahorí a estas alturas, pero no por ello dejaba de ser su pueblo ni ellos dejaban de ser su gente. Y, para ser sincera, en el fondo de su corazón no por ello dejaba de ser su Zahorí. De algún modo, sin embargo, proteger a Rand, Egwene, Mat y Perrin de las Aes Sedai se había convertido en ayudarlos a sobrevivir primero, y finalmente, sin haber sido plenamente consciente de cómo o cuándo, incluso ese propósito había quedado arrumbado por necesidades mayores. El fin de entrar en la Torre Blanca para aprender cómo derribar mejor a Moraine se había transformado en un ardiente deseo de aprender a curar. Incluso su odio por la injerencia de las Aes Sedai en la vida de la gente ahora coexistía con su deseo de convertirse en una de ellas. No es que lo deseara realmente, pero era el único modo de aprender lo que quería aprender. Todo se había embrollado como una de esas redes de Aes Sedai, incluida ella misma, y no sabía cómo escapar de ella.

«Sigo siendo la de siempre, y los ayudaré en todo cuanto esté en mis manos.»

—Esta noche usaré el anillo —anunció en voz alta. Se sentó en la cama y empezó a ponerse las medias. La lana no era muy cómoda con este calor, pero así al menos una parte de su cuerpo estaría decentemente vestida. Unas buenas medias de lana y unos buenos zapatos. Birgitte llevaba escarpines de brocado y finas medias de seda que sin duda eran muy frescas. Rechazó esa idea con firmeza—. Sólo para ver si Egwene está en la Ciudadela; en caso contrario, regresaré y no volveremos a utilizar el anillo hasta la próxima entrevista acordada.

Elayne la observaba atentamente, con una mirada intensa, sin pestañear, que la hizo tirar de las medias con una fuerza innecesaria y le despertó una incomodidad creciente. La joven no pronunció una sola palabra, pero su mirada impasible implicaba que Nynaeve podía estar mintiendo; aunque no lo hacía, por supuesto. Tampoco ayudó mucho el que hubiese surgido la idea, casi inconsciente, de que no había una verdadera razón para creer que Egwene iba a acudir al Corazón de la Ciudadela esa noche y que no resultaría difícil lograr que el anillo no le tocase la piel cuando se fuera a dormir. En ningún momento se había planteado esa idea seriamente —se había colado en su cabeza de rondón— pero había surgido, y ello hacía que le costara trabajo mirar a Elayne a los ojos. ¿Y qué, si tenía miedo de Moghedien? Tenerlo sólo era cuestión de sentido común, por mucho que admitirlo le revolviera las bilis.

«Haré lo que deba hacer.» Puso todo su empeño en arrinconar el nerviosismo que le estrujaba la boca del estómago. Para cuando se hubo puesto las medias y la camisola, estaba más que ansiosa por meterse en el vestido azul y salir al calor del exterior con tal de escapar de los ojos de Elayne.

La muchacha estaba acabando de ayudarla a abrocharse la hilera de pequeños botones de la espalda —y rezongando que a ella no la había ayudado nadie, como si hiciese falta ayuda para ponerse aquellas polainas— cuando la puerta del carromato se abrió bruscamente de par en par, dejando entrar una bocanada de calor. Sobresaltada, Nynaeve dio un brinco y se cubrió el busto con las manos antes de darse cuenta de lo que hacía. Cuando vio que era Birgitte en vez de Valan Luca, fingió que lo que hacía era acomodarse el escote.

La otra mujer se alisó sobre las caderas un vestido azul brillante exactamente igual y se echó la trenza sobre uno de los desnudos hombros con una sonrisa de autocomplacencia.

—Si quieres llamar la atención no te molestes en toquetear el escote. Es demasiado obvio. Limítate a respirar hondo. —Hizo una demostración y luego se echó a reír al ver el gesto ceñudo de Nynaeve.

La antigua Zahorí tuvo que esforzarse para controlar el genio, aunque no veía razón para tener que hacerlo. Le costaba trabajo imaginar que en algún momento se hubiese sentido culpable de lo ocurrido. Seguro que Gaidal Cain se había alegrado de librarse de esta mujer. Y Birgitte llevaba el cabello peinado como quería, no como ella. Aunque, naturalmente, eso no tenía nada que ver con lo demás.

—Conocía a una persona como tú en Dos Ríos: Merian. Llamaba por su nombre de pila a todos los guardias de los mercaderes, y desde luego no tenía secretos para ninguno de ellos.

La sonrisa de Birgitte se volvió tensa.

—Y yo conocí a una mujer como tú. Se llamaba Mathena, y también era de las que miraban a los hombres por encima del hombro, e incluso hizo que ejecutaran a un pobre tipo porque la vio por casualidad cuando nadaba desnuda. Nunca la habían besado, hasta que Zheres le robó un beso. Habríase dicho que fue entonces cuando descubrió que los hombres existían. Se encandiló de tal modo que Zheres tuvo que irse a vivir a las montañas para escapar de ella. Estate atenta al primer hombre que te bese. Tendrá que llegar uno antes o después.

Nynaeve dio un paso hacia ella con los puños apretados. O al menos lo intentó. De algún modo, Elayne se las ingenió para ponerse entre las dos, levantando las manos.

—Dejadlo ahora mismo, las dos —ordenó mientras sus ojos iban de la una a la otra con idéntica altanería—. Lini decía siempre que «La espera convierte a los hombres en leones enjaulados, y a las mujeres en gatos metidos en un saco», ¡pero vosotras vais a dejar de echaros las uñas en este mismo momento! ¡No lo aguanto ni un minuto más!

Para sorpresa de Nynaeve, Birgitte se puso colorada y farfulló una desabrida disculpa. A Elayne, naturalmente, pero el hecho de disculparse fue de por sí sorprendente. Birgitte había elegido quedarse cerca de

Elayne, aunque ella no tuviera que permanecer escondida, pero después de tres días aparentemente el calor la estaba afectando tanto como a la propia Elayne. En lo tocante a ella, Nynaeve le asestó a la heredera del trono su mirada más gélida. Se las había ingeniado para mantener una actitud apacible mientras esperaban —lo había hecho—, pero Elayne no era precisamente la más indicada para hacer reproches.

—Bien —dijo la heredera del trono, todavía con el mismo tono helado—, ¿tienes alguna razón para haber irrumpido como un toro o es que simplemente se te ha olvidado cómo se llama a una puerta?

Nynaeve abrió la boca para hacer un comentario sobre gatos —sólo un leve recordatorio— pero Birgitte se le adelantó, aunque su voz sonó más tensa:

—Thom y Juilin han regresado de la ciudad.

—¡Que han regresado! —exclamó Nynaeve, y Birgitte le lanzó una breve mirada antes de volverse de nuevo hacia Elayne.

—¿Los enviaste tú? —inquirió.

—Claro que no —replicó hoscamente Elayne.

La muchacha salió por la puerta rápidamente, con Birgitte pisándole los talones, antes de que Nynaeve tuviese ocasión de decir una palabra. Lo único que podía hacer era seguirlas, así que fue tras ellas mascullando entre dientes. Más valía que a Elayne no se le hubiese ocurrido de repente que quien daba las órdenes allí era ella. Nynaeve todavía no le había perdonado que revelara tantas cosas a los dos hombres.

El seco calor era peor aun en el exterior, a pesar de que el sol todavía no había asomado del todo por encima del muro de lona que rodeaba el recinto del espectáculo. El sudor le había humedecido la frente antes de que la mujer hubiese llegado al pie de la escalerilla del carromato, pero por una vez no torció el gesto.

Los dos hombres estaban sentados en las banquetas de tres patas que había junto a la lumbre de cocinar, con el pelo revuelto y las chaquetas como si se hubiesen rebozado en el polvo. Un hilillo rojo resbalaba por debajo de un trozo de tela hecho una bola que Thom se apretaba contra el cráneo, y escurría sobre un manchón de sangre reseca que le cubría la mejilla y manchaba un lado del blanco bigote. Una contusión purpúrea, del tamaño de un huevo de gallina, sobresalía junto a un ojo de Juilin, que sostenía su vara de madera fragmentada en una mano burdamente envuelta en un vendaje ensangrentado. El ridículo gorro cónico, echado hacia atrás, parecía haber sido pisoteado.

Por el ruido en el interior del recinto rodeado por el muro de lona, los encargados de los caballos ya habían empezado su jornada limpiando las jaulas, y sin duda Cerandin estaba con sus *s'redit* —ninguno de los hombres se acercaba a ellos— pero había poco movimiento todavía en torno a los carromatos. Petro fumaba en la larga pipa mientras ayudaba a Clarine a preparar el desayuno. Dos de los Chavana examinaban una pieza de los aparatos con Muelin, la contorsionista, en tanto los otros dos charlaban con un par de las seis mujeres acróbatas que Luca había contratado, sacándolas del espectáculo de Sillia Cerano. Afirmaban ser las hermanas Murasaka, a despecho de que sus rasgos y tonos de tez eran tan dispares como los de los propios Chavana. Una de las dos que hablaban con Brugh y Taeric vestía con ropas de seda de fuertes colores y tenía los ojos azules y el cabello casi blanco, mientras que la piel de la otra era casi tan oscura como sus ojos. Todos los demás estaban vestidos ya para la primera representación del día, los hombres con los torsos al aire y llamativas polainas, Muelin con un pantalón rojo de gasa y un corpiño a juego muy ajustado y Clarine con traje de cuello alto y adornado con lentejuelas verdes.

Thom y Juilin atrajeron las miradas de varios, pero por fortuna nadie creyó necesario acercarse para preguntarles por su salud. Quizá se debiese a la expresión avergonzada que tenían, con los hombros hundidos y la vista clavada en el suelo. Sin duda sabían que les iba a caer un rapapolvo que les levantaría ampollas. Al menos Nynaeve estaba dispuesta a darles un buen repaso.

Pero Elayne dio un respingo al verlos y corrió a arrodillarse junto a Thom, desaparecida por completo la cólera que la embargaba un momento antes.

—¿Qué ha pasado? Oh, Thom, tu pobre cabeza. Debe de dolerte mucho. Esto está fuera del alcance de mis habilidades. Nynaeve te acompañará dentro y se ocupará de ello. Thom, eres demasiado mayor para meterte en estos líos.

El juglar, indignado, apartó a la muchacha lo mejor que pudo sin dejar de sostener el pegote de tela apretado contra la cabeza.

—Déjalo, pequeña. Me he hecho heridas peores al caerme de la cama. ¿Quieres hacer el favor de no preocuparte?

Desde luego Nynaeve no pensaba hacer Curación alguna a pesar de estar tan furiosa como para abrazar el *Saidar*. Se plantó frente a Juilin, en jarras y con una expresión que dejaba muy claro que no iba a admitir tonterías ni evasivas.

—¿Qué os proponíais escabulléndoos sin decírmelo? —Era un buen modo de advertir también a Elayne que era ella la que estaba al mando—. Si te hubiesen degollado en lugar de acabar con un bollo en el ojo, ¿cómo nos habríamos enterado de lo que te había pasado? No había razón para que os marchaseis. ¡Ninguna! Los pasos para encontrar un barco ya se habían dado.

Juilin la miró malhumorado y se echó el gorro más hacia adelante.

—Con que ya se habían dado, ¿no? ¿Y por eso las tres habéis estado moviéndoos a hurtadillas por...?

Lo interrumpió un fuerte gemido de Thom, que se tambaleó. Después de que el viejo juglar hubo tranquilizado a Elayne asegurando que había sido una breve punzada dolorosa y que estaba en condiciones de asistir a un baile —y de asestar una mirada significativa a Juilin que obviamente confiaba en que las mujeres no advirtieran—, Nynaeve se volvió de nuevo hacia el atezado teariano con gesto furibundo para preguntarle que qué le hacía pensar que se habían estado moviendo a hurtadillas.

—Fue una suerte que saliéramos —dijo Juilin, en cambio, con voz tensa—. Samara es como un banco de cazones alrededor de un trozo de carne sangrienta. Hay chusma en cada calle dando caza a Amigos Siniestros y a cualquiera que no aclame al Profeta como la única y verdadera voz del Dragón Renacido.

—Empezó hace más o menos una hora, cerca del río —intervino Thom, que se resignó con un suspiró a que Elayne le lavase la cara con un paño mojado. Parecía hacer caso omiso de los rezongos de la joven, cosa que no debía de resultarle nada fácil ya que Nynaeve oyó claramente «viejo necio» y «necesitas que alguien se ocupe de ti antes de que consigas que te maten» entre otras cosas, en un tono exasperado y afectuoso por igual—. Ignoro cómo empezó, pero sí oí que se culpaba de ello a las Aes Sedai, a los Capas Blancas, a los trollocs, a todo el mundo excepto a los seanchan, y si hubiesen sabido su nombre también los habrían culpado a ellos. —Hizo un gesto de dolor cuando Elayne apretó un poco con el trapo—. En el transcurso de la última hora nos involucramos un poco más de la cuenta sólo para enterarnos de eso.

—Hay fuego —anunció Birgitte.

Petro y su esposa advirtieron su gesto y se pusieron de pie para otear, preocupados, hacia donde señalaba. Dos negras columnas de humo se elevaban sobre el muro de lona, en dirección a la ciudad. Juilin se incorporó y miró a Nynaeve a los ojos con expresión dura.

—Es hora de marcharse. Tal vez nuestra partida llame la atención de Moghedien sobre nosotros, pero lo dudo; por todas partes hay gente que huye a toda prisa. Dentro de dos horas, no serán sólo dos incendios, sino cincuenta, y evitarla a ella no servirá de nada si la chusma nos hace picadillo. Se revolverá contra los espectáculos una vez que haya destrozado todo lo que puede destrozarse en la ciudad.

—No pronuncies ese nombre —replicó secamente Nynaeve al tiempo que asestaba una ceñuda mirada a Elayne que la joven no advirtió.

729

Revelar demasiado a los hombres siempre era un error. Lo malo es que Juilin tenía razón, pero también era una equivocación admitir tal cosa ante un hombre demasiado pronto—. Pensaré en tu sugerencia, Juilin. Detestaría tener que huir sin razón y después enterarme de que un barco ha atracado nada más marcharnos. —El rastreador la miró como si se hubiese vuelto loca, y Thom sacudió la cabeza a pesar de que Elayne se la estaba sujetando para limpiarle la herida; no obstante, una figura que se abría paso entre los carromatos levantó el ánimo de Nynaeve—. Quizá ya ha llegado.

El parche con el ojo pintado de Ino y su rostro surcado de cicatrices, el largo mechón de pelo y la espada sujeta a la espalda suscitó cabeceos indiferentes de Petro y de varios de los Chavana y un estremecimiento en Muelin. Había hecho personalmente las visitas vespertinas, aunque sin novedades de las que informar. Su presencia ahora tenía que significar que había algo.

Como solía hacer, sonrió a Birgitte nada más verla y dirigió su único ojo sano de manera ostentosa hacia el busto de la mujer, y, también como era habitual, ella correspondió a la sonrisa y lo miró de arriba abajo lentamente. Por una vez, sin embargo, a Nynaeve no le importó el comportamiento censurable de los dos.

—¿Hay algún barco?

La sonrisa de Ino se borró de inmediato.

—Hay un jod... Un barco —repuso, sombrío—, si es que puedo meteros en él indemnes.

—Sabemos lo de los disturbios, pero sin duda quince shienarianos serán capaces de llevarnos hasta allí a salvo.

—Así que sabéis lo de los disturbios —rezongó mientras miraba a Thom y a Juilin—. ¿Y sabéis la puñe...? ¿Sabéis que la gente de Masema está luchando contra los Capas Blancas en las calles? ¿Sabéis que el jod...? ¿Sabéis que Masema ha ordenado a los suyos tomar Amadicia a sangre y fuego? Ya son miles los que han cruzado el cond... ¡Aaag! El río.

—Aunque sea así —replicó firmemente Nynaeve—, espero que hagas lo que dijiste que harías. Recordarás que prometiste obedecerme —puso algo de énfasis en esta última palabra a la par que echaba una significativa mirada a Elayne.

Fingiendo no darse cuenta, la muchacha se puso de pie con el trapo manchado de sangre en la mano y se dirigió a Ino:

—Siempre me han dicho que los shienarianos se cuentan entre los soldados más valientes del mundo. —El anterior timbre cortante de su voz de repente se había convertido en mieles y regia suavidad—. Me han contado muchas historias de la bravura shienariana cuando era pequeña.

—Posó una mano en el hombro de Thom, pero sus ojos se mantuvieron prendidos en Ino—. Todavía las recuerdo, y espero recordarlas siempre.

Birgitte se acercó y empezó a dar masajes a Ino en la nuca mientras lo miraba fijamente a los ojos. Aparentemente el parche con el ojo pintado no la afectaba en absoluto.

—Tres mil años guardando La Llaga —dijo suave, muy suavemente. ¡Hacía dos días que no le hablaba así a Nynaeve!—. Tres mil años y sin retroceder jamás aunque hubiera que pagar con creces en sangre cada palmo de terreno. Esto no será Enkara ni Umbral de Soralle, pero sé cómo actuaréis.

—¿Qué habéis hecho? —gruñó Ino—. ¿Leer todas las condenadas historias de las jodidas Tierras Fronterizas? —De inmediato se encogió y miró a Nynaeve, que no había tenido más remedio que ordenarle que utilizase un lenguaje decoroso, sin una sola palabra malsonante. El guerrero no lo llevaba muy bien, pero no había otro modo que evitar que reincidiera en su habitual retahíla de juramentos; y Birgitte no debería mirarla con ceño—. ¿No podéis hablar con ellas? —se dirigió a Thom y a Juilin—. Están chif... Son unas necias si intentan esto.

Juilin alzó las manos y Thom se echó a reír.

—¿Conoces alguna mujer que haga caso a un consejo sensato cuando no quiere oírlo? —contestó el juglar. Gruñó cuando Elayne le retiró la mano que apretaba la tela contra la cabeza y empezó a limpiar la herida del cuero cabelludo quizá con un poco más de fuerza de la estrictamente necesaria.

—En fin —dijo Ino sacudiendo la cabeza—, si me van a embaucar supongo que así será. La gente de Masema encontró el barco, el *Serpiente de río* o algo por el estilo, antes de que hiciese una hora que había atracado, pero los Capas Blancas se apoderaron de él. Eso es lo que inició este pequeño alboroto. La mala noticia es que los Capas Blancas todavía dominan los muelles. Aunque lo peor es que tal vez Masema ha olvidado lo del barco. Fui a verlo pero no quería oír una sola palabra de ese asunto; de lo único que hablaba era de colgar Capas Blancas y hacer que Amadicia doblase la rodilla ante el lord Dragón aunque para ello tuviera que prender fuego a todo el país. Sin embargo, no se ha molestado en dar la contraorden a toda su gente, y ha habido combates cerca del río y quizá los haya todavía. Llevaros a través de los disturbios de la ciudad no va a ser nada fácil, pero si hay lucha en los muelles entonces no prometo nada. Y no tengo la más remota idea de cómo voy a meteros en un barco que está en manos de Capas Blancas.

Soltó un largo suspiro y se limpió el sudor de la frente con el envés de una mano llena de cicatrices. El esfuerzo de pronunciar una parrafada tan larga sin intercalar una sola palabra gruesa era patente en su rostro. Nynaeve lo habría librado del compromiso de reprimir su lenguaje habitual en ese momento si no hubiese estado demasiado estupefacta para poder hablar. Tenía que ser una coincidencia. «Luz, dije que se consiguiera un barco a toda costa, pero no me refería a esto. ¡No a esto!» No entendía por qué Elayne y Birgitte la miraban de un modo tan impasible. Ambas estaban al tanto de este asunto y a ninguna se le ocurrió la posibilidad de que ocurriese algo así. Los tres hombres intercambiaron miradas preocupadas, obviamente conscientes de que allí pasaba algo pero sin imaginar qué podía ser, gracias le fueran dadas a la Luz por ello. De cuantas menos cosas estuviesen enterados los hombres, tanto mejor. Tenía que ser una coincidencia.

En cierto sentido, se alegró mucho de ver a otro hombre abriéndose paso entre los carromatos; ello le daba una excusa para apartar los ojos de Elayne y Birgitte. Por otro lado, la aparición de Galad le provocó una sensación de vacío en el estómago.

Vestía ropas de color marrón y un gorro de terciopelo en lugar de su blanca capa y su bruñido peto, pero la espada seguía colgada a su cadera. Hasta entonces no se había acercado a los carromatos, y el efecto causado por su rostro fue demoledor. Muelin dio un paso hacia él de manera inconsciente, en tanto que las dos esbeltas acróbatas se inclinaban hacia adelante, boquiabiertas. Los Chavana habían quedado en el olvido, y estaban molestos por ello. Incluso Clarine se alisó el vestido mientras lo observaba, hasta que Petro se quitó la pipa de los labios y le dijo algo. Entonces la mujer fue hacia donde su esposo estaba sentado, riéndose, y estrechó el rostro del hombretón contra sus grandes senos. Pero sus ojos siguieron prendidos en Galad por encima de la cabeza de su marido.

Nynaeve no estaba de humor para dejarse impresionar por una cara bonita, y su respiración apenas se alteró.

—Fuiste tú, ¿no es verdad? —lo increpó antes incluso de que llegara a su lado—. Te apoderaste del *Serpiente de río*, ¡a que sí! ¿Por qué?

—El *Sierpe de río* —corrigió él, contemplándola con incredulidad—. Me pediste que me asegurara de procuraros un pasaje.

—¡Pero no te pedí que iniciases una batalla campal!

—¿Una batalla campal? —intervino Elayne—. Una guerra. Una invasión. Todo empezó por esa embarcación.

—Le di mi palabra a Nynaeve, hermana —contestó sosegadamente Galad—. Mi primer deber es asegurarme de ponerte en camino a Caemlyn sana y salva. Y a Nynaeve, por supuesto. Los Hijos habrían tenido que enfrentarse a ese tal Profeta antes o después.

—¿No podías limitarte a informarnos que había un barco? —dijo Nynaeve con sarcasmo. Los hombres y su palabra de honor. Todo muy digno de admiración, a veces, pero debió haber hecho caso a Elayne cuando ésta le dijo que su hermanastro hacía lo que consideraba correcto pesase a quien pesase y por encima de todo.

—Ignoro para qué quería el Profeta ese barco, pero dudo que en tal caso hubierais podido encontrar pasaje para ir río abajo. —Sus palabras hicieron que Nynaeve se encogiera—. Aparte de lo cual, pagué vuestro pasaje al capitán mientras estaba descargando la bodega todavía. Una hora después, uno de los dos hombres que dejé de guardia para estar seguro de que no zarpaba sin vosotras vino para avisarme que su compañero había muerto y que el Profeta se había adueñado del barco. No comprendo por qué estás tan molesta por ello. Queríais un barco, lo necesitabais, y yo os conseguí uno. —Frunciendo el entrecejo, Galad se dirigió a Thom y Juilin—. ¿Qué les ocurre? ¿Por qué no dejan de mirarse entre sí?

—Mujeres —fue la escueta respuesta de Juilin, y se ganó un cachete en el pescuezo por parte de Birgitte. El rastreador le asestó una mirada furiosa.

—Las picaduras de los tábanos son muy dolorosas —sonrió la mujer, y el gesto ceñudo de Juilin se desdibujó en otro de incertidumbre mientras se colocaba el gorro cónico.

—Podemos quedarnos aquí todo el día discutiendo sobre lo que está bien y lo que está mal —manifestó secamente Thom—, o podemos subir a ese barco. El pasaje está pagado, y ya no hay modo de recobrar el precio que ha costado.

Nynaeve volvió a encogerse. Lo dijera con el sentido que lo dijera, ella sabía cómo interpretarlo.

—Puede que haya dificultades en llegar al río —apuntó Galad—. Me he puesto esta ropa porque los Hijos no son muy populares en Samara en este momento, pero la chusma puede atacar a cualquiera.

Observó a Thom, con su cabello y bigote blancos, dubitativamente, y a Juilin con una expresión menos crítica —aunque desaliñado, el aspecto del teariano era lo bastante duro para clavar postes— y luego se volvió hacia Ino.

—¿Dónde está tu amigo? Otra espada podría venirnos bien hasta que lleguemos donde están mis hombres.

La sonrisa de Ino fue malévola. Saltaba a la vista que no había cambiado lo que el uno sentía por el otro desde su primer encuentro.

—Está por aquí cerca. Y puede que haya uno o dos más. Yo los llevaré al barco, si es que tus Capas Blancas son capaces de conservarlo. O incluso si no pueden.

Elayne abrió la boca, pero Nynaeve se le adelantó:

—¡Basta ya, los dos! —Seguro que Elayne habría recurrido otra vez a palabras melosas para solventar el problema. Quizás hubiese funcionado, pero ella necesitaba descargar su rabia. Contra algo, lo que fuese—. Tenemos que movernos rápidamente. —Tendría que haber imaginado, cuando lanzó a dos dementes hacia una misma meta, lo que pasaría si ambos la alcanzaban al mismo tiempo. Estaban locos, los dos. ¡Todos los hombres lo estaban!—. Ino, reúne al resto de tus hombres tan deprisa como sea posible. —El soldado intentó decirle que ya estaban reunidos al otro lado de la cerca del recinto, pero la antigua Zahorí continuó con un ímpetu imparable—. Galad, tú...

—¡Arriba todo el mundo! —El grito de Luca la interrumpió. El hombre venía trotando entre los carromatos, cojeando, y con una contusión en un lado de la cara. Su capa escarlata estaba rota y manchada. Por lo visto Thom y Juilin no eran los únicos que habían ido a la ciudad—. ¡Brugh, ve a decirles a los mozos que enganchen los tiros! Tendremos que abandonar la cerca de lona —dijo, con un gesto de dolor—, ¡pero quiero estar en la calzada en menos de una hora! ¡Andaya, Kuan, despertad a vuestras hermanas! ¡Que se levanten todos los que aún estén dormidos! Y, si se están aseando, decidles que se vistan aunque estén sucios o se vendrán desnudos. ¡Daos prisa, a no ser que queráis jurar fidelidad al Profeta y marchar contra Amadicia! ¡Chin Akima ya ha perdido la cabeza, junto con la mitad de sus artistas, y Sillia Cerano y una docena de los suyos fueron azotados por ser demasiado lentos! ¡Moveos! —Para entonces, todo el mundo excepto los que se encontraban junto al carromato de Nynaeve corría de un sitio para otro.

El paso renqueante de Luca aminoró a medida que se acercaba y observaba desconfiadamente a Galad. Y a Ino, cómo no, a pesar de que ya había visto al hombre tuerto en dos ocasiones antes.

—Nana, quiero hablar contigo —dijo en voz baja—. A solas.

—No iremos con vosotros, maese Luca —respondió ella.

—A solas —insistió, y la cogió del brazo y tiró de ella.

Nynaeve miró al grupo para decir que no interfiriese y se encontró con que no era necesario. Elayne y Birgitte se dirigían presurosas hacia el muro de lona que rodeaba el recinto, y salvo por alguna que otra ojeada en dirección a Luca y a ella los cuatro hombres estaban absortos en una conversación. Nynaeve resopló sonoramente. Menudos hombres, que veían que maltrataban a una mujer y no hacían nada.

Se soltó el brazo de un tirón y caminó junto a Luca con un claro gesto de desagrado.

—Supongo que querrás tu dinero ahora que nos marchamos. Bien, pues lo tendrás. Cien marcos de oro. Aunque opino que deberías descontar algo por el tiro de caballos y el carromato que dejamos. Y por nuestra contribución al espectáculo. Sin duda hemos hecho que aumente el número de tus clientes. Moren y Juilin con su número de funámbulos, yo con el tiro al arco, Thom...

—¿Crees que lo que busco es el dinero, mujer? —demandó mientras se volvía hacia ella—. ¡Si fuese eso, lo habría pedido el mismo día en que cruzamos el río! ¿Lo he hecho? ¿Te has parado a pensar alguna vez por qué no?

A despecho de sí misma, retrocedió un paso y se cruzó de brazos con aire severo. Y de inmediato deseó no haberlo hecho; con ese gesto sólo conseguía resaltar más lo que estaba enseñando. Por pura obstinación mantuvo la postura —no estaba dispuesta a actuar de modo que el hombre pensara que se sentía azorada, sobre todo cuando tal cosa era cierta— pero, sorprendentemente, los ojos de Luca se mantuvieron prendidos en los de ella. Quizás estaba enfermo. Hasta entonces nunca había evitado mirarle el busto, y si Valan Luca no estaba interesado en bustos ni en dinero...

—Si no es del oro, ¿de qué quieres hablar conmigo?

—Todo el camino de regreso de la ciudad a aquí —empezó lentamente— no he dejado de pensar que ahora os marchabais de verdad. —Nynaeve rehusó retroceder otro paso a pesar de que el hombre estaba muy cerca y la contemplaba fijamente. Por lo menos seguía mirándole la cara—. No sé de qué huís, Nana. A veces, casi he creído la historia que me contasteis. Ciertamente, Morelin tiene un porte noble. Pero tú no has sido nunca la doncella de una dama. Estos últimos días casi esperaba encontraros en cualquier momento a las dos rodando por el suelo y tirándoos de los pelos. Y tal vez a Merian enzarzada también. —Debió de advertir algo en la expresión de ella, porque carraspeó y se apresuró a continuar—. El asunto es que puedo encontrar a otra persona a la que Merian dispare. Gritas tan bien que cualquiera diría que estás realmente aterrada, pero... —Volvió a aclararse la garganta, con mayor precipitación esta vez, y se echó hacia atrás—. Lo que intento decir es que quiero que te quedes. Hay todo un mundo ahí fuera, miles de ciudades esperando un espectáculo como el mío, y sea quien sea de quien huyes jamás te encontraría estando conmigo. Unos cuantos artistas de Akima y varios de Sillia que no han escapado al otro lado del río... se han unido a mí. El espectáculo de Valan Luca será el más grande que el mundo ha visto nunca.

—¿Que me quede? ¿Por qué iba a quedarme? Te dije desde el principio que sólo queríamos llegar a Ghealdan, y nada ha cambiado.

—¿Que por qué? Para que seas la madre de mis hijos, naturalmente. —Le cogió una mano entre las suyas—. Nana, tus ojos me han robado el alma, tus labios enardecen mi corazón, tus hombros hacen que mi pulso se acelere, tu...

—¿Quieres casarte conmigo? —lo interrumpió, con incredulidad.

— Casarme? —Parpadeó—. Bueno... eh... sí. Sí, por supuesto. —Su voz cobró firmeza de nuevo y apretó los dedos de ella contra sus labios—. Nos casaremos en la primera ciudad donde pueda hacer los arreglos oportunos. Jamás le he pedido a otra mujer que se case conmigo.

—Eso no me cuesta trabajo creerlo —repuso débilmente. Tuvo que tirar para soltar su mano—. Aprecio en lo que vale tu propuesta y me siento honrada, maese Luca, pero...

—Valan, Nana. Valan.

—Pero tengo que rehusarla. Estoy comprometida con otro. —Bueno, en cierto modo lo estaba. Lan Mandragoran podía pensar que su sello sólo era un regalo, pero ella lo veía de manera distinta—. Y me voy.

—Debería atarte y llevarte conmigo. —El polvo y los desgarrones estropearon hasta cierto punto el ostentoso ondear de su capa mientras se erguía—. Con el tiempo, olvidarías a ese tipo.

—Inténtalo y haré que Ino te haga desear que te hubiesen troceado para hacer salchichas contigo. —La amenaza apenas desinfló al infatuado Luca. Nynaeve lo golpeó con el índice en el torso—. No me conoces, Valan Luca. No sabes nada sobre mí. Mis enemigos, a los que descartas tan fácilmente, te desollarían y te harían bailar con los huesos al aire, y te sentirías agradecido si eso era todo lo que hacían contigo. Bien, he de marcharme y no tengo tiempo de escuchar tus majaderías. ¡No, ni una palabra más! Estoy completamente decidida y no vas a conseguir hacerme cambiar de idea, de modo que mejor será que dejes de desvariar.

Luca soltó un sonoro suspiro.

—Eres la única mujer para mí, Nana. Que otros hombres se queden con esas aburridas gazmoñas y sus pestañeos y suspiros tímidos. Un hombre se da cuenta de que tiene que caminar a través de fuego y domar a una leona con sus manos desnudas cada vez que se acerca a ti. Cada día una aventura, cada noche... —La sonrisa que esbozó estuvo a punto de costarle un bofetón—. Volveré a encontrarte, Nana, y será a mí a quien elijas. Lo sé aquí. —Se dio unos golpecitos con el pulgar en el pecho en un gesto teatral, e hizo ondear la capa con un ademán aun más ostentoso—. Y tú también lo sabes, mi queridísima Nana. En el fondo de tu corazón, lo sabes.

Nynaeve no sabía si sacudir la cabeza o quedarse boquiabierta. Los hombres estaban locos. Todos ellos.

Luca insistió en escoltarla hasta el carromato llevándola sujeta por el brazo como si estuviesen en un baile.

Abriéndose paso entre el tumulto de mozos que corrían hacia los tiros, el ensordecedor griterío de hombres, relinchos de caballos, rugidos de osos, bufidos de leopardos, Elayne iba gruñendo como queriendo estar a la altura de los animales. Nynaeve no tenía ningún derecho a criticarla por enseñar las piernas. Se había fijado en el modo en que se erguía cada vez que aparecía Valan Luca. Y también cómo respiraba más hondo. Con Galad hacía lo mismo, a decir verdad. Ella no disfrutaba vistiendo polainas; eran cómodas, cierto, y más frescas que una falda. Ahora entendía la razón de que Min prefiriese las ropas masculinas. Casi. Estaba el problema de superar la sensación de que la chaqueta hacía las veces de un vestido tan corto que apenas tapaba las caderas. Pero lo había superado hasta el momento; aunque no pensaba permitir que Nynaeve, con su lengua viperina, lo supiera. Esa mujer tendría que haber comprendido que Galad pasaría por alto el coste de mantener su promesa; y no era que ella no se lo hubiese advertido incontables veces. ¡E involucrar en ello al Profeta! Nynaeve actuaba sin pensar lo que hacía.

—¿Decías algo? —preguntó Birgitte. La mujer se había recogido los vuelos de la falda sobre un brazo para mantener el paso, sin mostrar el menor rebozo por dejar al aire las piernas desnudas desde los escarpines de brocado azul hasta bastante más arriba de las rodillas, y aquellas medias diáfanas cubrían aun menos que sus polainas.

—¿Qué opinas de que vista con esta ropa? —inquirió, frenándose en seco.

—Que permite libertad de movimientos —respondió juiciosamente Birgitte, a lo que Elayne asintió con un cabeceo—. Claro que es una suerte que tu trasero no sea muy grande, dado lo ajustadas que...

La joven echó a andar a zancadas, furiosa, mientras se daba secos tirones de la corta chaqueta. La lengua de Nynaeve se quedaba chiquita comparada con la de Birgitte. En verdad tendría que haber exigido algún tipo de juramento de obediencia o, al menos, alguna muestra del respeto debido. Tendría que recordar eso cuando llegara el momento de vincular a Rand. Cuando Birgitte la alcanzó, con una expresión hosca en el rostro como si fuese ella la que casi estuviera fuera de sus casillas, ninguna de las dos habló.

Vestida con el traje de lentejuelas verdes, la seanchan de cabello claro hacía uso de la aguijada para guiar al *s'redit* macho que estaba empujando con la cabeza la jaula del león. Un mozo con el torso cubierto por un manoseado chaleco de cuero aferraba la lanza del carro y lo hacía girar hacia donde el tronco de caballos pudiera engancharse más fácilmente. El león paseaba, intranquilo, de un extremo a otro de la jaula, sacudiendo la cola y de vez en cuando emitiendo una especie de tos seca que sonaba como el preludio de un rugido.

—Cerandin —llamó Elayne—, tengo que hablar contigo.

—Dentro de un momento, Morelin. —Absorta en el grisáceo animal de grandes colmillos, su forma peculiar de pronunciar las palabras casi hizo incomprensible lo que decía.

—Ahora, Cerandin. No disponemos de mucho tiempo.

Pero la mujer no detuvo al *s'redit* y continuó el giro hasta que el mozo gritó que el carro estaba en posición.

—¿Qué quieres, Morelin? —preguntó entonces con timbre impaciente—. Todavía tengo mucho que hacer, y me gustaría cambiarme de ropa. Este vestido no es adecuado para viajar.

El colosal animal aguardaba pacientemente detrás de ella. Elayne apretó ligeramente los labios.

—Nos marchamos, Cerandin.

—Sí, lo sé. Es por los disturbios. Estas cosas no deberían consentirse. Si el tal Profeta piensa hacernos daño, va a enterarse de lo que son capaces *Mer* y *Sanit*. —Se giró un poco para rascar el rugoso lomo de *Mer* con la aguijada, y el animal rozó el hombro de la mujer con su largo apéndice nasal. La «trompa», como la denominaba Cerandin—. Algunos prefieren utilizar *lopar o grolm* en las batallas, pero si se utiliza bien a los *s'redit...*

—Calla y escucha —la interrumpió firmemente Elayne. Resultaba todo un esfuerzo mantener cierta dignidad con la seanchan comportándose obtusamente y Birgitte plantada a un lado, cruzada de brazos. Estaba segura de que la arquera sólo esperaba la oportunidad para soltar otro comentario cortante—. No me refiero al espectáculo, sino a Nana, a ti y a mí. Vamos a coger un barco esta mañana, y en unas cuantas horas estaremos lejos del alcance del Profeta para siempre.

—Pocas embarcaciones fluviales pueden transportar *s'redit*, Morelin —respondió la seanchan a la par que sacudía la cabeza lentamente—. Aun en el caso de que hayas encontrado una que sí puede, ¿qué harán después? ¿Qué haré yo? Dudo que pueda ganar tanto si actúo sola como yendo con maese Luca, ni siquiera con tu número de caminar por el cable y Merian disparando su arco. Y supongo que Thom haría malabarismos. No, no, es mejor que todos nos quedemos con el espectáculo.

—Habrá que dejar a los *s'redit* —admitió Elayne—, pero estoy segura de que maese Luca se ocupará de ellos. No vamos a actuar, Cerandin. Ya no es necesario. Allí adonde voy hay personas a las que les gustaría saber... —Reparó entonces en el mozo, un tipo larguirucho con una nariz incongruentemente bulbosa, que se encontraba lo bastante cerca para oír la conversación—. Saber cosas de tu lugar de origen. Muchas más cosas de las que ya nos has contado. —No, el tipo no escuchaba; estaba mirando con lujuria, alternativamente, el busto de Birgitte y sus piernas. Mantuvo fijos los ojos en él hasta que la insolente sonrisa se tornó en una mueca forzada y reanudó sus tareas.

—¿Quieres que abandone a *Mer, Sanit* y *Nerin* al cuidado de unos hombres que tienen miedo de acercarse a ellos? —Cerandin sacudió la cabeza otra vez—. No, Morelin, nos quedamos con maese Luca. Y tú también. Es mucho mejor. ¿Te acuerdas de las terribles condiciones en que estabas el día que viniste? No querrás volver a lo mismo, ¿verdad?

Elayne respiró profundamente y se acercó más a la mujer. Nadie excepto Birgitte estaba lo bastante cerca para oírla, pero no quería correr riesgos innecesarios.

—Cerandin, mi verdadero nombre es Elayne de la casa Trakand, heredera del trono de Andor. Algún día seré la reina de Andor.

Basándose en el comportamiento de la mujer aquel primer día, e incluso más en lo que les había dicho sobre los seanchan, eso debería haber bastado para acabar con cualquier resistencia por su parte. Pero, en lugar de ello, Cerandin la miró directamente a los ojos.

—Afirmabas ser una noble el día que llegaste, pero... —Frunció los labios y echó una fugaz ojeada a las polainas de Elayne—. Eres una excelente funámbula, Morelin. Con un poco de práctica, llegarías a ser lo bastante buena para actuar ante la emperatriz algún día. Todo el mundo tiene su sitio y todo el mundo está en el que le corresponde.

Durante un instante, Elayne abrió y cerró la boca sin emitir un solo sonido. ¡La seanchan no la creía!

—Ya he perdido demasiado tiempo, Cerandin.

Alargó la mano hacia el brazo de la mujer para llevársela a rastras si era necesario, pero Cerandin le asió la mano, realizó un movimiento giratorio, y Elayne, con los ojos desorbitados y un chillido de sorpresa, se encontró sosteniéndose de puntillas y preguntándose si la muñeca se le rompería antes de que el hombro se le dislocara. ¡Y Birgitte siguió plantada en el mismo sitio, cruzada de brazos, y encima tuvo la desfachatez de enarcar inquisitivamente una ceja!

Elayne apretó los dientes; no le pediría ayuda.

—Suéltame, Cerandin —exigió, aunque habría querido que su voz no sonara tan falta de aliento—. ¡He dicho que me sueltes!

Al cabo de un momento la seanchan obedeció y retrocedió un paso cautelosamente.

—Eres una amiga, Morelin, y siempre lo serás. Quizá te conviertas en una dama noble algún día. Posees los modales para ello, y si atraes a un lord podría tomarte como una de sus *asa*. A veces las *asa* se convierten en esposas. Que la Luz te acompañe, Morelin. He de terminar mi trabajo. —Sostuvo la aguijada de manera que *Mer* enroscó la trompa en ella y el enorme animal permitió que la mujer lo condujese, pesadamente, hacia otra parte del recinto.

—Cerandin —llamó, cortante, Elayne—. ¡Cerandin! —La mujer de cabello claro no volvió la cabeza, y Elayne asestó una mirada furibunda a Birgitte—. Has sido una gran ayuda —gruñó, y echó a andar antes de que la otra mujer tuviese tiempo de responder.

Birgitte la alcanzó y caminó a su lado.

—Por lo que he oído y lo que he visto, has empleado bastante tiempo en enseñarle a esa mujer que tiene voluntad propia. ¿Acaso esperabas que te ayudase a arrebatarle de nuevo esa convicción?

—No era eso lo que intentaba en absoluto —masculló Elayne—. Lo que intentaba era cuidar de ella. Se encuentra muy lejos de su hogar, es una extraña dondequiera que vaya, y hay gente que no la trataría amablemente si se enterase de dónde procede.

—A mí me parece muy capaz de cuidar de sí misma —repuso con tono cortante Birgitte—. Claro que quizá también le enseñaste eso tú, ¿no? Sin duda era una infeliz desvalida hasta que la conociste.

La gélida mirada que le asestó Elayne pareció resbalar sobre ella como un trozo de hielo sobre una lámina de acero caliente.

—Te limitaste a observar sin hacer nada. Se supone que eres mi... —Echó una fugaz ojeada en derredor; sólo fue un vistazo rápido, pero bastó para que varios mozos agacharan la cabeza—. Mi Guardián. Y se supone que tienes que ayudarme a defenderme cuando me es imposible encauzar.

También Birgitte echó un vistazo en derredor, pero por desgracia no había nadie lo bastante cerca para que tuviera que contener la lengua.

—Te defenderé cuando estés en peligro, pero si todo el peligro que te amenaza es que te tumben sobre las rodillas de alguien para darte una azotaina por haberte comportado como una niña mimada, tendré que decidir si no es más conveniente permitir que aprendas una lección que podría salvarte de una situación igual o peor más adelante. ¡Mira que decir que eres la heredera de un trono! ¡Vaya! Si vas a ser Aes Sedai más te vale practicar la manera de alterar y torcer la verdad, no hacerla añicos.

Elayne estaba boquiabierta; tuvo que tropezar con sus propios pies para salir de su estupor y recuperar el habla.

—¡Pero es cierto que lo soy!

—Si tú lo dices —repuso Birgitte mientras su mirada recorría las polainas llenas de lentejuelas.

Elayne no pudo evitarlo; aguantar la afilada lengua de Nynaeve, a Cerandin comportándose con la tozudez de dos mulas, y ahora esto. Echó la cabeza hacia atrás y gritó con frustración.

Cuando el sonido cesó, dio la impresión de que incluso los animales se habían quedado callados. Los mozos estaban parados, contemplándola de hito en hito. La joven hizo caso omiso de ellos con actitud fría; ahora no había nada que pudiese afectarla. Estaba tan impasible como un témpano y con un absoluto control sobre sí misma.

—¿Ese grito era pidiendo ayuda? —inquirió Birgitte mientras ladeaba la cabeza—. ¿O es que tienes hambre? Supongo que podría encontrar una ama de cría en la...

Elayne se alejó a zancadas a la par que soltaba un sordo gruñido que habría enorgullecido a cualquiera de los leopardos.

48

DESPEDIDAS

C uando estuvo de vuelta en su carromato, Nynaeve se cambió
el traje de actuar por un vestido decente, aunque rezongó
por tener que desabrochar toda una hilera de botones a lo
largo de la espalda y abrocharse otra sin ayuda de nadie. La
sencilla prenda de fina lana gris, bien cortada pero sin adornos exagera-
dos, pasaría inadvertida casi en cualquier sitio, pero desde luego le daba
mucho calor. Aun así, proporcionaba una agradable sensación estar vestida decentemente una vez más. También daba la impresión, en cierto
modo, de sentirse rara, como si llevara puesta demasiado ropa. Debía de
ser a causa del calor.

Se arrodilló rápidamente delante de la pequeña estufa de ladrillos
con la chimenea de hojalata y abrió la puerta de hierro tras la que había
guardado las cosas de valor.

El anillo de piedra retorcido fue a parar a la bolsita del cinturón, junto al pesado sello de Lan y a su anillo de la Gran Serpiente. El pequeño
cofre dorado que contenía las gemas que Amathera les había dado lo
guardó en el morral de cuero, con las bolsas de hierbas que había cogido
a Ronda Macura en Mardecin, y el pequeño mortero y majador para
prepararlas; tanteó las bolsas sólo para recordar lo que contenía cada

una, desde la milenrama hasta la horrible horcaria. Las cartas de valores también fueron adentro, y tres de las seis bolsas de dinero, ninguna tan hinchada como lo estaban después de haber tenido que pagar los gastos del espectáculo ambulante hasta llegar a Ghealdan. Puede que Luca no estuviese interesado en los cien marcos de oro, pero no había hecho ascos a aceptar que ella se hiciera cargo de los dispendios. Una de las cartas, que autorizaba al portador a hacer lo que deseara en nombre de la Sede Amyrlin, encontró hueco junto a los anillos. A Samara sólo habían llegado algunos rumores vagos sobre alguna clase de problemas en Tar Valon; podría sacarle utilidad al documento, aun cuando llevase estampada la firma de Siuan Sanche. La caja de madera oscura la dejó donde estaba, cerca de tres de las bolsas de dinero y del burdo saquillo de arpillera que contenía el *a'dam* —eso ero algo que ciertamente no deseaba tocar— y la flecha de plata que Elayne había encontrado la noche del aciago encuentro con Moghedien.

Durante un instante contempló la flecha con el ceño fruncido, pensando en la Renegada. Indiscutiblemente, lo mejor era hacer todo lo que fuera preciso para evitarla. «Lo es. ¡Aunque la venciera una vez!» Y la segunda había estado colgada como una salchicha en la cocina. De no haber sido por Birgitte... «Fue decisión suya.» Así lo había manifestado la mujer y tenía razón. «Podría vencerla otra vez. Podría hacerlo. Pero si fallara...» Sí. Si fallaba...

Lo único que estaba haciendo era intentar retrasar el momento de tocar la bolsa de gamuza que estaba embutida en la parte de atrás, y lo sabía, pero la verdad es que era igual de horrible coger la bolsa como la idea de enfrentarse a Moghedien otra vez. Hizo una honda inhalación, sin poder evitar la sensación de asco, alargó los dedos hacia la parte posterior y cogió la bolsa por los cordones; entonces comprendió que estaba equivocada. La maldad impregnó su mano, más fuerte que nunca, como si el propio Oscuro estuviese intentando realmente abrirse paso a través del sello de *cuendillar* que había dentro. Mejor era imaginar durante el día entero ser derrotada por Moghedien; había una gran diferencia entre pensar algo y la realidad. Tenía que ser imaginación suya —en Tanchico no había percibido tal sensación— pero deseó poder delegar en Elayne la tarea de hacerse cargo de la bolsa. O dejarla allí.

«Basta de tonterías —se increpó firmemente—. Es lo que mantiene cerrada la prisión del Oscuro. Te estás dejando llevar por fantasías desatinadas.» Empero, la soltó como una rata muerta desde hacía una semana sobre el vestido rojo que Luca le había mandado hacer y después la envolvió y la ató tan deprisa como pudo. El paquete de seda acabó en medio de un envoltorio de ropas que pensaba llevarse, dentro de la estupenda capa gris de viaje. Un palmo de distancia bastó para que desapareciese la sensación de tenebrosa desolación, pero persistió el deseo de lavarse la mano. Si al menos no supiera que estaba allí... Se estaba comportando como una necia; Elayne se reiría de ella, y también Birgitte. Y con razón.

De hecho, las ropas que quería llevarse ocupaban dos paquetes, y lamentaba hasta el último trapo que tenía que dejarse. Incluso el vestido azul escotado. Y no porque deseara volver a ponerse algo así —desde luego, no tenía la menor intención de tocar el vestido rojo hasta que entregase el paquete, intacto, a una Aes Sedai en Salidar— pero no podía evitar hacer cuentas del coste de las ropas, caballos y vehículos abandonados desde que habían salido de Tanchico. Y el carruaje, y los barriles de tinte. Hasta Elayne se habría encogido si se lo hubiese planteado alguna vez. Esa jovencita creía que siempre habría monedas cuando metiera la mano en la bolsa.

Todavía estaba haciendo el segundo hatillo cuando Elayne regresó y, en silencio, empezó a cambiarse de ropa y se puso un vestido de seda azul. En silencio se entiende sin contar con los rezongos que masculló, sin duda, cuando tuvo que doblar los brazos hacia atrás para abrocharse los botones. Nynaeve la habría ayudado si se lo hubiese pedido; pero, como no lo hizo, observó subrepticiamente a la joven mientras se cambiaba, buscando magulladuras en su cuerpo. Le había parecido oír un grito unos minutos antes de que Elayne llegara, y si ella y Birgitte habían acabado a golpes... No estaba muy segura de que le alegrara no descubrir ninguna marca. Un barco fluvial sería, a su modo, un espacio tan confinado como este carromato, y nada agradable si las dos mujeres estaban malquistadas. Claro que también podría ser positivo que se hubiesen peleado, ya que de ese modo habrían desahogado un tanto su irracional temperamento.

Elayne no pronunció una palabra mientras recogía sus objetos personales, ni siquiera cuando Nynaeve preguntó, muy amablemente, dónde había ido para salir corriendo tan de repente como si se hubiese caído encima de un cardo borriquero. Por toda respuesta obtuvo un gesto altanero de barbilla levantada y una mirada gélida, como si la chica pensara que estaba sentada ya en el trono de su madre.

A veces Elayne se sumía en silencios que hablaban mucho más de lo que cualquier palabra habría podido hacer. Al ver las tres bolsas de dinero restante, vaciló un momento antes de cogerlas y la frialdad del ambiente en el interior del carromato pareció descender de manera notable, aunque esas bolsas eran su parte correspondiente. Nynaeve estaba harta de oír críticas sobre el modo en que disponía de los fondos comunes; que la muchacha viera cómo iban disminuyendo y quizás así fuera consciente de que podría no haber más durante un tiempo. Empero, cuando Elayne se diera cuenta de que el anillo no estaba y que la caja oscura seguía allí...

La heredera del trono la cogió y levantó la tapa; sus labios se fruncieron a medida que examinaba el contenido, los otros dos *ter'angreal* que habían transportado desde Tear: un pequeño disco de hierro con una prieta espiral grabada en ambas caras, y una estrecha lámina de cinco pulgadas de largo que parecía ámbar pero que era dura como el acero, y en el interior, a saber cómo, tenía grabada la imagen de una mujer dormida. Cualquiera de los dos objetos podía utilizarse para entrar en el *Tel'aran'rhiod* aunque no de manera tan fácil y precisa como con el anillo; el uso de ambos requería encauzar Energía, el único de los Cinco Poderes que podía encauzarse durante el sueño. A Nynaeve le pareció lo más indicado dejárselos a Elayne puesto que ella se había hecho cargo del anillo. La muchacha cerró la tapa con un seco chasquido, miró a su compañera fijamente, sin expresión alguna en el rostro, y después guardó la caja en uno de sus bultos de equipaje, junto con la flecha de plata. Su silencio era clamoroso.

También ella preparó dos envoltorios, pero más voluminosos; no se dejó nada excepto las capas de lentejuelas y las ajustadas calzas. Nynaeve refrenó el impulso de insinuar que las había pasado por alto; debería haberlo dicho, considerando el malhumor que flotaba en la atmósfera, pero ella sí sabía cómo fomentar un ambiente armónico, de modo que se limitó a aspirar sonoramente el aire por la nariz cuando Elayne hizo todo un alarde de guardar el *a'dam* entre sus pertenencias; por la mirada que recibió como respuesta, sin embargo, cualquiera habría pensado que había manifestado sus objeciones sin rebozo. Para cuando salieron del carromato, el silencio podría haberse partido en pedacitos y utilizarlos para enfriar el vino.

En el exterior los hombres ya estaban listos para la marcha. Y murmurando entre ellos y lanzando ojeadas impacientes a Elayne y a ella. No era justo. Galad e Ino no tenían equipaje que preparar; la flauta y el arpa de Thom colgaban a la espalda del juglar dentro de sus fundas de cuero, junto con un pequeño hatillo; y Juilin, con la extraña arma de hoja sin filo y dentada, la quiebra espadas, sujeta al cinturón y apoyado en la larga y fina vara, cargaba con un paquete aun más reducido y perfectamente atado. A los hombres no les importaba llevar puesta la misma ropa hasta que les cayera a trozos de puro vieja y sucia.

Ni que decir tiene que Birgitte también estaba esperando, el arco en la mano, la aljaba en la cadera, y un envoltorio con la capa a sus pies, no mucho más pequeño que uno de los de Elayne. Nynaeve creía muy capaz a Birgitte de haber guardado en ese bulto los trajes de Luca, pero lo que la hizo detenerse un instante fue otra cosa. La falda pantalón que llevaba puesta podría haber pasado por los amplios pantalones que vestía en el *Tel'aran'rhiod* excepto porque el tono era más dorado que amarillo y porque no iba fruncida a los tobillos. La corta chaqueta de color azul era idéntica en el corte.

El misterio de dónde había sacado estas ropas se resolvió cuando Clarine se acercó presurosa mientras se disculpaba por haber tardado tanto, y entregó a Birgitte otras dos faldas pantalón y una chaqueta para que las guardara en el envoltorio. Se quedó un momento para decir cuánto lamentaba que se marcharan de la compañía, y no fue la única que hizo un breve alto en el ajetreo de enganchar los caballos y preparar equipajes. Aludra acudió para desearles un buen viaje, dondequiera que se dirigiesen, con su acento tarabonés. Y con dos cajas más de sus fósforos. Nynaeve las metió en el morral con un suspiro. Había dejado las otras a propósito, y Elayne las había metido al fondo de una estantería, detrás de un saco de judías, cuando creía que Nynaeve no la estaba mirando. Petro se ofreció a escoltarlas hasta el río, fingiendo no ver el gesto preocupado de su esposa, y también se ofrecieron los Chavana, y Kin y Bari, los malabaristas, aunque cuando Nynaeve respondió que no era necesario y Petro frunció el entrecejo, apenas pudieron disimular su alivio. Tuvo que rechazar el ofrecimiento rápidamente, ya que Galad y los otros hombres parecían a punto de aceptar. Sorprendentemente, incluso Latelle hizo una rápida aparición, expresando su pesar porque se marcharan y sonriendo, bien que en sus ojos se leía que cargaría con sus hatillos con tal de que se fueran antes. Quizás Elayne se llevase de maravilla con la mujer; pero, desde el incidente en el que había sido vapuleada, Nynaeve percibía una gran tensión cada vez que estaba cerca de ella, quizá más aun porque Cerandin no daba ninguna muestra externa de arrepentimiento.

El propio Luca fue el último en acercarse, con un lastimoso ramo de flores silvestres, raquíticas por la sequía, que le entregó a Nynaeve —sólo la Luz sabía de dónde las habría sacado— al tiempo que proclamaba un amor eterno, alabanzas extravagantes a su belleza, y juramentos dramáticos de volver a encontrarla aunque para ello tuviese que recorrer el mundo de punta a punta. La mujer no estaba segura de cuál de estas manifestaciones le había causado más sonrojo, pero su fría mirada cortó de raíz la sonrisita de Juilin y la expresión estupefacta de Ino. Lo que quiera que pensaran Thom o Galad, ambos tuvieron el suficiente sentido común para no dejar traslucirlo. Por otro lado, Nynaeve se sentía incapaz de mirar a Elayne y a Birgitte.

Lo peor de todo es que tuvo que quedarse allí y escuchar, con las cabezas de las mustias flores doblándose sobre su mano, y la sangre cada vez más agolpada en sus mejillas. Intentar espantarlo con un desaire sólo habría servido para incitarlo a poner más empeño en sus protestas de amor y dar a los otros más carnaza de la que ya tenían. Faltó poco para que soltase un suspiro de alivio cuando el muy idiota se despidió finalmente con una profunda reverencia y ostentosos ondeos de su capa.

Aferrando con fuerza las flores echó a andar delante de los demás, para así no tener que ver sus caras y empujando con rabia los hatillos cuando se desplazaban de su sitio, hasta que se perdieron de vista los carromatos al girar en el muro de lona que los rodeaba. Entonces tiró las mugrosas flores con tanta violencia que Ragan y los otros shienarianos, que aguardaban en cuclillas en el prado, a medio camino de la calzada, intercambiaron miradas. Todos cargaban a la espalda un envoltorio hecho con mantas —¡pequeño, por supuesto!— junto con la espada, pero llevaban colgadas suficientes cantimploras de agua para que les duraran días, y uno de cada tres hombres llevaba un cazo o una olla colgados en uno u otro sitio. Estupendo. ¡Si había que cocinar, que lo hiciesen ellos! Sin esperar a que decidiesen si era o no seguro acercársele, Nynaeve se encaminó sola hacia la calzada de tierra.

Valan Luca era el causante de su ira —¡mira que humillarla así!, ¡tendría que haberle atizado en la cabeza y al infierno con lo que opinaran los demás!—, pero su destinatario era Lan. Lan nunca le había regalado flores; aunque tal cosa no tenía importancia, claro. El Guardián había expresado sus sentimientos con palabras más profundas y más sentidas de lo que Valan Luca nunca sería capaz. Todo lo que le había manifestado a Luca iba en serio, pero si Lan decía que iba a llevarla con él, ninguna amenaza lo detendría; ni siquiera aunque ella encauzara, a menos que lo hiciese antes de que él le hubiese convertido el cerebro y las rodillas en una masa de gelatina con sus besos. No obstante, unas flores tampoco habrían estado mal, e indudablemente habría sido un gesto mucho más bonito que esa explicación de por qué su amor era imposible. ¡Los hombres y su honor! Así que casado con la muerte, ¿no? ¡Él y su guerra personal con la Sombra! Ni que quisiera ni que no, iba a vivir, iba a casarse con ella, y si pensaba de otro modo respecto a lo uno o a lo otro estaba dispuesta a sacarlo de su error. Sólo había un pequeño asuntillo que resolver: su vínculo con Moraine. Faltó poco para que gritara de frustración.

Llevaba recorridos cien pasos calzada adelante, antes de que los demás la alcanzaran y la miraran de reojo. Elayne se limitó a aspirar ruidosamente por la nariz mientras se colocaba mejor los dos grandes hatillos cargados a la espalda —¡tenía que llevárselo todo!— pero Birgitte se puso a su lado y fingió murmurar entre dientes aunque lo bastante alto para que fueran comprensibles sus rezongos sobre mujeres que salían corriendo precipitadamente como las chicas de Carpa que saltaban al río desde un tajo. Nynaeve también pasó por alto los comentarios.

Los hombres ocuparon distintas posiciones: Galad a la cabeza, flanqueado por Thom y Juilin, y los demás shienarianos en una larga fila a ambos lados, escrutando con ojos vigilantes todos los agostados arbustos y cada irregularidad del terreno. Nynaeve se sentía ridícula caminando por el centro —cualquiera habría pensado que esperaban que un ejército brotara del suelo de repente, o que suponían que las otras dos mujeres y ella eran unas criaturas indefensas— sobre todo cuando los shienarianos, siguiendo el ejemplo de Ino, desenvainaron sus espadas. Demonios, pero si no se veía un alma; incluso los recientes poblados de chozas parecían abandonados. La espada de Galad permaneció en la vaina, pero Juilin sostuvo la fina vara entre las dos manos, como sopesándola, en lugar de usarla como cayado para caminar, y los cuchillos aparecieron y desaparecieron en las manos de Thom como si el juglar no fuera consciente de lo que hacía. Hasta Birgitte encajó una flecha en el arco. Nynaeve sacudió la cabeza; tendría que ser una horda muy arrojada la que se atreviera a ponerse al alcance de la vista de esta cuadrilla.

Entonces llegaron a Samara, y la antigua Zahorí deseó haber aceptado la ayuda de Petro y de los Chavana y la de cualquier otro que hubiese podido encontrar.

Las puertas estaban abiertas y sin vigilancia, y seis negras columnas de humo se elevaban por encima de la gris muralla de piedra. Al otro lado, el silencio reinaba en las calles. Bajo los pies crujieron los cristales rotos de ventanas; ése era el único sonido excepto un lejano zumbido, como si hubiese monstruosos enjambres de avispas dispersos por la ciudad. Muebles y trozos de tela salpicaban el pavimento, así como ollas y loza, objetos sacados de comercios y casas, aunque no había modo de saber si aquello era obra de saqueadores o de gente que huía.

La destrucción no había alcanzado solamente a las propiedades. En un sitio vieron, medio colgando por una ventana, un cadáver que llevaba una chaqueta de seda verde; en otro, un tipo vestido con harapos colgaba del cuello en una cuerda atada al alero de la tienda de un hojalatero. Varias veces, a lo largo de una calle lateral o un callejón, Nynaeve atisbó lo que podrían ser bultos de ropas viejas desechadas, pero sabía que no eran tal.

A través del umbral de una puerta hecha astillas, que colgaba de un único gozne, se veían las pequeñas llamas de un fuego incipiente lamiendo los peldaños de la escalera interior y el humo empezaba a salir cual sinuosos tentáculos. La calle estaba desierta ahora, pero quienquiera que fuese el autor del incendio no hacía mucho que se había marchado. Mientras giraba la cabeza a uno y otro lado en su esfuerzo por escudriñar en todas direcciones a la vez, Nynaeve aferró firmemente el cuchillo que llevaba en el cinturón.

A veces el enfurecido zumbido sonaba con más fuerza, un clamor gutural, sin palabras, que parecía retumbar a menos de una calle de distancia, y a veces se reducía a un amortiguado murmullo; empero, cuando surgió el conflicto lo hizo silenciosa y repentinamente. La masa de hombres giró en la esquina más cercana, como una manada de lobos a la caza, ocupando la calle de lado a lado, sin hacer más ruido que el de las pisadas en el pavimento. La reacción a la vista de Nynaeve y su grupo fue como lanzar una antorcha en un pajar. No hubo vacilación; como un solo hombre, la chusma se lanzó al ataque aullando con fanatismo, blandiendo horcas y espadas, hachas y garrotes, cualquier cosa que pudiera utilizarse como arma.

Nynaeve estaba todavía lo bastante furiosa para poder abrazar el *Saidar,* y lo hizo sin pensar, incluso antes de advertir el halo brillante que envolvió repentinamente a Elayne. Había una docena de maneras de detener a la chusma por sí misma, y otra docena más de destruirla si quería hacerlo... si no fuese por la posibilidad de que Moghedien la localizara. No sabía si fue la misma idea lo que contuvo a Elayne; de lo único que estaba segura era de que se aferraba a su ira y a la Fuente Verdadera con igual fervor, y que la amenaza de Moghedien, más que la enloquecida chusma que se abalanzaba contra ellos, era lo que lo hacía más terrible. Siguió aferrada al *Saidar,* consciente de que no se atrevería a utilizarlo mientras existiera otra alternativa. Casi deseó poder ser capaz de cortar los flujos que Elayne estaba tejiendo. Tenía que haber otra opción.

Un hombre, un tipo alto vestido con una andrajosa chaqueta roja que debía de haber pertenecido a otra persona a juzgar por los bordados verdes y dorados, se adelantó a la masa con sus largas piernas al tiempo que agitaba en lo alto un machado. La flecha que disparó Birgitte le acertó en un ojo; el hombre se desplomó y fue pisoteado por los otros, una horda de rostros contraídos y gritos salvajes. Nada iba a pararlos. Con un gemido, en parte de puro terror y en parte de rabia, Nynaeve desenvainó el cuchillo y al mismo tiempo se preparó para encauzar.

Al igual que una ola rompiendo en los escollos, la carga se estrelló contra los aceros shienarianos. Los hombres con el mechón de pelo recogido en una cola blandían sus espadas de empuñadura larga, asida con las dos manos, de manera metódica, como cualquier artesano realizando su oficio, y el ataque no prosperó más allá de la estrecha fila que formaban. Los hombres caían clamando al Profeta, pero otros ocupaban sus puestos pasando sobre sus cuerpos. Juilin, el muy necio, estaba en esa línea defensiva, con el gorro cónico encasquetado en su oscura cabeza, la fina vara semejando un borrón con los veloces movimientos que rechazaban estocadas, rompían brazos y partían cráneos. Thom actuaba en segunda fila, y su cojera se hacía más patente al tener que correr de un lado a otro para enfrentarse a los pocos que lograban sobrepasar la primera línea de combate; sólo tenía una daga en cada mano, pero aun así los espadachines morían por obra de esas cortas cuchillas. El curtido semblante del juglar mantenía un gesto impasible, pero cuando un tipo corpulento, que llevaba un delantal de cuero de herrero, estuvo a punto de alcanzar a Elayne con la horca que manejaba, Thom gruñó tan ferozmente como cualquier componente de la chusma y casi le arrancó la cabeza al individuo mientras le rebanaba el pescuezo. Mientras tanto, Birgitte disparaba incansable, girando calmosamente para apuntar a uno u otro lado, y cada flecha hacía diana en un ojo.

Empero, si ellos contuvieron a la horda, fue Galad el que abrió brecha. Afrontó la carga como si esperase la próxima danza en un salón de baile, con los brazos cruzados y aire despreocupado, sin molestarse siquiera en desenvainar su espada hasta que casi los tuvo encima. Entonces empezó a bailar, toda su gracia innata convertida de manera instantánea en gráciles movimientos letales. No se conformó con contenerlos, sino que abrió una brecha hasta el centro de la multitud, cual una guadaña tan ancha como la distancia que alcanzaba su espada. A veces cinco o seis hombres lo rodeaban armados con espadas, hachas y patas de mesa a guisa de garrotes, pero sólo durante el breve espacio de tiempo que tardaban en perecer. Al final, ni siquiera toda su rabia ni toda su ansia de sangre bastaron para hacerle frente. Fue de Galad del que los primeros huyeron mientras tiraban las armas, y cuando el resto puso pies en polvorosa, lo hizo abriéndose a su alrededor, para no acercarse a él. Cuando hubieron desaparecido por donde habían llegado, Galad estaba separado veinte pasos de los demás, solo entre los muertos y los gemidos de los moribundos.

Nynaeve tuvo un escalofrío cuando el joven se inclinó para limpiar el acero de su espada en la chaqueta de un cadáver. Hasta haciendo eso, sus movimientos resultaban gráciles. Hasta haciendo eso, resultaba hermoso. Nynaeve pensó que iba a vomitar.

No sabía cuánto tiempo había durado la lucha; algunos de los shienarianos se apoyaban en las espadas, jadeando, y observaban a Galad con un gran respeto. Thom estaba inclinado, con una mano sobre la rodilla, e intentaba rechazar a Elayne con la otra mientras le aseguraba que estaba bien y que sólo necesitaba recobrar el aliento. Lo mismo podían haber sido minutos como una hora.

Por una vez, al contemplar a los heridos despatarrados en el pavimento aquí y allí, uno de los cuales intentaba alejarse arrastrándose, Nynaeve no sintió deseos de curar ni la menor piedad por ellos. A poca distancia había una horca, donde había caído al tirarla alguien; la cabeza cortada de un hombre estaba clavada en una de las púas, mientras que en la otra aparecía pinchada la cabeza de una mujer. Lo único que sintió fue náusea, y agradecimiento de que no fuese su cabeza. Y frío.

—Gracias —dijo en voz alta, a todos y a nadie en particular—. Muchísimas gracias. —Puede que sus palabras sonasen un tanto rechinantes, pues no le gustaba admitir que otros le habían solucionado un problema que ella no había podido solventar por sí misma, pero sí eran fervientes. Entonces Birgitte respondió con un cabeceo, y Nynaeve tuvo que luchar consigo misma para contenerse. Aunque en honor a la verdad la mujer había hecho tanto como cualquiera; y, desde luego, mucho más que ella. Volvió a envainar el cuchillo del cinturón—. Eh... disparas muy bien.

Con una sonrisa, como si supiese exactamente lo mucho que le había costado pronunciar esas palabras, Birgitte empezó a recoger sus flechas. Nynaeve se estremeció e intentó no mirar.

Casi todos los shienarianos estaban heridos, y también Thom y Juilin tenían sangre aquí y allí —milagrosamente, Galad estaba indemne; o quizá no fuera algo tan milagroso si se tenía en cuenta su forma de manejar la espada— pero, con la clásica actitud varonil llevada al extremo, todos ellos insistieron en que los tajos no eran nada serio. Hasta Ino manifestó que debían seguir adelante, aunque uno de sus brazos colgaba flojamente al costado y un corte le corría a lo largo de la cara, en el mismo lado en el que tenía la cicatriz, y acabaría siendo una copia exacta de ésa si no se curaba enseguida.

En honor a la verdad, Nynaeve tenía ganas de marcharse a pesar de estar repitiéndose para sus adentros que debería hacer un alto para ocuparse de las heridas. Elayne rodeó a Thom con un brazo para ayudarlo a caminar, pero el juglar rehusó apoyarse en ella y empezó a recitar un cuento en Cántico Alto, de manera tan florida que resultó difícil identificarlo con la historia de Kirukan, la bella reina guerrera de la Guerra de los Trollocs.

—Tenía el temperamento de un oso atrapado entre escaramujos, y eso en sus mejores momentos —comentó suavemente Birgitte sin dirigirse a nadie en particular—. En absoluto parecida a nadie que esté por aquí cerca.

Nynaeve rechinó los dientes. Estaba lista si esperaba oír de sus labios otro cumplido, hiciese lo que hiciese. Pensándolo bien, cualquier hombre de Dos Ríos habría disparado igual de bien a esa distancia. Cualquier muchacho.

Los siguió el apagado ruido de retumbos, de lejanos clamores en otras calles, y a menudo Nynaeve tuvo la sensación de que había ojos vigilándolos a través de las vacías ventanas sin cristales. Sin embargo, debía de haberse corrido la voz o los observadores habían presenciado la pelea, porque no vieron un alma hasta que de repente dos docenas de Capas Blancas les salieron al paso en una calle, la mitad de ellos con los arcos tensados y el resto con las espadas desnudas. Los aceros shienarianos estuvieron prestos en un abrir y cerrar de ojos.

Un rápido intercambio de palabras entre Galad y un tipo de rostro hosco bajo el yelmo y les abrieron paso, aunque el hombre observó a los shienarianos con desconfianza, y a Thom y a Juilin, y también a Birgitte. Aquello sacó de quicio a Nynaeve. Le parecía muy bien que Elayne avanzara con la barbilla levantada y haciendo caso omiso de los Capas Blancas como si fueran simples sirvientes, pero a ella no le gustaba que la descartaran creyéndola inofensiva.

El río no estaba lejos. Detrás de unos pequeños almacenes de piedra con techos de pizarra, los tres muelles de la ciudad apenas entraban en el agua tras salvar un ancho tramo de cieno seco. Una embarcación ancha, de dos mástiles, estaba amarrada en la punta de uno de ellos. Nynaeve esperaba que no hubiese dificultades en conseguir camarotes separados; y también confiaba en que la embarcación no cabeceara demasiado.

Una pequeña multitud se arracimaba a veinte pasos del muelle, bajo la atenta vigilancia de cuatro guardias Capas Blancas; había casi una docena de hombres, en su mayoría de edad avanzada y con contusiones y las ropas desgarradas, y el doble de mujeres, casi todas con dos o tres niños aferrados a ellas, y algunas con un bebé en brazos además. Otros dos Capas Blancas montaban guardia al inicio del muelle. Los pequeños escondían la cara en las faldas de sus madres, pero los adultos contemplaban anhelantes el barco. El espectáculo rompió el corazón de Nynaeve; recordaba las mismas expresiones, aunque mucho más numerosas, en Tanchico. Gente ansiando desesperadamente encontrar un medio para ponerse a salvo. No había podido hacer nada por ellos.

Pero, antes de que tuviera tiempo de hacer algo por éstos, Galad la había agarrado a ella y a Elayne por un brazo y las conducía muelle adelante y por la inestable pasarela de madera. En cubierta había otros seis hombres de rostros severos, con níveas capas y bruñidos petos, vigilando al puñado de hombres descalzos, casi todos con el torso desnudo, que estaban en cuclillas en las achatadas proa y popa de la embarcación. El capitán, plantado al pie de la pasarela, asestó sendas miradas a los Capas Blancas y al variopinto grupo que subió a bordo de su barco, y difícilmente podría haberse dicho cuál fue más desabrida.

Agni Neres era un hombre alto y huesudo, vestido con una chaqueta oscura, con unas orejas muy salientes y un gesto avinagrado en el estrecho rostro. Hizo caso omiso del sudor que le corría por las mejillas.

—Me pagasteis pasaje para dos mujeres. ¿He de suponer que queréis que lleve a la otra individua y a los hombres gratis?

Birgitte le asestó una mirada amenazadora, pero el hombre no pareció advertirlo.

—Tendréis el dinero del precio del pasaje, mi buen capitán —le respondió fríamente Elayne.

—Siempre y cuando sea razonable —intervino Nynaeve, que no hizo caso de la cortante mirada que le dirigió la muchacha.

La boca de Neres se apretó, estrechándose sus labios, ya finos de por sí, y volvió a dirigirse a Galad.

—Entonces, si sacáis a vuestros hombres de mi barco, zarparé. Me apetece menos que antes estar aquí a la luz del día.

—Zarparemos tan pronto como embarque el resto de vuestros pasajeros —adujo Nynaeve mientras señalaba con un gesto de cabeza a la gente apiñada en el arranque del muelle.

Neres miró a Galad, pero se encontró con que el joven se había apartado para hablar con los otros Capas Blancas, y luego volvió la vista hacia la gente en la orilla y masculló al aire, por encima de la cabeza de Nynaeve.

—Los que puedan pagar. No hay muchos en esa pandilla que parezcan estar en condiciones de hacerlo. Y tampoco podría llevarlos a todos aunque tuviesen el dinero.

La mujer se puso de puntillas, de manera que su sonrisa no pasara inadvertida al capitán. La mueca hizo que el hombre metiera la barbilla en el cuello de la chaqueta.

—Hasta el último de ellos, «capitán». En caso contrario, os cortaré las orejas.

La boca del hombre se abrió en un gesto iracundo, pero de repente sus ojos se desorbitaron, mirando fijamente por detrás de Nynaeve.

—De acuerdo —se apresuró a aceptar—. Pero espero algún tipo de pago, fijaos bien. Doy mis limosnas el primer día del año, y esa fecha está muy lejana.

Apoyando de nuevo los talones en la madera de cubierta, la mujer echó una ojeada sobre el hombro subrepticiamente. Thom, Juilin e Ino se encontraban detrás, contemplándolos a Neres y a ella afablemente, tanto como era posible considerando los rasgos de Ino y la sangre que les manchaba la cara a todos. Demasiado afablemente.

Tras aspirar sonoramente por la nariz, manifestó:

—Me ocuparé de que suban todos a bordo antes de que alguien toque un solo cabo —y fue a buscar a Galad. Suponía que el joven se merecía alguna palabra de agradecimiento, dado que había hecho lo que pensaba que era correcto hacer. Ése era el problema con los mejores hombres: que siempre pensaban que estaban haciendo lo que era correcto. Aun así, lo que quiera que estos tres hubiesen hecho ahora, le habían evitado una discusión.

Encontró a Galad con Elayne; el hermoso rostro del joven rebosaba frustración, pero se alegró al verla.

—Nynaeve, os he pagado el pasaje hasta Boannda. Eso está sólo a mitad de camino de Altara, donde el Boern desemboca en el Eldar, pero no podía permitirme pagar más trayecto. El capitán Neres se ha quedado hasta el último céntimo que tenía en mi bolsa, además de lo que pedí prestado. Ese individuo ha aumentado las tarifas por diez, y me temo que tendréis que llegar a Caemlyn por vuestros propios medios desde allí. Lo lamento muchísimo.

—Ya has hecho más que suficiente —manifestó Elayne mientras sus ojos se volvían hacia las columnas de humo que se alzaban sobre Samara.

—Sólo cumplí lo prometido —respondió él con cansada resignación. Era obvio que habían estado hablando de lo mismo antes de que Nynaeve llegara.

La antigua Zahorí se las arregló para darle las gracias, que él desestimó con cortesía, aunque con el gesto de estar convencido de que tampoco ella lo entendía, cosa con la que Nynaeve no podía estar más de acuerdo. Había iniciado una guerra para mantener una promesa; Elayne tenía razón en eso: sería una guerra, si es que no lo era ya. Sin embargo, pese a que sus hombres se habían apoderado del barco, en su poder, no había exigido un precio mejor. La embarcación era de Neres, y era él quien decidía lo que cobraba y lo que no... siempre y cuando se llevase a Elayne y a Nynaeve. Era verdad: a Galad jamás lo detendría el coste de hacer lo que consideraba correcto, ni para él ni para nadie.

En la pasarela hizo un alto y contempló intensamente la ciudad como si estuviese viendo el futuro.

—Manteneos alejadas de Rand al'Thor —advirtió, sombrío—. Trae la destrucción. Volverá a hacer añicos el mundo antes de que todo haya acabado. Manteneos lejos de él. —De inmediato recorrió al trote el muelle al tiempo que pedía a voces su armadura.

Nynaeve se sorprendió compartiendo una mirada pasmada con Elayne, aunque enseguida se diluyó en otra de azoramiento. Resultaba difícil compartir un momento así con alguien que podía levantarle a uno ampollas con la lengua. Al menos, tal era el motivo de que ella se sintiera incómoda; la razón por la que Elayne estaba sofocada escapaba a su comprensión, a menos que la muchacha estuviese empezando a recobrar el sentido común. Era de todo punto imposible que Galad sospechase que no tenían intención de ir a Caemlyn. Pues claro que no. Los hombres jamás eran tan perspicaces. Elayne y ella no volvieron a mirarse durante un tiempo.

49

A Boannda

No hubo problemas a la hora de embarcar al apiñado grupo de hombres, mujeres y niños una vez que Nynaeve dejó muy claro al capitán Neres que tenía que encontrar hueco para todos y que, opinara lo que opinase, cambiaría de idea porque ella sabía exactamente cuánto le pagaría por los pasajes hasta Boannda. Naturalmente, algo debió influir el que tomara la precaución de pedirle en voz baja a Ino que sus soldados shienarianos hiciesen algún tipo de alarde con las espadas. Quince hombres de facciones rudas, todos ellos con la cabeza afeitada salvo el mechón atado en la coronilla, por no mencionar las manchas de sangre y las armas de hojas afiladas y engrasadas, recordando entre risotadas cuántos más habían estado a punto de acabar ensartados como un cordero en un espetón... En fin, que la escena tuvo un efecto muy saludable. La antigua Zahorí contó el dinero mientras lo iba soltando en la mano del capitán, y si le dolía desprenderse de él sólo tenía que rememorar aquellos muelles de Tanchico para seguir contando. Neres tenía razón en una cosa: a juzgar por su aspecto, estas personas no disponían de mucho dinero e iban a necesitar hasta el último céntimo que tuviesen. Por otra parte, Elayne no tenía derecho a preguntarle con aquel tono asquerosamente suave si es que le estaban sacando una muela para tener un gesto tan agrio.

La tripulación corrió a cumplir la orden de soltar amarras que Neres gritó, mientras los últimos pasajeros todavía subían por la pasarela cargados con sus míseras pertenencias aquellos que poseían algo más que los harapos que llevaban puestos. En honor a la verdad, abarrotaron la ancha embarcación hasta el punto de que Nynaeve empezó a preguntarse si Neres no tendría también razón respecto a eso. Sin embargo, sus semblantes se iluminaban con tal expresión de esperanza cuando pisaban cubierta que Nynaeve se avergonzó de haberse planteado, aunque fuese sólo de pasada, la posibilidad de dejar en tierra a algunos. Y cuando se enteraron de que les había pagado el pasaje, se arracimaron a su alrededor, empujándose en su afán de besarle la mano o el repulgo de la falda en tanto que le daban las gracias y la bendecían, algunos con las lágrimas deslizándose por las sucias mejillas, hombres y mujeres por igual. La antigua Zahorí deseó que se la tragara la tierra.

Las cubiertas bullían con la afanosa tripulación mientras los largos remos salían por los costados del barco y las velas se izaban; Samara empezó a empequeñecerse en la distancia antes de que Nynaeve pudiera poner fin a las demostraciones de agradecimiento. Si Elayne o Birgitte hubiesen hecho el menor comentario, les habría dado de golpes a las dos como escarmiento.

Pasaron cinco días en el *Sierpe de río*; cinco días de deslizarse a lo largo del sinuoso Eldar soportando el calor agobiante de las horas diurnas y la temperatura no mucho más fresca de las noches. Algunas cosas cambiaron para mejor en ese tiempo, pero el viaje no tuvo un buen comienzo.

El primer problema real de la travesía lo planteó el camarote de Neres, situado en popa, el único lugar para acomodarse aparte de la cubierta. Y no es que Neres se mostrase reacio en abandonarlo. Su apresuramiento en hacer el traslado —con los pantalones y chaquetas y camisas echados sobre los hombros de cualquier manera y colgando del gran bulto cargado en los brazos, la bacía de afeitar en una mano y la navaja en la otra— hizo que Nynaeve mirase con dureza a Thom, Juilin e Ino. Una cosa era servirse de ellos cuando lo consideraba oportuno y otra muy distinta que por propia iniciativa cuidasen de ella a sus espaldas. Empero, sus semblantes no podían traslucir una expresión más franca y sus ojos una mirada más inocente. Elayne sacó a colación otro de los dichos de Lini: «Un saco abierto no oculta nada y una puerta abierta encubre poco, pero un hombre que se muestra franco a buen seguro esconde algo».

No obstante, fuese cual fuese la dificultad que le planteaba la actitud de los hombres, el problema inmediato era el camarote en sí. Apestaba a rancio y moho a pesar de tener abiertas de par en par las pequeñas portillas, por las que apenas pasaba luz al húmedo y oscuro cubículo. Le iba de perlas la palabra «confinamiento». El camarote era pequeño, más que el carromato, y casi todo el espacio estaba ocupado por una pesada mesa y una silla de respaldo alto que estaban sujetas al suelo, y la escala que subía a cubierta. Un lavabo construido en la pared, con una jofaina y un aguamanil mugrientos, y un estrecho espejo lleno de polvo empequeñecían aun más el habitáculo y completaban el mobiliario, salvo por unas cuantas estanterías vacías y unas clavijas para colgar la ropa. Las vigas del techo se extendían a poca altura sobre la cabeza, incluso en el caso de ellas. Y sólo había un camastro, más ancho que en el que habían estado durmiendo, pero que difícilmente ofrecía espacio para dos. Con lo alto que era, Neres no habría advertido la diferencia si hubiese vivido en un cajón. Indudablemente, el capitán no era partidario de ceder una sola pulgada que pudiese ser aprovechado para atiborrarlo con carga.

—Llegó a Samara de noche —murmuró Elayne, que soltó los hatillos y se puso en jarras mientras miraba despectivamente en derredor—, y quería marcharse de noche. Le oí decir a uno de sus hombres que se proponía seguir navegando lo que quedaba de noche lo quisieran o no las... «individuas». Por lo visto no le hace mucha gracia moverse a la luz del día.

Al pensar en los codazos y los pies fríos de la muchacha, Nynaeve se preguntó si no sería mejor quedarse a dormir arriba, con los refugiados.

—¿Qué quieres decir con esos comentarios?

—Que el tipo es un contrabandista, Nynaeve.

—¿Con una embarcación como ésta? —Nynaeve soltó sus propios hatillos, dejó el morral sobre la mesa y se sentó al borde de la cama. No, no dormiría en cubierta. El camarote apestaría, pero podía airearse, y, aunque estuviesen apretadas en la cama, ésta tenía un buen colchón de plumas. Además, el barco cabeceaba de manera desagradable; por lo menos aprovecharía todas las comodidades que pudiera. Elayne no iba a echarla de aquí—. Pero ¡si es un barril! Tendremos suerte si llegamos a Boannda en dos semanas. Y sólo la Luz sabe cuánto tiempo más hasta Salidar. —Ninguna de las dos sabía realmente a qué distancia estaba esta población, y todavía no era el momento de sacar el asunto a colación con el capitán Neres.

—Todo encaja. Incluso el nombre: *Sierpe de río*. ¿Qué comerciante honrado pondría ese nombre a su barco?

758

—Bueno ¿y qué si lo es? No sería la primera vez que utilizamos los servicios de un contrabandista.

Elayne levantó las manos en un gesto exasperado; a su parecer, respetar la ley era importante por absurda que fuese. Habida cuenta de sus criterios, compartía con Galad mucho más de lo que estaba dispuesta a admitir. De modo que Neres las había llamado individuas, ¿no?

La segunda dificultad era encontrar sitio para los otros. El *Sierpe de río* no era una embarcación muy grande, aunque sí ancha, y contándolos a todos había más de cien personas a bordo. Parte del espacio estaba ocupado por la tripulación para manejar los remos y atender los cabos y las velas, y ello no dejaba mucho para los pasajeros. Tampoco ayudaba mucho el que los refugiados procurasen estar lo más lejos posible de los shienarianos; por lo visto estaban hartos de hombres armados. Apenas había espacio para que todo el mundo se sentara, cuanto menos para que alguien se tumbase. Nynaeve le planteó el asunto a Neres sin andarse por las ramas:

—Estas personas necesitan más sitio. Sobre todo las mujeres y los niños. Puesto que no hay más camarotes, habrá que conformarse con la bodega.

El semblante del capitán se ensombreció.

—La bodega está llena de carga valiosa. Muy valiosa —gruñó, con la vista prendida en un punto a la izquierda de la mujer.

—Me pregunto si los oficiales de aduanas estarán en activo en esta parte alta del Eldar —comentó Elayne como de pasada mientras contemplaba las arboladas orillas. El río, con las márgenes bordeadas de negro cieno reseco y arcilla amarillenta, sólo tenía unos cuantos cientos de pasos de anchura en este punto—. Ghealdan a un lado y Amadicia al otro. Podría parecerles extraño que la bodega esté llena de mercancía procedente del sur y que el barco navegue en esa misma dirección. Claro que, sin duda, tendréis todos los documentos que demuestren dónde habéis pagado las tasas. Y que podréis explicar que no descargasteis debido a los disturbios de Samara. He oído comentar que los siseros son gente muy comprensiva, realmente.

Con las comisuras de los labios curvadas hacia abajo, el capitán continuó sin mirarlas directamente ni a la una ni a la otra.

Gracias a ello, vio sin dificultad cuando Thom agitó las manos vacías, ejecutó un ademán ostentoso, y de repente empezó a dar vueltas a un par de cuchillos entre los dedos antes de hacer que uno de ellos desapareciera.

—Simples ejercicios para practicar —comentó el juglar mientras se atusaba el largo bigote con el otro cuchillo—. Me gusta mantener afinadas ciertas... habilidades. —El corte en el cuero cabelludo y la sangre reciente en su rostro, sumados a un desgarrón ensangrentado en una de las hombreras de su chaqueta, además de otras rasgaduras en diferentes sitios, le otorgaban un aspecto avieso que sólo superaba el de Ino. En la feroz sonrisa del shienariano no había nada de jovial, aparte que no lo favorecían en absoluto la larga cicatriz y el nuevo corte que le surcaba la mejilla, rojo y en carne viva. El brillante ojo carmesí pintado en el parche resultaba pálido en comparación.

Neres cerró los ojos y respiró muy, muy profundamente.

Se abrieron las escotillas, y las cajas y barriles fueron arrojados por la borda; algunos pesaban mucho, pero la mayoría eran ligeros y olían a especias. Neres se encogía cada vez que las aguas del río se cerraban sobre uno de los embalajes. Se le alegró el gesto —si es que tal cosa podía aplicársele a él— cuando Nynaeve ordenó que los rollos de seda, las alfombras y los fardos de finas lanas se dejaran abajo. Hasta que comprendió que se proponía utilizarlos como catres improvisados. Si antes era agrio el gesto de su cara, ahora habría podido cuajar con él la leche que hubiese en una habitación contigua. Sin embargo, no pronunció una sola palabra durante todo el episodio. Cuando las mujeres empezaron a subir cubos de agua atados a cuerdas para lavar a los niños allí mismo, en cubierta, se dirigió hacia la popa a grandes zancadas, con las manos apretadas a la espalda, y contempló fijamente los pocos barriles que flotaban y que iban dejando atrás.

En cierto modo, fue por la peculiar actitud de Neres hacia las mujeres por lo que empezó a suavizarse la afilada lengua de Elayne; y la de Birgitte. Al menos, así lo entendía Nynaeve, ya que ella había mantenido su habitual disposición ecuánime, naturalmente. A Neres no le caían bien las mujeres. Los tripulantes hablaban rápidamente cuando tenían que decir algo a cualquiera de ellas, sin dejar de echar ojeadas nerviosas a su capitán hasta que podían regresar apresuradamente a sus tareas. Si uno de ellos parecía no tener nada que hacer durante un momento, la mayor parte de las veces tenía que salir corriendo para realizar cualquier cometido que Neres le ordenaba a voz en grito si lo pillaba intercambiando un par de palabras con cualquiera que llevase faldas. Sus precipitados comentarios y advertencias susurradas dejaron bien claro las opiniones del capitán.

Las mujeres le costaban dinero a un hombre, peleaban como gatas de callejón y ocasionaban problemas. Todo aquello que significaba molestias o problemas para un hombre podía achacarse a las mujeres, de un modo u otro. Neres esperaba que la mitad de ellas estuvieran rodando por cubierta arañándose y tirándose de los pelos antes del primer anochecer. Todas coquetearían con sus tripulantes y suscitarían disensiones, cuando no peleas. Si hubiese estado en sus manos echar de su barco a todas las mujeres, para siempre, se habría sentido feliz. Y si hubiese podido erradicarlas de su vida, habría sido como entrar en un estado de éxtasis.

Nynaeve nunca había topado con alguien así. Oh, claro que había oído a hombres murmurar sobre las mujeres y el dinero, como si a ellos no se les fuera de las manos como agua —eran unos completos ineptos administrando el dinero, más aun que Elayne— e incluso les había oído achacar a las mujeres diversos problemas, cuando por lo general eran ellos mismos los causantes de todo el conflicto. Aun así, no recordaba haber conocido jamás a un varón que detestara realmente a las mujeres. Fue toda una sorpresa enterarse de que Neres tenía una esposa y una gran caterva de chiquillos en Ebou Dar, aunque no le extrañó que el capitán permaneciera en casa sólo el tiempo justo para meter en bodega un nuevo cargamento. Ni siquiera quería hablar con una mujer. Era simplemente asombroso. A veces Nynaeve se sorprendía observándolo de reojo, como lo habría hecho con un animal extraño. Mucho más raro que los s'redit o cualquiera de los que había en el espectáculo de Luca.

Naturalmente, no había manera de que Elayne o Birgitte dieran rienda suelta a su causticidad allí donde ese hombre podía oírlas. El poner los ojos en blanco y el intercambio de miradas significativas entre Thom y los otros ya era bastante malo de por sí, si bien al menos procuraban hacerlo con cierto disimulo. Pero la franca satisfacción de Neres al verse cumplidas sus ridículas suposiciones —sin duda sería su reacción de darse el caso— habría resultado insoportable. No les dejaba otra opción a las dos mujeres que tragarse la bilis y sonreír.

En lo tocante a ella, a Nynaeve le habría gustado sostener una pequeña charla con Thom, Ino y Juilin fuera de la vista de Neres. Los tres hombres empezaban a olvidarse otra vez de cuál era su posición, a olvidar que se suponía que debían hacer lo que les mandara. Los resultados no importaban; tendría que esperar. Y, por alguna razón, les había dado por atormentar a Neres con comentarios sobre partir cabezas y rebanar pescuezos mientras sonreían torvamente. El único lugar en el que era seguro que Neres no la vería hablar con ellos era el camarote; no eran hombres particularmente grandes, aunque Thom era alto e Ino bastante fornido, pero todos juntos allí, apretujados en un espacio tan reducido, habrían dado la impresión de empequeñecerla. Una situación que difícilmente surtiría el efecto que pretendía echándoles un rapapolvo. Así pues, adoptó una agradable expresión e hizo caso omiso de los sobresaltados ceños fruncidos de Thom y Juilin, al igual que de las miradas de incredulidad de Ino y Ragan, y disfrutó del buen talante que las otras dos mujeres se vieron obligadas a adoptar.

Se las ingenió para mantener la sonrisa cuando se enteró del motivo de que las velas estuviesen tan hinchadas y las onduladas márgenes del río pasaran velozmente como un caballo a galope bajo el sol de la tarde. Neres había hecho retirar los remos, que se colocaron a lo largo de las batayolas; casi parecía feliz. Sólo casi. En la orilla de Amadicia se extendía un bajo farallón de arcilla, en tanto que la de Ghealdan aparecía cubierta por una ancha franja de cañaverales entre el río y la floresta, en su mayor parte parduscos y mustios allí donde el agua había retrocedido al descender el nivel. Samara se encontraba sólo a unas pocas horas corriente arriba.

—Has encauzado —le dijo a Elayne entre dientes. Se limpió el sudor de la frente con el envés de la mano y resistió el impulso de sacudirlo sobre la cubierta que se mecía lentamente. Los otros pasajeros dejaban un hueco libre alrededor de ellas dos y de Birgitte de unos cuantos pasos, pero aun así mantuvo el tono bajo y tan afable como le fue posible. Su estómago parecía seguir el cabeceo del barco con un segundo de retraso, y ello no mejoraba precisamente su humor—. Este viento es obra tuya. —Esperaba que hubiese suficiente eneldo en el morral.

Viendo la tez suavemente encendida y los abiertos ojos de Elayne cualquiera habría dicho que de su boca manaban mieles.

—Te estás convirtiendo en un asustadizo conejo. Cálmate. Samara está a muchas millas de distancia. Nadie puede percibir nada desde tan lejos. Ella tendría que encontrarse en el barco para saberlo. Además, fui muy rápida.

Nynaeve pensó que el rostro se le iba a romper si continuaba sonriendo, pero por el rabillo del ojo atisbó a Neres, observando a los pasajeros y sacudiendo la cabeza. Al estar furiosa, también podía ver los restos de flujos casi difuminados de la urdimbre de la muchacha. Manipular los fenómenos atmosféricos era como hacer rodar una piedra por una pendiente: tendía a seguir el movimiento que se le imprimiera. Cuando se apartara del camino de un brinco, lo que ocurriría antes o después, sólo había que tirar en sentido contrario. Cabía en lo posible que Moghedien hubiese percibido un tejido de ese calibre desde Samara, pero desde luego no con la claridad suficiente para discernir dónde se había llevado a cabo. Ella misma igualaba a Moghedien en cuanto a fuerza en el Poder, y si esa potencia no había sido suficiente para hacer algo, podría darse por supuesto que tampoco la Renegada estaba en condiciones de hacer nada. Además, deseaba viajar lo más deprisa posible; en ese momento, pasar con las otras dos mujeres un día más de lo estrictamente preciso tenía tan poco atractivo como compartir el camarote con Neres. Amén de que estar navegando un día más tampoco era una perspectiva agradable. ¿Cómo podía moverse tanto un barco teniendo el río un aspecto tan calmado?

—Deberías haber preguntado antes, Elayne. —Los labios empezaban a dolerle de sonreír—. Siempre haces las cosas sin pensar, y ya va siendo hora de que te des cuenta de que, si te caes en un agujero por correr ciegamente, tu vieja niñera no va a venir a levantarte y a lavarte la cara.

Para cuando pronunció la última palabra, los ojos de la heredera del trono estaban desorbitados y sus dientes, descubiertos por una mueca forzada, parecían prestos a asestar un mordisco.

Birgitte posó una mano en cada una de ellas, se inclinó y un gesto alegre iluminó su rostro mientras hablaba, como si les estuviese contando algo muy divertido.

—Basta ya. Como no lo dejéis ahora mismo, os tiro a las dos al río para que se os enfríe la sangre y os calméis. Os estáis comportando como camareras de Shago con prurito invernal.

Con los rostros sudorosos petrificados en una mueca amable, las tres mujeres echaron a andar en distintas direcciones, tan separadas como se lo permitía el barco. Cerca del ocaso, Nynaeve oyó decir a Ragan que ella y las otras debían de sentirse realmente aliviadas de haber salido de Samara por el modo en que se sonreían y se comportaban, y los demás hombres parecían ser de la misma opinión, pero el resto de las mujeres que iban a bordo las observaban con expresiones demasiado suaves; ellas sí sabían reconocer un problema cuando lo veían.

Empero, poquito a poco el conflicto se diluyó; Nynaeve no sabía exactamente cómo. Quizá la apariencia agradable que Elayne y Birgitte fingieron se les metió dentro a pesar de sí mismas. Quizá lo ridículo de la situación, tratando de mantener una sonrisa amistosa en la cara mientras se daba a las palabras un adecuado tono mordiente acabó por superarlas. Fuese lo que fuese, ella no podía quejarse por el resultado. Lentamente, día a día, las palabras y el tono empezaron a estar en conformidad con el gesto, y de vez en cuando una de ellas incluso parecía azorada, evidentemente al recordar cómo se había comportado ella. Ninguna de las dos ofreció una palabra de disculpa, por supuesto, cosa que Nynaeve entendía muy bien. Si hubiese sido tan necia y maliciosa como ellas, ciertamente no querría recordárselo a nadie.

Los niños también jugaron una baza importante en devolverles el equilibrio a Elayne y a Birgitte, aunque de hecho la cosa empezó con Nynaeve ocupándose de las heridas de los hombres aquella primera mañana que pasaron en el río. Sacó su morral lleno de hierbas, preparó ungüentos y pomadas y puso vendajes. Aquellos cortes avivaron su ira lo bastante para recurrir a la Curación —la enfermedad y las heridas siempre la ponían furiosa— e hizo uso del Talento para algunos de los peores casos, aunque tenía que llevar mucho cuidado. Heridas que desaparecieran darían que hablar, y la Luz sabía lo que Neres sería capaz de hacer si sospechaba que llevaba una Aes Sedai a bordo; a buen seguro mandaría a escondidas a uno de sus hombres a Amadicia por la noche e intentaría que las arrestaran. En realidad, la noticia podría haber impulsado a más de un refugiado a saltar por la borda.

Con Ino, por ejemplo, le dio friegas con linimento de alcanfor en el hombro contusionado, aplicó con toquecitos un poco de milenrama en el tajo de la cara —no tenía sentido gastar demasiado de los remedios— y le envolvió la cabeza con vendajes hasta que el hombre apenas pudo mover la mandíbula, y entonces usó la Curación. Cuando el soldado dio un respingo y se sacudió, lo increpó duramente:

—No seas quejica. Jamás imaginé que un poquito de dolor molestaría a un hombre hecho y derecho. Mucho cuidado con quitarte el vendaje; si se te ocurre tocarlo en los próximos tres días, te daré una dosis de algo tan amargo que tardarás en olvidar su sabor.

Él asintió lentamente y la contempló con tanta incertidumbre que era evidente que ignoraba lo que la mujer había hecho. Si se daba cuenta cuando finalmente se quitara las vendas, con suerte nadie más se acordaría exactamente de lo profundo que era el tajo y él tendría el sentido común de mantener la boca cerrada.

Una vez que empezó, por lógica continuó con el resto de los pasajeros. Eran pocos los refugiados que no tenían contusiones o cortes, y algunos niños presentaban síntomas de fiebre o lombrices, dolencias que podía curar sin temor, ya que los críos siempre alborotaban cuando se les daba a tomar algo que no supiese a miel. Se achacaría a la gran imaginación infantil si les contaban a sus madres que habían notado algo raro.

En realidad nunca se había sentido cómoda tratando niños. Cierto, quería tener hijos de Lan; una parte de ella lo deseaba. Pero los niños organizaban un escándalo por nada y parecían tener por costumbre hacer lo contrario de lo que se les mandaba tan pronto como uno se daba media vuelta, sólo para ver cómo reaccionaba. Sin embargo, se sorprendió acariciando suavemente el oscuro cabello de un chiquillo que apenas le llegaba a la cintura y que la miraba fijamente, como un búho, con sus brillantes ojos de color azul. Se parecían mucho a los de Lan.

Elayne y Birgitte se le unieron, sólo para ayudarla a mantener el orden al principio, pero de un modo u otro tendían a ocuparse también de los niños. Cosa rara, Birgitte no ofrecía en absoluto un aspecto ridículo con un pequeño de tres o cuatro años apoyado en la cadera y un círculo de críos a su alrededor mientras les cantaba una estúpida cancioncilla sobre animales que bailaban. Y Elayne repartió una bolsa de dulces de color rojo. La Luz sabía de dónde los había sacado o por qué. No pareció ni pizca avergonzada cuando Nynaeve la sorprendió metiéndose uno en la boca; se limitó a sonreír y a chuparse el dedo como si fuera una niña pequeña. Los niños reían como si acabaran de recordar cómo se hacía, y se acurrucaban en las faldas de Nynaeve o de Elayne o de Birgitte con tanta familiaridad como lo hacían en las de sus madres. Resultaba muy difícil estar de mal humor en semejantes circunstancias. Ni siquiera fue capaz de hacer más que dar un resoplido, y bastante suave, cuando Elayne reanudó su estudio del *a'dam* en la intimidad del camarote en el segundo día de viaje. La muchacha parecía más convencida que nunca de que el brazalete, el collar y la cadena creaban una extraña forma de vinculación. Nynaeve llegó incluso a sentarse con ella un par de veces; la mera visión del horrible artefacto bastaba para hacer posible que abrazara el *Saidar* y aguantar las explicaciones de la joven.

Las historias personales de los refugiados salieron a relucir, naturalmente. Familias separadas, extraviadas o muertas. Granjas, tiendas y negocios arruinados a medida que las repercusiones de los problemas del mundo se propagaban, interrumpiendo el comercio. La gente no podía comprar cuando no podía vender. El Profeta no había sido más que el último ladrillo de una carga excesiva que había partido el eje del carro. Nynaeve no dijo nada cuando vio a Elayne entregar subrepticiamente un marco de oro a un hombre de ralo cabello gris que inclinó la arrugada frente e intentó besarle la mano. Ya aprendería lo deprisa que desaparecía el oro. Además, ella misma había dado unas cuantas monedas. Bueno, tal vez algo más que unas cuantas.

Todos los hombres salvo dos eran canosos o estaban calvos, y tenían los rostros curtidos y las manos callosas. Los jóvenes habían sido alistados en el ejército si es que no los había cogido antes el Profeta; a aquellos que rehusaron lo uno o lo otro los habían ahorcado. Los dos jóvenes —en realidad poco más que unos chiquillos; Nynaeve dudaba que ninguno de ellos se afeitara con regularidad— tenían una mirada acosada y se encogían si uno de los shienarianos los miraba. A veces los hombres mayores hablaban de volver a empezar, de encontrar un trozo de tierra para cultivar o reanudar su negocio, pero el tono de sus voces ponía de manifiesto que en sus palabras había más de farol o baladronada que verdadera esperanza. Principalmente hablaban en voz baja de sus familias: una esposa perdida, hijos e hijas perdidos, nietos perdidos. Ellos mismos parecían perdidos. La segunda noche, un tipo con las orejas salientes que había dado la impresión de ser el más entusiasta en un triste grupo desapareció sin más; cuando el sol salió no estaba, simplemente. Tal vez había nadado hasta la orilla. Nynaeve esperaba que fuese así.

Con todo, fueron las mujeres quienes conmovieron su corazón. No tenían más perspectivas ni certezas que los hombres, pero la mayoría sí que tenían más cargas. No estaban con sus maridos, ni siquiera sabían si seguían vivos, y aun así las responsabilidades que las agobiaban las empujaban a seguir adelante. Ninguna mujer con valor podía darse por vencida si tenía hijos. Pero incluso las otras estaban decididas a buscar un futuro; todas tenían al menos un retazo de esa esperanza que los hombres sólo fingían albergar. En especial había tres que la atraían de manera especial.

Nicola era aproximadamente de su misma edad y más o menos de su estatura; una tejedora esbelta, de cabello oscuro y grandes ojos que había estado haciendo planes para casarse. Hasta que a Hyran se le metió en la cabeza que su deber le exigía seguir al Profeta y al Dragón Renacido; se casaría con ella cuando hubiese cumplido con su deber. El deber había sido muy importante para Hyran. Habría resultado un buen esposo y padre, concienzudo, a decir de Nicola. Sólo que, lo que quiera que hubiese en su cabeza no le había servido de mucho cuando alguien se la abrió con un hacha. Nicola ignoraba quién lo había hecho y por qué; sólo sabía que quería poner toda la distancia posible entre el Profeta y ella. En alguna parte tenía que haber un sitio donde no se matara, donde no tuviera siempre miedo de lo que podía encontrar al doblar una esquina.

Marigan, unos cuantos años mayor que ella, había sido rellenita en otro tiempo, pero ahora el vestido le colgaba flojo y su rostro embotado denotaba que ya estaba más allá del agotamiento y el desánimo. Sus dos hijos, de seis y siete años, contemplaban silenciosamente el mundo con los ojos demasiado abiertos; aferrados el uno al otro parecían asustados de todo y de todos, incluso de su propia madre. Marigan se había ocupado de remedios y curas en Samara, aunque albergaba ideas raras respecto a los unos y a las otras. En realidad no era de extrañar; una mujer que ofrecía servicios como curandera teniendo Amadicia y los Capas Blancas al otro lado del río debía actuar con prudencia y sin sobresalir demasiado en el oficio, que por otra parte había tenido que aprender por sí misma, naturalmente. Lo único que había querido siempre era sanar enfermedades y afirmaba haberlo hecho bien, aunque había sido incapaz de salvar a su marido. Los cinco años transcurridos desde su muerte habían sido muy duros, y la llegada del Profeta no la había ayudado ciertamente. La chusma dedicada a la caza de Aes Sedai la persiguió, obligándola a esconderse, después de que curó a un hombre que tenía fiebres, aunque lo que decían los rumores era que lo había hecho volver de entre los muertos. Eso demostraba lo poco que casi toda la gente sabía acerca de las Aes Sedai; la muerte estaba más allá del poder de la Curación. Ni siquiera Marigan parecía creer que no fuera posible tal cosa. Al igual que Nicola, no sabía hacia dónde dirigirse; a algún pueblo, esperaba, donde pudiese utilizar nuevamente sus conocimientos de las hierbas curativas en paz.

Areina era la más joven de las tres, con unos ojos de color azul que traslucían firmeza; una contusión purpúrea y amarillenta le marcaba la cara. Saltaba a la vista que no era de Ghealdan. Sus ropas lo habrían dejado bien claro aunque no hubiese nada más que lo hiciera: una chaqueta corta y oscura y unos amplios pantalones, un atuendo no muy distinto del de Birgitte y que era a lo que se reducían todas sus posesiones. No dijo exactamente de dónde procedía, pero sí se explayó respecto al camino que la había conducido hasta el *Sierpe de río*, o más bien respecto a ciertos detalles; Nynaeve tuvo que deducir el resto. Areina había ido a Illian con intención de llevar a su hermano más joven de vuelta a casa, antes de que prestara el juramento como cazador del Cuerno. Pero la ciudad estaba abarrotada con miles de personas y no dio con él, aunque sin saber muy bien cómo se encontró prestando el juramento ella y salió a los caminos para conocer mundo sin creer realmente en la existencia del Cuerno de Valere, inducida por la esperanza de que acabaría encontrando al joven Gwil y lo llevaría a casa. Desde entonces, las cosas habían sido... difíciles. Areina no era precisamente reacia a hablar, pero sí ponía gran empeño en contar de pasada los malos tragos. La habían echado violentamente de varios pueblos, le robaron una vez, y la habían golpeado en varias ocasiones. Aun así, no pensaba darse por vencida ni renunciar a encontrar un refugio o un pueblo pacífico. El mundo seguía ahí fuera, y Areina tenía intención de derrotarlo en una lucha mano a mano. No es que lo expresara así, pero Nynaeve sabía que era eso lo que quería decir.

Nynaeve también sabía muy bien por qué la conmovía más que las otras. Cada una de las tres historias podría haber sido el reflejo de un hilo de su propia vida. Lo que no acababa de entender era el motivo de que Areina le gustase más. Era su opinión, uniendo esto y aquello, que casi todos los problemas de Areina se debían a su costumbre de hablar sin tapujos, de decir exactamente lo que pensaba. Difícilmente podía tratarse de una coincidencia el que tuviese que salir huyendo de un pueblo con tanta prisa que hubo de dejar a su caballo después de llamar al alcalde patán con cara de empanada y decirles a algunas mujeres del lugar que unos sacos de huesos barresuelos no tenían derecho a cuestionar que anduviese sola por los caminos. Eso fue lo que la muchacha admitió haber dicho. Nynaeve creyó que el tenerla unos cuantos días como ejemplo sería muy beneficioso para Areina. Y tenía que haber algo que pudiera hacer por las otras dos también; entendía muy bien lo que significaba ese deseo de encontrar paz y seguridad.

Hubo un extraño cambio la mañana del segundo día, cuando todavía los ánimos andaban revueltos y las lenguas —¡las de algunas personas!— todavía lanzaban pullas. Nynaeve dijo algo, bastante suave por cierto, respecto a que Elayne no estaba en el palacio de su madre, así que no diera por hecho que ella tendría que dormir aplastada contra la pared todas las noches. Elayne levantó la barbilla; pero, antes de que tuviese ocasión de abrir la boca, se le adelantó Birgitte:

—¿Eres la heredera del trono de Andor? —inquirió a bocajarro sin apenas mirar en derredor para asegurarse de que no había nadie lo bastante cerca para oírla.

—Lo soy. —El tono de Elayne sonó con más dignidad de lo que Nynaeve recordaba haberle oído desde hacía tiempo, si bien había en él un atisbo de... ¿Podía interpretarse como satisfacción?

Con el semblante inexpresivo, Birgitte se limitó a dar media vuelta y se dirigió a proa, donde se sentó en un rollo de cuerda, con la mirada prendida al frente, en el río. Elayne la observó mientras se alejaba, fruncido el entrecejo, y después fue a sentarse a su lado. Allí estuvieron un rato hablando en voz baja. ¡Nynaeve no se habría unido a ellas aunque se lo hubiesen pedido! Fuese cual fuese el tema que trataron, Elayne pareció ligeramente contrariada, como si hubiese esperado otro resultado, pero después de aquello no hubo palabras desabridas entre ellas.

Birgitte recobró su propio nombre más tarde ese mismo día, aunque fue un último estallido de genio lo que lo ocasionó. Habiendo dejado a Moghedien a una distancia segura tras ellas, Elayne y la arquera se lavaron el tinte negro de los cabellos con un preparado de hierba carmín, y Neres, al ver a una con la ondulada melena rubio rojiza cayéndole sobre los hombros y a la otra con una compleja trenza rubia dorada y equipada con arco y aljaba, masculló con acritud:

—Birgitte salida de las leyendas.

Tuvo la mala suerte de que ella lo oyera. Ese era su nombre, le replicó en tono cortante, y si no le gustaba, le clavaría las orejas con flechas al mástil que eligiera él mismo. Y con los ojos vendados. El capitán se alejó a zancadas, congestionado y ordenando a voz en grito que se tensaran unos cabos que no podían tensarse más sin peligro de que se partieran.

En ese momento a Nynaeve no le habría importado que Birgitte hubiese llevado a cabo la amenaza. La hierba carmín le dejó un leve reflejo rojizo en su propio cabello negro, pero quedó en un tono lo bastante aproximado a su color natural para que casi gritara de contento. A menos que todos los que estaban a bordo empezaran a tener problemas con las encías y con dolores de muelas, le quedaba suficiente hierba carmín para salir de un apuro. Y suficiente eneldo para que el estómago no se le subiera a la garganta. Suspiró de satisfacción sin poder evitarlo cuando su cabello estuvo seco y adecuadamente peinado en una trenza.

Ni que decir tiene que entre Elayne encauzando buenos vientos y Neres navegando con luz y en la oscuridad, los pueblos y granjas con tejados de bálago pasaron rápidamente en ambas orillas, con personas agitando las manos en un saludo durante el día y ventanas iluminadas por la noche, sin que se advirtiese signo alguno de los tumultos existentes río arriba. A pesar de su anchura, el barco, bautizado con tan poco acierto, se deslizó a buena marcha corriente abajo.

Neres parecía por igual complacido por su buena fortuna de tener vientos tan favorables y preocupado por viajar a la luz del día. Más de una vez contempló con anhelo un remanso, un arroyo bordeado de árboles o una profunda poza en un meandro donde el *Sierpe de río* podría haber sido amarrado, oculto. De vez en cuando Nynaeve manifestaba, cuando él podía oírla, lo contento que debía de estar de que la gente de Samara fuera a abandonar su barco muy pronto, comentando como de pasada el buen aspecto que esta mujer tenía ahora que había descansado o lo vigorosos que estaban los hijos de tal otra mujer. Aquello bastaba para que el capitán desechara cualquier idea de parar. Habría sido más fácil amenazarlo con los shienarianos o con Thom y Juilin, pero esos hombres ya estaban bastante pagados de sí mismos para darles más alas. Y ciertamente no tenía la menor intención de discutir con un tipo que aun no la miraba ni le hablaba.

El gris amanecer del tercer día sorprendió a la tripulación manejando los remos otra vez para llevarlos hasta un muelle de Boannda. Era una ciudad de tamaño considerable, mayor que Samara, que se alzaba en una lengua de tierra allí donde el rápido río Boern, procedente de Jehannah, desembocaba en el curso más lento del Eldar. Había incluso tres torres dentro de las altas murallas grises y un reluciente edificio blanco con tejados de tejas rojas que habría podido pasar perfectamente por un palacio, aunque pequeño. Mientras se amarraba el *Sierpe de río* a los sólidos pilotes de la punta de uno de los muelles —hasta la mitad de los cuales sólo había cieno reseco— Nynaeve se preguntó en voz alta por qué Neres habría viajado hasta Samara pudiendo vender las mercancías aquí.

Elayne señaló con la barbilla hacia un hombre fornido que había en el muelle y que llevaba una cadena con una especie de sello colgado sobre el pecho. Había varios más como él, todos con la cadena y una chaqueta azul, que vigilaban atentamente la descarga de otras embarcaciones anchas amarradas en otros muelles.

—Los siseros de la reina Alliandre, imagino —comentó. Neres observaba con mayor interés a los otros barcos que a los hombres—. Quizá llegó a un arreglo con los de Samara. Dudo que quiera hablar con éstos.

Los hombres y mujeres de Samara avanzaban de mala gana por la pasarela, sin merecer la atención de los siseros. No había tasas para las personas. Para los samarinos éste era el principio de la incertidumbre. Una nueva vida aguardaba ante ellos, y para empezar de cero contaban con lo que llevaban puesto y lo que Nynaeve y Elayne les habían dado. Antes de que hubiesen llegado a la mitad del muelle, todavía manteniéndose en una piña, algunas de las mujeres empezaron a tener el mismo aire desalentado que los hombres. Nynaeve confiaba en que Elayne no se hubiese dado cuenta de que les había dado bajo cuerda algunas monedas de plata más a varias mujeres.

No todas abandonaron el barco. Se quedaron Areina, Nicola y Mangan, que agarraba fuertemente a sus hijos, los cuales contemplaban con ansiedad cómo los demás chiquillos se alejaban y desaparecían camino de la ciudad. Nynaeve no había oído pronunciar una sola palabra a los dos muchachitos desde Samara.

—Quiero ir contigo —le dijo Nicola a la antigua Zahorí mientras se retorcía inconscientemente las manos—. Me siento segura a tu lado.

Mangan se limitó a asentir enérgicamente, conviniendo con ella. Por su parte, Areina no dijo nada, pero se acercó a las otras dos mujeres, incluyéndose así en el grupo, y mirando a los ojos a Nynaeve como desafiándola a que la echara.

Thom sacudió ligeramente la cabeza y Juilin torció el gesto, pero fue a Elayne y a Birgitte a las que Nynaeve miró buscando opinión. La heredera del trono asintió con la cabeza sin vacilar, y la otra mujer sólo tardó un segundo en hacer el mismo gesto. Nynaeve se recogió las faldas y fue hacia la popa, donde estaba Neres.

—Supongo que ahora recuperaré mi barco —dijo el hombre al aire, en algún punto entre la embarcación y el muelle—. Ya iba siendo hora. Este viaje ha sido el peor que jamás he hecho.

Nynaeve sonrió de oreja a oreja mientras lo sacaba de su error. Por una vez la miró antes de que hubiese acabado de hablar; bueno, casi la miró. Tampoco es que Neres tuviese muchas opciones, ya que difícilmente podía apelar a las autoridades de Boannda. Y si no le hizo gracia el precio del pasaje que le ofreció... En fin, de todos modos tenía que navegar río abajo. Así que el *Sierpe de río* zarpó de nuevo, con destino a Ebou Dar, aunque con una parada intermedia de la que no fue informado hasta que Boannda empezó a desaparecer a popa en la distancia.

—¡Salidar! —bramó, con los ojos enfocados por encima de la cabeza de Nynaeve—. Esa población ha estado deshabitada desde la Guerra de los Capas Blancas. Me tenía que tocar a mí llevar en mi barco a una necia mujer que quiere desembarcar en Salidar.

Aunque no perdió la sonrisa, Nynaeve estaba lo bastante furiosa para abrazar la Fuente. Neres bramó mientras se propinaba unos palmetazos en el cuello y en la cadera al mismo tiempo.

—Los tábanos son terribles en esta época del año —adujo la mujer con tono compasivo. Birgitte se alejó apresuradamente, pero prorrumpió en carcajadas antes de llegar a la mitad de la cubierta.

De pie en la proa, Nynaeve inhaló profundamente mientras Elayne encauzaba para hacer que el viento volviese a soplar, y el *Sierpe de río* avanzó pesadamente por la fuerte corriente de la desembocadura del Boern. De seguir así, la antigua Zahorí se vería obligada a ingerir infusiones de eneldo durante todo el tiempo; pero, aunque agotara todas sus reservas del remedio antes de llegar a Salidar, no le importaba. El viaje casi había llegado a su fin, y sólo por eso valía la pena todo lo que había tenido que aguantar. Claro que no había opinado siempre así, y no podía achacarlo únicamente a las afiladas lenguas de Elayne y de Birgitte.

Esa primera noche, tendida en el camastro del capitán con sólo la camisola mientras Elayne, incapaz de reprimir los bostezos, ocupaba la silla y Birgitte se quedaba apoyada contra la puerta con la cabeza rozando las vigas del techo, Nynaeve utilizó el retorcido anillo de piedra. Una solitaria lámpara herrumbrosa, montada en un soporte de balancines, difundía luz y, sorprendentemente, un aroma a especias del aceite; quizás a Neres tampoco le gustaba el olor a moho y humedad. Si hizo todo un alarde de colocar el anillo entre sus senos, asegurándose de que las otras vieran que le tocaba la piel, en fin... tenía sus motivos. Unas cuantas horas de mostrar un comportamiento aparentemente razonable por parte de las dos mujeres no habían borrado su desconfianza.

El Corazón de la Ciudadela continuaba exactamente igual que la última vez que había estado allí, con la pálida luz surgiendo de todas partes y de ninguna en particular, el resplandeciente cristal de *Callandor* incrustado en las baldosas debajo de la gran bóveda, e hileras de inmensas columnas de piedra roja perdiéndose en la oscuridad. Y la sensación de que la estaban vigilando, tan habitual en el *Tel'aran'rhiod*. Nynaeve tuvo que recurrir a toda su fuerza de voluntad para no salir huyendo o lanzarse a un frenético registro entre las columnas. Se obligó a quedarse parada al lado de *Callandor* mientras contaba lentamente hasta mil, haciendo una pausa cada centenar para llamar a Egwene. De verdad que hizo todo lo posible por dominarse, pero el autocontrol del que tanto alardeaba se desvaneció. Sus atuendos cambiaron a la par que sus preocupaciones sobre sí misma y Moghedien, sobre Egwene y Rand y Lan. En el transcurso de un minuto, la recia lana de Dos Ríos se convirtió en el vestido de seda rojo —¡sólo que ahora era transparente!—, que a su vez dio paso a una gruesa capa, que al momento se transformó en... Tenía la sensación de que también cambiaban sus rasgos. En una ocasión se fijó en las manos, y el tono de piel era aun más oscuro que el de Juilin. A lo mejor si Moghedien no la reconocía...

—¡Egwene! —Esta última llamada enronquecida retumbó entre las columnas, y Nynaeve se obligó a permanecer inmóvil, temblando, para contar otras cien. La enorme cámara continuó desierta a excepción de ella. Deseando que la sensación que la embargaba fuera más de desengaño que de alivio, salió del sueño...

... y se encontró tendida, toqueteando el anillo de piedra colgado del cordón, contemplando las gruesas vigas de encima de la cama y oyendo los incontables crujidos del barco, que se deslizaba rápidamente río abajo a través de la oscuridad.

—¿Estaba allí? —demandó Elayne—. No llevabas mucho tiempo dormida, pero...

—Estoy harta de tener miedo —musitó Nynaeve sin apartar la vista de las vigas—. Estoy t... tan harta de ser c... cobarde. —Las últimas palabras dieron paso a unas lágrimas que no pudo reprimir ni disimular por mucho que se restregó los ojos.

Elayne estuvo a su lado en un instante, sosteniéndola y acariciándole el cabello, y un segundo después Birgitte apretaba un paño húmedo contra su nuca. Lloró a lágrima viva al oírles decir una y otra vez que no era cobarde.

—Si sospechara que Moghedien va por mí —manifestó finalmente Birgitte—, echaría a correr. Y si no hubiese otro sitio donde esconderse más que el agujero de un tejón, me retorcería para entrar en él, me haría un ovillo y sudaría hasta que se hubiese marchado. Y tampoco me quedaría quieta delante de uno de los *s'redit* de Cerandin si el animal cargara contra mí. Ni lo uno ni lo otro es cobardía. Se tiene que elegir el momento y el terreno que le convienen a uno, y atacarla del modo que menos se espera. Me vengaré de ella si es que alguna vez se me presenta la ocasión, pero no de otro modo. Lo demás sería una estupidez.

No eran precisamente tales razonamientos lo que Nynaeve deseaba escuchar, pero su llanto y el que ellas la consolaran abrió otra brecha en los setos espinosos que habían levantado entre ellas.

—Te demostraré que no eres cobarde. —Elayne cogió la caja de madera oscura que había puesto en una estantería y sacó el disco de hierro con las espirales grabadas—. Regresaremos juntas.

Eso era algo que Nynaeve quería oír aun menos, pero no había manera de evitarlo, sobre todo después de que le había dicho que no era cobarde. Así que volvieron las dos.

A la Ciudadela de Tear, donde contemplaron fijamente a *Callandor* —lo que era mejor que estar echando ojeadas sobre el hombro preguntándose si Moghedien iba a aparecer en cualquier momento—, después al Palacio Real de Caemlyn, guiada por Elayne, y a continuación a Campo de Emond, esta vez haciendo de guía Nynaeve. La antigua Zahorí ya había visto palacios anteriormente, con sus inmensas salas, sus altos techos pintados, sus dorados, sus excelentes alfombras y sus primorosas colgaduras, pero éste era el lugar donde Elayne había crecido. Contemplarlo, siendo consciente de tal cosa, la hizo comprender un poco más a Elayne. Naturalmente la muchacha esperaba que el mundo entero se inclinara ante ella; la habían criado con la creencia de que así debía ser y en un sitio donde así era.

La heredera del trono, una pálida imagen de sí misma debido al tipo de *ter'angreal* que utilizaba, permaneció sumida en el silencio mientras estuvieron allí. Claro que a Nynaeve le ocurrió lo mismo cuando visitaron Campo de Emond. Para empezar, el pueblo era más grande de como ella lo recordaba, con más casas de techo de bálago y con otros armazones de madera levantándose. Alguien estaba construyendo una casa muy grande, justo a las afueras del pueblo, de tres pisos, y habían erigido un plinto de piedra de cinco pasos de altura en el Prado, todo él con nombres cincelados. Reconoció muchos de ellos; en su mayoría eran nombres de Dos Ríos. A cado lado del plinto había un astil de bandera, uno de ellos rematado por un estandarte con la cabeza de un lobo rojo, y el otro por un águila roja. Todo tenía un aire de prosperidad y felicidad —hasta donde podía adivinarse al no haber personas— pero no tenía sentido. ¿Qué demonios significaban esas banderas? ¿Y quién iba a construir una casa así?

Se desplazaron en un abrir y cerrar de ojos a la Torre Blanca, al estudio de Elaida. Allí no había cambiado nada, excepto que sólo quedaba media docena de banquetas en un semicírculo, delante del escritorio de Elaida. Y el tríptico de Bonwhin había desaparecido. El cuadro de Rand continuaba allí, con un desgarrón torpemente arreglado cruzando el rostro del joven, como si alguien le hubiese arrojado algo.

Revolvieron en los papeles de la caja laqueada, con los halcones dorados, y también en los que había sobre la mesa de la Guardiana, en la antesala. Documentos y cartas cambiaban mientras los estaban leyendo, pero aun así descubrieron algunas cosas. Elaida sabía que Rand había cruzado la Pared del Dragón y había entrado en Cairhien, pero no encontraron nada que les indicara lo que se proponía hacer al respecto. Había una colérica llamada a todas las Aes Sedai para que regresaran inmediatamente a la Torre a no ser que tuvieran órdenes específicas de ella. Por lo visto Elaida estaba furiosa por muchas cosas: de que fueran tan escasas las hermanas que habían regresado tras su oferta de amnistía; que la mayoría de las informadoras de Tarabon siguieran manteniendo un total silencio; que Pedron Niall continuara haciendo volver a Amadicia a los Capas Blancas, sin que ella supiese el motivo; que Davram Bashere siguiera en paradero desconocido a pesar de que iba acompañado por un ejército. La ira rebosaba en todos los documentos con su sello. Ninguno de ellos parecía de utilidad o interés real, salvo quizás el referente a los Capas Blancas. Sin embargo, no eran de esperar dificultades por ese lado mientras estuviesen en el *Sierpe de río*.

Cuando regresaron a sus cuerpos en el barco, Elayne guardó silencio mientras se incorporaba de la silla y volvía a guardar el disco en la caja. Sin pensar lo que hacía, Nynaeve se levantó y la ayudó a quitarse el vestido. Birgitte subió a cubierta mientras ellas dos se metían en la cama; dijo que se proponía dormir justo donde acababa la escala.

Elayne encauzó para apagar la lámpara; rompió el silencio después de un rato de yacer tendidas en la oscuridad:

—El palacio parecía tan... vacío, Nynaeve. Daba la sensación de estar desierto.

Nynaeve no sabía qué otra impresión podía dar un palacio en el *Tel'-aran'rhiod*.

—Será por el *ter'angreal* que utilizaste. Te veía casi borrosa, como a través de niebla.

—Bueno, pues para mí me veía bien. —Hubo sólo un leve atisbo de aspereza en la voz de Elayne, no obstante, y las dos mujeres se acomodaron para dormir.

Nynaeve recordaba bien los codos de la muchacha, pero ese detalle no estropeó su buena disposición, como tampoco el quejoso murmullo de Elayne de que sus pies estaban fríos. Lo había hecho. Quizás olvidar que se está asustado no era lo mismo que no estarlo, pero al menos había vuelto al Mundo de los Sueños. A lo mejor llegaría el día en que recobraría el valor y no se sentiría asustada.

Una vez que se había empezado, resultaba más fácil continuar que dejarlo. Todas las noches, a partir de aquella, entraron juntas en el *Tel'-aran'rhiod*, incluyendo la visita a la Torre para ver lo que podían descubrir. No lograron gran cosa, aparte de una orden por la que se enviaba una emisaria a Salidar para invitar a las Aes Sedai instaladas allí a regresar a la Torre. Salvo que la invitación —hasta donde Nynaeve consiguió leer antes de que cambiara por un informe respecto a una criba de novicias en ciernes por actitudes correctas, lo que quiera que significase tal cosa— era más una exigencia de que esas Aes Sedai se sometieran inmediatamente a la autoridad de Elaida y que se consideraran afortunadas de que se les permitiera hacerlo así. Con todo, les sirvió como confirmación de que no iban persiguiendo un espejismo. El problema con los restantes fragmentos de información que veían era que no sabían lo suficiente para sacar conclusiones y encajarlos entre sí. ¿Quién era el tal Davram Bashere y por qué Elaida estaba tan empeñada en encontrarlo? ¿Por qué había prohibido Elaida mencionar el nombre de Mazrim Taim, el falso Dragón, bajo amenaza de duros castigos? ¿Por qué la reina Tenobia de Saldaea y el rey Easar de Shienar habían escrito cartas educadas pero inflexibles en las que expresaban su indignación por la intromisión de la Torre en sus asuntos? Todo ello hizo que Elayne musitara uno de los dichos de Lini: «Para saber dos, primero hay que saber uno». Nynaeve no podía estar más de acuerdo con ello.

Aparte de las visitas al estudio de Elaida, trabajaron en aprender a tener control, tanto de sí mismas como de su entorno, en el Mundo de los Sueños. Nynaeve no estaba dispuesta a que volvieran a sorprenderla como le había ocurrido con Egwene y con las Sabias. Procuró no pensar en Moghedien. Más valía concentrarse en las Sabias.

Del truco de Egwene de aparecer en sus sueños, como había hecho en Samara, no lograron sacar nada en conclusión; llamar a la muchacha no sirvió de nada, salvo aumentar la desagradable sensación de que las estaban vigilando, y su amiga no volvió a hacer otra aparición en sus sueños. Intentar retener o dominar a alguien en el *Tel'aran'rhiod* resultó increíblemente frustrante, incluso después de que Elayne diera con el truco, que consistía en considerar a la otra persona sólo como una parte más del sueño. Elayne lo logró finalmente —y Nynaeve la felicitó con toda la cortesía que fue capaz— pero pasaron días sin que Nynaeve lo consiguiera. Elayne podría muy bien haber sido el jirón de niebla que parecía por la facilidad con que se esfumaba, sonriente, cuando deseaba. Cuando por último la antigua Zahorí logró retener a la muchacha allí, el esfuerzo le resultó tan arduo como si quisiera levantar a pulso una gran piedra.

Crear flores fantásticas o formas imaginándolas era mucho más divertido. El esfuerzo requerido parecía ir parejo tanto con el tamaño del objeto como con la circunstancia de que realmente existiera. Costaba más trabajo crear árboles cubiertos de flores de formas extrañas en colores rojo, dorado y púrpura que hacer un espejo de cuerpo entero para comprobar qué cambios se habían realizado en el vestido que se llevaba puesto. Y un resplandeciente palacio de cristal emergiendo del suelo era aun más difícil; y, aunque al tocarlo tenía la apariencia de ser sólido, cambiaba cada vez que la imagen creada en la mente vacilaba, y también se desvanecía en el momento en que ocurría otro tanto con la imagen. Decidieron prudentemente olvidarse de los animales después de que una peculiar criatura —¡una especie de caballo con un cuerno en la nariz!— las persiguió cuesta arriba por una colina antes de que consiguieran hacerla desaparecer. Aquello casi provocó una nueva discusión, pues cada una de ellas protestaba que la aparición de la criatura era obra de la otra, pero para entonces Elayne había recobrado su agradable talante de antaño lo bastante para empezar a reírse al pensar la pinta que debían de tener corriendo cuesta arriba con las faldas remangadas y gritando a la criatura que desapareciera. Ni siquiera la obstinada negativa de Elayne de admitir que había sido culpa de ella impidió que también Nynaeve prorrumpiera en carcajadas.

Elayne alternaba el uso del disco de hierro y la placa, aparentemente de ámbar, con la figura tallada en su interior de una mujer dormida, pero en realidad no le gustaba usar ninguno de los dos *ter'angreal*. Por mucho que se esforzaba no se sentía tan plenamente presente en el *Tel'-aran'rhiod* como con el anillo. Y cada uno de ellos exigía un esfuerzo; era imposible atar el flujo de Energía o de lo contrario salía expulsada inmediatamente del Mundo de los Sueños. Encauzar cualquier otro flujo al mismo tiempo parecía de todo punto imposible, aunque Elayne no entendía el porqué. La joven se mostraba más interesada en cómo habían sido creados y la irritaba que no le revelaran sus secretos tan fácilmente como había ocurrido con el *a'dam*. Desconocer el porqué era como llevar una cardencha metida en la media.

En una ocasión Nynaeve probó a utilizar uno de esos dos objetos; coincidió, curiosamente, con la noche acordada para el encuentro con Egwene, la siguiente a la partida de Boannda. La antigua Zahorí no habría estado lo bastante furiosa para usarlo de no ser por aquello que siempre la encrespaba: la actitud de los hombres.

Empezó con Neres, recorriendo a zancadas la cubierta de punta a punta mientras rezongaba entre dientes porque le había «robado» su carga. Nynaeve no le hizo caso, naturalmente. Entonces Thom, que se preparaba el petate al pie del palo de popa, comentó en voz baja:

—Tiene su punto de razón.

Era obvio que no la había visto en la cárdena luz del ocaso, y tampoco Juilin, que estaba en cuclillas a su lado.

—Es un contrabandista, pero había pagado por esas mercancías. Nynaeve no tenía derecho a incautárselas.

—Los puñeteros derechos de una mujer son los que ella dice que tiene —rió Ino—. Al menos es lo que afirman las mujeres en Shienar, maldita sea.

Fue entonces cuando la vieron y se callaron, demostrando su buen juicio demasiado tarde, como siempre. Ino se frotó la mejilla, limpia de cicatrices. Se había quitado el vendaje ese día y ahora sabía lo que había ocurrido realmente. A Nynaeve le pareció que estaba azorado, si bien resultaba difícil saberlo con seguridad a causa de la mortecina luz, aunque los semblantes de los otros dos no traslucían expresión alguna.

No les hizo nada, claro es, y se limitó a alejarse con pasos mesurados mientras se aferraba fuertemente la trenza. Se las ingenió incluso para descender la escala sin precipitarse. Elayne ya tenía el disco de hierro en la mano; la oscura caja de madera estaba abierta encima de la mesa. Nynaeve cogió la lámina ambarina con la figura de una mujer dormida cincelada en su interior; tenía un tacto suave y resbaladizo, en nada parecido a algo que pudiera arañar metales. Con la brasa de la ira irradiando latente dentro de sí, el *Saidar* era un cálido fulgor insinuándose por encima de su hombro.

—A lo mejor se me ocurre alguna idea de por qué esta cosa sólo te permite encauzar un insignificante hilillo de Poder.

Y así fue como se encontró en el Corazón de la Ciudadela, encauzando un flujo de Energía en la lámina, que en el *Tel'aran'rhiod* iba guardada en la bolsita colgada del cinturón. Por su parte, como hacía a menudo en el Mundo de los Sueños, Elayne llevaba puesto un vestido apropiado para la corte de su madre, de seda verde con bordados de oro alrededor del cuello, y lucía un collar y un brazalete de eslabones dorados que engarzaban piedras de luna. Para su sorpresa, Nynaeve descubrió que ella misma llevaba un atuendo no muy diferente, aunque su cabello estaba trenzado —y con su color natural— en lugar de llevarlo suelto sobre los hombros. Su vestido era de un tono azul pálido y los aderezos de plata, y, aunque el escote no era tan bajo como los de los vestidos encargados por Luca, sí lo era más de lo que habría considerado oportuno. Con todo, le gustaba el modo en que el solitario rubí, colgado de la cadena de plata, brillaba entre sus senos. A Egwene no le resultaría fácil intimidar a una mujer vestida así. Ciertamente eso no tenía nada que ver con el hecho de elegir tal atuendo, aun habiéndolo hecho inconscientemente.

Enseguida comprendió lo que Elayne había querido decir con lo de verse bien; para ella, no había diferencia entre su aspecto y el de la muchacha, que, de algún modo, llevaba el retorcido anillo de piedra ensartado en el collar. Sin embargo, según Elayne su apariencia era un tanto... borrosa. También era brumosa la sensación del *Saidar,* excepto el flujo de Energía que había empezado a urdir mientras estaba despierta. El resto parecía tenue, e incluso la atisbada calidez de la Fuente Verdadera daba la sensación de estar amortiguada. Su rabia se mantenía con la justa intensidad para permitirle encauzar. Si el encrespamiento provocado por los hombres se disipaba antes que el desconcierto, este último era en sí una fuente de irritación. Cobrar firmeza para hacer frente a Egwene no tenía nada que ver con ello; no estaba haciendo acopio de coraje en absoluto, y no había motivo para percibir ese leve regusto a agrimonia y ricino en su lengua. Con todo, el simple hecho de producir una llamita titilando en el aire, una de las primeras cosas que se le enseñaba a una novicia, parecía tan difícil de conseguir como cargarse a Lan en el hombro. Hasta ella veía la dichosa llama como desdibujada y, tan pronto como ató la urdimbre, empezó a disiparse y desapareció completamente en cuestión de segundos.

—¿Las dos? —dijo Amys. La Sabia y Egwene estaban allí, al otro lado de *Callandor,* las dos con faldas, blusas y chales Aiel. Por lo menos Egwene no llevaba puestos tantos collares y brazaletes como la otra mujer—. ¿Por qué tienes ese aspecto tan extraño, Nynaeve? ¿Es que has aprendido a venir al *Tel'aran'rhiod* estando despierta?

La aludida dio un respingo, sobresaltada por la repentina aparición. ¡Cómo odiaba a la gente que se acercaba a ella de manera subrepticia!

—Egwene, ¿cómo pudiste entrar...? —empezó mientras se alisaba la falda.

—Egwene, no comprendemos cómo pudiste... —dijo Elayne al mismo tiempo.

—Rand y los Aiel han alcanzado una gran victoria en Cairhien —las interrumpió la otra joven, y siguió todo un torrente de noticias, las mismas que les había revelado en sus sueños, desde Sammael hasta el fragmento de lanza seanchan. Hablaba tan deprisa que las palabras casi se atropellaban, acompañándolas con una intensa mirada.

Nynaeve intercambió ojeadas desconcertadas con Elayne. ¡Pero si ya les había informado de esto! Era imposible que las dos lo hubiesen imaginado, y menos al ver confirmada hasta la última palabra. Hasta Amys, cuyo largo cabello blanco hacía resaltar la indefinida edad de su rostro aunque sin llegar a la intemporalidad de los de las Aes Sedai, parecía sorprendida por tal verbosidad.

—¿Que Mat mató a Couladin? —exclamó Nynaeve en cierto momento. Ése era un detalle que no había aparecido en su sueño. No encajaba con el muchacho. ¿Dirigiendo soldados? ¿Mat?

Egwene calló finalmente y se ajustó el chal; se notaba que estaba un tanto falta de aliento y no era de extrañar pues apenas había hecho una pausa para respirar durante la parrafada.

—¿Está bien él? —preguntó entonces Elayne, con un susurro.

—Todo lo bien que cabría esperar —repuso Amys—. Se afana demasiado, hasta el agotamiento, y no hace caso a nadie. Excepto a Moraine. —Saltaba a la vista que tal cosa la molestaba.

—Aviendha pasa con él casi todo el tiempo —intervino Egwene—. Lo está cuidando bien para ti.

Nynaeve tenía sus dudas al respecto. No sabía gran cosa sobre los Aiel, pero sospechaba que lo que Amys llamaba «afanarse demasiado» cualquier otro lo habría calificado de «esfuerzo matador». Por lo visto Elayne era de su misma opinión.

—Entonces ¿por qué lo deja que llegue a esos extremos? —demandó la heredera del trono—. ¿Qué está haciendo Rand?

Resultó que no era poco, sino más bien excesivo. Dos horas diarias de práctica de esgrima con Lan o con cualquiera que pudiese encontrar. Aquello hizo que Amys apretase los labios en un gesto agrio. Otras dos aprendiendo la disciplina de lucha sin armas de los Aiel. Si a Egwene le extrañaba ese empeño, no ocurría lo mismo con Nynaeve, quien sabía muy bien lo indefenso que uno se sentía cuando no podía encauzar. Aun así, Rand no debería encontrarse en esa situación nunca. Se había convertido en una especie de rey o algo más, rodeado de una guardia personal de *Far Dareis Mai*, dando órdenes a lores y ladis. De hecho, empleaba tanto tiempo en impartir esas órdenes y en vigilar que se cumplieran que pasaría por alto las comidas si las Doncellas no le llevaran los alimentos dondequiera que estuviese. Por alguna razón, mientras que esto parecía molestar a Egwene tanto como a Elayne, aparentemente era motivo de regocijo para Amys, si bien su semblante adoptó de nuevo la característica impasibilidad Aiel una vez que advirtió que Nynaeve se había dado cuenta. A pesar de estar tan ocupado, todavía dedicaba una hora al día a una rara escuela que había instaurado, invitando a participar en ella no sólo a estudiosos sino también a artesanos, desde un tipo que fabricaba visores de lentes hasta una mujer que había construido una especie de enorme ballesta que funcionaba con poleas y que podía arrojar una lanza a una milla de distancia. No le había contado a nadie qué se proponía con esto, salvo quizás a Moraine, pero la única explicación que la Aes Sedai había tenido a bien dar a Egwene era que todo el mundo tiene el apremiante deseo de dejar algo tras de sí. A Moraine no parecía importarle lo que Rand hiciera.

—Los Shaido que han quedado se están replegando hacia el norte —anunció Amys con gesto sombrío—, y cada día hay más que cruzan la Pared del Dragón para unirse a ellos, pero Rand al'Thor parece haberlos olvidado por completo. Está enviando las lanzas al sur, hacia Tear. La mitad ha partido ya. Rhuarc dice que ni siquiera les ha dicho a los jefes por qué, y no creo que Rhuarc me mienta. Moraine es quien está más cerca de Rand al'Thor que nadie salvo quizás Aviendha, pero se niega a preguntarle. —Sacudió la cabeza y murmuró—: Aunque diré en su favor que ni siquiera Aviendha ha logrado sonsacarle nada.

—El mejor modo de guardar un secreto es no revelárselo a nadie —respondió Elayne, con lo que se ganó una dura mirada. Amys no le andaba a la zaga a Bair en cuanto a asestar miradas que levantaban ampollas.

—No vamos a sacar nada en claro porque lo hablemos aquí —dijo Nynaeve, que clavó la mirada en Egwene. La muchacha parecía inquieta. Si había algún momento para empezar a restablecer el equilibrio entre ambas, éste podía ser tan bueno como cualquier otro—. Lo que quiero saber es cómo...

—Tienes razón —la interrumpió Egwene—. No estamos en el estudio de Sheriam, donde podíamos dedicarnos a charlar ociosamente. ¿Qué nuevas tenéis vosotras? ¿Seguís con la compañía de artistas de maese Luca?

La antigua Zahorí olvidó de inmediato toda idea de plantearle preguntas a la muchacha. Había tanto que contar. Y tanto que callar. Afirmó que había seguido a Lanfear hasta la reunión de los Renegados, y sólo mencionó haber visto a Moghedien espiándolos. No es que quisiera evitar hablar de cómo la había maltratado a Renegada —realmente no; no era eso exactamente—, pero Birgitte no las había eximido de su promesa de guardar su secreto. Naturalmente ello significaba no decir una palabra sobre la arquera, ni mencionar que la mujer estaba con ellas. Resultaba extraño teniendo en cuenta que Egwene estaba enterada de que Birgitte las estaba ayudando y aun así fingir que la muchacha de Dos Ríos no sabía absolutamente nada, pero Nynaeve se las ingenió para salir del apuro, a pesar del ligero balbuceo cuando Egwene enarcó las cejas con expresión interrogante. Gracias a la Luz, Elayne la ayudó al echar la culpa de lo ocurrido en Samara a Galad y a Masema. Cosa que, por otro lado, era verdad. Si cualquiera de los dos se hubiese limitado simplemente a enviarle un mensajero con la noticia de la llegada del barco, nada de lo que aconteció después habría tenido lugar.

Cuando terminó —refiriéndose a Salidar— Amys preguntó en voz queda:

—¿Estáis seguras de que apoyarán al *Car'a'carn?*

—Tienen que conocer las Profecías del Dragón tan bien como Elaida —contestó Elayne—. El mejor modo de oponerse a ella es uniéndose a Rand y así dejar claro al mundo que se proponen respaldarlo hasta el Tarmon Gai'don. —No hubo el más leve temblor en su voz, como si estuviese hablando de un completo desconocido—. En caso contrario sólo serían rebeldes sin derecho a exigir legitimidad a su postura. Lo necesitan al menos tanto como él a ellas.

Amys asintió, pero su gesto no significaba que estuviese de acuerdo todavía.

—Creo que recuerdo a Masema —apuntó Egwene—. ¿Un tipo de ojos hundidos y rictus amargado? —Nynaeve confirmó su suposición con un cabeceo—. No logro imaginármelo como una especie de profeta, pero sí como alguien capaz de iniciar una revuelta o una guerra. Estoy segura de que Galad hizo sólo lo que consideró que era mejor. —Las mejillas de la muchacha se tiñeron con un ligero rubor; hasta evocar el rostro de Galad producía esa reacción—. A Rand le interesará la noticia sobre Masema. Y sobre Salidar. Si es que soy capaz de conseguir que se quede quieto el tiempo suficiente para escucharme.

—Pues a mí me interesa saber cómo es que estáis las dos aquí —intervino Amys. Atendió a sus explicaciones y examinó la lámina ambarina cuando Nynaeve la sacó de la bolsita. El hecho de que otra persona tocara el *ter'angreal* mientras que ella lo estaba utilizando, le puso la piel de gallina—. Creo que tú estás aquí menos que Elayne —manifestó finalmente la Sabia—. Cuando una caminante de sueños entra en el *Tel'aran'rhiod* mientras duerme, sólo queda una chispa de sí misma en su cuerpo, justo lo suficiente para mantenerlo vivo. Si entra únicamente en un sueño ligero, donde puede estar aquí y también hablar con quienes la rodean en el mundo de vigilia, tiene el aspecto que ofreces tú ahora para alguien que está plenamente aquí. Quizá sea lo mismo. No estoy segura de que me guste que cualquier mujer que pueda encauzar sea capaz de entrar en el Mundo de los Sueños aunque sea en este estado. —Le devolvió el *ter'angreal* a Nynaeve.

Soltando un suspiro de alivio, Nynaeve se apresuró a guardar la lámina. Todavía sentía agarrotado el estómago.

—Si no tenéis nada más que contarnos... —Amys hizo una pausa mientras Elayne y Nynaeve contestaban que no. Los azules ojos de la Sabia eran increíblemente penetrantes—. Entonces debemos irnos. He de admitir que estos encuentros están resultando más provechosos de lo que imaginé al principio, pero todavía me queda mucho por hacer esta noche. —Miró de soslayo a Egwene y las dos desaparecieron al mismo tiempo.

Nynaeve y Elayne no vacilaron. A su alrededor, las grandes columnas de piedra roja cambiaron en un abrir y cerrar de ojos a una pequeña habitación con oscuros paneles de madera, el mobiliario nuevo, sencillo y sólido. La rabia de Nynaeve había perdido consistencia, y con ella su dominio del *Saidar,* pero el estudio de la Maestra de las Novicias reafirmó ambos. ¡Conque obstinada e insolente, ¿no?! Esperaba que Sheriam estuviera en Salidar; sería un placer enfrentarse a ella en igualdad de condiciones. Con todo, habría querido estar en cualquier otro lugar. Elayne se miraba en el espejo con marco dorado, arreglándose el cabello con las manos con aparente indiferencia; sólo que allí no era necesario que utilizara las manos, un detalle que ponía de manifiesto que tampoco a ella le gustaba estar en ese cuarto. ¿Por qué habría sugerido Egwene que se encontraran aquí? El estudio de Elaida no era precisamente un sitio agradable, pero sí mejor que éste.

Un instante después, Egwene apareció en la habitación, al otro lado del escritorio, puesta en jarras y con una fría mirada en los ojos, como si fuese la legítima ocupante del estudio.

—¿Es que habéis perdido completamente el juicio, bobas de lengua larga? —espetó Egwene antes de que Nynaeve tuviese oportunidad de abrir la boca—. Si os pido que guardéis para vosotras cierta información, ¿se lo contáis a la primera persona que veis? Creía que las dos sabíais guardar secretos. —Nynaeve sintió calor en las mejillas, pero daba por hecho que no estaba tan colorada como Elayne; sin embargo, Egwene no había terminado todavía—. En cuanto a cómo lo hice, no puedo enseñaros. Hay que ser caminante de sueños. Si se puede entrar en el sueño de otra persona con el anillo, es algo que ignoro. Y dudo mucho que tú puedas hacerlo con esa otra cosa. Tratad de pensar únicamente en lo que estáis haciendo. Cabe la posibilidad de que Salidar no sea lo que esperáis. Y, ahora, también yo tengo pendiente mucho que hacer esta noche. ¡Procurad al menos comportaros con sentido común! —Y desapareció de manera tan repentina que la última palabra pareció surgir de la nada.

Dentro de Nynaeve la vergüenza y la ira pugnaban por imponerse. Era cierto que había estado a punto de decirlo después de que Egwene les pidiera que no lo hiciesen. Y, respecto a Birgitte, ¿cómo se podía guardar un secreto cuando la otra mujer lo sabía? Por fin se impuso la vergüenza, y el *Saidar* se escabulló como arena entre sus dedos.

La antigua Zahorí despertó con un sobresalto; el ambarino *ter'angreal* permanecía fuertemente aferrado entre sus dedos. La lámpara montada en el soporte de balancines emitía una mortecina luz. Elayne yacía apretujada contra ella, todavía dormida; el anillo colgado del cordón se había resbalado hacia el hueco de su cuello.

Mascullando para sí, Nynaeve gateó por encima de la otra mujer, guardó la lámina ambarina y vertió un poco de agua en la palangana para lavarse la cara y el cuello. El agua estaba templada, pero ella la notó fresca. A pesar de la escasa luz le pareció que el espejo reflejaba todavía el sonrojo de su rostro. Adiós a la idea de restablecer el equilibrio; si se hubiesen encontrado en otro sitio... Si no le hubiese dado a la lengua como una tonta muchachita... Todo habría ido mejor si hubiese utilizado el anillo, en lugar de parecer un fantasma a los ojos de la otra mujer. Toda la culpa era de Thom y de Juilin. Y de Ino. Si no la hubieran enfurecido... No, la culpa era de Neres. Cogió la jarra del lavabo con las dos manos y se enjuagó la boca. Se dijo que sólo lo hacía para quitarse el mal gusto tras haber estado dormida, no el amargor de agrimonia y ricino. En absoluto.

Cuando se volvió, Elayne acababa de sentarse y estaba desatando el cordón del anillo.

—Te vi perder el contacto con el *Saidar*, así que fui al estudio de Elaida, pero pensé que no debía demorarme por si te preocupabas. No descubrí nada nuevo, excepto que Shemerin ha de ser arrestada y rebajada al grado de Aceptada. —Se puso de pie y guardó el anillo en la caja.

—¿Pueden hacer eso? ¿Degradar a una Aes Sedai?

—Lo ignoro. Creo que Elaida está haciendo su santa voluntad. Egwene no debería llevar esas ropas Aiel. No son muy favorecedoras.

Nynaeve soltó el aire y entonces se dio cuenta de que había estado conteniendo la respiración. Obviamente Elayne quería soslayar lo que Egwene había dicho, y desde luego no sería ella quien le hiciera la menor insinuación.

—No, verdaderamente no lo son. —Se subió a la cama y se pegó contra la pared; ahora hacían turnos para dormir en el lado de fuera.

—Ni siquiera tuve la oportunidad de enviar un mensaje a Rand. —Elayne se acostó a continuación y la lámpara se apagó. Las pequeñas portillas apenas dejaban pasar un atisbo de luz lunar—. Y otro a Aviendha. Si es cierto que lo está cuidando por mí, entonces tendría que hacerlo como es debido.

—No es un caballo, Elayne. No te pertenece.

—Nunca he dicho que me pertenezca. ¿Cómo te sentirías tú si Lan entablara amistad con una cairhienina y pasara mucho tiempo con ella?

—No seas tonta. Duérmete. —Nynaeve ahuecó con rabia la pequeña almohada. Quizá tendría que haber enviado un mensaje a Lan. Todas esas nobles, tanto tearianas como cairhieninas, que sólo decían mieles a un hombre, en lugar de la verdad. Más le valía a Lan no olvidar a quién pertenecía su corazón.

Más abajo de Boannda, la fronda se espesó a ambas márgenes del río, formando una maraña vegetal de árboles y enredaderas. Los pueblos y las granjas desaparecieron. Era como si el Eldar corriese a través de una comarca agreste a miles de millas de cualquier población humana. Cinco días después de partir de Samara, al comienzo de la tarde, el *Sierpe de río* ancló en el centro de un meandro, en tanto que el único bote que llevaba el barco trasladaba a los últimos pasajeros a una ribera de limo reseco que estaba bordeada de cerros bajos y arbolados. Incluso los altos sauces y los robles de profundas raíces tenían algunas hojas ocres.

—No era preciso darle a ese hombre el collar —manifestó Nynaeve mientras contemplaba desde la orilla cómo se acercaba el bote, abarrotado con los cuatro remeros, Juilin y los cinco shienarianos restantes. Esperaba no haber sido una crédula; Neres le había enseñado un mapa de este tramo del río y señaló el nombre de Salidar, a unas dos millas de la vía fluvial, pero no había nada más que indicara que alguna vez hubiese habido un pueblo en los alrededores. La tupida espesura no mostraba señal de que alguien se hubiese abierto paso a través de ella—. Lo que le pagué era suficiente.

—No para cubrir la carga que perdió —replicó Elayne—. Sólo porque sea contrabandista no nos da derecho a quitarle lo que es suyo. —Nynaeve se preguntó si no habría estado hablando con Juilin. No, claro que no. Era su respeto a la ley otra vez—. Además, los ópalos amarillos son chabacanos, sobre todo con ese engarce. En cualquier caso, mereció la pena aunque sólo fuera por ver la cara que puso. —Elayne soltó una risita—. Esta vez me miró.

Nynaeve trató de reprimirse, pero no pudo evitar unirse a sus risas. Thom estaba en lo alto del ribazo, cerca de los árboles, intentando entretener a los dos chicos de Marigan haciendo juegos malabares con unas bolas de colores que se había sacado de las mangas. Jaril y Seve lo contemplaban en silencio, sin parpadear, y agarrados el uno al otro. Nynaeve no se había sorprendido realmente cuando Marigan y Nicola le pidieron ir con ella. Nicola estaba atenta a los juegos malabares de Thom y riendo alegremente ahora, pero no se habría apartado un solo momento de la antigua Zahorí si ésta se lo hubiese permitido. Por el contrario, sí había sido chocante que Areina quisiera unirse también al grupo. Se había sentado, sola, en un tronco caído y observaba intensamente a Birgitte, que estaba poniendo la cuerda al arco. Las tres mujeres seguramente se llevarían una sorpresa cuando descubrieran lo que era realmente Salidar. Al menos Nicola encontraría el refugio que buscaba, y Marigan podría incluso tener la ocasión de utilizar sus conocimientos de las hierbas si no había muchas Amarillas.

—Nynaeve, ¿has pensado cómo... seremos recibidas?

La antigua Zahorí miró a Elayne con estupefacción. Habían cruzado medio mundo o poco menos, habían derrotado al Ajah Negro en dos ocasiones. Bueno, habían recibido ayuda en Tear, pero en Tanchico habían sido ellas exclusivamente. Llevaban noticias de Elaida y de la Torre que apostaría a que nadie en Salidar conocía. Y, lo más importante, podían ayudar a estas hermanas a entrar en contacto con Rand.

—Elayne, no diré que vayan a recibirnos como heroínas, pero no me sorprendería que nos besaran antes de que el día haya llegado a su fin. —Sólo por lo de Rand se lo merecerían.

Dos de los marineros descalzos saltaron para sujetar el bote y que no lo arrastrara la corriente; Juilin y los shienarianos chapotearon hasta la orilla mientras los marineros subían de nuevo a la barca. En el *Sierpe de río* otros miembros de la tripulación ya estaban levando el ancla.

—Ve abriendo un camino, Ino —ordenó Nynaeve—. Quiero llegar allí antes de que oscurezca.

Por el aspecto del bosque, plagado de enredaderas y de maleza polvorienta, recorrer dos millas iba a llevarles bastante tiempo. Eso, si Neres no la había engañado como a una tonta. Tal posibilidad la preocupaba más que cualquier otra cosa.

50

ENSEÑAR Y APRENDER

Unas cuatro horas más tarde, el sudor que le corría a Nynaeve por el rostro no tenía mucho que ver con el calor impropio de la estación, y la mujer se preguntaba si no habría
sido mejor que Neres la hubiese engañado. O que se hubie-
se negado a llevarlas más allá de Boannda. La última luz del atardecer se
colaba, sesgada, a través de las ventanas, casi todas ellas con los cristales
rotos. Aferrando con fuerza la falda, inducida por una mezcla de irritación e inquietud, intentó evitar mirar a las seis Aes Sedai reunidas alrededor de una de las toscas mesas próximas a la pared. Sus bocas se
movían silenciosamente mientras conferenciaban tras una pantalla de
Saidar. Elayne mantenía alta la barbilla, y las manos enlazadas sosegadamente a la altura de la cintura, pero cierta tirantez alrededor de los ojos
y en las comisuras de sus labios echaban a perder su aire regio. Nynaeve
no estaba segura de querer saber lo que decían las Aes Sedai; un mazazo
tras otro habían echado por tierra todas sus expectativas, sumiéndola en
el aturdimiento. Otro golpe más y seguramente empezaría a chillar, y
no sabía si sería de rabia o de puro histerismo.

Todo, excepto sus ropas, estaba colocado sobre aquella mesa; la flecha
de plata de Birgitte, delante de la fornida Morvrin; los tres *ter'angreal*,

frente a Sheriam, y los cofres dorados, frente a Myrelle. Ninguna de las mujeres parecía complacida. El semblante de Carlinya podría muy bien haber estado tallado en hielo, e incluso la maternal Anaiya ostentaba una expresión severa; y en el gesto de permanente sorpresa de Beonin había un atisbo de enojo. De enojo y de algo más. A veces Beonin hacía intención de tocar el blanco paño extendido primorosamente sobre el sello de *cuendillar*, pero su mano siempre quedaba suspendida a mitad de camino y luego retrocedía.

Nynaeve apartó los ojos de aquel paño. Sabía exactamente cuándo habían empezado a ir mal las cosas. Los Guardianes que los rodearon en el bosque mostraron un trato correcto, aunque frío, una vez que ella convenció a Ino y a los shienarianos para que envainaran las espadas. Y Min los acogió cálidamente con sonrisas y abrazos. Pero las Aes Sedai y las otras personas que iban por las calles ocupadas en sus quehaceres habían seguido caminando sin dedicar más que una mirada de soslayo al grupo escoltado. Salidar estaba bastante abarrotado, con hombres armados haciendo instrucción en casi cualquier espacio abierto. La primera persona que les hizo algún caso aparte de los Guardianes y Min fue la delgada hermana Marrón ante quien los llevaron, en lo que antaño había sido el salón de esa posada. Elayne y ella habían contado a Phaedrine Sedai la historia acordada anteriormente; o lo intentaron. A los cinco minutos de empezar, las dejó plantadas de pie allí y con orden estricta de no mover ni un pie ni hablar una palabra con nadie, ni siquiera entre ellas. Pasaron otros diez minutos, en los que intercambiaron miradas desconcertadas mientras a su alrededor Aceptadas y novicias, Guardianes, sirvientes y soldados iban y venían a las mesas donde las Aes Sedai estaban enfrascadas en papeles y daban enérgicas órdenes. Y entonces las habían conducido ante Sheriam y las demás con tanta rapidez que Nynaeve dudaba que sus pies hubiesen tocado el suelo dos veces. Y ahí fue cuando empezó el interrogatorio, más adecuado para prisioneras capturadas que para heroínas que regresaban. Nynaeve se enjugó con toquecitos el sudor de la cara; pero, tan pronto como el pañuelo estuvo guardado de nuevo en la manga, sus manos volvieron a aferrar la falda.

Elayne y ella no eran las únicas que estaban de pie sobre la llamativa alfombra de seda. Podría pensarse que Siuan, con un sencillo vestido de fina lana azul, el semblante impasible y completamente sereno, se encontraba allí por su gusto si no fuera porque Nynaeve sabía a qué atenerse. Parecía absorta en tranquilas reflexiones. Al menos Leane miraba a las Aes Sedai, pero también ella estaba aparentemente segura de sí misma. De hecho, en cierto modo más segura de sí misma de lo que recordaba Nynaeve. La mujer de tez broncínea daba incluso la impresión de ser más esbelta, más mimbreña en cierta manera. Quizá se debía al escandaloso vestido que llevaba puesto. El cuello de la prenda era tan alto como el que vestía Siuan, pero la seda verde se ceñía a todas sus curvas, y el tejido no llegaba a ser transparente por un pelo. Sin embargo, eran sus rostros los que verdaderamente habían dejado estupefacta a Nynaeve. En realidad no había esperado encontrarlas vivas a ninguna de las dos, y, ciertamente, no con una apariencia tan joven, sólo unos pocos años mayores que ella misma, como mucho. Ni una sola vez se cruzaron sus miradas. De hecho, Nynaeve creyó percibir una marcada frialdad entre ellas.

Había otra diferencia en las dos mujeres, una que Nynaeve empezaba a notar ahora. Aunque todo el mundo, incluida Min, se había mostrado discreto al respecto, en realidad nadie hacía un secreto del hecho de que las habían neutralizado, pero por primera vez la antigua Zahorí era verdaderamente consciente de la habilidad presente en Elayne y las demás. Así como de su ausencia en Siuan y Leane. Algo se les había arrebatado, extirpado. Era como una mutilación. Quizá la peor herida que una mujer podía recibir.

La curiosidad pudo más que ella. ¿Qué tipo de herida sería? ¿Qué se había extirpado? Ya puesta, podía aprovechar la aburrida espera, y la irritación entretejida con el nerviosismo. Buscó el contacto con el *Saidar*...

—¿Te ha dado alguien permiso para encauzar aquí, Aceptada? —inquirió Sheriam, y Nynaeve dio un respingo y cortó de inmediato el contacto con la Fuente Verdadera.

La Aes Sedai de verdes ojos regresó al frente de las demás de vuelta a sus desparejadas sillas, colocadas sobre la alfombra en un semicírculo que dejaba a las cuatro mujeres de pie como foco de atención. Algunas de las Aes Sedai habían cogido cosas de la mesa. Tomaron asiento y contemplaron fijamente a Nynaeve, toda emoción anterior absorbida por la calma habitual en ellas. Ninguno de aquellos rostros intemporales denotaba el calor reinante ni con una sola gota de sudor. Finalmente, Anaiya habló en un tono suavemente reprobador:

—Has estado lejos de nosotras mucho tiempo, pequeña. Habrás aprendido más o menos en el ínterin, pero aparentemente también es mucho lo que has olvidado.

Nynaeve se puso colorada e hizo una reverencia.

—Disculpadme, Aes Sedai. No era mi intención propasarme. —Confiaba en que creyeran que era la vergüenza lo que le hacía arder las mejillas. Pues claro que había estado lejos de ellas mucho tiempo. Sólo unas horas antes era ella quien daba las órdenes y los demás se ponían firmes cuando hablaba. Ahora se esperaba que fuera ella la que obedeciera con prontitud. Era un mal trago.

—Nos habéis contado una... historia interesante. —Saltaba a la vista que Carlinya no creía gran cosa de su relato. La hermana Blanca giró entre sus dedos la flecha de plata de Birgitte—. Y habéis obtenido algunas posesiones raras.

—La Panarch Amathera nos hizo muchos regalos, Aes Sedai —dijo Elayne—. Parecía estar convencida de que habíamos salvado su trono. —Aun pronunciadas en un tono perfectamente reposado, aquellas frases eran como caminar sobre una fina capa de hielo. No sólo a Nynaeve la irritaba haber perdido la libertad de acción. El terso semblante de Carlinya se puso tenso.

—Habéis traído noticias perturbadoras —intervino Sheriam—. Y algunas... cosas inquietantes. —Sus ojos, ligeramente rasgados, se volvieron hacia la mesa, al plateado *a'dam,* y después se osaron de nuevo con firmeza sobre Elayne y Nynaeve. Desde que habían sabido lo que era y para qué servía, la mayoría de las Aes Sedai lo habían tratado como si fuese una víbora. Casi todas.

—Si hace lo que estas chiquillas afirman —adujo Morvrin con aire ausente—, debemos estudiarlo. Y si Elayne cree de verdad que es capaz de hacer un *ter'angreal...* —La hermana Marrón sacudió la cabeza. Su atención estaba centrada realmente en el retorcido anillo de piedra, con las motas y las vetas rojas, azules y marrones, que sostenía en una mano. Los otros dos *ter'angreal* reposaban en su amplio regazo—. ¿Dices que esto viene de Verin Sedai? ¿Y cómo es que nunca mencionó su existencia? —La última pregunta no iba dirigida a Nynaeve o Elayne, sino a Siuan.

Siuan frunció el entrecejo, pero no era el feroz ceño que Nynaeve recordaba. Apuntaba un atisbo de prevención, como si supiera que hablaba con sus superiores, e igual ocurría con su voz. Ése era otro cambio que a Nynaeve le costaba trabajo creer.

—Verin no me habló nunca de él. Me encantaría poder hacerle unas cuantas preguntas.

—Y yo tengo algunas preguntas sobre esto. —La tez olivácea de Myrelle se ensombreció mientras desdoblaba un papel muy familiar (¿por qué lo habrían guardado?) y leyó en voz alta—: «Lo que hace el portador de este documento lo hace bajo mis órdenes y mi autoridad. Obedeced y guardad silencio, siguiendo mi mandato. Siuan Sanche, Vigilante de los Sellos, Llama de Tar Valon, la Sede Amyrlin». —Apretó el puño y estrujó la hoja de papel y el sello—. No es algo que deba entregarse a una Aceptada.

—En ese momento no sabía en quién podía confiar —respondió sosegadamente Siuan. Las seis Aes Sedai la miraron de hito en hito—. Por entonces tenía autoridad para actuar como considerara conveniente. —Las seis Aes Sedai no pestañearon. La voz de Siuan adquirió un ligero timbre de exasperada súplica—. No podéis exigirme que responda por hacer lo que debía hacer cuando tenía perfecto derecho de hacerlo. Cuando el barco hace agua, tapas el agujero con lo que tienes a mano.

—¿Y por qué no nos lo contaste? —inquirió quedamente Sheriam, aunque con un atisbo de dureza en la voz. Como Maestra de las Novicias nunca había levantado la voz, aunque a veces uno habría preferido que lo hiciera—. Tres Aceptadas, ¡Aceptadas!, sacadas de la Torre para dar caza a trece hermanas del Ajah Negro. ¿Es que utilizas niñas para tapar el agujero en tu barco, Siuan?

—No somos niñas —replicó, acalorada, Nynaeve—. Varias de esas trece hermanas están muertas, y desbaratamos sus planes en dos ocasiones. En Tear, las...

—Ya nos habéis contado lo de Tear, muchacha —la cortó Carlinya como una afilada hoja de hielo—. Y lo de Tanchico. Y la derrota infligida a Moghedien. —Su boca se torció en una mueca sesgada. Ya había manifestado que Nynaeve había sido una necia por no mantener la mayor distancia posible entre una Renegada y ella, y que tenía suerte de haber salido con vida del encuentro. El hecho de que Carlinya tuviera tanta razón al decir eso (por supuesto no lo habían contado todo) sólo consiguió que el nudo que Nynaeve tenía en el estómago se apretara un poco más—. Sois unas niñas, y tendréis suerte si no decidimos danos unos azotes. Ahora, guardad silencio hasta que se os dé permiso para hablar.

Nynaeve se puso roja como la grana y esperó que lo interpretaran como azoramiento; guardó silencio.

—¿Y bien? —instó Sheriam, que no había apartado la vista de Siuan—. ¿Por qué no mencionaste en ningún momento que habías enviado a tres chiquillas a cazar leonas?

Siuan respiró hondo, enlazó las manos y agachó la cabeza con gesto arrepentido.

—No parecía significativo, Aes Sedai, con tantas otras cosas importantes. No he ocultado nada cuando había la más mínima razón para contarlo. He explicado hasta el último detalle que conocía sobre el Ajah Negro. Hacía tiempo que ignoraba dónde estaban estas dos jóvenes y lo que se traían entre manos. Lo importante es que ahora están aquí, y con esos tres *ter'angreal*. Debéis comprender lo que significa el tener acceso al estudio de Elaida, a sus papeles, aunque sólo sean fragmentos. De no ser por eso, no os habríais enterado de que sabe dónde estáis hasta que hubiese sido demasiado tarde.

—Nos damos cuenta de eso —manifestó Anaiya mientras miraba de soslayo a Morvrin, que seguía contemplando el anillo de piedra con el ceño fruncido—. Sólo que, tal vez, nos cogen un poco de sorpresa los medios.

—El *Tel'aran'rhiod* —musitó Myrelle—. Vaya, pero si se ha convertido en un mero asunto de discusiones eruditas en la Torre, casi una leyenda. Y las caminantes de sueños Aiel. ¿Quién habría imaginado que las Sabias Aiel pueden encauzar, y mucho menos hacer esto?

Nynaeve deseó haber podido mantener tal circunstancia en secreto —como la verdadera identidad de Birgitte y unas cuantas cosas más que había logrado guardar para sí— pero resultaba muy difícil evitar que a una se le escaparan cosas cuando la están interrogando mujeres capaces de horadar rocas con una mirada cuando se lo proponen. En fin, suponía que debía alegrarse de que se conformaban con lo que tenían. Una vez que se mencionó el *Tel'aran'rhiod* y el hecho de que podían entrar en él, un ratón habría metido en cintura a gatos antes que las mujeres hubiesen renunciado a hacer pregunta tras pregunta.

Leane se adelantó medio paso, sin mirar a Siuan.

—Lo importante es que con estos *ter'angreal* podéis hablar con Egwene, y a través de ella con Moraine. Entre ambas no sólo podréis tener vigilado a Rand al'Thor, sino influir en él incluso estando en Cairhien.

—A donde se dirigió desde el Yermo de Aiel —intervino Siuan—, donde pronostiqué que estaría. —Aunque sus ojos estaban prendidos en las Aes Sedai y sus palabras iban dirigidas a ellas, era obvio que el timbre áspero estaba destinado a Leane.

—De mucho sirvió. Para enviar a dos Aes Sedai al Yermo a la caza de espejismos —gruñó la antigua Guardiana.

Oh, sí, definitivamente allí había una gran frialdad.

—Basta, niñas —acotó Anaiya como si realmente fuesen unas crías y ella una madre acostumbrada a sus pueriles peleas. Dirigió a las otras Aes Sedai una mirada significativa—. Será muy positivo poder hablar con Egwene.

—Si es que funciona como afirman —dijo Morvrin mientras hacía saltar sobre la palma el anillo de piedra y toqueteaba los otros *ter'angreal* que tenía en el regazo. La mujer era de las que no creerían que el cielo era azul sin tener pruebas.

—Sí —asintió Sheriam—. Ésa será vuestra primera tarea, Elayne, Nynaeve. Tendréis ocasión de enseñar a Aes Sedai, de mostrarnos cómo utilizarlos.

Nynaeve hizo una reverencia mientras enseñaba los dientes; si preferían, podían interpretar el gesto como una sonrisa. —Enseñarles? Sí, y de ese modo jamás volverían a tener a su alcance ni el anillo ni los otros *ter'angreal*. La reverencia de Elayne fue aun más estirada, y su rostro semejaba una fría máscara. Sus ojos se desviaron hacia aquel estúpido *a'dam* casi con anhelo.

—Las cartas de valores nos serán útiles —comentó Carlinya. Con toda su frialdad y lógica del Ajah Blanco todavía se percibía irritación por el modo en que acortaba las palabras—. Gareth Bryne siempre quiere más oro del que tenemos, pero con ellas tal vez podamos satisfacer sus demandas.

—Sí —convino Sheriam—. Y también debemos coger la mayor parte del dinero. Cada día hay más bocas que alimentar y más cuerpos que vestir, aquí y en cualquier parte.

Elayne hizo un elegante asentimiento de cabeza, como si no fueran a disponer del dinero tanto si quería como si no, pero Nynaeve se limitó a esperar. El oro, las cartas de valores e incluso los *ter'angreal* sólo eran una parte.

—En cuanto al resto —continuó Sheriam—, hemos llegado a la conclusión de que abandonasteis la Torre cumpliendo una orden, por errónea que ésta fuera, y no se os puede responsabilizar por ello. Ahora que estáis de vuelta con nosotras sanas y salvas, reanudaréis vuestros estudios.

Nynaeve, que había estado conteniendo la respiración, soltó lentamente el aire. Era más de lo que había esperado desde que había empezado el interrogatorio. No es que le gustara, pero por una vez nadie iba a acusarla de tener mal genio; sobre todo en un momento en que resultaría contraproducente.

—¡Pero...! —barbotó impetuosamente Elayne, por el contrario. Aunque Sheriam la cortó antes de que pudiese añadir nada más.

—Reanudaréis vuestros estudios. Las dos sois muy fuertes con el Poder, pero no sois Aes Sedai todavía. —Aquellos verdes ojos se quedaron prendidos en ellas hasta que la mujer estuvo segura de que lo habían entendido bien, y entonces siguió hablando, ahora con un tono más afable, aunque todavía firme—. Habéis regresado con nosotras, y, si Salidar no es la Torre Blanca, para vosotras es como si lo fuera. Por lo que nos habéis contado en esta última hora, todavía queda mucho más por contar. —Nynaeve tuvo un sobresalto, pero los ojos de Sheriam volvieron de nuevo hacia el *a'dam*. Lástima que no trajeseis a la seanchan con vosotras. Eso sí que es algo que deberíais haber hecho. —Por alguna razón, Elayne se puso muy colorada y, aparentemente, furiosa al mismo tiempo. En cuanto a ella, sólo sintió un gran alivio de que la mujer se refiriese sólo a la seanchan—. Empero, a unas Aceptadas no se les puede pedir cuentas por no pensar como Aes Sedai —prosiguió Sheriam—. Siuan y Leane tendrán muchas preguntas que haceros. Cooperaréis con ellas y responderéis del mejor modo que sepáis. Confío en que no habré de recordaron que no penséis aprovecharos de su actual condición. Algunas Aceptadas, y hasta algunas novicias, se creyeron en el derecho de juzgar quién era responsable de los acontecimientos, e incluso tomarse la justicia por su mano. —Su suave tono se tornó acerado—. Esas jóvenes están lamentando profundamente su equivocación. ¿Es menester que lo aclare más?

Nynaeve anduvo aun más presta que Elayne en asegurar que no era preciso, lo que es tanto como decir que casi balbucieron en su prisa por responder. Nynaeve no había pensado responsabilizar a nadie de lo ocurrido —a su modo de ver, la culpa habría que echársela a todas las Aes Sedai— pero no quería que Sheriam se enfadase con ella. Cuando fue plenamente consciente de lo que significaba esta última idea, sintió una gran amargura; ciertamente, los días de libertad habían acabado.

—Bien. Ahora podéis coger las joyas que la Panarch os dio y la flecha, un regalo que quiero que me expliquéis cuando haya tiempo, y marcharos. Una de las otras Aceptadas os encontrará un sitio para que durmáis. Lo de conseguir vestidos apropiados ya no es tarea tan fácil, pero se encontrarán. Confío en que dejaréis atrás vuestras... aventuras y ocuparéis de nuevo el lugar que os corresponde sin sobresaltos. —Aunque sin expresarlo con palabras, era obvia la promesa de que si no ocurría así los castigos les lloverían hasta hacerlas entrar en razón. Sheriam asintió, satisfecha, cuando vio que lo entendían bien.

Beonin no había pronunciado una palabra desde que habían quitado la pantalla aislante de *Saidar*; pero, cuando Nynaeve y Elayne hacían la oportuna reverencia antes de salir, la hermana Gris se puso de pie y fue hacia la mesa donde estaban expuestas las cosas que habían llevado consigo.

—¿Y qué pasa con esto? —demandó con su fuerte acento tarabonés mientras retiraba con brusquedad el paño blanco que cubría el sello de la prisión del Oscuro. Para variar, sus grandes ojos de color azul traslucían más ira que sobresalto—. ¿Es que no va a haber más preguntas sobre esto? ¿Acaso tenéis intención de pasarlo por alto, como si no existiera?

El disco negro y blanco, colocado junto a la bolsa de gamuza, estaba partido en una docena o más de trozos que se habían vuelto a encajar lo mejor posible.

—Estaba en una pieza cuando lo guardamos en la bolsa. —Nynaeve hizo una pausa para humedecer con saliva la reseca boca. Por mucho que antes había evitado mirar el paño que lo cubría, ahora era incapaz de apartar los ojos del sello. Leane había sonreído de oreja a oreja cuando vio el vestido rojo que envolvía la bolsa con el disco y comentó que... No, no iba a dar largas al asunto, ni siquiera para sus adentros—. ¿Por qué íbamos a tomar precauciones especiales? ¡Es *cuendillar*!

—No lo miramos ni lo tocamos más que lo estrictamente necesario —añadió Elayne con un hilo de voz—. La sensación que daba era de algo repugnante, perverso. —Ya no ocurría así. Carlinya les había hecho coger un trozo a cada una, exigiendo saber de qué sensación de maldad estaban hablando.

Habían explicado lo mismo una y otra vez, y tampoco ahora nadie les prestó atención. Sheriam se levantó y se dirigió hacia la mesa, junto a la Gris de cabello dorado.

—No pasamos nada por alto, Beonin. Hacer más preguntas a estas muchachas no servirá de nada. Nos han dicho todo lo que saben.

—Plantear preguntas nunca está de más —adujo Morvrin, pero había dejado de toquetear los *ter'angreal* para mirar el sello con tanta intensidad como todas. Sería *cuendillar,* lo que habían confirmado Beonin y ella tras examinarlo, pero había partido un trozo sólo con sus manos.

—¿Cuántos de los siete aguantarán intactos todavía? — preguntó quedamente Myrelle, como si hablase consigo misma—. ¿Cuánto tiempo falta para que el Oscuro se libere y tenga lugar la Última Batalla? —Todas las Aes Sedai hacían un poco de todo, según sus habilidades e inclinaciones, pero cada Ajah tenía su propia razón de ser. Las Verdes, que se autodenominaban el Ajah de las Batallas, se mantenían en forma para enfrentarse a los nuevos Señores del Espanto en la Última Batalla. En la voz de Myrelle se advertía un dejo casi de ansiedad.

—Tres —repuso Anaiya con voz temblorosa—. Todavía aguantan tres. Si es que no hay algo nuevo que ignoramos. Roguemos por que no sea así. Roguemos por que tres sean suficientes.

—Y roguemos por que esos tres sean más resistentes que éste —musitó Morvrin—. El *cuendillar* no puede romperse así, siendo *cuendillar*. Es imposible.

—Discutiremos sobre esto más adelante —dijo Sheriam—, después de ocuparnos de otros asuntos más urgentes sobre los que sí podemos hacer algo. —Cogió el paño a Beonin y cubrió de nuevo el sello roto—. Siuan, Leane, hemos tomado una decisión respecto a... —Se calló de repente mientras se volvía hacia Elayne y Nynaeve—. ¿No os dije que os marchaseis? —A despecho de su aparente calma exterior, la agitación que la sacudía por dentro se hizo patente por el hecho de haberse olvidado de su presencia.

—Con vuestro permiso, Aes Sedai —farfulló precipitadamente Nynaeve mientras hacía otra reverencia, y se escabulló hacia la puerta.

Sin mover un solo músculo, las Aes Sedai, así como Siuan y Leane, las siguieron con la mirada a las dos. Nynaeve sentía los ojos de las mujeres como si las empujaran. Elayne caminaba ni un ápice más despacio que ella, a pesar de que echó otra ojeada al *a'dam*.

Una vez que la antigua Zahorí hubo cerrado la puerta y pudo recostarse en la hoja de madera sin pintar, apretando contra los senos el cofre dorado, respiró a gusto por primera vez —o ésa era la impresión que tenía— desde que había entrado en el salón de la vieja posada. No quería pensar en el sello roto. Otro sello roto. No, no quería. Esas mujeres serían capaces de trasquilar una oveja con sus ojos. Casi deseaba ser testigo de su primer encuentro con las Sabias; si es que no se encontraba justo en medio. No había sido precisamente fácil la primera vez que fue a la Torre, aprendiendo a hacer lo que le mandaban otras, a agachar la cabeza. Después de tantos meses de ser ella la que daba órdenes —bueno, después de consultar con Elayne... casi siempre—, no sabía cómo iba a volver a lo de antes.

El salón, con el techo de yeso desconchado y los hogares de piedra a punto de venirse abajo, seguía siendo la misma colmena atareada que cuando había entrado en él por primera vez. Ahora nadie le dedicó más que una mirada de soslayo, y ella les prestó aun menos atención. Un nutrido grupo de personas las aguardaba a Elayne y a ella.

Thom y Juilin, sentados en un banco apoyado contra la pared de yeso, sostenían una conversación, muy juntas las cabezas, con Ino, que estaba en cuclillas delante de ellos, la empuñadura de la larga espada asomando por encima de su hombro. Areina y Nicola, que lo observaban todo con pasmo aunque procuraban disimularlo, ocupaban otro banco con Marigan, que miraba cómo Birgitte intentaba distraer a Jaril y Seve haciendo torpes juegos malabares con tres de las bolas de madera pintadas de colores de Thom. Arrodillada detrás de los críos, Min les hacía cosquillas y les hablaba al oído, pero los niños no hacían otra cosa que agarrarse el uno al otro y mirar en silencio, con aquellos ojos demasiado abiertos.

Sólo otras dos personas en toda la sala estaban aparentemente ociosas. Dos de los tres Guardianes de Myrelle se apoyaban contra la pared, conversando, unos cuantos pasos más allá de los bancos, justo en el lado donde estaba la puerta trasera que conducía al pasillo de la cocina: Croi Makin, un joven andoreño de cabello rubio, agraciado perfil y con la dura esbeltez de una esquirla de roca; y Avar Hachami, de nariz aguileña y mandíbula cuadrada, con un espeso bigote surcado de canas que parecía un par de cuernos curvados hacia abajo. Nadie habría considerado guapo a Hachami ni siquiera antes de que la mirada de sus oscuros ojos le hubiera hecho tragar saliva. Ninguno de los dos miraba a Ino o a Thom o a cualquiera de los otros, naturalmente. Sólo era una casualidad que únicamente ellos dos entre tanta gente ocupada no tuviesen nada que hacer y que hubiesen escogido precisamente ese sitio para holgar, por supuesto.

Birgitte dejó caer una de las bolas cuando vio a Nynaeve y a Elayne.

—¿Qué les dijisteis? —preguntó en voz queda, sin apenas echar una fugaz ojeada a la flecha de plata que Elayne llevaba en la mano. La aljaba colgaba de su cinturón, pero el arco estaba recostado contra la pared.

Nynaeve se acercó más, aunque puso un gran empeño en no mirar hacia Makin y Hachami. Y con igual cuidado bajó el tono de voz y fue parca en darle énfasis:

—Les dijimos todo lo que querían saber.

—Están enteradas de que eres una buena amiga que nos ha ayudado —añadió Elayne mientras posaba la mano en el brazo de Birgitte—. Eres bienvenida y puedes quedarte aquí, al igual que Areina, Nicola y Marigan.

Sólo cuando se disipó parte de la tensión de la arquera, comprendió Nynaeve cuánta había habido en el salón y el grupo. Birgitte recogió la bola amarilla que se le había caído y le lanzó suavemente todas a Thom, quien las atrapó con una sola mano y las hizo desaparecer en un abrir y cerrar de ojos. La mujer rubia esbozaba una débil sonrisa de alivio.

—No sé cómo expresaros lo contenta que estoy de veros a las dos —dijo Min, por cuarta o quinta vez como mínimo. Tenía el pelo más largo, aunque seguía pareciendo un gorro oscuro, y había en ella algo diferente si bien Nynaeve no acababa de dar con ello. Cosa sorprendente, unas flores recién bordadas recorrían las solapas de su chaqueta; siempre había llevado ropas lisas y muy sencillas—. Un rostro amigo es poco corriente aquí. —Sus ojos se desviaron un fugaz instante hacia los Guardianes—. Tenemos que encontrar un sitio donde ponernos cómodas y mantener una larga charla. Estoy impaciente por saber en qué habéis estado metidas desde que os marchasteis de Tar Valon.

Y también contarles en lo que había estado metida ella, si Nynaeve no se equivocaba en su suposición.

—También a mí me encantaría hablar contigo —repuso Elayne, muy seria. Min la miró y después suspiró y asintió con la cabeza, aunque no tan deseosa como un momento antes.

Thom, Juilin e Ino se plantaron detrás de Birgitte y Min; sus rostros traslucían aquella expresión que adoptaban los hombres cuando se proponían decir cosas que pensaban que no le gustaría oír a una mujer. Antes de que tuviesen ocasión de abrir la boca, sin embargo, una mujer de cabello rizoso, vestida con las ropas de Aceptada, se abrió paso sin contemplaciones entre Juilin e Ino, les asestó una mirada severa, y se plantó delante de Nynaeve.

El vestido de Faolain, con las siete bandas de colores en el dobladillo, una por cada Ajah, no estaba tan blanco como debería; la expresión severa de su rostro se había acentuado por un gesto ceñudo.

—Me sorprende verte aquí, espontánea. Creí que habías regresado corriendo a tu pueblo. Y que nuestra buena heredera del trono había vuelto con su madre.

—Y tú, Faolain, ¿sigues con tu afición de agriar la leche por gusto? —inquirió Elayne.

Nynaeve mantuvo el gesto apacible. A duras penas. Dos veces en la Torre a Faolain le habían asignado la tarea de enseñarle algo; para ponerla en su sitio, en su opinión. Aun en el caso de que tanto la maestra como la pupila fueran Aceptadas, la primera ostentaba el rango de Aes Sedai mientras durase la lección, y Faolain aprovechó esta circunstancia al máximo. La mujer de cabello rizoso había pasado ocho años como novicia y otros cinco más como Aceptada, y no le hacía ninguna gracia que Nynaeve no hubiese sido novicia en ningún momento ni que Elayne hubiese llevado el vestido completamente blanco durante menos de un año. Dos lecciones de Faolain y dos visitas de Nynaeve al estudio de Sheriam por obstinación, mal genio y una lista tan larga como su brazo.

—Me he enterado de que Siuan y Leane han recibido un trato muy desagradable por parte de alguien —dijo Nynaeve, manteniendo un tono ligero—. Creo que Sheriam tiene intención de dar un castigo ejemplar a esa persona para que no se repita nunca algo parecido. —Su mirada sostuvo la de la otra mujer sin vacilación, y los ojos de Faolain se abrieron en un gesto de alarma.

—No he hecho nada desde que Sheriam... —La Aceptada cerró la boca de golpe y su rostro enrojeció violentamente. Min se tapó la boca con la mano, y Faolain giró rápidamente la cabeza para observar a las otras mujeres, desde Birgitte hasta Marigan. Hizo un brusco ademán a Nicola y a Areina—. Supongo que vosotras dos serviréis. Venid conmigo. Ahora, no os hagáis las remolonas.

Las dos mujeres se pusieron de pie lentamente, Areina con expresión desconfiada y Nicola toqueteando nerviosamente la cintura de su vestido. Adelantándose a Nynaeve, Elayne se interpuso entre ellas y Faolain, con la barbilla levantada y una imperiosa mirada en sus azules ojos.

—¿Para qué las necesitas?

—Obedezco las órdenes de Sheriam Sedai —respondió Faolain—. En mi opinión son demasiado mayores para someterse a las pruebas por primera vez, pero hago lo que me mandan. Con cada grupo de lord Bryne que recluta hombres va una hermana y hace pruebas a mujeres incluso tan mayores como Nynaeve. —Su repentina sonrisa podría haberla esbozado una víbora—. ¿Es que habré de informar a Sheriam Sedai que lo desapruebas, Elayne? ¿Tengo que decirle que no permites que a tus criadas se las examine?

La barbilla de Elayne bajó un poco durante esta parrafada, pero por supuesto no podía ceder, simplemente. Necesitaba que alguien hiciese una maniobra de distracción. Nynaeve tocó a Faolain en el hombro.

—¿Han encontrado muchas? —preguntó.

A despecho de sí misma, la mujer giró la cabeza y, cuando volvió a mirar al frente, Elayne ya estaba tranquilizando a Areina y a Nicola, explicándoles que nadie les haría daño ni las obligaría a nada. Nynaeve no habría puesto la mano en el fuego por esto último. Cuando las Aes Sedai encontraban a alguien con el don innato, como Elayne o Egwene, alguien que finalmente encauzaría ni que quisiera ni que no, no se andaban con reparos para someterla al entrenamiento ya fuera de buen grado o a la fuerza. Parecían más indulgentes con aquellas que podían hacerlo tras un aprendizaje, pero que jamás tocarían el *Saidar* sin enseñanza; y también con las espontáneas, aquellas —una de cada cuatro— que habían sobrevivido pese a aprender por sí mismas, por lo general sin saber lo que habían hecho, con lo que a menudo se provocaban una especie de bloqueo que impedía el acceso al Poder, como era el caso de Nynaeve. En teoría, podían elegir entre ir a la Torre para instruirse o quedarse. Nynaeve había escogido lo primero, pero sospechaba que si hubiese hecho lo contrario habría tenido que ir de todas formas, puede que incluso atada de pies y manos de ser menester. Cualquier mujer que tuviera la más ligera posibilidad de unirse a las Aes Sedai tenía tantas posibilidades de elegir como las de un cordero en una festividad.

—Tres —contestó Faolain al cabo de un momento—. Tanto esfuerzo para encontrar tres. Una de ellas, espontánea. —Realmente no le gustaban las espontáneas—. No entiendo por qué están tan ansiosas por encontrar novicias. No podrán ascender al rango de Aceptadas hasta que hayamos recuperado la Torre. Y todo es culpa de Siuan Sanche y de Leane. —Un tic nervioso le contrajo un músculo de la cara, como si comprendiera que este comentario podía entenderse como acoso a las antiguas Amyrlin y Guardiana. Agarró a Areina y a Nicola de un brazo—. Vamos. Cumplo órdenes y si hay que haceros las pruebas se os harán, ni que perdamos tiempo ni que no.

—Qué mujer tan desagradable —murmuró Min siguiendo con la mirada a la Aceptada, que sacaba a las dos mujeres de la sala casi a empujones—. Si hubiese justicia en el mundo, el futuro que le aguarda debería ser poco grato.

A Nynaeve le habría gustado preguntar a Min qué visión había tenido de la mujer de cabello rizoso —había cientos de preguntas que deseaba hacerle— pero Thom y los otros dos hombres se plantaron firmemente delante de ella y de Elayne, Juilin e Ino a uno y otro lado, de modo que entre los tres tenían una visión completa de la sala. Birgitte condujo a Jaril y a Seve junto a su madre, quedándose fuera del asunto. Min también sabía lo que se proponían los hombres a juzgar por la mirada triste que les dedicó; pareció a punto de decir algo, pero al final se encogió de hombros y se reunió con Birgitte.

Por la expresión en el rostro de Thom, el juglar podía estar a punto de hacer un comentario sobre el tiempo o preguntar qué había de comida; nada importante.

—Este sitio está lleno de peligrosos necios y soñadores. Creen que pueden deponer a Elaida. Ése es el motivo de que Gareth Bryne se encuentre aquí, para reunir un ejército.

La sonrisa de Juilin le llegó de oreja a oreja.

—Nada de necios. Mujeres y hombres chiflados. No me importa si Elaida ya estaba allí el día en que Logain nació. Están locos si creen que pueden derrocar desde aquí a una Amyrlin instalada en la Torre Blanca. Podríamos llegar a Cairhien en un mes, tal vez.

—Ragan y unos cuantos de los otros ya les han echado el ojo a los caballos que se pueden coger prestados. —También Ino sonreía; el gesto resultaba incongruente con el furibundo ojo rojo del parche—. Los guardias están apostados para detectar a los que llegan, no a los que salen. Podemos despistarlos en el bosque. Pronto se hará de noche y nunca nos encontrarán. —El que las mujeres se pusieran sus anillos de la Gran Serpiente al pisar la orilla del río había hecho milagros con su lenguaje. Aunque al parecer recuperaba de inmediato su habitual estilo cuando pensaba que no lo oían.

Nynaeve miró a Elayne, que sacudió levemente la cabeza. La muchacha aguantaría cualquier cosa con tal de llegar a Aes Sedai. ¿Y ella? Había pocas probabilidades de que pudiesen influir en estas Aes Sedai para que apoyaran a Rand si, por el contrario, habían decidido controlarlo. Más bien no había ninguna; más le valía ser realista. Y, sin embargo... Y sin embargo estaba la Curación. No aprendería nada en Cairhien, pero aquí... A menos de diez pasos de ella, Therva Maresis, una esbelta Amarilla de nariz larga, punteaba metódicamente una lista en un pergamino con su pluma. Un Guardián calvo y con negra barba se encontraba de pie cerca de la puerta, conversando con Nisao Dachen; la Aes Sedai no le llegaba al hombro aunque el hombre era de estatura normal. Por el contrario, Dagdara Finchey era tan corpulenta como cualquier hombre presente en la sala y más alta que la mayoría; departía con un grupo de novicias delante de una de las chimeneas apagadas, enviándolas con encargos a una tras otra. Nisao y Dagdara también eran del Ajah Amarillo, y se decía que Dagdara, cuyo cabello canoso apuntaba una edad muy avanzada en una Aes Sedai, sabía más sobre la Curación que cualesquiera otras dos hermanas Amarillas juntas. Sería distinto si yendo con Rand pudiese hacer algo útil por él; tal y como estaban las cosas, sólo vería cómo se volvía loco. Si hacía progresos con la Curación, a lo mejor encontraba un modo de detener esa demencia. Para su gusto, eran muchas las cosas que las Aes Sedai dejaban correr al considerarlas irremediables.

Todas aquellas ideas pasaron por su mente en el tiempo que empleó en mirar a Elayne y volverse de nuevo hacia los hombres.

—Nos quedamos aquí. Ino, si tú y los otros queréis reuniros con Rand, sois libres de hacerlo en lo que a mí respecta. Me temo que ya no tengo dinero para ayudaros.

El oro del que se habían apropiado las Aes Sedai hacía falta, como habían dicho, pero no podía evitar encogerse al pensar en las contadas monedas de plata que quedaban en su bolsillo. Estos hombres la habían seguido —y a Elayne, claro es— por motivos más o menos equivocados, pero eso no la eximía de su responsabilidad hacia ellos. Su lealtad era para Rand, y no había razón para que entraran en conflicto con la Torre Blanca. Echó una ojeada al cofre dorado, y añadió de mala gana:

—Pero tengo algunas joyas que podéis vender durante el viaje.

—Tú también debes irte, Thom —dijo Elayne—. Y tú, Juilin. No tiene sentido que os quedéis aquí. Nosotras ya no os necesitamos, pero Rand sí. —Trató de soltar en las manos de Thom su cofrecillo de joyas, pero el juglar rehusó cogerlo.

Los tres hombres intercambiaron miradas, siguiendo su irritante costumbre, e Ino llegó incluso a poner en blanco su único ojo. A Nynaeve le pareció que Juilin murmuraba algo entre dientes sobre que ya les había advertido que eran unas cabezotas.

—Quizá dentro de unos días —contestó Thom.

—Sí, dentro de unos días —ratificó Juilin.

—No me vendría mal un corto descanso si es que voy a tener que huir de unos Guardianes la mitad del camino hasta Cairhien —convino Ino mientras asentía.

Nynaeve les asestó la mirada más fría de su repertorio y se dio un deliberado tirón de la trenza. Elayne tenía la barbilla más levantada que nunca, y en sus azules ojos había bastante altivez para partir hielo. A esas alturas, Thom y los otros debían conocerlas lo suficiente para saber lo que significaban tales señales: no les iban a consentir sus tonterías.

—Si pensáis que todavía cumplís las órdenes de Rand al'Thor de que nos cuidéis... —empezó Elayne en un tono gélido.

—Prometisteis hacer lo que se os mandase —dijo al mismo tiempo Nynaeve—, y estoy dispuesta a...

—No es nada de eso —las interrumpió Thom mientras retiraba uno de los mechones rubios del rostro de Elayne con su nudoso índice—. En absoluto. ¿Es que un hombre viejo y tullido no tiene derecho a disfrutar de un pequeño descanso?

—A decir verdad —intervino Juilin—, sólo me quedo porque Thom me debe dinero. Se me dan bien los dados.

—¿Acaso esperáis que les robemos veinte caballos a los Guardianes como si fuera coser y cantar? —gruñó Ino. Por lo visto había olvidado que acababa de sugerir hacer eso exactamente.

Elayne los miraba de hito en hito, demasiado pasmada para hablar, e incluso Nynaeve no sabía qué decir. A lo que habían llegado. Ni siquiera eran capaces de ponerlos nerviosos. El problema era que dentro de sí había sentimientos enfrentados. Había decidido que se marcharan, y no porque no quisiera que estuvieran por allí viéndola hacer reverencias y fregando suelos. En absoluto. Empero, con la situación en Salidar tan distinta de lo que había esperado, tenía que admitir, por mucho que le costara, que resultaría... reconfortante saber que Elayne y ella contaban con alguien más aparte de Birgitte. Y no es que pensara aceptar la oferta de escapar, naturalmente —si es que podía llamarse así—, en ninguna circunstancia. Sólo que la presencia de los hombres sería... reconfortante. Aunque ciertamente no se lo daría a entender a ellos. Bueno, no llegarían a descubrirlo puesto que iban a marcharse, pensaran lo que pensaran. A Rand sí le vendría bien su ayuda, mientras que aquí lo único que harían sería estorbar. Sin embargo...

La puerta sin pintar se abrió y salió Siuan, seguida de Leane. Las dos mujeres se miraron con frialdad y después Leane soltó un resoplido y se alejó con unos movimientos increíblemente sinuosos, pasó delante de Croi y Avar y desapareció en el corredor que conducía a la cocina. Nynaeve frunció ligeramente el entrecejo. En medio de todo aquel alarde de frialdad había surgido un fugaz destello, algo tan momentáneo que se le habría pasado por alto si no hubiese ocurrido justo delante de sus ojos.

Siuan se volvió hacia ella y, de repente, se quedó inmóvil mientras su rostro se tornaba inexpresivo. Alguien más se había unido al reducido grupo.

Gareth Bryne, con el abollado peto abrochado encima de la sencilla chaqueta de ante y los guanteletes reforzados con acero en el envés metidos bajo el talabarte, irradiaba autoridad. El cabello encanecido y el rostro franco le otorgaban la apariencia de un hombre que ha visto y sufrido cuanto hay que ver y sufrir, un hombre que soportaría cualquier cosa.

Elayne sonrió e hizo una elegante reverencia. Una reacción totalmente distinta de su mirada estupefacta, al entrar en Salidar, cuando lo reconoció al final de la calle.

—No diré que sea estupendo veros aquí, lord Gareth. He sabido que surgieron ciertas dificultades entre mi madre y vos, pero estoy segura de que pueden arreglarse. Ya sabéis que madre es impulsiva a veces. Acabará rectificando y os pedirá que volváis a ocupar el lugar que os corresponde en Caemlyn, podéis estar seguro.

—Lo hecho, hecho está, Elayne.

Haciendo caso omiso de su pasmo —Nynaeve dudaba que nadie que conociese el rango de la joven la hubiese tratado jamás con tanta descortesía— se volvió hacia Ino.

—¿Habéis pensado en lo que os dije? La shienariana es la mejor caballería pesada del mundo, y tengo muchachos que son justo los más indicados para recibir el entrenamiento adecuado.

Ino frunció el entrecejo y su único ojo fue de Elayne a Nynaeve. Luego, lentamente, asintió.

—No tengo nada mejor que hacer —manifestó—. Les preguntaré a los otros.

—Con eso me basta. —Bryne le palmeó el hombro—. Y vos, Thom Merrilin. —El juglar se había dado media vuelta cuando el otro hombre se acercó, y se atusaba los bigotes mientras mantenía la vista fija en el suelo, como para ocultar su rostro. Ahora sostuvo la mirada impasible de Bryne con igual firmeza—. Antaño conocí a un hombre que se llamaba casi como vos. Era un diestro jugador de cierto juego.

—Antaño conocí a un hombre que guardaba un gran parecido con vos —repuso Thom—. Tenía un gran empeño en apresarme. Creo que me habría decapitado si hubiese caído en sus manos.

—De eso hará mucho tiempo, ¿no? A veces los hombres hacen las cosas más absurdas por una mujer. —Bryne miró de soslayo a Siuan y sacudió la cabeza—. ¿Queréis echar una partida de fichas, maese Merrilin? Hay veces que echo de menos la presencia de un hombre que sepa jugar bien, como se hace en los círculos de la alta aristocracia.

Las espesas cejas blancas de Thom se fruncieron casi tanto como lo habían hecho antes las de Ino, pero no apartó los ojos de Bryne un solo instante.

—Tal vez eche una o dos partidas —dijo finalmente— después de saber cuál es la apuesta. Siempre y cuando comprendáis que no tengo intención de pasarme la vida jugando a las fichas con vos, claro es. Ya no me gusta quedarme mucho tiempo en el mismo sitio. Soy lo que vulgarmente se llama un culo de mal asiento.

—Mientras no os den ganas de marcharos a mitad de una partida crucial, bien va —replicó Bryne con sequedad—. Venid conmigo, los dos. Y no esperéis muchas horas de sueño. Por aquí todo se necesita para ayer, excepto lo que tendría que haberse hecho la semana pasada. —Hizo una pausa y volvió a mirar a Siuan—. Hoy me han llegado las camisas medio limpias solamente. —Dicho esto, condujo a Thom y a Ino fuera. Siuan lo siguió con la mirada y después volvió el ceñudo semblante hacia Min, quien se encogió y salió corriendo por donde Leane se había marchado antes.

Nynaeve no entendía nada de este último intercambio. ¡Y el descaro de esos hombres, creyéndose que podían hablar a sus espaldas, o en sus narices o lo que fuera, sin que ella entendiese hasta la última palabra! Estaba más que harta de ellos, en cualquier caso.

—Qué bien que no le hiciese falta un rastreador —comentó Juilin mientras miraba de reojo a Siuan, con patente desasosiego. Todavía no se había repuesto del susto al enterarse de su nombre; Nynaeve no estaba segura de si había comprendido que la habían neutralizado y que ya no era la Sede Amyrlin. Ella sí que lo ponía nervioso—. Así podré sentarme y charlar. He visto un montón de tipos con pinta de ser de los que se relajan y sueltan la lengua frente a una jarra de cerveza.

—Prácticamente no me ha hecho caso —dijo Elayne sin salir de su asombro—. No me importa el problema que haya habido entre mi madre y él, pero no tiene derecho a... En fin, me ocuparé de lord Gareth Bryne después. Ahora he de hablar con Min, Nynaeve.

La antigua Zahorí hizo intención de seguirla cuando la muchacha se dirigió apresuradamente hacia el pasillo que llevaba a la cocina, ya que Min les daría respuestas claras, pero Siuan la agarró del brazo con tanta fuerza como si sus dedos fueran un cepo.

La Siuan Sanche que había agachado humildemente la cabeza ante aquellas Aes Sedai había desaparecido. Ninguna mujer en la sala llevaba el chal. En ningún momento alzó la voz; no hizo falta. Le asestó una mirada a Juilin tan intensa que por poco no lo mata del susto.

—Lleva cuidado con las preguntas que hagas, rastreador, o acabarás destripado y descamado, listo para el mercado. —Aquellos fríos ojos azules pasaron sobre Birgitte y Marigan. La boca de esta última se torció en una mueca, como si hubiese catado algo amargo, e incluso Birgitte parpadeó—. Vosotras dos, buscad a una Aceptada que se llama Theodrin y pedidle que os encuentre un sitio para dormir esta noche. Esos niños deberían estar ya en la cama. ¿A qué esperáis? ¡Moveos! —No bien las dos mujeres se hubieron alejado un paso, Birgitte tan deprisa como Marigan o puede que más, Siuan Sanche se volvió hacia Nynaeve—. Tengo unas cuantas preguntas para ti. Te ordenaron que cooperases y sugiero que lo hagas si sabes lo que te conviene.

Fue como estar atrapada en un torbellino. Antes de que Nynaeve se diera cuenta de lo que pasaba, Siuan la hacía subir una desvencijada escalera con la barandilla hecha con trozos de madera sin pintar y la conducía casi a empujones por un pasillo hacia un pequeño cuarto en el que apenas cabían las dos camas construidas una encima de la otra y pegadas contra la pared. Siuan ocupó la única banqueta que había y le indicó con un gesto que se sentara en la cama de abajo. Nynaeve prefirió quedarse de pie, aunque sólo fuera para demostrarle que no iba a permitir que la trataran de cualquier forma. No había mucho más en el cuarto; un lavabo, con un ladrillo calzando una pata rota, sostenía una palangana y un aguamanil desportillados. Unos pocos vestidos colgaban de clavijas, y lo que parecía ser un jergón estaba enrollado en un rincón. Nynaeve había caído muy bajo en el transcurso de un día, pero la caída de Siuan era mucho mayor de lo que alcanzaba a imaginar. No creía que la mujer pudiera plantearle muchos problemas; a pesar de que la mirada de sus ojos siguiera siendo la misma de siempre.

—Bien, como quieras, muchacha —resopló Siuan—. El anillo, ¿no hace falta encauzar para utilizarlo?

—No. Ya oísteis lo que le dije a Sheriam...

—¿Cualquiera puede usarlo? ¿Una mujer que no pueda encauzar? ¿Un hombre?

—Un hombre, tal vez. —Un *ter'angreal* que no precisaba el Poder por lo general funcionaba para hombres y para mujeres—. Y, sí, cualquier mujer.

—Entonces vas a enseñarme a utilizarlo.

Nynaeve enarcó una ceja. Ésa podía ser la palanca que la ayudara a conseguir lo que quería. Y, si no, le quedaba otra. Quizá.

—¿Están al tanto de esto? Toda la conversación giró en torno a enseñarles a ellas, pero a vos no se os mencionó en ningún momento.

—No, no lo están. —Siuan no parecía nerviosa en absoluto. Incluso sonrió, y de un modo poco agradable—. Ni lo estarán. En caso contrario, se enterarán de que tú y Elayne habéis fingido ser Aes Sedai desde que salisteis de Tar Valon. Puede que Moraine permita que Egwene se salga con la suya sin darle su merecido, porque seguro que ella lo ha hecho también. Si no estoy en lo cierto, entonces es que no sé distinguir entre un nudo doble y una vuelta de driza. Pero ¿y Sheriam, Carlinya y las demás? Estarás chillando como un bagre al que se destripa para sacarle la freza antes de que hayan acabado contigo. Mucho antes.

—Esto es ridículo. —Nynaeve cayó en la cuenta de que estaba sentada, aunque no recordaba haberlo hecho. Thom y Juilin no abrirían la boca, y nadie más lo sabía. Tenía que hablar con Elayne—. No hemos hecho tal cosa.

—No me mientas, muchacha. Si hubiese necesitado confirmación, tus ojos habrían sido suficiente. Tienes el estómago como si quisiera salírsete por la boca, ¿a que sí?

En efecto, ésa era exactamente la sensación que tenía.

—Por supuesto que no. Y si os enseño algo será porque quiero hacerlo. —No iba a dejar que esta mujer la intimidara. El último vestigio de piedad se extinguió—. Si lo hago, quiero algo a cambio: que me dejéis examinaros a Leane y a vos. Quiero saber si la neutralización puede curarse.

—No puede —repuso, impasible, Siuan—. Y ahora...

—Todo, excepto la muerte, debería tener remedio.

—«Debería tener» no es «tiene», muchacha. A Leane y a mí se nos prometió que se nos dejaría en paz y no se nos molestaría. Habla con Faolain o Emara si quieres saber lo que le ocurre a cualquiera que nos molesta. No fueron las primeras ni las que recibieron peor castigo, pero sí las que gritaron más tiempo.

Su otra palanca. Casi se había olvidado de ella al estar a punto de dejarse dominar por el pánico. Si es que era cierto lo que había creído percibir. Tenía que intentarlo.

—¿Qué opinaría Sheriam si se enterara de que vos y Leane realmente no estáis a punto de echaros las uñas la una a la otra? —Siuan se limitó a mirarla fijamente—. Creen que os han domado, ¿verdad? Cuanto más se tiene por costumbre abofetear a quien no puede devolver la bofetada, tanto más fácil resulta aceptar como prueba el que esa persona brinque obediente cada vez que una Aes Sedai tose. ¿Sólo hizo falta que os encogieseis un poco para hacerles olvidar que las dos habíais trabajado mano a mano durante años? ¿O las convencisteis de que la neutralización os había cambiado por completo, no sólo vuestro aspecto? Cuando descubran que habéis estado intrigando a sus espaldas, que las habéis manipulado, seréis vos la que gritaréis más alto que cualquier bagre. Sea lo que sea eso. —Ni pestañear siquiera. Siuan no iba a perder los nervios ni a admitir nada. Empero, había habido algo en aquel breve intercambio de miradas; Nynaeve estaba segura.

»Quiero estudiaros, a vos y a Leane, cada vez que lo pida. Y a Logain. —A lo mejor también podía descubrir algo con él. Los hombres eran diferentes; sería como enfocar el mismo problema desde otro ángulo. Y no es que fuera a curarlo aunque descubriese cómo hacerlo. El que Rand encauzara era algo necesario. Sin embargo no estaba dispuesta a dejar suelto por el mundo a otro hombre que pudiese manejar el Poder—. Si no, entonces podéis olvidaros del anillo y del *Tel'aran'rhiod*. —¿Qué se proponía hacer Siuan con eso? Seguramente, volver a experimentar algo que al menos guardaba algún parecido con ser Aes Sedai. Nynaeve aplastó sin contemplaciones la llamita de piedad que había vuelto a encenderse dentro de ella—. Y si hacéis alguna insinuación sobre que Elayne y yo hemos fingido ser Aes Sedai, entonces no tendré más remedio que contarles lo de Leane y vos. Tal vez Elayne y yo pasemos un mal trago hasta que la verdad salga a la luz, pero al final saldrá, y cuando ocurra estaréis llorando tanto tiempo como Faolain y Emara juntas.

El silencio se prolongó. ¿Cómo se las arreglaba la otra mujer para mantener ese aire impasible? Nynaeve siempre había pensado que se debía a su condición de Aes Sedai. La boca se le quedó seca, aunque era la única parte de su cuerpo que lo estaba. Si se había equivocado, si Siuan se mostraba dispuesta a echarle un pulso, entonces sabía muy bien quién acabaría llorando a lágrima viva.

—Espero que Moraine se las haya ingeniado para hacer más dócil a su potranca que ésta —rezongó entre dientes finalmente Siuan. Nynaeve no la entendió, pero apenas tuvo tiempo para pensarlo, porque un instante después la otra mujer se echaba hacia adelante, con la mano extendida—. Si tú guardas mi secreto, yo guardaré el tuyo. Enséñame a utilizar el anillo y podrás estudiar la neutralización y el amansamiento hasta hartarte.

Nynaeve casi no pudo reprimir un suspiro de alivio mientras estrechaba la mano tendida. Lo había conseguido. Por primera vez desde lo que le parecía una eternidad, alguien había intentado intimidarla y había fracasado. Casi se sentía dispuesta para enfrentarse a Moghedien. Sólo casi.

Elayne alcanzó a Min justo cuando salía por la puerta trasera de la posada, y caminó a su lado. Min llevaba un envoltorio con lo que parecían dos o tres camisas blancas debajo del brazo. El sol rozaba ya las copas de los árboles por el oeste, y bajo la menguante luz el patio del establo tenía el aspecto de la tierra recién removida, con un enorme tocón que podría haber pertenecido a un roble justo en el centro. El establo de piedra con techo de bálago no tenía puertas, y dejaba a la vista a los hombres que se movían entre las cuadras llenas. Sorprendentemente, Leane estaba hablando con un hombre corpulento, al borde de la sombra arrojada por el establo. Iba toscamente vestido, y tenía aspecto de herrero o de luchador. Lo chocante era lo cerca de él que estaba Leane, con la cabeza echada hacia atrás, como si lo estuviese mirando a los ojos. Y entonces le dio unas palmaditas en la mejilla antes de girar sobre sus talones y regresar apresuradamente a la posada. El hombretón la siguió con la mirada un momento y después desapareció en las sombras del establo.

—No me preguntes qué se trae entre manos —dijo Min—. Gente extraña viene a verlas a Siuan o a ella, y a algunos de los hombres ella... Bueno, ya lo has visto.

A Elayne no le interesaba realmente lo que hacía Leane, pero ahora que estaba sola con Min no sabía cómo sacar a colación el asunto del que quería hablar.

—¿Qué haces?

—La colada —murmuró Min, señalando con irritación las camisas—. No te imaginas lo estupendo que es ver a Siuan ser el ratón para variar, sin que sepa si el águila va a comérsela o a hacerla su animal de compañía y teniendo en ello las mismas opciones que les da a los demás: ¡ninguna!

Elayne apretó el paso para no quedarse atrás mientras cruzaban el patio. Fuera lo que fuera ese asunto, no le daba pie para llevar la conversación hacia el tema que le interesaba.

—¿Sabías lo que Thom iba a sugerir? Nos quedamos.

—Les dije que eso sería lo que haríais, aunque no tiene nada que ver con una visión. —Min aflojó de nuevo el paso cuando pasaron entre el establo y un muro de piedra medio desmoronado y continuaron por el sombrío callejón de abrojos y malas hierbas pisoteados—. Imaginé que no renunciaríais a la oportunidad de reanudar los estudios. Siempre estuviste deseosa de aprender. Y Nynaeve también, aunque no quiera admitirlo. Ojalá me hubiese equivocado, porque así me habría marchado con vosotras. Al menos, me... —Masculló algo entre dientes con un tono que sonaba furioso—. Esas tres que habéis traído significan problemas, y esto sí es una visión.

Ahí estaba, la oportunidad que había esperado. Pero en lugar de preguntarle lo que se proponía, inquirió:

—¿Te refieres a Marigan, Nicola y Areina? ¿Cómo pueden ser un problema? —Sólo una necia pasaría por alto lo que Min veía.

—No lo sé exactamente. Sólo capté atisbos de halos y únicamente por el rabillo del ojo, nunca cuando las miraba directamente, que habría sido el momento de distinguir algo preciso. No son muchas las personas que tienen halos continuamente, ya lo sabes. Problemas. A lo mejor van a hablar de cosas que saben. ¿Estabais haciendo algo que no queréis que sepan las Aes Sedai?

—Desde luego que no —repuso, cortante, Elayne. Min la miró de soslayo, y la heredera del trono añadió—: Bueno, nada que no tuviésemos que hacer. En cualquier caso, es imposible que se enteren. —Esta conversación no llevaba el derrotero que quería. Respiró profundamente y saltó al vacío—. Min, tuviste una visión sobre Rand y yo, ¿verdad?

—Sí. —Fue un monosílabo cauteloso.

—Viste que nos íbamos a enamorar.

—No exactamente. Vi que tú te enamorarías de él. Ignoro lo que Rand siente por ti; sólo sé que está vinculado a ti de algún modo.

Elayne apretó los labios. Era casi lo que había esperado, pero no lo que deseaba oír. «Desear» y «querer» hace que uno dé traspiés, pero «es» allana el camino, como decía Lini. Había que actuar con lo que «era» no con lo que uno «deseaba» que fuera.

—Y viste que habría alguien más, alguien con quien tendría que... compartirlo.

—Dos más —aclaró roncamente Min—. Y... yo soy una de ellas.

Elayne, que había abierto la boca para plantear la siguiente pregunta, se quedó así, sin decir nada, sólo mirándola con sorpresa.

—¿Tú? —consiguió pronunciar finalmente.

—¡Sí, yo! —se encrespó Min—. ¿Es que piensas que no puedo enamorarme? No quise que ocurriera, pero pasó, y no hay vuelta de hoja. —Se adelantó a Elayne por el callejón caminando a paso vivo, y en esta ocasión la heredera del trono no la alcanzó con la prontitud de antes.

Aquello explicaba algunas cosas, ciertamente. El nerviosismo con que Min siempre había soslayado hablar del tema. Los bordados de las solapas de su chaqueta. Y, a menos que fueran imaginaciones suyas, Min también llevaba los labios algo pintados. «¿Qué siento al respecto?», se preguntó, pero era incapaz de llegar a una conclusión.

—¿Quién es la tercera? —preguntó en tono quedo.

—Lo ignoro —murmuró Min—. Sólo sé que tiene mucho temperamento. No es Nynaeve, gracias a la Luz. —Soltó una débil risita—.

No creo que hubiese podido soportar algo así. —De nuevo lanzó una mirada de soslayo, cautelosa, a Elayne—. ¿Qué consecuencias tendrá esto en las relaciones entre tú y yo? Te aprecio. Nunca tuve una hermana, pero a veces tuve la sensación de que tú... Deseo ser amiga tuya, Elayne, y no quisiera perder ese aprecio que te tengo pase lo que pase, pero no puedo dejar de amarlo.

—No me gusta mucho la idea de tener que compartir a un hombre —adujo, estirada, la heredera del trono. Desde luego, era una manera muy comedida de expresarlo.

—Tampoco a mí. Sólo que... Elayne, me avergüenza admitirlo, pero lo aceptaré de cualquier modo que sea posible. Tampoco es que ninguna de nosotras tenga muchas opciones. Luz, ha trastornado toda mi vida. Hasta el seso me trastorna sólo con pensar en él. —Min hablaba de un modo como si no supiera si ponerse a llorar o a reír.

Elayne exhaló muy, muy despacio. No era culpa de Min. Y quizá más valía que fuera Min en lugar de, por ejemplo, Berelain u otra a la que no soportara.

—*Ta'veren* —musitó—. Pliega el mundo a su alrededor. No somos más que briznas atrapadas en un torbellino. Empero, creo recordar que tú, Egwene y yo dijimos que jamás permitiríamos que un hombre se interpusiera en nuestra amistad. De algún modo lograremos resolverlo, Min, y cuando descubramos quién es la tercera... En fin, también resolveremos eso. De algún modo. —¡Una tercera! ¿Sería Berelain? «¡Oh, rayos y centellas!»

—Sí, de algún modo —repitió tristemente la otra joven—. Entre tanto, tú y yo estamos atrapadas aquí en un cepo. Sé que hay otra y sé que no puedo hacer nada al respecto, pero bastante tengo con resignarme y aceptar la idea de que estás tú como para... No todas las mujeres de Cairhien son como Moraine. Una vez vi a una noble cairhienina en Baerlon. De cara al exterior, habría hecho que Moraine pareciese como Leane, pero a veces decía cosas, con indirectas... ¡Y su halo! No creo que ningún hombre en toda la ciudad estuviese a salvo a solas con ella a menos que fuese feo, estuviese lisiado o, mejor aun, muerto.

Elayne resopló, pero cuando habló logró dar a su voz un tono ligero:

—No te preocupes por eso. Tenemos otra hermana tú y yo, alguien que no conoces. Aviendha vigila muy de cerca a Rand, y él no da ni diez pasos sin llevar una guardia de Doncellas Lanceras Aiel. —¿Una mujer de Cairhien? Por lo menos a Berelain la conocía, sabía algo de ella. No, ni hablar. No iba a preocuparse y darle vueltas al asunto como una estúpida muchachita. Una mujer adulta tomaba el mundo como era y sacaba el mejor partido posible de ello. ¿Quién sería esa mujer?

Habían salido a un patio abierto salpicado de cenizas frías. Grandes ollas, en su mayoría con picaduras allí donde se había limpiado el óxido, estaban colocadas contra el muro de piedra que rodeaba el patio; los árboles, al crecer, habían derrumbado la valla en varios tramos. A pesar de que las sombras del atardecer se extendían a través del patio, todavía quedaban dos ollas humeantes sobre las lumbres, y tres novicias, con el cabello empapado de sudor y las blancas faldas remangadas, trabajaban afanosas restregando sobre unas tablas metidas en profundas pilas llenas de agua jabonosa.

Elayne echó un vistazo a las camisas que Min llevaba debajo del brazo y abrazó el *Saidar*.

—Deja que te ayude con eso. —Encauzar para hacer tareas asignadas estaba prohibido (el trabajo físico desarrolla el carácter, decían) pero esto no podía contarse como tal. Si removía las camisas en el agua con la energía necesaria, entonces no haría falta que se mojasen las manos—. Cuéntamelo todo. ¿Siuan y Leane están realmente tan cambiadas como parece? ¿Cómo llegasteis aquí? ¿De verdad está Logain en este pueblo? ¿Y por qué tienes que lavar las camisas de un hombre? En fin, quiero saberlo todo.

Min se echó a reír, más que satisfecha de cambiar de tema.

—Contártelo todo me llevaría una semana, pero lo intentaré. Para empezar, ayudé a Siuan y a Leane a escapar de la mazmorra donde Elaida las había encerrado, y después...

Sin dejar de atender a Min y lanzando las correspondientes exclamaciones de sorpresa, Elayne encauzó Aire para levantar una de las ollas de agua hirviendo de la lumbre. Apenas reparó en las miradas incrédulas de las novicias; estaba acostumbrada a su fuerza con el Poder y rara vez se le pasaba por la cabeza la idea de que, sin pensar, hacía cosas que algunas Aes Sedai eran incapaces de realizar. ¿Quién sería la tercera mujer? Más le valía a Aviendha estar pendiente de Rand y no quitarle ojo de encima.

51

Llegan noticias a Cairhien

Un hilillo de humo azul se elevaba de la sencilla pipa de cañón largo que Rand sujetaba entre los dientes; el joven apoyó una mano en la balaustrada de piedra del balcón y contempló el jardín que había a sus pies. Las sombras se iban alargando; el sol semejaba una bola roja que descendía por el cielo despejado. Diez días en Cairhien, y éste parecía ser el primer momento en que estaba inactivo sin que se encontrara durmiendo. Selande estaba de pie a su lado, muy cerca, la blanca tez levantada para mirarlo a él, no al jardín. Su peinado no era tan complejo como el de una mujer de rango superior al suyo, pero aun así añadía un palmo a su altura. El joven trató de hacer caso omiso de ella, tarea harto difícil cuando una mujer insiste en apretar sus firmes senos contra el brazo de uno. La reunión se había alargado lo suficiente para que Rand quisiera tomarse un momento de descanso. Supo que era un error tan pronto como Selande lo siguió fuera.

—Conozco un estanque recoleto —dijo quedamente la mujer—, en el que podríamos aliviar este calor. Es un lugar discreto donde nada ni nadie nos molestaría. —La música del arpa de Asmodean llegaba a través de los arcos cuadrados que había detrás de ellos. Era una melodía ligera, como refrescante.

Rand resopló un poco más fuerte de lo que era su intención. El calor. No tenía comparación con el Yermo, pero... El otoño debía de estar a punto de empezar, y sin embargo la temperatura vespertina parecía propia de pleno verano. Un verano sin lluvias. En el jardín, unos hombres en mangas de camisa esparcían agua de unos cubos; la tarea se había retrasado hasta última hora de la tarde para evitar que la humedad se evaporase, aunque había muchas plantas mustias y medio muertas. Este tiempo no podía ser natural; el ardiente sol parecía mofarse de él. Moraine y Asmodean opinaban lo mismo, pero ninguno de los dos supo darle soluciones porque, al igual que él, ignoraban qué hacer o cómo. Sammael. Respecto a él sí que podría hacer algo.

—Agua fría —musitó Selande—, y vos y yo solos. —Se arrimó más, aunque Rand no entendía cómo era posible tal cosa.

Se preguntó de dónde le vendría el siguiente aguijonazo. Nada de dejarse llevar por la furia y actuar precipitadamente, hiciese lo que hiciese Sammael. Una vez que su metódico proceso de consolidación en Tear estuviese cumplido, entonces descargaría el rayo. Un golpe demoledor para acabar con Sammael y meter a Illian en su saco al mismo tiempo. Con Illian, Tear y Cairhien, amén de un ejército de Aiel lo bastante grande para arrollar a cualquier nación en cuestión de semanas, él...

—¿No os apetecería nadar? Yo no sé hacerlo muy bien, pero sin duda podríais enseñarme.

Rand suspiró. Por un momento deseó que Aviendha se encontrara allí. No. Lo que menos le interesaba ahora era una Selande corriendo y chillando como una loca, llena de contusiones y con las ropas hechas jirones. Entrecerró los ojos y bajó la mirada hacia la mujer.

—Puedo encauzar —musitó sin quitarse la pipa de entre los dientes. La noble se echó hacia atrás sin mover un músculo. No entendían por qué tenía que mencionar aquello; para ellos era algo que debía encubrirse, hacer como si no existiera si ello era posible—. Dicen que me volveré loco, pero aún no lo estoy. Aún no. —Soltó una risa honda que después cortó bruscamente mientras su rostro recobraba el gesto impasible—. ¿Enseñaros a nadar decís? Mejor os sostendré en el agua con el Poder. El *Saidin* está contaminado, ya sabéis. Es por la impronta del Oscuro, pero no lo notaréis. Estará todo en derredor vuestro, pero no advertiréis nada de nada. —Soltó otra risita queda en la que había un leve resuello. Los oscuros ojos de la mujer estaban abiertos como platos y su sonrisa era un rictus forzado—. Bien, entonces, quedamos para después. Ahora quiero estar solo para reflexionar sobre... —Se inclinó como si tuviese intención de besarla, y ella soltó un chillido e hizo una reverencia con tanta brusquedad que de momento Rand creyó que a la noble se le habían doblado las piernas.

Retrocedió precipitadamente, haciendo una reverencia cada dos pasos mientras balbucía el honor que era servirlo y sus más profundos deseos de hacerlo, todo ello con una voz rayana en la histeria, hasta que chocó contra uno de los arcos cuadrados. Realizó una última reverencia y entró como si la persiguieran demonios.

Rand hizo una mueca y se volvió hacia la balaustrada. Ahora asustaba a mujeres. La noble habría buscado mil excusas si le hubiese pedido que lo dejara solo, habría interpretado una orden sólo como un momentáneo contratiempo a menos que le dijera específicamente que se quitase de su vista, y aun así... Quizá la noticia se difundiría esta vez. Tenía que controlar su genio; últimamente le daba rienda suelta con demasiada facilidad. Se debía a la sequía que no podía remediar, a los problemas que brotaban como malas hierbas allí dondequiera que mirase. Unos instantes más de tranquilidad, de estar solo con su pipa, era cuanto pedía. ¿Quién querría gobernar una nación cuando podría hacer un trabajo más sencillo, como por ejemplo llevar agua colina arriba con un colador?

Más allá del jardín, entre dos de las torres escalonadas del Palacio Real, tenía una visión panorámica de Cairhien, alumbrada austeramente en unas partes y sumida en sombras en otras, sometiendo a las colinas más que esparciéndose sobre sus suaves ondulaciones. Su estandarte carmesí con el antiguo símbolo Aes Sedai colgaba fláccido en lo alto de una de aquellas dos torres, y una copia del emblema del Dragón, en la otra. Este último ondeaba en una docena más de sitios en la ciudad, incluida la más alta de las torres sin terminar, justo frente a él. Los gritos habían tenido tan poco resultado como las órdenes respecto a eso; ni los tearianos ni los cairhieninos podían creer que dijera en serio que sólo quería una, y a los Aiel les importaban poco las banderas de una u otra forma.

Incluso allí donde se encontraba, en una zona retirada del palacio, alcanzaba a oír el murmullo de una ciudad llena a reventar: refugiados de todos los rincones del país, más temerosos de regresar a sus hogares que de tener cerca al Dragón Renacido; mercaderes que acudían para vender todo lo que la gente podía permitirse comprar y para comprar todo lo que la gente no podía permitirse conservar. Lores y hombres de armas que iban a ponerse bajo su bandera o la de algún otro. Cazadores del Cuerno que pensaban que el legendario objeto tenía que encontrarse cerca de él, y habría una docena o centenares de antiguos habitantes de extramuros dispuestos a vendérselo a cualquiera de ellos; constructores Ogier procedentes del *stedding* Tsofu para ver si había trabajo para su legendaria destreza artesanal; aventureros, algunos de los cuales seguramente habían sido bandidos una semana atrás, que acudían con la esperanza de empezar otra vez. Incluso había habido alrededor de un centenar de Capas Blancas, aunque se habían marchado a galope tendido tan pronto como se hubo levantado el sitio. ¿Le concerniría el agrupamiento de Capas Blancas que Pedron Niall estaba llevando a cabo? Egwene le insinuaba cosas, pero ella enfocaba los asuntos según la perspectiva de la Torre Blanca, estuviese donde estuviese. El punto de vista de las Aes Sedai no era el suyo precisamente.

Por lo menos las caravanas con carretas cargadas de trigo empezaban a llegar desde Tear con cierta regularidad. Una multitud hambrienta podía organizar tumultos. Rand deseó que los problemas se limitaran a terminar con la hambruna, pero había más. Aunque eran menos, todavía quedaban bandidos. Y la guerra civil no había terminado. Todavía. Más buenas noticias. Tenía que asegurarse de que siguiese así antes de poder marcharse. Un centenar de cosas de las que ocuparse antes de estar en condiciones de ir tras Sammael. Sólo quedaban Rhuarc y Bael de los jefes en los que confiaba, aquellos que habían marchado con él desde Rhuidean. Pero, si no podía fiarse de llevar a Tear a los cuatro clanes que se habían aliado al final con él, ¿acaso podía fiarse de dejarlos en Cairhien? Indirian y los otros lo habían aceptado como el *Car'a'carn*, pero lo conocían tan poco como él a ellos. El mensaje de esa mañana también podría significar un problema: Berelain, Principal de Mayene, se encontraba a sólo unos cientos de millas al sur de la ciudad, de camino para unirse a él con un pequeño ejército; Rand no alcanzaba a comprender cómo había conseguido conducirlo a través de Tear. Cosa chocante, en su carta preguntaba si Perrin estaba con él. Sin duda la mujer temía que se olvidara de su pequeño país si no se lo recordaba. Siendo como era la última de una larga dinastía de Principales que habían logrado impedir que Tear engullese su país valiéndose del Juego de las Casas, quizá fuera casi un placer verla contender con los cairhieninos empleando sus mismas armas. Tal vez si la ponía al mando allí... Se llevaría a Meilan y a los demás tearianos consigo cuando llegara el momento. Si es que llegaba.

Esto no era mucho mejor que esperar dentro. Vació la pipa con unos golpecitos y apagó las últimas briznas de tabaco encendido con el tacón de la bota. No había por qué correr el riesgo de provocar un incendio en el jardín; ardería como una antorcha. La sequía, el tiempo anormal... Cayó en la cuenta de que tenía torcida la boca en un gruñido silencioso. Antes debía ocuparse de aquellos asuntos sobre los que podía hacer algo.

Resultó un arduo esfuerzo relajar el rostro antes de entrar.

Asmodean, tan bien vestido como cualquier lord, con chorreras de encaje en el cuello, interpretaba una tranquila melodía con su arpa en un rincón, recostado contra el severo revestimiento de oscuros paneles como si holgara en un rato de ocio. Los demás que estaban sentados se incorporaron de sus sillas al aparecer Rand y tomaron asiento de nuevo tras su gesto brusco. Meilan, Torean y Aracome ocupaban sillones tallados y dorados a un lado de la alfombra de fuertes tonos rojo y oro, cada cual con un joven noble teariano apostado a su espalda, fieles reflejos de los cairhieninos instalados al otro lado. Dobraine y Maringil también tenían a un joven lord detrás de cada uno, ambos con la parte delantera de la cabeza afeitada y empolvada como la de Dobraine. Selande, la tez pálida, se encontraba al lado de Colavaere y tembló cuando él la miró.

Rand compuso el gesto y caminó sobre la alfombra hacia su propio sillón. Éste por sí solo era razón suficiente para controlar su semblante. Era un nuevo regalo de Colavaere y los otros dos, en lo que imaginaban era el estilo teariano. Daban por hecho que debía de gustarle la abigarrada pomposidad de Tear, puesto que gobernaba ese país y había enviado representantes. Las patas eran dragones tallados que relucían con el rojo de los esmaltes, los dorados del pan de oro y los grandes topacios que tenían por ojos. Otros dos formaban los brazos, y otros, rampantes, daban forma al alto respaldo. Debían de haber sido incontables los artesanos que tenían que haber trabajado sin dormir desde su llegada para construir el condenado sillón. Se sintió como un necio al acomodarse en él. La música de Asmodean había cambiado; ahora tenía un aire fastuoso, como una marcha triunfal.

Y, sin embargo, había una nueva cautela en aquellos oscuros ojos cairhieninos que lo observaban, una cautela que se reflejaba en los tearianos. Ya estaba allí antes de que él saliera. Tal vez en sus intentos de congraciarse con él habían cometido un error del que estaban empezando a caer en la cuenta. Todos habían tratado de pasar por alto quién era él, fingiendo que sólo era un joven lord que los había conquistado, con quien podía tratarse y a quien se podía manipular. Ese sillón —ese trono— se alzaba ahora ante ellos como una prueba palpable de quién era él realmente.

—¿Las tropas se mueven conforme a lo previsto, lord Dobraine? —El arpa enmudeció tan pronto como abrió la boca; aparentemente, Asmodean estaba absorto en repasar las cuerdas como un pájaro que se acicala las plumas.

—Así es, milord Dragón —respondió escuetamente el atezado hombre con una sonrisa sombría. Rand no se hacía ilusiones de que le cayera mejor a Dobraine que a cualquiera de los otros ni de que no intentara sacar provecho donde podía, pero el noble parecía de hecho dispuesto a cumplir el juramento que había prestado. Las bandas de colores a lo ancho de la pechera de la chaqueta aparecían desgastadas por el roce de un peto de armadura abrochado encima de ellas.

Maringil rebulló en su sillón; era un tipo fibroso como una tralla y alto para la media cairhienina, con el blanco cabello rozándole casi los hombros. No llevaba afeitada la parte delantera de la cabeza, y las bandas de la chaqueta, que le llegaban casi hasta casi las rodillas, no mostraban señales de roce ni desgaste.

—Necesitamos a esos hombres aquí, milord. —Sus ojos de halcón hicieron una rápida pasada por el trono dorado antes de volver a enfocarse sobre Rand—. Todavía quedan sueltos muchos bandidos por el país. —Volvió a rebullir de manera que no tuviera que mirar a los tearianos. Meilan y los otros dos sonreían débilmente.

—Destaqué Aiel para que den caza a las cuadrillas de malhechores —dijo Rand. Tenían orden de barrer a todos los bandidos que encontraran en su camino. Y no salirse de él para ir a buscarlos. Ni siquiera los Aiel eran capaces de llevar a cabo esa tarea y desplazarse con rapidez—. Se me ha informado que hace tres días los Perros de Piedra mataron a casi doscientos cerca de Morelle. —Esa población se encontraba cerca de la frontera más al sur reclamada por Cairhien en los últimos años, a mitad de camino del río Iralell. No era menester revelar a este puñado de nobles que esos mismos Aiel podían encontrarse ya en el río a estas alturas, y que eran capaces de cubrir largas distancias con más rapidez que los caballos.

—Hay otra razón —insistió Maringil, que frunció el ceño con inquietud—. La mitad de nuestro país al oeste del Alguenya está en poder de Andor. —Vaciló. Todos sabían que Rand se había criado en Andor; una docena de rumores lo habían convertido en un hijo de una u otra casa andoreña distinta, incluso en un hijo de la propia Morgase que o había sido desterrado por su capacidad de encauzar o que había huido antes de que lo amansaran. El esbelto hombre continuó como si caminara de puntillas, descalzo y con los ojos tapados, entre dagas—. De momento no parece que Morgase trate de apoderarse de más territorios, pero hay que recuperar lo que se ha anexionado ya. Sus heraldos incluso han proclamado que tiene derecho al... —Enmudeció de repente. Ninguno de ellos sabía a quién se proponía Rand sentar en el Trono del Sol. A lo mejor esa persona era Morgase.

La sombría mirada de Colavaere tenía de nuevo a Rand en los platillos de la balanza; apenas había dicho nada hoy, y no lo haría hasta que supiera por qué el semblante de Selande estaba tan pálido.

De repente Rand se sintió harto; harto de la obstinación de los nobles, de todas las maquinaciones del *Daes Dae'mar*.

—Me ocuparé de las pretensiones andoreñas sobre Cairhien cuando esté preparado. Esos soldados irán a Tear. Seguiréis el buen ejemplo de obediencia del Gran Señor Meilan, y no quiero oír hablar más del asunto. —Se volvió hacia los tearianos—. Porque vuestro ejemplo es bueno, ¿verdad, Meilan? Y el vuestro también, ¿no es así, Aracome? Si salgo a caballo mañana no me encontraré con un millar de Defensores de la Ciudadela acampados a diez millas al sur de aquí cuando se suponía que debían estar de vuelta en Tear desde hace dos días, ¿no? Ni a dos mil hombres de armas de casas tearianas, ¿cierto?

Aquellas débiles sonrisas se borraron con cada palabra. Meilan se quedó muy quieto, con los oscuros ojos centelleando, y el estrecho rostro de Aracome se puso pálido, aunque habría sido difícil discernir si se debía a la ira o al temor. Torean se enjugaba el tosco semblante dándose toquecitos con un pañuelo de seda que había sacado de la mana. Rand gobernaba en Tear y tenía intención de seguir haciéndolo; *Callandor* clavada en el Corazón de la Ciudadela era prueba de ello. Tal era el motivo de que no hubiesen protestado su orden de enviar soldados cairhieninos a Tear. Pensaban repartirse nuevos feudos, quizá reinos, aquí, lejos de donde gobernaba él.

—Por supuesto que no los encontraréis, mi señor Dragón —repuso finalmente Meilan—. Mañana cabalgaré con vos para que lo veáis por vos mismo.

Rand no lo dudaba. Un jinete saldría hacia el sur tan pronto como el noble tuviera ocasión de hacer los arreglos oportunos y para mañana esos soldados estarían lejos, marchando hacia Tear. Con eso serviría. De momento.

—Entonces he acabado. Podéis marcharos.

Hubo unos cuantos respingos de sorpresa que se disimularon con tal rapidez que cualquiera habría pensado que lo había imaginado, y al punto se levantaban de los asientos y hacían reverencias e inclinaciones de cabeza; Selande y los jóvenes lores retrocedieron al mismo tiempo. Habían esperado más; una audiencia con el lord Dragón siempre era larga y, a su modo de ver, tortuosa. Rand los doblegaba firmemente como se había propuesto, ya fuera declarando que ningún teariano reclamaría tierras en Cairhien a menos que se uniera en matrimonio con un miembro de una casa cairhienina, o negándose a dar permiso para que se expulsara de la ciudad a los antiguos habitantes de extramuros, o dictando leyes destinadas a los nobles que jamás se habían aplicado a nadie salvo a los plebeyos.

Siguió con la mirada a Selande durante un momento. No era la primera en los últimos diez días. Ni siquiera la décima ni la vigésima. Se había sentido tentado, al menos al principio. Cuando rechazaba a una mujer esbelta, ésta era reemplazada enseguida por otra entrada en carnes, y una alta o morena, al menos para los cánones de Cairhien, por otra baja o de tez blanca. Una búsqueda constante de una mujer que fuera de su agrado. Las Doncellas rechazaron a las que intentaron colarse en sus aposentos de noche, firmemente pero con más comedimiento que el empleado por Aviendha con la mujer que sorprendió ella. Al parecer la joven se tomaba con absoluta seriedad la idea de que le pertenecía a Elayne. Sin embargo, con su sentido del humor Aiel parecía encontrar muy gratificante atormentarlo; no le había pasado por alto la expresión satisfecha que asomó en el semblante de Aviendha cuando gimió quedamente y se tapó la cara mientras ella empezaba a desnudarse para ir a dormir. En consecuencia, se habría sentido ofendido por su actitud si no hubiese comprendido enseguida lo que había detrás de aquel continuo fluir de jóvenes hermosas.

—Milady Colavaere.

La noble se paró tan pronto como él pronunció su nombre; bajo la compleja torre de rizos oscuros, su mirada era fría y tranquila. Selande no tenía más remedio que quedarse con ella, aunque saltaba a la vista que era tan reacia a permanecer allí como los demás lo eran a marcharse. Meilan y Maringil salieron finalmente tras hacer una última reverencia, tan pendientes de Colavaere y tan inmersos en discurrir por qué se le había pedido que se quedara que no se dieron cuenta de que estaban el uno junto al otro. La mirada de sus ojos era idéntica: sombría y depredadora.

La puerta de madera oscura se cerró.

—Selande es una joven muy hermosa —dijo Rand—, pero algunos hombres prefieren la compañía de mujeres más... maduras y entendidas. Cenaréis conmigo a solas esta noche, cuando dé la Segunda Víspera. Espero con ansiedad tener ese placer. —La despidió con un ademán antes de que pudiese objetar nada, si es que hubiese tenido fuerzas para hacerlo. Su semblante permaneció impasible, pero la reverencia que hizo fue un tanto inestable. Selande tenía una expresión de absoluto pasmo. Y de puro alivio.

Una vez que la puerta se volvió a cerrar tras las dos mujeres, Rand echó la cabeza hacia atrás y prorrumpió en carcajadas. Era una risa áspera, sarcástica, de sonido desagradable. Estaba harto del Juego de las Casas, de modo que lo jugaba sin pensar. Estaba asqueado de sí mismo por asustar a una mujer, así que había asustado a otra. Aquello era razón suficiente para echarse a reír. Colavaere era quien estaba detrás de aquella sarta de jovencitas que se le habían ofrecido, con la idea de encontrarle una compañera de cama a la que manejaría ella como a un títere tirando de las cuerdas y así tener otra atada firmemente a él. Pero era otra mujer la que ella tenía intención de meter en la cama del Dragón Renacido, y tal vez incluso de que se desposara con él. Ahora estaría sudando hasta que llegara la Segunda Víspera. Tenía que saber que era bonita, aunque sin llegar a hermosa, y si él había rechazado a todas las jóvenes que le había mandado, tal vez era porque quería una con unos quince años más. Además, sin duda estaba convencida de que no podía atreverse a desairar al hombre que tenía a Cairhien en sus manos. Esa noche lady Colavaere se mostraría tratable, pondría fin a esta idiotez. Probablemente Aviendha degollaría a cualquier mujer que encontrara en su lecho; además, él no tenía tiempo para todas estas asustadizas palomas dispuestas a sacrificarse por Cairhien y Colavaere. Había muchos problemas de los que ocuparse y poco tiempo, por no decir ninguno, para hacerlo.

«Luz, ¿y si Colavaere decide que merece la pena el sacrificio?» Podría muy bien hacerlo; tenía suficiente sangre fría para ello. «Entonces tendré que ocuparme de que esa frialdad sea debida al miedo.» No le resultaría difícil. Percibía el *Saidin* como algo al borde de su campo visual. También percibía la infección. A veces pensaba que lo que sentía ahora era la contaminación que había en él, los posos dejados por el *Saidin*.

Se encontró mirando fijamente a Asmodean. El hombre parecía estar estudiándolo, el rostro inexpresivo. La música se reanudó como el rumoroso murmullo de agua deslizándose entre piedras, sosegadora. Así que necesitaba que lo apaciguaran, ¿no?

La puerta se abrió sin que sonara antes una llamada y dio paso a Moraine, Egwene y Aviendha juntas; las dos mujeres más jóvenes, con sus atuendos Aiel, flanqueaban a la Aes Sedai, vestida de color azul pálido. De haberse tratado de cualquier otra persona, incluso Rhuarc u otro jefe que se encontrara cerca de la ciudad o una delegación más de las Sabias, una Doncella habría entrado a anunciar su presencia, pero a estas tres las Doncellas las dejaban pasar sin avisar aunque él estuviese tomando un baño. Egwene miró de soslayo a «Natael» e hizo una mueca; de inmediato, la melodía bajó de tono y, durante un instante, se tornó compleja, quizás algún tipo de danza, antes de dar paso a lo que podría tomarse por el suave soplo de brisas. La sesgada sonrisa del hombre parecía dirigida al arpa.

—Me sorprende verte, Egwene —dijo Rand mientras ponía una pierna sobre el brazo del sillón—. ¿Cuántos días hace que me evitas? ¿Seis? ¿Me traes más buenas noticias? ¿Masema ha saqueado Amador en mi nombre? ¿O esas Aes Sedai que, según tú, me apoyan han resultado pertenecer al Ajah Negro? Fíjate que no pregunto quiénes son ni dónde están. Ni siquiera cómo te has enterado. No te pido que divulgues secretos de Aes Sedai ni de Sabias o lo que quiera que sean. Sólo dame las migajas que tengas a bien repartir conmigo y deja que sea yo quien se preocupe de si todo aquello que no has considerado oportuno contarme acabará apuñalándome en mitad de la noche.

—Sabes lo que necesitas saber —repuso ella mientras lo miraba con calma—. Y no te diré lo que no te hace falta saber.

Exactamente lo mismo que le había dicho hacía seis días. Era tan Aes Sedai como la propia Moraine por mucho que una vistiera ropas Aiel y la otra un atuendo de seda azul pálido. No había nada de calma en Aviendha, que se adelantó para ponerse hombro con hombro con Egwene, los verdes ojos relampagueantes, la espalda tan recta que parecía que se hubiera tragado un palo. Casi lo sorprendió que Moraine no se uniese a ellas para así mirarlo severamente las tres. Por lo visto, el juramento de obediencia dejaba un espacio de maniobra sorprendentemente amplio, y las tres eran como uña y carne desde su discusión con Egwene. Aunque, en honor a la verdad, no había habido realmente discusión; no se puede discutir muy bien con una mujer que lo mira a uno con frialdad, que no levanta jamás la voz, y que después de una negativa de responder ni siquiera se da por enterada cuando uno vuelve a hacerle la pregunta.

—¿Qué queréis? —inquirió.

—Esto llegó para ti hace una hora —contestó Moraine al tiempo que le tendía dos cartas dobladas. Su voz parecía armonizada con la melodía de Asmodean, semejante al repique de campanillas.

Rand se levantó para coger las misivas, con expresión desconfiada.

—Si son para mí, ¿cómo es que han ido a parar a tus manos?

Una iba dirigida a «Rand al'Thor» en una letra precisa y angulosa, y la otra a «El lord Dragón Renacido» en una caligrafía de trazos suaves y fluidos pero no por ello menos meticulosa. Los sellos estaban intactos. Una segunda ojeada lo hizo parpadear. Los dos parecían hechos con la misma cera roja, y uno mostraba la impronta de la Llama de Tar Valon mientras que en el otro se veía una torre sobrepuesta en lo que identificó como la isla de Tar Valon.

—Quizá por venir de donde vienen —contestó Moraine—, y de quién. —No era una explicación, pero no sacaría más a la Aes Sedai a menos que se lo exigiese, e incluso entonces tendría que azuzarla a cada paso para que ampliara la información. Mantenía el juramento hecho, pero a su modo—. No hay agujas envenenadas en los sellos. Ni trampas entretejidas.

Rand se quedó con el pulgar suspendido sobre la Llama de Tar Valon —ni lo uno ni lo otro se le había pasado siquiera por la cabeza— y después lo rompió. Otra Llama en cera roja aparecía al pie del documento junto a la firma de Elaida do Avriny a'Roihan, garabateada apresuradamente encima de sus títulos. El resto de la misiva estaba escrito en una caligrafía angulosa.

«No puede negarse que sois el anunciado por las Profecías, pero aun así son muchos los que intentarán destruiros por las otras cosas que sois. Por el bien del mundo, esto no puede permitirse. Dos naciones han hincado la rodilla ante vos, así como los salvajes Aiel, pero el poder de los tronos es como polvo comparado con el Poder Único. La Torre Blanca os acogerá y os protegerá contra aquellos que rehúsan aceptar lo que ha de ser. La Torre Blanca se ocupará de que viváis para ver el Tarmon Gai'don. Nadie más puede hacer eso. Una escolta de Aes Sedai llegará para conduciros a Tar Valon con el honor y el respeto que merecéis. Tenéis mi promesa.»

—Ni siquiera lo pide —dijo Rand, sarcástico. Recordaba bien a Elaida ya que la había visto en una ocasión. Una mujer dura, tanto como para hacer que Moraine pareciese una gatita. El «honor y respeto» que merecía. Rand habría apostado a que la escolta de Aes Sedai daba la casualidad de ascender justo a trece.

Le pasó la carta de Elaida a Moraine y abrió la otra. El papel estaba escrito por la misma mano que había puesto el nombre a quien iba dirigida.

«Con todo respeto suplico humildemente darme a conocer al gran lord Dragón Renacido, a quien la Luz bendice como salvador del mundo.

»La humanidad entera debe sentir un temor reverencial ante vos, que habéis conquistado Cairhien en un día, como hicisteis con Tear. Sin embargo, tened cuidado, os lo suplico, porque vuestro esplendor despertará la envidia hasta en aquellos que no trabajan con afán bajo la Sombra. Incluso aquí, en la Torre Blanca, se encuentran los ciegos que no pueden ver vuestro verdadero esplendor que nos iluminará a todos. Empero, sabed que algunos nos regocijamos en vuestra llegada y nos deleitaremos sirviéndoos para vuestra mayor gloria. No somos de esos que os quitarían lustre para sí mismos, sino de los que se arrodillarían para disfrutar de vuestra magnificencia. Salvaréis al mundo, según las Profecías, y el mundo será vuestro.

»Para mi vergüenza, debo pediros que no dejéis que nadie vea esta carta y que la destruyáis tan pronto como la hayáis leído. Privada de vuestra protección, me encuentro entre quienes usurparían vuestro poder, y me es imposible saber quiénes de los que os rodean son tan leales como yo. Me han dicho que Moraine Damodred podría estar con vos. Es posible que os sirva fielmente, obedeciendo vuestras palabras como una ley, igual que haré yo, pero no puedo saberlo con certeza, ya que la recuerdo como una mujer reservada, muy dada a los secretos y a las intrigas, como son los cairhieninos. No obstante, aun en el caso de que estéis convencido de que es criatura vuestra, como yo, os suplico que guardéis en secreto esta misiva, incluso para ella. Mi vida está en vuestras manos, milord Dragón Renacido, y soy vuestra sierva.

»Alviarin Freidhen»

Rand volvió a leerla, parpadeando, y luego se la entregó a Moraine. Apenas le echó un vistazo antes de pasársela a Egwene, que tenía agachada la cabeza, junto con Aviendha, sobre la otra misiva. ¿Es que Moraine sabía el contenido?

—Menos mal que hiciste ese juramento —le dijo a la Aes Sedai—. Tal y como solías ser, guardándolo todo en secreto, a estas alturas podría estar más que dispuesto a sospechar de ti. Menos mal que ahora eres más sincera. —Moraine no reaccionó—. ¿Qué opinión te merecen esas cartas?

—Debe de haberse enterado de cómo se te ha subido a la cabeza lo que eres —musitó Egwene. Rand dudaba que esas palabras estuviesen destinadas a sus oídos. La joven sacudió la cabeza y añadió en voz alta—: No parece en absoluto Alviarin.

—Es su letra —adujo Moraine—. ¿Qué opinas tú, Rand?

—Creo que hay una fisura en la Torre, lo sepa o no Elaida. Supongo que una Aes Sedai no puede escribir una mentira igual que no puede decirla, ¿cierto? —No esperó a que ella asintiera—. Si Alviarin hubiese sido menos pomposa, habría sospechado que trabajan juntas para atraerme hacia su trampa. No imagino a Elaida pensando siquiera la mitad de lo que Alviarin ha escrito y tampoco la imagino teniendo como Guardiana a alguien que lo escribiera, sabiéndolo ella.

—No harás lo que dice —manifestó Aviendha al tiempo que arrugaba la carta de Elaida. No era en absoluto una pregunta.

—No soy tan necio.

—A veces no —admitió a regañadientes, y lo empeoró más enarcando una ceja en un gesto interrogante a Egwene, que reflexionó un momento y después se encogió de hombros.

—¿No has advertido nada más? —inquirió Moraine.

—Veo que hay espías de la Torre Blanca —respondió secamente—. Saben que domino la ciudad. —Durante al menos dos o tres días después de la batalla, los Shaido tenían que haber interceptado cualquier tipo de mensajero excepto una paloma que se dirigiese al norte. Hasta un jinete que supiese dónde cambiar los caballos, cosa nada fácil entre Cairhien y Tar Valon, no habría llegado a la Torre a tiempo para que estas cartas se hubiesen recibido hoy.

—Aprendes deprisa. —Moraine sonrió—. Lo harás bien. —Durante un fugaz instante casi pareció afectuosa—. ¿Y qué piensas hacer al respecto?

—Nada, excepto asegurarme de que la «escolta» de Elaida no se acerque a menos de una milla de mí. —Trece Aes Sedai, aunque fuesen las menos poderosas, podrían superarlo y coligarlo, y dudaba mucho que Elaida hubiese mandado a las más débiles—. Y ser consciente de que la Torre sabe lo que hago al día siguiente de haberlo hecho. Eso es todo hasta que sepa algo más. ¿No será Alviarin una de tus misteriosas amigas, Egwene?

La joven vaciló y de repente Rand se preguntó si Egwene le habría contado a Moraine algo más de lo que le había contado a él. ¿Eran secretos de Aes Sedai los que guardaba o eran de Sabias?

—No lo sé —respondió finalmente.

Sonó una llamada en la puerta, y Somara asomó su rubia cabeza.

—Matrim Cauthon está aquí, *Car'a'carn*. Dice que mandaste llamarlo.

Lo había hecho, hacía cuatro horas, tan pronto como supo que Mat estaba de regreso en la ciudad. ¿Cuál sería la excusa esta vez? Había llegado el momento de acabar con las disculpas.

—Quedaos —les dijo a las mujeres. Las Sabias lo ponían a Mat casi tan nervioso como las Aes Sedai; estas tres le provocarían un gran desasosiego. No sintió escrúpulos por utilizarlas. Y pensaba utilizar también a Mat—. Hazlo pasar, Somara.

Mat entró en la estancia sonriente, como si fuese el salón de una taberna. Llevaba desabrochada la chaqueta verde, y la camisa, con la mitad de las lazadas desatadas, de manera que se veía la plateada cabeza de zorro colgando sobre su pecho sudoroso; empero, a pesar del calor, el oscuro pañuelo de seda iba anudado a su garganta para ocultar la cicatriz.

—Siento haber tardado tanto. Hay algunos cairhieninos que creían ser expertos jugadores de cartas. ¿Es que no sabe tocar algo más alegre? —preguntó al tiempo que señalaba con la cabeza hacia Asmodean.

—Me he enterado —dijo Rand— de que todos los jóvenes capaces de empuñar una espada quieren unirse a la Compañía de la Mano Roja. Talmanes y Nalesean los tienen que rechazar a montones porque acuden en tropel. Y Daerid ha duplicado el número de sus tropas de infantería.

Mat hizo una pausa antes de acabar de sentarse en el sillón ocupado antes por Aracome.

—Es cierto. Un estupendo grupo de jóvenes... compañeros que ansían ser héroes.

—La Compañía de la Mano Roja —murmuró Moraine—. *Shen an Calhar.* Un legendario grupo de héroes, desde luego, aunque los hombres que lo formaron debieron de cambiar muchas veces en una guerra que duró más de trescientos años. Se dice que fueron los últimos en caer ante los trollocs defendiendo al propio Aemon, cuando Manetheren pereció. Cuenta la leyenda que brotaron rosas allí donde cayeron para honrar su tránsito, pero más bien creo que la primavera ya había llegado.

—No sé nada sobre eso. —Mat se tocó el medallón de la cabeza de zorro y su voz cobró firmeza—. Algún necio sacó el nombre de algún sitio y todos empezaron a utilizarlo.

Moraine observó el medallón con displicencia. La pequeña gema azul que colgaba sobre su frente pareció absorber la luz y refulgir, aunque las aristas de la talla no estaban en la posición adecuada para reflejar un destello así.

—Al parecer eres muy valiente, Mat —dijo al cabo—, para conducir la *Shen an Calhar* a través del Alguenya y luego hacia el sur contra los andoreños. Más que valiente, pues corren rumores de que partiste solo para explorar el camino, y Talmanes y Nalesean tuvieron que cabalgar de firme para alcanzarte. —El resoplido de Egwene sirvió de telón de fondo a las palabras de la Aes Sedai—. Una acción poco sensata en un joven lord al mando de sus hombres.

—No soy ningún lord. —Mat torció el gesto—. Me respeto demasiado para eso.

—Poco sensata pero muy valerosa —continuó Moraine como si no la hubiese interrumpido—. Las carretas de víveres andoreñas ardieron y los puestos avanzados fueron destruidos. Y hubo tres batallas. Tres batallas y tres victorias. Con escasas bajas entre vuestras tropas a pesar de la abrumadora mayoría del adversario. —Moraine toqueteó un desgarrón en la hombrera de la chaqueta del joven y él se retiró todo cuanto se lo permitió el respaldo del sillón—. ¿Te ves arrastrado hacia lo más reñido de la batalla o eres tú quien lo atrae hacia ti? Casi estoy sorprendida de que hayas regresado. De dar crédito a lo que se cuenta, habrías hecho retroceder a los andoreños a través del Erinin de haberte quedado.

—¿Creéis que es divertido? —gruñó Mat—. Si tenéis algo que decir, decidlo. Podéis jugar a ser el gato cuanto queráis, pero yo no soy ningún ratón. —Durante un instante sus ojos se desviaron hacia Egwene y Aviendha, y las miró cruzado de brazos mientras volvía a toquetear la plateada cabeza de zorro. Debía de estar preguntándose cuáles eran sus posibilidades. Había impedido que los flujos encauzados de una mujer lo tocaran, pero ¿podría hacer lo mismo con tres a la vez?

Rand se limitó a observar. A observar cómo intimidaban a su amigo y esperar el momento oportuno para lo que tenía pensado hacer con él. «¿Me queda algo más que la pura necesidad?» Fue un pensamiento fugaz que pasó tan pronto como surgió. Haría lo que debía hacer.

La voz de la Aes Sedai fue adquiriendo el aguzado filo y la frialdad de un cristal de hielo a medida que hablaba, y sus palabras casi fueron un eco de los pensamientos de Rand:

—Todos hacemos lo que debemos hacer, según lo dispone el Entramado. Para algunos hay menos libertad que para otros. Tanto da si lo elegimos nosotros como si se nos elige. Lo que ha de ser, será.

Mat no parecía en absoluto intimidado. Cauteloso, sí, y desde luego furioso, pero no intimidado. Recordaba un gato de callejón acorralado por tres sabuesos. Un gato de callejón que estaba dispuesto a hacer pagar cara su derrota. Parecía haber olvidado a todos los presentes en la sala excepto a las tres mujeres y a sí mismo.

—Siempre tenéis que empujar a un hombre hasta donde queréis tenerlo, ¿verdad? Mandarlo allí de un puntapié si no se deja llevar de la nariz. ¡Rayos, truenos y centellas! No me mires así, Egwene, porque pienso hablar como me dé la gana. ¡Así me abrase! Lo único que faltaría es que Nynaeve estuviera aquí, arrancándose la trenza a tirones, y Elayne mirando con altanería, bien alzada la barbilla. Bueno, pues me alegro de que no esté para que no sepa la noticia; pero, aunque tuvieses a Nynaeve, no iba a dejar que me zarandeaseis...

—¿Qué noticia? —lo interrumpió bruscamente Rand—. ¿Es algo que Elayne no debería oír?

Mat alzó la vista hacia Moraine.

—¿Quiere eso decir que hay algo que no habéis averiguado?

—¿Qué noticia, Mat? —demandó Rand.

—Morgase ha muerto.

Egwene dio un respingo y se llevó las manos a la boca mientras sus ojos se abrían como platos. Moraine musitó algo que podría ser una plegaria. No hubo la menor vacilación de los dedos de Asmodean en las cuerdas del arpa.

Rand sintió como si le hubiesen abierto las entrañas de un tajo. «Elayne, perdóname.» Y un débil eco modificado: «Ilyena, perdóname».

—¿Estás seguro? —preguntó a su amigo.

—Tan seguro como puedo estar sin haber visto el cadáver. Al parecer Gaebril ha sido proclamado rey de Andor. Y de Cairhien, dicho sea de paso. Supuestamente fue la propia Morgase quien lo designó. Algo sobre unos tiempos en que hace falta la mano fuerte de un hombre o cosa por el estilo, como si hubiese alguien que la tuviera más fuerte que la misma Morgase. Los andoreños que encontramos al sur habían oído rumores de que no se la había visto desde hacía semanas. Más que rumores. Dime tú a qué conclusión puede llegarse. Andor nunca ha tenido rey, pero ahora lo tiene, y la reina ha desaparecido. Gaebril es quien quería muerta a Elayne. Intenté decírselo, pero ya sabes cómo es, que cree saber siempre más que un granjero destripaterrones. No creo que ese hombre vacilara un segundo en rajarle el cuello a una reina.

Rand se dio cuenta de que se había sentado en uno de los sillones, enfrente de Mat, aunque no recordaba haberse movido. Aviendha le posó una mano en el hombro. La preocupación le oscurecía los ojos.

—Estoy bien —dijo con aspereza—. No hace falta que llames a Somara.

El rostro de la joven Aiel enrojeció, pero él apenas lo notó.

Elayne no podría perdonarlo nunca. Sabía desde hacía tiempo que Rahvin —Gaebril— tenía prisionera a Morgase, pero no había hecho caso porque el Renegado podía estar esperando que intentara ayudarla. Había seguido sus propias pautas y actuado de un modo que no esperaban, y el resultado era que había acabado persiguiendo a Couladin en lugar de hacer lo que tenía planeado. Lo sabía, y había centrado su atención en Sammael, todo porque el hombre lo azuzaba. Morgase podía aguardar mientras él machacaba la trampa de Sammael y a Sammael con ella. Y, en consecuencia, Morgase había muerto. La madre de Elayne estaba muerta. Elayne lo maldeciría hasta el fin de sus días.

—Te diré una cosa —continuó Mat—. Hay un montón de hombres de la reina allí abajo, hombres que no están seguros de querer luchar por un rey. Tú encuentra a Elayne, y la mitad de esas tropas se unirán a ti para ponerla en el...

—¡Cállate! —bramó Rand. La ira lo hacía temblar de tal modo que Egwene retrocedió un paso y hasta Moraine lo miró con prevención. La mano de Aviendha se crispó sobre su hombro, pero él se la quitó de encima con una sacudida mientras se ponía de pie. Morgase estaba muerta porque no había hecho nada. Podía decirse que su mano empuñaba el cuchillo que la había matado con tanta certeza como la del propio Rahvin. Elayne—. Será vengada. Es Rahvin, Mat, no Gaebril. Rahvin. ¡Acabaré con él aunque sea lo último que haga!

—¡Oh, maldición! ¡Rayos, truenos y centellas! —gimió Mat.

—Esto es una locura. —Egwene se encogió como si se diera cuenta de lo que había dicho, pero mantuvo aquella voz firme, sosegada—. Aún tienes las manos llenas con lo de Cairhien, por no mencionar a los Shaido en el norte y lo que quiera que estés planeando para Tear. ¿Te propones acaso empezar otra guerra cuando todavía estás agobiado con los problemas de otras dos y los de un país destrozado?

—Una guerra no. Yo. Puedo estar en Caemlyn antes de una hora. Una incursión, ¿verdad, Mat? Una incursión, no una guerra. Le arrancaré el corazón a Rahvin. —Su voz parecía un martillo, y él se sentía como si por las venas le corriera ácido—. Ojalá estuviesen las trece hermanas de Elaida aquí para que vinieran conmigo, y así reducirlo y llevarlo ante la justicia. Juzgarlo y ahorcarlo por asesino. Eso sí sería hacer justicia. Pero tendrá que morir de cualquier modo que pueda matarlo yo.

—Mañana —adujo Moraine suavemente.

Rand la miró iracundo, pero la mujer tenía razón. Mañana sería mejor; dejar pasar una noche para que se amortiguara su cólera. Tenía que tener la cabeza muy fría a la hora de enfrentarse a Rahvin. Ahora deseaba aferrar el *Saidin* y descargar su ira, destruir algo. La música de Asmodean había cambiado de nuevo a una canción que los músicos callejeros de la ciudad habían tocado durante la guerra civil: *El tonto que creía ser un rey*.

—Vete, Natael. ¡Fuera!

Asmodean se enderezó sin brusquedad e hizo una reverencia, pero su rostro estaba tan blanco como la nieve y cruzó la sala rápidamente, como si temiera lo que podía ocurrir de un momento a otro. Siempre azuzaba, pero quizás esta vez había ido demasiado lejos.

—Te veré esta noche —le dijo Rand mientras el Renegado abría la puerta—. O me ocuparé de que no veas de nuevo la luz del día.

La reverencia de Asmodean no resultó tan grácil y elegante esta vez.

—Como ordene mi señor Dragón —respondió con voz enronquecida, y se apresuró a cerrar la puerta tras de sí.

Las tres mujeres miraron a Rand, impasibles, sin pestañear.

—Y el resto idos también. —Al ver que Mat saltaba prácticamente hacia la puerta, lo detuvo—. Tú no. Todavía tengo que decirte algunas cosas.

Mat se frenó de golpe, soltó un sonoro suspiro y toqueteó el medallón de plata. Era el único que se había movido.

—No tienes trece Aes Sedai —dijo Aviendha—, pero sí dos. Y me tienes a mí. No sabré tanto como Moraine Sedai, pero soy tan fuerte como Egwene y estoy familiarizada con la danza. —Se refería a la danza de las lanzas, como los Aiel llamaban a la batalla.

—Rahvin es mío —contestó en tono quedo. Tal vez Elayne podría perdonarlo un poco si al menos vengaba a su madre. Probablemente no, pero quizá sí podría perdonarse a sí mismo. Un poco. Se obligó a dejar las manos relajadas a los costados, sin apretar los puños.

—¿Trazarás una línea en el suelo para que la sobrepase? —inquirió Egwene—. ¿O te pondrás una astilla sobre el hombro desafiándolo a que te la quite? ¿Has pensado que Rahvin posiblemente no esté solo si se ha proclamado rey de Andor? De mucho te serviría si, al aparecer, uno de sus guardias te atraviesa el corazón con una flecha.

Rand recordaba haber deseado muchas veces que la joven no le gritara, pero había sido mucho más fácil aguantar sus gritos que esta calma de ahora.

—¿Crees que me propongo ir solo? —Eso era exactamente lo que había pensado hacer; no se le había pasado por la cabeza llevarse a alguien para guardarle la espalda, aunque ahora escuchó un quedo susurro dentro de su cabeza: «Le gusta atacar por detrás o por los flancos». Resultaba difícil pensar con claridad; la ira parecía tener vida propia atizando el fuego que la mantenía en ebullición—. Pero vosotras dos no vendréis. Esto es peligroso. Moraine puede venir si quiere.

Egwene y Aviendha no se miraron antes de adelantarse, aunque lo hicieron a la par y sin detenerse hasta que se encontraron tan cerca de él que incluso Aviendha tuvo que echar la cabeza hacia atrás para mirarlo.

—Así que Moraine puede ir si quiere —manifestó Egwene.

Si su voz era puro hielo, la de Aviendha sonó como lava ardiente:

—Pero es demasiado peligroso para nosotras.

—¿Te has convertido en mi padre? ¿Te llamas Bran al'Vere?

—Si tienes tres lanzas, ¿desechas dos porque están recién hechas?

—No quiero exponeros a ese riesgo —replicó él, tajante.

—¿De veras? —fue cuanto comentó Egwene, que enarcó las cejas.

—Yo no soy tu *gai'shain.* —Aviendha le enseñó los dientes—. No eres tú quien tiene que decidir qué riesgos he de correr, Rand al'Thor. Ni lo decidirás nunca. Que te quede bien claro.

Podría... ¿Qué? ¿Envolverlas con el *Saidin* y dejarlas? Todavía no sabía cómo aislarlas de la Fuente, de modo que entraba dentro de lo posible que las jóvenes hicieran lo mismo con él. Bonito lío, y todo porque eran obstinadas como mulas.

—Has pensado en la posibilidad de que haya guardias —intervino

Moraine—, pero ¿y si quien está con Rahvin es Semirhage o Graendal? ¿O Lanfear? Estas dos podrían vencer a uno de su calaña, pero ¿serías capaz de enfrentarte tú solo a ella y a Rahvin juntos?

Hubo un timbre extraño en su voz cuando pronunció el nombre de Lanfear. ¿Tenía miedo de que si la Renegada estaba allí él acabaría uniéndose a ella? ¿Lo haría si la encontraba? ¿Y qué podía hacer?

—Está bien, que vengan —aceptó finalmente con los dientes apretados—. Y ahora ¿queréis marcharos?

—Como ordenes —repuso Moraine, pero no obedecieron con presteza. Aviendha y Egwene se ajustaron ostentosa y minuciosamente los chales antes de echar a andar hacia la puerta. Los lores y ladis correrían si se lo mandaba, pero no ellas.

—No has intentado convencerme de que no lleve esto a cabo —dijo bruscamente.

Sus palabras iban dirigidas a Moraine, pero Egwene se adelantó, aunque hablando con Aviendha, sonriente:

—Impedir que un hombre haga lo que quiere es como quitarle un caramelo a un niño. A veces hay que hacerlo, pero otras veces no merece la pena tomarse la molestia.

Aviendha sintió con la cabeza.

—La Rueda gira según sus designios —fue la respuesta de Moraine. Estaba plantada en el umbral y parecía más Aes Sedai de lo que Rand recordaba haberla visto nunca, con el rostro intemporal, los oscuros ojos profundos como pozos que podían tragar a quien fuera, ligera y esbelta pero tan regia que podría haber dado órdenes a un regimiento de soberanas aunque no supiera encauzar una mínima chispa de Poder. Aquella gema azul que pendía sobre su frente volvía a resplandecer—. Lo harás bien, Rand.

Él siguió contemplando fijamente la puerta mucho después de que se hubiese cerrado tras ellas.

Fue el roce de unas botas en el suelo lo que le recordó la presencia de Mat. Su amigo intentaba escabullirse hacia la salida, moviéndose muy lentamente como para que no lo viera.

—Necesito hablar contigo, Mat.

El joven se encogió. Sin dejar de tocar el medallón de la cabeza de zorro como si fuese un talismán, se volvió para mirar a Rand.

—Si crees que voy a poner la cabeza en el tajo sólo porque esas estúpidas mujeres lo han hecho, ya puedes olvidarte. No soy un jodido héroe, y no quiero llegar a serlo. Morgase era una bonita mujer, incluso me caía bien, hasta donde puede caerme bien una reina, pero Rahvin es Rahvin, maldita sea, y yo...

—Cállate y escucha. Tienes que dejar de huir.

—¡Que me abrase si lo hago! Éste no es un juego en el que yo haya elegido participar, y no voy a...

—¡He dicho que te calles! —Rand apretó fuertemente la cabeza de zorro contra el pecho de Mat empujando con el índice—. Sé dónde conseguiste esto. Estaba allí, ¿recuerdas? Yo corté la cuerda de la que estabas colgado. No sé exactamente qué fue lo que te metieron a la fuerza en la cabeza; pero, sea lo que sea, lo necesito. Los jefes de clan son expertos en la guerra, pero de algún modo tú también lo eres, y quizá mejor que ellos. ¡Eso es lo que necesito! Así que esto es lo que vais a hacer, tú y tu Compañía de la Mano Roja. Atiende...

—Tened cuidado mañana —dijo Moraine.

Egwene se detuvo delante de la puerta de su dormitorio.

—Pues claro que lo tendremos. —Tenía el estómago dándole brincos, pero mantuvo un tono tranquilo—. Sabemos lo peligroso que será enfrentarse a uno de los Renegados.

Por la expresión de Aviendha habríase dicho que estaban hablando de lo que había de cena. Claro que ella nunca tenía miedo de nada.

—Así que lo sabéis —murmuró la Aes Sedai—. De todos modos, tened cuidado, tanto si creéis que uno de los Renegados anda cerca como si no. Rand os necesitará a las dos en los próximos días. Sabéis cómo controlar su genio, aunque he de admitir que vuestros métodos son muy peculiares. Necesitará personas que no se aparten de él ni se amilanen por sus estallidos de furia, que le digan lo que debe oír en lugar de lo que creen que quiere oír.

—Eso ya lo hacéis vos, Moraine —respondió Egwene.

—Desde luego. Pero aun así seguirá necesitándoos. Descansad bien. Mañana será un día... difícil para todos nosotros. —Se alejó corredor abajo, pasando de manera alternativa por zonas iluminadas por lámparas y por otras en penumbra. La noche iba adueñándose ya de estos corredores sombríos, y el aceite era un bien escaso.

—¿Quieres quedarte un rato conmigo, Aviendha? —preguntó Egwene—. Me apetece más charlar que comer.

—He de informar a Amys de lo que me he comprometido a hacer mañana. Y tengo que estar en el dormitorio de Rand al'Thor cuando llegue él.

—Elayne no podrá quejarse de que no has vigilado a Rand estrechamente. ¿De verdad arrastraste de los pelos a lady Berewin por el corredor?

—¿Crees que esas Aes Sedai de... Salidar lo ayudarán? —preguntó a su vez en lugar de contestar. Un leve rubor le teñía las mejillas.

—Ten cuidado con ese nombre, Aviendha. No podemos permitir que Rand se encuentre con ellas sin preparación. —Tal y como estaba Rand ahora, lo que seguramente harían sería amansarlo o, al menos, enviar a trece hermanas de las suyas en vez de ayudarlo. Tendría que hacer de mediadora entre ellos, junto con Nynaeve y Elayne, desde el *Tel'aran'rhiod* y confiar en que esas Aes Sedai se hubiesen comprometido demasiado para echarse atrás cuando descubriesen cuán al borde de la locura estaba Rand.

—Lo tendré. Que descanses bien. Y come algo esta noche, pero mañana por la mañana no pruebes bocado. No conviene danzar las lanzas con el estómago lleno.

Egwene la siguió con la mirada mientras se alejaba pasillo adelante y después se apretó el estómago con las manos. Dudaba que fuera capaz de comer nada ni esa noche ni al día siguiente. Rahvin. Y quizá Lanfear o alguno de los otros. Nynaeve se había enfrentado a Moghedien y la había derrotado, pero Nynaeve era más fuerte que ella y que Aviendha cuando era capaz de encauzar. A lo mejor no había ningún otro. Rand afirmaba que los Renegados no se fiaban los unos de los otros. Casi deseó que se equivocara o al menos que no estuviese tan seguro. Era aterrador cuando le daba la impresión de que veía a otro hombre al mirarlo a los ojos, que oía salir de sus labios las palabras de otro hombre. No tendría que sentirse así; todo el mundo renacía a medida que la Rueda giraba. Pero no todo el mundo era el Dragón Renacido. Moraine no quería hablar de ello. ¿Qué haría Rand si Lanfear se encontraba allí? Lanfear había amado a Lews Therin Telamon, pero ¿qué había sentido por ella el Dragón? ¿Cuánto de Rand seguía siendo Rand?

—Acabarás hecha un lío si sigues por ese camino —se increpó con firmeza—. No eres una chiquilla, así que actúa como una mujer.

Cuando una sirvienta le llevó para cenar judías tiernas, patatas y pan recién horneado, se obligó a comer. Le supo a ceniza.

Mat caminó por los pasillos pobremente iluminados del palacio hasta llegar a los aposentos que habían sido reservados para el joven héroe de la batalla contra los Shaido, y abrió la puerta violentamente. No había pasado allí mucho tiempo, más bien todo lo contrario. Algún criado había encendido dos de las lámparas de pie. ¡Héroe! ¡No era un héroe! ¿Qué provecho sacaba un héroe? Una Aes Sedai dándole palmaditas en la cabeza como a un perro antes de mandarlo fuera para que lo hiciese otra vez. Una noble dignándose concederle el favor de un beso o dejar una flor sobre su tumba. Paseó de una punta a otra de la antesala como una fiera enjaulada, por una vez sin calcular el precio de la florida alfombra illiana ni de las sillas y arcones y mesas doradas e incrustadas con marfil.

La acalorada entrevista con Rand se había prolongado hasta la puesta de sol, él evadiéndose, rehusando, y Rand acosándolo tan porfiadamente como Hawkwing tras la completa derrota en la cañada de Cole. ¿Qué podía hacer? Si huía otra vez, a buen seguro que Talmanes y Nalesean lo seguirían con todos los hombres que pudiesen montar a caballo, esperando que los condujera a otra batalla. Cosa que probablemente ocurriría, y eso era lo que realmente le helaba la sangre. Por mucho que odiaba admitirlo, la Aes Sedai tenía razón: o era atraído hacia el combate o era él quien atraía el combate hacia sí. Había intentado por todos los medios evitar un enfrentamiento en la otra orilla del Alguenya; incluso Talmanes había hecho un comentario al respecto. Hasta que la segunda vez que su sigilosa maniobra para esquivar un grupo andoreño los condujo directamente allí donde no había más opción que combatir contra otro. Y todas las veces pudo sentir los dados rodando en su cabeza; ahora era casi como un aviso de que iba a desatarse una batalla justo al remontar la próxima colina.

Siempre quedaba la solución de coger un barco; tenía que haber alguno en los muelles, junto a las gabarras de trigo. Difícilmente podía uno encontrarse metido en una batalla mientras se viajaba en un barco fluvial. Con la salvedad de que los andoreños dominaban una ribera del Alguenya a lo largo de la mitad de su curso o más, corriente abajo. Con la suerte que estaba teniendo, el barco acabaría embarrancado en la orilla occidental, con la mitad del ejército de Andor acampado allí.

Aquello sólo le dejaba la opción de hacer lo que Rand quería. Podía imaginarse la escena.

—Buen día tengáis, Gran Señor Weiramon, y todos los demás Grandes Señores y Señoras. ¡Soy un jugador, un granjero, y estoy aquí para ponerme al mando de vuestro jodido ejército! ¡El puñetero lord Dragón Renacido se reunirá con nosotros tan pronto como resuelva un maldito asuntillo de nada que tiene pendiente!

Cogió bruscamente la lanza de mango negro que estaba recostada en un rincón y la arrojó con todas sus fuerzas. El arma cruzó la habitación hasta la pared opuesta y chocó contra un tapiz —una escena de caza— y la pared de piedra que había detrás con un fuerte golpe metálico; después se deslizó hasta el suelo y cortó limpiamente en dos a los cazadores. Mascullando juramentos, Mat se apresuró a recogerla. La cuchilla de dos palmos no mostraba ni una mella, ni el menor desperfecto. Pues claro que no; estaba hecha por Aes Sedai. Pasó los dedos sobre los cuervos de la hoja.

—¿Alguna vez me libraré de todo lo relacionado con Aes Sedai?

—¿Qué ha sido ese ruido? —preguntó Melindhra desde la puerta.

Mat la miró mientras dejaba la lanza apoyada contra la pared y, por primera vez, no pensó en un cabello dorado como el trigo ni en unos ojos de color azul claro ni en un cuerpo firme. Por lo visto todos los Aiel iban al río antes o después para contemplar en silencio tanta cantidad de agua en un solo sitio, pero Melindhra iba allí a diario.

—¿Ha encontrado ya Kadere los barcos?

El vendedor ambulante se negaba a ir a Tar Valon en unas barcazas de transporte de grano.

—Las carretas del buhonero siguen allí. No he oído nada acerca de... barcos. —La mujer pronunció torpemente la palabra que le era extraña—. ¿Por qué quieres saberlo?

—Me marcho durante algún tiempo. Por Rand —se apresuró a añadir. El semblante de la mujer estaba demasiado impasible—. Te llevaría conmigo si pudiera, pero no querrás separarte de las Doncellas. —¿En un barco o en su propio caballo? ¿Y hacia dónde? Ésa era la cuestión. Podía llegar a Tear más deprisa en un barco fluvial veloz que con *Puntos*. Si es que era tan imbécil como para hacer esa elección. Y si es que tenía opción de elegir.

Los labios de Melindhra se apretaron brevemente; pero, para sorpresa de Mat, el gesto de irritación no era porque iban a separarse.

—Así que vuelves a ponerte a la sombra de Rand al'Thor. Has obtenido mucho honor personal entre los Aiel así como entre los hombres de las tierras húmedas. Tu honor, no un reflejo del honor del *Car'a'carn.*

—Por mí, puede quedarse con su honor y llevárselo a Caemlyn o a la Fosa de la Perdición. No te preocupes, que encontraré honor de sobra. Te escribiré sobre ello desde Tear. —¿Tear? Si hacía esa elección jamás escaparía de Rand ni de las Aes Sedai.

—¿Es que él va a Caemlyn?

Mat reprimió un gesto de rabia. Se suponía que no tenía que hablar de eso con nadie. Decidiese lo que decidiese respecto a todo lo demás, al menos eso sí que lo haría.

—Sólo dije un nombre al azar. Supongo que ha sido por los andoreños con los que topamos al sur. ¿Cómo quieres que sepa dónde demonios piensa...?

No hubo advertencia. En un instante la mujer estaba plantada delante de él y al siguiente su pie derecho se estrellaba en el plexo solar de

Mat, dejándolo sin aliento y doblado por la cintura. Con los ojos desorbitados, el joven se debatió para sostenerse de pie, para enderezarse, para pensar. ¿Por qué? La Aiel giró como una bailarina, hacia atrás, y el impacto de su otro pie contra la sien lo hizo tambalearse. Sin mediar pausa, Melindhra saltó en el aire al tiempo que lanzaba una patada, y la suave suela de la bota lo alcanzó de lleno en la cara.

Cuando los ojos de Mat se aclararon lo suficiente para ver, se encontró tendido de espaldas, en mitad de la habitación, apartado de ella. Se notaba sangre en la cara, tenía la impresión de que su cabeza estuviera rellena de algodón y la habitación daba vueltas a su alrededor. Fue entonces cuando la vio sacar un cuchillo de su bolsa, una hoja fina y no más larga que su mano, que brilló a la luz de las lámparas. Se enrolló el *shoufa* a la cabeza con un grácil movimiento y levantó el velo negro, cubriéndose el rostro.

Aturdido, Mat se movió instintivamente, sin pensar. La daga salió de su manga y abandonó su mano izquierda como si flotara en una masa de gelatina. Sólo entonces se dio cuenta de lo que había hecho y extendió desesperadamente la mano hacia adelante, intentando recuperar el arma.

La hoja se hundió entre los senos de la mujer; vio que se le doblaban las rodillas y que caía hacia atrás.

Mat se incorporó trabajosamente, sosteniéndose sobre las manos y las rodillas; habría sido incapaz de ponerse de pie aunque en ello le fuera la vida, pero se arrastró hacia ella mientras murmuraba con desesperación:

—¿Por qué? ¿Por qué?

Le retiró violentamente el velo de la cara y aquellos ojos de color azul claro se enfocaron en él. La mujer llegó incluso a sonreírle. Mat no miró la empuñadura de la daga, alojada en el pecho de la Aiel. La empuñadura de su daga. Sabía muy bien dónde estaba el corazón.

—¿Por qué, Melindhra?

—Siempre me gustaron tus bonitos ojos —susurró ella con una voz tan débil que Mat tuvo que esforzarse para escucharla.

—¿Por qué?

—Algunos juramentos son más importantes que otros, Mat Cauthon. —La fina hoja del cuchillo se alzó repentinamente, impulsada con toda la fuerza que le restaba a la mujer, y la punta empujó la cabeza de zorro contra su pecho. El medallón de plata no tendría que haber frenado una puñalada, pero el ángulo del golpe debía de ser muy forzado y alguna falta oculta en la hoja de acero provocó que se partiera justo a la altura de la empuñadura en el momento en que Mat le cogía la mano.

—En verdad tienes la suerte del Gran Señor.

—¿Por qué? —demandó—. ¿Por qué, maldita sea?

Sabía que no obtendría respuesta. La boca de Melindhra permaneció abierta, como si fuera a decir algo más, pero sus ojos ya se estaban poniendo vidriosos. Mat hizo intención de subir de nuevo el velo para cubrirle la cara y los ojos abiertos, pero dejó caer la mano. Había matado hombres y trollocs, pero nunca a una mujer. Nunca hasta entonces. Las mujeres se alegraban cuando entraba en sus vidas, y no era jactancia. Le sonreían, incluso cuando las dejaba; le sonreían como diciéndole que sería bien recibido si volvía. Eso era todo lo que siempre quiso realmente de las mujeres: una sonrisa, un baile, un beso y que lo recordaran con cariño.

Se dio cuenta de que sus pensamientos eran incongruentes. Arrancó la empuñadura sin cuchilla de la mano de Melindhra —era de jade engarzado en oro, con abejas doradas incrustadas— y la arrojó contra el hogar de mármol esperando que se hiciese pedazos. Quería gritar, chillar a pleno pulmón. «¡Yo no mato mujeres! ¡Las beso, no las...!»

Tenía que pensar con claridad. ¿Por qué lo había atacado? Desde luego no lo había hecho porque se marchase. Apenas había reaccionado ante esa noticia. Además, ella creía que iba en busca de honor; siempre aprobó tal cosa. Algo que había dicho Melindhra se insinuó en lo más recóndito de su mente y por fin emergió con toda claridad, provocándole un escalofrío. La suerte del Gran Señor. Había oído lo mismo muchas veces, pero dicho de manera diferente: la suerte del Oscuro. «Una Amiga Siniestra.» ¿Era una pregunta o una certeza? Ojalá que esa idea sirviera para que su mente soportara mejor lo que había hecho. Iba a recordar el rostro de Melindhra hasta la tumba.

Tear. Le había dicho sólo que iba a Tear. La daga. Abejas doradas incrustadas en jade. Apostaría a que había nueve sin necesidad de contarlas. Nueve abejas doradas sobre campo verde. El emblema de Illian. Donde gobernaba Sammael. ¿Es que Sammael le temía? ¿Cómo iba a saberlo el Renegado? Sólo hacía unas pocas horas que Rand le había pedido —le había dicho— que fuera allí y ni siquiera él mismo sabía con certeza lo que iba a hacer. Tal vez Sammael no quería correr ningún riesgo. Sí, justo. Uno de los Renegados tenía miedo de un jugador, por muchos conocimientos sobre batallas de otro hombre que tuviera amontonados en la cabeza. Eso era ridículo.

Todo se reducía a esto. Podía creer que Melindhra no había sido una Amiga Siniestra, que había decidido matarlo en un ciego impulso, que no había relación entre una empuñadura de jade con incrustaciones de abejas doradas y su posible marcha a Tear para dirigir un ejército contra

Illian. Podría creerlo si fuese un cretino, un tonto de capirote. Más valía pecar de precavido, como decía siempre. Uno de los Renegados se había fijado en él. Ciertamente ahora no estaba a la sombra de Rand.

Se arrastró por el suelo y fue a sentarse recostado contra la puerta, con la barbilla apoyada en las rodillas dobladas, contemplando fijamente el rostro de Melindhra, tratando de decidir qué hacer. Cuando una criada llamó y anunció que le llevaba la cena, la despidió con cajas destempladas. Comer era lo que menos le apetecía en ese momento. ¿Qué iba a hacer? Ojalá no sintiera los dados rodando dentro de su cabeza.

52

Elección de alternativas

Rand soltó la navaja de afeitar, se limpió los restos de jabón de la cara y empezó a atar las lazadas de la camisa. Las primeras luces del día penetraban a través de los arcos cuadrados que conducían al balcón de su dormitorio; se habían colgado ya las pesadas cortinas de invierno, pero estaban atadas a los lados para dejar pasar el aire. Estaría presentable cuando matara a Rahvin. La idea encendió un chispazo de cólera que se retorció en sus entrañas, pero se obligó a extinguirlo. Estaría presentable y tranquilo. Frío. Nada de errores.

Cuando le dio la espalda al espejo de marco dorado, vio a Aviendha sentada en su petate extendido contra la pared, debajo de un tapiz que representaba unas torres doradas increíblemente altas. Rand le había ofrecido poner otra cama en la habitación, pero la muchacha manifestó que los colchones resultaban demasiado blandos para dormir. Lo estaba observando intensamente, con la camisola sujeta en una mano, olvidada. Él había tenido buen cuidado en no volverse mientras se afeitaba y así darle tiempo para que se vistiera, pero aparte de las medias blancas no llevaba puesto nada encima.

—Yo jamás te avergonzaría delante de otros hombres —dijo de repente.

—¿Avergonzarme? ¿A qué te refieres?

Se puso de pie en un grácil movimiento. Su piel estaba sorprendentemente pálida allí donde el sol no la había tocado; tenía un cuerpo esbelto, de firmes músculos, pero con redondeces y tersuras que atormentaban sus sueños. Ésta era la primera vez que se había permitido mirarla abiertamente cuando ella hacía ostentación de su desnudez, pero la joven no parecía ser consciente de ello. Aquellos grandes ojos, tan verdes, estaban clavados en los suyos.

—No le pedí a Sulin que incluyese a Enaila ni a Somara ese primer día después de la batalla. Ni tampoco les pedí que estuvieran pendientes de ti ni que hiciesen nada si te fallaban las fuerzas. Lo hicieron inducidas por su interés y preocupación por ti.

—No, claro. Sólo dejaste que creyera que intentarían llevarme de vuelta como a un bebé si flaqueaba. Una sutil diferencia.

Su tono irónico pareció resbalar sobre ella sin afectarla.

—Con ello conseguí que tuvieses cuidado cuando te hizo falta.

—Entiendo —repuso secamente—. Bien, en cualquier caso, agradezco tu promesa de no avergonzarme.

—Yo no he dicho tal cosa, Rand al'Thor. —La joven sonrió—. Lo que dije es que no te avergonzaría delante de otros hombres. Aunque, si lo requieres, por tu propio bien... —Su sonrisa se acentuó.

—¿Es que piensas venir así? —Gesticuló con irritación, abarcando su figura desde la cabeza a los pies.

Nunca había tenido el más mínimo empacho en estar desnuda delante de él —todo lo contrario— pero bajó la vista hacia sí misma, después volvió a mirarlo a él, que seguía contemplándola, y se sonrojó. De repente se convirtió en un torbellino de oscura lana marrón y blanco *algode,* cubriéndose con sus ropas tan rápidamente que Rand se preguntó si no estaría encauzando para vestirse.

—¿Ya lo has dispuesto todo? —la oyó preguntar en medio del revuelo de ropas—. ¿Has hablado con las Sabias? Anoche te acostaste tarde. ¿Quién más nos acompaña? ¿A cuántos puedes trasladar? Espero que no venga ningún habitante de las tierras húmedas. No puedes fiarte de ellos, en especial de los Asesinos del Árbol. ¿De verdad nos puedes transportar hasta Caemlyn en una hora? ¿Es algo como lo que hice la noche que...? Lo que quiero decir es que cómo lo harás. No me gusta tener que confiar mi seguridad en cosas que no sé y que no entiendo.

—Todo está arreglado, Aviendha. —¿A qué venía tanta cháchara? ¿Y por qué rehuía sus ojos?

Rand se había reunido con Rhuarc y con los otros jefes que seguían cerca de la ciudad; en realidad no les gustó su plan, pero lo entendieron dentro del ámbito del *ji'e'toh* y todos pensaron que no tenía otra opción. Lo discutieron rápidamente, lo acordaron todo y después se pusieron a charlar de otras cosas, nada relacionado con Renegados ni Illian ni batallas, sino de mujeres, de caza, de si el brandy cairhienino tenía comparación con el *oosquai*, o el tabaco de las tierras húmedas con el que se cultivaba en el Yermo. Durante una hora Rand casi olvidó lo que les aguardaba. Esperaba que la Profecía de Rhuidean estuviese equivocada en algunas cosas y que él no destruyera a estos hombres. Una delegación de Sabias, más de cincuenta, fueron a verlo alertadas por Aviendha y dirigidas por Amys, Melaine y Bair, o quizá por Sorilea. Con las Sabias a menudo resultaba difícil discernir quién estaba al mando. No acudieron para convencerlo de que no llevara a cabo su propósito —de nuevo el *ji'e'toh*— sino para asegurarse de que entendía bien que su obligación para con Elayne no tenía más peso que su obligación para con los Aiel, y lo retuvieron en la sala de audiencias hasta que obtuvieron una respuesta satisfactoria por parte de él. Sólo había dos opciones: o hacer lo que le pedían o levantarlas en vilo literalmente para apartarlas y llegar hasta la puerta. Cuando querían, esas mujeres eran tan expertas en hacer caso omiso de los gritos como había llegado a serlo Egwene.

—Descubriremos a cuántos puedo trasladar cuando lo intente —añadió Rand—. Sólo vendrán Aiel. —Con suerte, Mellan, Maringil y el resto no se enterarían de su marcha hasta después que se hubiese ido. Si la Torre tenía espías en Cairhien, quizá los Renegados también los tenían. Además ¿cómo iba a fiarse de que guardaran en secreto nada unas personas que eran incapaces de ver salir el sol sin intentar utilizar ese hecho en el *Daes Dae'mar*?

Para cuando se hubo puesto la chaqueta roja con bordados de oro, una prenda de fina lana muy adecuada en esta época del año para un palacio real, tanto en Caemlyn como en Cairhien —la idea le hizo gracia aunque en realidad no tenía nada de divertido—, Aviendha casi había acabado de vestirse. A Rand no dejaba de asombrarle que fuera capaz de vestirse tan deprisa y que todo quedara perfectamente en su sitio.

—Una mujer vino anoche cuando estabas ausente.

¡Luz! Había olvidado a Colavaere.

—¿Qué hiciste?

Aviendha hizo una pausa para atarse las lazadas de la blusa mientras sus ojos lo observaban con tal fijeza que parecían querer taladrarle el cráneo, pero cuando habló su voz sonó indiferente:

—La acompañé a sus aposentos, donde charlamos durante un rato. No habrá más revoloteo de faldas cairhieninas a la entrada de tu tienda, Rand al'Thor.

—Vaya, justo el resultado que buscaba, Aviendha. ¡Luz! ¿Le hiciste mucho daño? No puedes ir por ahí vapuleando damas. Esta gente ya me causa problemas suficientes para que vengas tú a provocar más.

La joven resopló desdeñosa y continuó anudando lazadas.

—¡Damas! Una mujer es una mujer, Rand al'Thor. A menos que sea una Sabia —agregó juiciosamente—. Ésa tendrá que sentarse con mucho cuidado hoy, pero no se le verán los cardenales, y con un día de descanso podrá abandonar sus aposentos. Y ahora sabe con exactitud cómo están las cosas. Le dije que si volvía a causarte más molestias, cualquier tipo de molestias, volvería a sostener otra charla con ella. Una mucho más larga. Hará lo que le digas y cuando lo digas. Será un ejemplo para los demás. Los Asesinos del Árbol no entienden otro lenguaje.

Rand suspiró. No era precisamente el método que habría elegido ni habría sido capaz de utilizar, pero a lo mejor funcionaba. O tal vez lo que conseguía era que Colavaere y los demás actuaran con más astucia y malicia de ahora en adelante. Quizás a Aviendha no le preocupaban las repercusiones contra ella —de hecho, a Rand le sorprendería que la joven se hubiese planteado siquiera tal posibilidad—, pero existía una gran diferencia entre una mujer que era Cabeza Insigne de una casa y una joven noble de rango inferior. Fueran cuales fuesen las consecuencias para él, Aviendha podría verse asaltada en algún callejón oscuro y recibir multiplicado por diez lo que le había hecho a Colavaere, si no algo peor.

—La próxima vez, deja que sea yo quien solucione los asuntos que me conciernen a mi manera. Soy el *Car'a'carn*, recuerda.

—Tienes jabón de afeitar en una oreja, Rand al'Thor.

Mascullando entre dientes, Rand cogió bruscamente la toalla de rayas.

—¡Adelante! —bramó al sonar una llamada en la puerta.

Asmodean entró; llevaba una chaqueta de terciopelo negro con encajes blancos en el cuello y en los puños. El estuche del arpa iba colgado a su espalda, y una espada en su cadera. A juzgar por la frialdad de su semblante, habríase dicho que era invierno, pero sus oscuros ojos traslucían una gran cautela.

—¿Qué quieres, Natael? —demandó—. Te di tus instrucciones anoche.

Asmodean se humedeció los labios y echó una rápida ojeada a Aviendha, que lo observaba con el ceño fruncido.

—Sabias instrucciones. Supongo que podría descubrir algo que os sea provechoso quedándome aquí y observando, pero de lo único que se habla esta mañana es de los chillidos que se oyeron anoche en los aposentos de lady Colavaere. Se comenta que incurrió en el desagrado del lord Dragón, aunque nadie parece saber bien cómo. Esa incertidumbre hace que todo el mundo camine de puntillas hoy. Dudo que nadie respire siquiera en los próximos días sin preguntarse antes qué opinará de ello mi señor Dragón.

El rostro de Aviendha era la viva imagen de una insufrible satisfacción consigo misma.

—Así que quieres venir conmigo, ¿no? —dijo suavemente Rand—. ¿Deseas estar a mi espalda cuando me enfrente a Rahvin?

—¿Qué mejor sitio para el bardo del lord Dragón? Aunque todavía sería mejor bajo su vigilante mirada, donde puedo demostrar mi lealtad. No soy fuerte. —La mueca de Asmodean era la lógica en cualquier hombre que admitiese algo así, pero durante un fugaz instante Rand percibió el *Saidin* llenando al otro hombre, sintió la infección que crispó la boca de Asmodean. Sólo fue un instante, pero bastó para que él calculara. Si Asmodean había absorbido todo lo que podía, andaría muy escaso para igualar incluso a una Sabia capaz de encauzar—. Pero, aunque no sea fuerte, quizá pueda ayudar en algo, por poco que sea.

Rand deseó poder ver el escudo que Lanfear había urdido. La Renegada había dicho que se disiparía con el tiempo, pero por las apariencias Asmodean sólo era capaz de encauzar de manera tan limitada como el primer día que había estado en manos de Rand. A lo mejor Lanfear había mentido para darle falsas esperanzas a Asmodean y para hacerle creer a él que el otro hombre adquiriría la fuerza suficiente para enseñarle más de lo que jamás estaría a su alcance. «Sería muy propio de ella.» No sabía de cierto si la idea era suya o de Lews Therin, pero lo que no le cabía duda es que era cierto. La larga pausa hizo que Asmodean se lamiera de nuevo los labios.

—Un día o dos no cambiará nada aquí —dijo el Renegado—. Para entonces estaréis de vuelta o habréis muerto. Dejad que demuestre mi lealtad. Quizá pueda hacer algo. El peso añadido de una pluma podría inclinar la balanza a vuestro favor. —De nuevo el *Saidin* fluyó dentro de él, sólo durante un momento. Rand percibió una sensación de esfuerzo, pero seguía siendo un débil flujo—. Sabéis lo limitado de mis opciones. Estoy aferrado a ese puñado de hierba, al borde del precipicio, rogando que aguante un instante más. Si fracasáis, me aguarda algo peor que la muerte. He de procurar que venzáis y que sigáis vivo. —De repente miró a Aviendha como si acabara de darse cuenta de que quizás había dicho demasiado. Su risa fue un sonido hueco—. En caso contrario, ¿cómo voy a componer los cantos sobre la gloria del lord Dragón? Un bardo debe tener material con el que trabajar. —El calor nunca lo afectaba, según él, gracias a un truco de la mente, no al Poder, pero ahora su frente estaba perlada de sudor.

¿Tenerlo bajo su vigilancia o dejarlo atrás? De hacer esto último a lo mejor huía buscando un escondrijo cuando empezara a preguntarse qué estaba ocurriendo en Caemlyn. Asmodean seguiría siendo el mismo hasta que muriese y volviese a renacer, y puede que incluso después.

—Bajo mi vigilancia —musitó Rand—. Y si sospecho aunque sólo sea por un momento que esa pluma va a caer en el platillo contrario...

—Me pongo en manos del lord Dragón con plena confianza en su clemencia —murmuró Asmodean a la par que inclinaba la cabeza—. Con la venia del señor Dragón, esperaré fuera.

Rand recorrió con la mirada la habitación mientras el otro hombre salía, caminando hacia atrás y todavía inclinado en una reverencia. Vio su espada sobre el arcón forrado con pan de oro que había a los pies de la cama; el talabarte con la hebilla en forma de dragón estaba enrollado alrededor de la vaina y del fragmento de lanza seanchan. La muerte de ese día no se llevaría a cabo con cuchilla de acero, al menos por su parte. Tanteó uno de los bolsillos y notó la dura forma tallada del gordo hombrecillo con espada; ésa era la única que necesitaba. Por un instante consideró la posibilidad de detenerse en Tear para recobrar a *Callandor*, o incluso en Rhuidean, para recoger lo que había escondido allí. Podría destruir a Rahvin con cualquiera de esas dos cosas antes de que el hombre se diera cuenta de que estaba allí. Y también podría destruir con cualquiera de las dos a la propia Caemlyn. Pero ¿podía fiarse de sí mismo? Tanto poder, tanto Poder Único... El *Saidin* se cernía allí, justo al borde de su campo visual. La infección parecía ser ya parte de él. La ira bullía en su interior, a punto de rebosar, contra Rahvin, contra sí mismo. Si se desbordaba mientras empuñaba aunque sólo fuera a *Callandor*... ¿Qué haría? Sería invencible. Y, con lo otro, podría ir incluso hasta el mismísimo Shayol Ghul, poner fin a todo de una vez, consumarlo de un modo u otro. De un modo u otro. No. No estaba solo en esto. Sólo podía permitirse la victoria.

—El mundo descansa sobre mis hombros —musitó. De repente soltó un chillido y se llevó la mano a la nalga izquierda. Era como si le hubiesen clavado una aguja en el trasero, pero no le hizo falta reparar en la piel de gallina que empezaba a desaparecer en sus brazos para saber lo que había ocurrido—. ¿A qué ha venido eso? —le gruñó a Aviendha.

—Sólo para ver si el lord Dragón todavía es de carne y hueso como el resto de nosotros, los pobres mortales.

—Pues lo soy —replicó, tajante, y aferró el *Saidin,* con toda su dulzura y toda su infección, justo lo suficiente para encauzar brevemente.

La muchacha abrió mucho los ojos, pero no se encogió y se limitó a mirarlo como si no hubiese ocurrido nada en absoluto. Empero, mientras cruzaban la antesala, se frotó furtivamente la nalga cuando creía que él miraba al otro lado. Por lo visto también ella era de carne y hueso. «Condenada chica. Y yo que pensaba que le había enseñado un poco de buenos modales.»

Abrió la puerta y al salir se detuvo, sorprendido. Mat estaba allí, apoyado en su extraña lanza y con el sombrero de ala ancha bien calado, a cierta distancia de Asmodean, pero no era eso lo que tenía desconcertado a Rand. No había Doncellas. Tendría que haber imaginado que pasaba algo raro cuando Asmodean entró sin ser anunciado antes. Aviendha miró en derredor sin salir de su sorpresa, como si esperara encontrarlas detrás de uno de los tapices.

—Melindhra intentó matarme anoche —anunció Mat, y Rand dejó de pensar en las Doncellas—. En un momento estábamos hablando y al siguiente intentaba arrancarme la cabeza de un puntapié.

Mat relató lo ocurrido en frases cortas. La daga con las abejas doradas. Sus conclusiones. Cerró los ojos cuando contó cómo había terminado todo —un simple, escueto: «La maté»— y volvió a abrirlos enseguida, como si contemplase algo tras los párpados que prefería no ver.

—Lamento que tuvieras que hacer eso —musitó Rand, y su amigo se encogió de hombros tristemente.

—Mejor ella que yo, supongo. Era una Amiga Siniestra. —Lo dijo como si ello no cambiara mucho las cosas.

—Ajustaré cuentas con Sammael. Tan pronto como esté preparado.

—¿Y cuántos quedarán todavía?

—Los Renegados no están aquí —espetó Aviendha—. Y tampoco las Doncellas Lanceras. ¿Dónde se han metido? ¿Qué has hecho, Rand al'Thor?

—¿Yo? Anoche había veinte aquí mismo, cuando vine a acostarme, y desde entonces no he visto a ninguna.

—Quizá sea por lo que Mat... —empezó Asmodean, y enmudeció cuando el aludido lo miró, la boca tirante en una mueca de dolor y el aire de estar más que dispuesto a emprenderla a golpes con algo.

—No seáis absurdos —manifestó Aviendha con voz firme—. Las *Far Dareis Mai* no exigirían *toh* a Mat Cauthon por algo así. Ella intentó matarlo, y él acabó con ella. Ni siquiera lo exigiría una medio hermana, si es que tenía alguna. Y nadie demandaría *toh* a Rand al'Thor por lo que hizo otro a menos que se lo hubiese ordenado. Tú personalmente tienes que haber hecho algo, Rand al'Thor, algo tremendo o en caso contrario estarían aquí.

—No he hecho nada —replicó, cortante—. Y no pienso quedarme aquí discutiéndolo. ¿Te has vestido para cabalgar hacia el sur, Mat?

Su amigo metió la mano en el bolsillo de la chaqueta y toqueteó algo. Generalmente guardaba allí sus dados y el cubilete.

—Voy a Caemlyn. Estoy harto de que caigan furtivamente sobre mí. Quiero ser yo quien salte inesperadamente sobre uno de ellos, para variar. Sólo espero conseguir las jodidas palmaditas en la cabeza en lugar de la jodida flor en la tumba —añadió, torciendo el gesto.

Rand no le preguntó qué quería decir con eso. Otro *ta'veren*. Dos juntos para dar un giro a la suerte quizá. Aunque no había modo de saber en qué sentido o siquiera si ocurriría, pero...

—Por lo visto vamos a seguir juntos un poco más. —Mat parecía más resignado que otra cosa.

Apenas habían recorrido un corto trecho del pasillo lleno de tapices cuando Moraine y Egwene se encontraron con ellos, las dos caminando codo con codo, despacio, como si lo único que tuviesen planeado ese día fuera dar un paseo por uno de los jardines. Egwene, fríos los ojos y rebosando sosiego, luciendo la Gran Serpiente en el dedo, realmente pasaría por una Aes Sedai a pesar de sus ropas Aiel, el chal y el pañuelo doblado ciñéndole las sienes, mientras que Moraine... Los hilos dorados reflejaban la luz de manera que trazaban finas líneas en la seda azul del vestido. La pequeña gema azul sobre su frente, colgada de la cadena de oro ceñida a las suaves ondas de su cabello oscuro, relucía con tanta intensidad como los enormes zafiros engarzados en oro del collar que lucía alrededor del cuello. Un atuendo difícilmente apropiado para lo que se proponían hacer, aunque Rand, con su chaqueta roja, no estaba en disposición de hacerle ninguna crítica.

Quizá se debía a encontrarse allí, donde en otros tiempos la casa Damodred había ocupado el Trono del Sol, pero lo cierto es que el porte de la Aes Sedai era el más regio que Rand recordaba en ella. Ni siquiera la presencia de «Jasin Natael» echó a perder aquella majestuosa serenidad con un gesto de sorpresa, aunque, cosa sorprendente, dedicó a Mat una cálida sonrisa.

—De modo que también vienes, Mat. Aprende a confiar en el Entramado. No despilfarres la vida intentando cambiar lo que no puede cambiarse. —A juzgar por la cara de Mat, muy bien podría estar planteándose el cambiar de parecer no sólo sobre acompañarlos sino con estar siquiera allí, pero la Aes Sedai le dio la espalda sin la menor señal de preocupación—: Esto es para ti, Rand.

—¿Más cartas? —se extrañó él. Una llevaba su nombre escrito con una caligrafía elegante que reconoció de inmediato—. ¿Tuya, Moraine?

—La otra estaba a nombre de Thom Merrilin. Las dos habían sido selladas con cera azul y, al parecer, con el sello de la Gran Serpiente, impresa la imagen del ofidio mordiéndose su propia cola—. ¿Por qué me has escrito una carta? Y sellada. Nunca has tenido miedo de decir lo que tuvieras que decirme a la cara. Y, por si acaso lo olvido, Aviendha me ha estado recordando que sólo soy de carne y hueso.

—Has cambiado mucho desde aquel muchacho que vi por primera vez a la puerta de la Posada del Manantial. —Su voz era un suave tintineo de campanillas de plata—. No te pareces apenas a él. Ruego por que hayas cambiado lo bastante.

Egwene masculló algo entre dientes, y Rand creyó entender algo así como «Ruego por que no hayas cambiado demasiado». Miraba las cartas con el entrecejo fruncido, como si también se preguntara qué habría escrito en ellas. E igual ocurría con Aviendha.

—Los sellos aseguran la confidencialidad —continuó Moraine en un tono más animado, incluso más alegre—. En la tuya hay cosas sobre las que quiero que medites. No ahora. Cuando tengas tiempo para reflexionar. En cuanto a la de Thom, no conozco otras manos más seguras que las tuyas en las que confiarla. Entrégasela cuando vuelvas a verlo. Y, ahora, hay algo que tienes que ver en los muelles.

—¿En los muelles? —repitió Rand—. Moraine, precisamente esta mañana es cuando tengo menos tiempo para...

—Tengo listos los caballos. Incluso uno para ti, Mat, por si acaso venías al final —lo interrumpió la mujer, que caminaba ya pasillo adelante como si estuviese segura de que irían tras ella.

Egwene vaciló sólo un instante antes de seguirla.

Rand abrió la boca para ordenar a Moraine que volviera sobre sus pasos. Había jurado obedecerlo. Lo que quiera que quisiera enseñarle podría verlo otro día.

—¿Qué perjuicio puede ocasionar una hora de retraso? —dijo Mat. Quizá se estaba replanteando su decisión.

—No sería malo dejaros ver esta mañana —sugirió Asmodean—. Rahvin podría estar al tanto de todo lo que pasa. Si alberga alguna sospecha, si cuenta con espías que os vigilan y escuchan por los ojos de las cerraduras, eso podría tranquilizarlos por hoy.

Rand miró a Aviendha.

—¿Tú también me aconsejas el retraso? —inquirió.

—Te aconsejo que escuches a Moraine Sedai. Sólo los necios no hacen caso de las Aes Sedai.

—¿Qué puede haber en los muelles que sea más importante que Rahvin? —gruñó, y luego sacudió la cabeza. En Dos Ríos había un dicho, aunque ningún hombre lo recitaba si había alguna fémina que pudiera oírlo: «El Creador hizo a la mujer para alegrar los ojos y para dar dolores de cabeza». Ciertamente las Aes Sedai no eran distintas de las demás en este aspecto—. Una hora.

El sol todavía no estaba lo bastante alto para borrar la larga sombra que la muralla de la ciudad arrojaba sobre el embarcadero de piedra donde las carretas de Kadere estaban alineadas, pero aun así el buhonero se enjugaba el sudor de la cara con un pañuelo grande. El calor sólo era responsable en parte de esa transpiración. Los grandes parapetos grises que se extendían hasta el río, a ambos lados de la hilera de muelles, hacían que el embarcadero semejara una descomunal y oscura caja en la que él estuviese atrapado. Aquí sólo había amarradas barcazas anchas, de proas achatadas, para el transporte de grano, y las embarcaciones que había ancladas en el río, esperando su turno para descargar, eran del mismo tipo. Kadere había considerado la idea de escabullirse dentro de una de ellas cuando zarpara, pero ello significaba abandonar casi todo lo que todavía poseía. Aun así, si hubiese pensado que el lento viaje río abajo lo llevaría a cualquier destino que no fuese la muerte, lo habría hecho. Lanfear no había vuelto a aparecer en sus sueños, pero tenía las quemaduras en su pecho para recordarle sus órdenes. La mera idea de desobedecer a uno de los Elegidos lo hacía temblar, aun cuando el sudor le corriera por la cara.

Si supiera de quién podía fiarse; en la medida en que podía fiarse de cualquiera de sus compañeros Amigos Siniestros, se entiende. El último de sus carreteros que había prestado los juramentos había desaparecido dos días atrás, probablemente en una de las gabarras de grano. Todavía no sabía cuál de las mujeres Aiel le había dejado aquella nota por debajo de la puerta del carromato —«No estás solo entre extraños. Se ha elegido un curso para seguir»— aunque en su mente barajaba varias posibilidades. En los muelles había casi tantos Aiel como estibadores; acudían para contemplar el río. Había visto unas cuantas caras más a menudo de lo que parecía razonable, y algunas lo habían observado pensativamente. También lo habían hecho unos pocos cairhieninos, y un lord teariano. En sí mismo, eso no significaba nada, por supuesto, pero si pudiera encontrar unos cuantos hombres con los que trabajar...

Un grupo a caballo apareció en una de las puertas de la muralla, con Moraine y Rand al'Thor a la cabeza, junto con el Guardián de la Aes Sedai; avanzaron entre los carros en los que se descargaba el grano para su distribución y a su paso se alzaban aclamaciones: «¡Gloria al lord Dragón!» y «¡Viva el lord Dragón!» y alguna que otra vez «¡Gloria a lord Matrim!», «¡Gloria a la Mano Roja!».

Por una vez la Aes Sedai se dirigió hacia el final de la hilera de carretas sin dedicar siquiera una mirada de pasada a Kadere, lo que alegró al buhonero. Aun en el caso de que no hubiese sido Aes Sedai, aunque no lo hubiese mirado como si conociera hasta el último rincón oscuro de su alma, preferiría no ver tan de cerca algunas de las cosas con las que la mujer había llenado sus carretas. Ayer por la tarde le había hecho quitar la cubierta de lona que protegía ese marco de piedra roja, extrañamente retorcido, que estaba cargado en la carreta inmediatamente posterior a su carromato. Parecía sentir un perverso regocijo en obligarlo a ayudarla con lo que quiera que deseara examinar. Habría vuelto a tapar aquella cosa si hubiese soportado acercarse a ella o hubiera logrado convencer a cualquiera de sus carreteros para que lo hiciera. Ninguno de los que trabajaban para él ahora había visto a Herid a punto de caer a través del marco y desaparecer de cintura para arriba —Herid fue el primero en huir una vez que cruzaron el Jangai; el pobre hombre no había estado muy bien de la cabeza desde que el Guardián lo sacó de un tirón— pero sí podían mirarlo y ver que las esquinas no encajaban correctamente y que era imposible seguir con los ojos su estructura sin parpadear y sentirse mareado.

Kadere hizo tan poco caso a los tres jinetes que marchaban a la cabeza del grupo como la Aes Sedai había hecho con él, y otro tanto hizo con Mat Cauthon. El tipo llevaba puesto el sombrero que había sido suyo y que le había sido imposible reemplazar. La fulana Aiel, Aviendha, iba montada detrás de la Aes Sedai joven, en la grupa del caballo, las dos con las faldas bien subidas para enseñar las piernas. Si hubiese necesitado confirmación de que la Aiel se acostaba con al'Thor sólo habría tenido que fijarse en el modo en que ella lo miraba; cuando una mujer se llevaba a la cama a un hombre, después siempre lo miraba con ese brillo de posesión, como si fuera de su propiedad. Pero lo más importante era que Natael estaba con ellos. Ésta era la primera vez que Kadere estaba tan cerca de él desde que habían cruzado la Columna Vertebral del Mundo. Natael, que ocupaba una alta posición entre los Amigos Siniestros. Si pudiera atravesar el cordón de las Doncellas y llegar hasta Natael...

Kadere pestañeó repentinamente. ¿Dónde estaban las Doncellas? Al'Thor siempre tenía una escolta de mujeres armadas con lanzas. Frunció el entrecejo al comprobar que no se veía a una sola Doncella entre los Aiel que había en los muelles.

—¿Es que no piensas saludar a una vieja amiga, Hadnan?

Kadere giró sobre sí mismo, sobresaltado, al oír la melodiosa voz y se quedó mirando boquiabierto aquel rostro de nariz afilada y oscuros ojos casi enterrados en rollos de grasa.

—¿Keille? —No era posible. Nadie sobrevivía solo en el Yermo excepto los Aiel. Tenía que haber muerto, pero allí estaba, con las ropas de seda banca a punto de estallar de tan ceñidas a su cuerpo gordinflón y las peinetas de marfil resaltando entre los oscuros rizos.

Tras esbozar una ligera sonrisa, Keille se giró con una gracilidad que todavía lo sorprendía en una mujer tan corpulenta, y subió con agilidad los peldaños de la escalerilla que conducía al interior de su carromato.

El buhonero vaciló un momento y después se apresuró a ir tras ella. Habría preferido que Keille Shaogi hubiese muerto realmente en el Yermo —era mandona y detestable; que no esperara recibir ni un céntimo de lo poco que había conseguido salvar del desastre—, pero ocupaba una posición tan alta como Jasin Natael. A lo mejor le respondía unas cuantas preguntas. Por lo menos tendría alguien con quien trabajar. Y, en el peor de los casos, alguien a quien echar la culpa. El poder iba de la mano de la posición alta, pero también la responsabilidad de los casos de los que estaban por debajo. En más de una ocasión había entregado a sus superiores poniéndoselos en bandeja a los que estaban más alto que ellos a fin de cubrirse las espaldas.

Cerró la puerta con cuidado, se volvió y... Habría gritado si su garganta no hubiese estado tan atenazada que era imposible emitir sonido alguno.

La mujer que tenía delante vestía ropas de seda blanca, pero no estaba gorda. Era la fémina más hermosa que había visto en su vida, con unos ojos cual insondables y oscuros estanques de montaña, una cintura de avispa ceñida por un cinturón argénteo y el brillante cabello negro adornado con medias lunas de plata. Kadere reconoció aquel rostro por haberlo visto en sus sueños.

El seco golpe de sus rodillas al caer de hinojos sacó al hombre de su estupefacción y le devolvió el habla.

—Insigne Señora —exclamó con voz enronquecida—, ¿cómo puedo serviros?

Lanfear lo miraba como si fuera un insecto al que podría aplastar de un pisotón si tenía el capricho.

—Demostrando tu obediencia a mis mandatos. He estado demasiado ocupada para vigilar personalmente a Rand al'Thor. Cuéntame qué ha hecho, aparte de conquistar Cairhien, y qué planes tiene.

—Eso no es fácil, Insigne Señora. Alguien como yo no puede acercarse a un personaje como él. —Un insecto, parecían decir aquellos fríos ojos, al que se le permitía vivir mientras fuese útil. Kadere se devanó los sesos para recordar todo lo que había visto, oído y hasta imaginado—. Está enviando tropas Aiel al sur en cantidades ingentes, aunque no sé con qué fin, Insigne Señora. Los cairhieninos y los tearianos no parecen darse cuenta de ello, pero dudo mucho que sepan distinguir un Aiel de otro. —Y tampoco él. No osaría mentirle, pero si creía que su utilidad era mayor de la que tenía realmente...—. Ha instaurado una escuela de algún tipo, en un palacio de la ciudad que pertenecía a una casa de la que no han quedado supervivientes. —Al principio era imposible saber si a la mujer le gustaba lo que estaba oyendo; pero, a medida que siguió con la información, el semblante de Lanfear se fue tornando más y más sombrío.

—¿Qué es lo que quieres que vea, Moraine? —inquirió, impaciente, Rand mientras ataba las riendas de *Jeade'en* a una de las ruedas de la carreta que cerraba la fila.

La Aes Sedai estaba de puntillas para asomarse por el costado del vehículo, dentro del cual había dos barriletes cuyo aspecto le resultaba conocido. A menos que estuviera equivocado, contenían dos sellos de *cuendillar* envueltos en lana para protegerlos ahora que habían dejado de ser irrompibles. Rand sentía la contaminación del Oscuro con más intensidad aquí; casi parecía emanar de los barriletes, como un tenue miasma de algo que se está pudriendo en un agujero.

—Aquí estarán a buen resguardo —murmuró Moraine. Recogió el repulgo de la falda con elegancia y se encaminó hacia el otro extremo de la hilera de carretas. Lan iba pisándole los talones cual un lobo sólo amansado a medias, y la capa que colgaba a su espalda creaba ondulaciones de colores y vacío.

—¿Te dijo lo que era, Egwene? —inquirió Rand, mirándola indignado.

—Sólo me dijo que tenías que ver algo. Que tenías que venir aquí, en cualquier caso.

—Debes confiar en las Aes Sedai —aconsejó Aviendha casi igual de imperturbable, aunque con un atisbo de duda. Mat resopló.

—Bueno, pues pienso descubrirlo ahora. Natael, ve y dile a Bael que me reuniré con él dentro de...

Al otro extremo de la fila, un costado del carruaje de Kadere explotó y los fragmentos astillados causaron estragos en Aiel y ciudadanos por igual. Rand supo lo que había ocurrido sin necesidad de que se le pusiera la piel de gallina. Corrió hacia el carruaje, detrás de Moraine y Lan. El tiempo pareció discurrir con gran lentitud mientras todo ocurría a la vez, como si el aire fuera gelatina adhiriéndose a cada instante.

Lanfear apareció en medio del aturdido silencio, roto sólo por los gemidos y los gritos de los heridos; de su mano colgaba algo fláccido y pálido, surcado de líneas rojizas, que arrastraba detrás de ella mientras descendía unos escalones invisibles. Su semblante era una máscara cincelada en hielo.

—Me lo contó, Lews Therin —espetó, casi chillando, mientras lanzaba al aire el pálido pingajo. Una racha de viento lo hinchó y lo convirtió durante un fugaz instante en una sangrienta y transparente estatua de Hadnan Kadere; era la piel entera del buhonero, al que había desollado. La figura se desinfló y cayó al suelo mientras la voz de Lanfear adquiría un timbre estridente—. ¡Has dejado que te toque otra mujer! ¡Una vez más!

Los segundos se dilataron, y todo aconteció al mismo tiempo.

Antes de que Lanfear llegara a las piedras del embarcadero, Moraine se remangó más las faldas y echó a correr directamente hacia ella. Actuó con prontitud, pero Lan fue más rápido e hizo caso omiso de su grito.

—¡Lan, no!

El Guardián desenvainó la espada mientras sus largas piernas lo adelantaban a la Aes Sedai y la capa de colores cambiantes ondeaba a su espalda. De repente pareció chocar contra una pared invisible, reboto e intentó cargar de nuevo, tambaleante. Dio un paso y, como si una mano gigantesca lo hubiera apartado de un revés, salió lanzado por el aire diez pasos y fue a estrellarse contra las piedras del embarcadero.

Mientras Lan todavía surcaba el aire, Moraine se desplazó hacia adelante con una brusca sacudida, deslizando los pies sobre el pavimento, hasta que estuvo cara a cara con Lanfear. Apenas duró un segundo. La Renegada la miró como si se preguntara qué sería lo que se había interpuesto en su camino, y acto seguido Moraine era arrojada hacia un lado con tal violencia que rodó sobre sí misma una y otra vez hasta desaparecer debajo de una de las carretas.

En el muelle había estallado un pandemónium. Sólo habían pasado unos segundos desde el estallido del carromato de Kadere, pero únicamente un ciego no se habría dado cuenta de que la mujer de blanco estaba encauzando el Poder Único. A lo largo de los muelles centellearon las hachas y se cortaron los cabos de amarre de las gabarras mientras sus tripulaciones las enfilaban hacia el centro del río para huir. Estibadores con el torso desnudo y vecinos de la ciudad vestidos con ropas oscuras luchaban para subir a bordo. En dirección contraria, hombres y mujeres arremolinados gritaban y forcejeaban para entrar en la ciudad por las puertas de la muralla. Y, entre ellos, figuras vestidas con *cadin'sor* se velaban el rostro mientras corrían hacia Lanfear empuñando lanzas o cuchillos o con las manos desnudas. No cabía duda de que era ella el origen del ataque, la que luchaba con el Poder, pero aun así corrieron a danzar las lanzas sin parar mientes.

El fuego pasó sobre ellos en rugientes oleadas. Flechas ardientes atravesaron a aquellos que siguieron avanzando con las ropas prendidas. Y ello a pesar de que Lanfear no estaba combatiendo realmente contra ellos ni les prestaba apenas atención: era como si estuviese espantando mosquitos. Los que huyeron ardieron igual que los que intentaron luchar, pero la mujer siguió avanzando hacia Rand como si no existiese nada más.

Sólo unos segundos.

Había dado tres pasos cuando Rand aferró la mitad masculina de la Fuente Verdadera, acero fundido y hielo quebrantador de acero, dulce miel y montón de estiércol. En medio del recóndito vacío, la lucha por sobrevivir parecía lejana y la batalla entablada ante él, poco menos distante. Mientras Moraine desaparecía debajo de una carreta, Rand encauzó, absorbió el calor de los fuegos de Lanfear y lo sumergió en el río. Las llamas que instantes antes envolvían formas humanas desaparecieron. En el mismo momento volvió a urdir los flujos y se formó una bóveda grisácea de neblina, un óvalo alargado que los dejó a Lanfear y a él aislados en su interior. Ya ataba la urdimbre y aún no estaba seguro de lo que era ni de dónde había salido —algún recuerdo de Lews Therin, quizá— pero los fuegos de Lanfear se frenaron contra aquella extraña burbuja. Rand veía borrosamente a la gente de fuera; muchos se sacudían y agitaban —había hecho desaparecer las llamas, no el dolor de la carne abrasada, y el hedor seguía flotando en el aire—, pero ya no se quemarían los que habían escapado indemnes antes. También dentro de la cúpula había cadáveres y bultos de ropas calcinadas; algunos de éstos todavía se agitaban débilmente, emitiendo gemidos. A ella no le importaba: había espantado a los mosquitos, las llamaradas que había encauzado se apagaron, pero no desvió la mirada hacia fuera ni un instante.

Segundos. Dentro del vacío lo envolvía una gran frialdad; si sentía pena por los muertos, los moribundos y los abrasados, era una sensación tan lejana que muy bien podría no existir. Él era frialdad. Él era el vacío. Sólo el rugiente torrente del *Saidin* lo llenaba.

Movimiento a ambos lados. Aviendha y Egwene, fijos los ojos en Lanfear. Su intención había sido dejarlas fuera de esto, pero debían de haber corrido con él. Mat y Asmodean estaban fuera; el muro no había abarcado las últimas carretas. Con gélida calma encauzó Aire para tender una trampa a Lanfear; Egwene y Aviendha podían aislarla mientras él la distraía.

Algo cortó los flujos urdidos, y éstos retrocedieron hacia él con tal violencia que soltó un gruñido.

—¿Es una de ellas? —inquirió Lanfear enseñando los dientes—. ¿Cuál es Aviendha?

Egwene echó la cabeza hacia atrás y los ojos casi se le salieron de las órbitas mientras su boca exhalaba un aullido como si en él abarcara todo el dolor del mundo.

—¿Cuál? —insistió la Renegada.

Aviendha se irguió sobre las puntas de los pies, sacudida por los temblores, y sus aullidos hicieron eco de los de Egwene, cada vez más altos.

La idea surgió de improviso en el vacío. «La Energía tejida así, con Fuego y Tierra. Eso es.» Rand notó que algo se cortaba, algo que no podía ver, y Egwene se desplomó hecha un ovillo y se quedó inmóvil; Aviendha cayó sobre manos y rodillas, con la cabeza colgando, y se bamboleó.

Lanfear se tambaleó y sus ojos fueron de las mujeres a él cual oscuros estanques de fuego negro.

—¡Eres mío, Lews Therin! ¡Mío!

—No. —La voz de Rand parecía llegar hasta él desde el fondo de un túnel a millas de longitud. «Distrae su atención de las chicas.» Siguió avanzando, sin mirar atrás—. Jamás fui tuyo, Mierin. Siempre le perteneceré a Ilyena. —El vacío se estremeció con el dolor y la pena. Y con desesperación, mientras luchaba contra algo más aparte de la violenta corriente del *Saidin*. Por un instante mantuvo el equilibrio entre una y otra fuerza. «Soy Rand al'Thor.» E «Ilyena, mi amor siempre y para siempre». Mantuvo el equilibrio sobre el filo de una cuchilla. «¡Soy Rand al'Thor!» Otros pensamientos intentaron brotar como un surtidor imparable, pensamientos sobre Ilyena, sobre Mierin, sobre lo que podía hacer para derrotarla. Los obligó a retroceder, hasta el último de ellos. Si se caía hacia el lado equivocado del estrecho filo... «¡Soy Rand al'Thor!»—. Te llamas Lanfear, y antes prefiero morir que amar a una Renegada.

Algo que tal vez era angustia cruzó fugaz por el rostro de la mujer; después retornó la máscara de mármol.

—Si no eres mío —dijo fríamente—, entonces date por muerto.

Estalló un espantoso dolor en su pecho, como si el corazón le fuera a estallar; y en su cabeza unas uñas al rojo vivo se hincaron en su cerebro infligiéndole un dolor tan fuerte que aun estando dentro del vacío quiso gritar. La muerte estaba cerca, y él lo sabía. La nada envolvente titiló, empezó a desvanecerse. Con frenesí, tejió Energía, Fuego y Tierra e hizo restallar la urdimbre con desesperación. El corazón ya no le latía, y negros dedos de dolor aplastaban el vacío. Sobre sus ojos cayó un velo gris. Notó su urdimbre abriéndose paso a través de la de ella, cortando toscamente. De repente, la sensación ardiente del aire al inundar de golpe sus pulmones, el vuelco del corazón que empezaba de nuevo a latir. Recobró la vista; unas motitas plateadas y negras flotaban entre él y una Lanfear de rostro pétreo que todavía recuperaba el equilibrio perdido por el impacto del retroceso de sus flujos cortados. El dolor permanecía allí, en la cabeza y en el pecho, como heridas abiertas, pero el vacío se reforzó y el dolor corporal se redujo a algo lejano.

Afortunadamente, porque no tenía tiempo para recuperarse. Se obligó a continuar adelante y la atacó con Aire, un garrote que la dejaría sin sentido. Ella cortó el flujo, y él golpeó otra vez, y otra, y otra, y otra cada vez que la mujer sesgaba su último tejido; una feroz lluvia de golpes que, de algún modo, ella veía y cortaba, mientras él se aproximaba más y más. Si conseguía mantenerla ocupada un poco más, si uno de aquellos mazos invisibles se descargaba en su cabeza, conseguiría llegar lo bastante cerca para propinarle un puñetazo... Inconsciente, estaría tan indefensa como cualquier persona.

Súbitamente Lanfear pareció darse cuenta de lo que se proponía. Sin dejar de parar sus golpes con la misma facilidad como si los viera todos y cada uno de ellos, la mujer empezó a retroceder hasta que sus hombros chocaron con la carreta que tenía detrás. Y esbozó una sonrisa tan helada como la escarcha del invierno.

—Morirás lentamente y suplicarás que te permita amarme antes de morir —manifestó.

No fue a él directamente al que atacó esta vez, sino a su vínculo con el *Saidin*.

El pánico hizo resonar el vacío como si fuese un gong cuando llegó aquel primer impacto afilado como una cuchilla, y el flujo del Poder menguó a medida que ésta profundizaba más entre Rand y la Fuente. Con Energía, Fuego y Tierra arremetió contra aquella cuchilla; sabía dónde encontrarla; sabía dónde estaba su vínculo porque notaba aquel primer corte. El escudo que intentaba crear la mujer desapareció, volvió a aparecer, se esfumó tan deprisa como él pudo cortarlo, pero siempre acompañado de una mengua en la corriente de Poder, de unos instantes en los que casi cesaba de fluir, dejando su contragolpe apenas con la fuerza suficiente para rechazar el ataque de la mujer. Manejar dos fluidos a un tiempo le habría resultado fácil —era capaz de manejar diez o más—, pero no cuando uno era una defensa desesperada contra algo que no veía venir hasta que casi era demasiado tarde. No cuando los pensamientos de otro hombre seguían intentando entrar en el vacío, cuando trataban de decirle cómo vencerla. Si les prestaba oídos, podría ocurrir que fuera Lews Therin Telamon quien saliera de la nada y Rand al'Thor quien quedara reducido, si acaso, a una voz que a veces se insinuaba en su mente.

—Haré que esas dos furcias te vean suplicar —dijo Lanfear—. Sin embargo, no se si es mejor hacerles presenciar tu muerte o que tú presencies la de ellas.

¿Cuándo se había subido a la carreta? Tenía que vigilarla estrechamente por si advertía el menor atisbo de cansancio o de que estuviera perdiendo la concentración. Era una esperanza vana. De pie junto al retorcido marco *ter'angreal*, lo miró desde arriba cual una reina dispuesta a dictar sentencia, y aun así podía perder tiempo para asestar gélidas sonrisas a un oscuro brazalete de marfil que giraba una y otra vez entre sus dedos.

—¿Qué te causará más daño, Lews Therin? —musitó—. Quiero que sufras. ¡Quiero que sientas un dolor tan grande como no ha sentido hombre alguno!

Cuanto más grueso fuera el flujo conectado de él a la Fuente, más difícil sería cortarlo. Rand cerró la mano con fuerza sobre el bolsillo de su chaqueta, y el hombrecillo gordinflón con la espada se hincó en la marca de la garza de su palma. Absorbió todo el *Saidin* que pudo hasta que la infección flotó en el vacío con él cual una densa niebla.

—Dolor, Lews Therin.

Y hubo dolor, tan intenso que el mundo desapareció en aquella agonía. No en la cabeza ni el corazón esta vez, sino en todas partes, por todo su ser, ardientes agujas hincándose en el vacío. Rand casi creyó oír un húmedo siseo con cada arremetida, y cada una llegaba más hondo que la anterior. Los intentos de la mujer de aislarlo de la Fuente no cesaron, sino que se sucedieron con más rapidez y más fuerza. Rand no podía creer que Lanfear fuera tan fuerte. Aferrándose al vacío, al desgarrador, helador *Saidin,* se defendió frenéticamente. Podía ponerle fin, acabar con ella. Podía destruirla con un rayo o consumirla con el fuego que ella misma había utilizado para matar.

Unas imágenes se abrieron paso hasta su mente a través del dolor. Una mujer con un oscuro vestido de mercader desplomándose del caballo, y él blandiendo la ardiente espada de luz; ella había ido a matarlo con un puñado de otros Amigos Siniestros. Los ojos inexpresivos de Mat: «Yo la maté». Una mujer de cabello dorado desplomada en un pasillo lleno de escombros donde, al parecer, las propias paredes se habían derretido y evaporado. «¡Ilyena, perdóname!» Fue un grito de desesperación.

Podía ponerle fin, sólo que no lo haría. Iba a morir, y tal vez el mundo moriría también, pero era incapaz de matar a otra mujer. De algún modo, pareció la chanza más divertida que el mundo viera nunca.

Moraine se limpió la sangre de la boca y salió gateando de debajo de la parte trasera de la carreta; se puso de pie, tambaleándose, y oyó la risa de un hombre. A despecho de sí misma, sus ojos buscaron a Lan y lo encontraron tendido, casi junto al muro gris de neblina que se extendía hacia arriba, formando una bóveda. El Guardián se retorció, tal vez intentando encontrar fuerzas para incorporarse o quizás en las convulsiones de la muerte. Moraine se obligó a apartarlo de su mente. Lan le había salvado tantas veces la vida que por derecho debería haberle pertenecido, pero hacía mucho que ella había hecho todo lo posible para ocuparse de que sobreviviese a su guerra particular con la Sombra. Ahora tendría que vivir o morir sin ella.

Era Rand quien reía, de rodillas en el muelle de piedra. Riendo con tantas ganas que las lágrimas le resbalaban por las mejillas, y su semblante estaba crispado como el de un hombre que ha sobrepasado el límite de la cordura. Moraine sintió un escalofrío. Si la locura se había apoderado de él, la situación estaba ya fuera de su alcance y sólo podía hacer lo que estaba en su mano. Lo que debía hacer.

La presencia de Lanfear fue como un golpe físico, demoledor. No a causa de la sorpresa, sino por la conmoción de ver corroborado lo que tan a menudo había columbrado en sus sueños desde Rhuidean: Lanfear encaramada a la carreta, irradiando *Saidar* con un fulgor tan abrasador como el del propio sol, enmarcada por el retorcido marco de piedra roja mientras contemplaba a Rand con una cruel sonrisa en los labios. Estaba dándole vueltas a un brazalete entre sus manos: un *angreal*. A menos que Rand tuviese su propio *angreal* la Renegada podría aniquilarlo con aquello. A juzgar por las apariencias, o el joven lo tenía o Lanfear estaba jugando con él. Daba igual. A Moraine no le gustaba aquel círculo de marfil tallado y oscurecido por el tiempo. *A* primera vista parecía un acróbata doblado hacia atrás para agarrarse los tobillos, pero al observarlo con más atención se veía que la figura tallada tenía las muñecas y los tobillos atados juntos. No le gustaba, pero lo había sacado de Rhuidean. El día anterior había cogido ese brazalete de un saco lleno de piezas y objetos dispares y lo había dejado allí, al pie del umbral *ter'angreal*.

Moraine era una mujer menuda, de modo que la carreta no acusó movimiento alguno cuando se apoyó en ella para levantarse. Se encogió cuando el vestido se le enganchó en una astilla y se hizo un desgarrón, pero Lanfear no miró hacia atrás. La Renegada creía haberse ocupado de todo cuanto podía suponer una amenaza, salvo Rand; era el único en el mundo que ahora contaba para la mujer, quien acaparaba toda su atención.

Reprimiendo un atisbo de esperanza —no podía permitirse ese lujo— Moraine se sostuvo un momento en equilibrio en lo alto del lateral de la carreta y a continuación abrazó el *Saidar* y saltó sobre Lanfear. La Renegada presintió algo que la puso en guardia un instante, lo suficiente para girar sobre sí misma antes le que Moraine le cayese encima y le arrebatara el brazalete que sostenía en la mano. Cara a cara, las dos mujeres cayeron a través del *ter'angreal* de piedra roja. Un cegador resplandor blanco se lo tragó todo.

53

PALABRAS QUE SE DESVANECEN

D entro del vacío que menguaba de manera paulatina, Rand vio a Moraine saltar aparentemente de la nada y abalanzarse sobre Lanfear. Los ataques contra él cesaron en el momento en que las dos mujeres se zambulleron a través del marco *ter'angreal* en medio de un blanco destello de luz que no se apagó y siguió llenando el rectángulo de piedra roja sutilmente retorcido, como si intentara derramarse a través de él y tropezara con una barrera invisible. Alrededor del *ter'angreal* crepitaban relámpagos azules y plateados con creciente violencia; unos zumbidos chirriantes vibraban en el aire.

Rand se puso de pie trabajosamente. El dolor no había desaparecido, pero sí la presión contra el vacío, lo que apuntaba la promesa de que el sufrimiento remitiría. Era incapaz de apartar los ojos del *ter'angreal*. «Moraine.» El nombre resonaba en su cabeza, deslizándose dentro del vacío.

Lan pasó a su lado tambaleándose, fija la mirada en la carreta e inclinado, como si sólo yendo hacia adelante pudiera evitar desplomarse.

Cualquier esfuerzo físico aparte de sostenerse de pie estaba fuera del alcance de Rand por el momento, así que encauzó y sujetó al Guardián con flujos de Aire.

—No... no puedes hacer nada, Lan. No puedes ir tras ella.

—Lo sé —musitó el otro hombre con desaliento. Inmovilizado a mitad de un paso, no forcejeó y se limitó a contemplar fijamente el *ter'angreal* que se había tragado a Moraine—. La Luz se apiade de mí, lo sé.

La propia carreta se había prendido fuego ahora; pero, aunque Rand intentó sofocar las llamas, tan pronto como absorbía el calor de un foco prendido los rayos provocaban otro. El marco empezó a echar humo a pesar de ser de piedra; un humo blanco, punzante, que se acumuló en densas nubes bajo la cúpula gris. Hasta la más pequeña bocanada parecía abrasar la nariz de Rand, haciéndolo toser; allí donde lo rozaba el humo, la piel le picaba y le ardía. Desató la urdimbre de la bóveda con rapidez y la disipó más que esperar a que se desvaneciera; luego tejió alrededor de la carreta una alta chimenea de Aire, brillante como cristal, a fin de conducir la tóxica humareda a gran altura y lejos de allí. Sólo entonces soltó a Lan. El hombre habría sido capaz de todo para ir en pos de Moraine si hubiese podido llegar a la carreta, que ahora estaba completamente envuelta en llamas, así como el marco, que se derretía como su estuviese hecho de cera; pero a un Guardián seguramente eso le habría dado lo mismo.

—Ha muerto. No siento su presencia. —Fue como si a Lan le arrancaran las palabras del alma. Giró sobre sus talones y echó a andar hacia la otra punta de la hilera de carretas sin volver a mirar atrás.

Rand lo siguió con la mirada y entonces vio a Aviendha de rodillas, sosteniendo a Egwene. Soltó el *Saidin* y corrió muelle abajo. El dolor que antes percibía amortiguado lo alcanzó ahora de lleno, sin paliativos, pero siguió corriendo, aunque con dificultad. Asmodean estaba también allí y miraba en derredor como si esperara que Lanfear saltara de detrás de una carreta o uno de los carros de trigo volcados. Y Mat, en cuclillas y con la lanza apoyada en el hombro mientras abanicaba a Egwene con el sombrero. Rand se frenó junto a ellos.

—¿Está...?

—No lo sé —contestó, acongojado, Mat.

—Todavía respira. —Aviendha lo dijo en un tono que revelaba su incertidumbre respecto hasta cuándo seguiría siendo así, pero Egwene parpadeó y abrió los ojos en el mismo momento en que Amys y Bair, seguidas de Melaine y Sorilea, se abrieron paso hasta ella apartando a Rand sin contemplaciones. Las Sabias se arrodillaron, apiñadas, alrededor de la mujer más joven y mascullaron entre sí y para sí mientras la examinaban.

—Siento... —empezó débilmente Egwene, que calló para tragar saliva. Estaba mortalmente pálida—. Me... duele. —Una lágrima se deslizó por su mejilla.

—Pues claro que te duele —manifestó enérgicamente Sorilea—. Esto es lo que pasa cuando una se deja enredar en los manejos de un hombre.

—No puede ir contigo, Rand al'Thor. —El hermoso rostro de la rubia Melaine traslucía ira, pero no lo miraba directamente a él, así que lo mismo podía estar furiosa con Rand como con lo acontecido.

—Estaré... tan fresca como el agua de un pozo... con un poco de descanso —susurró Egwene.

Bair mojó un paño con el agua de un odre y lo puso sobre la frente de la muchacha.

—Estarás bien con muchísimo reposo —manifestó la Sabia—. Me temo que esta noche no te reunirás con Nynaeve y Elayne. No te acercarás al *Tel'aran'rhiod* en varios días, hasta que vuelvas a estar fuerte. Y no me mires con esa expresión obstinada, muchacha. Si es preciso, vigilaremos tus sueños para estar seguras de que no lo harás, y te pondré al cuidado de Sorilea si se te pasa siquiera por la cabeza la idea de desobedecer.

—Y a mí no me desobedecerás más de una vez, ni que seas Aes Sedai ni que no —añadió Sorilea, aunque con un dejo de compasión que contrastaba con el gesto severo de su arrugado semblante. La frustración era evidente en el de Egwene.

—Al menos yo estoy lo bastante bien para hacer lo que hay que hacer —intervino Aviendha. En honor a la verdad, su aspecto no era mucho mejor que el de la otra joven, pero se las arregló para asestar una mirada desafiante a Rand, esperando obviamente oposición por parte de él. Su aire retador menguó un tanto cuando advirtió que las cuatro Sabias la estaban observando—. Lo estoy, de veras —musitó.

—Oh, sí —dijo Rand en tono cavernoso.

—Lo estoy —insistió Aviendha, aunque dirigiéndose a él y poniendo buen cuidado en evitar los ojos de las Sabias—. Lanfear me atacó unos segundos menos que a Egwene y eso bastó para que no me afectara tanto como a ella. Tengo *toh* contigo, Rand al'Thor. No creo que hubiese podido sobrevivir unos segundos más. Era muy fuerte esa mujer. —Sus ojos se desviaron fugazmente hacia la carreta incendiada. El terrible fuego la había reducido a un informe bulto achicharrado dentro de la chimenea transparente; ya no se veía el *ter'angreal de* piedra roja—. No presencié todo lo que pasó.

—Han... —Rand se aclaró la garganta—. Han desaparecido las dos. Lanfear ha muerto, y también Moraine.

Egwene se echó a llorar con tanta congoja que los sollozos la sacudieron entre los brazos de Aviendha. La joven Aiel agachó la cabeza para ponerla en el hombro de su amiga como si ella también fuese a llorar.

—Eres un necio, Rand al'Thor —espetó Amys mientras se ponía de pie. Su rostro, sorprendentemente joven en contraste con el cabello blanco, mostraba un gesto duro—. Respecto a esto y a otras muchas cosas eres un necio.

Rand le dio la espalda para hurtarse a sus ojos acusadores. Moraine estaba muerta. Muerta porque no había sido capaz de obligarse a matar a una Renegada. No sabía si quería llorar y reír locamente; si hacía lo uno o lo otro no creía que pudiera parar después.

El muelle que había estado vacío cuando creó la cúpula ahora se había llenado otra vez, aunque fueron pocos los que se acercaron más allá del punto donde se había alzado el muro de neblina gris. Las Sabias se movían de un lado para otro ocupándose de los quemados y confortando a los moribundos, ayudadas por *gai'shain* de blanco y por hombres con *cadin'sor*. Los gemidos y los gritos se le clavaban en el alma. No había sido lo bastante rápido. Moraine, muerta; nadie con conocimientos de Curación para atender a los heridos graves. Y todo porque él... «No pude. ¡La Luz me asista, no pude!»

Otros Aiel lo estaban mirando, algunos de ellos empezaban a quitarse el velo en este momento; seguía sin ver a una sola Doncella. No sólo habían acudido Aiel. Dobraine, con la cabeza descubierta y a lomos de un corcel negro, no le quitaba los ojos de encima a Rand, y no muy lejos Nalesean y Daerid, montados en sus caballos, observaban a Mat casi tan fijamente como a Rand. En lo alto de las murallas se alineaba la gente, las figuras convertidas en oscuras siluetas en contraste con el sol saliente, y también había en los contrafuertes de la muralla. Dos de aquellas oscuras figuras se dieron media vuelta cuando Rand alzó la vista hacia ellas y al darse cuenta entonces de que estaban a menos de veinte pasos de distancia pareció que se replegaban sobre sí mismas. Rand habría apostado que eran Meilan y Maringil.

Lan regresó con los caballos que habían dejado junto a la última carreta de la fila; iba acariciando el blanco hocico de *Aldieb,* la yegua de Moraine. Rand se encaminó hacia él.

—Lo siento, Lan. Si hubiese actuado con más rapidez, si hubiese... —Exhaló con fuerza. «No fui capaz de matar a una, así que maté a la otra. ¡Así me ciegue la Luz!» Si tal cosa hubiese ocurrido en ese mismo momento no le habría importado.

—La Rueda gira. —Lan se acercó a *Mandarb* y se afanó comprobando la cincha de la silla—. Ella era un soldado, tan guerrera a su modo como yo mismo. Esto podría haber ocurrido un centenar de veces durante los últimos veinte años. Ella lo sabía, y yo también. Era un buen día para morir. —Su voz tenía el mismo timbre duro de siempre, pero sus azules ojos estaban enrojecidos.

—Aun así, lo lamento. Debí... —El Guardián no se consolaría con palabras de lo que tendría que haber hecho y no hizo, y a él se le clavaban en el alma—. Confío en que aún puedas ser mi amigo, Lan, después de... Para mí es muy importante tu consejo y tus enseñanzas de lucha con la espada, y necesitaré ambas cosas en los días venideros.

—Soy tu amigo, Rand, pero no puedo quedarme. —Lan se subió al caballo—. Moraine me hizo algo que no se había hecho en centenares de años, no desde los tiempos en que las Aes Sedai todavía vinculaban a un Guardián lo quisiera él o no. Alteró mi vínculo de manera que pasara a otra cuando ella muriese. Ahora he de encontrar a esa otra, convertirme en uno de sus Guardianes. De hecho, ya soy uno de ellos. Puedo sentirla débilmente, en algún lugar lejano, hacia el oeste, y ella me siente a mí. He de partir, Rand. Es parte de lo que hizo Moraine. Dijo que no me permitiría disponer de tiempo para vengarla. —Aferró las riendas como si quisiera retener a *Mandarb,* como si quisiera contenerse de hincar espuelas y partir—. Si vuelves a ver a Nynaeve, dile... —Durante un instante aquel rostro impasible se crispó con un gesto de angustia; sólo fue un instante, y después pareció estar tallado en granito de nuevo. Masculló algo entre dientes, pero Rand lo oyó—. Una herida limpia se cura antes y duele menos tiempo. —Luego, en voz alta, declaró—: Dile que he encontrado a otra persona. Las hermanas Verdes están tan unidas a sus Guardianes como cualquier otra mujer a su esposo. En todos los sentidos. Dile que me he marchado para ser el amante de una hermana Verde, así como su brazo armado, que estas cosas ocurren, que ha pasado mucho tiempo desde que la vi por última vez.

—Le diré lo que tú quieras, Lan, pero no sé si me creerá.

Lan se inclinó sobre la silla para aferrar el hombro de Rand con fuerza. Rand recordaba haber comparado aquel hombre con un lobo sólo amansado a medias, pero aquellos ojos hacían que un lobo pareciese un perrito faldero en comparación.

—Tú y yo nos parecemos en muchos sentidos. Hay oscuridad dentro de nosotros. Oscuridad, dolor, muerte. E irradian de nuestro interior. Si alguna vez te enamoras de una mujer, Rand, abandónala y deja que encuentre a otro. Será el mejor regalo que puedes hacerle. —Se enderezó y levantó una mano—. Que la Paz propicie el uso de tu espada. *Tai'shar* Manetheren. —El saludo ancestral. Genuina estirpe de Manetheren.

—*Tai'shar* Malkier —respondió Rand, levantando la mano.

Lan taloneó los flancos de *Mandarb* y el semental saltó hacia adelante y emprendió una galopada que obligó a apartarse precipitadamente de su camino a todo el mundo, como queriendo llevar al último de los malkieri a galope tendido todo el camino hasta dondequiera que se dirigiese.

—Que el último abrazo de la madre te acoja, Lan —musitó Rand y se estremeció. Aquello era parte de las honras fúnebres en Shienar y otros países de las Tierras Fronterizas.

Los Aiel y la gente asomada a las murallas seguían al Guardián con la mirada. La Torre sabría lo ocurrido ese día, o una versión de ello, tan pronto como una paloma pudiera volar hasta allí. Si Rahvin también tenía algún modo de vigilarlos —sólo hacía falta que hubiese un cuervo en la ciudad o una rata allí, a la orilla del río— ciertamente no esperaría ningún ataque ese mismo día. Elaida lo creería debilitado, tal vez más manejable, y Rahvin...

Cayó en la cuenta de lo que estaba haciendo y se encogió. «¡Basta! ¡Déjalo al menos durante un minuto y llora esta pérdida!» No quería sentir todos aquellos ojos prendidos en él. Los Aiel retrocedieron a su paso casi con la misma presteza con que se habían apartado de *Mandarb*.

La choza de techo de pizarra del jefe de puerto era una habitación de piedra, sin ventanas, repleta de estanterías abarrotadas de libros mayores, rollos de pergaminos y papeles, y estaba iluminada por dos lámparas colocadas encima de una burda mesa sobre la que había numerosas cédulas de impuestos y cuños de aduana. Rand cerró de un portazo a su espalda para dejar fuera todos aquellos ojos.

Moraine, muerta; Egwene, herida; y Lan, ausente. Un precio demasiado alto por Lanfear.

—¡Llora su muerte, maldito seas! —se increpó—. ¡Era lo menos que se merecía! ¿Es que no tienes sentimientos? —Empero, la principal sensación era de insensibilidad. El cuerpo le dolía, sí, pero debajo sólo quedaba la frialdad de la muerte. Con los hombros encorvados, metió las manos en los bolsillos de la chaqueta y notó las cartas de Moraine. Las sacó lentamente. Cosas sobre las que debería meditar, le había dicho. Volvió a guardar la de Thom y rompió el sello de la otra. Las páginas estaban densamente cubiertas con la elegante caligrafía de Moraine.

«Estas palabras se desvanecerán unos instantes después de que tus manos suelten las hojas —es una salvaguarda ligada contigo— así que ten cuidado. Si estás leyendo esto, entonces quiere decir que los acontecimientos en los muelles han salido como esperaba...»

Rand dejó de leer, mirando sin ver la página, y después reanudó rápidamente la lectura.

«Desde el primer día en que pisé Rhuidean sabía —no voy a entrar en detalles ni explicarte cómo; algunos secretos les pertenecen a otros y no los traicionaré— que llegaría un día en Cairhien en que se recibirían noticias sobre Morgase. Ignoraba el contenido de ellas —si lo que nos han informado es cierto, que la Luz se apiade de su alma; era una mujer voluntariosa y obstinada, con el temperamento de una leona en ocasiones, pero, a pesar de ello, una verdadera reina, buena y compasiva— pero siempre esas noticias conducían a los muelles al día siguiente. En el puerto existían tres posibles ramales en los acontecimientos; pero, si estás leyendo esto, significa que habré muerto, y también Lanfear...»

Los dedos de Rand se crisparon sobre las páginas. Lo sabía. Lo sabía y aun así lo había llevado allí. Aflojó las manos y estiró las hojas de papel arrugadas.

«Los otros dos caminos eran mucho peores. En uno de ellos, Lanfear te mataba. En el otro te llevaba consigo y, cuando volvíamos a verte, te llamabas a ti mismo Lews Therin Telamon y eras su fiel amante.

»Espero que Egwene y Aviendha hayan salido ilesas de esto. Verás, ignoro lo que ocurrirá en el mundo después, excepto quizás un pequeño hecho que no te concierne.

»No podía decírtelo por el mismo motivo por el que no podía decírselo a Lan. Incluso existiendo opciones, no tenía la seguridad de cuál elegirías. Los hombres de Dos Ríos, al parecer, albergan mucho del espíritu de Manetheren dentro de sí, unos rasgos que comparten con los hombres de las Tierras Fronterizas. Se dice que un varón de los territorios fronterizos recibirá de buen grado una cuchillada con tal de evitar que una mujer sufra daño alguno y lo considerará un trueque justo. No puedo correr el riesgo de que antepongas mi vida a la tuya, convencido de que de algún modo podrías eludir el destino. Nada de barajar posibilidades, me temo, sino una necia certeza, como lo acontecido hoy sin duda ha demostrado...»

—Mi elección, Moraine —murmuró—. La elección era mía.

«Sólo unos pocos puntos más. Si Lan no se ha marchado ya, dile que lo que le hice fue por su bien. Algún día lo entenderá, y espero que me bendiga por ello.

»A partir de ahora no confíes plenamente en quien es Aes Sedai. No me refiero exclusivamente al Ajah Negro, aunque siempre tienes que estar muy alerta con ellas. Sé tan desconfiado con Verin como lo eres con Alviarin. Durante tres mil años hemos hecho bailar al mundo al son que le tocábamos, y no es fácil olvidar las viejas costumbres, como he comprobado yo mientras bailaba al son que me tocabas. Tú has de bailar a tu propio son, libremente, e incluso la mejor intencionada de mis hermanas podría muy bien intentar guiar tus pasos como hice yo en tiempos.

»Por favor, entrega la otra carta a Thom Merrilin cuando vuelvas a verlo. Hay un pequeño asunto del que hablamos una vez y que he de dejar claro por bien de su tranquilidad de espíritu.

»Por último, ten cuidado también con maese Jasin Natael. No puedo aprobar totalmente ese asunto, pero lo comprendo. Aun así, ve con cuidado respecto a él. Sigue siendo el mismo hombre que siempre fue. Ten eso presente en todo momento.

»Que la Luz te ilumine y te proteja. Lo harás bien.»

Iba firmado «Moraine», simplemente. Casi nunca había utilizado el nombre de su casa.

Rand leyó de nuevo el penúltimo párrafo, con más atención. De algún modo ella se había enterado de quién era Asmodean. Tenía que ser eso. Saber que uno de los Renegados estaba allí mismo, delante de ella, y ni siquiera parpadear. Y también tenía que haber sabido para qué estaba, si interpretaba bien lo que decía entre líneas. Puesto que la carta se borraría en cuanto él soltara las hojas, cabría haber esperado que Moraine se hubiera abierto y hubiera dicho lo que pretendía sin tapujos. Y no sólo en lo concerniente a Asmodean, sino en cómo supo lo que supo en Rhuidean —algo relacionado con las Sabias si no se equivocaba en su deducción, aunque tenía tantas probabilidades de confirmar si estaba en lo cierto releyendo la carta como preguntándoles a ellas—, o respecto a las Aes Sedai —¿habría alguna razón para que mencionase a Verin? ¿Y por qué a Alviarin en lugar de a Elaida?—, incluso respecto a Thom y a Lan. Por algún motivo sospechaba que no había dejado ninguna carta para Lan; por lo visto el Guardián no era el único que creía en que las heridas limpias curaban mejor. Estuvo a punto de sacar la carta de Thom y abrirla, pero cabía la posibilidad de que Moraine hubiese tomado las mismas precauciones con ésta como con la suya, poniéndole una guarda. Aes Sedai y cairhienina, se había envuelto en el misterio y la manipulación hasta el final. Hasta el final.

Eso era lo que él estaba intentando eludir con tanta cháchara sobre si la mujer había mantenido su actitud reservada hasta el último momento. Ella sabía lo que iba a ocurrir y lo había afrontado con la bravura de cualquier Aiel. Había salido al encuentro de su muerte sabiendo que la estaba aguardando. Había muerto porque él había sido incapaz de matar a Lanfear. Como no pudo matar a una mujer, había muerto otra. Sus ojos se detuvieron sobre la última frase: «Lo harás bien».

Dolían como el frío y aguzado filo de un cuchillo.

—¿Por qué lloras aquí dentro a solas, Rand al'Thor? He oído decir que algunos hombres de las tierras húmedas consideran vergonzoso que los vean llorar.

Rand asestó una mirada furibunda a Sulin, parada en el umbral. Iba completamente equipada, con el estuche del arco a la espalda, la aljaba colgada del cinturón, la redonda adarga de cuero y tres lanzas en la mano.

—No estoy... —Sus mejillas estaban húmedas, y se pasó el envés de la mano por ellas, bruscamente—. Hace calor aquí y estoy sudando como un... ¿Qué quieres? Creí que todas vosotras habíais decidido abandonarme y regresar a la Tierra de los Tres Pliegues.

—No somos nosotras las que te hemos abandonado, Rand al'Thor. —Cerró la puerta tras ella, se puso en cuclillas, y dejó en el suelo la adarga y un par de lanzas—. Eres tú quien nos ha abandonado. —En un único movimiento, plantó el pie contra la tercera lanza, que sujetaba con ambas manos, tiró de ella y la partió por la mitad.

—¿Qué estás haciendo? —exclamó Rand. La mujer arrojó los dos trozos a un lado y cogió otra lanza—. He dicho que qué estás haciendo.

El rostro de la Doncella de cabello banco habría hecho parecer afable el del propio Lan, pero Rand se agachó y le arrebató la lanza; la suave bota de la mujer se apoyó sobre sus nudillos, y no con suavidad precisamente.

—¿Piensas vestirnos con faldas, hacer que nos casemos y que cuidemos del hogar? ¿O habremos de tumbarnos junto a tu fuego y te lameremos la mano cuando nos eches una piltrafa de carne? —Los músculos de sus brazos se tensaron y la lanza se partió, hiriéndole a él la palma con los bordes astillados.

Rand retiró la mano al tiempo que profería una maldición; al sacudirla, saltaron unas gotitas de sangre.

—No me propongo hacer nada por el estilo. Creí que lo entendíais.

La Doncella cogió la última lanza y puso el pie sobre el astil. Rand encauzó y tejió Aire para dejarla inmovilizada en aquella postura. La mujer se limitó a mirarlo fijamente, sin pronunciar una sola palabra.

—¡Así me abrase, no dijisteis nada! —bramó él—. ¿Y que, si impedí que las Doncellas combatieseis contra Couladin? No todos lucharon ese día. Y nunca dijisteis una palabra al respecto.

Los ojos de Sulin se abrieron en un gesto de incredulidad.

—¿Que tú nos impediste bailar las lanzas? ¡Fuimos nosotras quienes te mantuvimos fuera de la danza! Eras como una muchachita recién desposada con la lanza, presto a salir corriendo y matar a Couladin sin pensar un solo momento en que una lanza podía matarte por la espalda. Eres el *Car'a'carn* y no tienes derecho a correr riesgos sin necesidad. —Su tono se tornó inexpresivo—. Ahora vas a luchar contra los Renegados. Es un secreto bien guardado, pero he oído lo suficiente de los que lideran las otras sociedades.

—¿Y queréis mantenerme alejado también de esta batalla? —inquirió quedamente.

—No seas necio, Rand al'Thor. Cualquiera habría podido bailar las lanzas con Couladin, y el que quisieras arriesgarte a ello era la actitud propia de un chiquillo. Ninguno de nosotros puede enfrentarse a los Depravados de la Sombra, excepto tú.

—Entonces ¿por qué...? —Calló; ya sabía la respuesta. Después de aquel sangriento día de combate contra Couladin, se había convencido a sí mismo de que no les importaría. Había querido creer que no.

—Los que irán contigo han sido elegidos. —Las palabras salieron de su boca como piedras lanzadas—. Hombres de todas las sociedades. Hombres. No hay Doncellas entre los escogidos, Rand al'Thor. Las *Far Dareis Mai* guardan tu honor y tú nos has despojado del nuestro.

Rand inhaló profundamente.

—Yo... —balbució—. No me gusta ver morir a una mujer. Es algo que detesto, Sulin. Me hiela las entrañas. Sería incapaz de matar a una mujer aunque mi vida dependiese de ello. —Las hojas de la carta de Moraine crujieron entre sus dedos. Muerta porque él no había podido matar a Lanfear. No siempre era su propia vida la que dependía de ello—. Sulin, antes preferiría actuar solo contra Rahvin que veros morir a una de vosotras.

—Qué estupidez. Todo el mundo necesita que alguien le guarde la espalda. También Rahvin. Incluso Roidan, de los Hijos del Relámpago, y Turol, de los Perros de Piedra, lo aceptan así. —La mujer miró el pie que tenía levantado y puesto contra la lanza, inmovilizado con los mismos flujos que le sujetaban los brazos—. Suéltame, y hablaremos.

Tras un instante de vacilación, Rand desató la urdimbre. Estaba alerta por si tenía que inmovilizarla de nuevo de ser necesario, pero Sulin se limitó a sentarse cruzada de piernas y a hacer saltar la lanza sobre las palmas de las manos.

—A veces olvido que no te criaste entre los de nuestra sangre, Rand al'Thor. Atiéndeme. Soy lo que soy: esto. —Levantó la lanza.

—Sulin...

—Escucha, Rand al'Thor. Soy la lanza. Cuando un amante se interpone entre las dos, la escojo a ella. Otras hacen distinta elección. Algunas deciden que llevan unidas demasiado tiempo a las lanzas, que quieren un esposo, un hijo. Yo jamás he deseado nada más. Ningún jefe vacilaría en enviarme allí donde la danza es más reñida; y, si muero, mis hermanas primeras me llorarán, pero ni una lágrima más de las que derramarían si cayera un hermano primero. Un Asesino del Árbol que me atravesara el corazón mientras estoy dormida me honraría más de lo que lo haces tú. ¿Lo entiendes ahora?

—Lo entiendo, pero... —Claro que lo entendía. La mujer no quería que hiciese de ella lo que no era. Lo único que esperaba de él era que estuviese dispuesto a presenciar su muerte si tal cosa ocurría—. ¿Qué ocurrirá si rompes la última lanza?

—Si no obtengo honor en esta vida, quizá lo logre en la próxima. —Lo dijo como si fuese simplemente una explicación más. A Rand le costó un instante comprender. Todo lo que tenía que hacer era estar dispuesto a verla morir.

—No me dejas elección, ¿verdad? —Igual que había hecho Moraine.

—Siempre hay elección, Rand al'Thor. Tú tienes la tuya, y yo la mía.

Habría querido enseñarle los dientes, gruñirle, maldecir el *ji'e'toh* y a todos los que lo cumplían.

—Elige a tus Doncellas, Sulin. No sé a cuántas podré llevar, pero habrá el mismo número de *Far Dareis Mai* que de las otras asociaciones.

Pasó junto a la mujer, que de repente sonreía. No con alivio, sino de satisfacción. Satisfacción por tener la posibilidad de morir. Tendría que haberla dejado atada con el *Saidin*, y aplazar el arreglar el asunto con ella de alguna manera cuando hubiese regresado de Caemlyn. Abrió la puerta de un empellón y salió al embarcadero. Allí se frenó en seco.

Enaila encabezaba una fila de Doncellas, cada una de ellas con tres lanzas en las manos; la fila comenzaba en la puerta de la choza del jefe de puerto y desaparecía por las puertas más próximas de la muralla de la ciudad. Algunos de los Aiel que se encontraban en los muelles contemplaban la escena con curiosidad, pero era obvio que se trataba de un asunto entre las *Far Dareis Mai* y el *Car'a'carn*, y que no concernía a nadie más. Amys y otras tres o cuatro Sabias que antaño habían sido Doncellas los observaban más atentamente. La mayoría de los que no eran

Aiel se habían marchado, excepto unos pocos hombres que levantaban, nerviosos, los carros de grano volcados mientras intentaban mirar a cualquier otra parte. Enaila se adelantó en dirección a Rand y luego se paró y sonrió cuando Sulin salió al muelle. No una sonrisa de alivio, sino de satisfacción. Sonrisas satisfechas que se propagaron a lo largo de la fila de Doncellas. Sonrisas también en aquellas Sabias, y un seco cabeceo de asentimiento que le dirigió Amys como si hubiese puesto fin a una actitud estúpida.

—Pensé que tal vez iban a entrar de una en una y a besarte para quitarte las penas —comentó Mat.

Rand miró con el ceño fruncido a su amigo, allí plantado y apoyado en su lanza, sonriente, con el sombrero de ala ancha echado hacia atrás.

—¿Cómo puedes estar de tan buen humor? —lo increpó. El hedor a carne carbonizada seguía impregnando el aire, y todavía se oían los gemidos de hombres y mujeres quemados a los que atendían las Sabias.

—Porque estoy vivo —gruñó Mat—. ¿Qué quieres que haga? ¿Ponerme a llorar? —Se encogió de hombros, incómodo—. Amys dice que Egwene va a ponerse bien y que se habrá recuperado del todo dentro de unos pocos días. —Entonces miró en derredor, pero como si no quisiera ver lo que veía—. Diantres, si vamos a hacer eso, hagámoslo de una vez. *Dovie'andi se tovya sagain.*

—¿Qué?

—He dicho que es hora de que rueden los dados. ¿Es que Sulin te ha dejado tapados los oídos?

—Hora de que rueden los dados, sí —convino Rand. Las llamas se habían apagado dentro de la cristalina chimenea de Aire, pero el humo blanco seguía ascendiendo como si el fuego estuviese consumiendo todavía el *ter'angreal.* «Moraine.» Tendría que haber... Lo hecho, hecho estaba. Las Doncellas se estaban agrupando en torno a Sulin, tantas como cabían en el muelle. Lo hecho, hecho estaba, y él tendría que vivir con ello. La muerte sería una liberación de todo aquello con lo que tenía que vivir—. Vamos, nos toca tirar.

54

A CAEMLYN

Quinientas Doncellas, encabezadas por Sulin, acompañaron a Rand de vuelta al Palacio Real donde Bael aguardaba en el gran patio al que se abrían las puertas principales, junto con Hijos del Relámpago, Ojos Negros, Buscadores de Agua y hombres de todas las asociaciones, tan numerosos que llenaban el amplio espacio abierto y se desbordaban dentro de palacio a través de todas las puertas, incluidas hasta las más pequeñas de servicio. Algunos observaban desde las ventanas más bajas, aguardando su turno para salir. Las balconadas de piedra que rodeaban el patio se encontraban desiertas. Entre todos los reunidos en el recinto abierto sólo había un hombre que no era Aiel: los tearianos y los cairhieninos, especialmente estos últimos, mantenían las distancias cuando los Aiel se agrupaban. La excepción se encontraba unos peldaños por detrás y por encima de Bael, en la amplia escalinata gris que conducía al interior de palacio. Pevin sostenía el astil del que colgaba, fláccido, el estandarte carmesí, y su semblante era tan impasible estando rodeado de Aiel como en cualquier otro momento.

Aviendha, que iba montada detrás de Rand, se mantuvo estrechamente aferrada a él, con los senos pegados contra su espalda, hasta el

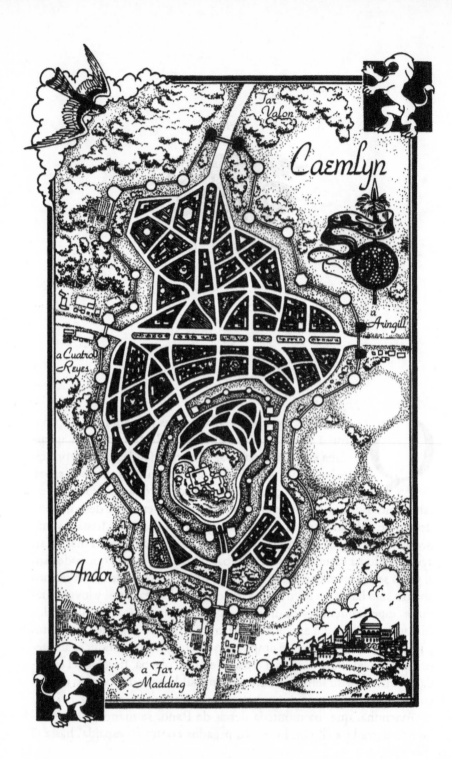

Caemlyn

a Tar Valon

a Aringill

a Cuatro Reyes

Andor

a Far Madding

mismo instante en que Rand desmontó. Se había producido un intercambio entre la muchacha y algunas de las Sabias, allí en los muelles, que Rand imaginó que él no debería haber escuchado.

«Que la Luz te acompañe —había dicho Amys mientras acariciaba la mejilla de Aviendha—. Y protégelo estrechamente. Sabes que es mucho lo que depende de él.»

«Es mucho lo que depende de vosotros dos», le dijo Bair.

«Sería más fácil si hubieses tenido éxito a estas alturas», añadió Melaine, irritada, casi al mismo tiempo.

«En mis tiempos, incluso las Doncellas sabían cómo manejar a los hombres», manifestó Sorilea con un resoplido.

«Ha tenido más éxito de lo que pensáis», les había respondido Amys.

Entonces Aviendha había sacudido la cabeza al tiempo que el brazalete de marfil resbalaba por su brazo al levantar la mano como para hacerla callar, pero Amys continuó a pesar de sus interrumpidas protestas: «He esperado a que ella nos lo contara, pero puesto que no parece dispuesta a hacerlo...» Entonces lo vio plantado a escasos diez pies de distancia, con las riendas de *Jeade'en* en las manos, y cortó bruscamente la frase. Aviendha se había girado para ver lo que Amys estaba mirando; cuando sus ojos se encontraron con él, un intenso rubor le tiñó el rostro, pero enseguida la sangre se retiró tan bruscamente de éste que a pesar de tener la piel tostada por el sol sus mejillas se quedaron pálidas. Las cuatro Sabias le habían asestado a él unas miradas impasibles, indescifrables.

En ese momento habían llegado Asmodean y Mat por detrás de él, conduciendo sus caballos.

«¿Es que todas las mujeres aprenden a mirar así cuando aún están en la cuna? —había rezongado Mat—. ¿Se lo enseñan sus madres? Me da en la nariz que si el *Car'a'carn* se queda un poco más aquí le van a arder las orejas.»

Rand sacudió la cabeza para alejar esos recuerdos; alzó los brazos mientras Aviendha pasaba la pierna por encima para bajarse, y la levantó de la grupa del rodado. Durante un instante la mantuvo agarrada por la cintura e inclinó un poco la cabeza para mirarse en sus claros ojos azul verdosos. Ella le sostuvo la mirada y su expresión no varió, pero sus manos se cerraron con más fuerza sobre los antebrazos de él. ¿En qué se suponía que debería haber tenido éxito? Rand había dado por sentado que tenía la misión de espiarlo por encargo de las Sabias, pero si alguna vez le preguntaba cualquier cosa que él ocultaba a las Sabias, lo hacía sin disimular la ira por guardar secretos para ellas. Nunca con astucia, jamás intentando sonsacarle algo. Hiriente y agresiva, quizá, pero nunca fisgona. Había considerado la posibilidad de que fuera como una de las jóvenes enviadas por Colavaere, pero sólo durante el breve instante en que la idea acudió a su mente. Aviendha no consentiría nunca que la utilizaran de ese modo. Además, aunque lo hubiese hecho, dejar que probara una vez lo que era poseerla para después negarle hasta un simple beso, por no mencionar que tuvo que perseguirla a través de medio mundo, no era el mejor modo de alcanzar tal propósito. Si no le preocupaba lo más mínimo estar desnuda delante de él, no había que olvidar que las costumbres Aiel eran diferentes. Si el hecho de que su desnudez le causara desasosiego parecía complacerla, sin duda se debía a que pensaba que era una gran broma que gastarle. En consecuencia, ¿en qué se suponía que debería haber tenido éxito? Estaba rodeado de intrigas. ¿Es que todo el mundo tenía que maquinar? Podía ver su rostro en los ojos de la muchacha. ¿Quién le había regalado ese collar de plata?

—Eh, me gusta hacer manitas y encandilarme con unos ojos tanto como a cualquier hijo de vecino, pero ¿no os parece que hay demasiada gente mirando? —dijo Mat.

Rand soltó la cintura de Aviendha y retrocedió un paso, pero con tan poca prisa como ella. La muchacha agachó la cabeza mientras arreglaba sin necesidad los pliegues de la falda y rezongaba porque cabalgar se la había desarreglado, pero no antes de que Rand advirtiera que se había puesto colorada. En fin, no había sido su intención azorarla. Recorrió el patio con una mirada ceñuda.

—Te dije que no sabía cuántos podría llevarme, Bael —espetó. Con las Doncellas rebosando por los portones y la escalinata apenas había espacio para moverse en el patio. Quinientos de cada sociedad significaba que había un total de seis mil Aiel; las estancias debían de estar abarrotadas.

El gigantesco jefe Aiel se encogió de hombros. Como todos los demás Aiel que estaban allí, llevaba el *shoufa* enrollado a la cabeza, listo para velarse el rostro. Él no llevaba la cinta carmesí ceñida a las sienes, aunque parecía que por lo menos la mitad de los presentes lucía el círculo con el símbolo blanco y negro sobre la frente.

—Todas las lanzas que puedan seguirte, lo harán. ¿Vendrán pronto las dos Aes Sedai?

—No. —Menos mal que Aviendha había mantenido su promesa de que no dejaría que volviera a tocarla. Lanfear había intentado matarlas a ella y a Egwene porque no sabía cuál de las dos era la Aiel. ¿Cómo se habría enterado Kadere para contárselo? Daba igual. Lan tenía razón: las mujeres sufrían daño, o morían, cuando estaban demasiado próximas a él—. No van a venir.

—Corren rumores sobre... problemas en el río.

—Una gran victoria, Bael —repuso, desanimado, Rand—. Y mucho honor obtenido. —«Pero no por mí.» Pevin pasó junto a Bael para situarse detrás de Rand con el estandarte; como siempre, su estrecho rostro, marcado de cicatrices, estaba totalmente inexpresivo—. ¿Es que todo el palacio está enterado de esto? —preguntó Rand.

—Oí comentarios —dijo Pevin. Abrió y cerró la boca como si buscara las palabras para añadir algo más. Rand le había proporcionado otra chaqueta para reemplazar la que llevaba antes, llena de remiendos; era una prenda de buena lana roja, y el hombre había hecho que le bordaran dragones rampantes en ambos lados de la pechera—. De que os marchabais. A alguna parte. —Aquello pareció agotar su reserva de alocuciones.

Rand asintió en silencio. Los rumores brotaban en palacio como setas en la sombra. Mientras Rahvin no se enterara... Recorrió con la mirada los tejados y las cúspides de las torres. Ningún cuervo. Hacía tiempo que no veía ninguno, aunque había oído que otros hombres habían matado algunos. Quizás ahora evitaban acercarse a él.

—Estad preparados. —Aferró el *Saidin*, flotando en medio del vacío, desprovisto de emociones.

El acceso apareció al pie de la escalinata, primero como una línea brillante que luego pareció desdoblarse hasta crear un rectángulo de cuatro pasos de ancho, abierto a las tinieblas. No se produjo un solo murmullo entre los Aiel. Los que se encontraban al otro lado debían de verlo como a través de un cristal ahumado, una opacidad tremolante en el aire, pero si hubiesen intentado cruzarlo habría sido como querer atravesar una de las paredes del palacio. De costado, el acceso resultaría invisible salvo para los pocos que estaban lo bastante cerca para vislumbrar lo que parecería un fino trazo perpendicular.

Cuatro pasos era la máxima anchura que Rand era capaz de crear. Existían límites para un solo hombre, afirmaba Asmodean; por lo visto siempre había límites, sin importar la cantidad de *Saidin* que uno absorbiera. En realidad el Poder Único tenía poco que ver con los accesos; sólo intervenía en su creación. Al otro lado era algo distinto. El sueño de un sueño, lo llamaba Asmodean.

Rand lo cruzó y pisó en lo que parecía ser una de las losas arrancadas del pavimento del patio, pero aquí la piedra cuadrada estaba suspendida en medio de una oscuridad absoluta, produciendo la sensación de que en cualquier dirección sólo había nada; una nada eterna. No era como una noche oscura; Rand se veía a sí mismo y la losa cuadrada perfectamente, pero todo lo demás, todo en derredor, eran tinieblas.

Había llegado el momento de comprobar lo grande que era capaz de hacer una plataforma. Con la mera idea aparecieron más losas a la vez, creando un duplicado exacto del patio de palacio. Lo imaginó aun más grande. Rápidamente, el cuadrado de piedra se extendió hasta donde alcanzaba la vista. Sufrió un sobresalto al notar que sus pies empezaban a hundirse en la piedra que pisaba; su aspecto no había cambiado, pero cedía lentamente, como si fuese barro, rezumando alrededor de las botas. De inmediato hizo que volviera a recuperar el tamaño de un cuadrado equivalente al de fuera —hasta ahí se mantenía sólido— y después empezó a aumentarlo añadiendo al borde hileras de losas de una en una. No tardó en comprender que no podía hacer la plataforma mucho más amplia que la obtenida en su primer intento. La piedra seguía teniendo un aspecto normal, no se hundía bajo sus pies, pero al agregar la segunda hilera daba la impresión de... inconsistencia, como una fina cáscara que podría quebrarse si se pisaba mal. ¿Se debía a que este tamaño era el máximo que admitía la plataforma? ¿O porque no la había imaginado mayor al principio? «Todos nos marcamos nuestros propios límites.» La idea surgió inesperadamente de algún sitio. «Y los sobrepasamos más allá de lo que nos asiste razón y derecho.»

Rand sintió un escalofrío. Dentro del vacío era como si fuese otra persona la que se estremecía. Era conveniente que se le recordara que Lews Therin seguía estando dentro de él. Debía de tener cuidado de no enzarzarse en una pugna por su propio yo mientras combatía contra Rahvin. De no ser por eso, quizás habría... No. Lo que había ocurrido en el muelle ya era agua pasada; no iba a desmenuzarlo ni a rumiarlo más.

Redujo una hilera de losas en el perímetro de la plataforma y se volvió. Bael estaba esperando allí, en lo que aparentaba un enorme marco cuadrado de luz diurna, con la escalinata detrás. A su lado, Pevin parecía tan poco perturbado por lo que veía como el propio jefe Aiel, que era tanto como decir nada. Pevin llevaría aquel estandarte dondequiera que fuese él, incluso hasta la Fosa de la Perdición, sin pestañear siquiera. Mat echó hacia atrás el sombrero para rascarse la cabeza y después volvió a calárselo con brusquedad al tiempo que mascullaba algo sobre dados rodando dentro de su cabeza.

—Impresionante —musitó Asmodean—. Realmente impresionante.

—Deja los halagos para otro momento, arpista —espetó Aviendha.

Fue la primera en cruzar el acceso, con la vista prendida en Rand, no en donde pisaba. Caminó todo el trecho que la separaba de él sin echar ni una fugaz ojeada en derredor, fija la mirada en su rostro en todo momento. Cuando llegó ante él, sin embargo, desvió los ojos bruscamente y escudriñó la oscuridad que los rodeaba mientras se ajustaba el chal sobre los hombros. A veces las mujeres eran la cosa más extraña que debía de haber salido de las manos del Creador.

Bael y Pevin la siguieron de inmediato; a continuación, Asmodean, con una mano aferrando la correa del estuche del arpa que le cruzaba el pecho en bandolera y la otra crispada sobre la empuñadura de la espada de tal manera que tenía blancos los nudillos; luego pasó Mat, en actitud fanfarrona, aunque un tanto reacio y rezongando entre dientes como si estuviese discutiendo consigo mismo. En la Antigua Lengua. Sulin reclamó para sí el honor de ser la primera del resto, pero enseguida la siguió un apretado flujo de gente, no sólo Doncellas Lanceras sino *Tain Shari*, o Descendientes Verdaderos, y *Far Aldazar Din* o Hermanos del Águila; y Escudos Rojos, Corredores del Alba, Perros de Piedra, Manos Cuchillo y, en fin, representantes de todas las asociaciones guerreras cruzando en tropel.

A medida que aumentaba su número Rand se desplazó al otro extremo de la plataforma, el opuesto al acceso. No era realmente necesario ver hacia dónde iba, pero lo prefería así. A decir verdad, podría haberse quedado en el otro lado o situarse en uno de los laterales, ya que la dirección era mudable; eligiese el rumbo que eligiese para desplazarse, lo llevaría a Caemlyn si lo hacía correctamente. Y a la negrura infinita de la nada si lo hacía mal.

Excepto Bael y Sulin —y Aviendha, por supuesto— los Aiel dejaron un pequeño espacio libre alrededor de él, Mat, Asmodean y Pevin.

—Manteneos apartados de los bordes —advirtió Rand. Todos los Aiel que estaban más cerca del perímetro retrocedieron un paso. Rand no alcanzaba a ver por encima del bosque de cabezas envueltas en shoufa—. ¿Está lleno? —inquirió. La plataforma podría dar cabida a la mitad de todos los que querían ir, pero no muchos más—. ¿Está lleno?

—Sí —respondió finalmente una voz de mujer, de mala gana; creyó reconocerla como la de Lamelle. Sin embargo, continuaba la aglomeración en el acceso; los Aiel parecían convencidos de que debía de haber sitio para uno más.

—¡Es suficiente! —gritó Rand—. ¡Que no entre nadie más! ¡Despejad el acceso! ¡Que todo el mundo se aleje bien de él! —No quería que lo que había ocurrido con la lanza seanchan se repitiese allí con carne humana.

Hubo una pausa y después la misma voz de antes gritó:

—¡Está despejado! —Era Lamelle, sin duda. Rand habría apostado hasta su último céntimo a que Enaila y Somara se encontraban también allí atrás, en alguna parte.

El acceso pareció girar de lado y se estrechó hasta desaparecer con un último destello de luz.

—¡Oh, mierda! —gruñó Mat, que se apoyó, indignado, en la lanza—. ¡Esto es peor que los jodidos Atajos! —Con este comentario se ganó una mirada sobresaltada de Asmodean y otra pensativa por parte de Bael, aunque él no lo advirtió; estaba demasiado absorto escudriñando la oscuridad.

Toda sensación de movimiento era inexistente, y ni siquiera un soplo de brisa agitaba el estandarte que Pevin sostenía. Podrían haber estado allí plantados, inmóviles, pero Rand sabía que no era así; casi podía percibir cómo se iba aproximando el lugar hacia el que se dirigían.

—Si apareces de repente demasiado cerca de él, lo notará. —Asmodean se lamió los labios y evitó mirar a nadie—. Al menos, eso es lo que he oído decir.

—Sé exactamente adónde voy —manifestó Rand. No demasiado cerca, pero tampoco excesivamente lejos. Recordaba bien el lugar.

Ningún movimiento, sólo una negrura infinita, y ellos suspendidos en esa nada, inmóviles. Quizás había transcurrido media hora. Hubo una pequeña agitación entre los Aiel.

—¿Qué ocurre? —preguntó Rand.

Se alzaron murmullos en la plataforma.

—Alguien ha caído —dijo finalmente un hombre corpulento que estaba cerca.

Rand lo reconoció. Era Meciar, un *Cor Darei*, un Lancero Nocturno. Llevaba la cinta roja en la frente.

—No habrá sido una... —empezó Rand, pero entonces advirtió que Sulin lo estaba mirando con acritud.

Volvió de nuevo los ojos hacia la oscuridad; sentía la cólera como una mancha adherida al vacío exento de emociones. Así que se suponía que no debía importarle más si había sido una de las Doncellas quien había caído, ¿no? Pues sí le importaba. Estar cayendo para siempre en una eterna negrura. ¿Se perdería la razón antes de que la muerte llegara, ya fuera por inanición, sed o miedo? En una caída así, hasta un Aiel tendría que acabar, antes o después, siendo presa de un miedo lo bastante intenso para detener los latidos de un corazón. Casi esperaba que ocurriera así; sería más misericordioso que lo otro.

«Maldita sea, ¿qué ha sido de esa dureza de la que estaba tan orgulloso? Una Doncella o un Perro de Piedra, tanto da. Una lanza es una lanza.» Sólo que pensarlo no lo hacía realidad. «¡Seré duro!» Dejaría que las Doncellas bailaran las lanzas donde quisieran. Lo haría. Y sabía que si indagaba para enterarse del nombre de todas las que muriesen, cada uno de ellos sería otra cuchillada en su alma. «Seré duro. La Luz me asista, lo seré. La Luz me asista.»

Aparentemente inmóviles, suspendidos en la oscuridad.

La plataforma se detuvo. No resultaba fácil explicar cómo lo sabía, al igual que antes sabía que se desplazaba, pero así era.

Encauzó, y un acceso se abrió tal como había ocurrido en el patio de Cairhien. El ángulo del sol apenas había variado, pero aquí la luz de primeras horas de la mañana brillaba en una calle pavimentada y en la pronunciada cuesta de una loma cubierta por hierba amarilla y flores silvestres secas a causa de la sequía, en cuya cúspide se alzaba un muro de unos dos espanes de altura, con los bloques de piedra trabajados toscamente para darle la apariencia de un farallón natural. Por encima del muro se divisaban las doradas cúpulas del Palacio Real de Andor, y unas cuantas torres blancas coronadas con el estandarte del León Blanco ondeando con la brisa. Al otro lado de ese muro estaba el jardín donde había conocido a Elayne.

Unos azules ojos flotaron, acusadores, fuera del vacío, seguidos por el repentino y fugaz recuerdo de unos besos robados en Tear, de una carta en la que se le entregaba en cuerpo y alma, de mensajes transmitidos a través de Egwene sobre el amor que le profesaba. ¿Qué diría si llegaba a enterarse de lo de Aviendha, de la noche que habían pasado juntos en el refugio de nieve? Y del recuerdo de otra carta, desdeñándolo fríamente, cual una reina sentenciando a un canalla a las tinieblas exteriores. No importaba. Lan tenía razón. Pero quería... ¿Qué? ¿A quién? Ojos azules, y verdes y marrones oscuros. ¿A Elayne, que a lo mejor lo amaba o a lo mejor era incapaz de decidirse? ¿A Aviendha, que lo tentaba con lo que tenía prohibido tocar? ¿A Min, que se reía de él y que lo consideraba un estúpido cabeza hueca? Todo aquello pasó como un relámpago por los bordes del vacío. Rand intentó hacer caso omiso de ello, rechazar el recuerdo angustioso de otra mujer de ojos azules tirada en el derruido pasillo de un palacio, muerta, muchísimo tiempo atrás.

Tuvo que seguir parado allí mientras los Aiel salían velozmente en pos de Bael y, velándose el rostro, se dispersaban con rapidez a izquierda y derecha. Era su presencia la que mantenía la plataforma; se desvanecería tan pronto como él traspasara el umbral del acceso. Aviendha esperaba casi tan calmosamente como Pevin, aunque de vez en cuando asomaba la cabeza para mirar con el ceño ligeramente fruncido a uno y otro lado de la calle. Asmodean toqueteaba la empuñadura de su espada y respiraba demasiado deprisa; Rand se preguntó si el hombre sabría utilizar el arma. Aunque probablemente no tendría que hacer uso de ella. Mat empezó a subir la empinada cuesta como si reviviese una desagradable experiencia. También él había entrado en el palacio por esta vía en una ocasión.

Cuando el último Aiel velado cruzó el acceso, Rand indicó con un gesto a los demás que salieran e hizo lo propio a continuación. El acceso

877

se desvaneció con un parpadeo, dejándolo en medio de un amplio círculo de cautelosas Doncellas. Los Aiel corrían calle abajo por uno y otro lado —el trazado curvo de la vía seguía la línea de la colina; todas las calles de la Ciudad Interior se amoldaban a la configuración del terreno— y desaparecían alrededor de las esquinas para llevar a cabo su cometido de encontrar y apresar a cualquiera que pudiese dar la alarma. Otros subían la empinada ladera, y unos pocos habían empezado incluso a escalar el muro valiéndose de cualquier pequeña fisura o prominencia como asideros y apoyos para manos y pies.

De repente, Rand observó con detenimiento. A su izquierda la calle se inclinaba hacia abajo y trazaba una curva hasta perderse de vista; el declive permitía divisar un sinfín de torres techadas con tejas que resplandecían con el sol matinal en cien colores cambiantes, y, más allá de los tejados, uno de los muchos parques de la Ciudad Interior, cuyos blancos caminos y monumentos formaban la cabeza de un león cuando se contemplaba desde esa perspectiva. A su derecha, la calle subía un poco antes de girar en curva, al fondo las siluetas de más torres rematadas por chapiteles o cúpulas de diferentes formas, reluciendo por encima de los tejados. Los Aiel llenaban la calle y se dispersaban rápidamente por las calles laterales que se alejaban del palacio con sus curvos trazados. Aiel, pero ni un alma más. El sol estaba lo bastante alto para que la gente ya estuviese fuera ocupándose de sus asuntos, incluso a tan corta distancia del palacio.

Como si se tratase de una pesadilla, el muro en lo alto se desplomó hacia afuera en media docena de sitios; Aiel y bloques de piedra se estrellaron por igual sobre los que aún trepaban por la cuesta. Antes de que aquellos fragmentos de obra de albañilería llegaran a la calle en medio de tumbos, los trollocs aparecieron por las brechas abiertas y, dejando caer los arietes construidos con gruesos troncos que habían utilizado, desenvainaron las curvas espadas semejantes a cimitarras. Aparecieron más que enarbolaban hachas y lanzas de hojas barbadas, unas enormes figuras con apariencia humana, protegidas con negras corazas rematadas en púas en hombros y codos, grandes rostros humanos deformados por hocicos o picos, cuernos o plumas, que se lanzaron loma abajo con los Myrddraal carentes de ojos cual serpientes negras en medio de ellos. Todo a lo largo de la calle, trollocs aullantes y silenciosos Myrddraal salieron en tropel por los umbrales de puertas y huecos de ventanas. Los rayos se descargaron de un cielo despejado.

Rand urdió flujos de Fuego y Aire para contrarrestar Fuego y Aire, un escudo que se extendía lentamente en una carrera contrarreloj para adelantarse a los rayos. Demasiado lento. Un rayo se descargó en el escudo, directamente sobre su cabeza, y estalló en un resplandor cegador, pero otros llegaron a tierra, y Rand notó que el cabello se le ponía de punta cuando el impacto de la onda expansiva lo alcanzó y lo lanzó por el aire. Faltó poco para que perdiera la urdimbre e incluso el vacío, pero siguió tejiendo lo que no podía ver con los ojos todavía cegados por el resplandeciente destello, ampliando el escudo contra las descargas caídas del cielo que, al menos, podía sentir que se estrellaban contra la cobertura, martilleándola para alcanzarlo a él; pero eso podía cambiarse. Absorbió *Saidin* a través del *angreal* que llevaba en el bolsillo, tejió el escudo hasta que estuvo seguro de que debía de cubrir la mitad de la Ciudad Interior, y después ató la urdimbre. Mientras se incorporaba, empezó a recobrar la vista, borrosa y dolorida al principio. Tenía que actuar con rapidez. Rahvin sabía que estaba allí. Tenía que...

Sorprendentemente, al parecer había pasado muy poco tiempo. A Rahvin le había dado igual a cuántos de los suyos mataba. Los trollocs y Myrddraal que yacían, aturdidos, en la pendiente morían bajo las lanzas enarboladas por Doncellas, muchas de las cuales se movían con evidente inestabilidad. Algunas, las que estaban más cerca de Rand, empezaban ahora a levantarse de donde habían caído al salir lanzadas por el aire, y Pevin se sostenía sentado, despatarrado, gracias a servirse del astil del estandarte como un punto de apoyo, todavía con el rostro marcado de cicatrices tan impasible como un pedazo de pizarra. Más trollocs salían en tropel a través de las brechas del muro, en lo alto, y el fragor de la batalla llenaba todas las calles en cualquier dirección; pero, en lo que a Rand concernía, todo ello habría podido estar aconteciendo en otro país.

En la primera andanada había habido más de un rayo, pero no todos habían ido dirigidos contra él. Las botas humeantes de Mat estaban tiradas a una docena de pasos de donde el propio Mat yacía despatarrado de espaldas. Unos hilillos de humo se elevaban también del negro mango de su lanza, de su chaqueta e incluso de la cabeza de zorro plateada, que colgaba por fuera de su camisa y que no lo había protegido del encauzamiento de un hombre. Asmodean era un bulto retorcido y calcinado, sólo reconocible por el chamuscado estuche del arpa que seguía atado a su espalda. Y Aviendha... Sin ninguna marca visible, habríase dicho que estaba tumbada, descansando, si pudiera haber descansado mirando con los ojos muy abiertos al sol.

Rand se inclinó para tocarle la mejilla. Ya empezaba a enfriarse. Al tacto no parecía... carne.

—¡Raaaahviiiin!

Lo asustó un poco que aquel sonido saliese de su garganta. Tenía la sensación de estar sentado en algún rincón profundo de su propia mente, con el vacío a su alrededor más vasto, más vacuo que nunca. El *Saidin* fluía por él como un violento torrente, pero le daba igual si lo arrastraba en su furia. La infección se filtraba por todas partes, lo emponzoñaba todo. No le importaba.

Tres trollocs consiguieron abrirse paso entre las Doncellas, asiendo en sus peludas manos las hachas rematadas con picos y las lanzas de extrañas puntas en forma de lengüeta, y sus ojos, espantosamente humanos, clavados en él, un hombre que en apariencia estaba desarmado. El que tenía un hocico de jabalí cayó con la lanza de Enaila atravesándole la columna vertebral. El del pico de águila y el de hocico de oso arremetieron contra él, el uno corriendo sobre pies calzados con botas, y el otro sobre garras.

Rand notó que sonreía.

Los dos trollocs estallaron en llamas, una por cada poro, que atravesaron la negra armadura. Cuando empezaban a abrir la boca para gritar, se abrió un acceso justo donde estaban de pie. Las mitades ensangrentadas de los ardientes cuerpos de los trollocs, limpiamente sesgados, se desplomaron en el suelo, pero Rand estaba observando a través del acceso abierto. No a la oscuridad, sino a un gran salón con columnas y paneles de piedra con leones cincelados, donde un hombre corpulento, de negro cabello con pinceladas blancas en las sienes, empezó a incorporarse, estupefacto, del trono dorado en el que estaba sentado. Una docena de hombres, algunos vestidos como lores y otros con armaduras, se volvieron para ver qué miraba su señor. Rand apenas reparó en ellos.

—Rahvin —dijo. O lo dijo alguien. No estaba seguro quién.

Precedido por fuego y rayos lanzados anticipadamente, Rand cruzó el umbral y dejó que el acceso se cerrara a su espalda. Él era la muerte.

Nynaeve no estaba teniendo ningún problema para mantener el estado de ánimo que le permitía encauzar un flujo de Energía a la figura de la mujer dormida tallada dentro de la lámina ambarina. Ni siquiera la sensación de unos ojos invisibles observándola la afectaba esa mañana al chocar con su enorme rabia. Siuan estaba delante de ella en una calle de Salidar en el *Tel'aran'rhiod,* una calle desierta a excepción de ellas dos, unas cuantas moscas y un zorro que se detuvo un momento para observarlas con curiosidad antes de reanudar su trote.

—Debéis concentraron —bramó Nynaeve—. La primera vez teníais más control que ahora. ¡Concentraos!

—¡Ya lo hago, muchacha estúpida! —Inopinadamente, el sencillo vestido azul de lana de Siuan se tornó de seda. La estola con las siete bandas de colores de la Sede Amyrlin colgaba alrededor de su cuello, y en su dedo una serpiente dorada se mordía la cola. Contemplando ceñuda a Nynaeve no pareció advertir el cambio sufrido, aunque ya era la quinta vez en ese día que lucía ese mismo atuendo—. ¡Si tengo dificultades es por esa asquerosa cocción amarga que me diste a beber hoy! ¡Puag! Todavía paladeo su sabor. Es como la hiel de un pez. —La estola y el anillo se desvanecieron; el cuello alto del vestido de seda se convirtió en un escote lo bastante bajo para que se viera el retorcido anillo de piedra que colgaba entre sus senos de una fina cadena de oro.

—Si no hubieseis insistido en que os enseñara cuando necesitabais algo para dormir, esto no habría pasado. —Vale, en la mezcla iban también ajenjo y otras cosas que realmente no se precisaban para facilitar el sueño, pero la mujer se merecía que la lengua se le retorciera un poco con el gusto acibarado.

—Difícilmente podrías enseñarme cuando les estás enseñando a Sheriam y a las otras. —El tono de la seda del vestido perdió intensidad; de nuevo tenía un cuello alto, rematado por una lechuguilla de puntilla blanca, y una cofia de perlas se ajustaba a su cabello—. ¿O prefieres que venga después de que hayas acabado con ellas? Según tú, te hace falta dormir un poco sin que se te moleste.

Nynaeve tembló de rabia y apretó los puños a los costados. Sheriam y las otras no eran el principal motivo que atizaba su ira. Elayne y ella hacían turnos para llevarlas al *Tel'aran'rhiod* de dos en dos, a veces a las seis en una sola noche; y, aunque ella fuese la maestra, nunca dejaban que olvidara que era Aceptada y ellas Aes Sedai. Una sola palabra mordaz cuando cometían un estúpido error y... A Elayne sólo le habían mandado restregar ollas una vez, pero Nynaeve tenía las manos arrugadas del agua caliente y jabonosa; al menos lo estaban donde su cuerpo dormía. Pero eso no era lo peor. Ni el hecho de que apenas tuviese un momento libre para dedicarlo a investigar qué podía hacerse, si es que había algo, por las personas neutralizadas o amansadas. De todos modos, Logain se mostraba más dado a cooperar que Siuan y Leane, o más ansioso al menos. Gracias a la Luz había entendido la necesidad de guardarlo en secreto. O creía que lo había entendido; probablemente creía que acabaría curándolo. No, no eran estas cosas lo peor. Faolain había sido sometida a una prueba y ascendida; no a Aes Sedai —algo imposible sin la Vara Juratoria, que estaba en la Torre— sino a algo superior a Aceptada. Ahora Faolain llevaba el vestido a su gusto, y si no se le había dado el chal ni opción a escoger Ajah, sí se le dio otro tipo de autoridad. Nynaeve estaba convencida de que le había llevado más vasos de agua, más libros —¡olvidados a propósito, sin duda!—, más alfileres, más tinteros y otras cosas inútiles en los últimos cuatro días que en toda su estancia en la Torre. Aun así, tampoco Faolain era lo peor de todo. Ni siquiera quería recordarlo. Su rabia habría bastado para caldear una casa en invierno.

—¿Qué te ha clavado un anzuelo en las agallas hoy, muchacha? —Siuan llevaba ahora un vestido como los que lucía Leane, sólo que más traslúcido de lo que la antigua Guardiana se atrevería a llevar en público, tan tenue que costaba trabajo saber de qué color era. Tampoco era la primera vez que llevaba tal atuendo ese día. ¿Qué le estaría rondando en lo más profundo de la mente? En el Mundo de los Sueños, cosas como esos cambios de ropas delataban pensamientos que una quizá ni siquiera sabía que tenía—. Casi has sido una buena compañía hasta hoy —continuó, irritada, Siuan, que se quedó pensativa un momento—. Hasta hoy. Ahora lo entiendo. Ayer por la tarde Sheriam le asignó a Theodrin la tarea de ayudarte a romper esa barrera que has construido entre la Fuente y tú. ¿Es eso lo que te ha puesto de uñas? ¿No te gusta que Theodrin te diga lo que tienes que hacer? También ella es una espontánea, muchacha. Si hay alguien que pueda ayudarte a aprender a encauzar sin que antes tengas que comerte unas ortigas, ella...

—¿Y qué es lo que os tiene tan desazonada que sois incapaz de conservar la misma vestimenta un minuto seguido? —Theodrin; eso era lo que le dolía realmente. El fracaso—. ¿No será algo que oí comentar anoche? —Theodrin era una mujer reposada, amable, paciente; dijo que no podía conseguirse en una sesión, que a ella le había costado meses echar abajo su propia barrera, y eso que se había dado cuenta de que encauzaba mucho antes de ir a la Torre. No obstante, el fracaso dolía y, lo que era peor, si alguien descubría que había llorado como una niña en los consoladores brazos de Theodrin cuando comprendió que había fracasado...—. Decían que le habíais arrojado las botas a Gareth Bryne a la cabeza cuando os dijo que os sentaseis y se las limpiaseis bien. Por cierto, todavía ignora que es Min quien las limpia, ¿verdad? De modo que os puso boca abajo sobre las rodillas y...

El bofetón que le propinó Siuan hizo que le pitaran los oídos. Durante un instante sólo fue capaz de mirar de hito en hito a la otra mujer, con los ojos cada vez más abiertos. Con un chillido salvaje Nynaeve intentó asestarle un puñetazo en el ojo. Lo intentó, porque, de algún modo, Siuan consiguió agarrarle un puñado de pelo. Un instante después las dos se revolcaban en el polvo de la calle, rodando y gritando mientras se lanzaban golpes violentamente.

En medio de gruñidos, Nynaeve creyó que estaba llevando las de ganar aunque la mitad del tiempo no sabía si estaba encima o debajo.

Siuan intentaba arrancarle la coleta de cuajo con una mano mientras que con la otra le aporreaba las costillas o cualquier otro sitio que pudiera, pero ella tenía igual a la otra mujer, y los tirones y los puñetazos de Siuan se iban haciendo más y más débiles, sin lugar a dudas, en tanto que ella iba a dejarla sin sentido a golpes dentro de un minuto y después la dejaría calva de un tirón. Nynaeve chilló cuando un punterazo se descargó con fuerza en su espinilla. ¡Siuan daba patadas! Nynaeve trató de asestarle un rodillazo, pero no resultaba fácil hacerlo llevando faldas. ¡Dar patadas no era luchar limpio!

De pronto Nynaeve se dio cuenta de que Siuan se sacudía. Al principio pensó que estaba llorando, pero luego comprendió que era por la risa. Se incorporó un poco, se apartó el pelo de la cara bruscamente —tenía la coleta deshecha— y miró, furibunda, a la otra mujer.

—¿De qué os reís? ¿De mí? ¡Si vais a...!

—De ti no. De nosotras. —Todavía sacudida por la risa, Siuan la empujó para quitársela de encima. También ella tenía el cabello revuelto, y el polvo cubría el sencillo vestido de lana que llevaba puesto ahora, con aspecto desgastado y zurcido pulcramente en varios sitios. También iba descalza—. Dos mujeres hechas y derechas rodando por el suelo como... No había hecho algo así desde que tenía... doce años, creo. Empecé a pensar que sólo nos faltaba que la gruesa Cian apareciese, me cogiera por una oreja y me dijera que las niñas no se pelean. Al parecer una vez dejó tumbado a un borracho, aunque no sé el motivo. —Algo muy parecido a una risita la agitó un momento, pero enseguida la reprimió, se puso de pie y se sacudió el polvo de la ropa—. Si estamos en desacuerdo en algo, podemos solucionarlo como mujeres adultas. —Con un tono cauteloso añadió—: Sin embargo, no sería mala idea evitar cualquier mención a Gareth Bryne. —Dio un respingo cuando el desgastado vestido se transformó en otro rojo con bordados negros y dorados alrededor del repulgo y del borde del exagerado escote.

Nynaeve se quedó sentada, mirándola. ¿Qué habría hecho ella como Zahorí si hubiese encontrado a dos mujeres rodando por el polvo así? Como poco, la respuesta la condujo al borde de un estallido de mal genio. Siuan todavía no parecía darse cuenta de que no hacía falta sacudir el polvo de la ropa con las manos en el *Tel'aran'rhiod*. Apartó bruscamente los dedos que habían estado trenzando la coleta y se levantó del suelo con rapidez; antes de que estuviera de nuevo en pie, la trenza le colgaba sobre el hombro perfectamente peinada, y las ropas de buena lana de Dos Ríos podrían haber acabado de salir del lavadero por su aspecto.

—Estoy de acuerdo —dijo.

Si ella hubiese pillado a dos mujeres de esa guisa, habría hecho que lo lamentaran antes de llevarlas a rastras ante el Círculo de Mujeres. ¿En qué demonios pensaba para liarse a porrazos como cualquier hombre estúpido? Primero, Cerandin —no quería acordarse de ese episodio, pero había ocurrido—; después, Latelle, y ahora esto. ¿Es que iba a tener que echar abajo su barrera a fuerza de estar furiosa a todas horas? Por desgracia —o tal vez por suerte— aquella idea no la puso de mejor humor.

—Si discrepamos en algo, podemos... discutirlo —añadió.

—Supongo que eso significa que nos gritaremos la una a la otra —comentó secamente Siuan—. En fin, mejor eso que no lo otro.

—¡No tendríamos que gritarnos si no...! —Haciendo una profunda inhalación, Nynaeve miró a otro lado; éste no era el modo de empezar tras hacer borrón y cuenta nueva. La inhalación que estaba haciendo se cortó de golpe, y giró de nuevo la cabeza hacia Siuan con tal rapidez que pareció que la había sacudido. Así lo esperaba, al menos. Durante un fugaz instante había visto un rostro en una ventana al otro lado de la calle. Y sintió un vacío en el estómago, una oleada de miedo, y una rabia sorda por haberse asustado—. Creo que deberíamos regresar ya —anunció quedamente.

—¡Regresar! Dijiste que ese asqueroso potingue me haría dormir más de dos horas, y no hace ni la mitad de tiempo que estamos aquí.

—El tiempo transcurre de manera distinta en el *Tel'aran'rhiod*. —¿Había sido Moghedien? La cara había desaparecido tan velozmente que podría tratarse de cualquier persona que se hubiese soñado allí durante un instante. Si era Moghedien, no debían, por ningún concepto, hacer nada para que se diera cuenta de que la había visto. Tenían que marcharse. Oleada de miedo, rabia sorda—. Ya os lo dije. Un día en el *Tel'aran'rhiod* puede significar una hora en el mundo de vigilia o viceversa. Hemos de...

—He sacado del pantoque con un cubo a mejores que tú, muchacha. No pienses que puedes sisarme en el cambio e irte de rositas. Me enseñarás todo lo que enseñas a las otras, como acordamos. Nos marcharemos cuando me despierte.

No había tiempo, si era Moghedien a quien había visto. El vestido de Siuan era de seda verde ahora, y habían aparecido de nuevo la estola de Amyrlin y el anillo de la Gran Serpiente, pero, sorprendentemente, el escote era casi tan bajo como cualquiera de los que había llevado antes. El anillo *ter'angreal* colgaba por encima de sus senos y, de algún modo, formaba parte de un collar de esmeraldas cuadradas.

Nynaeve actuó sin pensar. Su mano se movió con una rapidez relampagueante y tiró del collar con tanta fuerza que se lo arrancó a Siuan del cuello. Los ojos de la otra mujer se abrieron como platos, pero tan pronto como el broche se hubo roto ella desapareció, y el collar y el anillo se desvanecieron en la mano de Nynaeve. Durante un instante miró sus dedos vacíos de hito en hito. ¿Qué le ocurriría a una persona expulsada del *Tel'aran'rhiod* de esa manera? ¿Habría enviado a Siuan de vuelta a su cuerpo dormido o a alguna otra parte? ¿O a ninguna?

El pánico se apoderó de ella; se había quedado parada allí, sin más. Tan rápidamente como si estuviese huyendo, el Mundo de los Sueños pareció cambiar a su alrededor.

De repente se encontró en una calle de tierra de un pequeño pueblo con casas de madera, todas de una sola planta. El León Blanco de Andor flameaba en la punta de un alto astil, y un solitario embarcadero de piedra penetraba en el cauce de un río ancho, donde una bandada de aves de pico largo volaba hacia el sur casi a ras de la corriente. Todo le resultaba vagamente conocido, pero le costó unos instantes identificar el lugar. Era Jurene, en Cairhien. Y ese río era el Erinin. Era allí donde Egwene, Elayne y ella habían embarcado en el *Rayo,* bautizado con tan poco acierto como el *Sierpe de río,* para continuar su viaje hacia Tear. Al recordarlo ahora le pareció algo leído en un libro mucho tiempo atrás.

¿Por qué había saltado a Jurene? La respuesta a eso era fácil y la tuvo tan pronto como lo pensó. Jurene era el único sitio que conocía lo bastante bien para saltar a él en el *Tel'aran'rhiod* y, al mismo tiempo, estaba segura de que Moghedien no tenía noticia de él. Habían pasado allí una hora, con anterioridad a que la Renegada supiese que ella existía, y tenía la certeza de que ni Elayne ni ella habían vuelto a mencionarlo una sola vez, ni en el *Tel'aran'rhiod* ni estando despiertas.

Pero aquello planteaba otro interrogante; el mismo, en cierto modo. ¿Por qué Jurene? ¿Por qué no salir del sueño y despertar en su cama, sin más, si es que lavar platos y fregar suelos además de todas sus otras ocupaciones no la tenían tan agotada como para seguir dormida? «Porque todavía no puedo abandonar el *Tel'aran'rhiod.*» Moghedien la había visto en Salidar, si es que era Moghedien, de modo que la Renegada conocía ahora la existencia de Salidar. «Puedo decírselo a Sheriam.» ¿Y cómo? ¿Admitiendo que estaba enseñando a Siuan? Se suponía que ella no debía tocar esos *ter'angreal* excepto estando con Sheriam y las otras Aes Sedai. Nynaeve ignoraba cómo se las ingeniaba Siuan para echarles la mano cuando quería. No, no la asustaba pasar más horas con los brazos metidos hasta los codos en agua caliente; la asustaba Moghedien. La ira bulló ardiente en sus entrañas. Ojalá tuviese un poco de menta de ánade de su morral de hierbas. «Estoy tan... tan harta de tener miedo.»

Delante de una de las casas había un banco de cara al río y al embarcadero. Se sentó y examinó su situación desde cualquier perspectiva posible. Era ridículo. Percibía la Fuente Verdadera como algo débil; encauzó una llama que titiló en el aire por encima de su mano. Su apariencia podría parecer sólida, al menos para ella, pero veía el río a través de esa pizca de fuego; ató el flujo, y la llama se desvaneció como un jirón de niebla tan pronto como estuvo hecho el nudo. ¿Cómo iba a enfrentarse a Moghedien cuando hasta la novicia más débil de Salidar podría igualar y hasta superar su fuerza? Por eso había huido aquí en lugar de salir del *Tel'aran'rhiod*. Asustada y furiosa por estar asustada; demasiado furiosa para pensar con claridad, para tener en cuenta su debilidad.

Saldría del sueño. Fuera cual fuera el plan de Siuan, esto le ponía fin; la dos tendrían que afrontar las consecuencias. La idea de pasar más horas fregando suelos hizo que su mano se cerrara con fuerza sobre la coleta; más bien serían días, y puede que además probara también la vara de Sheriam. Tal vez le prohibiesen acercarse siquiera a un *ter'angreal* del sueño o a cualquier otro *ter'angreal*. Encargarían su educación a Faolain en sustitución de Theodrin. Y se acabaría el estudiar a Siuan y a Leane, cuanto menos a Logain; quizá se acabara incluso el estudio de la Curación.

Llena de rabia, encauzó otra llama. Si era más fuerte, ella no lo notaba. De mucho servía intentar azuzar su ira con la esperanza de que serviría de ayuda.

—No tengo más remedio que decirles que vi a Moghedien —masculló al tiempo que se propinaba un tirón de la trenza lo bastante fuerte para que le doliese—. Luz, me pondrán en manos de Faolain. ¡Casi preferiría morir!

—Sin embargo, parece que disfrutas haciendo pequeños recados para ella.

Aquella voz burlona hizo que Nynaeve se levantara del banco como impulsada por un resorte. Moghedien estaba de pie en la calle, toda de negro, sacudiendo la cabeza mientras miraba el entorno. Con toda su fuerza, Nynaeve tejió un escudo de Energía y lo lanzó para interponerlo entre la otra mujer y el *Saidar*, mejor dicho, intentó interponerlo, porque el resultado fue como si tratase de cortar un árbol con una hachuela de papel. De hecho, Moghedien sonrió antes de tomarse la molestia de cortar la urdimbre de Nynaeve y lo hizo con tanta despreocupación como si apartara un mosquito de su cara. Nynaeve la miraba aturdida, como si hubiese recibido un mazazo. Tanto esfuerzo para llegar a esto. El Poder Único, inútil. Toda su rabia bullendo en su interior, inútil.

Todas sus hierbas, sus esperanzas, inútiles. Moghedien no se molestó en contraatacar. Ni siquiera se molestó en encauzar un escudo propio, tal era el desprecio que le inspiraba.

—Temí que me hubieses visto. Me volví descuidada cuando Siuan y tú os enzarzasteis tratando de mataros. Con vuestras manos. —Moghedien soltó una risa despectiva. Estaba tejiendo algo, lentamente ya que no había razón para apresurarse. Nynaeve ignoraba qué era, pero aun así deseaba gritar. La cólera hervía en su interior, pero el miedo le nublaba la razón, la dejaba paralizada—. A veces creo que eres demasiado ignorante incluso para instruirte. Tú y la anterior Amyrlin y todas las demás. Pero no puedo permitirte que me delates. —El tejido urdido se desplazó hacia Nynaeve—. Por lo visto ha llegado el momento de tomarte por fin.

—¡Alto, Moghedien! —gritó Birgitte.

Nynaeve se quedó boquiabierta. Era Birgitte, igual que antes, con la corta chaqueta blanca y los amplios pantalones amarillos, la trenza complejamente tejida sobre el hombro, y una flecha de plata presta para salir disparada del argénteo arco tensado. Imposible. Birgitte ya no era parte del *Tel'aran'rhiod* estaba en Salidar, vigilando para que nadie descubriese que Siuan y ella dormían en pleno día y empezara a hacer preguntas.

Moghedien se quedó tan estupefacta que los flujos que había tejido se desvanecieron. Empero, su desconcierto apenas duró un momento. La resplandeciente flecha salió disparada del arco de Birgitte... y se evaporó. El arco se evaporó. Algo pareció agarrar a la arquera, tirando bruscamente de sus brazos hacia arriba, levantándola en vilo del suelo. Casi de inmediato el movimiento ascendente se frenó en seco, con una brusca sacudida, y el cuerpo de la mujer se puso tirante por la tensión ejercida en direcciones opuestas desde las muñecas y los tobillos, suspendido a un palmo del suelo.

—Debí pensar en la posibilidad de que aparecieses. —Moghedien le dio la espalda a Nynaeve y se acercó a Birgitte—. ¿Disfrutas de tu cuerpo físico... sin Gaidal Cain?

Nynaeve pensó encauzar, pero ¿qué? ¿Una daga que tal vez no atravesara siquiera la piel de la Renegada? ¿Fuego que ni siquiera le chamuscaría la falda? Moghedien sabía que no representaba ninguna amenaza; ni siquiera la miraba. Si cortaba el flujo de Energía conectado con la mujer durmiente de la lámina ambarina, despertaría en Salidar y podría dar la alarma. Su rostro se crispó, al borde de las lágrimas, al mirar a Birgitte. La mujer rubia estaba colgada allí, mirando con expresión desafiante a Moghedien. La Renegada, a su vez, la observaba como haría un tallador con un trozo de madera.

«Sólo estoy yo —pensó Nynaeve—. Probablemente seré incapaz de encauzar lo más mínimo, pero sólo estoy yo.»

Levantar el pie le costó tanto trabajo como si estuviese metida en cieno hasta la rodilla, y el segundo paso no fue mucho más fácil. En dirección a Moghedien.

—No me hagas daño —gritó—. Por favor, no me hagas daño.

Un escalofrío la estremeció de pies a cabeza. Birgitte había desaparecido. Una niña de unos tres o cuatro años, vestida con una corta chaqueta blanca y amplios pantalones amarillos, se encontraba allí jugando con un arco de plata de juguete. Echó la dorada trenza hacia atrás con un gesto de la cabeza, apuntó con el arco a Nynaeve, soltó una alegre risita y después se chupó un dedo como dudando si habría hecho algo malo. Nynaeve cayó sobre las rodillas; resultaba difícil gatear llevando faldas, pero no creía que hubiese podido continuar de pie. De algún modo se las arregló para tender una mano suplicante.

—Por favor, no me hagas daño. Por favor, no me hagas daño —lloriqueó una y otra vez mientras se arrastraba hacia la Renegada como un gusano.

Moghedien la observó en silencio hasta que finalmente dijo:

—Hubo un tiempo en que te creí más fuerte, pero ahora me resulta realmente gratificante verte de rodillas. No te acerques más, muchacha. Y no es que tema que tengas coraje suficiente para intentar arrancarme el pelo... —Aquella idea pareció divertirla.

La mano tendida de Nynaeve estaba a menos de dos pasos de Moghedien. Tendría que bastar. Sólo estaba ella. Y el *Tel'aran'rhiod*. La imagen cobró forma en su cerebro, y al instante apareció el brazalete plateado en su muñeca y la correa plateada que lo unía con el collar plateado que rodeaba la garganta de la Renegada. No fue sólo el *a'dam* lo que había imaginado, sino también a Moghedien llevándolo puesto; Moghedien y el *a'dam,* una parte del *Tel'aran'rhiod* que ella controlaba en la forma que deseaba. Sabía algo de lo que podía esperar, ya que había tenido puesto brevemente un brazalete de *a'dam,* en Falme. De un modo extraño fue consciente de Moghedien de igual forma que era consciente de su propio cuerpo, sus propias emociones; dos identidades individuales, cada una de ellas distinta, pero ambas dentro de su cabeza. Había algo sobre lo que sólo albergó esperanzas, porque Elayne insistió en que funcionaba así. El artilugio era, efectivamente, un vínculo; podía percibir la Fuente a través de la otra mujer.

Moghedien llevó velozmente una mano hacia el collar mientras el estupor asomaba a sus ojos. Y rabia y horror. Más rabia que horror al principio. Nynaeve notó esas emociones como algo propio. La Renegada tenía que saber lo que era la correa y el collar, pero aun así intentó quitárselo encauzando; al mismo tiempo, Nynaeve sintió una ligera transfundición de Poder en sí misma, en el *a'dam,* cuando la otra mujer trató de doblegar el *Tel'aran'rhiod* a su voluntad. Suprimir el intento de Moghedien resultó sencillo; el *a'dam* era un vínculo que controlaba ella. Saberlo lo hacía más fácil. Nynaeve no quería encauzar aquellos flujos, así que no se encauzaron. Moghedien habría tenido el mismo resultado si hubiese intentado levantar una montaña con sus manos. El horror superó a la rabia.

Nynaeve se puso de pie y afirmó la imagen adecuada en su mente. No se limitó a imaginar a Moghedien atada al *a'dam:* sabía que la Renegada lo estaba con tanta certeza como sabía su nombre. Sin embargo, la sensación de transfundición, de cosquilleo en la piel, persistía.

—Deja de hacer eso —ordenó duramente. El *a'dam* no se movió, pero pareció emitir un temblor. Imaginó una variedad de ortigas llamadas avispas negras que azotaban suavemente a la Renegada desde los hombros hasta los tobillos. Moghedien se estremeció y exhaló el aire bruscamente al sufrir una sacudida—. He dicho que lo dejes o te haré algo peor. —La transfundición cesó.

Moghedien la miró cautelosamente, todavía aferrando el collar plateado que ceñía su cuello y como si estuviese de puntillas, dispuesta a emprender la huida de un momento a otro.

Birgitte —la niña que era, o había sido, Birgitte— las observaba con curiosidad. Nynaeve la imaginó como una mujer adulta y se concentró. La pequeña volvió a meterse el dedo en la boca y empezó a examinar con interés el arco de juguete. Nynaeve resopló malhumorada. No era tarea fácil cambiar lo que otra persona había concebido, y, por si esto fuera poco, Moghedien había afirmado que era capaz de hacer definitivos los cambios. No obstante, lo que podía hacer, también podía deshacerlo.

—Devuélvele su apariencia —ordenó.

—Si me liberas, lo...

Nynaeve imaginó ortigas otra vez, pero los azotes con ellas no fueron suaves en esta ocasión. Moghedien inhaló aire con los labios apretados mientras se sacudía como una sábana agitada por el ventarrón.

—Ha sido la cosa más espantosa que jamás me ha ocurrido —dijo Birgitte, que volvía a ser ella misma. Llevaba la chaqueta corta y el amplio pantalón, pero no tenía arco ni aljaba—. Era una niña, pero al mismo tiempo esa parte que era yo, realmente yo, estaba reducida a una simple fantasía flotando en lo más recóndito de esa mente infantil. Y yo era consciente de ello. Sabía que sólo podía contemplar lo que ocurría y jugar... —Echó la dorada trenza hacia atrás con un gesto brusco de la cabeza y asestó a Moghedien una dura mirada.

—¿Cómo llegaste aquí? —preguntó Nynaeve—. Me alegro de que lo hayas hecho, ya sabes, pero... ¿cómo?

Birgitte lanzó una última mirada glacial a la Renegada y después se abrió la chaqueta y sacó por el cuello de la blusa el retorcido anillo de piedra, colgado de un cordón de cuero.

—Siuan se despertó. Sólo un instante y no del todo, pero lo suficiente para mascullar algo de que le habías quitado esto de un tirón. Cuando vi que no te despertabas inmediatamente después que ella, supe que algo debía ir mal, así que me colgué el anillo y me tomé el resto de esa mezcla que preparaste para Siuan.

—Pero si apenas quedaba nada, sólo posos.

—Suficiente para hacerme dormir. Es repugnante, por cierto. Después de eso fue tan fácil como encontrar bailarinas de pumas en Shiota. En ciertos aspectos esto es casi como cuando todavía estaba... —Birgitte calló y asestó otra mirada furibunda a Moghedien. El arco de plata reapareció en su mano, así como una aljaba llena de flechas argénteas en su cadera, aunque al cabo de un instante volvieron a desaparecer—. Lo pasado, pasado está, y el futuro nos aguarda —dijo firmemente—. No me sorprendió realmente comprender que erais dos y ambas sabíais que estabais en el *Tel'aran'rhiod*. Sabía que la otra tenía que ser ella, y cuando llegué y os vi... Parecía como si ya te hubiese capturado, pero confiaba en que, si la distraía, seguramente se te ocurriría algo.

Nynaeve sintió una punzada de vergüenza. Había considerado la posibilidad de abandonar a Birgitte; eso era lo que se le había ocurrido. Sólo lo había pensado un momento, y rechazó la idea en cuanto se le pasó por la cabeza, pero lo pensó. Qué cobarde era. Seguro que a Birgitte ni siquiera se le había ocurrido algo así aunque sólo fuera un instante cuando el miedo la atenazaba.

—Yo... —Un leve sabor a agrimonia y hojas de ricino machacadas le vino a la boca—. Estuve a punto de huir —confesó finalmente—. Estaba tan asustada que tenía la lengua pegada al paladar. Faltó poco para que huyera y te abandonara.

—¿Sí? —La mirada pensativa que le dirigió Birgitte hizo encogerse a la antigua Zahorí—. Pero no lo hiciste, ¿verdad? Debí haber disparado antes de gritar, pero no me siento cómoda disparando a nadie por la espalda, ni siquiera a ella. Aun así, todo salió bien. Pero ¿qué vamos a hacer con ella?

Ciertamente Moghedien parecía haber dominado su miedo, y, sin hacer caso del collar plateado que llevaba en la garganta, observaba a

Nynaeve y a Birgitte como si fuesen las prisioneras y ella estuviese decidiendo qué hacer con ellas. Salvo porque sus manos se crispaban de vez en cuando, como si quisiera rascarse allí donde la piel conservaba memoria de las ortigas, era la viva imagen de la serenidad. Empero, el *a'dam* transmitía a Nynaeve que dentro de la mujer alentaba el miedo, casi como un guirigay aunque reprimido a un ahogado zumbido. Ojalá el artilugio le permitiera captar los pensamientos de la mujer al igual que sus emociones. Aunque, bien pensado, se alegraba de no estar dentro de la mente que había detrás de aquellos sombríos ojos.

—Antes de que os planteéis algo... drástico —dijo la Renegada—, recordad que sé mucho que os sería útil. He vigilado a los otros Escogidos, he escuchado a escondidas sus planes. ¿Es que eso no tiene ningún valor?

—Cuéntamelo y entonces decidiré si vale algo —repuso Nynaeve. ¿Qué podía hacer con ella?

—Lanfear, Graendal, Rahvin y Sammael están confabulados.

Nynaeve dio un brusco tirón de la correa que hizo tambalearse a la Renegada.

—Eso ya lo sé. Dime algo nuevo. —La mujer estaba cautiva allí, pero el *a'dam* sólo existiría mientras continuaran en el *Tel'aran'rhiod*.

—¿Y sabes que están induciendo a Rand al'Thor para que ataque a Sammael? Sólo que, cuando lo haga, se encontrará también con los otros, esperando para atraparlo entre todos. Al menos, encontrará a Graendal y a Rahvin. Creo que el juego de Lanfear es otro, uno que los demás desconocen completamente.

Nynaeve intercambió una mirada preocupada con Birgitte. Rand debía enterarse de esto. Y se enteraría, tan pronto como Elayne y ella pudiesen hablar con Egwene esa misma noche. Si es que se las arreglaban para echarles mano a los *ter'angreal* el tiempo suficiente.

—Es decir —murmuró Moghedien—, si vive para encontrarlos.

Nynaeve agarró la cadena plateada por donde se unía al collar y tiró para acercar el rostro de la Renegada hacia el suyo. Los oscuros ojos sostuvieron, impasibles, su mirada, pero percibió la ira a través del *a'dam*, y el miedo que pugnaba por aflorar a la superficie, y su violento rechazo para impedir que saliera.

—Escúchame bien. ¿Crees que no sé por qué te muestras tan bien dispuesta a ayudar? Imaginas que si sigues hablando y hablando acabaré cometiendo un error y podrás escapar. Piensas que cuanto más hablemos, más me costará matarte. —Había mucho de cierto en eso. Matar a alguien a sangre fría, incluso a una Renegada, sería muy duro, tal vez más de lo que era capaz de afrontar. ¿Qué iba a hacer con esta mujer?—. Pero ten esto muy presente: no permitiré ambigüedades. Si intentas ocultarme algo, haré contigo todo lo que has pensado hacerme tú a mí. —Terror, deslizándose a través de la correa, como unos chillidos escalofriantes resonando en un recóndito rincón de la mente de Moghedien. A lo mejor no sabía tanto sobre los *a'dam* como Nynaeve había imaginado. Quizá creía que podría leerle los pensamientos—. Bien, si sabes de algo que sea una amenaza para Rand, algo anterior al encuentro con Sammael y los otros, dímelo. ¡Ahora!

Las palabras fluyeron de la boca de Moghedien mientras la mujer se humedecía repetidamente los labios con la lengua.

—Al'Thor se propone ir contra Rahvin hoy, esta mañana, porque cree que asesinó a Morgase. Ignoro si Rahvin lo hizo o no, pero al'Thor está convencido de ello. Sin embargo, Rahvin jamás confió en Lanfear; nunca confió en ninguno de ellos. ¿Por qué iba a hacerlo? Pensó que todo ello podía ser una trampa dispuesta para él, así que tendió la suya propia. Ha distribuido salvaguardas a través de Caemlyn de manera que, si un hombre encauza aunque sólo sea una pizca, la trampa saltará. Al'Thor se meterá de cabeza en ella. Casi seguro que se ha metido ya. Creo que tenía intención de salir de Cairhien con las primeras luces del alba. Yo no he participado en eso, no tengo nada que ver en ello. Yo...

Nynaeve quería hacerla callar; el sudor del miedo que brillaba en el rostro de la mujer la ponía enferma, pero también tenía que prestar oídos a aquella voz suplicante... Empezó a encauzar al tiempo que se preguntaba si sería lo bastante fuerte para mantener callada a Moghedien, y después sonrió. Estaba vinculada a ella, y con el control en sus manos. Los ojos de la Renegada se desorbitaron como si fuesen a salirse de las órbitas cuando Nynaeve empezó a tejer flujos para hacer una mordaza, y también urdió tapones para los oídos; luego ató los flujos y se volvió hacia Birgitte.

—¿Qué te parece?

—A Elayne se le partirá el corazón. Ama a su madre.

—¡Eso ya lo sé! —Nynaeve respiró hondo—. Lloraré con ella y derramaré cada lágrima con tristeza, pero ahora mismo el que me preocupa es Rand. Creo que ha dicho la verdad, casi podía sentirlo. —Cogió la cadena plateada justo en la unión con el brazalete y la sacudió—. Quizá sea por esto, o tal vez sólo lo imaginé. ¿Tú qué crees?

—Que es verdad. Nunca fue muy valiente a menos que tuviese una clara superioridad o pensara que podía tenerla. Y ciertamente tú le has dado un susto de muerte.

Nynaeve se encogió. Cada palabra de Birgitte hacía hervir un poco más la ira en su interior. Nunca había sido muy valiente salvo cuando tenía clara superioridad. Eso la describía a ella perfectamente. Así que le había dado un susto de muerte a Moghedien. Era cierto, y además había dicho en serio cada palabra en el momento que las dijo. Abofetear a alguien cuando hacía falta era una cosa, y otra muy distinta amenazar con torturar, desear torturar, aunque fuera a Moghedien. Y aquí estaba, intentando evitar lo que sabía que debía hacer. Nunca muy valiente salvo cuando llevaba una clara ventaja. En esta ocasión, la cólera creció por sí misma.

—Hemos de ir a Caemlyn. Yo al menos. Y con ella. Puede que no esté lo bastante fuerte para rasgar papel en este estado, pero con el *a'dam* podré utilizar su fuerza.

—No podrás hacer nada en el *Tel'aran'rhiod* que repercuta en el mundo de vigilia —apuntó quedamente Birgitte.

—¡Lo sé! Lo sé, pero tengo que hacer algo, lo que sea.

Birgitte echó la cabeza hacia atrás y rió con ganas.

—Oh, Nynaeve, qué vergüenza tan grande estar asociada con una persona tan cobarde como tú. —De improviso sus ojos se abrieron mucho en un gesto de sorpresa—. No quedaba mucho de la infusión. Creo que me estoy des...

Desapareció en mitad de la palabra. Nynaeve respiró profundamente y desató los flujos que tapaban la boca y los oídos de Moghedien. O más bien la obligó a desatarlos; con el *a'dam* no resultaba fácil discernir si había ocurrido lo uno o lo otro. Ojalá Birgitte siguiera allí. Necesitaba otro par de ojos, alguien que probablemente conocía el *Tel'aran'-rhiod* mejor de lo que ella llegaría a conocerlo jamás. Alguien que era valiente.

—Vamos a hacer un viaje, Moghedien, y me ayudarás con todos tus sentidos, porque si me ocurre algo inesperado... Baste decir que cualquier cosa que le pasa a quien lleva un brazalete como éste, le pasa lo mismo a quien lleva el collar. Sólo que multiplicado por diez. —La expresión enfermiza en el semblante de Moghedien puso de manifiesto que la Renegada la creía a pies juntillas. Mejor para ella, porque era verdad.

Otra profunda inhalación y después Nynaeve empezó a formar la imagen de un lugar en Caemlyn que conocía lo bastante bien para recordarlo. El Palacio Real, donde Elayne la había llevado. Rahvin tenía que estar allí, pero en el mundo de vigilia, no en el Mundo de los Sueños. Aun así, ella no podía quedarse de brazos cruzados: tenía que hacer algo. El *Tel'aran'rhiod* cambió a su alrededor.

55

LOS HILOS ARDEN

Rand se detuvo. Una extensa quemadura a lo largo de la pared del pasillo señalaba los puntos donde una docena de costosos tapices habían quedado reducidos a cenizas. Las llamas subían, voraces, por otro; varios arcones taraceados y mesas no eran más que despojos calcinados. No era obra suya. Treinta pasos más adelante, hombres con chaquetas rojas, armaduras y yelmos con visores de rejilla yacían retorcidos, como los había sorprendido la muerte, sobre las baldosas blancas, aferrando las inútiles espadas. Tampoco era obra suya. Rahvin había sacrificado a sus propias tropas en su intento de llegar a Rand. Había actuado con inteligencia tanto en los ataques como en las retiradas, pero desde el momento en que huyó del salón del trono no había hecho frente a Rand más tiempo que los escasos segundos que necesitaba para lanzar un ataque y huir. Rahvin era fuerte, quizá tanto como Rand, y quizá más versado en el uso del Poder, pero Rand tenía la talla del hombrecillo gordo en su bolsillo, mientras que el Rengado no contaba con ningún *angreal.*

El corredor le resultaba muy conocido por dos razones: por haberlo visto con anterioridad, y por haber vislumbrado otro similar.

«Vine por aquí con Elayne y Gawyn el día que conocí a Morgase.» La idea se insinuó, dolorosa, por los límites del vacío; dentro de él su mente era fría, desprovista de emociones. El *Saidin* era un torrente impetuoso y abrasador, pero él estaba imbuido de una helada calma.

Surgió otra idea, como una puñalada. «Ella yacía en un suelo como éste, con su rubia melena extendida como si estuviese durmiendo. Ilyena Cabello Dorado. Mi Ilyena.»

Elaida había estado también ese día. «Ella predijo el dolor que acarrearía. Sabía la oscuridad que hay en mí. Una parte. Lo suficiente.»

«Ilyena, no sabía lo que hacía. ¡Estaba loco! Estoy loco. ¡Oh, Ilyena!»

«Elaida lo sabía, al menos una parte, pero ni siquiera reveló todo lo que conocía. Habría sido mejor que lo hubiese dicho.»

«Oh, Luz, ¿es que no existe el perdón? Hice lo que hice empujado por la locura. ¿Es que no existe la compasión?»

«Gareth Bryne me habría matado de haberlo sabido. Morgase habría ordenado mi ejecución. Y así quizás estaría viva ahora. La madre de Elayne estaría viva. Y Aviendha estaría viva. Y Mat. Y Moraine. ¿Cuántos seguirían vivos si yo hubiese muerto?»

«Mi tormento es merecido. Merezco la extinción definitiva. Oh, Ilyena, merezco la muerte.»

«Merezco la muerte.»

Pasos a su espalda. Rand se volvió.

Salieron de un amplio pasillo que cruzaba el principal, a menos de veinte pasos de distancia; eran dos docenas de hombres con armaduras, yelmos y las chaquetas rojas con cuello blanco del uniforme de la guardia de la reina. Salvo que Andor ya no tenía reina, y estos hombres no la habían servido cuando aún vivía. Los dirigía un Myrddraal, el rostro sin ojos lívido como un gusano que uno encuentra debajo de las piedras. La negra armadura de escamas imbricadas reforzaba la ilusión de ser una serpiente al desplazarse, y la negra capa colgaba inmóvil por mucho que se moviese. La mirada del Ser de Cuencas Vacías era el terror, pero el miedo era algo distante dentro del vacío. Vacilaron al verlo; después el Semihombre alzó su espada de negra hoja, y los hombres que todavía no habían desenvainado sus armas llevaron las manos hacia las empuñaduras.

Rand —así creía que se llamaba— encauzó de un modo como no recordaba haberlo hecho nunca.

Hombres y Myrddraal se quedaron rígidos en el sitio mientras una capa de escarcha se espesaba a su alrededor; aquel hielo humeó al igual que lo habían hecho las botas de Mat. El brazo levantado del Myrddraal se quebró con un sonoro chasquido, y al estrellarse contra las baldosas tanto la extremidad como la espada se hicieron añicos.

Rand notó el frío —sí, ése era su nombre, Rand— tan cortante como una cuchilla cuando pasó ante ellos y giró por el pasillo lateral por el que habían venido. Frío pero, con todo, no tanto como el *Saidin.*

Un hombre y una mujer de mediana edad, vestidos con los uniformes rojos y blancos del cuerpo de servicio, estaban acurrucados contra la pared abrazados el uno al otro, como buscando protección. Al ver a Rand —no era el nombre completo; había algo más que Rand— el sirviente empezó a levantarse de donde se había agazapado para evitar al grupo de soldados dirigidos por el Myrddraal, pero la mujer le tiró de una manga y lo hizo agacharse de nuevo.

—Id en paz —dijo Rand mientras alargaba una mano. Al'Thor. Sí, Rand al'Thor—. No os haré daño, pero podríais salir heridos si seguís aquí.

Los ojos castaños de la mujer se pusieron en blanco, y ella se habría desplomado en el suelo si el hombre no la hubiese cogido; el sirviente movía rápidamente la fina boca, como si estuviese rezando pero le resultara imposible dar voz a sus palabras.

Rand dirigió los ojos hacia donde miraba el hombre. Al extender la mano, la manga de la chaqueta se había retirado lo suficiente para dejar a la vista la dorada cabeza leonina del dragón que era parte de su piel.

—No os haré daño —repitió y siguió caminando, dejándolos allí. Todavía tenía que arrinconar a Rahvin. Matarlo. Y después ¿qué?

No se oía nada salvo el taconeo de sus botas sobre las baldosas. En lo más profundo de su mente una débil voz murmuraba tristemente sobre Ilyena y el perdón. Se esforzó para percibir a Rahvin encauzando, para notar al hombre henchido de la Fuente Verdadera. Nada. El *Saidin* le abrasaba los huesos, le helaba la carne, le excoriaba el alma, pero sin él no resultaba fácil ver hasta que se estaba cerca. Un león agazapado entre la hierba alta, había dicho Asmodean una vez. Un león enfurecido. ¿Debería contar a Asmodean entre quienes no tendrían que haber muerto? ¿O a Lanfear? No. No se lo...

Sólo dispuso de un instante de aviso para arrojarse de cabeza al suelo, una fracción de segundo entre percibir unos flujos repentinamente urdidos y un haz de luz blanca, grueso como un brazo, de fuego líquido que atravesó limpiamente la pared y hendió el aire como una espada a la altura de donde había estado su tórax. Allí donde al haz se descargó, paredes y frisos, puertas y tapices a ambos lados del pasillo dejaron de existir; colgaduras, cascotes y yeso sesgados se soltaron y cayeron al suelo.

Conque a los Renegados les asustaba utilizar el fuego compacto, ¿no? ¿Quién le había dicho tal cosa? Moraine. Ella sí que habría merecido vivir.

El fuego compacto salió disparado de sus manos como un resplandeciente haz que se descargó en la dirección de donde salía el otro, y éste se desvaneció tan pronto como el suyo penetró a través de la pared, dejando una imagen purpúrea grabada en sus retinas. También él cortó su flujo. ¿Lo habría conseguido finalmente?

Se incorporó rápidamente a la par que encauzaba Aire y abría las destrozadas puertas con tal violencia que los restos se desprendieron de los goznes. Al otro lado la habitación aparecía desierta. Era una sala de estar, con sillas colocadas delante de un enorme hogar de mármol. Su fuego compacto había cercenado un trozo de uno de los arcos que conducían a un pequeño patio con una fuente, y otro, de uno de los fustes ahusados que formaban la columnata sobre el paseo que había más allá.

Pero Rahvin no había ido por ese camino y tampoco había muerto bajo el fuego compacto. En el aire persistía un residuo, un tenue resto de *Saidin* tejido. Rand lo reconoció. Era distinto del acceso que él había creado para Skim hasta Caemlyn o para Viajar —ahora sabía que era eso lo que había hecho— al interior del salón del trono, pero había visto uno igual en Tear, y él mismo había creado otro.

Volvió a hacerlo ahora. Un acceso, o al menos una abertura; en realidad, una puerta a otra dimensión. Al otro lado no había negrura. De hecho, si no hubiese sabido que el camino estaba allí, si no hubiese percibido su urdimbre, podría haberlo pasado por alto. Allí, ante él, estaban los mismos arcos abriéndose al mismo patio con la misma fuente, el mismo paseo con columnata. Durante un instante, los agujeros perfectamente redondos que su fuego compacto había abierto en el arco y la columna fluctuaron, se llenaron de materia, y después volvieron a ser agujeros. Dondequiera que condujese el acceso era a algún otro sitio, un reflejo del Palacio Real, como antaño había sido un reflejo de la Ciudadela de Tear. Vagamente lamentó no haber hablado con Asmodean sobre ello mientras había tenido ocasión de hacerlo, pero nunca se había sentido capaz de hablar sobre ese día con nadie. Qué más daba. Aquel día empuñaba a *Callandor,* pero el *angreal* de su bolsillo ya había demostrado ser suficiente para hostigar a Rahvin.

Cruzó el acceso rápidamente, soltó la urdimbre y se encaminó presuroso a través del patio mientras la puerta a otra dimensión se desvanecía. Rahvin percibiría aquella puerta si estaba lo bastante cerca y alerta. Disponer del hombrecillo gordo de piedra no significaba que pudiese quedarse quieto y esperando un ataque.

Ni una sola señal de vida, excepto por sí mismo y una mosca. También había ocurrido igual en Tear. Las lámparas de pie de los pasillos estaban apagadas, con limpios pabilos que jamás habían conocido la llama, pero a pesar de todo había luz hasta en los corredores que deberían haber estado más oscuros, una claridad que parecía venir de todas partes y de ninguna. A veces aquellas lámparas se movían, así como también otras cosas. Entre una mirada y la siguiente una lámpara alta podía haberse desplazado un palmo, y un jarrón de una hornacina, un par de dedos. Pequeñas cosas, como si alguien las hubiese movido en el breve espacio de tiempo en que él había apartado los ojos. Se debiera a lo que se debiese, era un lugar extraño.

Se dio cuenta, mientras trotaba por otro sendero con columnata y extendía su sentido de percepción buscando a Rahvin, que no había oído la voz clamando el nombre de Ilyena desde que había encauzado el fuego compacto. Quizá, de algún modo, había ahuyentado a Lews Therin de su mente.

«Estupendo.» Se detuvo al borde de uno de los jardines del palacio. Los rosales y los farolillos estrella blanca tenían el mismo aspecto ajado por la sequía que el que ofrecían en el palacio del mundo real. En algunas de las agujas de las torres blancas que se elevaban sobre los tejados flameaban enseñas del León Blanco, pero en un abrir y cerrar de ojos cambiaba en cuáles de las torres ondeaban. «Bien, así no tendré que compartir mi mente con...»

Se sentía raro. Incorpóreo. Levantó un brazo y se quedó estupefacto. Podía ver el jardín a través de la manga de la chaqueta y del brazo como a través de una neblina. Una neblina que se estaba difuminando. Miró hacia abajo y vio las piedras del paseo a través de sí mismo.

«¡No!» El pensamiento no fue suyo. Una imagen empezó a cobrar consistencia: un hombre alto, de ojos oscuros, con un semblante marcado por arrugas de preocupación y el pelo más blanco que castaño. «Soy Lews Ther...»

«Soy Rand al'Thor», interrumpió Rand. Ignoraba qué estaba ocurriendo, pero el tenue dragón empezaba a desdibujarse en el etéreo brazo que tenía alzado ante sí. El brazo empezó a adquirir una tonalidad más morena, y los dedos de la mano se hicieron más largos. «Yo soy yo.» Aquello resonó en el vacío como un eco. «Soy Rand al'Thor.»

Se debatió para crear una imagen mental de sí mismo, de plasmar la imagen que contemplaba en el espejo cada mañana mientras se afeitaba, la que veía reflejada en el espejo de cuerpo entero, al vestirse. Fue una lucha frenética. En realidad nunca se había mirado a sí mismo con detenimiento. Las dos imágenes se desdibujaron y se consolidaron alternativamente, la del hombre de más edad con ojos oscuros y la del más joven de ojos azul grisáceos. Poco a poco, la del más joven cobró consistencia mientras que la del mayor se difuminaba. Paulatinamente su brazo fue adquiriendo un aspecto más sólido; el suyo, con el dragón enroscado en él y con la marca de la garza en la palma de la mano. Hubo un tiempo en que había odiado esas marcas, pero ahora, aun estando rodeado por el vacío sin emociones, casi sonrió al verlas.

¿Por qué habría intentado Lews Therin imponerse a él? Para convertirlo en Lews Therin. Estaba seguro de que el hombre de ojos oscuros y semblante afligido era él. ¿Por qué ahora? ¿Porque podía hacerlo en este lugar, fuera lo que fuera? Un momento. Había sido Lews Therin el que había gritado aquel firme «no». No había sido un ataque de Lews Therin, sino de Rahvin; y no había utilizado el Poder. Si el Renegado hubiese estado capacitado para hacer esto en Caemlyn, en la verdadera Caemlyn, lo habría hecho. Tenía que tratarse de alguna habilidad que había adquirido aquí. Y, si Rahvin la había obtenido, quizás él también podría. Era la imagen de sí mismo lo que lo había mantenido, lo que lo había llevado de vuelta antes de desvanecerse por completo.

Contempló fijamente el rosal más próximo, un arbusto de un metro y medio de altura, e imaginó que se hacía progresivamente translúcido, inmaterial. Obedientemente, la planta se difuminó y desapareció; pero, tan pronto como la imagen de su mente se desvaneció también, el rosal cobró consistencia de manera repentina, igual a como era antes.

Rand asintió fríamente. Así pues había límites. Siempre había límites y reglas, y él ignoraba los que regían aquí. Pero conocía el Poder, todo lo que Asmodean le había enseñado y lo que había aprendido por sí mismo, y el *Saidin* lo henchía todavía con toda la dulzura de la vida y toda la corrupción de la muerte. Rahvin tenía que haber estado viéndolo para poder atacarlo; con el Poder era preciso ver aquello sobre lo que uno quería que surtiese efecto o había que saber exactamente dónde estaba en relación con uno mismo con la precisión del grosor de un cabello. Tal vez allí era distinto, pero lo dudaba mucho. Casi deseó que Lews Therin no hubiese vuelto a guardar silencio. Él quizá conocía este lugar y sus reglas.

Los balcones y ventanas se asomaban al jardín, en algunos sitios desde una altura de cuatro pisos. Rahvin había intentado... disolverlo. Absorbió el impetuoso torrente de *Saidin* a través del *angreal*. Del cielo saltaron relámpagos, un centenar de plateados rayos bifurcados que se multiplicaron y se descargaron en cada ventana, en cada balcón. Un atronador estallido sacudió el jardín al volar cascotes en todas direcciones. El propio aire crepitó, y Rand sintió que el vello de los brazos y del pecho se erizaba bajo la camisa. Hasta el cabello empezó a ponérsele de punta. Esperó a que la andanada de rayos se consumiera por sí misma. Aquí y allí se desprendieron trozos de ventanas y balcones rotos, el sonido de su caída apagado por los ecos del atronador estallido que aún resonaban en sus oídos.

Donde antes había ventanas ahora sólo quedaban agujeros. Parecían cuencas vacías de alguna monstruosa calavera, en tanto que los destrozados balcones remedaban bocas abiertas. Si Rahvin había estado en alguno de esos huecos sin duda habría muerto, pero Rand no lo creería hasta que viese el cadáver. Deseaba ver muerto a Rahvin.

Con una mueca que dejaba a la vista sus dientes, un gesto del que no era consciente, Rand regresó al interior del palacio. Quería ver morir a Rahvin.

Nynaeve se lanzó de cabeza al suelo y gateó pasillo adelante cuando algo escindió la pared más próxima. Moghedien se deslizaba tan deprisa como ella, pero si la Renegada no lo hubiese hecho ella la habría arrastrado con el *a'dam*. ¿Sería eso obra de Rand o de Rahvin? Nynaeve había visto haces de luz blanca, de fuego líquido, como ése en Tanchico, y no sentía el menor deseo de encontrarse de nuevo cerca de algo así. Ignoraba qué era y tampoco quería saberlo. «¡Lo que deseo es curar, así se abrasen estos dos malditos hombres! ¡No deseo aprender un extravagante método de matar!»

Se incorporó un poco, en cuclillas, y echó una ojeada en la dirección por la que habían venido. Nada. Un pasillo de palacio desierto; con un corte a lo largo de diez pies en ambas paredes, tan limpio como el que habría hecho el cantero más experto, y fragmentos de tapices caídos en el suelo. Ni señal de ninguno de los dos hombres. Hasta ahora no había vislumbrado ni al uno ni al otro, sólo el resultado de sus acciones. En varias ocasiones había estado a punto de ser ella uno de esos resultados. Menos mal que podía absorber la cólera de Moghedien, filtrando el terror que pugnaba por salir a la superficie. La suya propia era tan ridícula que apenas le habría bastado para percibir la Fuente Verdadera, cuanto menos encauzar el flujo de Energía que la mantenía en el *Tel'aran'rhiod*.

Moghedien estaba de rodillas, doblada, sacudida por las arcadas. Nynaeve apretó los labios. La Renegada había intentado quitarse el *a'dam* otra vez. Su actitud de cooperar voluntariamente había desaparecido no bien descubrieron que Rand y Rahvin estaban en el *Tel'aran'rhiod*. Bien, pues el castigo implícito en el artilugio al intentar soltar ese collar cuando uno lo tenía alrededor de la garganta eran las náuseas y el vómito. Por lo menos a Moghedien ya no le quedaba nada en el estómago.

—Por favor. —La Renegada cogió a Nynaeve por la falda—. Te lo repito, tenemos que marcharnos. —El intenso pánico daba a su voz un timbre angustiado, y se reflejaba claramente en su rostro—. Están aquí en carne y hueso. ¡En carne y hueso!

—Cierra el pico —ordenó Nynaeve, absorta—. A menos que me hayas mentido, eso es una ventaja. Para mí. —La otra mujer afirmaba que estar en el Mundo de los Sueños físicamente limitaba el control del Sueño. O, más bien, no le quedó más remedio que admitirlo una vez que dejó escapar parte de la información. También había admitido que Rahvin no conocía el *Tel'aran'rhiod* tan bien como ella, y Nynaeve confiaba en que eso significara que el Renegado no lo conocía tan bien como ella misma. Que sabía de este mundo más que Rand no le cabía la menor duda. ¡Ese cabezota sin dos dedos de frente! Fuera cual fuese su razón para entrar en pos de Rahvin, no debió permitir que el Renegado lo condujera allí, donde no conocía las reglas, donde los pensamientos podían matar.

—¿Por qué no quieres entender lo que te estoy diciendo? Aun en el caso de que sólo se hubiesen soñado aquí, cualquiera de ellos sería más fuerte que nosotras. Y estando en carne y hueso podrían aplastarnos sin pestañear siquiera. Al estar físicamente pueden absorber *Saidin* en cantidades mucho mayores de lo que nosotras podemos absorber *Saidar* soñando.

—Estamos coligadas. —Nynaeve seguía sin prestarle atención y se dio un fuerte tirón de la trenza. Imposible saber en qué dirección se habían marchado los hombres. Y sin advertencia previa de nada hasta que los viera. Todavía le parecía injusto en cierto modo el que ellos pudiesen encauzar mientras que ella era incapaz de ver o sentir los flujos. Una lámpara de pie que había sido cortada en dos de repente volvía a estar intacta y de repente no, con idéntica rapidez. Aquel fuego blanco debía de ser increíblemente poderoso. Por lo general el *Tel'aran'rhiod* se curaba enseguida de las heridas que se le infligían.

—Estúpida descerebrada —sollozó Moghedien al tiempo que sacudía la falda de Nynaeve con las dos manos—. No importa lo valiente que seas. Estamos coligadas, pero en tus condiciones actuales no contribuyes en nada. Ni una brizna. Sólo contamos con mi fuerza y con tu locura. ¡Están aquí en carne y hueso, no soñando! ¡Están utilizando cosas que ni en tus peores pesadillas has imaginado que existen! ¡Nos destruirán si nos quedamos!

—No levantes la voz —espetó Nynaeve—. ¿Es que quieres atraer a uno de ellos y que se nos eche encima? —Miró a un lado y al otro del pasillo rápidamente, pero el corredor seguía desierto. ¿Había sido eso el apagado sonido de unas botas? ¿Rand o Rahvin? Los dos hombres debían de avanzar con igual cautela, y, estando enzarzado en un combate,

Rand podría abatirlas antes de advertir que eran amigas. Bueno, al menos ella lo era.

—Tenemos que irnos —insistió Moghedien, pero bajó el tono de voz. Se puso de pie y torció la boca en un gesto de hosco desafío. El miedo y la ira se retorcían dentro de ella, el primero más intenso que la segunda—. ¿Por qué voy a seguir ayudándote? ¡Esto es una locura!

—¿Acaso prefieres sentir las ortigas otra vez?

Moghedien se encogió, pero sus oscuros ojos traslucían una obstinada tenacidad.

—¿Piensas que prefiero dejar que me maten en lugar de que me hieras? Sí que estás loca. No daré un solo paso más hasta que hayas decidido sacarnos de aquí.

Nynaeve volvió a tirarse de la trenza. Si Moghedien se negaba a caminar tendría que arrastrarla, y ése no era un buen método para buscar en lo que parecían millas de pasillos que todavía tenían por delante. Debería haber sido más dura la primera vez que la mujer había intentado resistirse. De estar en su lugar, Moghedien la habría matado a ella sin vacilación o, si pensaba que tenía alguna utilidad, habría tejido el truco de apoderarse de la voluntad de otra persona haciendo que la adorara. Nynaeve lo había experimentado en sus propias carnes una vez, en Tanchico, y aunque supiera cómo realizarlo dudaba que fuera capaz de hacer tal cosa a nadie. Despreciaba a esta mujer, la odiaba con todo su corazón, pero aunque no la necesitase no podría matarla a sangre fría. El problema era que temía que Moghedien también lo supiera a estas alturas.

Con todo, una Zahorí dirigía el Círculo de Mujeres —aunque el Círculo no estuviese siempre de acuerdo— y éste, a su vez, imponía castigos a las mujeres que quebrantaban la ley o cometían una falta grave contra las costumbres, y también castigaba a los hombres por ciertas transgresiones. Puede que le faltase la sangre fría de Moghedien para matar y para machacar las mentes de las personas, pero...

La Renegada abrió la boca, y Nynaeve se la tapó con una mordaza de Aire; o, más bien, obligó a Moghedien a hacerlo, ya que con el *a'dam* vinculándolas era como encauzar por sí misma, pero la otra mujer sabía que sus conocimientos eran como herramientas en manos de Nynaeve. Los oscuros ojos brillaron de indignación cuando sus propios flujos le dejaron los brazos pegados prietamente contra los costados, y la falda ceñida como una cuerda alrededor de los tobillos. En cuanto al resto, Nynaeve utilizó el *a'dam* del mismo modo que con las ortigas, creando la sensación que quería que experimentara la otra mujer. No era algo real, sino la sensación de realidad.

Moghedien se puso tensa dentro de sus ataduras cuando una correa de cuero pareció descargarse sobre sus nalgas. Ésa sería la impresión que tendría. A través de la correa del *a'dam* transfundió un sentimiento de humillación y afrenta. Y de desprecio. Comparado con sus complejos métodos de hacer daño a la gente, éste parecía propio de una criatura.

—Cuando estés dispuesta a colaborar de nuevo —dijo Nynaeve—, sólo tienes que asentir con la cabeza. —Esto no debía demorarse demasiado; no podía quedarse plantada aquí mientras que Rand y Rahvin trataban de matarse el uno al otro. Si moría el que no debía porque esquivaba el peligro al permitir que Moghedien la retrasase aquí...

Nynaeve rememoró un día, teniendo dieciséis años, poco después de que la consideraran lo bastante mayor para llevar trenzado el cabello. Había robado un budín de pasas a Corin Ayellan por un reto lanzado por Nela Thane, y al salir con el botín por la puerta de la cocina se topó con la señora Ayellan; volcó la rabia y la impotencia experimentadas entonces y las transfundió a través de la correa, condensadas en una única sensación. Los ojos de Moghedien casi se salieron de las órbitas.

Severamente, Nynaeve lo hizo otra vez. «¡No dejaré que me ate corto!» Otra vez. «¡Voy a ayudar a Rand ni que quiera ella ni que no!» Otra vez. «¡Aunque muramos en el empeño!» Otra vez. «Oh, Luz, podría tener razón; Rand podría matarnos antes de darse cuenta de que soy yo.» Otra vez. «¡Luz, detesto tener miedo!» Otra vez. «¡La odio!» Otra vez. «¡La odio!» Otra vez.

De repente cayó en la cuenta de que Moghedien estaba sacudiéndose dentro de las ataduras y asintiendo con la cabeza de manera tan violenta que era un milagro que no se le hubiese desprendido del cuello. Durante un instante Nynaeve miró boquiabierta el rostro surcado de lágrimas de la otra mujer y después interrumpió sus ataques y deshizo apresuradamente los flujos de Aire. Luz, ¿qué había hecho? Ella no era como Moghedien.

—¿He de entender con eso que no me darás más problemas? —preguntó.

—Nos matarán —balbució débilmente la Renegada; sus palabras resultaron casi incomprensibles a causa de los sollozos, pero al mismo tiempo asintió en un gesto de aquiescencia.

Nynaeve endureció deliberadamente sus sentimientos. Moghedien merecía todo lo que había recibido y mucho, mucho más. En la Torre una de las Renegadas habría sido neutralizada y ejecutada tan pronto como hubiese concluido el juicio, y para condenarla no haría falta mucha más evidencia aparte de ser quien era.

—Bien. Ahora nos...

Un trueno sacudió todo el palacio, o algo muy semejante a un trueno excepto porque las paredes se estremecieron con una especie de traqueteo y que del suelo se alzó polvo. Nynaeve estuvo a punto de caer encima de Moghedien, y las dos se tambalearon torpemente tratando de mantener el equilibrio. Antes de que la conmoción cesara por completo fue reemplazada por una especie de rugido, como si un fuego monstruoso ascendiera por una chimenea del tamaño de una montaña. Duró sólo un momento, y el silencio que siguió pareció más profundo que antes. No. Se oían botas; un hombre corriendo. El sonido resonaba en el pasillo. Venía del norte.

—Vamos —ordenó Nynaeve al tiempo que apartaba a la otra mujer de un empellón.

Moghedien sollozaba, pero no se resistió a los tirones de la correa que la condujo pasillo adelante. Empero, sus ojos estaban desorbitados, y el ritmo de su respiración era demasiado rápido. Nynaeve pensó que era una suerte tener a Moghedien con ella, y no sólo porque le proporcionara acceso al Poder Único. Después de infinidad de años agazapada en las sombras, la Araña se había vuelto tan cobarde que, en comparación, Nynaeve casi se consideraba valiente. Sólo casi. Ahora era únicamente la rabia que le causaba su propio miedo lo que le permitía conservar intacto aquel pequeño flujo de Energía que la mantenía en el *Tel'aran'rhiod,* porque Moghedien estaba totalmente aterrorizada.

Tirando de la Renegada tras de sí por la brillante correa, Nynaeve apretó el paso en pos del sonido de aquellas otras pisadas que se iban alejando.

Rand entró en el patio redondo cautelosamente. A su espalda, la mitad de aquel círculo de blanco pavimento estaba rodeado por una estructura que se alzaba tres pisos por encima de él; la otra mitad quedaba delimitada por una galería semicircular, sustentada por pálidos fustes de casi cinco pasos de altura que se conectaban con otro jardín por unos paseos de grava a la sombra de árboles bajos y de copas anchas. En el centro, unos bancos de mármol rodeaban un estanque cubierto de nenúfares en el que nadaban peces dorados, blancos y rojos.

De repente los bancos titilaron, ondearon, cambiaron a figuras humanas carentes de rostro, todavía blancas y de apariencia dura como la piedra. Ya sabía lo difícil que resultaba variar algo que Rahvin había alterado. Unos rayos salieron disparados de las puntas de sus dedos e hicieron añicos a los hombres de piedra.

El aire se tornó agua. Atragantado, Rand se esforzó por nadar hacia las columnas; veía el jardín que había detrás. Tenía que haber algún tipo de barrera que impedía que el agua se desbordara a través de ellas. Antes de que pudiera encauzar, unas formas doradas, rojas y blancas nadaron veloces a su alrededor, más grandes que los peces que había vislumbrado en el estanque. Y con dientes. Le lanzaron dentelladas y la sangre manó en volutas enrojecidas. De manera instintiva, Rand manoteó en dirección a los peces, pero la parte fría de él, en lo profundo del vacío, encauzó. El fuego compacto irradió contra la barrera, si es que había alguna, y hacia cualquier lugar en el que pudiese estar Rahvin desde donde tuviera a la vista este patio. El agua giró en violentos remolinos y arrastró a Rand en su impetuosa marcha hacia los túneles excavados por el fuego compacto. Centelleos dorados, blancos y rojos arremetieron contra él, añadiendo nuevas volutas carmesí al agua. Zarandeado, Rand no veía hacia dónde apuntar sus descargas, que relampagueaban en todas direcciones. No le quedaba aire en los pulmones. Trató de pensar en el aire, en que el agua era aire.

Y de pronto lo fue. Cayó con fuerza sobre las piedras del pavimento, entre pequeños pececillos que daban coletazos, rodó sobre sí mismo y se dio impulso para incorporarse de un salto. Todo volvía a ser aire; hasta sus ropas estaban secas. La columnata semicircular cambiaba entre una imagen intacta y otra de un montón de ruinas, con la mitad de los fustes desplomados. Algunos árboles yacían enredados entre sus propios tocones, y después aparecían erguidos, intactos, y a continuación, de nuevo caídos. El palacio, detrás de él, tenía agujeros abiertos en las blancas paredes, uno incluso a través de una alta cúpula dorada, y las rajas cruzaban ventanas, algunas con celosías de piedra. Los daños titilaban, apareciendo y desapareciendo, no con los intermitentes y lentos cambios de antes, sino de manera constante: destrozos, y a continuación ninguno; luego algunos, y después nada, y otra vez todos de nuevo.

Haciendo un gesto de dolor, Rand apretó una mano contra su costado, sobre la vieja herida curada a medias. Le dolía como si los esfuerzos casi la hubieran abierto otra vez. En realidad le dolía todo el cuerpo, herido por una docena o más de mordiscos por los que manaba sangre. Eso no había cambiado. Los desgarrones ensangrentados en su chaqueta y sus calzones continuaban presentes. ¿Habría conseguido cambiar el agua de nuevo en aire, o es que una de sus frenéticas descargas había hecho huir a Rahvin o incluso lo había matado? Daba igual a menos que hubiese ocurrido esto último.

Se enjugó la sangre que le caía en los ojos, y escudriñó las ventanas y balcones que se asomaban alrededor del jardín, y la galería alta, al otro lado. O, mejor dicho, empezó a hacerlo, pero algo atrajo su mirada. Debajo de la columnata se percibían apenas los restos de una urdimbre. Desde la distancia lo identificó como un acceso, pero para saber de qué tipo era y hacia dónde conducía tenía que estar más cerca. Saltó sobre un montón de escombros, que se esfumaron mientras todavía estaba en el aire, en mitad del salto, y a continuación corrió por el jardín esquivando todos los árboles que habían caído sobre el sendero. El residuo de la urdimbre casi había desaparecido; tenía que acercarse lo suficiente antes de que se desvaneciera por completo.

Inopinadamente se fue de bruces al suelo y se arañó las manos al intentar frenar la caída. No vio nada que lo hubiese hecho tropezar. Se sentía mareado, como si le hubiesen golpeado la cabeza. Intentó levantarse, llegar hasta el residuo. Entonces se dio cuenta de que su cuerpo fluctuaba; sus manos se cubrieron de pelo largo, y sus dedos parecieron encogerse, doblarse hacia las manos. Casi eran garras. Una trampa. Rahvin no había huido; el acceso había sido una trampa y él se había metido de lleno en ella.

La desesperación estrujó el vacío mientras Rand se esforzaba por aferrarse a sí mismo, a lo que era. Sus manos. Eran manos. Casi. Se obligó a incorporarse. Tuvo la impresión de que sus piernas estaban dobladas en un ángulo equivocado. La Fuente Verdadera se alejó; el vacío se encogió. El pánico lamió los bordes del vacío. Fuera lo que fuera en lo que Rahvin intentaba cambiarlo, no podía encauzar. El *Saidin* menguó, escabulléndose, reduciéndose a un chorrillo a pesar de estar absorbiéndolo a través del *angreal*. Los balcones y la galería alta parecían estar observándolo como ojos vacíos. Rahvin debía de estar en una de aquellas ventanas con enrejado de piedra, pero ¿cuál? Esta vez carecía de la fuerza necesaria para descargar un centenar de rayos. Sólo una descarga, eso era lo que podía conseguir, siempre y cuando lo hiciera enseguida. ¿Cuál ventana? Luchó por ser él mismo, por absorber el *Saidin*, recibiendo con gozo incluso la infección de la contaminación como evidencia de que todavía estaba en contacto con el Poder. Girando sobre sí mismo en un círculo tambaleante, buscando en vano, clamó el nombre de Rahvin. Sonó como el bramido de una bestia.

Tirando de Moghedien, Nynaeve giró en una esquina. Al frente, un hombre desapareció tras el siguiente giro del pasillo, dejando la estela del sonido de sus pasos. Nynaeve no sabía cuánto tiempo llevaba persiguiendo esos pasos. A veces habían dejado de oírse, y no le había quedado más remedio que esperar a que sonaran de nuevo para poder orientarse. En ocasiones, cuando se detenían sucedían cosas; no había visto nada, pero una vez el palacio había resonado como una campana, y en otra ocasión su cabello se erizó cuando el aire se cargó de electricidad; y otra... No importaba. Ésta era la primera vez que había vislumbrado al hombre que llevaba esas botas. No creía que fuera Rand, por la chaqueta negra. Era más o menos de la misma talla, pero más corpulento.

La antigua Zahorí echó a correr sin darse cuenta de lo que hacía. Hacía mucho rato que sus fuertes zapatos se habían convertido en escarpines de terciopelo para no hacer ruido con ellos. Si ella podía oír los pasos del hombre, también él podría oír los suyos. La jadeante respiración de Moghedien sonaba más que sus pisadas.

Nynaeve llegó a la esquina y se asomó cautelosamente. Se preparó para utilizar el *Saidar* —a través de Moghedien, pero era suyo— y encauzar en cualquier momento. No fue necesario, porque el pasillo estaba desierto. A lo lejos, había una puerta en la pared, mientras que la otra tenía ventanas con arabescos de piedra; no creía que el hombre hubiera tenido tiempo de llegar a la puerta. Más cerca, se abría otro corredor a la derecha. Corrió hacia allí y volvió a asomarse con precaución. Nadie. Sin embargo, cerca de la intersección de los pasillos arrancaba una escalera que ascendía en espiral.

Vaciló un instante. Tenía que haber corrido hacia alguna parte. Este corredor conducía de vuelta hacia donde habían venido. No creía que el hombre corriera para huir, lo que sólo dejaba una opción: arriba.

Arrastró a Moghedien tras de sí y empezó a subir lentamente los peldaños, aguzando el oído para captar cualquier ruido aparte de los jadeos, casi histéricos, de la Renegada, y el latido de la sangre en sus oídos. Si se encontraba cara a cara con él... Sabía que estaba allí, un poco más adelante. La sorpresa tenía que jugar a su favor.

Hizo una pausa en el primer rellano. Los pasillos de esta planta eran una copia exacta de los de abajo, y estaban igualmente vacíos, igualmente silenciosos. ¿Habría seguido subiendo el hombre?

La escalera tembló débilmente bajo sus pies como si el palacio hubiese sido alcanzado por el impacto de un colosal ariete, y le siguió otro. Y otro más cuando un haz de fuego blanco atravesó la parte alta de una de las ventanas con enrejado de piedra, se desplazó hacia arriba en ángulo y de repente desapareció en el momento en que empezaba a cortar el techo.

Nynaeve tragó saliva con esfuerzo y parpadeó en un vano intento de librarse de la imagen violeta impresa en la retina de sus ojos. Eso tenía que haber sido obra de Rand intentando alcanzar a Rahvin. Si se acercaba demasiado al Renegado, Rand podría alcanzarla de manera involuntaria. Aunque, si se estaba agitando de ese modo —ésa era la impresión que le había dado a ella, de estar sacudiéndose—, también podría alcanzarla en cualquier parte que estuviera sin ser consciente de ello.

Los temblores habían cesado. Los ojos de Moghedien brillaban de terror. A juzgar por lo que Nynaeve sentía a través del *a'dam* era un milagro que la mujer no estuviese retorciéndose en el suelo, chillando y echando espuma por la boca. También ella se sentía con ganas de gritar, pero se obligó a poner el pie en el primer escalón. Era un camino tan bueno como cualquier otro. Subir el segundo escalón no resultó mucho más fácil, pero lo hizo lentamente; no era menester advertir al hombre de su presencia. El factor sorpresa tenía que jugar a favor de ella. Moghedien la seguía como un perro azotado, tiritando.

A medida que remontaba los peldaños, Nynaeve abrazó el *Saidar* tan firmemente como le fue posible y en toda la medida que Moghedien era capaz de absorber, hasta el punto de que la dulzura del Poder casi resultó dolorosa. Aquello era una advertencia. Si tomaba más estaría rozando el límite que superaba sus posibilidades, el punto en que podría neutralizarse a sí misma, consumir su habilidad de encauzar en una llamarada. O quizá despojar de esa capacidad a Moghedien, teniendo en cuenta las circunstancias. O a ambas. En cualquiera de los casos, ahora sería un desastre. Empero, aguantó en ese límite, la... vida... que la colmaba. Tenía acumulado dentro de sí tanto *Saidar* como el que habría podido absorber si hubiera estado encauzando por sí misma. Moghedien y ella tenían una fuerza muy pareja en el Poder, como había quedado demostrado en Tanchico. ¿Sería suficiente? Moghedien insistía en que los hombres eran más fuertes, al menos Rahvin, a quien la Renegada conocía bien, y no parecía muy probable que Rand hubiese sobrevivido tanto tiempo a menos que fuera igualmente poderoso. Qué gran injusticia que los hombres no sólo fueran más fuertes físicamente, sino también en el Poder. Las Aes Sedai de la Torre siempre decían que habían sido iguales. Sólo que no...

Estaba divagando. Respiró profundamente y tiró de Moghedien para subir los últimos peldaños del tramo; la escalera acababa allí.

El pasillo se encontraba desierto, así que se encaminó a la intersección con el corredor lateral y se asomó. Allí estaba, un hombre alto vestido de negro, con el cabello oscuro excepto los mechones canosos de las sienes, que escudriñaba a través del enrejado de piedra de una ventana, observando algo allí abajo, en el patio. En su rostro se advertía el brillo del sudor a causa del esfuerzo, pero parecía estar sonriendo. Era un rostro bello, tanto como el de Galad, pero Nynaeve no sintió que los latidos de su corazón se aceleraran al contemplarlo.

Fuera lo que fuera lo que estaba observando —¿tal vez a Rand?— lo tenía totalmente absorto, pero Nynaeve no le dio ocasión de que advirtiera su presencia. Tal vez era Rand el que estaba abajo. Ignoraba si el Renegado estaba encauzando o no. Inundó el pasillo alrededor del hombre con fuego, de pared a pared, del suelo al techo, volcando en ello todo el *Saidar* que había dentro de ella, un fuego tan abrasador que la propia piedra echó humo. El calor la hizo recular bruscamente.

Rahvin aulló en medio de aquella llamarada —era una sola llama— y retrocedió tambaleándose hacia donde el pasillo se convertía en una galería con columnas. Un breve segundo, menos, mientras ella se encogía, y el Renegado se puso erguido de nuevo, aún rodeado de la llamarada pero envuelto en una especie de burbuja de aire puro. Hasta la última brizna de *Saidar* que Nynaeve podía encauzar iba dirigida a aquel infierno, pero el hombre lo mantenía a raya. Lo veía a través del fuego a pesar del tono rojizo que le daba a todo; salía humo de su chaqueta chamuscada y su semblante era un despojo abrasado, con uno de los globos oculares completamente blanco. Empero, ambos ojos rebosaban malevolencia cuando se volvieron hacia ella.

No le llegó ninguna emoción a través de la correa del *a'dam*, sólo un profundo embotamiento. Nynaeve sintió un nudo en el estómago; Moghedien se había rendido. Y lo había hecho porque allí estaba la muerte, aguardándolas.

El fuego estalló a través del enrejado de piedra de las ventanas encima de Rand; las ardientes lenguas asomaron por cada arabesco y se propagaron hacia la galería. En el mismo momento, la lucha desatada en su interior cesó de golpe. Volvió a ser él mismo tan repentinamente que casi resultó una conmoción. Había tratado con desesperación de absorber *Saidin*, de resistir aferrándose a aquel minúsculo hilillo, y ahora penetró impetuoso en él como si se tratara de una avalancha de fuego y hielo tan intensa que sintió flaquearle las rodillas, mientras el vacío fluctuaba por las arremetidas del dolor que intentaba traspasar sus límites como un torno.

Rahvin salió a la galería trastabillando de espaldas, el rostro vuelto hacia algo que había dentro del pasillo. El Renegado estaba envuelto en una llamarada, pero de algún modo se mantenía erguido, como si el fuego no lo tocara. Si tal cosa era así ahora, no había ocurrido de la misma forma antes. Únicamente la constitución del hombre, la imposibilidad de que fuese algún otro, le daba a Rand la certeza de que se trataba de él. El Renegado era un amasijo de carne tan chamuscada, ampollada

909

y agrietada que cualquier Curadora que hubiese querido sanarlo habría acabado exhausta. El dolor tenía que haber sido horroroso, excepto que Rahvin debía de estar dentro del vacío interior de aquel despojo de hombre, envuelto en esa nada en la que el dolor corporal es distante y donde se tiene el *Saidin* al alcance de la mano.

El Poder Único henchía a Rand, que lo soltó de golpe, y no para curar.

—¡Rahvin! —gritó, y el fuego líquido salió disparado de sus manos: un haz de luz líquida más grueso que un hombre, impulsado por todo el Poder que fue capaz de absorber.

Alcanzó de lleno al Renegado, y Rahvin dejó de existir. En Rhuidean, los Sabuesos del Oscuro se convirtieron en motas luminosas antes de desaparecer, por su afán de aferrarse a fuera cual fuese el tipo de vida que intentaban prolongar o por el esfuerzo del Entramado para mantenerse inalterable incluso para ellos. Ante esto, Rahvin simplemente... se extinguió.

Rand interrumpió el fuego compacto y apartó un poco el *Saidin*. Parpadeó, tratando de borrar la imagen purpúrea grabada en su retina, y alzó la vista hacia el agujero abierto en la balaustrada de mármol, a los restos de una columna que colgaba como un colmillo, y al orificio correspondiente en el techo del palacio. No se produjo fluctuación alguna, como si lo que había hecho fuera demasiado fuerte incluso para que este lugar lo reparara. Después de todo lo ocurrido casi parecía demasiado fácil; quizá quedaba algo allí arriba que lo convenciera de que Rahvin estaba realmente muerto. Corrió hacia una puerta.

Frenética, Nynaeve empleó toda su fuerza en tratar de mantener cerrada la llamarada alrededor de Rahvin. Se le ocurrió que debería haber utilizado rayos. Iba a morir; aquellos ojos horribles estaban fijos en Moghedien, no en ella, pero la muerte la alcanzaría también al mismo tiempo.

Un haz de fuego líquido segó la balaustrada de la galería, tan abrasador que, en comparación, la llama creada por ella parecía una bocanada fresca. La impresión hizo que soltara la urdimbre y alzó una mano para protegerse la cara, pero cuando todavía no había acabado de levantarla el fuego líquido desapareció. Y también Rahvin. No creía que hubiese escapado. Sólo había durando un instante; había sido tan fugaz que podría haberlo imaginado cuando aquel haz blanco lo tocó y el Renegado se convirtió en... neblina. Sólo un segundo. A lo mejor lo había imaginado, pero no lo creía. Inhaló con un estremecimiento.

Moghedien se cubría el rostro con las manos y sollozaba, temblorosa. La emoción que Nynaeve percibía a través del *a'dam* era un alivio tan inmenso que sofocaba todo lo demás.

Unos pasos precipitados sonaron en el tramo inferior de la escalera.

Nynaeve giró velozmente sobre sí misma y dio un paso hacia el hueco espiral de la escalera. Se sorprendió al reparar en que estaba absorbiendo *Saidar* al máximo, preparándose para un enfrentamiento.

La sorpresa desapareció cuando vio aparecer a Rand subiendo los escalones. No era como lo recordaba; sus rasgos eran los mismos, pero el gesto era duro, y los ojos tan fríos como azules fragmentos de hielo. Los desgarrones ensangrentados en la chaqueta y pantalones, la sangre del rostro, estaban en consonancia con su semblante.

Por su expresión, a Nynaeve no la había sorprendido que matara a Moghedien allí mismo en el instante en que descubriera quién era. Y reconocería el *a'dam*. Ella todavía podía utilizar a la Renegada para algunas cosas, de modo que, sin pensarlo más, lo cambió, haciendo que desapareciera la correa y dejando únicamente el brazalete plateado en su muñeca y el collar en la garganta de Moghedien. Tuvo un momento de pánico cuando comprendió lo que había hecho; después suspiró al comprobar que todavía percibía a la otra mujer. Funcionaba exactamente como había dicho Elayne. A lo mejor Rand no lo había visto, ya que ella se encontraba entre Moghedien y él, y la correa había colgado a su espalda. Rand sólo miró de pasada a la Renegada.

—Al pensar en esas llamas que salieron de aquí arriba se me ocurrió que quizás eras tú o... ¿Qué es este sitio? ¿Es aquí donde os reunís con Egwene?

Nynaeve alzó los ojos hacia él e intentó no tragar saliva. Qué frialdad la de su rostro.

—Rand, las Sabias dicen que lo que has hecho, lo que estás haciendo, es peligroso, incluso maligno. Dicen que uno pierde parte de sí mismo si viene aquí en carne y hueso, una parte de lo que lo hace humano.

—¿Es que las Sabias lo saben todo? —Pasó junto a ella y se quedó contemplando fijamente la galería—. Yo solía pensar que las Aes Sedai lo sabían todo. En cualquier caso, no importa. Ignoro hasta qué punto el Dragón Renacido puede permitirse el lujo de ser humano.

—Rand, yo... —No sabía qué decir—. Ven, deja que te cure al menos.

Se quedó inmóvil para que Nynaeve alzara las manos y cogiera entre ellas su cabeza. La antigua Zahorí tuvo que reprimir un gesto de sobresalto. Las heridas recientes no eran graves, sólo numerosas —¿qué sería lo que lo había mordido?; porque habría jurado que eran dentelladas—, pero la vieja herida del costado, la que nunca había sanado del todo, era como un

911

pozo negro de oscuridad lleno de lo que supuso era la infección del *Saidin.* Encauzó los complejos flujos de Aire, Agua y Energía —incluso Fuego y Tierra en pequeñas cantidades— que requería la Curación. El no gritó ni se sacudió; ni siquiera parpadeó. Se estremeció, pero eso fue todo. Luego la agarró por las muñecas y le retiró las manos de su cara, cosa a la que Nynaeve no opuso la menor resistencia. Las heridas recientes habían desaparecido, hasta el último arañazo, contusión o dentellada, pero no así la vieja herida. Ahí no se había producido cambio alguno. Cualquier cosa aparte de la muerte tendría que ser curable, incluso eso. ¡Cualquier cosa!

—¿Ha muerto? —inquirió quedamente él—. ¿Lo viste morir?

—Sí, Rand, está muerto. Lo vi.

—Bien. Pero todavía quedan más, ¿verdad? Otros... Elegidos.

Nynaeve percibió una punzada de miedo en Moghedien, pero no miró hacia atrás.

—Rand, debes marcharte. Rahvin ha muerto, y este lugar es peligroso para ti estando físicamente en él. Debes irte, y no volver jamás en carne y hueso.

—De acuerdo, me iré.

No hizo nada que ella pudiera ver o percibir —como era de esperar— pero durante un instante le pareció que la galería detrás de él se... doblaba en cierto sentido, aunque no sufrió ningún cambio aparente. Excepto que... Nynaeve parpadeó. Detrás de Rand no había la mitad de una columna colgando como un colmillo, ni ningún agujero en la balaustrada de mármol.

—Dile a Elayne... —añadió Rand como si no hubiese ocurrido nada—. Pídele que no me odie. Pídele que... —Su rostro se crispó en un gesto de dolor, y por un instante Nynaeve vio de nuevo al muchacho que había conocido, transido de pesar como si le estuvieran arrancando algo precioso para él. Alargó la mano con intención de consolarlo, pero él retrocedió un paso, recobrada la expresión pétrea e impasible—. Lan tenía razón. Dile a Elayne que me olvide, Nynaeve. Dile que he encontrado a otra a quien amar y que no queda lugar en mi corazón para ella. El me encargó que te comunicara lo mismo. Lan también ha encontrado a otra, y dijo que tienes que olvidarlo. Sería mejor no haber nacido que amar a cualquiera de nosotros.

Volvió a retroceder, esta vez tres largas zancadas, y la galería —una parte de ella— pareció girar junto con él de un modo que producía vértigo, y el joven desapareció.

Nynaeve siguió mirando fijamente el lugar donde había estado, no a la esporádica reaparición de los daños ocasionados en la galería. ¿Que Lan le había encargado que le dijese eso?

—Un hombre... notable —musitó Moghedien—. Un hombre muy, muy peligroso.

Nynaeve volvió la vista hacia ella. Algo nuevo le llegaba a través del brazalete. El miedo seguía allí, pero amortiguado por... Expectación era el mejor término para describirlo.

—Mi colaboración ha sido útil, ¿verdad? —inquirió la Renegada—. Rahvin, muerto, y Rand al'Thor, salvado. Ninguna de las dos cosas habrían sido posible sin mí.

Ahora lo entendía Nynaeve. Más que expectación, esperanza. Antes o después ella tendría que despertar y el *a'dam* se desvanecería, así que Moghedien trataba de recordarle su ayuda —como si no se la hubiese arrancado a viva fuerza— por si acaso ella estaba reuniendo valor para matarla antes de salir del *Tel'aran'rhiod*.

—Es hora de que yo también me marche —anunció. El semblante de Moghedien no se alteró, pero el miedo, así como la esperanza, se intensificaron. Una copa grande de plata apareció en la mano de Nynaeve, aparentemente llena de té—. Bebe esto.

—¿Qué es? —La Renegada reculó.

—Ningún veneno. Si mi propósito fuera matarte podría hacerlo fácilmente sin necesidad de esto. Después de todo, lo que te ocurra aquí también es real en el mundo de vigilia. —Ahora la esperanza era mucho más fuerte que el miedo—. Te hará dormir un sueño muy profundo. Demasiado profundo para tocar el *Tel'aran'rhiod*. Es una planta llamada horcaria.

Moghedien cogió lentamente la copa.

—¿Para que no pueda seguirte? No me opondré. —Echó la cabeza hacia atrás y bebió hasta dejar vacía la copa.

Nynaeve la observó intensamente. Esa cantidad debería causar un efecto rápido. Sin embargo, un ramalazo de crueldad la hizo hablar, a sabiendas de que era cruel y sin importarle lo más mínimo. Moghedien no debería disfrutar de un descanso reposado nunca.

—Sabías que Birgitte no estaba muerta. —La Renegada entornó ligeramente los ojos—. Sabías quién era Faolain. —Los ojos de la mujer hicieron intención de abrirse de par en par, pero la bebida narcótica ya surtía efecto en ella. Nynaeve percibía cómo se extendían los síntomas de la horcaria. Se concentró en Moghedien, que estaba retenida allí en el *Tel'aran'rhiod*. Nada de un sueño tranquilo para una Renegada—. Y también sabías quién es Siuan, que antes ocupaba el cargo de Sede Amyrlin. Nunca lo mencioné en el *Tel'aran'rhiod*. Jamás. Te veré pronto, en Salidar.

Los ojos de Moghedien giraron en las órbitas y se pusieron en blanco. Nynaeve no estaba segura de si era por la horcaria o porque se había

913

desmayado, pero le daba igual. Soltó a la otra mujer y Moghedien desapareció instantáneamente. El collar de plata sonó con fuerza al caer en las baldosas. Al menos Elayne se alegraría al saber lo del *a'dam*.

Nynaeve salió del sueño.

Rand trotó por los pasillos del palacio. Le pareció que había menos daños de lo que recordaba, pero en realidad no se fijó demasiado. Salió al gran patio principal. Ráfagas de Aire empujaron los altos portones con tal violencia que casi los arrancaron de los goznes. Al otro lado se abría una inmensa plaza ovalada, así como lo que había estado buscando: trollocs y Myrddraal. Rahvin había muerto y los otros Renegados estaban en alguna otra parte, pero había trollocs y Myrddraal para matar en Caemlyn.

Estaban luchando, una horda arremolinada de cientos de ellos, quizá miles, rodeando algo que no alcanzaba a ver a través de las apretadas filas de armaduras negras y de los Myrddraal montados a caballo. Logró atisbar brevemente su estandarte carmesí en medio de la oscura horda. Algunos giraron la cabeza hacia palacio al oír el estruendo de las grandes puertas, casi arrancadas de cuajo.

Empero, Rand se paró en seco. Numerosas bolas de fuego se descargaban sobre la apiñada masa de negras armaduras, y trollocs ardiendo yacían por doquier. Imposible.

Sin permitirse albergar esperanza ni pensar, encauzó. Haces de fuego compacto saltaron de sus manos tan deprisa como era capaz de urdirlos, más finos que su dedo meñique, y que interrumpía tan pronto como alcanzaban su diana. Eran mucho menos poderosos que el que había utilizado contra Rahvin al final e incluso que cualquiera de los que le había arrojado al Renegado, pero no podía arriesgarse a lanzar uno que atravesara la horda y alcanzara a los que estaban atrapados en el centro de la tropa de trollocs. Tampoco importó demasiado. El primer Myrddraal tocado por el haz pareció invertir los colores, se convirtió en una forma oscura vestida de blanco, y después se redujo a motitas brillantes que desaparecieron mientras su caballo huía espantado. Trollocs, Myrddraal, todos los que se volvieron hacia él tuvieron el mismo final, y entonces empezó a pasar la guadaña por las filas de los que todavía seguían mirando hacia el otro lado, de modo que una constante nube de polvo brillante pareció llenar el aire, renovada al mismo ritmo que se evaporaba.

No podían resistir semejante ataque. Los gritos bestiales de furia dieron paso a aullidos de miedo, y huyeron en todas direcciones excepto en la que estaba él. Rand vio que un Myrddraal que intentaba hacerlos regresar acababa arrollado y pisoteado, tanto él como su montura, pero los restantes espolearon sus caballos para huir.

Rand los dejó marchar. Estaba demasiado ocupado observando fijamente a los velados Aiel que irrumpían del cerco blandiendo lanzas y grandes cuchillos. Era uno de ellos quien llevaba el estandarte; los Aiel no llevaban banderas, pero éste, con un trozo de la cinta roja asomando debajo del *shoufa*, sí lo hacía. También se sostenían combates en algunas de las calles que arrancaban de la plaza. Aiel contra trollocs. Ciudadanos contra trollocs. Incluso hombres con armaduras y uniformes de la Guardia Real contra trollocs. Por lo visto, a algunos que no había sentido escrúpulo de matar a una reina les asqueaban los trollocs. Rand sólo lo advirtió por encima, sin embargo. Buscaba, afanoso, entre los Aiel.

Allí. Una mujer con blusa blanca que remangaba las amplias faldas con una mano mientras apuñalaba a un trolloc que huía con un cuchillo corto; un momento después, las llamas envolvían a la figura con hocico de oso.

—¡Aviendha! —Rand no fue consciente de que iba corriendo hasta que gritó—. ¡Aviendha!

Y allí estaba Mat, con la chaqueta desgarrada y la hoja corta de su lanza teñida de sangre, apoyado en el negro astil y contemplando la huida de los trollocs, satisfecho de dejar que fueran otros quienes se ocuparan de luchar ahora que era posible. Y Asmodean, sosteniendo torpemente la espada e intentando mirar a todas partes al mismo tiempo por si acaso algún trolloc decidía regresar. Rand percibió el *Saidin* en el hombre, aunque muy débil; no creía que Asmodean hubiese luchado gran cosa con aquella espada.

Fuego compacto. El fuego compacto que abrasaba un hilo del Entramado. Cuanto más fuerte fuera el haz, más atrás llegaba la quemadura del hilo. Y lo que quiera que esa persona hubiese hecho, ya no había ocurrido. Le importaba poco si su último ataque a Rahvin había abrasado la mitad del Entramado. No si el resultado era éste.

Se dio cuenta entonces de que las lágrimas corrían por sus mejillas; soltó el *Saidin* e hizo desaparecer el vacío. Quería sentir esto.

—¡Aviendha! —La levantó en vilo y empezó a dar vueltas con ella mientras la muchacha lo miraba como si se hubiese vuelto loco. Aunque no quería soltarla en el suelo lo hizo, porque así podía abrazar a Mat. O intentarlo, ya que su amigo lo rechazó.

—¿Qué te pasa? Cualquiera diría que creías que estábamos muertos. Aunque no faltó mucho. ¡El cargo de general tiene que ser algo más seguro que esto!

—Estáis vivos. —Rand se echó a reír. Apartó el cabello que caía sobre la frente de Aviendha, que había perdido el pañuelo que solía ceñir sus sienes, de manera que los mechones se desparramaban sobre sus hombros—. Me siento feliz porque estáis vivos, eso es todo.

Volvió a mirar la plaza y su júbilo se ensombreció. Nada podía borrar su alegría, pero menguó al reparar en los cadáveres tendidos allí donde los Aiel habían presentado resistencia. Demasiados de esos cuerpos no eran lo bastante grandes para pertenecer a hombres. Allí estaba Lamelle, sin velo y sin la mitad de la garganta; nunca volvería a prepararle sopa. Pevin, con las dos manos crispadas sobre el astil, grueso como una muñeca, de una lanza trolloc que le atravesaba el pecho, y en su rostro la primera expresión que Rand veía: sorpresa. El fuego compacto había burlado a la muerte para sus amigos, pero no para otros. Demasiados. Demasiadas Doncellas.

«Goza de lo que tienes. Regocíjate por lo que puedes salvar, y no llores la muerte de tu gente demasiado tiempo.» No era un pensamiento suyo, pero aun así lo asumió. Parecía un buen sistema para evitar volverse loco antes de que la infección del *Saidin* lo condujera a la demencia.

—¿Dónde fuiste? —demandó Aviendha, pero no enfadada. En todo caso, parecía aliviada—. En un momento estabas aquí y al siguiente habías desaparecido.

—Tenía que matar a Rahvin —respondió quedamente. Ella abrió la boca, pero Rand posó los dedos sobre los labios de la joven para acallarla y después la apartó sin brusquedad. «Goza de lo que tienes»—. Dejémoslo así. Está muerto.

Bael llegó cojeando, con el *shoufa* todavía envuelto en la cabeza pero el velo colgando sobre su pecho. Tenía sangre en un muslo, y también la punta de la única lanza que le quedaba estaba enrojecida.

—Los Jinetes de la Noche y los Engendros de la Sombra huyen, *Car'- a'carn*. Algunos hombres de las tierras húmedas se unieron a la danza contra ellos, incluso algunos de los hombres de armadura, aunque al principio danzaron contra nosotros —informó el jefe Aiel.

Sulin estaba detrás de él, retirado el velo; un feo tajo sanguinolento le cruzaba la mejilla.

—Perseguidlos y acabad con ellos, cueste el tiempo que cueste —ordenó Rand, que echó a andar sin saber bien hacia dónde siempre y cuando fuera lejos de Aviendha—. No quiero que merodeen libremente por la campiña. Y vigilad a los soldados de la guardia. Más tarde aclararé quiénes de ellos eran hombres de Rahvin y quiénes... —Siguió caminando mientras hablaba, sin mirar atrás. «Goza de lo que tienes.»

56

ASCUAS ARDIENTES

L a alta ventana tenía hueco de sobra para que Rand estuviera de pie en ella, quedando todavía el dintel muy por encima de su cabeza y un espacio de dos pies a cada lado de los hombros. Con las mangas de la camisa remangadas, Rand contemplaba desde tan ventajosa posición uno de los jardines de palacio. Aviendha movía una mano en el agua del pilón de piedra roja de la fuente, todavía intrigada con que hubiera tanta cantidad de agua sin más propósito que contemplarla y mantener vivos unos peces ornamentales. Al principio se había indignado sobremanera cuando Rand le dijo que no podía ir persiguiendo trollocs por las calles. De hecho, dudaba que la muchacha hubiese estado en esos momentos allá abajo, sentada tranquilamente, si no hubiera sido por la callada guardia de Doncellas que Sulin creía que él no había advertido. Y se suponía que tampoco debía de haber oído a la Doncella de cabello blanco recordarle a la joven que ya no era *Far Dareis Mai* y que aún no había llegado a la categoría de Sabia. Sin chaqueta, pero con el sombrero calado para resguardarse del sol, Mat se encontraba sentado en el borde del pilón, charlando con ella. Sin duda intentaba sonsacarle lo que sabía respecto a si los Aiel estaban impidiendo que la gente se marchara de la ciudad; aun en el caso de que Mat decidiese aceptar su sino, Rand no creía probable que su amigo dejara de protestar nunca por ello. Asmodean se había sentado en un banco, a la sombra de una variedad de arrayán rojo, y tocaba el arpa. Rand se preguntó si el hombre sabría lo que había ocurrido o si lo sospechaba. No tendría que recordarlo —para él, no había sucedido nunca— pero ¿quién estaba seguro de lo que un Renegado sabía o era capaz de discernir?

Un educada tosecilla lo sacó de su absorta contemplación y lo hizo mirar hacia atrás.

La ventana a la que Rand se había encaramado estaba a más de un espán del suelo, en la pared oeste del salón del trono, donde las reinas de Andor habían recibido embajadas y pronunciado dictámenes durante más de mil años. Era el único lugar en el que creyó que podría observar a Mat y Aviendha sin ser visto ni molestado. A ambos lados del salón se sucedían hileras de columnas blancas de veinte pasos de altura. Los rayos de luz que entraban por los altos ventanales de las paredes se mezclaban con la luz de colores que penetraba a través de las grandes cristaleras del techo en arco, en las que el León Blanco se alternaba con representaciones de las primeras soberanas del reino y escenas de grandes victorias andoreñas. Ni Enaila ni Somara parecían en absoluto impresionadas por tal magnificencia.

Rand bajó del ventanal descolgándose por el antepecho.

—¿Hay noticias de Bael?

—La caza de trollocs continúa —repuso Enaila a la par que se encogía de hombros. Por su tono, a la diminuta mujer le habría gustado formar parte de ello. La gran estatura de Somara hacía que pareciese más baja en comparación—. Algunos de los vecinos de la ciudad están ayudando, pero la mayoría permanecen escondidos. Las puertas de la ciudad están cerradas y guardadas, así que ninguno de los Engendros de la Sombra escapará, creo, pero me temo que algunos de los Jinetes de la Noche sí podrán hacerlo.

No era tarea sencilla matar a los Myrddraal y tampoco acorralarlos. A veces resultaba fácil dar crédito a lo que contaban los viejos relatos sobre que cabalgaban las sombras y podían desaparecer al girarse de lado.

—Te hemos traído un poco de sopa —dijo Somara mientras señalaba con su rubia cabeza la bandeja de plata, cubierta con un paño de rayas, que había sobre las gradas en las que se alzaba el Trono del León. El solio tallado y dorado, con el remate de las patas imitando las grandes garras del felino, era un inmenso sillón en lo alto de cuatro escalones de mármol, con una tira de alfombra roja que conducía hasta él. El León de Andor, realizado con piedras de luna sobre un campo de rubíes, debía de haber quedado por encima de la cabeza de Morgase cuando la reina ocupaba ese asiento—. Aviendha dice que hoy no has comido nada todavía. Es la sopa que Lamelle solía prepararte.

—Supongo que nadie de la servidumbre ha regresado —musitó Rand—. ¿Alguno de los cocineros, quizá? ¿Un pinche?

Enaila sacudió la cabeza con desprecio. Cumpliría su plazo como *gai'shain* con buena disposición si alguna vez llegaba el caso, pero la idea de alguien dedicado a servir toda su vida le asqueaba.

Rand subió las gradas y se agachó para retirar el paño. Encogió la nariz; fuera la que fuera quien lo había preparado no era mejor cocinera de lo que Lamelle lo había sido. El sonido de los pasos de unas botas de hombre entrando en el salón le proporcionó una excusa para darle la espalda a la bandeja. Con un poco de suerte, no tendría que comérselo.

El hombre que se acercaba por las baldosas rojas y blancas no era andoreño ciertamente a juzgar por la corta chaqueta gris y aquellos pantalones de pliegues metidos en las botas, que llevaba dobladas por la rodilla. Esbelto y sólo un palmo más alto que Enaila, tenía la nariz ganchuda y los ojos rasgados y oscuros. Su negro cabello tenía pinceladas grises, y lucía un espeso bigote que caía a ambos lados de su ancha boca. Se paró para echar la pierna hacia atrás y hacer una breve reverencia, sujetando con elegancia la curva espada que llevaba a la cadera a despecho del incongruente e incómodo detalle de tener que sostener dos copas de plata en una mano y un jarro de arcilla sellado en la otra.

—Disculpad mi intromisión —dijo—, pero no había nadie para anunciarme. —Sus ropas serían sencillas e incluso desgastadas por los viajes, pero metido en el talabarte llevaba lo que parecía una vara de marfil coronada por una cabeza de lobo dorada—. Soy Davram Bashere, mariscal de Saldaea. He venido para hablar con el lord Dragón, quien según los rumores que corren por la ciudad se encuentra aquí, en el Palacio Real. ¿Me equivoco al suponer que me estoy dirigiendo a él? —Sus ojos se desviaron fugazmente hacia los relucientes dragones rojos y dorados enroscados en los antebrazos de Rand.

—Soy Rand al'Thor, lord Bashere. El Dragón Renacido. —Enaila y Somara se habían situado entre el hombre y él, ambas con una mano sobre la empuñadura de sus largos cuchillos, prestas para ponerse el velo en cualquier momento—. Me sorprende encontrar a un lord saldaenino en Caemlyn, y mucho más que desee hablar conmigo.

—A decir verdad, vine a Caemlyn para hablar con Morgase, pero me fueron dando largas los lameculos de lord Gaebril. ¿O debería decir del rey Gaebril? Por cierto, ¿sigue vivo? —El tono de Bashere traslucía que dudaba tal cosa y que no le importaba si era así o no. Siguió sin hacer pausa alguna—. Mucha gente de la ciudad afirma que Morgase también está muerta.

—Ambos lo están —confirmó fríamente Rand. Tomó asiento en el trono, con la cabeza recostada en el León de Andor de piedras de luna. El solio se había hecho pensando en el tamaño de una mujer—. Yo maté a Gaebril, pero no a tiempo de evitar que asesinase a Morgase.

—Entonces, ¿he de aclamar pues al rey Rand al'Thor? —inquirió Bashere enarcando una ceja.

Rand se echó hacia adelante con actitud irritada.

—Andor ha tenido siempre una reina, y sigue siendo así. Elayne era la heredera del trono, de modo que, habiendo muerto su madre, ella es la actual soberana. Desconozco el protocolo establecido, así que quizá tenga que ser coronada en primer lugar, pero en lo que a mí respecta, ella ya es reina. Yo soy el Dragón Renacido, y eso es todo cuanto deseo, y más. ¿Qué es lo que queréis de mí, lord Bashere?

Si su ira alteró poco o mucho a Bashere, el hombre no dio señales de ello. Aquellos ojos rasgados observaban a Rand con profunda atención, pero no con inquietud.

—La Torre Blanca permitió escapar a Mazrim Taim, el falso Dragón. —Hizo una pausa y luego prosiguió cuando Rand no hizo ningún comentario—. La reina Tenobia no quería que hubiera nuevos tumultos en Saldaea, de modo que se me encomendó la tarea de darle caza otra vez y matarlo. Lo seguí hacia el sur durante muchas semanas. No temáis que haya entrado en Andor con un ejército extranjero. Excepto una escolta de diez soldados, he dejado acampado al resto en el Bosque de Braem, bastante al norte de cualquier frontera que Andor haya marcado en los últimos doscientos años. Sin embargo, Taim está en Andor, de eso no me cabe duda.

Rand volvió a recostarse en el respaldo, vacilante.

—No podéis tener a Taim, lord Bashere.

—¿Puedo preguntaros por qué no, milord Dragón? Si deseáis emplear Aiel para apresarlo, no pondré ninguna objeción. Mis hombres permanecerán en el Bosque de Braem hasta mi regreso.

Rand no tenía intención de revelar esta parte de su plan tan pronto. El retraso podría ser perjudicial, pero se había propuesto tener antes un firme dominio sobre las naciones. Empero, tal vez aquél era un buen momento para hacerlo público.

—Voy a anunciar una amnistía. Yo puedo encauzar, lord Bashere, así pues ¿por qué se ha de perseguir y matar o amansar a otros hombres por el hecho de tener la misma capacidad que yo? Anunciaré que cualquier varón dotado con la habilidad de tocar la Fuente Verdadera y que desee aprender, puede acudir a mí y gozar de mi protección. La Última Batalla se aproxima, lord Bashere. Probablemente no haya tiempo para que ninguno de nosotros se vuelva loco antes, y, en cualquier caso, no estoy dispuesto a desperdiciar a ningún hombre por ese posible riesgo. Cuando los trollocs salieron de La Llaga en la Guerra de los Trollocs, marcharon dirigidos por los Señores del Espanto, hombres y mujeres que utilizaban el Poder en nombre de la Sombra. Volveremos a enfrentarnos a lo mismo en el Tarmon Gai'don. Ignoro cuántas Aes Sedai estarán de mi lado, pero no rechazaré a ningún hombre que encauce si va a unirse a mis filas. Mazrim Taim es mío, lord Bashere, no vuestro.

—Entiendo. —Asintió tajantemente—. Habéis tomado Caemlyn, y he oído que Tear es vuestro y que Cairhien lo será pronto si no lo es ya. ¿Pretendéis conquistar el mundo con vuestros Aiel y vuestro ejército de hombres que encaucen el Poder Único?

—Si es preciso, sí —replicó Rand con igual rotundidad—. Recibiré de buen grado como aliado a cualquier dirigente que me reciba de buen grado a mí, pero hasta el momento sólo he encontrado intrigas para obtener poder o abierta hostilidad. Lord Bashere, hay anarquía en Tarabon y Arad Doman, y Cairhien no les anda muy a la zaga. Amadicia tiene en su punto de mira a Altara. Los seanchan... Quizás hayáis oído rumores sobre ellos en Saldaea. Bien, pues, los peores seguramente son ciertos. Como decía, los seanchan, al otro lado del mundo, tienen los ojos puestos en todos nosotros. La humanidad está enzarzada en sus propias luchas mezquinas teniendo el Tarmon Gai'don en el horizonte. Necesitamos paz. Necesitamos tiempo antes de que lleguen los trollocs, antes de que el Oscuro se libere de su prisión, tiempo para prepararnos. Y, si el único modo que tengo para encontrar ese tiempo, esa paz para el mundo, es imponiéndola, lo haré. No quisiera verme obligado a ello, pero lo haré.

—He leído *El Ciclo Karaethon* —repuso Bashere. Sujetó las copas debajo del brazo un momento, mientras rompía el sello de cera del jarro, y las llenó de vino—. Y, lo que es más importante, la reina Tenobia ha leído también *Las Profecías*. No puedo hablar en nombre de Kandor, Arafel o Shienar; sin embargo, creo que se aliarán con vos. No hay un solo niño en las Tierras Fronterizas que no sepa que la Sombra aguarda en la Llaga para caer sobre nosotros en cualquier momento. Con todo, no puedo hablar en su nombre. —Le tendió una copa a Enaila, quien la observó con suspicacia, pero subió las gradas para entregársela a Rand—. A decir verdad —continuó Bashere—, ni siquiera puedo hablar en nombre de Saldaea. Es Tenobia quien gobierna, y yo no soy más que su general. Pero creo que, después de que le envíe un mensaje con el jinete más veloz, la respuesta será que Saldaea marcha al lado del Dragón Renacido. Entre tanto, os ofrezco mis servicios y el de los nueve mil jinetes saldaeninos que están a mi mando.

Rand imprimió un movimiento giratorio a la copa mientras contemplaba el oscuro vino tinto. Sammael en Illian y los otros Renegados sólo la Luz sabía dónde. Los seanchan a la expectativa al otro lado del Océano Aricio, y los hombres aquí prestos a actuar en su propio beneficio sin importarles el precio para el mundo.

—La paz todavía está muy lejana —manifestó quedamente—. Habrá derramamiento de sangre y muerte durante algún tiempo todavía.

—Siempre es así —repuso calmosamente Bashere, y Rand no supo discernir si se refería a lo primero o a lo segundo. Quizás a ambas cosas.

Asmodean sujetó el arpa debajo del brazo y se alejó de Mat y de Aviendha. Disfrutaba tocando, pero no para dos personas que no escuchaban y mucho menos apreciaban su música. No sabía con certeza qué había acontecido esa mañana y tampoco estaba seguro de querer saberlo. Eran demasiados los Aiel que habían manifestado sorpresa al verlo, que afirmaban haberlo visto morir; no quiso conocer los detalles. La pared que había delante de él tenía una larga grieta; sabía qué había hecho aquel afilado corte, qué había provocado que la superficie estuviese tersa como el hielo, más suave de lo que ninguna mano humana habría podido pulir trabajándola cien años.

Ociosamente —pero también con un escalofrío— se preguntó si el haber renacido de este modo lo habría hecho un hombre nuevo. Lo dudaba. Había perdido la inmortalidad —sabía que tenía que ser producto de su imaginación, aunque a veces tenía la sensación de que podía sentir el tiempo tirano de él, arrastrándolo hacia una tumba que nunca pensó que ocuparía—, y absorber el poco *Saidin* que podía era como beber de una cloaca. No lamentaba en absoluto que Lanfear hubiese muerto. Tampoco le importaba la muerte de Rahvin, pero menos aun la de Lanfear por todo lo que le había hecho. Reiría cuando los otros fuesen muriendo también, y mucho más con el último. No se debía en absoluto a que hubiese renacido como un hombre nuevo, pero se aferraría a aquel puñado de hierba al borde del precipicio tanto tiempo como le fuera posible. Las raíces podrían ceder finalmente y la larga caída llegaría, pero hasta entonces todavía seguía vivo.

Abrió una pequeña puerta con intención de buscar la despensa; allí tendría que haber un vino decente. Dio un paso y se paró en seco; su semblante se puso repentinamente pálido.

—¿Tú? ¡No!

La inútil negación seguía sonando en el aire cuando la muerte lo alcanzó.

Morgase se enjugó el sudor de la frente, tras lo cual guardó de nuevo el pañuelo debajo de la manga y se colocó mejor el sombrero de paja un tanto deteriorado. Por lo menos había conseguido adquirir un traje de montar apropiado, aunque incluso el fino tejido de lana resultaba incómodo con ese calor. De hecho, era Tallanvor quien lo había adquirido. Dejando que su caballo llevara el paso, observó al alto joven que cabalgaba al frente, entre los árboles. La redondez de Basel Gill hacía resaltar más lo alto y bien proporcionado que era Tallanvor. Le había ofrecido el vestido manifestando con vehemencia que estaba más en consonancia con ella que las ásperas ropas con las que había huido de palacio; y todo ello mirándola fijamente, sin parpadear, sin pronunciar una sola palabra en señal de respeto. Por supuesto que ella misma había decidido que no era seguro que nadie supiese quién era, sobre todo después de descubrir que Gareth Bryne se había marchado de Hontanares de Kore; ¿por qué demonios había tenido que partir ese hombre en persecución de unos incendiarios de graneros justo cuando ella lo necesitaba? Bah, de hecho no importaba; saldría adelante igual de bien sin su ayuda. Empero, había algo inquietante en los ojos de Tallanvor cuando la llamaba simplemente Morgase.

Suspiró y echó una ojeada hacia atrás. El fornido Lamgwin cabalgaba escudriñando el bosque; a su lado, Breane lo observaba a él con igual o mayor atención que a todo lo demás. Su ejército no había aumentado un ápice desde Caemlyn. Eran demasiados los que sabían de nobles exiliados sin razón y de leyes injustas dictadas en la capital para hacer algo más que mofarse ante la más ligera mención de mover un dedo para respaldar a su legítima dirigente. Morgase dudaba que el resultado hubiese sido otro aun en el caso de que hubieran sabido quién les estaba hablando. Así pues, ahora cabalgaba a través de Altara manteniéndose en los bosques todo lo posible porque, al parecer, había grupos de hombres armados por todas partes; viajaba por el bosque llevando por toda compañía un camorrista con la cara marcada de cicatrices, una encandilada noble cairhienina refugiada, un rechoncho posadero que contenía a duras penas la necesidad de arrodillarse cada vez que lo miraba, y un joven soldado que a veces la miraba como si llevase puesto uno de aquellos vestidos que se ponía para Gaebril. Y Lini, naturalmente. No había que olvidarse de Lini.

Como si pensar en ella hubiese sido una llamada, la vieja nodriza taloneó a su caballo y se acercó.

—Más vale que mantengas la mirada al frente —susurró—. «Un león joven ataca con mayor rapidez y cuando menos lo esperas.»

—¿Crees que Tallanvor es peligroso? —inquirió secamente Morgase, con lo que se ganó una mirada de soslayo, pensativa, de Lini.

—Sólo del modo en que puede serlo un hombre. Tiene buena planta ¿no te parece? Bastante alto. Y con unas manos fuertes, imagino. «No tiene sentido dejar que la miel envejezca demasiado antes de comérsela.»

—Lini —reconvino Morgase con tono admonitorio. La anciana estaba adoptando esta actitud demasiado a menudo últimamente. Tallanvor era un hombre apuesto, y sus manos efectivamente parecían ser fuertes, y tenía las piernas muy bien formadas, pero era joven y ella era su reina. Lo que menos le interesaba ahora era empezar a mirarlo como a un hombre en lugar de como a un súbdito y un soldado. Estaba a punto de decírselo así a Lini, y que debía de haber perdido la cabeza si pensaba que iba a entablar una relación con un hombre diez años más oven que ella, pues debía de ser ésa la diferencia de edad entre ambos, pero Tallanvor y Gill habían dado media vuelta e iban hacia ellas—. Contén la lengua, Lini. Si le metes alguna idea tonta en la cabeza a ese joven, te abandonaré en cualquier sitio.

Si el resoplido con que la vieja nodriza le respondió hubiese venido del noble más encumbrado de Andor, éste habría pasado un tiempo en una celda para que meditara. Si todavía tuviera su trono, se entiende.

—¿Estás segura de que quieres seguir adelante con esto, pequeña? «Cuando se ha saltado al precipicio ya es demasiado tarde para cambiar de idea.»

—Encontraré aliados donde puedo hallarlos —replicó, envarada, Morgase.

Tallanvor sofrenó a su caballo, muy erguido en la silla. El sudor le resbalaba por la cara, pero habríase dicho que no notaba el calor o hacía caso omiso de él. Maese Gill se daba tirones del cuello de su coselete guarnecido con láminas como si deseara poder quitárselo.

—El bosque termina un poco más adelante y da paso a granjas y labrantíos —informó Tallanvor—, pero no es probable que nadie os reconozca aquí. —Morgase sostuvo su mirada firmemente; cada día que pasaba resultaba más difícil apartar la vista cuando él la miraba—. Otras diez millas de camino nos llevarán hasta Cormaed. Si aquel tipo de Sehar no mentía, allí habrá un transbordador, y llegaremos a la orilla de Amadicia antes del anochecer. ¿Estáis segura de que deseáis hacer esto, Morgase?

El modo en que pronunciaba su nombre... No. Estaba dejándose influir por las absurdas ideas de Lini. Sin duda era a causa del maldito calor.

—Estoy decidida, joven Tallanvor —repuso fríamente—, y no veo oportuno que pongas en duda mis decisiones.

Taloneó duramente a su montura, permitiendo que la brusca arrancada del animal separara sus miradas mientras pasaba junto a él y lo adelantaba; ya la alcanzaría. Buscaría aliados donde fuera necesario, recobraría su trono y ¡ay de Gaebril o de cualquier hombre que creyese que podía sentarse en él usurpando su puesto!

El esplendor de la Luz brilló sobre él
y él dio la paz de la Luz a los hombres.
Aunó naciones bajo su bandera, haciendo una de muchas.
Mas las aristas de los corazones provocan heridas.
Y lo que antaño fuera, se repitió,
en fuego y en tormenta,
hendiendo todo en dos.
Porque su paz...,
porque su paz...
... era la paz...
... era la paz...
... de la espada.
Y el esplendor de la Luz brilló sobre él.

De *El esplendor del Dragón,*
compuesto por Meane sol Ahelle, Cuarta Era

GLOSARIO

ACLARACIÓN SOBRE LAS FECHAS DE ESTE GLOSARIO

El calendario Tomano (ideado por Toma dur Ahmid) se adoptó aproximadamente dos siglos después de la muerte de los últimos varones Aes Sedai y registró los años transcurridos después del Desmembramiento del Mundo (DD). Muchos anales resultaron destruidos durante las Guerras de los Trollocs, de tal modo que, al concluir éstas, se abrió una discusión respecto al año exacto en que se hallaban en el antiguo sistema. Tiam de Gazar propuso un nuevo calendario, en conmemoración de la supuesta liberación de la amenaza trolloc, en el que los años se señalarían como Año Libre (AL). El calendario Gazariano ganó amplia aceptación veinte años después del final de la guerra. Artur Hawkwing intentó establecer un nuevo anuario que partiría de la fecha de fundación de su imperio (DF, Desde la Fundación), pero únicamente los historiadores hacen referencia a él actualmente. Tras la generalizada destrucción, mortalidad y desintegración de la Guerra de los Cien Años, Uren din Jubai Gaviota Voladora, un erudito de las islas de los Marinos, concibió un cuarto calendario, el cual promulgó el Panarch Farede de Tarabon. El calendario Farede, iniciado a partir de la fecha, arbitrariamente decidida, del fin de la Guerra de los Cien Años, que registra los años de la Nueva Era (NE), es el que se utiliza en la actualidad.

Aceptadas, las: Jóvenes que se hallan en fase de formación para convertirse en Aes Sedai y que han accedido a cierto grado de poder y superado determinadas pruebas. Las novicias tardan normalmente de cinco a diez años para ascender a la condición de Aceptadas. Las Aceptadas no están tan sujetas a las reglas como las novicias y tienen la posibilidad de elegir, si bien de forma restringida, las áreas en que prefieren centrar sus estudios. Una Aceptada tiene derecho a llevar un anillo con la Gran Serpiente, pero únicamente en el tercer dedo de la mano izquierda. Cuando es promovida al rango de Aes Sedai, escoge su Ajah, accede al privilegio de vestir el chal y puede ponerse el anillo en cualquier dedo o no llevarlo, según dicten las circunstancias. (Véase también *Aes Sedai*.)

acra: Unidad de superficie, igual a un cuadrado de cien pasos de lado.

a'dam: Un artilugio creado por los seanchan que sirve para controlar a mujeres capaces de encauzar y que consiste en un collar y un brazalete unidos por una correa, todo ello en metal plateado. No surte efecto en una mujer que no puede encauzar. (Véanse *damane*; *seanchan* y *sul'dam*.)

Aes Sedai: Encauzadoras del Poder Único. Desde la Época de Locura, todos los Aes Sedai supervivientes son mujeres. Con frecuencia inspiradoras de desconfianza, temor e incluso odio entre la gente, muchos les achacan la responsabilidad del Desmembramiento del Mundo y les critican su entrometimiento en los asuntos de las naciones. Aun así, pocos son los gobernantes que no disponen de una consejera Aes Sedai, incluso en las tierras en donde tal relación debe mantenerse en secreto. Tras encauzar repetidamente el Poder Único durante varios años, las Aes Sedai adquieren un aspecto físico especial que se caracteriza por la indefinición de la edad en sus rasgos, de modo que, por ejemplo, una Aes Sedai que podría ser abuela no aparenta señal alguna de vejez, salvo tal vez algunas canas. (Véanse *Ajah*; *Sede Amyrlin* y *Época de Locura*.)

Aiel: El pueblo del Yermo de Aiel. Duros y luchadores, se cubren los rostros antes de matar. Terribles guerreros, ya sea armados o con las manos desnudas, nunca tocan una espada; tampoco montan en un caballo a menos que se los presione. Sus flautistas los acompañan en las batallas con música de danzas, y los Aiel llaman a la batalla «la danza» o «la danza de las lanzas». Se dividen en doce clanes: el Chareen, el Codarra, el Daryne, el Goshien, el Miagoma, el Nakai, el Reyn, el Shaarad, el Shaido, el Shiande, el Taardad, y el Tomanelle. A veces se refieren a un decimotercer clan, el Clan que No lo Es, los Jenn, quienes fueron los constructores de Rhuidean. (Véanse también *asociaciones guerreras Aiel; Yermo de Aiel* y *Rhuidean*.)

Ajah: Sociedades entre las Aes Sedai; son siete y se designan por colores: Azul, Rojo, Blanco, Verde, Marrón, Amarillo y Gris. Todas las Aes Sedai, con excepción de la Sede Amyrlin, pertenecen a un Ajah concreto. Cada uno de ellos sigue una filosofía específica respecto al uso del Poder Único y a los cometidos de las Aes Sedai. El Ajah Rojo, por ejemplo, dedica todas sus energías a buscar y amansar a los hombres que encauzan el Poder. El Ajah Marrón, por su parte, prohíbe el compromiso con el mundo y se consagra a la profundización en el conocimiento, en tanto que el Ajah Blanco, que se abstiene en la medida de lo posible del contacto con el mundo y el saber práctico directamente relacionado con él, se concentra en las cuestiones filosóficas y la búsqueda de la verdad. El Ajah Verde (llamado el Ajah de Batalla durante la Guerra de los Trollocs) se mantiene en pie de guerra, listo para el Tarmon Gai'don, mientras que el Ajah Amarillo se concentra en el estudio de la Curación. Las hermanas Azules toman partido por las causas justas, en tanto que las Grises son mediadoras y buscan la armonía y el consenso. Hay rumores sobre un Ajah Negro, abocado al servicio del Oscuro, pero su existencia se niega oficialmente.

Alviarin Freidhen: Una Aes Sedai del Ajah Blanco, ahora ascendida a Guardiana de las Crónicas, máxima autoridad después de la Sede Amyrlin. Una mujer de fría lógica y aun más fría ambición.

Amadicia: Nación situada al sur de las Montañas de la Niebla, entre Tarabon y Altara. Su capital, Amador, es la sede de los Hijos de la Luz, cuyo capitán general ostenta, de hecho ya que no de nombre, más poder que el propio rey. Cualquier persona con capacidad para encauzar está considerada como proscrita en este país; según la ley han de ser encarceladas o exiliadas, pero en realidad a menudo se las mata cuando se «resisten al arresto». El estandarte de Amadicia es una estrella plateada de seis puntas, superpuesta a un espino rojo, sobre campo azul. (Véanse *encauzar* e *Hijos de la Luz.*)

amansar: La acción, realizada por Aes Sedai, de neutralizar para siempre la fuerza de un varón capaz de encauzar el Poder Único. Esto es necesario debido a que todo hombre que aprenda a encauzar enloquecerá a causa de la infección que afecta al *Saidin* y probablemente producirá horribles daños utilizando el Poder después de haber perdido el juicio. Un hombre que ha sido amansado puede detectar todavía la Fuente Verdadera, pero no establecer contacto con ella. La evolución del grado de locura se detiene con el amansamiento, aun cuando no se cura, y si éste se efectúa en el inicio es factible evitar la muerte. Sin embargo, estos hombres amansados rara vez desean seguir viviendo y normalmente perecen enseguida.

Amigos Siniestros: Los seguidores del Oscuro, que abrigan expectativas de cobrar gran poder y recibir recompensas, incluida la inmortalidad, cuando aquél sea liberado de su prisión.

Amys: Caminante de sueños y Sabia del dominio Peñas Frías, del septiar Nueve Valles de los Taardad Aiel. Esposa de Rhuarc, hermana conyugal de Lian, que es señora del techo del dominio Peñas Frías y segunda madre de Aviendha.

Andor: Una próspera nación que se extiende, al menos sobre el mapa, desde las Montañas de la Niebla hasta el río Erinin, si bien desde hace varias generaciones el control de la reina no ha llegado más al oeste que el río Manetherendrelle. (Véase *heredera del trono.*)

angreal: Un objeto, vestigio de la Era de Leyenda, que permite a quienes son capaces de encauzar el Poder Único el manejo de una cantidad superior a la que podrían utilizar sin salir malparados. Unos se crearon para ser usados por mujeres, y otros, por hombres; los rumores acerca de ciertos tipos de *angreal* utilizables tanto por varones como por féminas no se han confirmado nunca. Su método de elaboración se desconoce en la actualidad, y son muy pocos los que existen hoy en día. (Véanse también *encauzar; sa'angreal* y *ter'angreal.*)

Antigua Lengua: La lengua que se hablaba durante la Era de Leyenda. Las personas nobles y cultivadas deben, en principio, haber aprendido a hablarla, pero la mayoría sólo conoce algunas palabras. A menudo su traducción resulta harto difícil, ya que es un lenguaje susceptible de ofrecer diversas interpretaciones mediante sutiles variaciones en el significado. (Véase *Era de Leyenda.*)

Arad Doman: Una nación situada en las costas del Océano Aricio. En la actualidad sufre los estragos de una guerra civil además de las que sostiene de manera simultánea contra quienes se han declarado partidarios del Dragón Renacido y contra Tarabon. La mayoría de los mercaderes domani son mujeres, y el dicho «dejar que un hombre haga tratos con una domani» se utiliza para referirse a alguien que se empeña en hacer una estupidez mayúscula. Las domani tienen fama —o más bien mala fama— por su belleza, su seductor encanto y sus escandalosos atuendos.

Artur Hawkwing: Rey legendario, Artur Paendrag Tanreall, que reinó entre 943-994 AL, y unió todas las tierras situadas al oeste de la Columna Vertebral del Mundo, así como algunos países que se extendían más allá del Yermo de Aiel. Llegó incluso a enviar ejércitos al otro lado del Océano Aricio (AL 992) pero se perdió todo contacto con éstos a su muerte, que desencadenó la Guerra de los Cien Años. Su emblema era un halcón dorado volando. (Véase *Guerra de los Cien Años.*)

asociaciones guerreras Aiel: Los guerreros Aiel están incorporados sin excepción a una de las doce asociaciones guerreras: los Buscadores del Agua *(Duadhe Mahdi'in)*, los Corredores del Alba *(Rahien Sorei)*, los Danzarines de Montaña *(Hama N'dore)*, los Descendientes Verdaderos *(Tain Shari)*, las Doncellas Lanceras *(Far Dareis Mai)*, los Escudos Rojos *(Aethan Dor)*, los Hermanos del Águila *(Far Aldazar Din)*, los Hijos del Relámpago *(Sha'mad Conde)*, los Lanceros Nocturnos *(Cor Darei)*, los Mano Cuclillo *(Sovin Nai)*, los Ojos Negros *(Seia Doon)*, y los Perros de Piedra *(Shae'en M'taal)*. Cada agrupación tiene sus propias costumbres y, en ocasiones, cometidos específicos. Por ejemplo, los Escudos Rojos hacen las veces de policía. Los Perros de Piedra actúan como tropas de retaguardia durante una retirada, mientras que las Doncellas Lanceras realizan el cometido de exploradoras. Los clanes Aiel luchan con frecuencia entre sí, pero los miembros de una misma asociación no se enfrentan jamás, aun cuando lo hagan sus clanes. Así, siempre hay vías de contacto amistosas entre los clanes, incluso cuando se encuentran en estado de guerra declarada. (Véanse *Aiel*; *Yermo de Aiel* y *Far Dareis Mai*.)

Avendesora: En la Antigua Lengua, el Árbol de la Vida, mencionado en innumerables historias y leyendas que lo sitúan en diversos lugares. Su verdadera ubicación la conocen muy pocas personas.

Avendoraldera: Un árbol que creció en la ciudad de Cairhien a partir de un retoño de *Avendesora*. Los Aiel regalaron dicho retoño a la ciudad en el 566 NE, a pesar del hecho de que ningún documento demuestra relación alguna entre los Aiel y *Avendesora*. (Véase *Guerra de Aiel*.)

Aviendha: Una mujer del septiar Agua Amarga de los Taardad Aiel que se está instruyendo para ser Sabia. No le teme a nada, excepto a su destino.

Bair. Una caminante de sueños y Sabia del septiar Haido de los Shaarad Aiel.

Birgitte: Legendaria heroína de relatos, renombrada por su belleza casi en igual medida que por su valentía y su destreza como arquera. Utilizaba un arco y flechas de plata, con las que nunca erraba el tiro. Está entre los héroes llamados a volver de la tumba cuando suene el Cuerno de Valere. Se la vincula siempre con Gaidal Cain, un legendario espadachín. A excepción de su belleza y su destreza con el arco, guarda poco parecido con la mujer que describen las leyendas. (Véanse también *Gaidal Cain* y *Cuerno de Valere*.)

Breane Taborwin: Anteriormente una noble importante de Cairhien que se ha arruinado y es refugiada en Andor, donde ha encontrado la felicidad con la clase de hombre que en otros tiempos hubiera hecho expulsar a latigazos por sus criados.

cadin'sor: Atuendo de los guerreros Aiel, compuesto por chaqueta y calzones en tonos grises y pardos que se confunden con las rocas del entorno o con las sombras, así como botas de cuero suave, altas hasta las rodillas y atadas con cordones. En la Antigua Lengua, «ropas de trabajo».

Caemlyn: La capital de Andor. (Véase *Andor.*)

Cairhien: Nombre dado a una nación situada junto a la Columna Vertebral del Mundo y a su capital. La ciudad fue quemada y saqueada durante la Guerra de Aiel, al igual que muchas otras poblaciones. El subsiguiente abandono de las zonas de cultivo próximas a la Columna Vertebral del Mundo obligó a la importación de grandes cantidades de cereales. El asesinato del rey Galldrian (998 NE) provocó una guerra civil entre las casas nobles que se disputan el Trono del Sol, la interrupción de los envíos de cereales y la hambruna. La enseña de Cairhien representa un radiante sol dorado elevándose sobre un fondo azul cielo. (Véase *Guerra de Aiel.*)

Callandor: La Espada que no es una Espada, La Espada que no Puede Tocarse. Una espada de cristal que estuvo guardada en la Ciudadela de Tear. Es un poderoso *sa'angreal* para ser utilizado por un varón. El que fuera retirada de la cámara llamada el Corazón de la Ciudadela, junto con la caída de la fortaleza, fue uno de los signos principales del Renacimiento del Dragón y de la proximidad del Tarmon Gai'don. Rand al'Thor volvió a colocarla en el Corazón de la Ciudadela, hincada en las baldosas. (Véanse también *Dragón Renacido, el; sa'angreal* y *Ciudadela de Tear, la.*)

caminante de sueños: Término con que los Aiel denominan a la mujer capaz de entrar en el *Tel'aran'rhiod.* (Véase *Tel'aran'rhiod.*)

Capas Blancas: Véase *Hijos de la Luz.*

Cinco Poderes, los: El Poder Único tiene varias vías de utilización que reciben su nombre según el tipo de efectos que pueden producir —Tierra, Aire (llamado a veces Viento), Fuego, Agua y Energía— y se denominan conjuntamente los Cinco Poderes. Todos los poseedores del Poder Único disponen de un mayor grado de fuerza con uno o quizá dos de ellos y un potencial menor con los restantes. En la Era de Leyenda el dominio de la Energía se manifestaba igualmente en hombres y mujeres, pero los varones tenían más habilidad en el manejo de la Tierra y el Fuego, en tanto que el Agua y el Aire eran vías que con frecuencia encauzaban mejor las mujeres. Ha habido excepciones a esta regla, pero tan raras que la Tierra y el Fuego pasaron a ser considerados como Poderes masculinos y el Aire y el Agua, femeninos.

Ciudadela de Tear: También conocida como La Roca o La Piedra. Una gran fortaleza situada en la ciudad de Tear, que se cree que fue erigida poco después del Desmembramiento del Mundo utilizando el Poder Único. Asediada y atacada sin éxito en incontables ocasiones, cayó en el transcurso de una noche a manos del Dragón Renacido y de unos pocos cientos de Aiel, cumpliéndose así dos pasajes de las Profecías del Dragón. (Véase *Dragón, Profecías del.*)

Columna Vertebral del Mundo: Una imponente cordillera de montañas, que sólo puede atravesarse por algunos puertos y que separa el Yermo de Aiel de las tierras occidentales. También se la llama la Pared del Dragón.

Couladin: Un ambicioso hombre del septiar Domai de los Shaido Aiel. Pertenece a la asociación guerrera *Seia Doon*, los Ojos Negros.

cuendillar: Una sustancia indestructible creada durante la Era de Leyenda. Absorbe cualquier fuerza que intente romperla, incrementando así su dureza. También se la conoce como piedra del corazón.

Cuerno de Valere: El legendario objeto de la Gran Cacería del Cuerno. Al Cuerno se le atribuye el poder de llamar a los héroes fallecidos y sacarlos de sus tumbas para combatir a la Sombra. Se ha convocado una nueva Cacería del Cuerno, y los cazadores que han prestado juramento están dispersos por muchos países.

damane: En la Antigua Lengua, literalmente «la Atada con Correa». Es el término con el que los seanchan denominan a las mujeres capaces de encauzar y a quienes mantienen prisioneras mediante el *a'dam*. A las mujeres con la capacidad de encauzar pero a las que todavía no se las ha hecho *damane*, se las llama *marath'damane*, que significa literalmente «Las que Deben Atarse con Correa». (Véanse *a'dam*; *seanchan* y *sul'dam*.)

Desmembramiento del Mundo, el: Durante la Época de Locura, los varones Aes Sedai, capaces de valerse del Poder Único hasta un grado ahora desconocido, modificaron en su enajenamiento la faz de la tierra. Provocaron grandes terremotos, arrasaron cordilleras de montañas, hicieron surgir nuevas cumbres, elevaron tierra firme en terrenos ocupados por mares y anegaron con océanos las tierras habitadas. Muchas partes del mundo quedaron completamente despobladas, y los supervivientes se vieron diseminados como polvo azotado por el viento. Esta destrucción es recordada en relatos, leyendas y en la historia como el Desmembramiento del Mundo. (Véase *Época de Locura.*)

935

Dragón, el: Nombre con que se conocía a Lews Therin Telamon durante la Guerra de la Sombra, hace unos tres mil años o más. Poseído por la misma locura que aquejó a todos los varones Aes Sedai, Lews Therin mató a todas las personas de su familia y a todos sus seres queridos, con lo que se ganó el nombre de Verdugo de la Humanidad. (Véanse *Dragón Renacido* y *Dragón, Profecías del.*)

Dragón, falso: Así se llama a los diversos hombres que han pretendido ser el Dragón Renacido. Algunos provocaron guerras en las que se vieron involucradas muchas naciones. A lo largo de los siglos, la mayoría han sido hombres incapaces de encauzar el Poder Único, pero unos cuantos lo han logrado. Todos, no obstante, han desaparecido o han sido capturados o ejecutados sin que se cumpliera ninguna de las Profecías del Dragón. Entre quienes fueron capaces de encauzar el Poder, los más poderosos fueron Raolin Perdición del Oscuro (335-336 DD), Yurian Arco Pétreo (alrededor de 1300-1308 DD), Davian (351 AL), Guaire Amalasan (939-943 AL), Logain (997 NE) y Mazrim Taim (998 NE). (Véase *Dragón Renacido.*)

Dragón, Profecías del: Apenas conocidas excepto entre los eruditos, y escasamente mencionadas, las Profecías, expuestas en *El Ciclo Karaethon*, predicen que el Oscuro volverá a liberarse para extender su mano sobre el mundo, y que Lews Therin Telamon, el Dragón, volverá a nacer para librar el Tarmon Gai'don, la Última Batalla, contra la Sombra. Según las Profecías, el Dragón salvará al mundo y volverá a desmembrarlo. (Véase *Dragón, el.*)

Dragón Renacido: De acuerdo con las Profecías, el hombre en el que se ha reencarnado Lews Therin Verdugo de la Humanidad. (Véanse *Dragón, el*; *Dragón, falso* y *Dragón, Profecías del.*)

Egwene al'Vere: Una joven de Campo de Emond, en la comarca de Dos Ríos, en Andor. Actualmente una Aceptada, se está instruyendo con las caminantes de sueños Aiel y posiblemente es una Soñadora. (Véanse *caminante de sueños* y *Talentos.*)

Elaida do Avriny a'Roihan: Aes Sedai que antes pertenecía al Ajah Rojo y que ha sido ascendida a Sede Amyrlin. En otra época actuó como consejera de la reina Morgase de Andor. A veces realiza predicciones.

Elayne de la casa Trakand: Hija de la reina Morgase y heredera del trono de Andor. Ha accedido al grado de Aceptada. Su emblema es un lirio dorado. (Véase *heredera del trono.*)

Enaila: Una Doncella Lancera, del septiar Jarra del clan Aiel Chareen. Muy quisquillosa en lo que se refiere a su estatura, demuestra una chocante actitud maternal hacia Rand al'Thor considerando que sólo es un año mayor que él.

encauzar: Controlar el flujo del Poder Único. (Véase *Poder Único.*)

Entramado de una Era: La Rueda del Tiempo teje los hilos de las vidas humanas formando el Entramado de una Era, con frecuencia denominado simplemente el Entramado, el cual compone la sustancia de la realidad de dicha Era. (Véase *ta'veren.*)

Época de Locura: Los años transcurridos después de que el contraataque del Oscuro contaminara la mitad masculina de la Fuente Verdadera, cuando los varones Aes Sedai enloquecieron y desmembraron el mundo. Se desconoce la duración exacta de este período, aun cuando existe la creencia de que se prolongó casi un siglo. Únicamente finalizó por completo con la muerte del último varón Aes Sedai. (Véanse *Fuente Verdadera* y *Poder Único.*)

Era de Leyenda: La era concluida con la Guerra de la Sombra y el Desmembramiento del Mundo, una época en que los Aes Sedai ejecutaron prodigios que actualmente sólo caben en la imaginación. (Véanse *Desmembramiento del Mundo*; *Guerra de la Sombra* y *Rueda del Tiempo.*)

espontánea: Una mujer que ha aprendido a encauzar el Poder Único por sus propios medios y ha sobrevivido a la crisis que sólo una de cada cuatro supera. Dichas mujeres suelen erigir barreras con el fin de no conocer racionalmente lo que hacen, pero, si finalmente logran desprenderse de tal actitud defensiva, las espontáneas llegan a situarse entre las más poderosas encauzadoras. Este término se utiliza a menudo en sentido despectivo.

Faolain Orande: Una Aceptada a la que no le gustan las espontáneas.

Far Dareis Mai: En la Antigua Lengua, literalmente «Doncellas Lanceras». Una asociación guerrera Aiel, la cual, a diferencia de las demás, únicamente admite mujeres como miembros. A una Doncella no le está permitido casarse y permanecer en la sociedad, ni luchar durante los meses de gestación. Al nacer, los hijos de las Doncellas son entregados a otra mujer para que se encargue de su crianza, de tal modo que nadie sepa quién fue la madre del pequeño. («No puedes pertenecer a un hombre, ni tener hombre ni hijo. La lanza es tu amante, tu hijo y tu vida.») (Véanse también *Aiel* y *asociaciones guerreras Aiel.*)

Fuente Verdadera: La fuerza vital del universo que hace girar la Rueda del Tiempo. Está dividida en una mitad masculina (*Saidin*) y una mitad femenina (*Saidar*), las cuales interactúan colaborando y enfrentándose a un tiempo. Únicamente un hombre puede absorber el *Saidin*; únicamente una mujer puede absorber el *Saidar*. Desde el inicio de la Época de Locura, el *Saidin* permanece contaminado a causa del contacto del Oscuro. (Véase *Poder Único.*)

937

Gaidal Cain: Un famoso espadachín mencionado en leyendas y en la historia, al que siempre se vincula con Birgitte y del que se dice que era tan apuesto como hermosa era ella. Se dice que era invencible cuando pisaba su suelo natal. Es uno de los héroes llamados a volver de la tumba cuando suene el Cuerno de Valere. (Véanse también *Birgitte* y *Cuerno de Valere.*)

Gaidin: En la Antigua Lengua, literalmente, «Hermano para Batallas». Un título utilizado por las Aes Sedai para designar a los Guardianes. (Véase *Guardián.*)

gai'shain: En la Antigua Lengua «Comprometidos con la Paz en la Batalla». Un Aiel tomado prisionero por otro Aiel durante una incursión o batalla queda obligado por el *ji'e'toh* a servir a su aprehensor sumisa y obedientemente durante un año y un día, y en ese plazo no puede tocar una arma ni actuar con violencia. Existe la posibilidad de que no se tome como *gai'shain* a una Sabia, un herrero, un niño o una mujer con hijos menores de diez años.

Galad: Lord Galadedrid Damodred, más conocido por el diminutivo Galad. Hermanastro de Elayne y Gawyn, pues los tres son hijos del príncipe Taringail Damodred. Su insignia es una espada de plata alada, con la punta hacia abajo.

Gareth Bryne: Anteriormente el capitán general de la Guardia Real de Andor y a quien Morgase exilió. Está considerado como uno de los mejores generales vivos. El emblema de la casa Bryne es un toro salvaje, con la corona de rosas de Andor alrededor del cuello. Su insignia personal representa tres estrellas doradas, con cinco rayos cada una.

Gawyn de la casa Trakand: Hijo de la reina Morgase y hermano de Elayne, que será Primer Príncipe de la Espada cuando Elayne ascienda al trono. Su emblema es un jabalí blanco.

Gran Llaga, la: Una región situada en los confines del norte, totalmente corrompida por el Oscuro. Guarida de trollocs, Myrddraal y otras criaturas del Oscuro.

Gran Señor de la Oscuridad: El nombre que dan los Amigos Siniestros al Oscuro, en la creencia de que el uso de su verdadero nombre resultaría blasfemo.

Gran Serpiente: Símbolo del tiempo y la eternidad cuyos orígenes se remontan a una época anterior a la Era de Leyenda, que representa a una serpiente mordiéndose la cola. Las mujeres que acceden al grado de Aceptadas entre las Aes Sedai reciben un anillo moldeado con la forma de la Gran Serpiente.

Grandes Señores de Tear: El consejo de Grandes Señores gobierna la nación de Tear, que no tiene soberano. No se compone de un número fijo de miembros y a lo largo de los años su composición ha variado desde veinte componentes a tan sólo seis. No se ha de confundir con los Señores de la Tierra, aristócratas tearianos de menor categoría.

Guardián: Un guerrero vinculado a una Aes Sedai. El lazo que los une proviene del Poder Único y, por medio de él, el Guardián recibe dones entre los que se cuentan la rápida curación de las heridas, la posibilidad de resistir largos períodos sin comida, bebida o reposo y la capacidad de detectar la infección del Oscuro a cierta distancia. Mientras el Guardián permanezca con vida, la Aes Sedai a quien está vinculado tendrá conciencia no sólo de que sigue vivo sino también de en qué dirección se halla, por muy lejos que se encuentre y, cuando muera, conocerá el momento y el modo en que ha muerto. El vínculo crea una especie de percepción tanto en la Aes Sedai como en el Guardián respecto a las condiciones físicas y emocionales del otro. Mientras que la mayoría de los Ajahs sostienen que una Aes Sedai puede disponer de un solo Guardián unido a ella, el Ajah Rojo rechaza el nexo con cualquier Guardián y el Ajah Verde cree que una Aes Sedai es libre de disponer de tantos Guardianes como desee. Éticamente, el Guardián debe acceder a establecer la vinculación, pero se tienen noticias de casos en que ésta se le impuso en contra de su voluntad. Los beneficios que obtienen las Aes Sedai de esta unión constituyen un secreto celosamente guardado. (Véase *Aes Sedai.*)

Guerra de Aiel: (976-978 NE) Cuando el rey Laman de Cairhien cortó el *Avendoraldera*, cuatro clanes Aiel atravesaron la Columna Vertebral del Mundo, y saquearon y quemaron la capital de Cairhien así como otras muchas ciudades y pueblos. El conflicto se propagó hasta Andor y Tear. Oficialmente se sostiene que los Aiel fueron finalmente derrotados en la Batalla de las Murallas Resplandecientes, delante de Tar Valon, pero, de hecho, el rey Laman pereció en dicha batalla y, habiendo cumplido su objetivo, los Aiel volvieron a cruzar la Columna Vertebral del Mundo. (Véanse *Avendoraldera*; *Cairhien* y *Columna Vertebral del Mundo.*)

Guerra de la Sombra: También conocida como Guerra del Poder. Comenzó poco tiempo después de que se efectuara un intento de liberar al Oscuro, y pronto se vieron involucradas en ella todas las naciones. En un mundo donde incluso el recuerdo de la guerra había caído en el olvido, se redescubrieron todos y cada uno de los rostros de la guerra, a menudo desfigurados por la mano del Oscuro que se cernía sobre el mundo, y el Poder Único fue utilizado como arma. La guerra se concluyó volviendo a sellar las puertas de la prisión del Oscuro en un ataque llevado a cabo por Lews Therin Telamon, el

Dragón, y un centenar de varones Aes Sedai conocidos como los Cien Compañeros. El contraataque del Oscuro tuvo por resultado la contaminación del *Saidin*, lo que hizo enloquecer a Lews Therin y a los Cien Compañeros, con lo que comenzó la Época de Locura. (Véanse *Dragón, el*; *Poder Único* y *Época de Locura*.)

Guerra de los Cien Años: Una serie de guerras sucesivas entre alianzas de naciones constantemente modificadas, precipitada por la muerte de Artur Hawkwing y las luchas por acceder al control de su imperio que ésta acarreó. Esta contienda dejó despobladas extensas zonas de las naciones situadas entre el Océano Aricio y el Yermo de Aiel y entre el Mar de las Tormentas y la Gran Llaga. La destrucción tuvo tal alcance que apenas se conservan algunos documentos dispersos sobre la época. El imperio de Artur Hawkwing se desmoronó, lo que dio lugar a la actual distribución de naciones. (Véase *Artur Hawkwing*.)

Guerra de los Trollocs: Una serie de guerras, iniciadas hacia el 1000 DD, que se prolongaron durante más de tres siglos, a lo largo de los cuales los trollocs arrasaron el mundo. Finalmente los trollocs fueron abatidos u obligados a refugiarse en la Gran Llaga, pero algunas naciones dejaron de existir, mientras que otras quedaron casi despobladas. Toda la información que resta sobre aquel período es fragmentaria.

Guerra del Poder: Véase *Guerra de la Sombra*.

heredera del trono: La hija mayor de la reina de Andor, la cual sucede en el trono a su madre. Si la reina no tiene ninguna hija, la corona pasa a la mujer de parentesco más próximo a ella. Las disensiones sobre quién está más cerca en la línea sucesoria han desembocado en luchas por el poder en varias ocasiones, la última conocida como «la Sucesión» en el propio Andor, y como «la Tercera Guerra de Sucesión de Andor» en el resto de los países, y que llevó a Morgase de la casa Trakand a ocupar el trono.

Hijos de la Luz: Una asociación que no debe sumisión a reino alguno, que mantiene estrictas creencias ascéticas y está consagrada a derrotar al Oscuro y a la destrucción de todos los Amigos Siniestros. Fundada durante la Guerra de los Cien Años por Lothair Mantelar para perseguir al creciente número de Amigos Siniestros, se transformó durante la guerra en una organización de marcado carácter militar, de creencias extremadamente rígidas, entre las que destaca la certeza de que ellos son los únicos que se hallan en posesión de la verdad. Profesan un profundo odio por las Aes Sedai, a las cuales consideran, al igual que a sus simpatizantes, Amigos Siniestros. Se los conoce despectivamente como Capas Blancas, y su emblema es un sol dorado sobre fondo blanco.

Illian: Gran ciudad portuaria del Mar de las Tormentas, capital de la nación del mismo nombre.

Isendre: Una bella y ambiciosa mujer que incurrió en la cólera de la peor mujer que podía buscarse como enemiga y que por una vez en la vida dijo la verdad cuando negó que no había robado.

ji'e'toh: En la Antigua Lengua «honor y obligación» u «honor y servicio». Es el complejo código por el que se rigen los Aiel y cuya explicación ocuparía una estantería de volúmenes. Como primer ejemplo, hay muchos modos de obtener honor en la batalla, el menor de los cuales es matar, ya que cualquiera puede hacerlo, y el mayor es tocar a un enemigo vivo y armado sin causarle daño. En algún punto intermedio entre el uno y el otro está el hacer *gai'shain* a un enemigo. Como segundo ejemplo, la vergüenza, que también tiene muchos niveles en el *ji'e'toh*, está considerada en muchos de esos niveles peor que el dolor, las heridas o incluso la muerte. Un tercer ejemplo: hay también muchos grados del *toh*, u obligación, pero incluso al menos importante ha de darse pleno cumplimiento. El *toh* tiene más peso que cualquier otra consideración, hasta el punto de que un Aiel a menudo acepta la vergüenza, si es preciso, para cumplir una obligación que a cualquier extranjero podría parecerle insignificante. (Véase *gai'shain*.)

Juego de las Casas: Nombre dado a las intrigas, conspiraciones y manipulaciones urdidas por las casas nobles para conseguir ventajas. En él se da gran valor a la sutileza y a la simulación, al aparentar apuntar a un objetivo cuando en realidad se dedican las energías a otro y a obtener resultados con el menor esfuerzo aparente. También conocido como el Gran Juego y por su nombre en la Antigua Lengua: *Daes Dae'mar.*

juglar: Un narrador de historias, músico, malabarista, acróbata y animador errante. Conocidos por sus singulares capas de parches multicolores, actúan normalmente en los pueblos y ciudades pequeñas.

Juilin Sandar: Un rastreador de Tear.

Juramentos, los Tres: Los juramentos que presta una Aceptada al ascender a la condición de Aes Sedai. Se pronuncian asiendo la Vara Juratoria, un *ter'angreal* que les confiere un carácter vinculante, y que son: 1) No decir nunca algo que no sea cierto. 2) No fabricar ninguna arma con la que un hombre pueda matar a otro. 3) No utilizar nunca el Poder como arma salvo contra los Engendros de la Sombra o, como último recurso, en defensa de la propia vida, la del propio Guardián o de otra Aes Sedai. El segundo juramento fue el primero en adoptarse, como reacción a la Guerra del Poder. Aunque se mantiene al pie de la letra, el primero suele ser eludido por medio de una cuidadosa selección de las palabras. Existe la creencia de que los dos últimos son inviolables.

Kadere, Hadnan: Un supuesto buhonero que lamenta haber puesto los pies en el Yermo de Aiel.

Lamgwin Dorn: Un tipo duro de las calles de Caemlyn y un camorrista, que es leal a su reina.

Lan, al'Lan Mandragoran: Un Guardián, vinculado a Moraine. Rey no coronado de Malkier, Dai Shan (Señor de la Guerra) y el último señor superviviente malkieri. (Véanse *Guardián*; *Moraine* y *Malkier*.)

Lanfear: En la Antigua Lengua, «Hija de la Noche». Una de las Renegadas. A diferencia de los demás Renegados, fue ella quien eligió este nombre. Se dice que estuvo enamorada de Lews Therin Telamon y que profesaba un profundo odio por su esposa, Ilyena. (Véanse *Renegados* y *Dragón, el*.)

Leane Sharif: Antes una Aes Sedai del Ajah Azul y Guardiana de las Crónicas. Ahora ha sido depuesta y neutralizada, y su principal afán es volver a encontrarse a sí misma. (Véase *Ajah*.)

Lews Therin Telamon, Verdugo de la Humanidad: Véase *Dragón, el*.

Liandrin: Una Aes Sedai de Tarabon que pertenecía al Ajah Rojo. Se sabe que ahora forma parte del Ajah Negro.

Lini: Antigua nodriza de lady Elayne, y anteriormente de Morgase, su madre, y también de su abuela. Es una mujer de gran fortaleza interior, muy perspicaz y conocedora de infinidad de dichos.

Logain: Un hombre que se proclamó el Dragón Renacido y fue amansado. (Véase *Dragón, falso*.)

Lugard: Capital de Murandy, aunque sólo de nombre, ya que esa nación es un mosaico de multitud de feudos leales a distintos nobles, y quienquiera que se siente en el trono rara vez posee un verdadero control incluso en la propia ciudad. Lugard es un centro de comercio de primer orden, así como terreno abonado para el latrocinio, la corrupción y el libertinaje, de modo que tiene, merecidamente, muy mala fama.

Llaga, La: Véase *Gran Llaga, la*.

Llama de Tar Valon: Símbolo de Tar Valon, de la Sede Amyrlin y de las Aes Sedai. Una representación estilizada de una llama; una lágrima blanca con la parte más delgada hacia arriba.

Maighande: Una de las principales batallas de la Guerra de los Trollocs. La victoria conseguida allí por la humanidad fue el inicio de la larga ofensiva que finalmente confinó de nuevo a los trollocs en la Gran Llaga. (Véanse *Gran Llaga, la* y *Guerra de los Trollocs*.)

Malkier: Una nación que formaba antaño parte de las Tierras Fronterizas, ahora consumida por La Llaga. La enseña de Malkier era una grulla dorada volando.

Manetheren: Una de las Diez Naciones aliadas en el Segundo Pacto y también la capital de dicha nación. Tanto la ciudad como el reino fueron completamente arrasados durante la Guerra de los Trollocs. (Véase *Guerra de los Trollocs.*)

Mat Cauthon: Un joven de Campo de Emond, de la comarca de Dos Ríos, en Andor, que es *ta'veren* y muy afortunado en los juegos de azar. Su nombre de pila completo es Matrim.

Mayene: Ciudad-estado del Mar de las Tormentas que históricamente ha estado supeditada a la opresión de Tear. El título del dirigente de Mayene es «el Principal»; los Principales afirman ser descendientes de Artur Hawkwing. El emblema de Mayene es un halcón dorado en posición de vuelo, sobre campo azul.

Mazrim Taim: Un falso Dragón que causó estragos en Saldaea hasta que fue derrotado y capturado. No sólo puede encauzar, sino que al parecer es muy fuerte en el Poder. (Véase *Dragón, falso.*)

medidas de longitud: 1 pie = 30 cm; 3 pies = 1 paso (90 cm); 2 pasos = 1 espán (1,8 m); 1.000 espanes = 1,8 km; 1 legua = 7,3 km.

Melaine: Caminante de sueños y Sabia del septiar Jhirad de los Goshien Aiel. (Véase *caminante de sueños.*)

Melindhra: Una Doncella Lancera del septiar Jumai de los Shaido Aiel. Su lealtad está dividida. (Véase *asociaciones guerreras Aiel.*)

Min: Una joven que posee la capacidad de leer señales relacionadas con las personas en las aureolas que a veces percibe en torno a ellas.

Moraine: Una Aes Sedai del Ajah Azul. Del linaje de la casa Damodred, aunque no en la línea sucesoria del trono, se crió en el Palacio Real de Cairhien. Rara vez utiliza su nombre de casa y mantiene su conexión con ella tan en secreto como le es posible.

Morgase: Por la gracia de la Luz, reina de Andor, Defensora del Reino, Protectora del Pueblo, Cabeza Insigne de la casa Trakand. Su emblema consta de tres llaves doradas. La enseña de la casa Trakand es una piedra angular de plata.

Myrddraal: Criaturas del Oscuro, bajo cuyo mando se encuentran los trollocs. Deformes descendientes de los trollocs en los que la materia humana utilizada para crear a los trollocs ha regresado a la superficie, pero infectada por la malignidad que generó a los trollocs. Físicamente son como los hombres, exceptuando el hecho de que no tienen ojos, aun cuando dispongan de la agudeza visual de un águila, tanto de día como de noche. Gozan de ciertos poderes emanados del

943

Oscuro, entre los que se cuenta la capacidad de paralizar de terror con la mirada y la posibilidad de esfumarse en los lugares que se hallan a oscuras. Uno de sus pocos puntos débiles de que se tiene conocimiento en su renuencia a cruzar cualquier corriente de agua. En diferentes países se los conoce con muchos nombres, entre ellos: Semihombres, Seres de Cuencas Vacías, Hombres de la Sombra, Acechantes, Perseguidores y Fados.

Natael, Jasin: Alias utilizado por Asmodean, uno de los Renegados.

neutralización: La acción, realizada por Aes Sedai, mediante la cual se corta el acceso al Poder Único de una mujer capaz de encauzarlo. La mujer que ha sido neutralizada detecta la Fuente Verdadera, pero no puede establecer contacto con ella. Son tan contados los casos de neutralización que las novicias deben aprender los nombres de todas las mujeres que la han padecido y los delitos por los que recibieron el castigo. Oficialmente, la neutralización es la consecuencia del juicio y la sentencia por un delito. Cuando ocurre de manera accidental, se lo llama «consunción», pero en la práctica se suele utilizar el término «neutralización» para ambos casos. Las mujeres que han sido neutralizadas rara vez sobreviven mucho tiempo; parecen renunciar a la vida y fallecen.

Niall, Pedron: Capitán general de los Hijos de la Luz. (Véase *Hijos de la Luz.*)

Nynaeve al'Meara: Una mujer que ha sido Zahorí de Campo de Emond, un pueblo de la comarca de Dos Ríos, en el reino de Andor, y que ahora es una de las Aceptadas.

Ogier: Una raza no humana, caracterizada por una gran estatura (diez pies de altura media en los varones adultos), anchas narices casi hocicudas y largas orejas copetudas. Viven en áreas llamadas *steddings*, que rara vez abandonan, y suelen mantener escaso contacto con los hombres. Los humanos apenas conocen detalles acerca de ellos y son muchos los que creen que los Ogier son sólo seres de leyenda. Su destreza como albañiles y canteros es extraordinaria y son obra suya la mayoría de las urbes edificadas después del Desmembramiento del Mundo.

Oscuro: El nombre más comúnmente utilizado en todos los países para mencionar a Shai'tan. El origen del mal, la antítesis del Creador. Encarcelado por el Creador en el momento de la Creación en una prisión de Shayol Ghul. El intento de liberarlo de ella desencadenó la Guerra de la Sombra, la contaminación del *Saidin*, el Desmembramiento del Mundo y el fin de la Era de Leyenda.

Oscuro, nombrar al: El hecho de pronunciar el verdadero nombre del

Oscuro (Shai'tan) atrae su atención, lo que acarrea inevitablemente desgracias y mala suerte. Por ese motivo, se utilizan innumerables eufemismos, entre los que se encuentran el Oscuro, Padre de las Mentiras, Cegador de la Vista, Señor de la Tumba, Pastor de la Noche, Ponzoña del Corazón, Ponzoña del Alma, Colmillo del Corazón, Viejo Siniestro, Arrasador de la Hierba y Marchitador de las Hojas. Los Amigos Siniestros lo llaman Gran Señor de la Oscuridad. Con frecuencia se aplica la expresión «nombrar al Oscuro» a las personas que parecen abrir sus puertas al infortunio.

Poder Único, el: El poder que se obtiene de la Fuente Verdadera. La gran mayoría de las personas está incapacitada para aprender a encauzarlo. Un reducido número puede llegar a hacerlo recibiendo enseñanzas de expertos y algunas, las menos, disponen de una capacidad innata para entrar en contacto con la Fuente Verdadera y encauzar el Poder involuntariamente, sin siquiera ser conscientes a veces de ello. Esta disposición innata suele manifestarse al final de la adolescencia o en el inicio de la edad adulta. Si nadie les enseña a controlar el Poder o no aprenden por sí solos a hacerlo (lo cual es extremadamente difícil y únicamente llega a conseguir uno de cada cuatro), están destinados a una muerte segura. Desde la Época de la Locura, ningún varón ha sido capaz de encauzar el Poder sin acabar enloqueciendo de un modo espantoso, aun cuando hubiera logrado cierto control, para luego morir a causa de una devastadora enfermedad que hace que quienes la padecen se descompongan vivos, y que está producida, al igual que la locura, por la contaminación del Oscuro en el *Saidin*. (Véanse *Aes Sedai*; *Cinco Poderes, los*; *encauzar*; *Época de Locura* y *Fuente Verdadera*.)

Rand al'Thor: Un joven de Campo de Emond, de la comarca de Dos Ríos, en Andor, que es *ta'veren*. Antes fue pastor de ovejas. Ahora ha sido proclamado como el Dragón Renacido, así como El que Viene con el Alba, del que se profetizó que uniría a los Aiel. Muy probablemente sea también el Coramoor —o el Elegido— esperado por los Marinos. (Véanse *Aiel* y *Dragón Renacido, el*.)

Renegados, los: Nombre otorgado a los trece Aes Sedai más descollantes de la Era de Leyenda y, por ende, los más poderosos que se hayan conocido nunca, los cuales se incorporaron a las filas del Oscuro durante la Guerra de la Sombra a cambio de la promesa de inmortalidad. Se designan a sí mismos «los Elegidos». De acuerdo con las leyendas y los fragmentos de documentos históricos conservados, fueron encarcelados junto con el Oscuro cuando volvió a sellarse su prisión. Sus nombres aún se utilizan hoy en día para asustar a los niños, y son: Aginor,

Asmodean, Balthamel, Be'lal, Demandred, Graendal, Ishamael, Lanfear, Mesaana, Moghedien, Rahvin, Sammael y Semirhage.

Rhuarc: Un Aiel, jefe del clan de los Taardad Aiel.

Rhuidean: Una urbe, la única del Yermo de Aiel, cuya existencia es desconocida por el resto del mundo. Durante casi tres mil años permaneció abandonada, y antaño a los hombres Aiel se les permitía entrar en ella una sola vez a fin de someterse a una prueba, dentro de un gran *ter'angreal*, con la que demostraban su capacidad para convertirse en jefe de clan (sólo un hombre de cada tres sobrevivía a la experiencia), mientras que las mujeres podían hacerlo en dos ocasiones, también para pasar una prueba en el mismo *ter'angreal* y así convertirse en Sabias, si bien la media de supervivencia entre ellas era considerablemente superior en ambas visitas. En la actualidad, la ciudad vuelve a estar habitada por Aiel, y el extremo del valle de Rhuidean lo ocupa un gran lago que se alimenta de un océano subterráneo de agua dulce, y que a su vez da origen al único río del Yermo.

Ronda Macura: Una modista de Amadicia que intenta servir a demasiados amos y amas sin saber quiénes son todos.

Rueda del Tiempo: El tiempo es una rueda con siete radios, cada uno de los cuales constituye una Era. Con el girar de la Rueda, las Eras vienen y van, dejando recuerdos que se convierten en leyendas y luego en mitos, para caer en el olvido llegado el momento del retorno de una Era. El Entramado de una Era es ligeramente distinto cada vez que se inicia dicho período y está progresivamente sujeto a cambios de mayor consideración.

sa'angreal: Un objeto que permite que un individuo pueda encauzar, sin sufrir daños, una gran cantidad de Poder Único. Un *sa'angreal* es similar a un *angreal*, pero mucho más poderoso que éste. La diferencia en la cantidad de Poder que puede manejarse con un *sa'angreal* y la que permite esgrimir un *angreal* es equiparable a la que media entre el Poder utilizado con un *angreal* y el poseído sin ninguna clase de ayuda. Son vestigios de la Era de Leyenda, cuyo método de elaboración se desconoce hoy en día. Al igual que con los *angreal*, también hay *sa'angreal* para su uso específico por hombres o mujeres. Quedan muy pocos ejemplares, muchísimo más escasos que los *angreal*.

Sabia: Entre los Aiel, las Sabias son mujeres elegidas por otras Sabias para instruirlas en el arte de la curación, en el uso de las hierbas y en otras materias, de un modo muy parecido a las Zahoríes. Por lo general sólo hay una Sabia para cada clan o dominio de septiar. Ostentan una gran autoridad, así como una poderosa influencia sobre los jefes de septiares y clanes, aunque a menudo estos hombres las acusen de entremeterse demasiado en sus asuntos. Las Sabias no se involucran en pleitos de sangre y batallas entre clanes, y de acuerdo con el *ji'e'toh* no se les debe hacer daño ni poner trabas de ningún tipo a su labor. Algunas de estas mujeres pueden encauzar, pero es una habilidad que no hacen pública. En la actualidad hay tres Sabias que son caminantes de sueños, entre otras cosas. (Véanse *caminante de sueños; ji'e'toh* y *Tel'aran'rhiod*.)

Saidar, Saidin: Véase *Fuente Verdadera*.

seanchan: 1) Descendientes de los ejércitos que mandó Artur Hawkwing al otro lado del Océano Aricio y que conquistaron aquellas tierras. Consideran que cualquier mujer capaz de encauzar debe estar controlada para seguridad de los demás, y, por la misma razón, que ha de darse muerte a cualquier hombre que pueda encauzar. 2) Seanchan: la tierra de donde proceden los seanchan.

Sede Amyrlin: 1) Título de la dirigente de las Aes Sedai. Elegida vitaliciamente por la Antecámara de la Torre, el máximo consejo de las Aes Sedai, que consta de tres representantes (llamadas Asentadas) procedentes de cada uno de los siete Ajahs. La Sede Amyrlin posee, al menos en teoría, una autoridad casi suprema entre las Aes Sedai. Su rango es equiparable al de un rey o reina. La forma de tratamiento ligeramente menos formal para referirse a ella es la Amyrlin. 2) El trono en el que se sienta la dirigente de las Aes Sedai.

Señores del Espanto: Los hombres y mujeres que, disponiendo de la capacidad de encauzar el Poder Único, pasaron al servicio de la Sombra durante la Guerra de los Trollocs y cumplieron las funciones de comandantes de las huestes de trollocs y Amigos Siniestros. Las gentes ignorantes los confunden a veces con los Renegados.

Shayol Ghul: Una montaña ubicada en las Tierras Malditas, más allá de La Llaga, donde está encarcelado el Oscuro.

Siuan Sanche: La hija de un pescador teariano que, de acuerdo con las leyes de Tear, fue embarcada con destino a Tar Valon antes de la segunda puesta de sol después de que se descubriera que tenía potencial para encauzar. Perteneció al Ajah Azul y fue ascendida a Sede Amyrlin en el 988 NE, pero ahora ha sido depuesta y neutralizada. Su meta actual es evitar el destino que teme le espera.

Soñadora: Véase *Talentos*.

sul'dam: Literalmente, Asidora de la Correa. Es el término seanchan para designar a una mujer que ha superado las pruebas que demuestran que es capaz de llevar el brazalete de un *a'dam* y controlar, por consiguiente, a una *damane*. En Seanchan se considera un honor desempeñar este cometido, que confiere una posición respetable en la sociedad. Muy pocas personas saben que las *sul'dam* son, de hecho, mujeres a quienes se podría enseñar a encauzar. (Véanse *a'dam; damane* y *seanchan*.)

Talentos: Habilidades en el uso del Poder Único en áreas concretas. El más conocido es, por supuesto, la Curación. Algunos, como el Viaje (la capacidad de desplazarse de un sitio a otro sin cruzar el espacio que media entre ellos), se han perdido. Otros como la Predicción (la posibilidad de prever acontecimientos futuros, pero de una manera general) se dan en muy contadas ocasiones. Otro Talento que se tenía por perdido desde hace tiempo es el del Sueño, en el que se incluye, entre otras cosas, la interpretación de los sueños de la Soñadora para augurar eventos futuros de una manera más específica que en el caso de la Predicción. Algunas Soñadoras estaban dotadas para entrar en el *Tel'aran'rhiod*, el Mundo de los Sueños, y se dice que incluso en los sueños de otras personas. La última Soñadora conocida fue Corianin Nedeal, que falleció en el 526 NE, pero actualmente hay otra, si bien su condición es conocida por pocas personas. (Véase *Tel'aran'rhiod*.)

Tallanvor, Martyn: Lugarteniente de la Guardia Real que ama a su reina más que a la vida o al honor.

ta'maral'ailen: En la Antigua Lengua, «Trama del Destino». Un gran cambio en el Entramado de una Era, centrado alrededor de una o varias personas que sean *ta'veren*. (Véanse *Entramado de una Era* y *ta'veren*.)

Tanchico: Capital de Tarabon. (Véase *Tarabon*.)

Tarabon: Nación bañada por el Océano Aricio. En otros tiempos un país con un gran desarrollo comercial, exportador, entre otros productos, de alfombras, tintes y fuegos artificiales producidos por la Corporación de Iluminadores, está ahora en decadencia por los estragos de una guerra civil y las contiendas entabladas contra Arad Doman y los partidarios del Dragón Renacido.

Tarmon Gai'don: La Última Batalla. (Véanse *Dragón, Profecías del* y *Cuerno de Valere*.)

ta'veren: Una persona en torno a la cual la Rueda del Tiempo teje los hilos vitales de quienes se hallan a su alrededor, quizá de la *totalidad* de los hilos de las vidas, para formar una Trama del Destino. (Véanse *Entramado de una Era* y *ta'maral'ailen*.)

Tear: Una nación a orillas del Mar de las Tormentas y su capital, una gran ciudad portuaria. El emblema de Tear es tres lunas crecientes sobre un fondo mitad rojo y mitad dorado. (Véase *Ciudadela de Tear*.)

Telamon, Lews Therin: Véase *Dragón, el*.

Tel'aran'rhiod: En la Antigua Lengua, «el Mundo Invisible» o «el Mundo de los Sueños». Un mundo entrevisto en sueños que, según las creencias de los antiguos, impregnaba y rodeaba el resto de los mundos posibles. Muchas personas pueden entrar unos pocos segundos en el *Tel'aran'rhiod* mientras duermen, pero son muy pocas las que han tenido la habilidad de entrar en él a voluntad. A diferencia de los sueños comunes, lo que les ocurre a los seres vivos en el Mundo de los Sueños es real; una herida recibida allí seguirá existiendo al despertar, y quien muera allí ya no despertará. (Véase *ter'angreal*.)

ter'angreal: Una clase específica de los objetos que quedaron de la Era de Leyenda que utilizan el Poder Único. A diferencia de los *angreal* y *sa'angreal,* cada *ter'angreal* fue creado para realizar una función concreta. Las Aes Sedai usan algunos de ellos, pero desconocen los cometidos originales de la gran mayoría. Unos requieren que se encauce para funcionar, mientras que otros puede utilizarlos cualquier persona. Algunos causan la muerte o destruyen la capacidad para encauzar de cualquier mujer que los utilice. Como ocurre con los *angreal* y los *sa'angreal,* su método de elaboración se desconoce desde el Desmembramiento del Mundo. (Véanse *angreal* y *sa'angreal.*)

términos Aiel de parentesco: Las relaciones familiares Aiel se expresan de formas complejas que resultan muy enrevesadas para los forasteros, pero que los Aiel consideran precisas. Unos cuantos ejemplos bastarán para demostrarlo, ya que sería necesario todo un libro para dar una explicación completa. Primer hermano y primera hermana son aquellos que tienen la misma madre. Segundo hermano y segunda hermana se refieren a los hijos de la primera hermana o primer hermano de la madre de uno, mientras que las madres segundas y los padres segundos son hermanas primeras y hermanos primeros de la madre de uno. Abuelo y abuela se refieren al padre o la madre de la madre de uno, mientras que a los padres del padre de uno se los llama abuelo segundo y abuela segunda; uno está más próximo, en términos consanguíneos, a la madre que al padre. A partir de ahí, las otras categorías de parentescos se van complicando más y más, embrollándose por factores tales como la posibilidad de que unos amigos íntimos se adopten entre sí como hermanos primeros o hermanas primeras. También se considera la alternativa de que unas mujeres Aiel que sean amigas íntimas a veces se casen con el mismo hombre, convirtiéndose de ese modo en hermanas conyugales, y si además se unen en matrimonio entre sí al igual que con él, entonces la relación es incluso más enrevesada.

Thom Merrilin: Un juglar muy poco corriente. (Véase *juglar.*)

Tierras Fronterizas, las: Las naciones que bordean la Gran Llaga: Saldaea, Arafel, Kandor y Shienar. Su historia es una sucesión continua de ataques y guerras contra trollocs y Myrddraal. (Véase *Gran Llaga, la*.)

trollocs: Criaturas del Oscuro, creadas durante la Guerra de la Sombra. De elevada estatura, son una deforme mezcolanza de animal y materia humana. Están divididos en bandas de carácter tribal, entre las principales de las cuales se encuentran los Dha'vol, Dhai'mon y Ko'bal. Perversos por naturaleza, matan por el mero placer de dar muerte. Engañosos y traidores, únicamente quienes les infunden temor pueden confiar en ellos.

unidades de peso: 1 estón = 5 kg; 10 estones = 1 quintal (50 kg); 1 quintal métrico = 100 kg; 10 quintales métricos = 1 tonelada.

Urdimbre de una Era: Véase *Entramado de una Era*.

Yermo de Aiel: El inhóspito, accidentado y casi estéril país situado al este de la Columna Vertebral del Mundo, y al que los Aiel llaman la Tierra de los Tres Pliegues. Son pocos los forasteros que se aventuran en él, ya que los Aiel se consideran en guerra con todos los otros pueblos y no reciben con buenos ojos a los extranjeros. Los buhoneros, los juglares y los Tuatha'an son los únicos a quienes se les permite entrar libremente, aunque los Aiel evitan todo contacto con estos últimos, a los que llaman «los Errantes». No se conoce la existencia de ningún mapa del Yermo.

Zahorí: En los pueblos, una mujer elegida por el Círculo de Mujeres por sus conocimientos como curandera, su habilidad para predecir el tiempo y su sentido común. Generalmente la importancia de su posición se consideraba equiparable a la del alcalde y, en algunas localidades, incluso superior. La Zahorí es designada de por vida y es muy raro que alguna de ellas sea destituida de su cargo antes de morir. Según los países, su función se designa con nombres distintos, como Guía, Curandera, Mujer Sabia, Sabia o Indagadora.

ÍNDICE